DIREITO PENAL

Direito penal: teoria do delito e da sanção penal, crimes do Código Penal, crimes da legislação especial e temas complementares

1ª edição: Novembro 2021

Direitos reservados desta edição: Boutique Jurídica Editora

Autor

David Medina da Silva

Revisão

Henrique de Souza

Rebeca Michelotti

Capa: Jéssica Wendy

DADOS INTERNACIONAIS DE CATALOGAÇÃO NA PUBLICAÇÃO (CIP)

Silva, David Medina da
   Direito penal : teoria do delito e da sanção penal crimes do código penal principais crimes especiais temas complementares / David Medina da Silva. — São Paulo : Boutique Jurídica, 2021.
   1.024 p.

ISBN 978-65-5047-126-2

1. Direito penal 2. Legislação – Brasil I. Título

21-5354

CDD 343(81)

Angélica Ilacqua - Bibliotecária - CRB-8/7057

Produção editorial e distribuição:

contato@citadel.com.br
www.citadeleditora.com.br

DAVID MEDINA DA SILVA

DIREITO PENAL

Teoria do delito e da sanção penal, crimes do Código Penal, crimes da legislação especial e temas complementares

BOUTIQUE
JURÍDICA

*Para meu filho Felipe David e
para meu mestre José Fernando Gonzalez.*

SUMÁRIO

Apresentação 17

1. Introdução ao estudo do Direito Penal 19
   1.1 Definição de Direito Penal............................... 19
   1.2 Finalidade do Direito Penal 21
   1.3 Relações do Direito Penal............................... 23
   1.4 Direito Penal no Estado Democrático De Direito 29
   1.5 O princípio da legalidade e as leis penais brasileiras 32
   1.6 Espécies de infrações e sanções penais................... 34
   1.7 Divisões do Direito Penal................................ 38
   1.8 História do Direito Penal geral e brasileiro 40
   1.9 Direito Penal: escolas, sistemas e teorias 45
   Resumo 66
   Jurisprudência 69

2. Aplicação do Direito Penal 73
   2.1 Teoria da Norma Penal.................................... 73
   2.2 Classificação das normas penais 74
   2.3 Princípio da legalidade.................................. 76
   2.4 Aspectos ou dimensões de aplicação da lei penal 79
   2.5 Lei penal no tempo 80

2.6 Lei penal no espaço... 88
2.7 Lei penal em relação às pessoas (imunidades)............ 90
2.8 A sentença estrangeira no Brasil......................... 93
2.9 Contagem de prazos.. 94
2.10 Interpretação e integração do Direito Penal............ 96
2.11 Princípios do Direito Penal.............................. 98
2.12 Concurso aparente de crimes ou de normas........... 114
Resumo.. 119
Jurisprudência... 122
Súmulas... 126

3. A infração penal e suas excludentes........................ 127
   3.1 Importância do tema 127
   3.2 Conceito de infração penal............................. 128
   3.3 Objeto e sujeitos do crime............................. 131
   3.4 Fato típico.. 134
   3.5 Ilicitude... 178
   3.6 Culpabilidade.. 198
   3.7 A responsabilidade penal da pessoa jurídica........ 216
   3.8 Síntese das excludentes do crime 218
   Resumo.. 222
   Jurisprudência... 227
   Súmulas... 231

4. Dolo, culpa e preterdolo 233
   4.1 O tipo subjetivo... 233
   4.2 Dolo e culpa... 234
   4.3 Teorias do dolo.. 246
   4.4 Evolução do dolo no Direito Penal 251
   4.5 A estrutura do dolo no direito brasileiro............ 258
   4.6 Dolo e tipo penal.. 261
   4.7 Dolo e circunstâncias................................... 264
   4.8 Dolo e qualificadoras.................................... 266

4.9 Crimes qualificados pelo resultado e preterdolo 267
4.10 Dolo eventual e culpa consciente: o problema da distinção 270
4.11 Dolo e culpa consciente segundo a concepção normativa de dolo sem vontade........................... 280
4.12 Culpa imprópria, por ficção ou por equiparação......... 281
4.13 "Dever saber" e teoria da cegueira deliberada 282
4.14 Dolo e culpa da pessoa jurídica 285
4.15 A prova do dolo 285
Resumo 286
Jurisprudência.. 288

5. Erro jurídico-penal 291
   5.1 Noções fundamentais................................. 291
   5.2 Evolução do erro penal.............................. 292
   5.3 Erro essencial 294
   5.4 Erro não essencial ou erro acidental................. 304
   5.5 Erro e teoria da cegueira deliberada 307
   Resumo 307
   Jurisprudência.. 310

6. Consumação e tentativa 313
   6.1 *Iter criminis*..................................... 313
   6.2 Crime consumado 314
   6.3 Crime tentado....................................... 315
   6.4 Excludentes da tentativa............................ 319
   6.5 Dolo eventual e culpa na tentativa.................. 323
   Resumo 325
   Jurisprudência.. 327
   Súmula.. 328

7. Concurso de pessoas 329
   7.1 Definição e espécies de concurso de pessoas 329

7.2 Requisitos do concurso de pessoas. 330
7.3 Teorias sobre autoria e participação. 331
7.4 Autoria e coautoria 334
7.5 Participação. 336
7.6 Responsabilidade penal. 339
7.7 Participação impunível. 340
7.8 Comunicabilidade de condições 340
7.9 Concurso de agentes em crimes culposos 341
7.10 Inadmissibilidade de coautoria 341
7.11 Ação penal no caso de concurso de agentes 342
7.12 Crimes associativos. 343
Resumo 345
Jurisprudência. 347

8. Sanção penal 351
8.1 Teoria geral da sanção penal 351
8.2 Penas privativas de liberdade. 358
8.3 Penas restritivas de direitos 363
8.4 Pena de multa. 365
8.5 Conversão 366
8.6 Aplicação da pena privativa de liberdade 367
8.7 Concurso de crimes, erro na execução e resultado diverso do pretendido. 379
8.8 Suspensão condicional da pena (*sursis*) 385
8.9 Efeitos da condenação 388
8.10 Reabilitação 393
8.11 Livramento condicional 393
8.12 Medida de segurança 396
8.13 Indulto e comutação de penas. 398
Resumo 399
Jurisprudência 405
Súmulas. 409

9. Punibilidade e ação penal 411
   9.1 *Jus puniendi*, punibilidade e *jus persequendi* 411
   9.2 Ação penal 412
   9.3 Punibilidade e sua extinção 420
   9.4 Prescrição 430
   9.5 Distinção entre prescrição, decadência e perempção 447
   Resumo 449
   Jurisprudência 452
   Súmulas 454

10. Classificação dos crimes 457
   10.1 Crimes do Direito Penal nuclear e do Direito Penal secundário 457
   10.2 Classificação, divisão ou denominação das espécies de crime 459
   10.3 Estudo dos crimes em espécie 472
   Resumo 473
   Jurisprudência 477

11. Crimes contra a pessoa 479
   11.1 Crimes contra a vida 479
   11.2 Homicídio 479
   11.3 Participação em suicídio ou em automutilação 492
   11.4 Infanticídio 495
   11.5 Aborto 497
   11.6 Lesões corporais 501
   11.7 Crimes de perigo à vida ou à saúde 507
   11.8 Rixa 516
   11.9 Crimes contra a honra 517
   11.10 Crimes contra a liberdade individual 526
   11.11 Crimes contra a inviolabilidade do domicílio 538
   11.12 Crimes contra a inviolabilidade de correspondência 545
   11.13 Crimes contra a inviolabilidade dos segredos 548

Resumo 552
Jurisprudência 555
Súmulas 562

12. Crimes contra o patrimônio e propriedade imaterial 565
12.1 Furto e roubo 565
12.2 Extorsão, extorsão mediante sequestro e extorsão indireta 577
12.3 Usurpação 582
12.4 Dano 585
12.5 Apropriação indébita 587
12.6 Estelionato e outras fraudes 591
12.7 Receptação 604
12.8 Escusas absolutórias e ação penal 607
12.9 Crimes contra a propriedade imaterial 607
Resumo 609
Jurisprudência 612
Súmulas 613

13. Crimes contra a organização do trabalho 615
Resumo 622
Jurisprudência 623

14. Crimes contra o sentimento religioso e contra o respeito aos mortos 625
Resumo 628
Jurisprudência 629

15. Crimes contra a dignidade sexual 631
15.1 Introdução 631
15.2 Estupro e estupro de vulnerável 632
15.3 Outros crimes contra a liberdade sexual 637
15.4 Exposição da intimidade sexual 641

15.5 Crimes sexuais contra vulnerável 641
15.6 Aumento de pena nos crimes anteriores 647
15.7 Lenocínio, prostituição e exploração sexual 648
Resumo 655
Jurisprudência 658
Súmulas 659

16. Crimes contra a família 661
16.1 Crimes contra o casamento 661
16.2 Crimes contra o estado de filiação 664
16.3 Crimes contra a assistência familiar 666
16.4 Crimes contra o pátrio poder, tutela e curatela 671
Resumo 673
Jurisprudência 674

17. Crimes contra a incolumidade pública e crimes contra
a paz pública 677
17.1 Introdução 677
17.2 Crimes de perigo comum 678
17.3 Crimes contra a segurança dos meios de comunicação
e transporte e outros serviços públicos 686
17.4 Crimes contra a saúde pública 692
17.5 Crimes contra a paz pública 704
Resumo 708
Jurisprudência 718

18. Crimes contra a fé pública 723
18.1 Introdução 723
18.2 Crimes de moeda falsa 724
18.3 Falsidade de títulos e outros papéis públicos 729
18.4 Falsidade documental 732
18.5 Outras falsidades 746
18.6 Fraudes em certames de interesse público 753

Resumo 754
Jurisprudência 762
Súmulas 764

19. Crimes contra a Administração Pública 765
 19.1 Aspectos gerais 765
 19.2 Crimes praticados por funcionário público contra a Administração em geral 767
 19.3 Crimes praticados por particular contra a Administração em geral 790
 19.4 Crimes praticados por particular contra a Administração Pública estrangeira 802
 19.5 Crimes em licitações e contratos administrativos 805
 19.6 Crimes contra a administração da justiça 817
 19.7 Crimes contra as finanças públicas 837
 Resumo 844
 Jurisprudência 860
 Súmulas 863

20. Crimes contra o Estado Democrático de Direito 865
 20.1 Introdução 865
 20.2 Crimes contra a soberania nacional 866
 20.3 Crimes contra as instituições democráticas 868
 20.4 Crimes contra o funcionamento das instituições democráticas 868
 20.5 Crimes contra o funcionamento dos serviços essenciais 869
 Resumo 870
 Jurisprudência 871

21. Leis penais especiais 873
 21.1 Crimes hediondos 873
 21.2 Organizações criminosas 877

21.3 Crimes de drogas.................................... 884
21.4 Terrorismo... 897
21.5 Crimes de trânsito.................................. 903
21.6 Crime de lavagem de dinheiro........................ 915
21.7 Crimes do Estatuto do Desarmamento 918
21.8 Tortura... 925
21.9 Abuso de autoridade 927
21.10 Crimes de preconceito.............................. 933
21.11 Violência contra a mulher.......................... 940
21.12 Crimes contra crianças e adolescentes.............. 945
21.13 Crimes contra idosos............................... 958
21.14 Crimes contra pessoas portadoras de deficiência.... 965
21.15 Contravenções penais............................... 968
21.16 Outras leis especiais com conteúdo penal........... 984
Resumo.. 985
Jurisprudência.. 993
Súmulas... 994

22. Temas complementares 997
21.1 Funcionalismo penal e imputação objetiva............ 997
21.2 Crimes culturalmente motivados.....................1002
21.3 Direito Penal Internacional........................1005
22.4 Responsabilidade penal da pessoa jurídica..........1009
22.5 Direito Penal do inimigo...........................1013
Resumo...1016

Bibliografia..1019

Apresentação

O pensamento jurídico-penal brasileiro deve render homenagem a grandes juristas de nosso passado remoto e recente, os quais, com simples máquina de escrever e sem as facilidades da era digital, conceberam e nos legaram obras de vasto volume físico e incomparável dimensão intelectual, como comprovam os escritos imortais de Nelson Hungria, Heleno Fragoso, Aníbal Bruno, Roberto Lyra, Magalhães Noronha, Tobias Barreto, Celso Delmanto, Damásio de Jesus, Júlio Mirabete, entre tantos outros, cujo esforço fundou os alicerces do conhecimento que agora entregamos aos estudiosos e profissionais.

Apesar das facilidades proporcionadas pelo computador e pela internet, o desafio de escrever em nossos dias está na velocidade com que se operam as mudanças legislativas e jurisprudenciais. É verdade que o Direito está – e deve estar – em constante transformação, atento às demandas sociais emergentes, mas também é verdade que um mínimo de estabilidade é necessário à boa aplicação dos comandos normativos. O Direito Penal é o ramo que mais sofre com a busca demagógica da solução mágica para problemas da criminalidade, os quais estão, no mais das vezes, associados a questões culturais, sociais e econômicas, como há muito nos advertem os pensadores, desde a remota antiguidade. O próprio trabalho de elaboração deste livro foi marcado pelo transcurso de diversas alterações legislativas importantes, as quais já estão incorporadas ao texto, no esforço de manter a obra atualizada.

Este conteúdo reflete o estágio atual da ciência criminal, com ênfase no Direito Penal brasileiro, sem descuidar das posições ditadas pelo pensamento mundial, que muita influência exerce em nosso sistema. Os principais temas da disciplina estão contidos neste livro: seu significado, abrangência e evolução, incluindo as principais tendências de pensamento jurídico-penal, seguindo pela abordagem da teoria geral do crime e da sanção penal, procurando expor o conteúdo de forma simples e didática, em seus aspectos essenciais, mas aprofundando alguns pontos revestidos de maior polêmica ou interesse acadêmico, como, por exemplo, o modelo de "dolo sem vontade" defendido por alguns juristas. Em continuidade, o livro aborda a Parte Especial do Código Penal brasileiro, dedicando um capítulo também às leis penais extravagantes. Por fim, o texto agrega alguns temas complementares importantes para a vida acadêmica e profissional, como o multiculturalismo e o Direito Penal Internacional. Em cada capítulo, um resumo condensa as ideias essenciais do texto. Também são utilizados alguns gráficos para ilustrar didaticamente certos conteúdos.

Espero não só que estudantes de graduação e pós-graduação possam encontrar um conteúdo claro e abrangente, capaz de suprir suas necessidades de aprendizagem da disciplina, mas que também possa ser útil a profissionais da Advocacia, Defensoria Pública, Magistratura, Ministério Público e das Forças de Segurança na realização de seus misteres diários, além, é claro, de colegas de Magistério, que fazem da educação uma forma de melhorar o mundo em que vivemos.

O autor

1

Introdução ao estudo do Direito Penal

1.1 DEFINIÇÃO DE DIREITO PENAL

Quando discutimos pena de morte, pena de prisão, penas alternativas, penas mais brandas ou mais rigorosas, estamos discutindo Direito Penal na medida em que tratamos de uma relação jurídica entre o Estado e o autor de um crime, ou seja, o autor de uma ofensa grave contra o Estado e a sociedade. Com grande acerto, BITENCOURT ensina que "falar de Direito Penal é falar, de alguma forma, de violência".[1]

CLAUS ROXIN, um dos maiores pensadores do Direito Penal contemporâneo, afirma que, de todas as áreas jurídicas, o Direito Penal é a mais conhecida e, para aqueles que não são juristas, a mais interessante, pois crimes de impacto espetacular excitam as pessoas, assim como relatos de crimes e séries de televisão, mas ninguém gostaria de lidar pessoalmente com a justiça penal, pois todos sabem os efeitos que uma punição pode trazer para sua posição social e para sua vida privada.[2] O Estado é titular do direito de aplicar uma pena ao autor do crime, isto é, o *direito de punir* ou *jus puniendi*. Para que esse direito não seja exercido abusiva ou arbitrariamente, existe a

---

1. BITENCOURT, Cezar Roberto. *Tratado de direito penal:* parte geral. 24 ed. São Paulo: Saraiva Educação, 2018. p. 37.
2. ROXIN, Claus. *Introdução ao Direito Penal e ao Direito Processual Penal.* Belo Horizonte: Del Rey, 2007. p. 3.

sua regulamentação, que é feita pelo Direito Penal. Portanto, Direito Penal ou direito criminal[3] é o ramo do Direito que regula o direito de punir ou *jus puniendi*. Diante da ocorrência de uma infração penal, surge para o Estado o poder-dever de aplicar uma pena ao autor. Esse poder-dever é regulado por normas que compõem o Direito Penal.

Segundo SOLER, as normas jurídicas procuram ora uma reposição real das coisas no estado anterior, ora uma reparação, isto é, a entrega de uma coisa em troca de outra do mesmo valor, ora uma retribuição, isto é, a diminuição de um bem jurídico do transgressor, sendo que uma norma de direito é uma norma penal quando sua sanção assume caráter retributivo, conceituando o Direito Penal como a parte do direito composta por um conjunto de normas dotadas de sanção retributiva.

É verdade que outros ramos do Direito também preveem sanções, todavia no Direito Penal a sanção é mais severa, podendo atingir a liberdade e, em alguns países, a própria vida, já que a pena de morte é adotada em muitas partes do mundo. No Direito Penal, a multa e as restrições de direito são penas alternativas, ao passo que em outros ramos estas são as sanções máximas a serem impostas. Na verdade, a sanção penal constitui o grande "divisor de águas" entre o Direito Penal e os outros ramos do direito, já que só o Direito Penal admite a prisão ou até mesmo a pena de morte em outros países.

Assim, a pena criminal é a mais severa forma de intervenção do Estado na vida do indivíduo, chegando, em alguns países, à prisão perpétua ou à própria pena de morte. No Brasil, a Constituição Federal proíbe essas penas, bem como o trabalho forçado e o banimento. Assim, a pena mais comum em nosso território é a privativa de liberdade, ou seja, a prisão. Nem sempre, porém, a resposta do Direito Penal ao crime será uma pena de prisão, pois atualmente existem outras formas de punição, como a pena restritiva de direitos e a pena de multa. Além disso, caso o autor da ofensa seja um doente mental, em vez

---

3. Essa denominação não é antiga, pois foi empregada pela primeira vez em 1756 por Regnerus Engelhard, Conselheiro de Estado e discípulo do filósofo Christian Wolff, sendo um sinônimo da expressão "Direito Criminal". Embora ambas possam ser utilizadas, Magalhães Noronha adverte que *Direito Penal* está em consonância com nossa lei codificada, denominada Código Penal. Ver: NORONHA, E. Magalhães. Direito Penal. Volume 1: introdução e parte geral. São Paulo: Editora Saraiva, 1991. p. 4.

de uma pena, será aplicada uma medida de tratamento, chamada de medida de segurança.[4]

> DIREITO PENAL é a parte do ordenamento jurídico que determina as ações de natureza criminal e as vincula com uma pena ou medida de segurança (Hans Welzel).[5]

Uma condenação criminal, além da aplicação da pena (efeito principal), traz consequências ou efeitos secundários para o condenado, como a obrigação de reparar o dano causado, a perda do produto e os instrumentos do crime, podendo, inclusive, perder o cargo público nos crimes praticados contra a Administração Pública.

1.2 FINALIDADE DO DIREITO PENAL

A proteção de bens jurídicos

A finalidade do Direito Penal é a proteção de *bens jurídicos*. Bens jurídicos são todos os interesses tutelados pelo Direito, como a vida, a propriedade, a saúde etc. O bem jurídico pode ser um bem material, como um automóvel, ou imaterial, como a honra. Apenas os bens tutelados pelo Direito são considerados bens jurídicos. Assim, por exemplo, a droga pertencente a um traficante não é tutelada pelo Direito e, dessa forma, não constitui bem jurídico. Portanto, não constitui crime de furto a subtração de um pacote de cocaína pertencente a um traficante. Toda norma penal incriminadora tem uma *objetividade jurídica*, isto é, um *bem jurídico tutelado*.

O conceito de bem jurídico deve-se ao iluminismo e foi formulado e fundamentado por Paul Johann Anselm Feuerbach como arma contra a concepção moralista de Direito Penal. Segundo HASSEMER:

---

4. SOLER, Sebastián. *Derecho penal argentino*. Volume 1. Buenos Aires: Tipografica Editora Argentina, 1992. p. 3.

5. WELZEL, Hans. *Direito Penal*. Campinas: Romana, 2003. p. 27-41.

A conduta humana somente pode ser então injusto penal quando lesiona um bem jurídico – com esta máxima a vítima entrou novamente no plano, depois que ela esteve por séculos desaparecida atrás dos princípios da reprovabilidade, da contrariedade à norma, do procedimento criminal. A repreensão à violação de uma norma (moral ou ética) não pode ser suficiente ao legislador como fundamento da conduta humana merecedora de pena. Ele precisa antes provar a lesão de um bem jurídico: apresentar uma vítima desta conduta e indicar quanto a esta a lesão de bens, de interesses.[6]

Bem jurídico é distinto de *objeto material* da ação. Enquanto bem jurídico é o bem abstratamente considerado e protegido pela norma, objeto material é o elemento que sofre a ação violadora da norma.[7] Tomemos por exemplo a subtração de um automóvel, que se enquadra no art. 155 do Código Penal, o qual descreve o crime de furto: a objetividade jurídica do art. 155 é a proteção do patrimônio, ou seja, o art. 155 destina-se à proteção patrimonial; o bem jurídico tutelado por essa norma é, portanto, o patrimônio. No caso do furto mencionado, o objeto material da ação é o automóvel subtraído.

O Direito Penal presta amparo aos bens jurídicos contra possíveis lesões, não de forma absoluta, mas contra determinada classe de agressões.[8] A forma como o Direito Penal protege o bem jurídico é criminalizando a conduta violadora e fazendo incidir uma pena sobre o autor da violação, a qual será concretizada pelo Estado após um julgamento justo. Por exemplo, o legislador protege a vida (bem jurídico), mediante a criminalização da conduta de "matar alguém" (homicídio, previsto no art. 121 do Código Penal). Além de incriminar o homicídio, o art. 121 prevê a pena que poderá ser aplicada aos eventuais autores desse crime.

A vinculação do Direito Penal à proteção de bens jurídicos não exige que só haja punibilidade em caso de lesão a bens jurídicos, pois é suficiente

---

6. HASSEMER, Winfried. *Introdução aos fundamentos do Direito Penal*. Tradução de Pablo Rodrigo Alfen da Silva. Porto Alegre: Sergio Antonio Fabris Editor, 2005. p. 56.

7. Idem, ibidem, p. 62.

8. WELZEL, Hans. *Direito Penal*. Op. cit., p. 32-33.

que haja uma exposição a perigo, como ocorre nos casos de tentativa de crime e nos chamados crimes de perigo.[9]

Bem jurídico	Objetividade jurídica	Objeto material
Interesse abstrato protegido pela norma. Exemplo: patrimônio.	Finalidade protetiva da norma. Exemplo: proteção do patrimônio.	Pessoa ou coisa sobre a qual incide a conduta criminosa. Exemplo: bem subtraído da vítima.

Bem jurídico e intervenção mínima

Nem todos os bens jurídicos darão ensejo à intervenção do Direito Penal, surgindo então a ideia de *intervenção mínima*, já que o Direito Penal não deve se ocupar de todos os interesses, senão dos mais relevantes para o convívio social, apenas. Por isso se diz que o Direito Penal é fragmentário, pois não se ocupa de todas as injustiças, mas tão somente de um fragmento delas, composto pelas ofensas mais importantes para o grupo social. Além disso, o Direito Penal é subsidiário em relação aos demais ramos do Direito, devendo ser utilizado como *ultima ratio*, isto é, apenas quando os outros ramos não forem suficientes.

Essa escolha sobre quais interesses proteger é, notadamente, uma escolha do legislador orientada pela política criminal estabelecida e pelo contexto cultural vigente. Por exemplo, na vigência do nacional-socialismo, o simples fato de um indivíduo ser judeu ensejou a sua incriminação pelos Estados nazistas. Em nossos dias, o que constitui crime é justamente o contrário, isto é, praticar, induzir ou incitar a discriminação ou preconceito de raça, cor, etnia, religião ou procedência nacional.

1.3 RELAÇÕES DO DIREITO PENAL

Direito Penal e outras ciências

O Direito Penal não é um ramo isolado do conhecimento humano, estabelecendo relações importantes com outras áreas. Para citar apenas alguns exem-

---
9. ROXIN, Claus. Op. cit., p. 60.

plos, podemos citar a Medicina, a Psicologia e a Informática, entre outros. O Direito Penal precisa da Medicina para estabelecer o conceito de morte no crime de homicídio; é graças à Psicologia que o jurista compreende a menoridade penal, a inimputabilidade etc.; a Informática, por sua vez, é imprescindível no trabalho com crimes cometidos pela internet, e assim por diante.

Direito Penal e outras áreas jurídicas

A partir do "neoconstitucionalismo", após a Segunda Guerra Mundial, houve uma explosão legislativa, gerando uma série de antinomias dentro dos sistemas jurídicos, tornando obsoleta a mera aplicação dos critérios clássicos de solução dos conflitos entre normas, como a temporalidade, especialidade, hierarquia etc. Segundo a "teoria do diálogo das fontes", do jurista alemão Erik Jayme, o direito deve ser visto como um sistema de vasos comunicantes, que permita sua interpretação de forma holística. Conforme já decidiu o Superior Tribunal de Justiça, a divisão do Direito em ramos serve para fins apenas didáticos e metodológicos, e não para ilhar determinados fatos da vida a algumas das normas jurídicas, em exclusão das demais, como se não se tratasse de um todo. Deve-se buscar, sempre, evitar antinomias, ofensivas que são aos princípios da isonomia e da segurança jurídica, bem como ao próprio ideal humano de Justiça.[10] Todos os ramos do Direito destinam-se a regular a vida social por meio de normas e sanções aplicáveis em caso de inobservância das regras de convívio estabelecidas em todos os planos da vida: social, negocial, trabalhista, patrimonial, familiar etc. O que realmente diferencia o Direito Penal dos demais ramos é justamente a forma de sanção, pois só o Direito Penal pode impor a pena mais drástica que é a prisão ou até mesmo, em vários países, a pena de morte.

Ilícito penal e ilícito extrapenal

A violação ao Direito é sempre um ato ilícito para o qual o Estado irá reagir por meio de uma sanção. Entre as diversas formas de sanção, a penal é sempre a mais grave, pois pode levar o indivíduo a ser preso ou responder com

---

10. STJ, AgRg no REsp 1483780/PE, Rel. Min. Napoleão Nunes Maia Filho, Primeira Turma, julgado em 23-06-2015.

a própria vida, em alguns países. Não há, portanto, distinção entre os ilícitos em si, mas, sim, na forma como o Direito reage aos ilícitos. É o legislador quem decide se um ato ilícito será tratado pelo Direito Penal ou por outro ramo do ordenamento jurídico. Portanto, num aspecto meramente formal, o tratamento de um ilícito como crime, sujeito a uma pena criminal, nada mais é do que uma opção do legislador. Falando apenas sobre a distinção entre ilícito penal e ilícito civil, sem ingressar em outras formas de infrações (administrativa, tributária etc.), HUNGRIA salienta que ilícito penal é a violação da ordem jurídica, contra a qual, pela sua intensidade ou gravidade, a única sanção adequada é a pena, e ilícito civil é a violação da ordem jurídica, para cuja debelação bastam as sanções atenuadas da indenização, da execução forçada ou *in natura*, da restituição ao *statu quo ante*, da breve prisão coercitiva, da anulação do ato etc.[11]

Além da sanção penal, representada pela punição, a ordem jurídica também prevê sanções extrapenais. Assim, por exemplo, quando é causado um prejuízo, a ordem jurídica prevê a reparação; para um ilícito tributário, é prevista a multa e assim por diante. Cabe ao legislador optar pelo tipo de sanção que será aplicada a cada violação, podendo prever um fato como crime, sem prejuízo de tratá-lo também como ilícito civil, administrativo, tributário etc. Há também situações em que o legislador opta por não utilizar o Direito Penal, por entender que só a reparação ou a sanção administrativa é suficiente. Note que a ilicitude jurídica é uma só, mas, dependendo da resposta prevista pelo legislador, será um ilícito penal ou extrapenal. Portanto, tratar uma violação como ilícito penal ou extrapenal é uma opção do legislador. Assim, por exemplo, o dano doloso (intencional) é tratado como ilícito penal e civil, mas o dano culposo não figura no Código Penal, ficando adstrito à sanção civil, isto é, reparação do prejuízo.

Conforme estabelece o art. 125 da Lei n. 8.112, que dispõe sobre o regime jurídico dos funcionários públicos federais, as sanções civis, penais e administrativas poderão cumular-se, sendo independentes entre si.

---

11. HUNGRIA, Nélson. *Comentários ao Código Penal*. Vol. VII. Arts. 155 a 196. 1. ed. Rio de Janeiro: Editora Revista Forense. p. 173.

Autonomia relativa do Direito Penal

Toda violação de um bem jurídico, isto é, de um interesse protegido pelo direito, é uma forma de injustiça. Dependendo da forma como o Direito trata a injustiça, poderá ela se configurar um ilícito civil, administrativo, tributário, penal etc. O Direito Penal tem autonomia perante os demais ramos do Direito, o que significa que as soluções oferecidas pelos outros ramos ao mesmo problema não irão, necessariamente, afetar o Direito Penal. Assim, caso um indivíduo seja multado por dirigir sem habilitação, essa punição administrativa não impedirá que o mesmo indivíduo seja punido também criminalmente, de acordo com as leis de trânsito. Da mesma forma, a absolvição criminal por um crime tributário não implica que o mesmo indivíduo não possa sofrer condenação na esfera administrativa.

Essa autonomia é, todavia, relativa, uma vez que determinadas decisões criminais afetam os processos em outras instâncias. Da mesma forma, decisões em outras áreas podem afetar o Direito Penal, como ocorre, por exemplo, com a sentença declaratória de falência, a qual constitui condição de punibilidade do crime falimentar.

Direito Penal e Direito Constitucional

No Estado Democrático de Direito, o Direito Constitucional estabelece o modelo e os limites do poder de punir, de modo que toda aplicação do Direito Penal deve ser realizada a partir do modelo constitucional. Assim, a dignidade da pessoa humana, bem como os princípios da legalidade, da intranscendência das penas, da irretroatividade da lei prejudicial ao réu, da humanidade das penas, da responsabilidade subjetiva, a menoridade penal e outros elementos fundamentais à configuração do Direito Penal fazem parte das diretrizes traçadas pelo Direito Constitucional.

Direito Penal e Direito Administrativo

Conforme esclarece Ladislau Fernando Röhnelt, a separação entre Direito Penal e Direito Administrativo não isolou um ramo do outro, pois o Direito Administrativo contém sanções de natureza administrativa, as quais, assim como as penas criminais, também estabelecem restrições a direitos dos cidadãos, dividindo-se em penas disciplinares, fiscais, financeiras e medidas de polícia.[12] Além disso, o Direito Penal tutela o interesse da Administração por meio de incriminações, como ocorre nos crimes contra a Administração Pública, previstos no Código Penal, bem como utiliza normas de Direito Administrativo em suas incriminações, por meio das chamadas normas penais em branco, que necessitam do complemento de uma norma prevista em atos da Administração, como por exemplo, a Portaria n. 344 da Agência Nacional de Vigilância Sanitária, que define as drogas ilícitas e possibilita a tipificação dos crimes relacionados a essas substâncias. De acordo com o Código Penal brasileiro, a condenação criminal pode gerar a perda do cargo público nos crimes praticados por funcionário público (art. 92, I). Conforme o art. 126 da Lei n. 8.112/90, a responsabilidade administrativa do servidor será afastada no caso de absolvição criminal que negue a existência do fato ou sua autoria.

Direito Penal e Direito Privado

O Direito Privado garante que toda pessoa que sofra um prejuízo tenha direito a uma reparação ou indenização, trate-se ou não de um crime. O Direito Penal, a seu turno, estabelece que a condenação traz para o criminoso, além da pena, também a obrigação de reparar o dano causado pelo crime (CP, art. 91, I). Assim, se alguém praticar um crime e, com isso, causar prejuízo, sua condenação criminal trará como consequência, além da pena criminal, o dever de indenizar.

O Direito Privado, por outro lado, traz subsídios ao Direito Penal em diversos tipos penais, como no crime de duplicata simulada, por exemplo, previsto no art. 172, que é uma das espécies de estelionato. Os chamados crimes falimentares são outro exemplo de relacionamento entre o Direito Privado e o Direito Penal. Outrossim, o Direito Penal tutela também o Direito Privado da vítima por meio da ação penal privada, prevista para determinados delitos, como os crimes contra a honra em geral.

---

12. RÖHNELT, Ladislau Fernando. *Apontamentos de Direito Penal*. Porto Alegre: Tribunal de Justiça do Estado do Rio Grande do Sul, Departamento de Artes Gráficas, 2011. p. 97-98.

Direito Penal e Direito Internacional

O Direito Penal tem forte relação com o Direito Internacional, pois o Código Penal brasileiro estabelece normas de extraterritorialidade (art. 7º), isto é, de aplicação das normas penais brasileiras a crimes cometidos em outros países. O Brasil, além disso, é signatário de vários tratados internacionais, com destaque para a Convenção Americana de Direitos Humanos (*Pacto de São José da Costa Rica*). O Código Penal também prevê crimes praticados contra a Administração Pública estrangeira (arts. 337-B e seguintes). Além disso, o Direito Penal brasileiro submete-se à jurisdição do Tribunal Penal Internacional (TPI).[13]

Direito Penal e Direito Processual Penal

Não se pode confundir o Direito Penal com o Direito Processual Penal. O Direito Penal define os crimes e as penas, enquanto o processo penal é um ramo autônomo que traz as regras para o processo e julgamento das pessoas acusadas de praticar crimes. A ocorrência de um crime faz surgir o *jus puniendi* (*direito de punir*), que é um direito indisponível do Estado, por isso chamado *poder-dever*, o qual só pode ser exercido por meio do processo, isto é, *jus persequendi* (direito ao processo). O direito de punir é um direito do Estado perante o indivíduo, enquanto o direito ao processo é um direito do indivíduo perante o Estado, já que não pode haver uma execução sumária, uma vez que a Constituição Federal garante, no art. 5º, LIV, *que ninguém será privado da liberdade ou de seus bens sem o devido processo legal*.

Em geral, os direitos são exercidos sem interferência do Poder Judiciário, a quem só recorremos quando há uma violação a um desses direitos. O direito de propriedade, por exemplo, é exercido independentemente de tutela judicial, mas, caso haja uma violação, podemos pedir ao Poder Judiciário a reparação. Conforme consagrado na doutrina e na jurisprudência, "a cada direito corresponde uma ação que o assegura".[14] Isso significa que há dois direitos distintos: o direito propriamente dito e o direito de pedir a sua tutela, isto é, o direito de ação.

---

13. O Brasil aderiu ao TPI em 2002, com a ratificação do Tratado de Roma, de onde se originou a PEC 45/04, que inseriu o § 4º no art. 5º da CF.

14. Nesse sentido: STJ, RE 735.149-SP, Rel. Min. Vasco Della Giustina, Desembargador convocado do TJ/RS.

O Estado também tem direitos perante os cidadãos, podendo exercê-los independentemente do Poder Judiciário. Assim ocorre com os tributos e outras medidas administrativas que o Estado exerce sem precisar pedir ao Poder Judiciário, embora seja possível usar do direito de ação para tutela. Existe um direito, porém, que só pode ser exercido por meio de ação judicial: o direito de punir. Com efeito, praticado um crime, a única forma de o Estado exercer o direito de punir e aplicar a pena é mediante uma ação penal perante o Poder Judiciário.

Em que pese a independência, existe íntima conexão entre o Direito Penal e o Direito Processual Penal, pois este ramo estabelece as normas para que o Direito Penal se efetive, por meio do devido processo legal. Enquanto o Direito Penal é direito material, o Direito Processual Penal é formal, pois é uma relação jurídica destinada a formalizar os termos de outra.

É certo que o Direito Penal e o Processo Penal, como áreas de estudo e interesse acadêmico, têm autonomia científica, com postulados e teorias próprias. Porém, em termos práticos, para fins de exercício do *jus puniendi* estatal diante da prática de um crime, não há Direito Penal sem que haja o Processo Penal, assim como não há Processo Penal sem que exista Direito Penal. Não se pode admitir a chamada "penalização" do Direito Processual, isto é, o uso do Processo Penal com fins punitivos, o que ocorre, por exemplo, quando uma prisão preventiva é utilizada como punição antecipada.

Direito Penal	Define os crimes e as penas aplicáveis.
Processo Penal	Define as regras de processo e julgamento dos criminosos.

1.4 DIREITO PENAL NO ESTADO DEMOCRÁTICO DE DIREITO

No último capítulo de *Os Três Mosqueteiros*, Alexandre Dumas conta a história de um misterioso prisioneiro que ficou conhecido como "o homem da máscara de ferro". O homem que inspirou Dumas foi preso sob o nome de "Eustache Dauger" e mantido em diversas prisões francesas durante 34 anos, incluindo a Bastilha, até sua morte, em 19 de novembro de 1703 sob o nome de Marchioly, durante o reinado de Luís XIV. A verdadeira identidade do prisioneiro continua ainda hoje sendo objeto de controvérsias, uma vez que o seu rosto estava constantemente oculto por uma máscara de veludo preto.

Até muito recentemente, desde a Antiguidade, não havia preocupação com os direitos das pessoas acusadas. A cultura ocidental, por exemplo, está indelevelmente marcada pela crucificação, uma pena terrível imposta pelo estado romano, após o acusado ser açoitado e condenado a carregar a própria cruz por quilômetros. A Santa Inquisição institucionalizou a tortura como método de obtenção de prova e a morte na fogueira como pena oficial. Outrossim, não muito distante está o emblemático flagelo de judeus, submetidos aos suplícios dos campos de concentração da Alemanha nazista.

O surgimento do Estado Democrático de Direito, em meados do século XX, foi o grande divisor de águas para pôr fim às injustiças e dar início à era dos direitos humanos assinalada por Norberto Bobbio.[15] O Brasil é signatário da Convenção Americana de Direitos Humanos (Pacto de São José da Costa Rica). Embora esse tratado seja de 1969, só ingressou no âmbito jurídico brasileiro em 1992, ou seja, após a Constituição Federal de 1988, quando foi promulgado pelo Decreto Legislativo n. 678.

Conforme SARLET, a Constituição de 1988 foi a primeira na história do constitucionalismo brasileiro a prever um título próprio destinado aos princípios fundamentais.[16] Diante disso, todo o sistema jurídico experimentou uma espécie de constitucionalização, submetendo-se à primazia do Direito Constitucional dentro do conjunto normativo de nosso direito positivo.

Não há dúvida, porém, de que os direitos fundamentais estão marcados pela heterogeneidade assinalada por BOBBIO, quando destaca a impossibilidade de encontrar um fundamento absoluto para direitos que se modificam em função das transformações históricas, ou seja, dos carecimentos, dos interesses, das classes no poder, dos meios disponíveis para realização dos

---

15. BOBBIO, Norberto. *A Era dos Direitos*. Tradução de Carlos Nelson Coutinho. Rio de Janeiro: Elsevier, 2004. p. 18-19.
16. SARLET, Ingo Wolfgang. *A eficácia dos Direitos Fundamentais*. 11. ed. Porto Alegre: Livraria do Advogado, 2012. p. 96.

mesmos, das transformações técnicas etc., além de serem de natureza heterogênea, compreendendo pretensões muito diversas entre si.[17]

O respeito aos direitos fundamentais é tema central do Estado Democrático de Direito, no qual está presente a necessidade de ajuste entre os diversos vetores políticos da democracia.[18]

Dentro do direito positivo, é no âmbito do Direito Penal que os direitos fundamentais recebem maior atenção, haja vista sua conexão com o *status libertatis* que, num Estado Democrático de Direito, alicerçado na dignidade da pessoa humana, estabelece as bases da relação entre o Estado e o indivíduo. É clássica a afirmação de VON LISZT de que o "Código Penal é a carta magna do criminoso".[19]

Entre as bases mínimas do Direito Penal inclui-se a difusão da atitude de ver as garantias penais e processuais penais do Estado de Direito não como relíquias de um formalismo ultrapassado, e sim como requisitos de legitimação do Direito Penal.[20]

Diante disso, cumpre ao Estado Democrático de Direito estabelecer um Direito Penal que salvaguarde os direitos fundamentais, sem, todavia, descuidar da segurança da sociedade como um todo, sem o que a própria ideia de democracia, inerente ao Estado Democrático de Direito, acaba por se perder.

A Constituição Federal tutela os direitos fundamentais tanto por meio de limitações à atuação punitiva do Estado quanto os chamados *mandados de incriminação*, pois, conforme já decidiu o Supremo Tribunal Federal:

> A Constituição de 1988 contém um significativo elenco de normas que, em princípio, não outorgam direitos, mas que, antes, determinam

---

17. BOBBIO, Norberto. *A Era dos Direitos*. Op. cit., p. 18-19.
18. DWORKIN adverte que não há consenso quanto à ideia de democracia. Numa visão "majoritária", democracia é o governo da maioria, enquanto que numa visão "comunitária" a democracia corresponde à ideia de decisões tomadas em parceria, em que todos os indivíduos são considerados parceiros de uma decisão coletiva (*full partner*). Nesse sentido: DWORKIN, Ronald. *O Direito da Liberdade: a leitura moral da Constituição Norte-Americana*. São Paulo: Martins Fontes, 2006. p. 23-24.
19. COELHO, Walter. *Teoria geral do crime*. Vol. 1. Porto Alegre: Sergio Antonio Fabris Editor e Fundação Escola Superior do Ministério Público do Rio Grande do Sul, 1998. p. 28.
20. HASSEMER, Winfried. *Três Temas de Direito Penal*. Porto Alegre: Fundação Escola Superior do Ministério Público, 1993. p. 58.

a criminalização de condutas (CF, art. 5º, XLI, XLII, XLIII, XLIV; art. 7º, X; art. 227, § 4º). Em todas essas normas é possível identificar um mandado de criminalização expresso, tendo em vista os bens e valores envolvidos. Os direitos fundamentais não podem ser considerados apenas como proibições de intervenção (*Eingriffsverbote*), expressando também um postulado de proteção (*Schutzgebote*). Pode-se dizer que os direitos fundamentais expressam não apenas uma proibição do excesso (*Übermassverbote*), como também podem ser traduzidos como proibições de proteção insuficiente ou imperativos de tutela (*Untermassverbote*). Os mandados constitucionais de criminalização, portanto, impõem ao legislador, para o seu devido cumprimento, o dever de observância do princípio da proporcionalidade como proibição de excesso e como proibição de proteção insuficiente.[21]

Vale dizer, uma vez que a atividade do poder público não se resume a aplicar o Direito Penal, deve o Estado preservar os direitos humanos de todos os indivíduos atingidos pelo crime: acusado, vítima, individualmente considerada, e sociedade, como ente coletivo e parte legítima da democracia.

1.5 O PRINCÍPIO DA LEGALIDADE E AS LEIS PENAIS BRASILEIRAS

Durante muito tempo as condenações criminais foram um mero ato de vontade do soberano e não uma infração à lei, necessariamente. Nessas condições, qualquer comportamento contrário à vontade dos poderosos poderia ser considerado um crime e punido como tal. Até hoje, ninguém sabe ao certo qual foi o crime cometido por personagens como Jesus Cristo, Sócrates, Sêneca, Joana d'Arc, Giordano Bruno, Nelson Mandela e tantos outros que foram condenados sem infringir uma lei específica, mas por uma suposta ofensa aos costumes ou ao pensamento preponderante na sociedade.

---

21. HC 104410, Relator(a): GILMAR MENDES, Segunda Turma, julgado em 06/03/2012, ACÓRDÃO ELETRÔNICO DJe-062 DIVULG 26-03-2012 PUBLIC 27-03-2012.

Os filósofos e juristas do iluminismo criticaram duramente essa forma de incriminação, com destaque para a obra *Dos Delitos e Das Penas*, do italiano Cesare Bonesana (Marques de Beccaria), até que o jurista Paul Johann Anselm Von Feuerbach introduziu o princípio da legalidade no Código Penal bávaro (1813). Por esse princípio, expresso no brocardo *nullum crimen nulla poena sine praevia lege*, uma pessoa só pode ser punida se houver uma lei considerando seu ato como criminoso, prevendo uma pena apropriada. Além disso, essa previsão legal deve ser escrita e taxativamente clara, só podendo ser aplicada se sua publicação tiver sido anterior ao crime que se quer punir.

Enquanto nos países da *common law* (Inglaterra, EUA etc.) o Direito Penal é fruto da construção jurisprudencial, o Direito Penal brasileiro, pertencente ao sistema de *civil law*, é essencialmente legislado. A Constituição Federal consagra o princípio da legalidade, segundo o qual não há crime ou pena sem prévia cominação legal (art. 5º, XXXIX). Esse princípio é importantíssimo, na medida em que ele limita o poder punitivo do Estado, pois ninguém poderá ser preso, processado e muito menos condenado por um crime se não houver uma lei anterior definindo o crime e a pena correspondente à conduta punível.

Essa descrição legal do comportamento criminoso é chamada, atualmente, de *tipo penal*.

O crime de homicídio, por exemplo, tem uma descrição e uma pena previstos expressamente no art. 121 do Código Penal, não podendo de forma alguma o juiz ou qualquer autoridade punir alguém fora disso.

Tipo penal de homicídio (Código Penal, art. 121)	Matar alguém. Pena – Reclusão, de 6 a 20 anos.

Sendo assim, o Código Penal é, após a Constituição Federal,[22] o principal diploma normativo de Direito Penal em nosso país e está dividido em duas partes:

---

22. Na Constituição Federal, estão estabelecidos os fundamentos e limites de atuação do Direito Penal, tanto sob o prisma legislativo, quanto judiciário, como por exemplo a dignidade da pessoa humana (CF, art. 1º, III) e o princípio da legalidade, segundo o qual "não há crime sem lei anterior que o defina, nem pena sem prévia cominação legal (CF, art. 5º, XXXIX)".

a. Parte Geral, do art. 1º ao art. 120, trata dos aspectos da aplicação da lei, da estrutura jurídica do crime e das sanções penais;
b. Parte Especial, do art. 121 a 360, cuida dos crimes em espécie. O Código Penal conta, ainda, com uma exposição de motivos, que não é propriamente lei penal, mas um repertório de considerações do Ministro da Justiça sobre a interpretação do código, com base nos referenciais teóricos e de política criminal que orientaram sua elaboração, e com uma legislação orientadora e fundamental na sua compreensão: a Lei de Introdução ao Código Penal (Dec.-lei n. 3.914).

Existem também as chamadas leis penais especiais ou extravagantes, com disposições que não fazem parte do Código Penal, como o Estatuto do Desarmamento (Lei n. 10.826/2003), a Lei de Drogas (Lei n. 11.343/2006), a Lei dos Crimes Ambientais (Lei n. 9.605/98), a Lei das Contravenções Penais (Dec. Lei n. 6.688/41) etc. Além disso, não podemos esquecer dos tratados internacionais, que também contém normas de Direito Penal. Os tratado sobre direitos humanos, quando homologados no Brasil, ganham *status* de norma constitucional, por força da EC 45/2000, passando a ser fonte imediata (CF, art. 5º, § 3º).

Embora não seja propriamente de Direito Penal, é importante conhecer a Lei Complementar n. 95, a chamada "lei das leis", que dispõe sobre a elaboração, a redação, a vigência, bem como a alteração e a consolidação das leis.

1.6 ESPÉCIES DE INFRAÇÕES E SANÇÕES PENAIS

Crimes e contravenções

O Direito, de modo geral, é um instrumento para a proteção de interesses, os chamados bens jurídicos. As maiores ofensas a esses interesses dão origem ao Direito Penal. Mas também dentro do Direito Penal existem diferentes ofensas aos valores protegidos, dando origem a formas distintas de punição. Enquanto alguns países, como o Uruguai, fazem distinção entre crimes, delitos e contravenções ("faltas")[23], o Brasil tem um modelo dualista de punição, já que as violações à lei penal são tratadas apenas de duas formas:

a. *crimes*, que são violações graves, também chamadas de "delitos", as quais constituem a regra, isto é, a absoluta maioria dos casos examinados pelos juízes;
b. *contravenções penais*, que são infrações mais leves.

Segundo o art. 1º da Lei de Introdução ao Código Penal: *considera-se crime a infração penal que a lei comina pena de reclusão ou de detenção, quer isoladamente, quer alternativa ou cumulativamente com a pena de multa; contravenção, a infração penal a que a lei comina, isoladamente, pena de prisão simples ou de multa, ou ambas, alternativa ou cumulativamente.*

Portanto, crimes e contravenções são espécies de infração penal, distinguindo-se apenas pela pena, não havendo diferença ontológica, isto é, na essência. Enquanto os crimes são ofensas mais graves, as contravenções são ofensas menores, sendo chamadas pela doutrina de "crime vagabundo", "delito anão" ou "delito liliputiano". As contravenções, em sua grande maioria, estão previstas na Lei das Contravenções Penais, enquanto os crimes estão previstos no Código Penal e em leis penais especiais.

Crimes ou delitos	Contravenções penais
Punidos com pena de reclusão, detenção ou multa, previstas no Código Penal e leis especiais.	Punidas com "prisão simples", mas, apesar da menção legal a prisão, não admitem recolhimento ao cárcere, previstas na Lei das Contravenções Penais e outras leis.

Os crimes com pena máxima não superior a 2 anos, assim como as contravenções penais, são *infrações penais de menor potencial ofensivo*, sujeitan-

---

23. URUGUAI. *Código Penal*, Artículo 2. Disponível em: <https://parlamento.gub.uy/sites/default/files/CodigoPenal2014-02.pdf>. Acesso em 5 de abril de 2021.

do-se a um processo e julgamento simplificado, perante o juizado especial criminal, nos termos da Lei n. 9.099/95. Esta lei prevê, ainda, a possibilidade de suspensão condicional do processo para os crimes em que a pena mínima cominada for igual ou inferior a um ano (art. 89), sendo chamados pela doutrina de *infrações penais de médio potencial ofensivo*.

Infrações de menor potencial ofensivo	Contravenções penais e crimes cuja PENA MÁXIMA não exceda 2 anos. Submetem-se o Juizado Especial Criminal e às medidas despenalizadoras previstas na Lei n. 9.099/95.
Infrações de médio potencial ofensivo	Crimes em que a PENA MÍNIMA não ultrapasse 1 ano. Admitem a suspensão condicional do processo.

Sanções penais

A *sanção penal* é a reação do Estado contra a prática de uma infração penal, isto é, a consequência jurídica do delito imposta ao seu autor. O Direito Penal brasileiro prevê duas espécies de sanções: penas e medidas de segurança. No Brasil, a Constituição Federal, consagrando o princípio da humanidade como direito fundamental (art. 5º, XLVII), veda as seguintes penas:

a. de morte, salvo em caso de guerra declarada, nos termos do art. 84, XIX;
b. de caráter perpétuo;
c. de trabalhos forçados;
d. de banimento;
e. cruéis.

Embora vedada no Brasil, a pena de morte está presente em muitos países e é admitida, em crimes graves, pela Convenção Americana de Direitos Humanos (Pacto de São José da Costa Rica), nos países que não a tenham abolido, desde que não se trate de indivíduo menor de 18 ou maior de 70 anos na data do crime, gestante, crime político ou que tenha conexão com este (art. 4º). Igualmente, a CF pena perpétua. Para cumprir esse dispositivo, o Código Penal brasileiro estabelece que a pena de prisão não deverá ultrapassar 40 anos (art. 75). Quanto aos trabalhos forçados, não devem ser confundidos com trabalho obrigatório, o qual é permitido. A vedação constitucional se refere aos trabalhos desumanos e degradantes, impostos com uso de força, mas não abrange o trabalho ordinário do preso, nos moldes da legislação trabalhista, já que o art. 31 da Lei n. 7.210 (Lei de Execução Penal) determina que o condenado é obrigado ao trabalho, exceto se for preso provisório (antes da condenação). A pena de banimento é também proibida constitucionalmente, nada impedindo, porém, as medidas administrativas de retirada compulsória de estrangeiros (repatriação, deportação e expulsão), bem como a extradição, nos termos da Lei n. 13.445/2017 (Lei de Migração). Outrossim, o Brasil proíbe a imposição de penas consideradas cruéis, como a castração de estupradores ou outras que eram utilizadas antigamente, *v.g.*, ebulição, esfolamento, apedrejamento, crucificação, chicoteamento, mutilação etc.

As penas são aplicadas aos indivíduos maiores de idade e capazes, consistindo em penas de prisão (reclusão e detenção), penas restritivas de direitos, sanções pecuniárias e multas. São baseadas em reprovabilidade do ato praticado e têm dupla função: castigar e prevenir novos crimes. As penas privativas de liberdade são cumpridas em estabelecimentos prisionais. As medidas de segurança, por outro lado, são aplicáveis às pessoas maiores que, por doença mental ou desenvolvimento mental incompleto ou retardado, não são capazes de discernimento ou de autocontrole, sendo considerados inimputáveis. Essa espécie de sanção tem natureza terapêutica, buscando o tratamento da pessoa sentenciada, destinando-se também à prevenção de novos crimes. Normalmente, são cumpridas em hospitais psiquiátricos, mas podem ter natureza ambulatorial, isto é, de simples consulta para tratamento. Outra diferença importante é que a pena mínima e máxima está prevista em cada tipo penal de crime (exceto as penas restritivas de direitos), enquanto as medidas de segurança têm uma previsão genérica na lei e são cumpridas por um tempo mínimo, sem um prazo máximo, extinguindo-se após a comprovação pericial de cessação da periculosidade do sentenciado.

Sanções penais	Penas	• Aplicam-se aos maiores de 18 anos e imputáveis. • Espécies: privativas de liberdade, restritivas de direitos, sanções pecuniárias, multa penal. • Estão previstas no tipo penal correspondente.
	Medidas de segurança	• Aplicam-se aos doentes mentais considerados inimputáveis. • Espécies: internação em hospital psiquiátrico e ambulatorial. • Estão genericamente previstas, aplicando-se por um tempo mínimo, sem máximo definido, extinguindo-se com a cessação da periculosidade.

1.7 DIVISÕES DO DIREITO PENAL

Direito Penal objetivo e subjetivo

Direito Penal objetivo é o conjunto de normas que formam o Direito Penal, como o Código Penal e as leis especiais. Direito Penal subjetivo é a prerrogativa estatal de punir o autor de um crime, conhecido como direito de punir ou *jus puniendi*. O Estado detém o monopólio da justiça criminal, portanto se trata de um poder-dever, uma vez que o Estado não pode abrir mão desse direito e renunciar a punição. O *jus puniendi* divide-se em abstrato e concreto. Enquanto o *jus puniendi* abstrato existe antes do crime, o *jus puniendi* concreto ocorre após a prática do crime, em relação a uma pessoa específica.

Podemos dizer que o direito subjetivo é limitado pelo direito penal objetivo, uma vez que o Estado só pode exercer o direito de punir (direito penal subjetivo) dentro dos limites da lei (direito penal objetivo).

Direito Penal fundamental e complementar

Direito penal fundamental é o conjunto de normas previstas no Código Penal. Direito penal complementar são as normas integrantes da legislação penal especial ou extravagante, como a Lei dos Crimes Hediondos, Lei das Contravenções Penais, Lei de Tortura etc. Gunther Arzt[24] trata essa divisão entre crimes do Código Penal e crimes da legislação extravagante como

---

24. Op. cit., p. 97.

Direito Penal nuclear e *Direito Penal secundário*, respectivamente, explicando que essa separação tem influência sobre a apreciação material dos tipos penais. No Direito Penal nuclear estamos diante de proibições descomplexas, cujo fundamento ético nos parece imediatamente evidente, como ocorre no homicídio, no roubo, no estupro e assim por diante. O Direito Penal secundário, por sua vez, sinaliza um contexto complexo com regulações legais especiais, como a posse de armas ou de drogas. Essa oposição entre Direito Penal nuclear e Direito Penal secundário pode ser apreendida na fórmula daquele, o qual proíbe comportamentos pelo fato de serem injustos em si mesmos (*mala in se:* proibidos porque são maus), ou no caso do comportamento proibido por este, em que a proibição é que torna o comportamento injusto (*mala prohibita:* mau porque é proibido).[25]

Direito penal comum e especial

O Direito Penal comum se aplica a todas as pessoas, enquanto o especial se refere a determinadas pessoas, como o Direito Penal Militar.

Direito Penal material ou substantivo e formal ou adjetivo

O Direito Penal material ou substantivo, simplesmente, Direito Penal, regula o que é crime e qual a consequência para quem o pratica, estando previsto no Código Penal e nas leis penais especiais, enquanto o Direito Penal formal ou adjetivo é o Direito Processual Penal, que regula a forma como o Estado irá atuar para punir os autores de crimes, isto é, as formalidades destinadas à aplicação do Direito Penal, como acusação formal, juiz competente, ampla defesa etc. O Direito Processual Penal constitui um ramo autônomo do Direito e está previsto no Código de Processo Penal e em leis especiais com matéria processual penal, além de dispositivos inseridos na Constituição Federal.

Direito Penal geral e local

Direito Penal geral é o que se aplica a todo o território nacional, sendo emanado da União. Direito Penal local é emanado dos Estados-Membros. Essa divi-

---

25. Op. cit., p. 98.

são é discutível, já que, segundo a Constituição Federal, cabe à União legislar em matéria penal (art. 22, I, da CF), só permitindo que os Estados atuem de forma complementar, mediante autorização da União (art. 22, parágrafo único). O jurista Nina Rodriguez propunha que cada Estado tivesse um Código Penal, respeitando-se as peculiaridades culturais de cada região do Brasil.

1.8 HISTÓRIA DO DIREITO PENAL GERAL E BRASILEIRO

Muitos personagens da história se tornaram célebres por suas condenações e execuções, como Jesus Cristo, cuja pena foi a crucificação; Sócrates, condenado à morte por veneno (cicuta); Joana d'Arc, condenada à fogueira, além de muitos outros. A biografia desses personagens intersecciona-se nitidamente com a história do Direito Penal. Mas o Direito Penal, cuja ideia central é a punição, nasce, muito antes disso, com a própria sociedade. Segundo GILISSEN, até uma centena de anos, os direitos da antiguidade não eram conhecidos, senão o Direito romano, o Direito grego e o Direito hebraico. Antes do período histórico, cada povo já tinha percorrido uma longa evolução jurídica e essa pré-história do Direito escapa quase inteiramente ao nosso conhecimento, sendo que os mais antigos documentos escritos de natureza jurídica aparecem nos finais do 4º ou 5º milênio, isto é, cerca do ano 3000 antes da nossa era, por um lado no Egito, por outro na Mesopotâmia.[26]

De modo geral, pode-se vislumbrar a evolução do Direito Penal da seguinte forma: período da vingança, antiguidade clássica, direito medieval e período humanitário, no qual o pensamento jurídico-penal se frutificou e deu origem às chamadas Escolas Penais.

Período da vingança

O período primitivo é marcado por organizações sociais baseadas no instinto e no temor do desconhecido, mediante afinidades meramente geográficas e instintuais, em que a liderança era baseada na força (ausência de Estado), im-

---

26. GILISSEN, John. *Introdução histórica ao Direito*. Lisboa: Fundação Calouste Gulbenklan, 1995. p. 32-51.

pondo-se a "lei do mais forte". Segundo LISZT,[27] a pena primitiva assumiu três formas: a primeira foi a vingança da família ou da estirpe; a segunda foi a proscrição, consistente na expulsão do membro da comunidade (e expulso deve ser "similar ao animal selvagem"); a terceira, com a transformação das comunidades tribais em comunidades organizadas na forma estatal, foi a pena estatal. Portanto, a manifestação mais antiga e rudimentar da reação contra atos de agressão pessoal contrários às condições básicas da existência social do grupo humano foi a vingança,[28] sob a forma de reações desproporcionais de indivíduo contra indivíduo, de grupo contra indivíduos ou de grupo contra grupo. A morte e o deserdo, a perda da paz, ficando expostos aos perigos da solidão, eram sanções aplicáveis aos que praticavam atos reprovados pelo grupo. Na antiguidade, com padrões morais mais definidos e os primórdios da dominação do instinto, surgiram os primeiros Estados e as primeiras legislações (Hamurabi, Lei Mosaica). O crime tinha um caráter de ofensa à divindade ou seu representante (faraó), e a punição é uma forma de reconciliação do grupo com seu deus, configurando uma vingança divina. Nesse período, surge a ideia de proporcionalidade, expressa pela Lei de Talião e conhecida como "olho por olho, dente por dente". A necessidade de preservar a força de trabalho e a sobrevivência do grupo diante de tantas ofensas fazem surgir a composição como forma de pagamento pelo mal. De modo geral, o período da vingança se compreende de três formas: *vingança privada*, representada pela "justiça pelas próprias mãos", *vingança divina*, representada pela ofensa a deus e reação do grupo,[29] e *vingança pública*, representada pela ofensa ao próprio soberano e uma reação em nome deste.

Antiguidade clássica

Embora manifestassem uma religiosidade intensa, os povos gregos e romanos eram também afeitos à política, às artes e, na Grécia, especialmente, à filoso-

---

27. LISZT, Franz von. *A teoria finalista no Direito Penal*. Tradução de Rolando Maria da Luz. Campinas: LZN Editora, 2003. p. 14-15.

28. ARAGÃO, Antônio Moniz Sodré de. *As três escolas penais*. Rio de Janeiro: Freitas Bastos, 1963. p. 32.

29. Davi André lembra que, nos tempos bíblicos, não havia ideia de crime como hoje é concebida, pela lei dos homens, mas de pecado, pela Lei de Deus, recordando dos Dez Mandamentos, dados por Deus a Moisés no Monte Sinai. Além disso, em diversas passagens, a Bíblia Sagrada faz referência a sacrifícios, realizados por sacerdotes no santuário, para a expiação dos pecados (Levítico XVI). Ver SILVA, Davi André Costa. *Direito Penal*: parte geral. Porto Alegre: Verbo Jurídico, 2011. p. 41.

fia. Suas concepções jurídicas foram as primeiras a se afastar da religião, assumindo caráter estatal, embora numa perspectiva incipiente. Aristóteles foi essencial na criação do conceito de culpabilidade, pois para ele não havia responsabilidade sem vontade e possibilidade. O Direito romano é, ainda hoje, estudado nas faculdades em razão de sua importância histórica. Inicialmente, os crimes eram divididos em públicos (*crimina publica*), os quais eram crimes graves, como traição e assassinato, em que a pena era aplicada pelo Estado, e ofensas privadas (*delicta privada*), de menor gravidade, como o furto em que a punição era encargo do próprio ofendido. Posteriormente, passou a prevalecer o caráter público da punição, considerando-se o direito de punir (*jus puniendi*) exclusivo do Estado. Os institutos e as leis dos romanos ainda hoje inspiram o Direito Penal, como as noções de legítima defesa, dolo e culpa, erro de fato e erro de direito, assim como a inexcusabilidade do desconhecimento da lei, expresso no brocardo de origem latina *error iuris nocet*, bem como concepções modernas do Direito Penal, como o princípio da insignificância ou bagatela, originário de uma concepção do Direito romano, conhecido no brocardo de *minimis non curat praetor* (o pretor não cuida de coisas pequenas).

Direito Medieval e Direito Canônico

Na idade média houve um retorno à barbárie e à falta de proporcionalidade das punições. As monarquias absolutas levaram os castigos ao extremo da brutalidade e do sofrimento. Nesse período, teve grande importância a Igreja Católica, a qual, por meio do Direito Canônico, conferiu à pena uma finalidade de arrependimento e expiação da culpa, no sentido de reconciliar o pecador com Deus, de modo que o Direito Penal assumiu um caráter recuperatório e não, simplesmente, punitivo. A noção de livre-arbítrio foi fundamental na fundamentação da punição, por não ser possível punir um ato involuntário. Foi nesse período que a prisão tornou-se uma pena, já que, até esse momento, era apenas a forma em que o condenado esperava sua execução capital. Paradoxalmente, foi também nesse período, marcado por ignorância e pela superstição, que o crime de bruxaria passou a ser punido com os mais terríveis suplícios, desenvolvendo-se uma terrível perseguição a pessoas acusadas de práticas demoníacas, culminando com milhares de indivíduos, especialmente mulheres, condenadas pelo Tribunal da Santa Inquisição.

Período humanitário racionalista

Foi marcado pela influência de grandes pensadores iluministas, que reagiram às atrocidades cometidas pelos reis absolutistas. O Renascimento trouxe luz ao Direito Penal, influenciado por grandes pensadores como John Locke, Jeremias Bentham, Immanuel Kant, Georg Wilhelm Friedrich Hegel, Barão de Montesquieu, Voltaire e, muito especialmente, Cesare Bonesana ou Marques de Beccaria, autor da obra *Dos Delitos e Das Penas* (1764), que revolucionou o pensamento jurídico-penal, defendendo ideias e postulados que ainda hoje são essenciais ao Direito Penal, como o princípio da legalidade (não há crime ou pena sem prévia lei), a proporcionalidade e necessidade das penas, o combate à pena de morte e da tortura, entre outras.

Período criminológico

O entusiasmo acadêmico acerca das descobertas científicas influenciou profundamente os pensadores sociais e juristas, que buscaram adaptar as normas jurídicas aos postulados das ciências naturais. No Direito Penal, esse período foi concebido como *período criminológico*, em função da palavra "criminologia", cunhada por Raffaele Garofalo. Nesse período os estudos sobre o crime buscaram transcender os horizontes dogmáticos, apropriando-se das novas formas de pensar herdadas do iluminismo e das descobertas científicas emergentes, notadamente as teorias de Darwin e Spencer, destacando-se as noções de *delito natural* (Garofalo), *criminoso nato* (Lombroso) e *sociologia criminal* (Ferri). Em razão dessa nova forma de pensar, houve também uma evolução nos conceitos de imputabilidade e das funções da pena criminal.

Evolução do Direito Penal brasileiro

O Direito aborígine, da população autóctone brasileira, em nada influenciou as leis posteriores ao descobrimento do Brasil.[30] No Brasil Colônia (1500-

---

30. Conforme NORONHA. Idem, ibidem, p. 52.

1822), o livro V das Ordenações Filipinas foi nosso primeiro Código Penal, o Código Filipino. Esclarece NORONHA que as ordenações anteriores (Afonsinas e Manuelinas, revogadas em 1.569 pelo Código de D. Sebastião) tiveram pouca aplicação em virtude das condições do Brasil recém-descoberto, que tinha tudo por fazer e organizar. Refletindo a cultura de seu tempo, o crime era confundido com pecado e com mera ofensa à moral, incriminando hereges e apóstatas, feiticeiros, benzedores, fatos sexuais, além do crime de lesa-majestade, que infamava também os descendentes do criminoso. A pena de morte comportava várias modalidades, como a forca (morte natural), forca precedida de tortura (morte natural cruelmente), morte para sempre (o corpo ficava suspenso e putrefazendo-se), além de mutilações. Não havia técnica legislativa e longas orações definiam os crimes, imperando o casuísmo. Vigeu durante mais de 200 anos, de 1603 a 1830.

Após a independência, isto é, durante o Império (1822-1890), sobreveio o Código Imperial, em 1830, de índole liberal. Honrava a cultura jurídica nacional e inspirava-se no liberalismo da Constituição de 1824, no Código francês de 1810 e no Código Napolitano de 1819. Embora adiantado para a época (um dos poucos códigos liberais existentes), tratava de forma desumana os escravos e previa penas de galés e de morte, além de não separar a Igreja do Estado, apresentando crimes que puniam ofensa à religião estatal. Além disso, apresentava defeitos técnicos, pois não previa culpa nem homicídio ou lesões corporais culposas, o que foi sanado pela Lei n. 2.033 de 1871. No campo doutrinário, Tobias Barreto foi o grande penalista dessa época.

Com a Proclamação da República, em 1890, o Brasil teve diversos códigos e leis penais, a começar pelo Código Penal de 1890, seguido pela Consolidação das Leis Penais de 1932, o Código Penal de 1940 e o Código Penal de 1969, bem como a Reforma de 1984, além de muitas pequenas reformas pontuais. De todas, com certeza a reforma de 1984 foi a mais importante, inserindo no Direito Penal brasileiro a teoria finalista da ação, concebida pelo jurista alemão Hans Welzel.

O Código Penal de 1940 foi concebido em duas partes, sendo a primeira parte, a chamada "Parte Geral", contendo as normas relacionadas aos aspectos estruturais da infração penal, como o que é crime, o que é tentativa, o que são as penas e como devem ser aplicadas etc. A segunda parte, chamada "Parte Especial", contém um catálogo de crimes e as respectivas penas.

1.9 DIREITO PENAL: ESCOLAS, SISTEMAS E TEORIAS

Escolas penais

O termo "escola" não é empregado no sentido comum de lugar físico onde se ministram disciplinas. Escolas penais são as correntes ou modelos de pensamento que se formaram em torno de problemas caros à evolução científica do Direito Penal a partir do século XVIII. Moniz Sodré[31] sintetizou as indagações básicas dessas escolas:

1. Em que se funda a responsabilidade penal?
2. O que é crime, qual seu conceito?
3. O criminoso é um homem normal ou um tipo anômalo, uma variedade distinta do gênero humano?
4. Qual o conceito e quais os efeitos da pena?

Esse período é também concebido como período criminológico, em que os estudos sobre o crime buscam transcender os aspectos meramente dogmáticos, apropriando-se das novas formas de pensar herdadas do iluminismo e das descobertas científicas emergentes.

Escola Clássica

Sustentavam os juristas dessa escola que o crime se funda no livre-arbítrio, sendo o crime o produto exclusivo da vontade do indivíduo e nenhuma outra causa, sendo, segundo CARRARA, uma infração à lei do Estado. O criminoso é um ser normalmente constituído e psicologicamente são, provido de ideias e de sentimentos iguais aos de todos os outros homens. A pena é um mal imposto ao indivíduo que merece um castigo em vista de uma falta considerada crime, tendo caráter meramente retributivo. Nessa escola estão

---

31. SODRÉ, Moniz. Op. cit., p. 69.

Jeremy Bentham, Paul Johann Anselm Ritter von Feuerbach, Carl Joseph Anton Mittermaier, Gian Domenico Romagnosi, entre outros, sendo o italiano Francesco Carrara seu principal expoente.

Escola Positivista ou Antropológica

Esta escola, como o nome indica, foi influenciada pelos avanços científicos do século XIX, buscando atribuir os postulados da ciência ao Direito Penal, buscando dar uma explicação científica para o crime, o qual não seria, como na escola clássica, fruto de mero livre-arbítrio, considerado uma "ilusão subjetiva", sendo que a responsabilidade penal se funda na responsabilidade social do indivíduo. Esta escola não formula um conceito único de crime, e sim, múltiplas definições, a fim de se ter do delito uma noção naturalística, verdadeiramente científica e independente do seu conteúdo legal, tratado como um fenômeno decorrente de fatores antropológicos, sociais e jurídicos, prosperando o conceito de *delito natural*, concebido por Garofalo como a violação dos sentimentos altruísticos fundamentais de piedade e probidade, na medida média em que se acham na humanidade, por meio de ações prejudiciais à coletividade. Lombroso, fundador da antropologia criminal e autor de *O homem delinquente* (1876), buscando a explicação científica do crime, concluiu, após o estudo antropológico e a análise comparativa entre o homem selvagem e o homem delinquente, que o delito é um fenômeno de atavismo orgânico e psíquico. Considera-se o criminoso um ser especial, uma variedade da espécie humana, por suas anomalias orgânicas e psíquicas, hereditárias e adquiridas, com peculiaridades psicológicas e, inclusive, físicas, tendo Lombroso sustentado a existência de um "criminoso nato", que chegou a incluir na "família dos epileptoides".[32] A pena é defesa contra o crime e não visa ao castigo, mas à defesa social. Esta escola deu início à criminologia, graças ao magistrado Raffaele Garofalo. Merece destaque também o advogado Enrico Ferri, criador da sociologia criminal, que incluiu os fatores sociais entre as causas do crime.

---

32. LOMBROSO, César. *O homem delinquente*. Tradução de Maristela Bleggi Tomasini e Oscar Antonio Corbo Garcia. Porto Alegre: Ricardo Lenz, 2001. p. 25.

Escola Crítica

Esta escola, também chamada de eclética, sociológica ou do naturalismo crítico, buscando a superação das anteriores, ora conciliando, ora repudiando suas ideias, sustenta que a responsabilidade penal tem por base a responsabilidade moral. Essa escola não tem um modo especial de definir o crime, pois seus adeptos ou aceitam o conceito da escola antropológica ou reproduzem definições da escola clássica.[33] A personalidade do delinquente, mais do que a gravidade do delito, é que deve servir de verdadeira medida para a pena, considerada como um meio de defesa social e, quanto maior for a perversidade do criminoso, maior deve ser a punição. A pena toma caráter de uma função defensiva ou preservadora da sociedade, que independe do livre-arbítrio, mas que para ser exercida licitamente exige a liberdade moral do criminoso, sendo que, na luta contra o crime, a prevenção é mais eficaz que a repressão. Essa escola assimila a ideia de livre-arbítrio dos clássicos e a aprimora, substituindo pelo critério da voluntariedade. A medida de segurança deve ser aplicada para quem não tem capacidade penal de orientar-se de acordo com a vontade. A pena, como nos clássicos, tem fundamento ético e aflitivo, mas também se destina à defesa social, como na escola positiva. São expoentes dessa escola Manuel Carnevale, Bernardino Alimena, Giuseppe Impalomeni e Gabriel Tarde.

Escola Alemã

A finalidade principal dessa escola, também chamada de Escola Moderna, Positivismo Crítico e Escola Sociológica, foi a adoção de medidas práticas no interesse da repressão e prevenção do delito, o que conseguiu, introduzindo nas legislações diversos institutos. Nessa linha, apregoa a necessidade de estremar o Direito Penal da criminologia, devendo aquele limitar-se à dogmática e aos textos legais, valendo-se do método lógico. Considera o crime um fato jurídico, sem deixar de lado os aspectos humano e social, rejeitando a ideia de criminoso nato ou um tipo antropológico de delinquente, como pretendeu Lombroso, mas admite a influência de causas individuais, físicas e psicológicas, além de externas, com predominância das econômicas. A pena

---

33. SODRÉ, Moniz. Op. cit., p. 144.

tem função preventiva geral e especial, aquela advertindo a todos, esta quando recai sobre o delinquente. O principal expoente dessa escola foi von Liszt, com notáveis seguidores, como Max Ernst Mayer, Kohlrauch, Radbruch, Graf zu Dohna, Exner, Eberhard Schmidt, Kantorowicz e outros.[34]

Outras escolas

Muitas correntes de pensamento se formaram durante a evolução científica do Direito Penal, surgindo outros movimentos de grande importância, merecendo destaque para a escola técnico-jurídica, a escola correcionalista e o movimento da nova defesa social.

Segundo NORONHA,[35] grande influência teve a *escola Técnico-Jurídica*, que não é exatamente uma escola, mas uma orientação consistente numa renovação metodológica no estudo do Direito Penal. Filia-se ao classicismo, mas repudia a intervenção da filosofia no Direito Penal. Combate o positivismo naturalista, mas não foge à influência de concepções deste, como a periculosidade e a medida de segurança. Suas principais teses são a negação das investigações filosóficas, o crime como relação jurídica de conteúdo individual e social, responsabilidade moral, com distinção entre imputáveis e inimputáveis, pena retributiva e expiatória para os primeiros e medida de segurança para os segundos. Seu principal expoente foi Arturo Rocco.

A escola correcionalista concebe o direito como conjunto de condições dependentes da vontade livre para cumprimento do destino do homem. O Direito Penal deve olhar o homem não como homem abstrato, mas como sujeito ativo do crime, homem real, vivo e efetivo, em sua total e exclusiva individualidade. Segundo Carlos Davi Augusto Roeder, principal nome dessa escola, o fim da pena é corrigir a vontade má do criminoso, devendo durar o tempo necessário para corrigir esse objetivo, sendo, portanto, indeterminada. Admitia que a pena findasse assim que demonstrada sua necessidade.

A *nova defesa social* é um movimento de política criminal que surgiu após a Segunda Guerra Mundial, graças aos esforços de Filippo Gramatica. A prin-

---

34. NORONHA, E. Magalhães. *Direito Penal. Volume 1: introdução e parte geral.* São Paulo: Saraiva, 1991. p. 40.

35. Idem, ibidem, p. 41-2.

cípio, foi denominado movimento da defesa social, tendo, em 1954, recebido o novo nome de "nova defesa social", cujos fundamentos foram proclamados na obra de Marc Ancel, principal expoente da escola, denominado *La Défense Sociale Nouvelle*, manifestando o objetivo de realizar permanente exame crítico das instituições vigentes, objetivando atualizar, melhorar e humanizar a atividade punitiva, bem como reformar ou, até mesmo, abolir essas instituições, adotando uma vinculação a todos os ramos do conhecimento humano, capazes de contribuir para uma visão total e completa do fenômeno criminal (multidisciplinaridade). Concebe um sistema de política criminal que rejeita o sistema neoclássico, o qual adota uma postura punitivo-retributiva, garantindo os direitos do homem e promovendo os valores essenciais da humanidade.

Escola Brasileira

O jurista Roberto Lyra defendeu a existência de uma Escola Brasileira de "Direito Penal científico" chefiada por Tobias Barreto.[36] *Direito penal científico* seria, segundo LYRA, o estudo vertical da criminalidade (conceito sociológico), de forma distinta do *Direito penal normativo*, destinado a estudar o crime como conceito jurídico. A Escola Brasileira postulava que devemos criar um pensamento penal genuinamente brasileiro. Com argumentos sociológicos, baseados na diversidade sociocultural do Brasil, Nina Rodrigues chegou a sustentar a necessidade de haver, pelo menos, quatro códigos penais no Brasil, considerando um erro a existência de um único Código Penal.[37]

Na síntese dessa escola encontramos os seguintes postulados: se existe a noção de crime é porque existe o Direito (Clóvis Beviláqua); não devemos imitar ninguém, sejamos brasileiros e tiremos de nós mesmos um espírito, um gênio, um caráter (Silvio Romero); "é preciso pensar por nossa conta" (Tobias Barreto); os crimes são brotos espontâneos do meio social; a criminologia deve ser um esgalhamento da sociologia, porque se expande de um dos ramos dela, que é o Direito (Clóvis Bevilaqua); a injustiça é a mãe da violência (Afrânio Peixoto); a sociedade

---

36. LYRA, Roberto. *Direito Penal Científico*. Rio de Janeiro: José Confino Editor, 1974. p. 20.
37. Idem, p. 109.

não quer enxergar a parte que lhe toca no sofrimento do criminoso (Evaristo de Moraes); os criminosos saem das prisões três vezes piores (Silvio Romero).[38]

Criminologia

Etimologicamente, criminologia é o estudo (logos) do crime. Mas, diferentemente do Direito Penal, a Criminologia não se ocupa dos aspectos dogmáticos do *jus puniendi*, mas sim do crime como fenômeno comportamental, humano e social. Conforme SOARES, os elementos do fenômeno criminal são o crime, o criminoso, a pena e a vítima.[39]

O termo criminologia foi utilizado pela primeira vez em 1879 pelo antropólogo francês Paul Topinard, mas foi em 1885 que apareceu, como título de uma obra científica, no livro de R. Garofalo, intitulado *Criminologia*.[40] O precursor da ciência criminológica foi sem dúvida alguma o médico italiano Cesare Lombroso, o qual procurava identificar padrões atávicos nos criminosos, criando a ideia de um *criminoso nato*, isto é, um tipo de ser humano programado geneticamente para delinquir. Garofalo, a seu turno, estabeleceu a ideia de se definir o crime independentemente da visão jurídica, mas a partir da ideia de delito natural. Nesse sentido, escreveu: o problema que nos propomos é o de saber se, entre os delitos previstos pelas nossas leis atuais, há alguns que, em todos os tempos e lugares, fossem considerados puníveis.[41]

Contrapondo-se à escola clássica, LOMBROSO e GAROFALO foram os grandes expoentes da chamada escola positiva, com a qual entrava em choque a *sociologia criminal*, na esteira das teorias sociológicas de LACASSAGNE, TARDE e DURKHEIM.[42] De forma simplificada, pode-se dizer que as heranças de DURKHEIM e MARX vieram a implantar-se e a frutificar, sobretudo, nos Estados Unidos e na Europa Oriental, dando origem à

---

38. Idem, p. 28.
39. SOARES, Orlando. *Curso de Criminologia*. Rio de Janeiro: Editora Forense, 2003. p. 5.
40. DIAS, Jorge Figueiredo; ANDRADE, Manuel da Costa. *Criminologia: o homem delinquente e a sociedade criminógena*. Coimbra: Coimbra Editora, 1993. p. 5.
41. GAROFALO, R. *Criminologia*. Campinas: Péritas, 1997. p. 10.
42. DIAS, Jorge Figueiredo; ANDRADE, Manuel da Costa. Op. cit., p. 21.

sociologia criminal norte-americana e à criminologia dos países socialistas.[43] A nova sociologia criminal ou criminologia crítica surgiu nos anos 1960, destacando as teorias do *labeling approach* (ou perspectiva interacionista), a *etnometodologia* e a *criminologia radical*.[44]

Sistemas ou modelos de direito penal

O primeiro grande sistema penal surgiu com a Escola Clássica, sendo portanto chamado de *sistema clássico*, causal, causalista ou, ainda, naturalista, adotando a ideia de conduta punível de von Liszt e Beling, segundo o qual a ação penalmente relevante não passa de mero movimento corporal voluntário, apto à produção de um resultado, sendo que o crime nada tem a ver com conceitos normativos, isto é, valorativos. Este modelo vigorou no Brasil até 1984, quando foi substituído pelo sistema finalista. O sistema *neoclássico* ou *neokantiano* manteve a concepção causalista de ação, porém sustentou que não apenas fatos da natureza, mas também elementos culturais, isto é, normativos, do mundo do dever ser, interessam ao Direito Penal e ao conceito de crime.

O sistema finalista, de Hans Welzel, foi construído sobre a ideia de que a ação é o exercício de uma atividade final, ou seja, a finalidade, o caráter final da ação, baseia-se no fato de que o ser humano, graças ao seu saber causal, pode prever as consequências de sua conduta e orientar-se nesse sentido. A atividade final é uma atividade dirigida conscientemente em razão de um fim, enquanto o acontecer causal não está dirigido em razão de um fim, mas é a resultante casual da constelação de causas existente em cada momento. Segundo o próprio Welzel, a causalidade é cega e a finalidade é vidente.[45] O sistema finalista foi adotado no Brasil com a reforma penal de 1984, que alterou completamente a Parte Geral do Código Penal para incluir conceitos essenciais do finalismo.

---

43. Nesse sentido: DIAS, Jorge Figueiredo; ANDRADE, Manuel da Costa. Op. cit., p. 30-31.
44. DIAS, Jorge Figueiredo; ANDRADE, Manuel da Costa. Op. cit., p. 42.
45. WELZEL, Hans. *O novo sistema jurídico penal:* uma introdução à doutrina da ação finalista. Tradução de Luiz Regis Prado. 3. ed. rev. e amp. São Paulo: Editora Revista dos Tribunais, 2011. p. 32.

O sistema funcionalista[46] tem como expoentes os juristas alemães Claus Roxin e Günther Jakobs, os quais propugnam, de modo geral, a utilização de critérios preferencialmente normativos na configuração do crime, visando a melhor realização da função do Direito Penal, seja numa perspectiva teleológica, isto é, orientada à realização da política criminal (Roxin), seja numa perspectiva sistêmica, em que o Direito Penal tem como função assegurar a confiança na ordem jurídica como um todo (Jakobs). Segundo o funcionalismo, não se pode caracterizar o ilícito penal por meio de categorias como causalidade ou finalidade, já que um crime nem sempre é realizado final ou causalmente, como provam os crimes omissivos, devendo o ilícito penal ser concebido a partir da ideia normativa de realização de um *risco proibido*.[47]

Sociedade de risco e expansionismo penal

A partir da metade do século XX, os avanços da indústria e da tecnologia trouxeram novos interesses – bens jurídicos –, assim como novas formas de violações, próprias do nosso tempo, evidenciados na poluição em grande escala, nas ameaças nucleares, no terrorismo, na transnacionalização e virtualização das atividades criminais, do incremento do narcotráfico etc., originando a chamada "sociedade de risco"[48] e gerando uma reação do Estado caracterizada pelo incremento da intervenção penal, com a criação de novos tipos de crimes, incriminação de pessoas jurídicas, aumento das penas etc.

Esse crescimento da atuação do Direito Penal é chamado de expansionismo penal, cuja marca é o desprezo do legislador ao princípio da intervenção mínima e pode ser observado no contexto de movimentos punitivistas, que apregoam mais rigor na punição, tais como o movimento lei e ordem, a política de tolerância zero e a teoria das janelas quebradas, o "Direito Penal do inimigo", a criação de crimes de perigo e a administrativização do Direito Penal, entre outros.

---

46. Antes do funcionalismo, é preciso mencionar o surgimento de diversas tendências que procuraram misturar aspectos neoclássicos com finalistas, os quais foram designados por Claus Roxin como síntese neoclássica-finalista, conforme observado por PACELLI, Eugênio. *Manual de Direito Penal:* parte geral. Eugênio Pacelli, André Callegari. São Paulo: Atlas, 2015. p. 66.
47. ROXIN, Claus. *Estudos de Direito Penal.* Op. cit., p. 81-82.
48. Segundo BECK, na modernidade avançada a produção social de riqueza vai acompanhada sistematicamente pela produção social de riscos. Sobre o tema, ver BECK, Ulrich. *La sociedade del riesgo.* Barcelona: Paidós, 1998. p. 25.

Lei e ordem (*law and order*) é um movimento nascido nos EUA, tendo como representantes os políticos e a imprensa sensacionalista, que defendem a repressão como a solução para problemas criminais, desprezando muitas vezes os desajustes sociais, culturais e econômicos responsáveis pelo avanço da criminalidade.

A política de *tolerância zero* é uma estratégia de segurança pública implantada em Nova York pelo prefeito Rudolph Giuliani, ex-promotor federal que se orientava pela repressão a pequenas infrações, começando pelos "homens-rodo", que extorquiam dinheiro de motoristas após limparem seus para-brisas com rodo, bem como pichadores, pessoas que não pagavam passagens de metrô, que urinavam e defecavam na rua etc., tendo como fundamento a teoria das janelas quebradas, elaborada inicialmente pelo cientista político James Wilson e pelo psicólogo George Kelling, estabelecendo uma relação entre desordem e criminalidade, sendo que a teoria faz alusão a uma metáfora que apregoava que sempre que uma janela de fábrica ou escritório fosse quebrada e não consertada imediatamente, as pessoas que por ali passassem concluiriam que ninguém se importava; diante da falta de autoridade, quebrariam mais janelas, a ilustrar que a tolerância com pequenas desordens leva ao crescimento da desordem e ao caos.

O *Direito Penal do inimigo*, a seu turno, é uma teoria que trata determinadas pessoas como inimigas do Estado, devendo ter relativizados seus direitos fundamentais, diferentemente do que ocorre com crimes comuns, em que deve imperar o Direito Penal do cidadão. A expressão Direito Penal do inimigo é relativamente recente, pois surgiu em 1985, na Alemanha, com as ideias de Günther Jakobs, que é professor de Filosofia do Direito e Direito Penal na renomada Universidade de Bonn. O termo original é *Feindstrafrecht*, que se opõe conceitualmente a *Bürgerstrafrecht*, o Direito Penal do cidadão. Em linhas gerais, essa teoria sustenta que pessoas "inimigas da sociedade" não precisam receber as mesmas garantias, remédios e benefícios concedidos pelo Direito Penal àqueles que são considerados cidadãos. Alguns exemplos de inimigos seriam os terroristas e os membros de grupos do crime organizado e máfias.

O fenômeno da Administrativização do Direito Penal concerne à introdução no âmbito repressivo de condutas facilmente solucionáveis no âmbito do Direito Administrativo Sancionador, como a atribuição da responsabilidade criminal da pessoa jurídica. Vários países concebem a possibilidade de pessoas jurídicas sofrerem penas criminais, o que é questionado por aqueles que acreditam que a sanção penal deve ser aplicada apenas a seres humanos, podendo atingir os dirigentes dos entes corporativos, mas não estes próprios, que devem se submeter a sanções de outra ordem.

O incremento dos crimes de perigo significa a necessidade do Estado de antecipar a proteção de bens jurídicos, passando a punir condutas que não atingem diretamente o bem jurídico, mas representam, isto sim, uma ameaça, ocorrendo o que Jakobs chama de "injusto parcial", em que não há violação do bem jurídico e não é infringida uma norma principal (norma de delito de lesão), e sim uma norma de defesa, cuja missão é garantir as condições de vigência da norma principal.[49]

Teorias legitimadoras e deslegitimadoras

No contexto da sociedade de risco e expansão do Direito Penal, este passa a ser visto com desconfiança, com um caráter mais simbólico do que efetivo, perdendo eficácia real, para tornar-se mero discurso punitivista. A expansão do Direito Penal pode levar à sua deslegitimação, isto é, à descrença em suas normas pela população e o sentimento de inutilidade, por acabar frustrando as expectativas nele depositadas de solução dos problemas criminais, já que o aparelho repressivo estatal não dá conta de enfrentar a criminalidade em razão da sobrecarga de seus instrumentos e profissionais. Em outras palavras, argumenta-se que o Direito Penal criminaliza uma série de condutas, sobrecarregando os órgãos incumbidos da repressão criminal, a despeito de tais agências disporem de uma capacidade operativa muito inferior à magnitude da demanda.[50]

A legitimação do Direito Penal consiste na sua defesa teórica como um ramo do Direito capaz de dar respostas úteis à sociedade em relação aos problemas criminais, enquanto a deslegitimação envolve, em sentido contrário,

---

49. JAKOBS. Günther. *Fundamentos do Direito Penal*. Tradução de André Luis Callegari; colaboração de Lúcia Kalil. São Paulo: Editora Revista dos Tribunais, 2003. p. 132-133.
50. QUEIROZ, Paulo. *Funções do Direito Penal*. São Paulo: Editora Revista dos Tribunais, 2008. p. 93.

modelos teóricos que postulam a inutilidade do Direito Penal, propondo modelos distintos de intervenção estatal. Embora alguns autores proponham uma clara separação entre teorias legitimadoras e deslegitimadoras, acreditamos que, de modo geral, há certa incorporação de umas em outras, razão pela qual tratamos de expor a seguir um apanhado geral das principais correntes de pensamento.

Teorias absolutas e relativas

As *teorias absolutas* apresentam uma justificação moral ou jurídica para a intervenção penal, sem preocupação com uma finalidade ou sobre os possíveis efeitos reais ou simbólicos da pena, a qual se justifica *quia peccatum est*. Para KANT, a pena corresponde a uma necessidade absoluta de justiça, que deriva de um "imperativo categórico", isto é, uma exigência moral incondicional, independentemente de qualquer utilidade ou finalidade, pois a pena basta a si mesma, como realização da justiça. As penas são, em um mundo regido por leis morais, categoricamente necessárias. Para HEGEL, a pena se justifica não pela moral, mas pela razão, a partir de um processo dialético, pois o delito é uma violência contra o direito, de modo que a pena, sendo violência contra a violência, é a reafirmação do direito. Assim, a pena restaura a razão do direito, anulando a razão do delito.

As *teorias relativas* são teorias que atribuem uma finalidade para o Direito Penal, em vez de concebê-lo como um fim em si mesmo. Para estas teorias, a pena tem a finalidade de prevenção, ideia primeiramente defendida por FEUERBACH, segundo o qual a pena produz uma "coação psicológica" exercida para intimidar os destinatários da norma (prevenção geral negativa). Já a prevenção geral positiva, significa que a pena é capaz de incutir valores, promovendo a integração social.

As *teorias dialéticas* procuram conciliar a punição com a prevenção. Nesse sentido, sustenta WELZEL que é missão do Direito Penal amparar os valores elementares da vida da comunidade e que um Direito Penal eficaz dispõe de dois caminhos: por um lado, é um Direito Penal retributivo, fundado ética e socialmente, e delimitado por tipos fixos contra o autor ocasional; e, por outro lado, um direito de segurança – que combate perigos sociais agudos –

contra o criminoso de estado.[51] Segundo JAKOBS, cujo pensamento se inspira na teoria dos sistemas de LUHMANN, a pena, ou mais precisamente, a norma penal, aparece como uma necessidade funcional ou, ainda, como uma necessidade sistêmica de estabilização das expectativas sociais, cuja vigência é assegurada ante as frustrações que decorrem da violação das normas.[52] VON LISZT atribui à pena um papel de prevenção especial, no sentido de impedir que o infrator, submetido à sanção penal, volte a delinquir.

Abolicionismo e minimalismo penal

O abolicionismo penal é uma corrente que sustenta a total inoperância do Direito Penal para o tratamento do crime, devendo ser substituído por outros modelos de enfrentamento, uma vez que a prisão é algo superado. A partir da linha teórica desenvolvida por Michel Foucault, o jurista italiano Alessandro Baratta sustenta a necessidade de uma transição orientada à abolição da instituição carcerária, mediante medidas que funcionariam como "pontes" ligando o estágio atual do Direito Penal ao objetivo almejado, as quais se concentram nas formas alternativas de sanção, exemplificadas na suspensão condicional da pena, a liberdade condicional, o regime de semiliberdade e outras restrições de direitos utilizadas como método substitutivo à pena de prisão, amplificando-se o uso dessas medidas até o ponto máximo em que a derrubada dos muros do cárcere seja o próximo passo lógico. Segundo BARATTA, a estratégia da despenalização significa a substituição das sanções penais por formas de controle legal não estigmatizantes (sanções administrativas, ou civis) e, mais ainda, o encaminhamento de processos alternativos de socialização do controle do desvio e de privatização dos conflitos, nas hipóteses que isso seja possível e oportuno.[53] As bases críticas do abolicionismo podem ser sintetizadas da seguinte maneira: 1) o sistema penal é incapaz de prevenir a prática de novos delitos; 2) o sistema penal é arbitrariamente seletivo, pois recruta sua clientela entre os mais miseráveis; 3) o sistema penal

---

51. WELZEL, Hans. *Direito Penal*. Campinas: Romana, 2003. p. 27/41.
52. QUEIROZ, Paulo. Op. cit., p. 43.
53. BARATTA, Alessandro. *Criminologia crítica e crítica do Direito Penal*: introdução à sociologia do Direito Penal. Rio de Janeiro: Revan, 2014. p. 202.

opera à margem da legalidade, violando direitos humanos; 4) o sistema penal não atinge as "cifras ocultas" da criminalidade; 5) o sistema penal não leva as vítimas em conta; 6) o crime carece de consistência material (ontológica) e, portanto, o crime não existe; 7) o sistema penal intervém sobre pessoas e não sobre situações; 8) o sistema penal intervém de maneira reativa e não preventiva; 9) o Direito Penal atua tardiamente; 10) o sistema penal supõe, falsamente, um modelo consensual de sociedade; 11) a lei penal não é inerente às sociedades; 12) o sistema penal intervém sobre efeitos e não sobre as causas da violência.[54]

Contrário às ideias abolicionistas, ROXIN sustenta que a situação do delinquente não melhoraria se o controle do crime fosse transferido para uma instituição arbitral independente do Estado e que uma sociedade livre do Direito Penal pressuporia, antes de mais nada, que através de um controle de natalidade, de mercados comuns e de uma utilização racional dos recursos de nosso mundo, se pudesse criar uma sociedade que eliminasse as causas do crime.[55]

O "Direito Penal mínimo" significa um Direito Penal maximamente condicionado e maximamente limitado, isto é, restrito às situações de absoluta necessidade, em que a intervenção do Estado represente o máximo de bem-estar possível para os não desviados e o mínimo mal-estar para os desviados (delinquentes). O minimalismo radical caminha rumo ao abolicionismo, propondo, imediatamente, a máxima contração do âmbito de atuação do sistema penal, preservando-o, assim, residualmente, e só mediatamente a abolição – a longo prazo – desse subsistema de controle social.[56]

Teoria das velocidades do Direito Penal

A teoria das velocidades foi desenvolvida pelo jurista e professor espanhol Jesús-Maria Silva Sánchez, o qual apresenta modelos de enfrentamento da criminalidade baseados na maior ou menor gravidade das infrações, acompa-

---

54. QUEIROZ, Paulo. *As funções do Direito Penal.* Op. cit., p. 88-101.
55. ROXIN, Claus. *Estudos de Direito Penal.* Tradução de Luís Greco. 2. ed. Rio de Janeiro: Renovar, 2008. p. 4.
56. QUEIROZ, Paulo. *As funções do Direito Penal.* Op. cit., p. 88-101.

nhadas de maior ou menor rigor da resposta penal, que denomina primeira, segunda e terceira velocidade.

O Direito Penal da primeira velocidade corresponde ao modelo liberal clássico, baseado na pena de prisão e na imputação individual, contendo o núcleo rígido do Direito Penal, isto é, a criminalidade clássica (homicídios, roubos etc.), revestida de maior gravidade, em que são ampliadas as garantias individuais. Fora do núcleo rígido está o Direito Penal de segunda velocidade, que corresponde a infrações de menor gravidade e que devem se sujeitar a penas alternativas à prisão, notadamente pecuniárias e restritivas de direitos, admitindo-se a flexibilização das formalidades para uma intervenção mais ágil e eficiente, tendo como exemplo entre nós a Lei n. 9.099 de 1995.

No sentido de uma terceira velocidade, SILVA SÁNCHEZ concilia o rigor da punição (primeira velocidade), com a flexibilização das garantias (segunda velocidade), para tratamento dos crimes da globalização, que traduzem o atual estágio da sociedade de risco, tais como criminalidade organizada (narcotráfico, terrorismo, pornografia), criminalidade das empresas (crimes fiscais, ambientais, relações de consumo, crimes econômicos), corrupção político-administrativa ou abuso de poder e a violência conjugal.[57] Para tais delitos, impõe-se proporcionar uma resposta penal que evite a formação de "paraísos jurídico-penais", propondo uma supranacionalização do Direito Penal e uma relativização das estruturas penais tradicionais.[58]

Direito de intervenção

Sob perspectiva distinta, HASSEMER, expoente da Escola de Frankfurt, para fazer diante da sociedade de risco, defende o surgimento de outro ramo do Direito, ou seja, o *Direito de intervenção*, destinado à tutela de bens jurídicos de menor importância mediante a aplicação de sanções mais leves e flexibilização de garantias, deixando no Direito Penal apenas os crimes tradicionais, relacionados aos bens jurídicos mais importantes. Em outras palavras, o Direito de intervenção destina-se à tutela de bens jurídicos co-

---

57. SANCHEZ, Jesús-María Silva. *La expansión del derecho penal:* aspectos de la política criminal en las sociedades postindustriales. Madri: Civitas Ediciones, 1999. p. 40.
58. Idem, p. 72-78.

letivos através de mecanismos de prevenção, enquanto o Direito Penal se destina à proteção de um núcleo rígido, composto de bens jurídicos clássicos, sem flexibilizar direitos fundamentais.[59] O Direito Penal tradicional continuará sempre tendo com que se ocupar: roubo, corrupção, estupro, não havendo ensejo para "modernização", mas há muitas razões para se supor que os problemas "modernos" causarão o surgimento de um Direito interventivo "intermediário" na zona fronteiriça entre o Direito Administrativo, o Direito Penal e a responsabilidade civil por atos ilícitos.[60]

Garantismo

O garantismo penal é uma das mais importantes, ou, pelo menos, uma das mais influentes diretrizes do pensamento minimalista. Trata-se de uma teoria desenvolvida pelo jusfilósofo italiano Luigi Ferrajoli, segundo o qual o sistema repressivo encontra legitimação no conjunto de garantias penais e processuais destinados a limitar os abusos do poder punitivo do Estado.

A teoria, apesar de sua densidade e profundidade, pode ser sintetizada a partir dos chamados "dez axiomas do garantismo penal", que são os seguintes: 1 – *Nulla poena sine crimine* (Princípio da retributividade); 2 – *Nullum crimen sine lege* (Princípio da legalidade); 3 – *Nulla lex (poenalis) sine necessitate* (Princípio da necessidade); 4 – *Nulla necessitas sine injuria* (Princípio da lesividade); 5 – *Nulla injuria sine actione* (Princípio da materialidade); 6 – *Nulla actio sine culpa* (Princípio da culpabilidade); 7 – *Nulla culpa sine judicio* (Princípio da jurisdicionariedade); 8 – *Nullum judicium sine accusatione* (Princípio acusatório); 9 – *Nulla accusatio sine probatione* (Princípio do ônus da prova); 10 – *Nulla probatio sine defensione* (Princípio do contraditório). Conforme FERRAJOLI, esses dez princípios, ordenados e conectados sistematicamente, definem o modelo garantista de direito ou de responsabilidade penal, isto é, as regras do jogo fundamental do direito penal.[61]

---

59. Ver HASSEMER, Winfried. *Perspectivas de uma moderna política criminal*. Revista Brasileira de Ciências Criminais. São Paulo: RT, 1994.
60. HASSEMER, Winfried. *Três temas de Direito Penal*. Porto Alegre: Fundação Escola Superior do Ministério Público, 1993. p. 59.
61. FERRAJOLI, Luigi. *Derecho y razón*: teoria del garantismo penal. Madri: Editorial Trotta, 1995. p. 93.

A teoria garantista sustenta que a pena é eminentemente retributiva (*post delictum*), de forma que, excluída qualquer finalidade de emenda ou disciplina, o único que se pode e deve pretender da pena é que, como escreveu Francesco Carrara, não perverta o réu, isto é, que não reeduque, mas tampouco deseduque; que não tenha uma função corretiva, mas tampouco uma função corruptora; que não pretenda fazer o réu melhor, mas que tampouco o faça pior. Para tal fim, basta apenas que as condições do cárcere sejam as mais humanas possíveis, o trabalho uma faculdade e não uma obrigação e o maior número de atividades coletivas, sem a distribuição de prêmios e privilégios, mas com direitos iguais para todos, o que talvez seja insuficiente para impedir a função pervertedora da prisão, sendo este um dos argumentos mais consistentes em apoio à abolição da pena privativa de liberdade.[62]

FERRAJOLI postula que um programa de minimização do Direito Penal exige a determinação da pena mínima necessária em sede legislativa e jurisdicional, com a supressão da prisão perpétua, redução das penas privativas de liberdade com vistas à sua progressiva abolição, a transformação em direitos de todos os benefícios penais e a duração máxima de 10 anos da pena privativa de liberdade.[63]

Os exageros da lógica garantista deram origem, em nosso país, ao chamado *garantismo hiperbólico molecular*, pelo qual os direitos fundamentais das vítimas e da sociedade são totalmente desprezados pelo Direito Penal, o qual se orienta exclusivamente pela proteção da pessoa acusada. Em contrapartida, surgiu no Brasil a ideia de garantismo positivo, destinado a proteger os direitos fundamentais das vítimas dos crimes e da sociedade, ao lado do *garantismo negativo*, este sim destinado à tutela dos direitos fundamentais do acusado.

Direito Penal simbólico

O simbolismo é utilizado na literatura como oposição ao realismo. Da mesma forma, o Direito Penal meramente simbólico é utilizado como algo distante da realidade, por meio de leis sem eficácia, servindo apenas ao discurso

---

62. Idem, p. 397.
63. Idem, p. 409-441.

punitivista, para fins políticos e demagógicos, como ocorre, por exemplo, na incriminação da posse de drogas para consumo pessoal, em que o tipo incriminador não prevê nenhuma sanção penal (art. 28 da Lei n. 11.343/2006). Registre-se que o simbolismo penal, em si mesmo, não é visto com sentido pejorativo, ou mesmo prejudicial ao sistema jurídico, pois os valores que o Direito Penal representa fazem parte da legitimação do próprio Direito. A crítica é no sentido de que a intervenção do Direito Penal não pode se resumir ao discurso político penal demagógico, limitando sua atuação à função simbólica. Por meio do Direito Penal simbólico, o Estado consegue responder rapidamente às demandas sociais e da mídia por mais segurança e estabilidade, editando novas leis com propósito meramente punitivo. Essas leis, todavia, não serão suficientes para enfrentar e resolver efetivamente o problema social subjacente, cumprindo um papel meramente simbólico, isto é, ilusório, dando uma falsa sensação de segurança e resolutividade. O legislador, ao submeter determinados comportamentos à normatização penal, não pretende, propriamente, reprimi-los ou preveni-los, mas tão só infundir na comunidade uma falsa impressão de segurança jurídica.[64]

Nos últimos anos tem havido forte tendência de uso simbólico do Direito Penal, como forma de acalmar a opinião pública e a imprensa sensacionalista. Diante do crescimento da violência, muitas vezes motivada por questões sociais de base, o Estado reage por meio de leis penais, em vez de enfrentar o problema com políticas públicas nas áreas de educação, saúde, habitação, urbanização etc., gerando a hipertrofia do Direito Penal, isto é, o excesso de normas penais. Dessa forma, o Direito Penal deixa de ser subsidiário (*ultima ratio*) para se tornar a principal forma de intervenção estatal (*prima ratio*), perdendo ainda mais legitimidade, por não conseguir atender à expectativa gerada de solução dos problemas. Com isso, ocorre uma aparente disfuncionalidade do sistema penal, dando origem a argumentos abolicionistas, quando o problema não é o Direito Penal, mas, na verdade, seu uso meramente simbólico.

---

64. QUEIROZ, Paulo. *Sobre a função do juiz criminal na vigência de um direito penal simbólico*. In: Boletim IBCCrim, São Paulo, n. 74, p. 9, jan. 1999.

Direito Penal do fato e Direito Penal do autor

O Direito Penal moderno é, basicamente, um *direito penal do fato*, pois está construído sobre o fato-do-agente e não sobre o agente-do-fato.[65] Ao contrário, *direito penal do autor* é uma teoria que sustenta a possibilidade de punir alguém pelo que é e não pelo que efetivamente *fez*, baseando-se na doutrina penal da culpa pelo caráter, que teve em Mezger um dos seus precursores, por meio da construção da "culpa na condução de vida".[66] Essa teoria, segundo a qual o crime é uma consequência das escolhas feitas pelo criminoso ao longo da vida, de acordo com seu próprio caráter, remonta à filosofia de Schopenhauer, tendo como principais defensores Dohna, Heinitz, Engisch e Figueiredo Dias.[67] Os tipos penais de autor foram comuns durante o nazismo, em que pessoas eram segregadas e punidas por sua origem, etnia, condição social etc.

O Direito Penal contemporâneo é o *Direito Penal do fato*, devendo ser excluídos da responsabilização criminal os meros pensamentos ou o modo de vida, rechaçando-se punições baseadas na "atitude interna" do autor. Assim, ninguém pode ser punido por ser ou pensar de forma diferente, ainda que contrariando o senso comum. A punição só pode atingir o que o agente faz e não o que o agente é ou pensa. Numa sociedade evoluída, a esfera de intimidade atribuída ao cidadão não pode ficar limitada aos impulsos dos neurônios, havendo necessidade estrutural de um "fato" como conteúdo central do tipo, isto é, Direito Penal do fato, em lugar de Direito Penal do autor.[68] FRAGOSO já dizia que "o Direito Penal vigente repousa sobre o desvalor social do fato. O crime é o pressuposto da pena e constitui sempre uma ação ou uma conduta com a qual o agente viola a norma penal. A puni-

---

65. TOLEDO, Francisco de Assis. *Princípios básicos de Direito Penal*. 5. ed. Saraiva: São Paulo, 1994.

66. AZEVEDO, André Mauro Lacerda. *Direito Penal e emoções:* uma análise da culpa jurídico-penal a partir da personalidade do agente materializada no fato criminoso. In: Temas criminais: a ciência do Direito Penal em discussão. Denis Sampaio, Orlando Facchini Neto (organizadores); Álvaro Roberto Antanavícius Fernandes, et al. (colaboradores). Porto Alegre: Livraria do Advogado Editora, 2014. p. 41-58.

67. ROXIN, Claus. *Estudos de Direito Penal.* Tradução Luís Greco. 2. ed. Rio de Janeiro: Renovar, 2008. p. 142.

68. MELIÁ, Manuel Cancio. In: JAKOBS, Günther. *Direito Penal do inimigo:* noções e críticas. Günther Jakobs, Manuel Cancio Meliá, org. e trad. André Luís Gallegari, Nereu José Giacomolli. Porto Alegre: Livrria do Advogado, 2005. p. 80.

ção é, assim, irrogada pela *infração*. A teoria do tipo de autor constitui uma construção vazia e abstrata, inteiramente nas nuvens".[69]

Teoria do Direito Penal do inimigo

Uma variante moderna do Direito Penal do autor é o Direito Penal do inimigo.

O conceito de inimigo remonta à distinção romana entre o *inimicus* e o *hostis*, mediante a qual o *inimicus* era o inimigo pessoal, ao passo que o verdadeiro inimigo político seria o *hostis*, em relação ao qual é sempre colocada a possibilidade de guerra como negação absoluta do outro ser ou realização extrema da hostilidade, isto é, o estrangeiro, o inimigo, o hostis, era quem carecia de direitos em termos absolutos, quem estava fora da comunidade.[70] A essência do tratamento diferenciado que se atribui ao inimigo consiste em que o direito lhe nega sua condição de pessoa, fazendo a distinção entre cidadãos (pessoas) e inimigos (não pessoas).[71]

A expressão *Direito Penal do inimigo* é relativamente recente, pois surgiu em 1985, na Alemanha, com as ideias de Günther Jakobs, que é professor de Filosofia do Direito e Direito Penal na renomada Universidade de Bonn. O termo original é *Feindstrafrecht*, que se opõe conceitualmente a *Bürgerstrafrecht*, o Direito Penal do cidadão. Em linhas gerais, essa teoria sustenta que pessoas "inimigas da sociedade" não precisam receber as mesmas garantias, remédios e benefícios concedidos pelo Direito Penal àqueles que são considerados cidadãos. Alguns exemplos de inimigos seriam os terroristas e os membros de grupos do crime organizado e máfias. Consoante esclarece Jakobs,[72] a denominação Direito Penal do inimigo não pretende ser pejorativa, pois é indicativa de uma fasificação insuficiente; entretanto esta, não necessariamente, deve ser atribuída aos pacificadores, mas pode referir-se também aos rebeldes. Ademais, implica um comportamento baseado em regras, em vez de uma conduta espontânea e impulsiva.

---

69. FRAGOSO, Heleno Claudio. *Conduta punível*. São Paulo: José Bishatsky, 1961. p. 211-212.
70. ZAFFARONI, Eugenio Raúl. *O inimigo no direito penal*. Rio de Janeiro, Revan, 2007. p. 21-22.
71. Idem, p. 18.
72. JAKOBS, Günther. Op. cit., p. 22.

Essa teoria se baseia em alguns referenciais jusfilosóficos, como Rousseau, ao afirmar que qualquer "malfeitor" que ataque o "direito social" deixa de ser "membro" do Estado, posto que se encontra em guerra com este; Fichte, para quem todo delinquente é, *de per si*, um inimigo; Hobbes, que despersonaliza o réu de alta traição, pois também este nega, por princípio, a constituição; Kant, segundo o qual deve ser tratado "como um inimigo", e não como pessoa, quem não participa na vida em um "estado comunitário-legal".[73]

Assim, o Direito Penal do cidadão é o direito de todos, o Direito Penal do inimigo é daqueles que o constituem contra o inimigo: frente ao inimigo, é só coação física, até chegar a guerra.[74] Aspecto importante do Direito Penal do inimigo é que sua atuação não se baseia, necessariamente, na conduta típica, podendo inclusive atuar em relação aos atos preparatórios, que, segundo o direito tradicional, são impuníveis. Nesse sentido, salienta Jakobs:

> Portanto, o Direito Penal conhece dois polos ou tendências em suas regulações. Por um lado, o tratamento com o cidadão, esperando-se até que se exteriorize sua conduta para reagir, com o fim de confirmar a estrutura normativa da sociedade, e por outro, o tratamento com o inimigo, que é interceptado já no estado prévio, a quem se combate por sua periculosidade. Um exemplo do primeiro tipo pode constituir o tratamento dado a um homicida, que, se é processado por autoria individual, só começa a ser punível quando se dispõe imediatamente a realizar o tipo, um exemplo do segundo tipo pode ser o tratamento dado ao cabeça (chefe) ou quem está por trás (independentemente de quem quer que seja) de uma associação terrorista, ao que alcança uma pena só levemente mais reduzida do que a correspondente ao autor de uma tentativa de homicídio, já quando funda a associação ou leva a cabo as atividades dentro desta, isto é, eventualmente anos antes de um fato previsto com maior ou menor imprecisão. Materialmente é possível pensar que se trata de uma custódia de segurança antecipada que se denomina "pena".[75]

---

73. Ibidem, ibidem, p. 25-29.
74. Ibidem, ibidem, p. 30.
75. Ibidem, 37-38.

Exemplo da adoção dessa teoria no Brasil é a previsão do art. 5º da Lei n. 13.260, que incrimina a conduta de realizar atos preparatórios de terrorismo com o propósito inequívoco de consumar tal delito.

Adverte Jakobs que um Direito Penal do inimigo, claramente delimitado, é menos perigoso, desde a perspectiva do Estado de Direito, que entrelaça todo o Direito Penal com fragmentos de regulações próprias do Direito Penal do inimigo e que a punição internacional ou nacional de violações dos direitos humanos, depois de uma troca política, mostra traços próprios do Direito Penal do inimigo, sem ser só por isso ilegítima.[76]

Uma das principais críticas, entre tantas, feitas à teoria do Direito Penal do inimigo, é que esta teoria consagra o Direito Penal do autor, em detrimento ao Direito Penal do fato.[77] Conforme ZAFFARONI, a essência do tratamento diferenciado que se atribui ao inimigo consiste em que o direito lhe nega sua condição de pessoa

O futuro do Direito Penal

Enquanto em outras conquistas culturais como a literatura, as artes plásticas, a música, as ciências, a medicina, entre outras, são valiosas em si mesmas e mal necessitam de uma justificação, no caso do Direito Penal a situação é distinta, impondo uma reflexão sobre o Direito Penal do futuro.[78]

Segundo ROXIN, o Direito Penal do futuro deverá contar com uma vigilância mais intensiva, como forma de prevenir delitos, mas esta, por si só, não substituirá o Direito Penal. No futuro, a ideia de curar em vez de punir pode ser ampliada, mas igualmente não será possível em muitos casos, ou sequer desejado. Delitos de bagatela devem ser descriminalizados e, nas hipóteses em que isto não for possível, como no furto, poder-se-ão evitar as desvantagens da criminalização por meio de alternativas à condenação formal pelo juiz. Todavia, tanto a descriminalização quanto a diversificação das medidas sancionatórias não tornarão a pena criminal supérflua. A taxa de

---

76. Ibidem, p. 49-50.
77. Nesse sentido, MELIÁ, Câncio. In: JAKOBS, Günther. *Direito Penal do inimigo:* noções e críticas. Op. cit., p. 80-81.
78. Sobre o futuro do Direito Penal, ver: ROXIN, Claus. *Estudos de Direito Penal.* Op. cit., p. 2-30.

criminalidade aumentará ainda mais, assim como a quantidade de dispositivos penais. Sem embargo, haverá uma suavização do Direito Penal, mediante a diversificação das penas. As sanções a pessoas jurídicas desempenharão grande papel no futuro, no combate à criminalidade de empresas. Conclui Roxin com a enfática afirmação de que "sim, o Direito Penal tem futuro".

RESUMO

Direito Penal: conceito e finalidade

Direito Penal é o ramo do Direito que regulamenta a aplicação de uma pena ao autor de uma infração penal, tendo por objetivo principal a proteção de bens jurídicos, que são interesses tutelados pelo Direito. Não se confunde bem jurídico (interesse abstrato) com o objeto material (pessoa ou coisa sobre a qual recai o crime).

Sujeitos da infração penal

O sujeito ativo é o autor, que pode ser uma pessoa física ou, excepcionalmente, uma pessoa jurídica (crimes ambientais); o sujeito passivo é a vítima. O sujeito ativo pode ser uma pessoa física, jurídica, o Estado ou a coletividade, nos chamados crimes vagos. Os crimes dividem-se em comuns (qualquer pessoa pode ser sujeito), próprios (exige-se condição especial do sujeito), bicomuns (qualquer pessoa pode ser sujeito ativo ou passivo) e bipróprios (tanto o sujeito ativo quanto o passivo devem ser especiais).

Princípio da legalidade

O brocardo *nullum crimen, nulla poena, sine praevia lege* significa que não há crime ou punição sem uma expressa previsão legal, ou seja, ninguém pode ser punido sem uma lei específica prevendo o crime e a pena.

Infrações penais

A violação da lei penal e do respectivo bem jurídico tutelado configura uma infração penal, que pode ser um crime (delito) ou uma contravenção penal. Não há diferença ontológica (na essência) entre crime (ou delito) e contravenção, que são as duas espécies de infrações penais. Os crimes estão previstos no Código Penal e em leis especiais e admitem pena de reclusão e detenção, enquanto as contravenções são infrações de mínima lesividade, previstas na Lei das Contravenções Penais, que admitem apenas prisão simples. As contravenções e os crimes cuja pena não ultrapasse 2 anos são considerados "infrações penais de menor potencial ofensivo", ficando sujeitos ao juizado especial criminal.

Evolução do Direito Penal

O Direito Penal evoluiu a partir do período de vingança privada para o período de vingança pública, até as primeiras legislações da Mesopotâmia, ainda na Idade Antiga, instituindo a Lei de Talião e a Lei Mosaica. O direito medieval foi marcado pela influência canônica. Na Idade Moderna, pensadores como Beccaria introduziram o período humanitário, que deu origem a diversas conquistas, como o princípio da legalidade (*nullum crimen nulla poena sine lege*), desenvolvido por Feuerbach. As Escolas Penais são correntes de pensamento que procuram dar caráter científico ao Direito Penal, com destaque para a Escola Clássica, a Escola Positiva, a Escola Crítica e outras escolas.

Sistemas penais

Sistema clássico: concebia o crime como uma relação de causa e efeito, pautada pela vontade, entre conduta e resultado.
Sistema neokantiano ou neoclássico: introduziu a importância da cultura e do normativismo na concepção de crime.
Sistema finalista: introduz a ideia de finalidade na concepção de crime, como um ato humano voluntário dirigido a um fim. Foi adotado no Brasil em 1984, na reforma da Parte Geral do Código Penal.
Sistema funcionalista: concebe o Direito Penal como um modelo destinado a realizar a política criminal (funcionalismo teleológico) ou garantir a confiança no sistema jurídico (funcionalismo sistêmico).

Direito Penal brasileiro

Teve início com as Ordenações do Reino de Portugal (período colonial), que foram substituídas pelo Código Criminal do Império. Posteriormente à proclamação da República, o Brasil teve diversos códigos e leis penais, a começar pelo Código Penal de 1890, seguido pela Consolidação das Leis Penais de 1932, o Código Penal de 1940 e o Código Penal de 1969, bem como a Reforma de 1984, que adotou o sistema finalista, além de muitas pequenas reformas pontuais. O Código Penal brasileiro de 1940, ao lado das leis especiais, forma a legislação penal brasileira da atualidade.

Sociedade de risco e expansionismo penal

As profundas mudanças sociais advindas com a industrialização, com o incremento dos riscos à sociedade em razão de práticas perigosas, geraram o crescimento e a intensificação do Direito Penal, com a criação de novos crimes, fenômeno denominado de expansionismo penal.

Teorias legitimadoras e deslegitimadoras

As teorias legitimadoras preocupam-se em justificar a existência do Direito Penal, enquanto que as teorias deslegitimadoras pretendem reduzir a intervenção penal ou, até mesmo, abolir sua existência. Uma das principais teorias da atualidade é o garantismo jurídico do italiano Luigi Ferrajoli, exposta na obra *Direito e Razão*.

Direito Penal simbólico

É composto por normas penais sem funcionalidade real, apenas para dar uma resposta do Estado à opinião pública.

Direito Penal e Estado Democrático de Direito

O Direito Penal da atualidade deve obedecer às premissas do Estado Democrático de Direito, preservando as garantias individuais, com ênfase na dignidade da pessoa humana. Para proteger direitos fundamentais, a Constituição contempla interdições e mandados de incriminação.

Direito Penal do fato e Direito Penal do inimigo

O Direito Penal do Estado Democrático de Direito não deve incriminar pessoas em razão do que são, como fez o direito nazista com os judeus e outras minorias (Direito Penal do autor), devendo focar no fato praticado e não na pessoa (Direito Penal do fato). Contrariando essa orientação, a teoria do Direito Penal do inimigo, do alemão Günther Jakobs, entende que pessoas que se comportam como inimigas do Estado, praticando crimes que abalam a ordem social e democrática, como o terrorismo, não devem se beneficiar das mesmas garantias reservadas aos cidadãos que respeitam as leis democraticamente instituídas. Para estas se deve aplicar o "Direito Penal do cidadão", com observância das garantias, e, para aquelas, o "Direito Penal do inimigo".

JURISPRUDÊNCIA

Proteção de bens jurídicos

Baseado em dados empíricos, o legislador seleciona grupos ou classes de ações que geralmente levam consigo o indesejado perigo ao bem jurídico. A criação de crimes de perigo abstrato não representa, por si só, comportamento inconstitucional por parte do legislador penal. A tipificação de condutas que geram perigo em abstrato, muitas vezes, acaba sendo a melhor alternativa ou a medida mais eficaz para a proteção de bens jurídico-penais supraindividuais ou de caráter coletivo, como, por exemplo, o meio ambiente, a saúde etc. Portanto, pode o legislador, dentro de suas amplas margens de avaliação e de decisão, definir quais as medidas mais adequadas e necessárias para a efetiva proteção de determinado bem jurídico, o que lhe permite escolher espécies de tipificação próprias de um Direito Penal preventivo. Apenas a atividade legislativa que, nessa hipótese, transborde os limites da proporcionalidade, poderá ser tachada de inconstitucional (STF, HC 102087, Rel Min. Celso de Mello, Segunda Turma, julgado em 28/02/2012).

Direito Penal e Estado Democrático de Direito

1. Controle de constitucionalidade das leis penais. 1.1 Mandados Constitucionais de Criminalização: A Constituição de 1988 contém um significativo elenco de normas que, em princípio, não outorgam direitos, mas que, antes, determinam a criminalização de condutas (CF, art. 5º, XLI, XLII, XLIII, XLIV; art. 7º, X; art. 227, § 4º). Em todas essas normas é possível identificar

um mandado de criminalização expresso, tendo em vista os bens e valores envolvidos. Os direitos fundamentais não podem ser considerados apenas como proibições de intervenção (Eingriffsverbote), expressando também um postulado de proteção (Schutzgebote). Pode-se dizer que os direitos fundamentais expressam não apenas uma proibição do excesso (Übermassverbote), como também podem ser traduzidos como proibições de proteção insuficiente ou imperativos de tutela (Untermassverbote). Os mandados constitucionais de criminalização, portanto, impõem ao legislador, para o seu devido cumprimento, o dever de observância do princípio da proporcionalidade como proibição de excesso e como proibição de proteção insuficiente. 1.2. Modelo exigente de controle de constitucionalidade das leis em matéria penal, baseado em níveis de intensidade: Podem ser distinguidos 3 (três) níveis ou graus de intensidade do controle de constitucionalidade de leis penais, consoante as diretrizes elaboradas pela doutrina e jurisprudência constitucional alemã: a) controle de evidência (Evidenzkontrolle); b) controle de sustentabilidade ou justificabilidade (Vertretbarkeitskontrolle); c) controle material de intensidade (intensivierten inhaltlichen Kontrolle). O Tribunal deve sempre levar em conta que a Constituição confere ao legislador amplas margens de ação para eleger os bens jurídicos penais e avaliar as medidas adequadas e necessárias para a efetiva proteção desses bens. Porém, uma vez que se ateste que as medidas legislativas adotadas transbordam os limites impostos pela Constituição – o que poderá ser verificado com base no princípio da proporcionalidade como proibição de excesso (Übermassverbot) e como proibição de proteção deficiente (Untermassverbot) –, deverá o Tribunal exercer um rígido controle sobre a atividade legislativa, declarando a inconstitucionalidade de leis penais transgressoras de princípios constitucionais. 2. Crimes de perigo abstrato. Porte de arma. Princípio da proporcionaldiade. A Lei n. 10.826/2003 (Estatuto do Desarmamento) tipifica o porte de arma como crime de perigo abstrato. De acordo com a lei, constituem crimes as meras condutas de possuir, deter, portar, adquirir, fornecer, receber, ter em depósito, transportar, ceder, emprestar, remeter, empregar, manter sob sua guarda ou ocultar arma de fogo. Nessa espécie de delito, o legislador penal não toma como pressuposto da criminalização a lesão ou o perigo de lesão concreta a determinado bem jurídico. Baseado em dados empíricos, o legislador seleciona grupos ou classes de ações que geralmente levam consigo o indesejado perigo ao bem jurídico. A criação de crimes de perigo abstrato não representa, por si só, comportamento inconstitucional por parte do legislador penal. A tipificação de condutas que geram perigo em abstrato, muitas vezes, acaba sendo a melhor alternativa ou a medida mais eficaz para a proteção de bens jurídico-penais supraindividuais ou de caráter coletivo, como, por exemplo, o meio ambiente, a saúde etc. Portanto, pode o legislador, dentro de suas amplas margens de avaliação e de decisão, definir quais as medidas mais adequadas e necessárias para a efetiva proteção de determinado bem jurídico, o que lhe permite escolher espécies de tipificação próprias de um direito penal preventivo. Apenas a atividade legislativa que, nessa hipótese, transborde os limites da proporcionalidade, poderá ser tachada de inconstitucional. 3. Legitimidade da criminalização do porte de arma. Há, no contexto empírico legitimador da veiculação da norma, aparente lesividade da conduta, porquanto se tutela a segurança pública (art. 6º e 144, CF) e indiretamente a vida, a liberdade, a integridade física e psíquica do indivíduo etc. Há inequívoco interesse público e social na proscrição da conduta. É que a arma de fogo, diferentemente de outros objetos e artefatos (faca, vidro etc.), tem, inerente à sua natureza, a característica da lesividade. A danosidade é intrínseca ao objeto. A questão, portanto, de possíveis injustiças pontuais, de absoluta ausência de significado lesivo deve ser aferida concretamente e não em linha diretiva de ilegitimidade normativa. 4. Ordem denegada. (HC 104410, Relator(a): Gilmar Mendes, Segunda Turma, julgado em 06/03/2012, Acórdão Eletrônico DJe-062 Divulg 26/03/2012 Public 27/03/2012.)

Garantismo penal

Falece ao aplicador da norma jurídica o poder de fragilizar os alicerces jurídicos da sociedade, em absoluta desconformidade com o garantismo penal, que exerce missão essencial no estado democrático. Não é papel do intérprete-magistrado substituir a função do legislador, buscando, por meio da jurisdição, dar validade à norma que se mostra de pouca aplicação em razão da construção legislativa deficiente (STJ, Terceira Seção, REsp 1111566/DF, Rel. Ministro Marco Aurélio Bellizze, 04/09/2012).

Teoria dos vasos comunicantes

1 Direito deve ser compreendido, em metáfora às ciências da natureza, como um sistema de vasos comunicantes, ou de diálogo das fontes (Erik Jayme), que permita a sua interpretação de forma holística. Deve-se buscar, sempre, evitar antinomias, ofensivas que são aos princípios da isonomia e da segurança jurídica, bem como ao próprio ideal humano de Justiça.

2. A pena de perdimento, fundada em importação supostamente irregular de bem de consumo usado, não pode ser aplicada quando não se afasta categoricamente a presunção de boa-fé do consumidor, que adquiriu o bem de empresa brasileira, no mercado interno (AgRg no REsp 1483780/PE, Rel. Ministro Napoleão Nunes Maia Filho, Primeira Turma, julgado em 23/06/2015, DJe 05/08/2015).

2

Aplicação do Direito Penal

2.1 TEORIA DA NORMA PENAL

Os artigos 1º a 12 do Código Penal regulamentam a forma como os dispositivos legais de Direito Penal devem ser aplicados. Paralelamente a isso, existem os princípios orientadores da aplicação da lei penal. Portanto, antes de se adentrar na teoria da infração penal propriamente dita, impõe-se compreender a forma como o Direito Penal se estabelece e atua, isto é, como são formadas as normas do Direito Penal e como o Direito Penal exerce sua eficácia em relação ao tempo, ao espaço e às pessoas. Esse conjunto de saberes se denomina teoria da norma penal.

Quando dois indivíduos estabelecem um relacionamento, imediatamente passam a transmitir-se um código de conduta que deve ser respeitado por ambos. À medida que aumenta o número de indivíduos interagindo e se relacionando, o código entre eles se torna mais complexo, aumentando também o número de regras a serem respeitadas. O desrespeito a uma dessas regras faz surgir o conflito de interesses que será, de uma forma ou de outra, solucionado. É o Direito operando em sua essência.

A necessidade de certa ordem no cotidiano social, repleto de conflitos e lutas pela perpetuação da espécie e satisfação individual, faz surgir a liderança. Em estágio primário, a liderança é perceptível em quase todos os grupos de indivíduos, humanos ou não. Nas sociedades complexas, a ideia de liderança, associada à necessidade de ordem, faz surgir o Estado, que irá exercitar liderança por meio de uma ordem baseada em normas, isto é, uma ordem jurídica, regulando inúmeros aspectos da vida social.

Emerge o conceito de ordem jurídica ou ordenamento jurídico, cuja abrangente diversificação faz surgirem os diversos ramos do Direito, entre eles, o Direito Penal, destinado a proteger os valores mais importantes da vida relacional, isto é, da vida em sociedade. O Ordenamento jurídico nada mais é do que uma ordem fundada em normas jurídicas.

Costuma-se distinguir norma e lei, pois enquanto esta é o ato formal, emanado de processo legislativo regular, norma é um conceito amplo, abrangendo todas as emanações estatais ou culturais com repercussão jurídica, como os costumes e as súmulas da jurisprudência, por exemplo. Segundo a Teoria dos Direitos Fundamentais, do jurista e professor alemão Robert Alexy, o conceito de norma é um dos conceitos fundamentais da Ciência do Direito, talvez um dos mais fundamentais de todos.[1] Para ALEXY, as normas dividem-se em regras e princípios, tanto regras e princípios são normas, pois dizem o que deve ser. A diferença entre regras e princípios reside na forma de aplicação, já que as regras se aplicam de forma absoluta (mandados de determinação), ao passo que os princípios se aplicam na medida das possibilidades fáticas e jurídicas de cada caso (mandados de otimização).[2]

2.2 CLASSIFICAÇÃO DAS NORMAS PENAIS

O Direito Penal, tradicionalmente, classifica as normas penais da seguinte forma:

a. *Legais*: são oriundas, em regra, do processo legislativo, tendo como características: *imperatividade* (a lei penal é obrigatória); *generalidade* (a lei penal destina-se a todos); *exclusividade* (a lei penal deriva do Poder Público); *impessoalidade* (a lei pessoal não distingue destinatários).

---

1. ALEXY, Robert. *Teoria dos Direitos Fundamentais*. Malheiros: São Paulo, 2008. p. 51.
2. Nesse sentido, ver ALEXY, op. cit., p. 87 e ss.

b. *Extralegais*: costumes, princípios e súmulas vinculantes. Embora importantes na criação de padrões de conduta, os costumes não podem criar nem revogar crimes ou penas, mas podem ampliar o âmbito da licitude penal. O costume pode ser de acordo com a lei (*secundum legem*), servindo como critério de interpretação (exemplo: consumo de drogas lícitas), contrário à lei (*contra legem*), não podendo revogá-la (exemplo: consumo de drogas lícitas por crianças e adolescentes; contravenção do jogo do bicho) e complementar à lei (*praeter legem*), servindo para suprir a ausência de lei específica (exemplo: circuncisão). Note que, para ser válido, o costume deve apresentar os seguintes elementos: repetição do comportamento e convicção de obrigatoriedade. Assim como os costumes, os princípios e as súmulas vinculantes não podem consagrar normas incriminadoras, isto é, criar crimes e penas.
c. *Incriminadoras*: são normas penais que criam infrações penais (tipos penais). Somente se admite a incriminação por meio de lei ordinária, complementar ou por emenda constitucional. Possuem a seguinte estrutura:
Preceito primário (tipo penal) – é destinado ao cidadão.
Preceito secundário (pena cominada) – é destinado ao juiz.
Exemplo: art. 121 do CP.
Matar alguém (preceito primário).
Pena – de 6 a 20 anos (preceito secundário).
d. *Não incriminadoras*: são preceitos que não criam infrações penais. Dividem-se em: *permissivas* (excluem a ilicitude. Exemplo: CP, art. 25); *exculpantes* (excluem a culpabilidade. Exemplo: CP, art. 22); *explicativas* (esclarecem conceitos. Exemplo: CP, art. 150, § 4º); *complementares* (orientam a aplicação da lei. Exemplo: CP, art. 59); *diretivas* (estabelecem princípios. Exemplo: CP, art. 1º).
e. *Extensivas*: estendem a tipicidade para fatos que estão fora da descrição típica, podendo ser de duas formas, como ocorre na tentativa (CP, art. 14, II) e no concurso de pessoas (CP, art. 29).
f. *Normas em branco* (primariamente remetidas): o preceito primário necessita de complemento. Espécies:

- Heterogênea, heteróloga ou em sentido estrito: complemento advém de fonte legislativa de hierarquia diversa. Exemplo: art. 33 da Lei n. 11.343/06 – Portaria 344 da Anvisa.
- Homogênea, homóloga, em sentido amplo ou fragmentária: complemento advém da mesma fonte legislativa. Exemplo: art. 237 (conhecimento prévio de impedimento para casar), cujo complemento está no CC, art. 1.521.
- Homovitelina: complemento da norma penal advém de outra norma penal. Exemplo: art. 312 (peculato), cujo complemento está no art. 327, que estabelece o conceito de "funcionário público".
- Heterovitelina: complemento da norma penal está em outro ramo do direito. Exemplo: art. 237, cujo complemento está no art. 1.521 do Código Civil; art. 172 (duplicata é instituto do direito comercial).
- Norma penal em branco invertida ou incompleta: o preceito secundário é que necessita de complemento. Exemplo: art. 1º da Lei n. 2.889/56 (genocídio). Obs.: é também chamada de norma penal incompleta, imperfeita, secundariamente remetida.
- Norma penal em branco intensificada: preceitos primário e secundário reclamam complementação. Exemplo: CP, art. 304 (uso de documento falso). Também chamada de norma penal em branco e incompleta.

A teoria da norma penal abrange, portanto, o estudo da lei penal e seus princípios. O princípio da legalidade, adotado no Brasil, estabelece que só a lei pode criar crimes e cominar penas, portanto, as normas costumeiras não podem ser utilizadas para esse fim, como ocorre na Inglaterra, por exemplo. Portanto, no Brasil, norma penal significa norma legal, como regra, embora se admitam, excepcionalmente, normas extralegais, como as costumeiras.

2.3 PRINCÍPIO DA LEGALIDADE

Legalidade e reserva legal

Alguns autores distinguem *princípio da legalidade* e *princípio da reserva legal*. Para estes autores, legalidade é o princípio geral de que ninguém será obrigado a fazer ou deixar de fazer alguma coisa senão em virtude da lei (CF, art. 5º, II). Reserva legal é o princípio específico do Direito Penal, segundo o qual não há crime sem lei anterior que o defina, nem pena sem prévia cominação legal (art. 5º, XXXIX). Não há necessidade de distinção, pois reserva legal é a manifestação da legalidade no âmbito do Direito Penal. A reserva legal também é chamada de legalidade específica.

A palavra "crime" do art. 1º do Código Penal é adotada em sentido amplo, aplicando-se tanto aos crimes como às contravenções penais.

O princípio da legalidade é um dos grandes postulados do Direito Penal moderno, expresso no brocardo latino *nullum crimen nulla poena sine praevia lege*, limitando o poder punitivo do Estado, que fica limitado à existência de prévia e expressa norma incriminadora. Está previsto na Constituição Federal (art. 5º, XXXIX) e no art. 1º do Código Penal. Seus fundamentos podem ser resumidos da seguinte forma:

- histórico: Paul Johann Anselm Von Feuerbach; Código Penal bávaro (1813);
- constitucional: CF, art. 5º, XXXIX;
- político: garantia constitucional; fundamento o *jus puniendi*;
- jurídico: princípio da taxatividade, dando origem à tipicidade penal.

O princípio da legalidade compreende quatro aspectos: *lex scripta, lex stricta, lex certa* e *lex praevia*.

Lex scripta (lei escrita)
Não se admite incriminação pelo costume ou por analogia, ou seja, a incriminação deve ser por meio de uma lei escrita.

Lex stricta (lei em sentido estrito)
As incriminações só podem decorrer de lei em sentido estrito, isto é, leis ordinárias, admitindo-se, por razão de hierarquia constitucional, que um tipo incriminador seja criado por lei complementar ou emenda constitucional, não se admitindo incriminações por meio de outras espécies legislativas pre-

vistas no art. 59 da CF. Note que, embora tenham força de lei, as medidas provisórias não podem versar sobre Direito Penal, processual penal ou processual civil, conforme art. 62, § 1º, I, b, da CF (EC 32/2001).

Lex certa (lei certa)

Lex certa ou princípio da taxatividade significa que uma lei incriminadora deve ter clareza, evitando o que BECCARIA chamava de "obscuridade das leis". Não se admite incriminação vaga, pois os comandos penais incriminadores devem ser mandatos de certeza. Essa necessidade de certeza deu origem à doutrina do *Tabestand*, isto é, ao tipo penal que conhecemos hoje, em que há uma descrição clara do crime.[3]

São admitidas, porém, as normas penais em branco e os tipos penais abertos. Tipos abertos são aqueles em que a conduta não é integralmente descrita, como crimes culposos, em regra, e alguns tipos dolosos, como rixa e ato obsceno (CP, arts. 137 e 233). Não se admite analogia *in malam partem* (contra o réu), apenas *in bonam partem* (a favor do réu). Admitem-se, porém, interpretação analógica e interpretação extensiva, que ocorre quando a lei utiliza uma palavra abrangente, como no art. 176 do Código Penal, em que a expressão restaurante abrange todos os estabelecimentos que fornecem refeições.

Analogia em matéria penal

Analogia ocorre quando não há norma para o caso concreto, aplicando-se uma norma que regula um caso semelhante. O Direito Penal não admite o emprego da analogia, salvo *in bonam partem*, isto é, a favor do réu. Exemplos de analogia *in bonam partem*: art. 121, § 5º (aplica-se o perdão judicial para os crimes culposos no trânsito), e art. 348, § 2º (escusa absolutória, no favorecimento pessoal, aplica-se em relação a companheiros).

No julgamento da ADO 26 e do MI 4733, o Supremo Tribunal Federal entendeu que houve omissão inconstitucional do Congresso Nacional por não editar lei que criminalize atos de homofobia e de transfobia, decidindo que esses crimes devem ficar sujeitos à Lei n. 7.716/89 até a edição de lei

---

3. LUISI, Luiz. *O tipo penal e a teoria finalista da ação*. Porto Alegre: Gráfica Editora Nação, 1977. p. 9

específica. Houve, portanto, nítida orientação de incriminação por analogia, com clara ofensa ao princípio da legalidade.

Interpretação analógica ou analogia *intra legem* ocorre quando a própria lei autoriza o emprego de analogia. Para tanto, usa uma fórmula específica, seguida de uma fórmula genérica, autorizando expressamente sua aplicação para casos similares ao especificado. Exemplo: álcool ou substância de efeitos análogos (CP, art. 28, II); outro meio fraudulento (CP, art. 171); ou outro recurso que dificulte ou torne impossível a defesa (CP, art. 121, § 2º, IV) etc. Esse tipo de analogia, por estar prevista na lei, atendendo ao princípio da legalidade, é admitida, inclusive *in malam partem*.

Interpretação extensiva

Em regra, a lei penal deve ser interpretada restritivamente, pois está em jogo o direito de liberdade. Todavia, admite-se a chamada interpretação extensiva, que ocorre quando a lei utiliza expressões abrangentes. Exemplo: a expressão restaurante (CP, art. 176) abrange outros estabelecimentos afins, como bares e lanchonetes; a expressão sequestro, do art. 159, abrange o cárcere privado. É admitida, inclusive *in malam partem*.

Lex praevia (lei anterior ao crime)

A lei penal deve incidir sobre fatos posteriores à sua edição (princípio da anterioridade), não podendo retroagir, salvo para beneficiar o réu. A irretroatividade da lei penal é um postulado que foi erigido a direito fundamental, previsto no art 5º, XL, da Constituição Federal.

2.4 ASPECTOS OU DIMENSÕES DE APLICAÇÃO DA LEI PENAL

Existem três dimensões de aplicação da lei penal. A primeira dimensão é o tempo, isto é, em que momento a lei penal incide sobre uma conduta. A segunda dimensão é o lugar, pois devemos saber se a lei penal irá se aplicar dentro ou fora do território nacional e para isso temos que entender onde o crime aconteceu. A terceira dimensão diz respeito às pessoas que são objeto da lei penal, na medida em que algumas pessoas têm imunidades e não praticam determinados delitos.

2.5 LEI PENAL NO TEMPO

Tempo do crime

Tempo do crime é o momento em que o crime (ou contravenção) foi praticado, o que é importante para:

1. determinação da imputabilidade;
2. verificação de condição da vítima (exemplo: vulnerabilidade, art. 217-A);
3. conflito de leis no tempo.

O Código Penal adota a teoria da atividade, consoante dispõe o art. 4º: considera-se praticado o crime no momento da ação ou omissão, ainda que outro seja o momento do resultado. Suponha-se que um adolescente, com 17 anos de idade, desfira um golpe de faca em outra pessoa, a qual é internada em estado grave e vem a morrer 20 dias depois em razão da facada, sendo que, por ocasião do óbito, o menor adquiriu a maioridade penal, sendo penalmente imputável. Como o crime se considera praticado no tempo da ação e esta ocorreu durante a menoridade, o autor do homicídio não estará sujeito ao Direito Penal e sim ao Estatuto da Criança e do Adolescente.

Vigência da lei

A lei entra em vigor após a sua publicação, no prazo que ela própria determinar. No silêncio da lei, ela passa a viger 45 dias após a publicação (*vacatio legis*), período no qual não é obrigatória. A contagem do prazo de *vacatio legis* inclui o dia da publicação e o último dia, devendo a lei entrar em vigor no dia seguinte (art. 8º da LC 95/1998, alterada pela LC 107/2001).

Revogação e perda de eficácia

Uma lei só pode ser revogada por outra (princípio da continuidade das leis). A revogação pode ser total (ab-rogação) ou parcial (derrogação). Existem leis autorrevogáveis, que preveem no próprio texto o término de sua vigência, previstas no art. 3º do Código Penal (leis excepcionais e leis temporárias).

Uma lei não pode ser revogada pelo costume, embora possa cair em desuso. Assim, a contravenção de "jogo do bicho", art. 58 do Código Penal, não deixa de ser punida por ser prática corriqueira na sociedade, inclusive com publicação na internet. A declaração de inconstitucionalidade também não produz revogação, apenas perda de eficácia. A inconstitucionalidade declarada em controle concentrado pelo STF produz efeito de imediato. Se declarada incidentalmente, a perda de eficácia depende de resolução do Senado suspendendo a eficácia da lei.

Princípio da irretroatividade *in pejus*

Segundo a Constituição Federal, a lei penal não retroagirá, salvo para beneficiar o réu (CF, art. 5º, XL). Isso significa que nenhuma lei nova pode ser aplicada para crimes anteriores à sua vigência, a menos que essa lei traga algum tipo de benefício penal.

Existem duas exceções, portanto, ao princípio da irretroatividade penal, nos termos do art. 2º do Código Penal:

a. *Abolitio criminis*: ninguém pode ser punido por fato que lei posterior deixa de considerar crime, cessando em virtude dela a execução e os efeitos penais da sentença condenatória (art. 2º, *caput*). A hipótese trata da descriminalização de uma conduta, como aconteceu, por exemplo, com o extinto crime de adultério. Ocorrendo a *abolitio criminis*, cessam todos os efeitos penais, inclusive para os réus já condenados e cumprindo pena, que devem ser imediatamente soltos, permanecendo apenas os efeitos civis, como o dever de indenizar e a perda dos bens apreendidos que constituam coisas ilícitas.
b. *Lex mitior* ou *novatio legis in mellius*: é qualquer mudança benéfica, seja uma redução de pena, redução de prazo prescricional, extinção da punibilidade etc., devendo também se aplicar a fatos pretéritos, mesmo em relação aos réus já condenados (art. 2º, parágrafo único).

Embora a irretroatividade seja um postulado essencial do Direito Penal, ele só é aplicável à legislação, não tendo aplicabilidade quando se tratar de entendimento jurisprudencial. Conforme já decidiu o Superior Tribunal de Justiça, não há que se falar em irretroatividade de interpretação jurisprudencial. De fato, o ordenamento jurídico proíbe apenas a retroatividade da lei penal mais gravosa.[4]

Tratando-se, porém, de lei mais gravosa, não poderá, em absoluto, retroagir. São leis mais gravosas a *novatio legis incriminadora*, que cria um novo tipo penal, e a *novatio legis in pejus*, que aumenta a pena ou produz qualquer outra situação mais grave em um tipo penal já existente.

> **Estudo de caso: os atiradores do muro de Berlim**
>
> Na noite de 14 e 15 de fevereiro de 1972, por volta das dez e meia da noite, um homem de 29 anos tentou fugir de Berlim oriental cruzando o rio Spree a nado, em direção a Berlim ocidental. Um dos sentinelas apertou o gatilho três vezes, enquanto outro soldado o fez duas vezes. Ambos dispararam sem apontar e acabaram matando o nadador. Ambos atuaram com o objetivo comum de cumprir a ordem recebida e impedir a fuga, em obediência ao regulamento de serviço 30/10 do Ministério para Defesa Nacional, que permitia abater quem tentasse ultrapassar a fronteira ilegalmente. No dia seguinte, os dois soldados receberam distinção por méritos e um prêmio de 150 marcos.
>
> Com o fim do nacional-socialismo e a reunificação da Alemanha, os tribunais alemães passaram a julgar os crimes cometidos pelos agentes de fronteira, como autores diretos, e membros do Conselho Nacional de Defesa, como mandantes (autores mediatos), notadamente em relação aos assassinatos dos fugitivos da extinta República Democrática Alemã.
>
> No julgamento dos sentinelas do muro de Berlim, a sentença do Tribunal Territorial de Berlim considerou que não havia causa de justificação amparando as mortes dos fugitivos. O Tribunal Supremo Alemão manteve a condenação com fundamentação diferente, aplicando a fórmula de Radbruch, segundo a qual injustiça extrema não é direito, e assentando que, embora houvesse causa de justificação, essas configuravam um direito extremamente injusto, carecendo de validade. Em recurso de amparo para o Tribunal Constitucional Alemão, este ratificou a aplicação da fórmula de Radbruch, mantendo a condenação e excepcionando assim a proibição de retroatividade prevista no art. 103.2 da Lei Fundamental, ao aplicar as leis do novo regime do pós-guerra retroativamente, condenando os acusados que tinham agido amparados pelas leis do antigo regime.

---

4. REsp 1.316.819.

Sucessão de leis no tempo

Segundo o art. 2º do Código Penal, ninguém pode ser punido por fato que lei posterior deixa de considerar crime, cessando em virtude dela a execução e os efeitos penais da sentença condenatória.

Parágrafo único – A lei posterior, que de qualquer modo favorecer o agente, aplica-se aos fatos anteriores, ainda que decididos por sentença condenatória transitada em julgado.

a. *Tempus regit actum:* em regra, uma lei só se aplica a fatos praticados durante seu período de vigência.
b. Extra-atividade: ocorre quando uma lei, excepcionalmente, aplica-se a fatos que estão fora do seu período de vigência (retroatividade ou ultra-atividade).
c. Retroatividade: ocorre quando uma lei, de qualquer modo, é mais favorável que a anterior, devendo, portanto, aplicar-se aos fatos passados. Espécies de leis retroativas:
   – *abolitio criminis*: a lei posterior que descriminaliza aplica-se aos fatos anteriores à sua vigência. Exemplo: Lei n. 11.106/05, que revogou o art. 240 do CP (adultério). Natureza jurídica: causa de extinção da punibilidade (CP, art. 107, III). Considera-se *abolitio criminis* temporária o prazo concedido, por força de sucessivas leis, aos proprietários de arma de fogo para procederem à sua regularização sem incorrer no crime do art. 12 do Estatuto do Desarmamento.
   – *novatio legis in mellius*: lei que, de qualquer modo, favorece o agente, sem extinguir o crime praticado. Exemplo: Lei n. 12.433/11.

Conforme art. 61, I, da LEP, compete ao juiz da execução penal aplicar a lei mais favorável após o trânsito em julgado da sentença condenatória (STF, Súmula 611).

d. Ultra-atividade: ocorre quando uma lei, mesmo revogada por outra, continua sendo aplicável por ser mais favorável.

e. Irretroatividade: ocorre quando a lei posterior, por ser mais grave (*lex gravior*), não pode retroagir.
   – *Novatio legis incriminadora*: cria novo delito.
   – *Novatio legis in pejus*: cria situação mais grave em relação a crime já existente (aumento de pena ou de prazo prescricional, extinção de benefício, alteração gravosa de instituto etc.).

Exemplos:

A Lei n. 13.104, de 2015, acrescentou a qualificadora do feminicídio ao Código Penal e a Lei n. 13.142, de 2015, por sua vez, acrescentou a qualificadora do homicídio contra agente de segurança ao art. 121 do CP, § 2º, do Código Penal, ficando esse dispositivo com a seguinte redação:

[...]
VI – contra a mulher por razões da condição de sexo feminino;
VII – contra autoridade ou agente descrito nos arts. 142 e 144 da Constituição Federal, integrantes do sistema prisional e da Força Nacional de Segurança Pública, no exercício da função ou em decorrência dela, ou contra seu cônjuge, companheiro ou parente consanguíneo até terceiro grau, em razão dessa condição:
Pena – reclusão, de 12 a 30 anos.

Segundo a Súmula 711 do STF, a lei penal mais grave aplica-se ao crime continuado ou ao crime permanente, se a sua vigência é anterior à cessação da continuidade ou da permanência.

f. Lei intermediária: a lei mais benéfica entre duas outras é totalmente extra-ativa, ou seja, alcança fatos anteriores à sua vigência (retroatividade benéfica) e continua sendo aplicada aos fatos praticados na sua vigência, mesmo depois de revogada (ultra-atividade).

As normas processuais, ainda que benéficas, são irretroativas, aplicando-se o princípio *tempus regit actum* (CPP, art. 2º). No caso de normas híbridas, prevalece o conteúdo material (STF, RE 602561; STJ, HC 55064-SP). Exemplo: CPP, art. 38 (prazo decadencial para oferecimento de queixa ou representação).

Migração e continuidade normativo-típica

Quando um tipo penal é revogado, os crimes praticados sob a sua vigência estarão automaticamente extintos (*abolitio criminis*), ainda que esse mesmo tipo penal seja reeditado no instante seguinte por uma nova lei. Todavia, se não houver uma solução de continuidade, isto é, quando a norma que revoga o tipo automaticamente edita outro com os mesmos elementos, a *abolitio criminis* não se opera, pois terá havido continuidade da norma incriminadora, que se denomina *continuidade normativo-típica*.

Foi o que aconteceu, por exemplo, com a Lei n. 12.015/09, que extinguiu o art. 214, que previa o crime de atentado violento ao pudor (constranger alguém à prática de ato libidinoso diverso da conjunção carnal) e modificou o crime de estupro, previsto no art. 213, que previa constranger alguém a praticar conjunção carnal e passou a ser descrito como: "Constranger alguém, mediante violência ou grave ameaça, a ter conjunção carnal ou a praticar ou permitir que com ele se pratique *outro ato libidinoso*". Veja-se que não houve revogação, mas mera migração do atentado violento ao pudor para o tipo penal do estupro.

Migração é o fenômeno pelo qual o conteúdo de uma norma é transferido para outro, mantendo-se a incriminação, embora em outro tipo penal, preservando-se a continuidade normativo-típica. Dessa forma, não se pode falar em revogação do crime, já que ele apenas mudou de topos, isto é, lugar. O mesmo ocorreu com o rapto para fim libidinoso, que migrou para o art. 148, § 1º, V, com a revogação do art. 219 pela Lei n. 11.106/05.

Leis autorrevogáveis

Normalmente, uma lei só pode ser revogada por outra lei. Mas o Direito Penal admite normas que contenham em si mesmas o momento de revogação, trazendo no próprio texto o término de sua vigência. Estão previstas no art. 3º do CP, sob duas modalidades:

a. Lei excepcional: feita para viger durante situação excepcional, como uma calamidade pública. Imagine-se, por exemplo, que durante um período de grande seca fosse editada a seguinte norma: *"Durante o período de calamidade pública em razão da estiagem, decretado pelo Governo Federal, constitui crime, punido com pena de 1 a 3 anos de detenção, utilizar água potável para lavar calçadas"*.

Note que, nesse caso, não há uma data certa para o término da incriminação, mas esta será automaticamente revogada quando terminar o período de seca.

b. Lei temporária: feita para viger durante período determinado (autorrevogação).

Tivemos um exemplo de lei autorrevogável na chamada "Lei da Copa" (Lei n. 12.663/12): *Art. 36. Os tipos penais previstos neste Capítulo terão vigência até o dia 31 de dezembro de 2014.*

Uma particularidade das leis autorrevogáveis é que os crimes cometidos antes disso continuam a ser puníveis após a autorrevogação. Exemplo: A é preso e por um crime previsto numa lei autorrevogável, um dia antes da data de revogação. Poderá, ainda assim, ser processado e sentenciado por esse crime? Sim, pois a autorrevogação da lei não afeta a responsabilidade penal em caso de leis excepcionais e temporárias, desde que o crime tenha sido praticado durante o período de vigência (art. 3º do CP).

Retroatividade das normas penais em branco

Sabemos que normas penais em branco são aquelas complementadas por outras normas. No caso de haver revogação da norma complementar, ou qualquer mudança benéfica, esta poderá retroagir?

Dependerá da natureza dessa norma complementar. Se ela for uma norma de caráter temporário, não haverá retroatividade, aplicando-se integralmente aos fatos cometidos na sua vigência, tal como determina o art. 3º. Mas, se a regra complementar tiver um caráter permanente, sua revogação deverá retroagir em benefício do réu.

Exemplos:

a. Norma complementar temporária: Portaria n. 104/2011 do Ministério da Saúde, que estabelece as doenças de notificação compulsória. Essa é uma norma temporária, pois a todo momento surgem novas doenças, enquanto outras desaparecem, o que leva a uma constante revisão de seu conteúdo. Assim, se um médico deixa de notificar uma doença infectocontagiosa, responde pelo art. 269 do CP, ainda que, posteriormente, essa doença seja eliminada da portaria.
b. Norma complementar permanente: Portaria n. 344 da ANVISA sobre as substâncias entorpecentes. Uma substância não deixará de ser, da noite para o dia, perniciosa para a saúde. Portanto, essa portaria é norma permanente, pois tem caráter de estabilidade. Assim, se uma das substâncias for retirada da portaria, automaticamente deverá retroagir em relação aos crimes da Lei n. 11.343/06. Suponha-se que o Poder Executivo resolva retirar o tetra-hidrocanabinol (THC), princípio ativo da maconha, da Portaria n. 344. Automaticamente, todas as pessoas que respondem a processos criminais por tráfico ou posse para consumo de maconha terão extinta a sua punibilidade, por aplicação retroativa da norma benéfica que trouxe a *abolitio criminis*.

Combinação de leis

Diz respeito à possibilidade de combinar dois preceitos legais, sendo um de lei já revogada e outro de lei vigente, para beneficiar o acusado. Há duas orientações:

a. *Teoria da ponderação global ou unitária:* entende não ser possível a conjugação de partes mais benéficas de diferentes normas para se criar uma terceira lei (*lex tertia*), sob pena de ofensa aos princípios da legalidade e da separação dos poderes. Defensores: Nélson Hungria, Aníbal Bruno, Francisco de Assis Toledo. Essa é a orientação adotada pelo Superior Tribunal de Justiça na Súmula 501, cujo teor é o seguinte: é cabível a aplicação retroativa da Lei n. 11.343/06, desde que o resultado da incidência das suas disposições, na íntegra, seja mais favorável ao réu do que o advindo da aplicação da Lei n. 6.368/76, sendo vedada a combinação de leis.

b. *Teoria da ponderação diferenciada:* admite a combinação de leis. Defensores: Frederico Marques, Rogério Greco, Fernando da Costa Tourinho Filho, Flávio Augusto Monteiro de Barros.

2.6 LEI PENAL NO ESPAÇO

Lugar do crime

Espaço é o âmbito de incidência da aplicação da lei penal, devendo ser buscado sempre o lugar do crime, isto é, o lugar onde se considera praticada a infração penal. O lugar do crime é regulado pelo Código Penal, que adota a *teoria mista ou da ubiquidade: art. 6º – considera-se praticado o crime no lugar em que ocorreu a ação ou omissão, no todo ou em parte, bem como onde se produziu ou deveria produzir-se o resultado.*

Diante dessa teoria, o crime pode ser considerado praticado em múltiplos lugares. Por exemplo: A, no Brasil, coloca uma bomba ativada num avião (lugar da ação) com destino à Venezuela (onde deveria ocorrer a explosão, isto é, o resultado), vindo porém a explodir em pleno espaço aéreo Argentino (lugar do resultado). A praticou o crime no Brasil, na Venezuela e na Argentina.

Princípio da territorialidade

Para definir o âmbito de incidência geográfica da lei, o Código Penal adota o critério da territorialidade, o que significa aplicar a lei brasileira ao nosso Território. Aplica-se a lei brasileira, portanto, aos crimes cometidos no território nacional (CP, art. 5º). Excepcionalmente, pode ser aplicada a lei brasileira a fatos cometidos fora do território nacional (princípio da territorialidade temperada ou mitigada).

O território abrange:

a. Território real: espaço terrestre, mar territorial (12 milhas), espaço aéreo correspondente, bem como o leito e o subsolo (Lei n. 8.617/93, arts. 1º e 2º).

b. Território por equiparação ou por ficção: embarcações e aeronaves brasileiras, de natureza pública ou a serviço do governo brasileiro onde quer que se encontrem, bem como as embarcações e as aeronaves brasileiras, mercantes ou de propriedade privada, que se achem em alto mar ou no espaço aéreo correspondente (CP, art. 5º, § 1º).

> **Territorialidade**
>
> Aplicação da lei brasileira aos crimes ocorridos no território brasileiro: território real (limites geográficos, mar territorial e espaço aéreo) + extensão do território (embarcações e aeronaves).

Imagine-se o seguinte: um navio brasileiro naufraga em alto-mar e, sobre um pedaço do casco do navio, um italiano mata um espanhol. Qual a lei aplicável? A lei brasileira, pois o pedaço do casco do navio brasileiro, em alto mar, continua sendo território do Brasil.

c. passagem inocente: direito concedido a embarcações de passarem pelo mar territorial, desde que não seja prejudicial à paz, à boa ordem ou à segurança do Brasil, devendo ser contínua e rápida (Lei n. 8.617/93, art. 3º). Não abrange as aeronaves.

Obs.: aeronaves e embarcações estrangeiras particulares, dentro do território nacional, sujeitam-se à lei brasileira.

Extraterritorialidade

O princípio da territorialidade não é absoluto, considerando-se que o Brasil adota a *territorialidade temperada ou mitigada*, permitindo, em situações excepcionais, a extraterritorialidade, isto é, a aplicação da lei brasileira a crimes cometidos fora do território nacional. O Código Penal prevê, no art. 7º, três formas de extraterritorialidade.

a. Incondicionada: nas hipóteses do inciso I, o crime estará sujeito à lei brasileira independentemente de qualquer condição, ainda que tenha sido também processado no exterior, quer tenha havido condenação ou absolvição.
b. Condicionada: nas hipóteses do inciso II, o crime estará sujeito à lei brasileira se forem preenchidas, cumulativamente, as condições do § 2º.
c. Hipercondicionada: nas hipóteses do § 3º, o crime será submetido à lei brasileira se estiverem presentes as condições do § 3º além das condições do § 2º.

A extraterritorialidade se justifica em razão de princípios que regem as relações internacionais.

Princípio da defesa: refere-se aos bens de interesse nacional (art. 7º, I, a, b, c).

Princípio da representação ou da bandeira: refere-se à representação do Estado brasileiro (art. 7º, II, c).

Princípio da nacionalidade: refere-se à condição de brasileiro, seja como autor (nacionalidade ativa), seja como vítima (nacionalidade passiva) da infração penal (art. 7º, I, d; II, b; § 3º). Todavia, a doutrina majoritária entende que não foi adotado o princípio da nacionalidade passiva em relação à vítima brasileira, devendo ser tratada essa hipótese como princípio da defesa.

Princípio da justiça universal: refere-se a bens cuja repressão interessa ao conjunto de nações (art. 7º, I, d; II, a).

Cabe salientar a extraterritorialidade existente no art. 2º da Lei n. 9.455/97, que define crimes de tortura. Trata-se de situação que pune a tortura no exterior contra vítima brasileira (princípio da defesa) ou encontrando-se o agente em local sob jurisdição brasileira, como ocorre nas embaixadas, por exemplo.

2.7 LEI PENAL EM RELAÇÃO ÀS PESSOAS (IMUNIDADES)

Conforme a Constituição Federal, todos são iguais perante a lei, devendo, como regra, receber o mesmo tratamento penal. Algumas pessoas, porém, recebem um tratamento diferenciado, em razão do papel institucional que desempenham, como forma de proteção das instituições. São as chamadas imunidades.

As imunidades são de ordem penal ou material, isto é, com relação à incriminação em si mesma e respectivo apenamento, e de ordem processual ou formal, que dizem respeito à submissão a processos e medidas processuais.

No âmbito do Direito Penal, temos as imunidades diplomáticas e consulares, as imunidades parlamentares e as imunidades judiciárias.

Imunidades diplomáticas e consulares

a. Diplomáticas: previstas na Convenção de Viena sobre Relações Diplomáticas, abrangem o diplomata, seus familiares e os funcionários da missão em qualquer infração penal;
b. consulares: previstas na Convenção de Viena sobre Relações Consulares, abrangem o Cônsul e os funcionários do consulado, apenas em relação a crimes cometidos no exercício da função.

Obs.: a sede da missão diplomática não é território estrangeiro, mas goza de imunidades previstas na Convenção.

Imunidades parlamentares

Estão previstas no art. 53 da CF e são de duas espécies:

a. Materiais (penais): inviolabilidade por delitos de expressão (injúria, calúnia, difamação, desacato etc.), desde que relacionados ao exercício do mandato.
b. Formais (processuais): julgamento perante o STF; prisão apenas em flagrante por crime inafiançável, com comunicação à Casa respectiva em 24 horas, para deliberar sobre a prisão; deliberação da Casa respectiva, após o recebimento da denúncia por crime posterior à diplomação, sobre a sustação da ação penal, com suspensão da prescrição; direito de não ser testemunha de fatos conhecidos no exercício do

mandato. Questão de ordem na Ação Penal 937 estabeleceu, ainda, restrições ao foro por prerrogativa da função, no sentido de ser limitado ao exercício do mandato e ter relação com a função.

As imunidades parlamentares alcançam, também, o campo da responsabilidade civil (STF, RE 210.917-RJ; RE 220.687-MG); são irrenunciáveis (SF, Pleno, Inq. 510-DF), não se estendendo ao co-réu (STF, Súm. 245); são aplicáveis aos deputados estaduais (CF, art. 27, § 1º); os vereadores têm apenas imunidade material no exercício do mandato e na circunscrição do município (CF, art. 29, VIII).

Perdeu eficácia a Súmula 4 do STF, que dizia: "Não perde a imunidade parlamentar o congressista nomeado Ministro de Estado" (STF, HC 78.093-AM, Informativo 135).

Consoante o STF, "o mandato parlamentar não implica, por si só, imunidade. Há de apreciar-se o nexo entre as ideias expressadas e as atribuições próprias à representação do povo brasileiro",[5] ou seja, deve haver relação entre o fato praticado e o exercício da função parlamentar.

Imunidades judiciárias

São imunidades aplicáveis aos profissionais do direito, no exercício da profissão. Imagine-se, por exemplo, se um advogado fosse processado por crime contra a honra a cada vez que alegasse adultério em ação de divórcio. Assim, para proteger o exercício profissional, não constitui injúria ou difamação a ofensa irrogada ao juízo, na discussão da causa, conforme prevê o art. 142, I, do CP.

As imunidades judiciárias constituem causas especiais de exclusão da ilicitude previstas no art. 133 da CF, no art. 142, I, do CP, e no art. 7º, § 2º, da Lei n. 8.906/94. Note que as imunidades não alcançam o desacato, como prevê o Estatuto da OAB, conforme decidiu o STF, na Ação Direta de Inconstitucionalidade n. 1.127-8.

---

5. HC 115.397, voto do Rel. Min. Marco Aurélio, julgado em 16/05/2017, Primeira Turma, DJE de 03/08/2017.

2.8 A SENTENÇA ESTRANGEIRA NO BRASIL

Assim como é possível aplicar o Direito brasileiro a fatos cometidos fora do Brasil, na forma do art. 7º do Código Penal, também juízes estrangeiros podem, eventualmente, decidir sobre fatos que tenham repercussão em nosso território. Diante disso, é preciso entender o alcance das decisões de um juiz estrangeiro no Brasil ou, em outras palavras, de que forma as decisões estrangeiras produzem efeitos no Brasil. Obviamente, como estamos tratando de soberania, é reduzido o poder de decisão de um juiz estrangeiro em matérias relacionadas aos brasileiros no Brasil.

Primeiramente, o artigo 8º do Código Penal refere-se à compensação da pena cumprida no estrangeiro pelo mesmo crime, isto é, àquelas situações em que uma pessoa que deve responder pela lei brasileira já respondeu em outro país, onde inclusive cumpriu pena. Nesse caso, deve-se observar o seguinte:

a. penas da mesma espécie (exemplo: prisão no exterior – prisão no Brasil): deve ser computada na pena já cumprida no exterior na pena a ser cumprida no Brasil;
b. penas de espécies diversas (exemplo: multa no exterior – prisão no Brasil, ou vice-versa): a pena cumprida no exterior deve atenuar a pena cumprida no Brasil, em medida a ser estabelecida pelo juiz.

O artigo 9º trata da eficácia da sentença estrangeira, isto é, do cumprimento no Brasil de uma sentença proferida por um juiz de outro país, sendo que esta só terá efeitos no Brasil para fins de indenização e de medidas de segurança, observados os seguintes requisitos:

- deve haver homologação da sentença estrangeira pelo STJ (CF, art. 105, I, i);
- deve haver pedido da parte interessada em relação aos efeitos civis;
- deve haver requisição do Ministro da Justiça ou tratado de extradição para fins de aplicação de medida de segurança.

Outros efeitos, como detração – desconto do tempo de prisão provisória, art. 42 do CP – e reincidência (CP, art. 63), são automáticos, dispensando homologação.

Embora não seja possível que uma sentença criminal estrangeira seja executada no Brasil e vice-versa, pode haver, excepcionalmente, a transferência de execução de penas, que consiste num instrumento de cooperação jurídica internacional, pelo qual uma pessoa estrangeira, condenada em um país, pode pedir para cumprir pena no seu país de origem. Atualmente, está previsto no Brasil apenas no Tratado de Transferência de Pessoas Condenadas e Execução de Penas Impostas por Julgamentos entre a República Federativa do Brasil e o Reino dos Países Baixos, promulgado pelo Decreto n. 7.906/2013. Assim, caso um brasileiro seja condenado em um desses países, poderá pedir para cumprir a pena no Brasil, o que será efetivado se forem atendidas as condições do referido tratado.

2.9 CONTAGEM DE PRAZOS

Questão importante diz respeito à contagem dos prazos, isto é, a observância do intervalo de tempo em que uma situação penal nasce ou se extingue. O art. 10 do Código Penal estabelece que, no Direito Penal, deve ser incluído o dia do início, distinguindo-se assim da contagem dos prazos processuais, em que deve ser excluído do dia do início. A lógica desse modelo prende-se às finalidades dos prazos em cada uma das áreas. O Direito Penal diz respeito ao direito de liberdade. Assim, começando a fluir a contagem desde o primeiro dia, o prazo se torna mais curto. Imagine-se um foragido que é preso no dia 1º, tendo que cumprir 10 dias de pena restantes após a fuga. No décimo dia será posto em liberdade, uma vez que é o término do prazo. Caso se trate de um prazo processual, estará em jogo o direito de defesa, devendo portanto ser ampliado ao máximo, razão pela qual o prazo, a fim de ser maior, começa a contar no dia seguinte ao marco inicial. Se, no dia 1º, um acusado recebe a intimação para apresentar um recurso em 10 dias, poderá fazê-lo até o dia 11, já que a contagem exclui o dia do início do prazo, assegurando, assim, mais amplitude à defesa.

Em se tratando de prazo misto ou híbrido, isto é, que se destina a um ato processual com efeitos penais, prevalece a natureza penal. Exemplo: art. 38 do CPP.

Segundo o art. 11, não são computadas as frações de dia e de reais para fins de cumprimento das penas privativas de liberdade, restritivas de direitos e pecuniárias. Assim, voltando ao exemplo do foragido, ainda que tenha sido preso às 22 horas, este dia será contado como o primeiro dia, como se fosse inteiro, pois não se admite o fracionamento.

O art. 12, por fim, prevê o *princípio da especialidade*, no sentido de que o Código Penal aplica-se à legislação extravagante, se esta não dispuser de modo diverso. Isso significa que o Código Penal é norma geral, cedendo diante de norma especial. Assim, por exemplo, o instituto da tentativa se aplica a todas as infrações penais, mas não se aplica à Lei das Contravenções Penais, que expressamente proíbe a tentativa de contravenção (art. 4º da LCP).

Casos práticos:

1. No dia 24 de janeiro, Genuíno fugiu da prisão, faltando 14 dias de pena a cumprir, sendo recapturado dia 27/05, às 23h30min. Que dia deverá ser posto em liberdade pelo término da pena? Contam-se 14 dias a partir do dia 27, que é o primeiro, devendo ser posto em liberdade dia 9 de junho.
2. No dia 16 de março, Carneiro fugiu da prisão, quando faltavam 4 meses de pena a cumprir. Foi recapturado em 2 de maio, às 23h45min. Que dia deverá ser posto em liberdade pelo término da pena? Contam-se 4 meses, a partir do dia 2 de maio, que é o primeiro dia, devendo ser posto em liberdade dia 1º de setembro.
3. Em 18 de janeiro, Mancebo foi condenado à pena de 3 meses de prestação de serviços à comunidade, começando o cumprimento da pena em 21 de fevereiro. Após esse dia de trabalho, não mais se apresentou e, em razão de não cumprir a medida, a pena foi convertida, nos termos do art. 181 da LEP, em privativa de liberdade, sendo Mancebo recolhido à prisão em 12 de março, às 21 horas. Quando

Mancebo deverá ser posto em liberdade pelo término da pena? Contam-se 3 meses a partir do dia 12 de março e desconta-se o dia que já foi cumprido (21 de fevereiro), devendo ser posto em liberdade dia 10 de junho.

4. O juiz da execução criminal determinou que Maroto permaneça 30 dias em regime domiciliar diferenciado (RDD), nos termos do art. 52 da LEP, a partir de 24 de maio, às 18 horas. Quando Matias deverá retomar o cumprimento regular da pena? Contam-se 30 dias a partir de 24, que é o primeiro, devendo ser posto em liberdade dia 22 de junho.

5. No dia 11 de dezembro de 2012, às 21 horas, Cabrocha foi recolhida à prisão para cumprimento da pena de 3 anos e 6 meses de reclusão. Durante a execução, em razão de trabalhar no estabelecimento penal, conseguiu remir, isto é, reduzir 3 meses de pena, conforme a Lei de Execução Penal, e obteve, ainda, a detração, isto é, desconto de 4 meses, relativamente ao período de prisão preventiva, na forma do art. 42 do Código Penal. Quando deverá ser posta em liberdade pelo término da pena? Descontam-se 7 meses de detração e remição, restando um saldo de pena de 2 anos e 11 meses de prisão, contados a partir de 11/12/2020 (primeiro dia), devendo ser posta em liberdade dia 10/11/2023.

2.10 INTERPRETAÇÃO E INTEGRAÇÃO DO DIREITO PENAL

Interpretar significa definir o sentido da disposição legal, apresentando-se na hermenêutica jurídica tradicional como uma reprodução de sentido (*Auslegung*) ou uma atribuição de sentido (*Sinngebung*). Por mais claro que seja o dispositivo, sempre poderá ser alvo de controvérsias, o que faz surgir a necessidade de interpretação. STRECK afirma que estamos "condenados" a interpretar.[6]

---

6. STRECK, Lenio Luiz. *Dicionário de Hermenêutica*: quarenta temas fundamentais da teoria do direito à luz da crítica hermenêutica do direito. Belo Horizonte: Letramento, 2017. p. 97.

Não se confunde a *interpretação* com a *integração*, pois nesta não existe norma aplicável, devendo o juiz se valer de costumes, princípios gerais e, excepcionalmente, analogia, para decidir o caso concreto.

Não há modelo único de interpretação, a qual pode ser classificada de acordo com o *sujeito* que interpreta, em relação ao *resultado* obtido com a interpretação e em relação aos *meios utilizados*.

Interpretação quanto ao sujeito

a. Autêntica: interpretação advém da própria lei (exemplo: § 4º do art. 150 do CP);
b. doutrinária: advém da doutrina, isto é, os ensinamentos contidos em obras, tratados, artigos etc.;
c. jurisprudencial: advém da jurisprudência, isto é, os posicionamentos adotados pelos Tribunais em determinados assuntos, interpretando dispositivos legais.

Observe que a exposição de motivos do Código Penal não é interpretação autêntica, e sim doutrinária, pois não provém do legislador, e sim do Ministro da Justiça.

Interpretação quanto ao resultado

a. Declarativa: declara o sentido da lei (exemplo: art. 141, III – "várias pessoas");
b. restritiva: restringe o sentido da lei (exemplo: art. 352 – evasão mediante "violência");
c. extensiva: amplia o sentido da lei (exemplo: art. 176 – refeição em "restaurante");
d. analógica: quando a própria lei prevê o uso de analogia (analogia *intra legem*), como ocorre, por exemplo, no art. 28, II, do CP (álcool ou "substância de efeito análogo").

No Direito Penal, a regra deve ser o uso de interpretação declarativa e restritiva, uma vez que está em jogo o direito de liberdade individual.

Excepcionalmente, porém, será utilizada a interpretação extensiva e analógica.

Quanto aos meios
a. *Gramatical*: baseia-se nas palavras;
b. *lógica*: baseia-se no sentido e na racionalidade;
c. *teleológica*: busca o sentido da lei, além das palavras e da lógica;
d. *sistemática*: procura conciliar os diversos dispositivos dentro do sistema para que exista coerência entre eles, a fim de que um não prejudique o outro.

A interpretação gramatical é, sem dúvida, a mais pobre de todas, mas tem especial utilização no Direito Penal, em face do caráter restritivo da interpretação, com o fim de proteger o direito de liberdade.

2.11 PRINCÍPIOS DO DIREITO PENAL

Conceito e importância dos princípios

Princípios são diretrizes do pensamento jurídico, positivadas ou não, que orientam a aplicação do Direito. A palavra *princípio* sugere que se trata de normas elementares ou primordiais, as quais não se resumem aos fundamentos jurídicos legalmente instituídos, mas todo axioma jurídico derivado da cultura universal, indicando o alicerce do Direito. Assim, nem sempre se inscrevem nas leis, mas, porque servem de base ao Direito, são preceitos fundamentais para a prática do Direito e proteção aos direitos.[7]

Segundo ALEXY, princípios são espécies de normas, mas se distinguem das regras porque, enquanto estas são *mandados de determinação*, devendo ser cumpridas a qualquer custo, os princípios são *mandados de otimização*, pois

---

7. SILVA, De Plácido e. *Vocabulário jurídico*. Rio de Janeiro: Forense, 2000. p. 639.

ordenam que algo seja realizado na maior medida do possível dentro das possibilidades jurídicas e fáticas existentes.[8]

No âmbito do Direito Penal, os princípios assumem especial importância, pois limitam o poder punitivo estatal e servem para orientar o intérprete e evitar a aplicação da "letra fria" da lei, funcionando como diretrizes para o legislador na elaboração das leis penais e para os aplicadores do Direito Penal (policiais, promotores, juízes, advogados, defensores etc.) na instauração, tramitação ou solução dos processos.

Diversos desses princípios têm aplicação também no processo penal, como, por exemplo, a presunção da inocência, que impõe a excepcionalidade da prisão preventiva.

Alguns princípios estão previstos na Constituição Federal, outros, sem previsão no direito positivo, são princípios hermenêuticos, derivados da interpretação constitucional e do pensamento jurídico penal.

Princípios positivados

Dignidade da pessoa humana

É o "princípio dos princípios" em matéria penal, constituindo fundamento republicano insculpido no art. 1º, III, da Constituição Federal. Conforme esclarece ROXIN, de acordo com a doutrina de Kant, decorre da dignidade humana a proibição de que se instrumentalize o homem, ou seja, a exigência de que o homem nunca seja tratado por outro homem como simples meio, mas sempre também como um fim.[9] Dessa forma, quem tortura outrem para obter declarações usa o ser humano como instrumento e deve ser punido por isso. Segundo esse princípio, o Direito Penal não pode dispensar a ninguém um tratamento desumano e indigno.

---

8. Segundo a Teoria dos Direitos Fundamentais, as normas dividem-se em regras e princípios, tanto regras e princípios são normas, pois dizem o que deve ser. A diferença entre regras e princípios reside na forma de aplicação, já que regras se aplicam de forma absoluta (mandados de determinação), ao passo que os princípios se aplicam na medida das possibilidades fáticas e jurídicas de cada caso (mandados de otimização). Nesse sentido, ver ALEXY, Robert. *Teoria dos Direitos Fundamentais*. Malheiros: São Paulo, 2008. p. 87 e ss.

9. ROXIN, Claus. *Estudos de Direito Penal*. 2. ed. Tradução de Luís Greco. Rio de Janeiro: Renovar, 2008. p. 39.

Isonomia

O princípio da isonomia, consagrado no art. 5º da Constituição Federal, significa que "todos são iguais perante a lei", estabelecendo-se a obrigação de tratar igualmente aos iguais e desigualmente aos desiguais, na medida de suas desigualdades. O Direito Penal não pode estabelecer tratamentos discriminatórios em razão de gênero, raça, condição social etc., devendo ainda tratar igualmente nacionais e estrangeiros. O princípio da isonomia garante que a igualdade não seja apenas formal, isto é, uma simples previsão legal. Assim, o princípio compele o Estado a dar tratamento diferenciado sempre que houver uma desigualdade material, como ocorre, por exemplo, na intensa proteção à mulher em situação de violência doméstica, cuja vulnerabilidade impõe que o Estado adote medidas que a favoreçam, promovendo o equilíbrio e a igualdade material, não apenas formal. Em outros momentos, o tratamento desigual é uma exigência de ordem política, como ocorre nas imunidades parlamentares previstas na Constituição Federal, que garantem aos parlamentares imunidade em crimes de opinião, como a injúria, a difamação e a calúnia, já que os parlamentares não poderiam exercer adequadamente suas funções caso estivessem sob a constante ameaça do Direito Penal quanto às expressões utilizadas na atividade parlamentar, em que o debate é a tônica.

Legalidade

Conforme já estudado anteriormente, desdobra-se em reserva legal (CF, art. 5º, XXXIX) e anterioridade/irretroatividade (CF, art. 5º, XL). Por esse princípio, nenhum crime existe se não estiver previsto em uma lei. Além disso, nenhuma pena pode ser aplicada ou aumentada, de qualquer forma, se não houver expressa previsão legal. O princípio da legalidade está também positivado no art. 1º do Código Penal.

Irretroatividade

Conforme estudado anteriormente, lei penal não retroagirá, salvo para beneficiar o réu (CF, art. 5º, XL). Complementa o princípio da legalidade, na medida em que a lei penal deve ser anterior ao crime, não podendo ser aplicada a fatos que aconteceram anteriormente à sua vigência, exceto se for em benefício do acusado.

Intranscendência

A Constituição Federal, por razões humanitárias, consagra o princípio da intranscendência, também conhecido como pessoalidade, personalidade ou responsabilidade pessoal, no sentido de que "nenhuma pena passará da pessoa do condenado" (CF, art. 5º, XLV). Significa que uma condenação não pode ir além da pessoa condenada, atingindo seus familiares, como acontecia antigamente.

Esse princípio se aplica apenas à pena e não aos efeitos secundários da condenação, como a obrigação de reparar o dano e o confisco, pois estes podem atingir os sucessores, na forma da legislação civil. A responsabilidade civil é independente da criminal. Todavia, havendo condenação criminal, um dos efeitos desta é tornar certa a obrigação de reparar o dano (art. 92, I), o que deve ser suportado, primeiramente, pelo condenado, mas, se este não tiver condições de indenizar a vítima, esta poderá pleitear seu direito perante os sucessores. A condenação criminal também tem como efeito a perda do proveito e dos instrumentos do crime, de forma que o confisco pode recair em bem que pertença, formalmente, a um dos sucessores do acusado, mas que tenha sido obtido com a prática criminosa (art. 92, II). A lei ressalva, em caso de confisco, apenas o direito de terceiro de boa-fé, isto é, pessoa que tenha adquirido o bem licitamente.

Por mais que a Constituição garanta a intranscendência, o Direito Penal inevitavelmente atinge os familiares do autor do crime, como ocorre, por exemplo, quando uma criança precisa ficar na cela da mãe para ser amamentada. Como ensinou HUNGRIA, a pena é um mal, não somente para o réu e sua família, senão também, do ponto de vista econômico, para o próprio Estado.[10]

---

10. HUNGRIA, Nélson. *Comentários ao Código Penal*. Vol. VII, arts. 155 a 196. 1. ed. Rio de Janeiro: Revista Forense, 1955. p. 168.

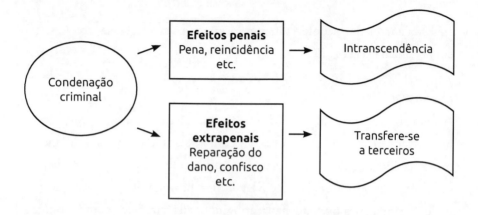

Individualização da pena

Pela individualização, garante-se que cada crime será tratado como fato único, respeitando as peculiaridades de cada caso. Esse princípio deve ser observado na elaboração dos tipos penais, a fim de que as penas sejam proporcionais a cada crime, na fixação da pena pelo juiz, a fim de se impor a medida adequada e necessária para cada indivíduo (CP, art. 59), e na execução penal, a fim de que cada pessoa possa ser tratada de acordo com suas características próprias durante o cumprimento da pena (CF, art. 5º, XLVI).

O art. 2º, § 1º, da Lei n. 8072/90 (Lei dos Crimes Hediondos), em sua redação original, previa que o cumprimento de pena ocorreria em regime integralmente fechado, porém esse dispositivo foi declarado inconstitucional pelo STF (HC 82.959/SP) por violar o princípio da individualização da pena. Em seguida, a Lei n. 11.464/07 determinou que a pena, no caso de crime hediondo, seria cumprida em regime inicialmente fechado. Ocorre que essa norma também foi declarada inconstitucional pelo STF por violar o princípio da individualização da pena (HC 111840). Atualmente é possível iniciar o cumprimento da pena pela prática de um crime hediondo ou equiparado em regime diverso do fechado, se preenchidos os requisitos do art. 33 do CP.

Acreditamos que a orientação da Suprema Corte está longe de cumprir o princípio da individualização da pena, pois, quando impede o cumprimento da pena em regime integralmente fechado, está, na verdade, negando o princípio. Tão equivocado quanto tornar obrigatório o regime integral fechado é proibir o juiz ou tribunal que, diante de um crime em concreto, observadas as peculiaridades do caso, possa determinar, de forma fundamentada, que a pena seja integralmente cumprida em regime fechado. A proibição incondicional do regime integral fechado é tão prejudicial à individualização da pena quanto a obrigatoriedade.

Humanidade

O argumento decisivo contra a desumanidade das penas é o princípio moral de dignidade da pessoa humana, enunciado por Beccaria e por Kant com a máxima de que cada ser humano, e por conseguinte também o condenado, nunca deve ser tratado como "meio" ou "coisa", mas sempre como um "fim" ou "pessoa" e isso quer dizer que, além de qualquer argumento utilitário sobre a punição, o valor da pessoa humana impõe limitações à qualidade e à quantidade de pena[11]. A Constituição Federal proíbe penas de morte (salvo guerra declarada – CF, art. 84, XIX), cruéis, de banimento, de caráter perpétuo e de trabalhos forçados (CF, art. 5º, XLVII). Esse princípio pretende humanizar o tratamento penal reservado aos criminosos. Embora vedada no Brasil, a pena de morte está presente em muitos países e é admitida, em crimes graves, pela Convenção Americana de Direitos Humanos (Pacto de São José da Costa Rica), nos países que não a tenham abolido, desde que não se trate de indivíduo menor de 18 ou maior de 70 anos na data do crime, gestante, crime político ou que tenha conexão com este (art. 4º). Igualmente, não se admite pena perpétua. Nesse sentido, o Código Penal brasileiro estabelece o prazo máximo de 40 anos de prisão (art. 75). Entre nós, um exemplo de pena desumana seria a castração, embora acolhida em países como a Grã-Bretanha, Dinamarca, Suécia etc[12].

Quanto aos trabalhos forçados, a vedação constitucional se refere aos trabalhos desumanos e degradantes, impostos com uso de força, já que o art. 31 da Lei n. 7.210 (Lei de Execução Penal) determina que o condenado é obrigado ao trabalho, exceto se for preso provisório (antes da condenação).

---

11. FERRAJOLI, Luigi. *Derecho y razón*: teoria del garantismo penal. Madri: Editorial Trotta, 1995. p. 395.
12. FAYET JÚNIOR, Ney. *A castração (química) de delinquentes sexuais*: uma abordagem à luz de diretrizes político-criminais racionais. Porto Alegre: Elegantia Juris, 2019. p. 90.

Consoante a Convenção Americana de Direitos Humanos, não se consideram trabalhos forçados as atividades laborais normalmente exigidas de pessoa reclusa em cumprimento de sentença ou resolução formal expedida pela autoridade judiciária competente, os quais devem ser executados sob a vigilância e controle das autoridades públicas, e os indivíduos que os executarem não devem ser postos à disposição de particulares, companhias ou pessoas jurídicas de caráter privado (art. 6º, 3, a).

A pena de banimento é também proibida constitucionalmente, nada impedindo, porém, as medidas administrativas de retirada compulsória de estrangeiros (repatriação, deportação e expulsão), bem como a extradição, nos termos da Lei n. 13.445/2017 (Lei de Migração). Outrossim, o Brasil veda a imposição de penas consideradas cruéis, como a castração de estupradores ou outras que eram utilizadas antigamente, *v.g.*, ebulição, esfolamento, apedrejamento, crucificação, chicoteamento, mutilação etc.

Presunção de inocência

Também chamado de presunção de não culpabilidade (CF, art. 5º, LVII), significa que ninguém será submetido a uma pena, explícita ou implicitamente, sem que haja uma condenação transitada em julgado. O princípio tem sido aplicado pelos tribunais superiores para impedir a execução provisória da pena em caso de condenação criminal não transitada em julgado. Assim, o indivíduo só poderá ser preso após esgotar todos os recursos. Trata-se de tema polêmico nos tribunais superiores, que têm oscilado de posição, ora admitindo a "prisão em segunda instância", ora proibindo a prisão antes de esgotamento de todos os recursos. Esse princípio também tem forte aplicação no processo penal, uma vez que faz com que a decretação de uma prisão preventiva, com caráter meramente processual, ocorra só excepcionalmente.

Princípios não positivados

Proporcionalidade e razoabilidade

Trata-se de um princípio implícito no texto constitucional, cuja formatação é oriunda do Tribunal Constitucional Alemão, estando relacionado a dois subprincípios:

a. Proibição de excesso: o Estado deve limitar sua atuação às necessidades preventivas e repressivas, sem cometer exageros e abusos punitivos.

b. Proibição de proteção deficiente ou proibição de insuficiência: significa que o Estado não pode deixar de dar uma proteção eficaz aos direitos dos indivíduos. A proibição de insuficiência ocorre na medida em que não mais se pode falar em um Estado que guarda exclusivamente das "liberdades negativas", pois passou a ter função de proteção contra o arbítrio do poder e alcançou a função de concretização dos direitos prestacionais e, ao lado destes, a obrigação de proteger os cidadãos contra as condutas delitivas de terceiros. Dentro deste paradigma, há o direito à segurança erigida ao *status* de direito fundamental. Se violado este direito em face da proteção aquém do mínimo exigido pela Constituição, ou pela omissão no caso da ausência de normatização necessária pelo legislador, verifica-se hipótese evidente de aplicação da proibição da insuficiência.[13]

A proporcionalidade, outrossim, se fundamenta no binômio "necessidade – adequação", o que significa que o Direito Penal deve ser aplicado na medida em que seja *necessário* à proteção de bens jurídicos e de forma *adequada* a proteger os bens jurídicos de lesões. No art. 59, o Código Penal estabelece que o juiz deve aplicar a pena atendendo à *"culpabilidade, aos antecedentes, à conduta social, à personalidade do agente, aos motivos, às circunstâncias e consequências do crime, bem como ao comportamento da vítima, estabelecerá, conforme seja necessário e suficiente para reprovação e prevenção do crime".*

Em processo no qual atuamos, indivíduos armados, integrantes de facção criminosa, expulsaram uma família de casa, mediante grave ameaça, a fim de se estabelecerem no local, praticando o crime de esbulho possessório (CP, art. 161, II). Tendo em vista que não houve violência, mas apenas grave ameaça, a pena será de detenção de 1 a 6 meses, configurando-se infração de

---

13. GAVIÃO, Juliana Venturela Nahas. A proibição de proteção deficiente. *Revista do Ministério Público do RS*, Porto Alegre, n. 61. p. 93-111, 2008. Disponível em: <http://www.amprs.org.br/arquivos/revista_artigo/arquivo_1246460827.pdf>. Acesso em: 12.06.2019.

menor potencial ofensivo, nos termos da Lei n. 9.099/95, evidenciando-se inaceitável desproporcionalidade entre o crime praticado e a resposta estatal.

Acertadamente, BITENCOURT adverte que o *princípio da proporcionalidade* não se confunde com o *princípio da razoabilidade*, embora possam estar identificados em alguns aspectos, já que a proporcionalidade tem origem germânica e a razoabilidade é uma construção da Suprema Corte norte-americana. Razoável é aquilo que tem aptidão para atingir os objetivos a que se propõe sem representar excesso algum, de forma que a razoabilidade contém os excessos da proporcionalidade, devendo se perquirir se é possível, nas circunstâncias, adotar medida menos gravosa. É exatamente a razoabilidade que afasta a invocação do exemplo concreto mais antigo de proporcionalidade – a Lei de Talião ("olho por olho, dente por dente") –, que, embora seja proporcional, não se mostra hoje razoável.[14]

Intervenção mínima

Desdobra-se em dois outros princípios: a *fragmentariedade* e a *subsidiariedade*.

Fragmentariedade significa que o Direito Penal não deve se ocupar de todos os ilícitos, mas apenas dos mais graves e lesivos para a sociedade. Subsidiariedade significa que o Direito Penal deve ser utilizado como *ultima ratio*, isto é, apenas quando outros ramos do Direito não forem capazes de dar uma resposta satisfatória. Por exemplo, se num ilícito patrimonial, o Direito Civil consegue atender aos interesses da pessoa ofendida, não há razão para o Direito Penal ser utilizado.

A violação ao Direito é sempre um ato ilícito, para o qual o Estado irá reagir por meio de uma sanção. Entre as diversas formas de sanção, a penal é sempre a mais grave, pois pode levar o indivíduo a ser preso ou responder com a própria vida, em alguns países. Não há, portanto, distinção entre os ilícitos em si, mas, sim, na forma como o Direito reage aos ilícitos. É o legislador quem decide se um ato ilícito será tratado pelo Direito Penal ou

---

14. BITENCOURT, Cezar Roberto. *Tratado de Direito Penal: parte geral 1*. 24. ed. São Paulo: Saraiva Educação, 2018. p. 70.

por outro ramo do ordenamento jurídico. Portanto, num aspecto meramente formal, o tratamento de um ilícito como crime, sujeito a uma pena criminal, nada mais é do que uma opção do legislador. O legislador deve pautar essa decisão de incriminar uma conduta pelo princípio da subsidiariedade, de modo que o Direito Penal só intervenha quando os outros ramos não puderem dar respostas adequadas, evitando assim a hipertrofia do Direito Penal. Como ensinou HUNGRIA, o Estado só deve recorrer à pena quando a conservação da ordem jurídica não se possa obter com outros meios de reação, isto é, com os meios próprios do direito civil (ou de outro ramo do direito que não o penal), pois a pena é um mal, não somente para o réu e sua família, senão também, do ponto de vista econômico, para o próprio Estado, sendo explicável que este se abstenha de aplicá-la fora dos casos em que tal abstenção represente um mal maior.[15]

Cada vez mais, atualmente, observa-se a hipertrofia do Direito Penal, aumentando-se de forma considerável o número de tipos penais. A crítica que se impõe a esse modelo não reside na ideia de que delitos não devem ser punidos ou de que condutas infratoras de menor relevância devem ser desconsideradas, não responsabilizadas, e sim que é inconcebível que os problemas resultantes da má gestão (ou da inexistência dela) no contexto estatal, social e familiar escoem diretamente no Direito Penal.[16]

Princípio da insignificância

Esse princípio foi introduzido por Claus Roxin a partir do brocardo *minimis non curat praetor*, excluindo do Direito Penal o *"crime de bagatela"*, isto é, de lesividade inexpressiva. É decorrência de uma perspectiva de mínima intervenção, afastando a tipicidade de fatos bagatelares, isto é, fatos sem relevância social, embora reprováveis. Os requisitos desse princípio, estabelecidos pela jurisprudência dos tribunais superiores,[17] são os seguintes:

---

15. HUNGRIA, Nélson. *Comentários ao Código Penal*, vol. VII, arts. 155 a 196. 1. ed. Rio de Janeiro: Revista Forense. p. 168.
16. Nesse sentido: BONAVIDES, Paulo; MIRANDA, Jorge; MOURA AGRA, Walber de. Comentários à Constituição Federal de 1988. Coordenadores editoriais: Francisco Bilac Pinto Filho; Otávio Luiz Rodrigues Júnior. Rio de Janeiro: Forense, 2009. p. 13.
17. STF, HC 114.241; STJ, HC 250.574.

a. mínima ofensividade da conduta;
b. nenhuma periculosidade social da ação;
c. reduzido grau de reprovabilidade do comportamento;
d. inexpressividade da lesão ao bem jurídico.

Não se deve confundir o princípio da insignificância com as infrações de menor potencial ofensivo definidas na Lei n. 9.099/95 (contravenções penais e crimes com pena máxima de até 2 anos), as quais só serão consideradas bagatelares se estiverem presentes os requisitos delineados pela jurisprudência. Da mesma forma, o furto de pequeno valor, considerado furto privilegiado (art. 155, § 2º), só poderá ser considerado insignificante se os demais requisitos estiverem presentes. Assim, figure-se o exemplo de indivíduo primário que furta a carteira, contendo pequena quantia em dinheiro, de um aposentado indefeso que está numa cadeira de rodas esperando atendimento em um hospital público durante a noite. Embora exista um valor considerado pequeno, não se pode considerar que estejam presentes os requisitos da mínima ofensividade e do reduzido grau de reprovabilidade. Assim, não haverá insignificância, embora se possa considerar furto privilegiado em razão do pequeno valor do bem subtraído.

A maior incidência prática do princípio da insignificância é no crime de furto, mas a verdade é que ele é aplicável a qualquer infração penal e não somente aos crimes patrimoniais.[18] O princípio aplica-se inclusive aos atos infracionais cometidos por adolescentes, embora estes não sejam julgados na seara criminal. Aplica-se o princípio, por exemplo, aos crimes de natureza tributária, especialmente descaminho (ingresso no Brasil de produtos legais sem recolhimento dos tributos), quando o tributo devido não ultrapassa R$ 20 mil. Não se aplica a insignificância, porém, ao contrabando, que é o ingresso de produtos ilegais no Brasil.

Como regra geral, não se admite aplicação do princípio da insignificância em crimes de roubo e outros crimes com violência ou grave ameaça, tráfico de drogas, contrabando, crimes ambientais, crimes contra a fé pú-

---

18. MASSON, Cleber. 9.

blica, crimes do Estatuto do Desarmamento, violência doméstica e familiar contra a mulher, entre outros. Muito se discute a aplicabilidade do princípio da insignificância nos crimes praticados contra a Administração Pública. O Supremo Tribunal Federal admitiu a incidência do princípio em um crime de peculato-furto (CP, art. 327, § 1º), em que o funcionário subtraiu o farol de milha de uma motocicleta apreendida, avaliado em R$ 13,00.[19] O Superior Tribunal de Justiça, a seu turno, aprovou a Súmula 599, com o seguinte teor: "O princípio da insignificância é inaplicável aos crimes contra a Administração Pública", mas contrariou sua própria súmula no RHC 85.272.[20] Conforme adverte GRECO,[21] não podemos fechar as portas do princípio por estarmos diante de crime dessa natureza, exemplificando com o caso de funcionário público que subtrai uma caixa de *clips* da repartição pública.

Como estudaremos posteriormente, para haver crime, um fato deve se ajustar a um tipo penal, que é a norma incriminadora. O princípio da insignificância afasta a tipicidade material, isto é, o fato se ajusta à norma legal, mas, como a ofensa é insignificante, não se considera um fato materialmente típico, ficando afastada a existência de crime.

Princípio da irrelevância (bagatela imprópria)

O princípio da irrelevância é uma variação do princípio da insignificância proposta por Luiz Flávio Gomes. Segundo esse autor, a insignificância pode atingir o resultado ou a conduta. Quando a insignificância atinge o resultado, ocorre *bagatela própria* (exemplo: furto de um chocolate), mas, quando atinge a própria conduta, verifica-se a *bagatela imprópria*. Enquanto o princípio da insignificância aplica-se à bagatela própria, excluindo a tipicidade, a irrelevância aplicar-se-ia à bagatela imprópria, excluindo a aplicação da pena.[22]

---

19. STF, HC 112.388, Rel. Min. Cezar Peluso, Segunda Turma, julgado em 21/08/2012.
20. Rel. Min. Nefi Cordeiro, julgado em 14/08/2018.
21. GRECO, Rogério. *Curso de Direito Penal*: parte geral, volume III. Niterói: Impetus, 2012. p. 375.
22. GOMES, Luiz Flávio. *Princípio da insignificância e outras excludentes da tipicidade*. São Paulo: RT, 2009. p. 24.

Um dos exemplos de bagatela imprópria seria o caso de perdão judicial, em que o autor de um crime é isento de pena nos casos expressos em lei.

Em nossa opinião, tal princípio não se sustenta. O Supremo Tribunal Federal tratou de cercar o princípio da insignificância dos requisitos necessários à sua configuração, a fim de limitar sua incidência e impedir a banalização da liberalidade, de modo que invocar um tal "princípio da irrelevância" nada mais é do que invocar a mesma lógica do crime de bagatela ao arrepio dos requisitos estabelecidos pela jurisprudência. Não é difícil ver que, mesmo em um caso de perdão judicial, a própria conduta pode não ser insignificante, como ocorre quando o pai mata culposamente o próprio filho. Nesse caso, a isenção de pena, prevista no art. 121, § 5º, não implica considerar irrelevante a conduta, mas considerar inútil a pena, uma vez que o pai homicida já está suficientemente castigado com a perda do filho. Dizer que um fato, apesar de significante, não merece pena, deve ser tarefa exclusiva do legislador, quando expressamente estabelece um perdão judicial, uma escusa absolutória etc. Por outro lado, tratando-se de instituto legislado, como o perdão judicial ou a escusa absolutória, não se poderá tratar como princípio, sob pena de se aplicar genericamente e não a casos específicos. Além disso, na medida em que o princípio da insignificância refere-se a lesões inexpressivas e sem importância, seria algo tremendamente contraditório falar em algo "importante-irrelevante".

Cabe a insignificância	Não cabe a insignificância	Princípio da irrelevância
Crimes sem violência ou ameaça. Crimes tributários em geral. Descaminho. Atos infracionais.	Roubo e outros crimes com violência ou grave ameaça. Crimes contra a Administração Pública. Tráfico de drogas. Contrabando. Crimes ambientais. Crimes contra a fé pública. Crimes do Estatuto do Desarmamento. Violência contra a mulher.	Embora o resultado não seja insignificante, deve haver isenção de pena se a conduta for irrelevante (bagatela imprópria). É uma criação doutrinária com a qual não concordamos. O exemplo do perdão judicial não pode ser considerado bagatela imprópria, já que nem a conduta nem o resultado são irrelevantes e a isenção da pena decorre de sua inutilidade concreta.

Adequação social

Afasta a tipicidade de condutas que, embora típicas, são aceitas socialmente. Não se confunde com a insignificância, pois, neste, a conduta é reprovável, embora não tenha relevância, ao passo que na adequação social a conduta tem relevância, mas é aceita socialmente. Exemplos: o ato de furar a orelha de uma criança para colocação de brinco, afastando-se a tipicidade do crime de lesão corporal; da mesma forma, é afastada a tipicidade no caso de circuncisão de um menino da comunidade judaica, já que esse costume é não só aceito como respeitado. Para que haja a adequação social, porém, deve haver um consenso geral em torno da aceitação do fato, não se aplicando o princípio quando se trata de questão controvertida ou que não tem aceitação generalizada, como, por exemplo, na venda de CD e DVD pirata, conforme entendimento consolidado pelo STJ na Súmula 502.[23]

Princípio da culpabilidade

É também chamado de "responsabilidade subjetiva". Significa que ninguém será punido sem que tenha agido com dolo ou culpa (art. 18 do CP) ou sem que seja capaz de agir com dolo ou culpa[24], pois não existe, no Direito Penal, a responsabilidade objetiva, isto é, pelo simples resultado, sem que o agente tenha agido consciente e voluntariamente. Esse princípio foi concebido por meio do brocardo *nullum crimen sine culpa* e tinha por fim expurgar do Direito Penal a responsabilidade objetiva. Mais tarde, o princípio da culpabilidade assumiu uma dupla função:

- não há reprovação sem dolo ou culpa;
- não há reprovação sem autodeterminação.[25]

---

23. "Presentes a materialidade e a autoria, afigura-se típica, em relação ao crime previsto no art. 184, § 2º, do CP, a conduta de expor à venda CDs e DVDs piratas."
24. Acreditamos que o princípio da culpabilidade abrange o *princípio da imputação pessoal*, segundo o qual o Direito Penal não pode castigar um fato cometido por agente que atue sem culpabilidade, que atualmente não se refere a dolo ou culpa, mas à capacidade penal.
25. ZAFFARONI, Eugênio R. e PIERANGELI, José Henrique. *Manual de Direito Penal brasileiro*. 2. ed. São Paulo: RT, 1999. p. 607.

Em outras palavras, o princípio da culpabilidade garante que ninguém será punido sem dolo ou culpa ou sem capacidade de agir com dolo ou culpa.

Também repudia o Direito Penal a chamada *versare in re ilicita*, que consiste em punir uma pessoa que causou algo sem dolo ou culpa pelo fato de ter agido inicialmente de forma ilícita. Por exemplo, por estar dirigindo embriagada, uma pessoa é responsabilizada por uma colisão mesmo em caso de culpa exclusiva do outro motorista.

O princípio, ainda, repele a ideia de uma punição baseada no modo de vida de uma pessoa, que constitui o chamado Direito Penal do autor, pois uma pessoa deve ser punida pelo que fez (Direito Penal do fato) e não pelo que é.

Não se deve confundir o princípio da culpabilidade com o *princípio da não culpabilidade* ou *presunção da inocência*, que é um princípio processual, segundo o qual ninguém pode ser condenado sem provas suficientes (*in dubio pro reo*), nem ser considerado culpado ou cumprir pena antes da condenação com trânsito em julgado (da qual não caiba mais recurso).

Princípio da lesividade ou ofensividade e princípio da alteridade

Segundo o princípio da *lesividade* ou *ofensividade*, ninguém pode ser punido sem que haja lesão a um bem jurídico tutelado (*nullum crimen sine iniuria*). As bases desse princípio remontam a Stuart Mill, para quem o único fim que justifica a intervenção do Estado sobre um membro de uma comunidade civilizada, contra a sua vontade, é o de prevenir danos a outros, o que se denomina *harm principle*.[26] Assim, a aplicação do Direito Penal só se justifica diante de uma conduta causadora de dano ou com potencial de causar dano.

De acordo com o princípio da *alteridade*, atribuído a Claus Roxin, ninguém pode ser punido se não causar dano a outrem. Não basta, portanto, a existência de uma lesão (princípio da lesividade), é preciso que haja lesão a outra pessoa. Exemplo: autolesão não é crime, salvo na hipótese do art. 171, § 2º, V.

---

26. MILL, John Stuart. *Sobre a liberdade*. Tradução de Pedro Madeira. Rio de Janeiro: Nova Fronteira, 2011. p. 35.

Princípio da responsabilidade pelo fato

O Direito Penal e seus aplicadores devem atentar para o fato praticado e não estereotipar autores em razão de suas condições, afastando-se do chamado Direito Penal do autor. Conforme ASSIS TOLEDO, o Direito Penal moderno é, basicamente, um direito penal do fato, pois está construído sobre o fato-do-agente e não sobre o agente-do-fato.[27]

Non bis in idem

Ninguém pode ser punido ou processado duas vezes pelo mesmo fato ou sofrer dupla imputação de qualquer forma. A aplicação desse princípio está presente em diversas situações, tais como:

a. uma pessoa que já cumpriu pena por um fato não poderá cumprir a mesma pena, ainda que em parte, aplicando-se o princípio "pena cumprida é pena extinta";
b. a pena cumprida no estrangeiro atenua a pena imposta no Brasil pelo mesmo crime, quando diversas, ou nela é computada, quando idênticas (art. 8º);
c. na aplicação da pena pelo juiz, uma agravante só pode incidir quando não for elementar ou qualificadora de um crime (art. 61);
d. uma causa de aumento de pena não pode incidir duas vezes, devendo o juiz impor um só aumento;
e. quando um crime é parte de outro, como ação necessária, poderá ser absorvido, vindo o agente a ser punido por apenas um dos crimes, o que é tratado como "concurso aparente de crimes ou normas".

No julgamento do processo relativo à "tragédia da Boate Kiss", um dos casos mais rumorosos do mundo, em que houve acusação por homicídio qualificado pelo motivo torpe (ganância), o Superior Tribunal de Justiça

---

27. TOLEDO, Francisco de Assis. *Princípios básicos de Direito Penal*. 5. ed. São Paulo: Saraiva, 1994.

afastou a qualificadora, entendendo que a ganância já havia sido utilizada para configuração do dolo eventual, aplicando o princípio *non bis in idem*.[28]

2.12 CONCURSO APARENTE DE CRIMES OU DE NORMAS

Em Direito Penal, a palavra concurso designa "conjunto". Assim, quando um conjunto de pessoas pratica um crime, ocorre concurso de pessoas; quando vários crimes são praticados, ocorre concurso de crimes. Um indivíduo pode, com sua conduta, violar uma ou várias normas penais incriminadoras. Assim, quem dirige um carro em alta velocidade e mata várias pessoas irá responder por vários homicídios. Nem sempre, porém, a violação de várias normas penais significa a responsabilização por vários crimes, pois existem situações em que uma conduta é parte de outra, devendo ser submetida a apenas uma das normas, excluindo-se a outra, para evitar dupla incriminação, tendo em vista o princípio *non bis in idem*. É o chamado "concurso aparente de normas", em que existe certa hierarquia entre as normas em foco, de modo que a aplicação de uma esgota a punição do fato, excluindo a aplicação cumulativa da outra.[29]

O concurso aparente, portanto, ocorre quando duas normas penais incidem, aparentemente, sobre o mesmo fato, devendo-se aplicar apenas uma delas para evitar *bis in idem*, ficando um dos crimes excluído ou absorvido pelo outro. O que existe é uma "aparência" de vários crimes, pois na verdade todos formam parte de um crime único.

A fim de não incidirem duas ou mais normas em uma conduta única, utilizam-se critérios: especialidade, subsidiariedade e consunção ou absorção, bem como a alternatividade.

Especialidade

A norma especial revoga a norma geral. Assim, se uma conduta se ajusta a dois tipos distintos, um mais genérico e outro com mais elementares, pre-

---

28. REsp 1.790.039-RS, Rel. Min. Rogério Schietti Cruz, Sexta Turma, julgado em 18/06/2019.
29. TOLEDO, Francisco de Assis. *Princípios básicos de Direito Penal*. 5. ed. São Paulo: Saraiva, 1994. p.50.

valecerá a norma especial, que só será afastada se a conduta não preencher todos os elementos. Exemplo: infanticídio (art. 123) é especial em relação ao homicídio (art. 121). Veja-se que, em ambos os casos, a conduta é "matar alguém". Todavia, no caso do art. 123, há uma série de elementares especiais: sujeitos são a mãe e o próprio filho; a influência do estado puerperal (alteração fisiopsíquica que ocorre com as parturientes em geral); durante o parto ou logo após.

Subsidiariedade

Por este princípio, a norma principal afasta a norma subsidiária (secundária). Existe subsidiariedade quando diferentes normas protegem o mesmo bem jurídico em diferentes fases, etapas ou graus de agressão, de forma que o legislador, ao punir a conduta da fase anterior, fá-lo com a condição de que o agente não incorra em um crime mais grave.[30] A norma subsidiária é "soldado de reserva", que se aplica quando não for possível aplicar a norma de caráter principal. Espécies de subsidiariedade:

a. Expressa: está expressa na norma penal. Exemplo: art. 132.
b. Tácita: ocorre nos crimes complexos, em que um crime grave é formado por outros crimes menos graves, como o roubo (art. 157), que é formado por furto + ameaça ou lesão corporal. Ensina BARROS[31] que, na subsidiariedade tácita, o fato previsto em uma norma menos grave funciona como elemento constitutivo, circunstância qualificadora ou causa de aumento de pena de outra norma mais grave. De conformidade com essa definição, o crime de dano (art. 163) é subsidiário do furto qualificado pelo rompimento ou destruição de obstáculo (art. 155, § 4º, I); o sequestro (148) e a extorsão (158) são subsidiários do delito de extorsão mediante sequestro (art. 159); o dano (art. 163) é subsidiário do incêndio (art. 250), e assim por diante.

---

30. TOLEDO, Francisco de Assis. *Princípios básicos de Direito Penal.* 5. ed. São Paulo: Saraiva, 1994. p. 51.
31. BARROS, Flávio Augusto Monteiro de. *Direito penal:* parte geral. v. 1. 8. ed. São Paulo: Saraiva, 2010. p. 255.

Absorção ou consunção

Ocorre quando há uma relação de meio a fim ou de conteúdo a continente entre duas normas, ficando um deles subsumido no outro. Na absorção, um crime precisa do outro para existir, de modo que o anterior ou posterior é mera etapa do outro. Ocorre nas seguintes situações:

Fato anterior impunível (antefato impunível)

Ocorre quando o crime anterior se insere no contexto da preparação ou execução do crime posterior, isto é, uma "ação de passagem". Ocorre nos seguintes casos:

a. Crime progressivo e progressão criminosa: no *crime progressivo*, um crime é passagem necessária para outro. Exemplo: o agente quer matar a vítima, mas só é possível matar alguém causando-lhe uma lesão corporal, a qual fica absorvida. Na *progressão criminosa*, o agente quer praticar um crime e, após praticá-lo, decide praticar outro, mais grave que o primeiro. Em ambos os casos, existem escalas de ofensividade, isto é, graus distintos de ofensa ao bem jurídico, que é basicamente o mesmo, ficando a ofensa menor absorvida pela ofensa maior. A diferença é que no crime progressivo o agente quer desde logo produzir a ofensa maior e na progressão criminosa o agente quer primeiramente a ofensa menor e, realizada esta, decide causar a ofensa maior, que absorve a primeira. Exemplo: o agente quer praticar uma lesão e, depois de praticá-la, resolve matar a vítima. Outros exemplos: o estupro (CP, art. 213) absorve a importunação sexual (CP, art. 215-A), pois são escalas ou degraus diferentes de violação do mesmo bem jurídico. Se o agente desde logo quer estuprar, ocorre crime progressivo, mas se quer primeiramente importunar e, depois disso, resolve estuprar, diz-se que há progressão criminosa e o agente responde apenas pelo estupro.

b. Crime-meio: ocorre quando o crime anterior é considerado ato preparatório do crime posterior, como ocorre no caso da falsidade documental praticada como meio de realizar estelionato (Súmula 17 do STJ).

Crime progressivo	São graus diversos de ofensa ao bem jurídico, em que desde o início o agente quer o crime mais grave, que absorve o menos grave.
Progressão criminosa	São graus diversos de ofensa ao bem jurídico, em que no início o agente quer praticar a ofensa menos grave e, em seguida, resolve partir para a mais grave.
Crime-meio	O crime anterior não é punível quando se insere na preparação de um crime mais grave posterior.

Há uma distinção entre as três situações. No crime progressivo, a ação anterior está no contexto da posterior, pois o agente já busca o crime posterior, mas tem que passar necessariamente pelo anterior. Na progressão criminosa, são contextos distintos, pois o agente pratica o primeiro crime sem querer o posterior, até que surge o dolo de praticar o segundo crime. No crime-meio, este não tem importância para o agente, senão como um ato preparatório do "crime-fim".

Para que exista absorção, deve haver homogeneidade entre as condutas, isto é, devem ser tratadas como parte necessária ou eventual uma da outra. Não há homogeneidade, por exemplo, entre o homicídio praticado com arma de fogo (CP, art. 212) e o porte ilegal de arma (art. 14 da Lei n. 10.826), pois o agente poderia estar com uma arma lícita e, ainda assim, praticar um homicídio. Mas existe homogeneidade entre o disparo de arma de fogo (art. 15 da Lei n. 10.826) e o homicídio, já que para matar dessa maneira o agente precisa efetuar disparos.

Fato posterior impunível (pós-fato impunível)

Ocorre quando o crime posterior é mero exaurimento (crime exaurido) de um fato já consumado. Ocorre em situações excepcionalíssimas, em que o crime posterior é a forma de tirar proveito do fato anterior. Exemplo: só responde pelo art. 289, *caput*, o agente que, após falsificar, introduz o dinheiro falso em circulação (§ 1º); depois de efetuar a subtração, o agente vende, como seu, o objeto subtraído. ASSIS TOLEDO considera que, nesse caso, o agente deve ser punido pelo furto e pelo estelionato, não se cogitando absorção.[32]

---

32. Op. cit., p. 54.

Alternatividade

É aplicável aos crimes mistos alternativos ou de conduta variada, que preveem várias condutas, respondendo o agente por um único crime. Art. 289, § 1º – Nas mesmas penas incorre quem, por conta própria ou alheia, *importa ou exporta, adquire, vende, troca, cede, empresta, guarda ou introduz na circulação* moeda falsa. Se o agente adquire, guarda e troca moeda falsa por verdadeira, incorre uma única vez no crime, em razão da alternatividade.

Observações sobre o concurso aparente de normas

Distinção entre especialidade e subsidiariedade

No princípio da especialidade, pode ser aplicada a norma menos grave (exemplo: infanticídio em relação ao homicídio); na subsidiariedade, sempre irá prevalecer a mais grave (exemplo: furto qualificado em relação à violação de domicílio).

Distinção entre subsidiariedade e consunção

Na subsidiariedade, a norma excluída integra o tipo principal ou é circunstância deste, enquanto na consunção a norma excluída é etapa anterior ou posterior da norma aplicável.

Distinção entre crime progressivo e progressão criminosa

No crime progressivo o crime anterior já é parte do dolo do agente; na progressão criminosa há primeiro dolo em relação a um crime e, depois, dolo em relação a outro.

Distinção entre crime progressivo e crime-meio

No crime progressivo, o fato anterior é etapa necessária (lesões em relação ao homicídio, pois para matar é preciso ferir), enquanto no antefato impunível é etapa ocasional (exemplo: disparos em relação ao homicídio, já que se pode matar sem arma de fogo).

Crimes complexos

Alguns autores colocam o crime complexo como espécie de absorção, quando, na verdade, o que existe é *subsidiariedade tácita* da norma que integra o crime complexo, pois este é um tipo penal que contém outros tipos menos graves em seu interior. Exemplo: roubo contém a grave ameaça, que é subsidiária.

RESUMO

Norma penal
É o comando do Direito Penal que emerge normalmente de uma lei, podendo derivar de outra fonte.

Classificação das normas penais
1. Legais:
   a. incriminadoras: descrevem crimes e penas. Exemplo: art. 121. Divide-se em preceito primário (descrição do crime) e preceito secundário (pena cominada pelo legislador).
   b. não incriminadoras: não criam crimes. São as normas *permissivas* (Exemplo: CP, art. 25); *exculpantes* (Exemplo: CP, art. 22); *explicativas* (Exemplo: CP, art. 150, § 4º); *complementares* (Exemplo: CP, art. 59); *diretivas* (Exemplo: CP, art. 1º).
   c. normas penais em branco: são normas que exigem complemento que se encontra em outra norma. Classificam-se em homogêneas (lei complementa lei), heterogêneas (a lei é complementada por norma de outra hierarquia), homovitelinas (o complemento é de outro ramo do direito) e heterovitelinas (o complemento é do mesmo ramo do direito), norma penal em branco invertida (o preceito secundário requer complemento) e norma penal em branco intensificada (tanto o preceito primário quanto o secundário necessitam de complemento).
2. Extralegais: são os costumes e os princípios de Direito Penal, além das súmulas vinculantes.

Princípio da legalidade
Também chamado de princípio da reserva legal, significa que não há crime sem lei anterior que o defina, nem pena sem prévia cominação legal (CF,

art. 5º, XXXIX, CP, art. 1º do Código Penal). Desdobra-se nos postulados da *lex stricta, lex scripta, lex certa* e *lex praevia*. Só a lei ordinária pode criar crimes e penas, não se admitindo incriminação por costume, espécies normativas inferiores à ordinária previstas no art. 59 da CF e por medida provisória.

Analogia em Direito Penal

Analogia é admitida apenas em favor do acusado (*in bonam partem*). Não se admite analogia em prejuízo do réu (*in malam partem*), salvo se for *analogia intra legem* (interpretação analógica), em que a própria lei prevê a analogia. Exemplo: art. 121, § 2º, I, ao mencionar "outro motivo torpe".

Interpretação das normas penais

Devem ser restritivas ou declarativas, jamais ampliativas, admitindo-se, porém, interpretação extensiva, quando a lei utiliza palavra abrangente, como "restaurante" (CP, art. 176).

Lei penal no tempo

A lei penal nasce com a publicação e tem vigência a partir do período de *vacatio legis*, só perdendo eficácia em caso de revogação por outra lei. A lei penal aplica-se aos crimes cometidos durante sua vigência, não podendo retroagir, exceto para beneficiar o réu. Considera-se o crime praticado no momento da ação ou omissão, ainda que outro seja o momento do resultado (teoria da atividade, art. 4º do CP). A lei penal que, de qualquer modo, favorecer o agente aplica-se aos fatos anteriores, ainda que já tenha havido trânsito em julgado da condenação. Ocorre *abolitio criminis* quando um crime é revogado (descriminalização), ocorrendo a extinção dos efeitos penais apenas. Segundo a Súmula 711 do STF, a lei penal mais grave aplica-se ao crime continuado ou ao crime permanente, se a sua vigência é anterior à cessação da continuidade ou da permanência. Não se admite a combinação de uma lei nova com uma lei revogada para a criação de uma *lex tertia*, devendo o juiz decidir qual das leis é mais favorável e aplicá-la integralmente (Súm. 501 do STJ). Não ocorre *abolitio criminis* com o término da vigências das leis excepcionais ou temporárias.

Lei penal no espaço

Considera-se praticado o crime em que ocorreu a ação ou omissão, no todo ou em parte, bem como em que ocorreu ou deveria ocorrer o resultado, segundo a teoria da ubiquidade (CP, art. 6º). Aplica-se a lei brasileira aos crimes praticados no território nacional real ou ficto (territorialidade), mas excepcionalmente a lei brasileira é aplicada a crimes praticados fora do Brasil, nas hipóteses de extraterritorialidade (art. 7º), que pode ser incondicionada (art. 7º, I), condicionada (art. 7º, § 2º) e hipercondicionada (art. 7º, § 3º).

Lei penal em relação às pessoas

Todos são iguais perante a lei, mas algumas pessoas recebem imunidades por crimes de opinião, em razão de suas atividades. As principais imunidades são: a) diplomáticas e consulares (previstas nas convenções de Viena); b) parlamentares (CF, arts. 53 e 29, VIII); c) judiciárias (art. 133 da CF, no art. 142, I, do CP, e no art. 7º, § 2º, da Lei n. 8.906/94).

Sentença penal estrangeira

Não tem eficácia no Brasil, exceto para fins de cumprimento de medida de segurança ou para fins de reparação do dano causado pelo crime, devendo ser homologada pelo STJ. A pena cumprida no exterior deve ser computada na pena aplicada no Brasil pelo mesmo crime.

Prazos

Contam-se os prazos penais computando-se o dia do início. Não há fração de dia.

Princípios penais

Positivados: dignidade da pessoa humana (CF, art. 1º, III), legalidade, irretroatividade, intranscendência, individualização da pena, humanidade, presunção de inocência (CF, art. 5º).

Não positivados: proporcionalidade, intervenção mínima, ofensividade, alteridade, insignificância, adequação social, *non bis in idem*.

Concurso aparente de normas

Quando uma conduta aparentemente configura mais de um crime, devendo ser aplicada a subsidiariedade, especialidade, absorção ou alternatividade, evitando-se *bis in idem*. Não se confunde com o *concurso de crimes*, em que efetivamente ocorre mais de um delito (concurso material e concurso formal).

JURISPRUDÊNCIA

Princípio da lesividade/ofensividade nos crimes do Estatuto do Desarmamento

Isso significa que tal percepção do tema ora em exame (que reconhece a delituosidade do porte e da posse de arma de fogo sem munição) desconsidera o princípio da ofensividade (*nullum crimen sine iniuria*), cuja invocação afasta a própria incidência do Direito Penal, por inexistir, em casos como o destes autos, qualquer situação de dano efetivo ou potencial ao bem jurídico que se deseja tutelar. O agente que porta ou possui arma de fogo desmuniciada e que, simultaneamente, também não dispõe de acesso imediato à munição necessária à sua utilização não cria nem faz instaurar, com esse comportamento, situação efetiva de perigo real, o que descaracteriza, por completo, qualquer possibilidade, por remota que seja, de risco concreto ao bem jurídico penalmente tutelado. (STF, HC 93820, Rel. Min. Celso de Mello, Segunda Turma, julgado em 28/02/2012.)

Princípio da insignificância

A despeito do teor do enunciado na Súmula 599, no sentido de que o princípio da insignificância é inaplicável aos crimes contra a Administração Pública, as peculiaridades do caso concreto – réu primário, com 83 anos na época dos fatos e avaria de um cone avaliado em menos de R$ 20,00, ou seja, menos de 3% do salário mínimo vigente à época dos fatos – justificam a mitigação da referida súmula, haja vista que nenhum interesse social existe na onerosa intervenção estatal diante da inexpressiva lesão jurídica provocada (STJ, RHC 85.272, Rel. Min. Nefi Cordeiro, julgado em 14/08/2018).

O "princípio da insignificância – que deve ser analisado em conexão com os postulados da fragmentariedade e da intervenção mínima do Estado em matéria penal – tem o sentido de excluir ou de afastar a própria tipicidade penal, examinada na perspectiva de seu caráter material. [...] Tal postulado – que considera necessária, na aferição do relevo material da tipicidade penal, a presença de certos vetores, tais como: (a) a mínima ofensividade da conduta do agente; (b) nenhuma periculosidade social da ação; (c) o reduzidíssimo grau de reprovabilidade do comportamento; (d) a inexpressividade da lesão jurídica provocada – apoiou-se, em seu processo de formulação teórica, no reconhecimento de que o caráter subsidiário do sistema penal reclama e impõe, em função dos próprios objetivos por ele visados, a intervenção mínima do Poder Público" (HC n. 84.412-0/SP, STF, Rel. Ministro Celso de Mello, DJU 19/11/2004). A jurisprudência desta Corte, dentre outros critérios, aponta o parâmetro da décima parte do salário mínimo vigente ao tempo da infração penal, para aferição da relevância da lesão patrimonial (HC 596.144/SC, Rel. Ministro Ribeiro Dantas, Quinta Turma, julgado em 06/10/2020, DJe 16/10/2020).

Delito de peculato-furto. Apropriação, por carcereiro, de farol de milha que guarnecia motocicleta apreendida. Coisa estimada em 13 reais. Res furtiva de valor insignificante. Periculosidade não considerável do agente. Circunstâncias relevantes. *Crime* de bagatela. Caracterização. Dano à probidade da *administração*. Irrelevância no caso. Aplicação do princípio da *insignificância*. Atipicidade reconhecida. Absolvição decretada. HC concedido para esse fim. Voto vencido. Verificada a objetiva *insignificância* jurídica do ato tido por delituoso, à luz das suas circunstâncias, deve o réu, em recurso ou *habeas corpus*, ser absolvido por atipicidade do comportamento. (STF, HC 112388, Rel. Min. Ricardo Lewandowski, julgado em 21/08/2012.)

Continuidade típico-normativa (normativo-típica)

No que se refere à alegação de que o paciente não poderia ser denunciado pelo crime de lavagem, em virtude de alegada *abolitio criminis*, tem-se que a alteração da redação trazida na Lei n. 9.613/1998 não representou *abolitio criminis*, haja vista a continuidade normativa. De fato, o crime de lavagem de dinheiro continua a existir no ordenamento jurídico, tendo apenas se tornado mais ampla sua tipificação, uma vez que não precisa que o crime antecedente esteja previsto em rol taxativo trazido na lei. Nada obstante, tendo o crime sido praticado antes da alteração legislativa, a denúncia teve o cuidado de imputar ao paciente a conduta conforme previsão legal à época dos fatos. (STJ, HC 276245/MG, Rel. Min. Reynaldo Soares da Fonseca, Quinta Turma, julgado em 13/06/2017.)

Princípio da proporcionalidade

Por fim, ainda que se pretenda aplicar alguma resposta penal ao agente que furta coisa de valor insignificante, a sanção deverá guardar proporcionalidade com a lesão causada. Como já visto, o encarceramento em massa de condenados por pequenos furtos tem efeitos desastrosos não apenas para a integridade física e psíquica dessas pessoas, como também para o sistema penitenciário como um todo, e, reflexamente, para a própria segurança pública que se quer proteger. A prisão, no caso, é manifestamente desproporcional à gravidade da conduta, nos três aspectos em que se divide o princípio da razoabilidade ou proporcionalidade: não é adequada para prevenir novos crimes – como demonstra o elevado índice de reincidência no Brasil –, é excessiva no seu aspecto repressivo e gera muito mais malefícios do que benefícios. [...] Proponho ainda que a referida pena privativa de liberdade seja, como regra, substituída por pena restritiva de direitos, afastando-se as condicionantes previstas no art. 44, II, III e § 3º do CP39, que devem ser interpretadas à luz da Constituição, sob pena de violação ao princípio da proporcionalidade. As sanções restritivas de direitos têm um caráter ressocializador muito mais evidente em comparação com as penas privativas de liberdade, especialmente em casos abrangíveis pelo princípio da insignificância. Assim, somente em caso de descumprimento da pena restritiva deve haver a reconversão para sanção privativa de liberdade, em regime aberto domiciliar. E apenas na hipótese de descumprimento das condições impostas ao condenado em prisão domiciliar é que será possível a regressão para o regime semiaberto. (STF, HC 123734, Rel. Min. Roberto Barroso, Tribunal Pleno, julgado em 03/05/2015.)

Princípio da adequação social

Ao contrário do que ocorria com a redação primitiva do art. 229 do Código Penal, a nova redação do dispositivo, ao adequar o tipo penal ao atual momento da sociedade, tornou atípica a conduta de manter estabelecimento destinado a encontros para fim libidinoso, tais como motéis e casas noturnas, mas conservou, contudo, a criminalização da conduta de manter casa de prostituição, já que nesses locais ocorre exploração sexual. Na espécie vertente, foi constatada no estabelecimento dos Pacientes a prática, em tese, de prostituição. Assim, mesmo com a recente alteração legislativa, a conduta imputada ao ora Paciente permaneceu criminalizada pelo legislador. [...] Quanto à aplicação do princípio da adequação social, esse, por si só, não tem o condão de revogar tipos penais. Nos termos do art. 2º da Lei de Introdução às Normas do Direito Brasileiro (com alteração da Lei n.12.376/2010), "não se destinando à vigência temporária, a lei terá vigor até que outra a modifique ou revogue". Somente uma lei pode revogar outra lei. Assim, mesmo que a conduta imputada aos Pacientes fizesse parte dos costumes ou fosse socialmente aceita, isso não seria suficiente para revogar a lei penal em vigor. (STD, HC 104467, Rel. Min. Cármen Lúcia, Primeira Turma, julgamento em 08/02/2011.)

Non bis in idem

O art. 17 da Lei n. 11.340/2006 foi editado com a finalidade de refrear o suposto agressor da mulher de reiterar nas condutas delituosas, não estando mais sujeito ao mero pagamento de multa em decorrência de violência contra a mulher. Já a agravante prevista no art. 61, II, "f", do CP, visa ao incremento da pena diante da maior gravidade dos atos delituosos com prevalência de relações domésticas, de coabitação ou de hospitalidade, ou com violência contra a mulher. Dessa forma, patente a conclusão de que os preceitos possuem fundamentos distintos, não sendo aptos à configuração do suscitado *bis in idem*, não havendo nenhuma ilegalidade na incidência da aludida agravante, aplicada em relação ao crime de ameaça, ainda que em conjunto com outras disposições da Lei n. 11.340/2006. (STJ, AgRg no HC n. 459.128/SC, Rel. Min. Reynaldo Soares da Fonseca, Quinta Turma, julgamento em 16/11/2018.)

SÚMULAS

Súmula 711 do STF
A lei penal mais grave aplica-se ao crime continuado ou ao crime permanente, se a sua vigência é anterior à cessação da continuidade ou da permanência.

Súmula 589 do STJ
É inaplicável o princípio da insignificância nos crimes ou contravenções penais praticados contra a mulher no âmbito das relações domésticas.

Súmula 599 do STJ
O princípio da insignificância é inaplicável aos crimes contra a Administração Pública.

3

A infração penal e suas excludentes

3.1 IMPORTÂNCIA DO TEMA

Na medida em que o Direito Penal lida com a liberdade do indivíduo – em muitos países, até com a própria vida –, é fundamental que exista uma definição do que pode ser considerado um crime. Nenhum sistema realmente democrático poderia conviver com uma noção vaga ou aleatória de crime, pois isso permitiria que o Estado punisse alguém de forma arbitrária. O conceito de crime, portanto, fixa os limites da intervenção penal do Estado.

A teoria geral do crime, também chamada de teoria geral do delito ou teoria da infração penal, é a parte da ciência do Direito Penal que se ocupa de explicar o que é o delito em geral, isto é, quais são as características que deve ter qualquer delito. Sua importância consiste em tornar mais fácil a averiguação da presença ou ausência de um crime em cada caso concreto, pois quando o juiz, o promotor de justiça, o defensor, ou seja, quem se encontrar diante da necessidade de determinar se existe delito em um caso concreto, a primeira coisa que deve saber é que caráter deve apresentar uma conduta para ser considerada delituosa.[1]

É uma teoria aplicável tanto aos crimes (ou delitos), quanto às contravenções penais, que são espécies de infração penal.

---

1. Nesse sentido: ZAFFARONI, Eugênio R.; PIERANGELI, José Henrique. *Manual de Direito Penal brasileiro*. 2. ed. São Paulo: RT, 1999. p. 383.

3.2 CONCEITO DE INFRAÇÃO PENAL

Esclarece MUÑOZ CONDE que a primeira tarefa enfrentada pela teoria geral do crime é a de dar um conceito de crime, sendo que toda tentativa de definir o delito à margem do Direito Penal vigente situa-se fora do âmbito do direito, para fazer filosofia, religião ou moral.[2] Numa abordagem puramente jurídica, portanto, impõe-se compreender como a lei define o crime, seguindo-se de uma definição doutrinária.

Do ponto de vista legal, infração penal é todo crime ou contravenção penal. Do ponto de vista doutrinário, predomina o conceito analítico: crime é um fato típico (previsto em lei), ilícito (contrário ao direito) e culpável (juridicamente reprovável). Esse conceito é aplicável às duas espécies de infração penal: crime (ou delito) e contravenção penal.

Conceitos legais
Crime e contravenção penal
Segundo o art. 1º da Lei de Introdução ao Código Penal: "*considera-se crime a infração penal que a lei comina pena de reclusão ou de detenção, quer isoladamente, quer alternativa ou cumulativamente com a pena de multa; contravenção, a infração penal a que a lei comina, isoladamente, pena de prisão simples ou de multa, ou ambas, alternativa ou cumulativamente*". Portanto, crimes e contravenções são espécies de infração penal, distinguindo-se apenas pela pena, não havendo diferença ontológica. Enquanto os crimes são ofensas mais graves, as contravenções são ofensas menores, por isso chamadas de "crime vagabundo", "delito anão" ou "delito liliputiano". As contravenções, em sua grande maioria, estão previstas na Lei das Contravenções Penais, enquanto os crimes estão previstos no Código Penal e em leis penais especiais. Os crimes são também chamados, no Brasil, de delitos.

Alguns países, como o Uruguai, fazem distinção entre crimes, delitos e contravenções ("faltas").[3]

---

2. CONDE, Munhoz. *Teoria geral do delito*. Tradução de Juarez Tavares e Luiz Regis Prado. Porto Alegre: Sergio Antonio Fabris Editor, 1988. p. 1.
3. Código Penal, Artículo 2. Disponível em: <https://parlamento.gub.uy/sites/default/files/CodigoPenal2014-02.pdf>. Acesso em 05/04/2021.

Infrações penais de pequeno e médio potencial ofensivo
Segundo a Lei n. 9.099/95, consideram-se infrações penais de menor potencial ofensivo as contravenções penais e os crimes a que a lei comine pena máxima não superior a 2 anos, cumulada ou não com multa. Essas infrações estão sujeitas a um processo especial perante o juizado especial criminal.

Os crimes em que a pena mínima cominada for igual ou inferior a 1 ano são chamados pela doutrina de "infrações penais de médio potencial ofensivo", pois nelas se admite a suspensão do processo, mediante condições (art. 89 da Lei n. 9.099).

Conceito formal e conceito material de crime

Foi Manzini, na Itália, entre outros, que chamou a atenção para o fato de que o crime pode ser conceituado nos sentidos formal e material.[4] Em *sentido formal*, também chamado conceito nominal de crime, enfoca-se apenas o aspecto externo do fenômeno delituoso, ou, como diria von Ihering, o sinal exterior do crime, ou, ainda, segundo Aníbal Bruno, a contradição a uma norma de Direito ou a sua punibilidade definida na legislação.[5] No aspecto *formal*, portanto, infração penal é a prática de um fato definido em lei como crime ou contravenção. *O conceito material ou substancial* busca captar a essência do crime, a existência de uma definição independente do conteúdo meramente legal, podendo, nesse caso, ser dividido em conceitos metajurídicos e conceitos jurídicos.[6] Resumidamente, em sentido material ou substancial, infração penal é a efetiva ofensa ao bem jurídico tutelado pela lei penal, não bastando a mera verificação formal da ilegalidade do comportamento.

Conceito analítico

O conceito analítico deriva do termo "análise". Com efeito, para fins de aplicação do Direito Penal, devemos utilizar o conceito analítico, que apresenta o crime dividido em partes, analisando cada uma dessas partes separadamen-

---

4. COELHO, Walter. Op. cit., p. 9.
5. Idem, ibidem, p. 9.
6. Sobre os conceitos metajurídicos e jurídicos na definição material da infração penal, ver: COELHO, Walter. Op. cit., p. 11-23.

te. Para simplificação do estudo, utilizaremos a nomenclatura de crime ou delito, já que as contravenções penais não apresentam distinção ontológica deles. De modo geral, as teorias analíticas consideram separadamente as estruturas da tipicidade, isto é, adequação da conduta ao tipo penal, ilicitude como contrariedade ao direito e a culpabilidade como juízo de reprovação. Algumas teorias incluem ainda punibilidade.

Teoria unitária

Essa concepção nega a possibilidade de divisão do crime. Os adeptos dessa teoria consideram o crime uma unidade real e incindível, não se podendo admitir o formalismo de fracioná-lo, artificialmente, em elementos ou partes.[7]

Teorias bipartidas

As *teorias bipartidas* consideram o crime composto por dois elementos, com destaque para as seguintes:

a. teoria do injusto penal: injusto penal (tipicidade e ilicitude) e culpabilidade (Edmund Mezger e Hellmuth von Weber);
b. teoria funcionalista moderada: injusto típico e responsabilidade penal, a qual abrange culpabilidade (como medida da pena) e a necessidade da pena (Claus Roxin);
c. teoria teleológica: fato antijurídico e punibilidade (Silva Sánchez);
d. teoria brasileira do finalismo dissidente: diz que o crime é fato típico e ilícito, sendo a culpabilidade pressuposto da pena (Damásio Evangelista de Jesus, Fernando Capez, René Ariel Dotti, Julio Fabbrini Mirabete, Celso Delmanto, Flávio Augusto Monteiro de Barros, entre outros).

Teorias tripartidas

Para as concepções tripartidas, o crime é composto por três elementos. Destacam-se as seguintes teorias:

---

7. Idem, ibidem, p. 25.

a. teoria finalista clássica: tipicidade, ilicitude e culpabilidade (Francisco de Assis Toledo, Heleno Fragoso, Juarez Tavares, Fernando Almeida Pedroso, Luiz Regis Prado, Guilherme de Souza Nucci, Rogério Greco, entre outros);
b. teoria constitucionalista do delito: tipicidade, ilicitude e punibilidade abstrata (Luiz Flávio Gomes).

Outras teorias
a. Teoria quadripartida: o crime é composto por quatro elementos, ou seja, tipicidade, ilicitude, culpabilidade e punibilidade (Basileu Garcia);
b. teoria quinquipartida: o crime é composto por cinco elementos, a saber: conduta, tipicidade, ilicitude, culpabilidade e punibilidade.

Posição dominante: teoria tripartida
Em nosso direito, prevalece o entendimento de que o crime é o fato típico, ilícito e culpável. Típico significa a conduta ajustada ao tipo penal (descrição legal do crime), ilícito porque é contrário ao direito e culpável porque é reprovável. Portanto, só existirá crime se uma conduta 1) estiver ajustada a uma norma incriminadora (tipicidade); 2) se for contrária ao direito, isto é, não autorizada (ilicitude); 3) se for suscetível de uma reprovação (culpabilidade). Ausente uma dessas condições, não haverá crime a ser punido, devendo ocorrer absolvição ou, até mesmo, arquivamento das investigações.

> **Conceito analítico de crime**
> Crime é o fato típico, ilícito e culpável (teoria tripartite).

3.3 OBJETO E SUJEITOS DO CRIME

Objeto jurídico

Objeto jurídico[8] do crime é o interesse, isto é, o bem jurídico,[9] tutelado pela norma de Direito Penal, como a vida, o patrimônio etc. Pode-se falar em

---

8. Enquanto o interesse protegido pela norma é o objeto jurídico substancial, o interesse do próprio Estado em ver obedecida a norma é o objeto jurídico *formal*. Nesse sentido: BARROS, p. 161.
9. Sobre a doutrina do bem jurídico, ver Capítulo 1.

bem jurídico genérico, que é aquele tutelado por um grupo de normas, por exemplo: crimes contra a pessoa (Título I do CP), em que a tutela recai sobre a vida, a integridade corporal e a saúde individual. Bem jurídico específico é aquele tutelado por um grupo menor de normas, como por exemplo: crimes contra a vida, inseridos no Capítulo I do Título I do CP, sendo que todos os crimes tipificados nesse capítulo têm a vida como objeto jurídico, isto é, interesse protegido. Alguns crimes destinam-se à proteção de mais de um bem jurídico, sendo chamados de pluriofensivos, como o latrocínio, por exemplo, que tutela o patrimônio e a vida (CP, art. 129, § 3º, II).

Objeto material

Objeto material é a pessoa ou coisa sobre a qual é praticada a conduta criminosa. Nos arts. 121 e 129, objeto material é a pessoa que sofre o homicídio ou a lesão. No art. 155, objeto material é a *coisa alheia móvel*.

Sujeitos do crime

Todo crime tem um autor e uma vítima, que são os sujeitos da infração penal.

O *sujeito ativo* é o autor do crime. Em geral, qualquer pessoa pode ser sujeito ativo, inclusive pessoas jurídicas, em casos específicos, como ocorre nos crimes ambientais (Lei n. 9.605). Jamais, porém, um menor de idade poderá figurar como sujeito ativo, pois é considerado inimputável, isto é, totalmente incapaz para o Direito Penal. No Brasil, a incapacidade penal cessa aos 18 anos, presumindo-se, antes disso, a inimputabilidade, sem a possibilidade de qualquer prova em contrário. O tema da inimputabilidade dos menores é um dos mais polêmicos das ciências criminais, havendo defensores contra e a favor da redução da menoridade. A matéria tem assento constitucional já que, segundo a Constituição Federal, os menores de 18 anos são penalmente inimputáveis e sujeitos às normas da legislação especial (CF, art. 228), isto é, o Estatuto da Criança e do Adolescente.

O *sujeito passivo* é a vítima, que pode ser uma pessoa física, como no caso de um homicídio, pessoa jurídica, como num crime patrimonial, ou o Estado, no caso de crimes contra a Administração Pública, por exemplo.

Anota PEDROSO que, em todos os casos, o Estado desponta na condição de sujeito passivo e genérico dos delitos, ao lado do sujeito passivo específico,[10] em razão da natureza pública do Direito Penal. Há também os chamados "crimes vagos", em que não há uma vítima determinada, pois a infração penal se volta contra a coletividade em geral, como ocorre no crime de epidemia (CP, art. 267). A importância do sujeito passivo consiste no fato de que, tendo sofrido prejuízo com o crime, terá direito à reparação moral ou patrimonial. Assim, o autor do crime, além de ficar sujeito à pena prevista em lei, terá a obrigação de reparar o dano moral ou patrimonial causado à vítima. Normalmente, a pessoa que sofre o crime não tem o direito de exercer a ação penal contra o criminoso, cabendo ao Estado, por meio da instituição do Ministério Público, fazer a acusação e atuar no processo, por intermédio da chamada *ação penal pública*. Em alguns crimes, porém, o legislador concede à vítima o direito de ação, cabendo ao próprio ofendido realizar a acusação e atuar no processo judicial, exercendo a *ação penal privada*.

Diz-se *crime comum* quando qualquer pessoa pode cometê-lo, não se exigindo nenhuma condição especial do sujeito ativo, como ocorre, por exemplo, no crime de furto (CP, art. 155). *Crime próprio* é aquele que só pode ser cometido por determinadas pessoas, exigindo-se uma condição especial do sujeito ativo, por exemplo, o peculato (CP, art. 312), que só pode ser cometido por funcionário público.

Considera-se *crime bicomum* aquele que não exige nenhuma condição especial de ambos os sujeitos, podendo qualquer pessoa ser autor ou vítima. Exemplo: roubo, que pode ser praticado por qualquer pessoa e pode ser vítima qualquer pessoa. *Crime bipróprio* é aquele que exige que ambos – sujeitos ativo e passivo – tenham condições especiais, não podendo ser uma pessoa qualquer. Exemplo: no infanticídio (art. 123), o sujeito ativo deve ser a mãe e o sujeito passivo deve ser o próprio filho recém-nascido.

---

10. PEDROSO, Fernando de Almeida. *Direito Penal:* parte geral. Vol. 1: doutrina, jurisprudência. São Paulo: Método, 2008. p. 154.

Como regra, não pode o sujeito ativo figurar também como sujeito passivo, diante do *princípio da alteridade* (só existe crime se houver ofensa a outrem). Todavia, no crime de rixa (CP, art. 137), em que há um tumulto com agressões generalizadas, as pessoas que agridem são, ao mesmo tempo, agredidas, podendo, então, figurar como vítimas do crime de lesões corporais (art. 129), além de serem autoras do crime de rixa.

3.4 FATO TÍPICO

Conceito e elementos

Fato típico ou tipicidade, em sentido amplo, é o primeiro componente do crime. Compreende todo fato humano considerado violador da norma penal incriminadora. Não é, por si só, um crime, pois poderá haver, *in concreto*, uma permissão para a prática da conduta incriminada.

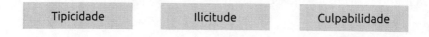

Não basta, porém, a mera subsunção formal de um comportamento a uma norma incriminadora para a configuração do fato típico. É preciso a verificação completa dessa subsunção em toda a sua complexidade e abrangência. Por isso, o fato típico se configura com os seguintes elementos:

a. conduta: ação ou omissão;
b. resultado: consequência da conduta;
c. nexo causal entre conduta e resultado (relação de causa e efeito);
d. tipicidade (em sentido estrito) ou adequação típica: enquadramento da conduta a um tipo penal, ou seja, uma norma incriminadora, como o art. 121 do CP, por exemplo.

A tipicidade em sentido amplo é o fato típico como um todo, abrangendo conduta, resultado, nexo causal e a tipicidade em sentido estrito, ou seja, a adequação ao tipo penal. Numa perspectiva analítica, cada um dos elementos é examinado separadamente, começando-se pela conduta.

Nullum crimen sine conducta e cogitationis poenam nemo patitur
Não há crime sem conduta, ou seja, ninguém pode ser acusado de um crime sem que tenha praticado uma ação ou uma omissão relevante. A ação humana converte-se em delito se infringe a ordem da comunidade de um modo previsto em um dos tipos legais e pode ser reprovável ao autor no conceito de culpabilidade.[11] Por isso, a existência de uma conduta é justamente o primeiro elemento do fato típico e, portanto, do próprio crime como ação típica, ilícita e culpável.

Conduta é a ação (fazer) ou omissão (deixar de fazer) desenvolvida de forma voluntária pelo ser humano, sendo o elemento essencial do fato típico e, por conseguinte, do crime, o que é expresso no antigo brocardo *nullum crimen sine conducta*, ou seja, não existe crime sem que haja uma conduta comissiva ou omissiva.

SOLER[12] lembra que uma das primeiras conquistas logradas pelo processo evolutivo da cultura humana consiste na exigência de que a pena somente pode ser imposta a alguém por algo realmente feito por ele, e não por algo apenas pensado, desejado ou proposto: *cogitationis poenam nemo patitur;* ninguém será punido por seus pensamentos (princípio da exterioridade). Esta exigência de exterioridade determina que no conceito técnico moderno de ação se distingam claramente três momentos: a) o processo interno psíquico; b) a atuação voluntária; c) o resultado.

Definição e teorias da conduta

Nem todo comportamento pode ser uma conduta para o Direito Penal, que busca uma definição de "conduta penalmente relevante", sendo bastante controvertida a questão das exigências que devem ser associadas ao conceito de conduta no Direito Penal, divergindo as diversas teorias se a conduta deve ser tomada como categoria do *ser* (conceito ontológico) ou do *dever ser* (conceito jurídico).[13]

---

11. WELZEL, Hans. *O novo sistema jurídico-penal:* uma introdução à doutrina da ação finalista. Tradução, prefácio e notas de Luiz Regis Prado. 3. ed. São Paulo: Editora Revista dos Tribunais, 2011. p. 57.
12. SOLER, Sebastian. *Derecho penal argentino.* Buenos Aires: TEA, 1992. p. 323 e ss.
13. WESSELS, Johannes. *Direito Penal* (aspectos fundamentais). Porto Alegre: Fabris, 1976. p. 18.

Atualmente, o Direito Penal define a conduta como uma ação ou omissão voluntária praticada com uma finalidade, adotando a teoria finalista do jurista alemão Hans Welzel. A noção de comportamento traduz de forma genérica uma atividade do indivíduo em sua interação com o meio. Para o Direito Penal, a palavra "conduta" é, também, a forma genérica de identificação da atividade penalmente relevante, que pode ser uma ação ou uma omissão. De modo geral, a ação corresponde ao movimento, enquanto a omissão corresponde à inércia. Alguns preferem usar o termo "ação", em sentido amplo, como gênero das duas espécies. Mais adequado, porém, é o termo "conduta", este sim, genérico.

Conceituar a conduta sempre foi um desafio para os juristas, uma vez que cada ciência comportamental terá sua própria definição desse fenômeno responsável por todas as transformações da sociedade, sejam elas científicas, econômicas, políticas, tecnológicas, artísticas ou, até mesmo, criminosas. Conforme antiga lição de Emilio Mira y López:[14] "O que para o jurista representa todo seu material de estudo, ou seja, o ato delitivo, não é para o psicólogo, como já temos indicado, mais do que a fase explícita, em que culmina e se descarrega um processo psíquico, de paulatina carga delitógena, cujos momentos iniciais remontam, às vezes, até várias décadas no passado individual. Todo delito passa, pois, por diversos estados intrapsíquicos que podem ser, ou não, conscientes". Por isso importa, para o Direito Penal, buscar sua própria definição de conduta e, para tanto, diversas teorias ou modelos têm se sucedido e se completado ao longo dos anos, com destaque para as seguintes:

a. *Teoria causal-naturalista (LISZT):* durante o desenvolvimento do pensamento mecanicista das ciências naturais de fins do século XIX, a conduta foi concebida como simples causa e efeito, ou seja, um movimento corporal voluntário que causa uma modificação do mundo exterior. Em consequência dessa teoria, surgiu o conceito clássico de delito como uma lesão ou perigo de lesão a um bem jurídico resultante de uma conduta. A conduta é concebida como um fenômeno

---

14. LÓPEZ, Emilio Mira y. *Manual de psicologia jurídica*. 4. ed. Buenos Aires: Ateneu, 1954. p. 144.

natural, regido por leis naturais de causa e efeito, isto é, uma modificação material, por insignificante que seja, do mundo exterior, perceptível pelos sentidos. Essa teoria perdurou durante boa parte do século XX e, no Brasil, foi substituída pela teoria finalista, de Hans Welzel, em 1984, com a reforma da Parte Geral do Código Penal.

b. *Teoria finalista* (WELZEL): a ação humana é o exercício de uma ação final. A ação é, portanto, um acontecimento final e não puramente causal. A finalidade baseia-se no fato de que os seres humanos podem prever, dentro de certos limites, as possíveis consequências de sua conduta, designar-lhe fins diversos e dirigir sua atividade, conforme o plano, à consecução desses fins.[15] A teoria finalista foi adotada pelo Brasil na reforma penal de 1984. Assinala WELZEL que o defeito fundamental da teoria da ação causal consiste no fato de que não apenas desconhece a função absolutamente constitutiva da vontade, como fator de direção da ação, mas também destrói e converte a ação em um mero processo causal voluntário ("ato voluntário"), ideia que não consegue explicar o crime tentado, pois este não é um mero processo causal que não produz seu efeito, mas uma ação que aponta para um resultado previamente eleito.[16]

c. *Teoria social* (JESCHECK/WESSELS): acentua a relevância social do comportamento. Assim, do ponto de vista jurídico penal, conduta é um comportamento socialmente relevante dominado ou dominável pela vontade humana. Ficam fora do conceito de conduta juridicamente relevante todos os comportamentos sem relevância para a sociedade. Embora essa teoria não seja adotada, ela exerce grande influência sobre o Direito Penal, que reconhece o *princípio da adequação social* como causa excludente da tipicidade das ações que são aceitas ou toleradas, de modo geral, pela sociedade, como por exemplo, a prática da tatuagem ou a circuncisão, que são lesões corporais impuníveis.

---

15. WELZEL, Hans. *O novo sistema jurídico-penal:* uma introdução à doutrina da ação finalista. Tradução, prefácio e notas de Luiz Regis Prado. 3. ed. rev. e ampl. São Paulo: Editora Revista dos Tribunais, 2011. p. 31.
16. WELZEL, Hans. op. cit., p. 41-42.

d. *Teoria funcionalista* (ROXIN/JAKOBS): procura retirar do fato punível a mera relação de causa e efeito entre a conduta e o resultado, assumindo uma perspectiva funcionalista, para a qual os cursos causais só serão imputados à medida que representarem a realização de um risco não permitido criado pelo autor.[17] Assim, além da relação de causalidade, é preciso que a ação caracterize a quebra do papel social devido com a frustração da expectativa posta na norma jurídica. Paralelamente, o modelo pessoal de conduta proposto por ROXIN define a ação como manifestação da personalidade, excluindo-se todos os fenômenos somático-corporais não domináveis pela vontade (caso fortuito, força maior etc.). A teoria funcionalista assume grande relevância no Direito Penal, que adota o princípio da insignificância como causa excludente da tipicidade. Além disso, a ideia de imputação objetiva, oriunda do funcionalismo, faz com que se excluam da tipicidade as ações que criam riscos permitidos pelas normas jurídicas.

e. *Teoria negativista* (HERZBERG): conduta é a evitável não evitação do resultado, em que o autor realiza o que não dever realizar (ação) ou não realiza o que deve realizar (omissão). Essa teoria fundamenta, entre nós, a ideia de *garantidor*, isto é, a pessoa que tem obrigação de proteção ou vigilância do bem jurídico, como por exemplo, o pai e a mãe em relação à proteção dos filhos.

Imaginemos um casal ocidental, cuja esposa deu à luz uma menina. A criança, absolutamente saudável, é conduzida a um profissional que irá perfurar suas orelhas para a colocação de brincos de ouro. Realizado o procedimento, as teorias reagiriam de forma distinta: a) um jurista causalista pensaria: há conduta em razão da causação voluntária do resultado; b) um finalista pensaria: há conduta, porque há uma vontade orientada para o resultado; c) um adepto da teoria social pensaria: não há conduta, porque não há relevância social na perfuração de orelhas para colocação

---

17. ROXIN, Claus. *Estudos de Direito Penal*. Tradução de Luís Greco. Rio de Janeiro: Renovar, 2008. p. 136.

de um brinco de ouro; d) um funcionalista pensaria: não há conduta, pois a ação não representa uma quebra de confiança no sistema normativo; e) um negativista pensaria: não existe conduta por não ter havido contradição com o ordenamento jurídico. Diferente seria a perfuração do nariz da criança para a colocação de um *piercing*, tão na moda hoje em dia, mas que não admitiria, em se tratando de uma criança recém-nascida, falar em adequação social.

Dolo e culpa na teoria finalista

Segundo a teoria finalista, conduta é o comportamento direcionado a uma finalidade. Esta finalidade significa que uma pessoa pode agir:

a. com uma finalidade criminosa, buscando a realização de um crime ou conformando-se com sua realização;
b. com uma finalidade não criminosa.

Assim, a teoria finalista compreende a conduta como sendo dolosa ou culposa, o que será estudado em detalhes no próximo capítulo, em razão do nível de importância dos aspectos internos da conduta em nosso Direito Penal.

Segundo o Código Penal, o crime é doloso quando o agente quer ou assume o risco de produzir o resultado e culposo quando age com imprudência, negligência ou imperícia (art. 18). Portanto, há dolo quando o agente pratica o fato com uma finalidade direcionada, direta ou indiretamente ao crime. Querer significa que o agente busca atingir a *meta optata*, isto é, o resultado previsto na norma incriminadora. Assumir o risco significa que o agente, embora não querendo diretamente, aceita a possibilidade de ocorrência do resultado, conformando-se com ela e resolvendo agir de qualquer modo. Existe dolo direto quando o agente quer o resultado e configura-se dolo eventual quando o agente não quer, mas assume o risco.

Na culpa, distintamente, o agente não dirige a finalidade para o resultado, mas este acaba acontecendo por simples descuido do agente, que a lei denomina imprudência, negligência ou imperícia. Existe culpa inconsciente ou sem previsão quando o agente não prevê um resultado previsível e culpa consciente quando o agente prevê o resultado previsível, mas não quer nem assume o risco de produzi-lo.

Com efeito no crime doloso, o agente prevê o resultado e age querendo ou assumindo o risco de produzi-lo. Na culpa, o agente não prevê o resultado ou, mesmo prevendo, não quer nem assume o risco, advindo o resultado por um ato de negligência, imprudência ou imperícia.

Às vezes, a finalidade é confundida com "dolosidade" (Vorsätzlichkeit). Trata-se, realmente, de confusão. O dolo, como será visto, constitui estrutura em que a finalidade dirige-se a um resultado típico. Mas há finalidade mesmo em hipóteses não dolosas, como ocorre com o carcereiro que, com a finalidade de atender um telefonema urgente, deixa aberta, por distração, a cela do prisioneiro, que vem a fugir. Finalidade mal-orientada, mas não dolosa. Assim, sem desprezar a ideia de causalidade, agrega-se à definição de conduta a ideia de finalidade. A causalidade pertence ao mundo do ser (natureza), enquanto a finalidade ao dever ser (direito). Essa concepção consubstancia a teoria finalista.

A teoria finalista produziu importante mudança na posição do dolo e da culpa dentro da teoria do crime. Enquanto a teoria causalista, bem como a teoria social, concebe o dolo e a culpa como formas de culpabilidade, ou seja, a reprovação do agente pode ser por crime doloso ou culposo, Hans Welzel propôs que dolo e culpa devem pertencer à própria conduta. Em consequência, pela adoção da teoria finalista, dolo e culpa não são examinados mais na culpabilidade, mas integram a tipicidade do fato. O acerto dessa mudança teórica se reflete claramente na questão dos crimes tentados. Para que alguém pratique uma tentativa de homicídio, por exemplo, precisa ter dolo de matar. Portanto, não tem sentido afirmar que se trata de um tipo de homicídio doloso se o dolo só será analisado na culpabilidade. Assim, o dolo deve estar presente no exame do primeiro elemento do crime – fato típico –, que é justamente o momento em que se faz a adequação da conduta ao tipo penal.

Teoria causal	Teoria finalista
Dolo e culpa na culpabilidade	Dolo e culpa na tipicidade

Formas de conduta: ação e omissão

Normas proibitivas e normas mandamentais

A conduta está na essência do fato típico. *Nullum crimen sine conducta*. Só a conduta humana, porque regida pela razão, pode ajustar-se às normas ou afrontá-las. As formas de conduta são a ação e a omissão. Quando o art. 121 do CP diz "matar alguém", não está mandando matar. Ao contrário, está proibindo o homicídio de forma implícita. A norma é não matar, ou seja, é proibido matar. Trata-se de uma proibição. Essa espécie de norma é chamada *norma proibitiva*.

Por sua vez, o art. 135, *caput*, do CP diz o seguinte:

> Deixar de prestar assistência, quando possível fazê-lo sem risco pessoal, à criança abandonada ou extraviada, ou à pessoa inválida ou ferida, ao desamparo ou em grave e iminente perigo; ou não pedir, nesses casos, o socorro da autoridade pública:
> Pena – detenção, de 1 (um) a 6 (seis) meses, ou multa.

Nesse caso, o artigo não está determinando que se deixe alguém ao desamparo. Pelo contrário, está ordenando que se preste auxílio. Em vez de proibir algo, a norma manda que se faça algo. É uma *norma mandamental ou norma preceptiva*.

Viola-se uma norma proibitiva fazendo o que ela proíbe, ou seja, com uma ação. Viola-se uma norma mandamental não fazendo o que ela manda, ou seja, com uma omissão.

Ação ou comissão (crime comissivo)

Ação (ou comissão) é o comportamento de fazer alguma coisa. A maioria dos tipos penais é de ação, pois eles descrevem condutas que fazem algo: matar, subtrair, constranger etc. Assim, quando o agente pratica um homicídio, realiza a ação descrita no art. 121 do Código Penal: *Matar alguém*. O homicídio, portanto, é um crime de *ação*. Os crimes de ação também são chamados de crimes comissivos, pois o agente "comete" um crime.

Omissão própria

Alguns crimes estão descritos na lei como um não fazer ou um deixar de fazer, configurando crimes de omissão própria, em que o agente é punido pela omissão, ou seja, por não fazer. É o que ocorre, por exemplo, no art. 135 do CP (omissão de socorro) e no art. 269 (omissão de notificação de doença). Pune-se a omissão em si mesma, conforme descrito na incriminação, o que se denomina omissão propriamente dita ou, simplesmente, omissão própria. Os crimes omissivos próprios são também chamados de crimes omissivos puros.

Omissão imprópria

A omissão imprópria é toda omissão equiparada, por lei, a uma ação. Portanto, a omissão imprópria não se enquadra em um tipo omissivo, mas sim num tipo penal comissivo, isto é, um tipo de ação. Isso ocorre porque o Direito, às vezes, operando no plano dos valores – dever ser –, altera a natureza das coisas. Suponha-se o seguinte exemplo: uma mãe, desejando matar o filho, deixa de amamentá-lo e a morte se produz por inanição. É certo que a mãe tem o dever de alimentar o neonato. Em não o fazendo, omite-se. Todavia, a mãe não irá responder por um crime omissivo, pois sua omissão é tão grave que se equipara à ação de "matar" prevista no art. 121 do CP, ou seja, torna-se um verdadeiro crime de ação. Tal conduta não se ajusta a uma norma mandamental, como ocorre na omissão em sentido próprio. Trata-se, isto sim, de uma forma imprópria de omissão, violadora da norma proibitiva "matar alguém". Ou seja: a mãe, em não fazendo, responde como se fizesse. Surge o chamado crime *omissivo impróprio ou impuro*, também chamado *crime comissivo por omissão*.

O crime omissivo impróprio decorre da chamada "posição de garante" ocupada pelo agente, o qual, por sua relação com o bem jurídico tutelado, recebe um especial dever de agir para impedir o resultado sob pena de ser considerado seu causador. Esse especial dever de agir, segundo o art. 13, § 2º, do Código Penal, incumbe a quem:

a. Tenha por lei obrigação de cuidado, proteção ou vigilância: são "garantes" os pais ou responsáveis, assim entendidos os tutores, curadores e guardiões em relação ao incapaz, os carcereiros em relação aos presos, os monitores em relação aos internados, os médicos em relação aos pacientes, enfim, todos aqueles que tenham a obrigação legal de proteção do bem jurídico tutelado.

b. De outra forma, assumiu a responsabilidade de impedir o resultado: nem só a lei cria a posição de garante. Também o contrato ou a manifestação unilateral de vontade o fazem, como ocorre com a babá ou mesmo a vizinha que, gratuitamente, dispõe-se a cuidar da criança enquanto a mãe desta precisa ausentar-se.

c. Com seu comportamento anterior, criou o risco da ocorrência do resultado: denomina-se "ingerência na norma" a situação em que um risco criado culmina por produzir um resultado previsto na norma penal incriminadora. Nesse caso, o causador do risco não pode manter-se inerte em relação ao resultado, sob pena de responder pelo crime comissivo correspondente, não por simples omissão de socorro. Assim, se o proprietário de um depósito de fogos de artifício, ao receber a notícia de que um incêndio teve início naquele local, permanece inerte e indiferente, sua omissão é considerada imprópria, porque ele incorrerá na norma proibitiva de causar incêndio, art. 250 do CP.

Portanto, o crime omissivo impróprio é o crime do garantidor, ou seja, do indivíduo que se encontra numa das situações do art. 13, § 2º, do CP. Não é suficiente, porém, a posição de garantidor. É necessário o "poder concreto de agir". Se nada o garantidor pode fazer, a omissão é irrelevante.

Se o professor de natação percebe o afogamento do aluno e nada faz, responde pelo afogamento. Também responde se, por desatenção, não percebe o afogamento. Nos dois casos, havia possibilidade concreta de ação. Mas se o professor atrasou-se num engarrafamento, e o aluno, lançando-se à água sem a presença daquele, afogou-se, não se cogita omissão nenhuma, por ausência do poder concreto de agir.

Um aviso: dizer que alguém praticou um crime comissivo por omissão não significa dizer que agiu com dolo. Dolo e culpa são categorias distintas e dependerão de exame distinto. Dessarte, um crime omissivo impuro pode decorrer de dolo (professor de natação vê o aluno se afogando e não impede a morte por afogamento, embora pudesse fazê-lo) ou culpa (professor de natação se distrai conversando com uma jovem, enquanto seu aluno se afoga, a poucos metros de distância, sem que ele veja).

Um crime omissivo impuro pode ter, como antecedente, um comportamento comissivo. Exemplo: um homem leva para a casa onde está hospedado alguns frascos de veneno, deixando-os ao alcance das crianças, que resolvem brincar com a substância, enquanto ele as observa, sem nada fazer para impedir o contato, sobrevindo a morte das crianças por intoxicação. No exemplo, há dois momentos distintos:

a. comissivo: o agente deixa o veneno ao alcance das crianças;
b. omissivo: o agente não impede o contato das crianças com o veneno.

Trata-se de um crime comissivo por omissão. A negligência anterior constitui a "ingerência na norma". A forma dolosa de conduta, embora omissiva, absorve a forma culposa. Nesse caso, não tem lugar o disposto no § 4º do art. 121 do Código Penal, ou no art. 302, parágrafo único, III, do Código de Trânsito Brasileiro, que estabelece majoração da pena em razão da omissão de socorro. Imagine-se o seguinte: Pedro, advogado criminalista, conduzindo seu automóvel de forma imprudente, atropela João, seu desafeto. Percebendo que atropelou um inimigo seu, resolve deixar de prestar socorro à vítima, esperando que esta encontre a morte, julgando que ele responderá, no máximo, por crime culposo com pena majorada, escapando, assim, da punição pela prática de homicídio doloso.

É curial que, se depois do atropelamento, o agente quis ou aceitou a possibilidade da ocorrência da morte, nada fazendo para evitá-la, sua omissão será imprópria, e o agente responderá pelo crime doloso. A majorante, nos casos citados, só é possível quando não há descaracterização da culpa inicial em relação à morte da vítima. A lei é clara ao tratar da omissão em homicídio culposo. Ou seja, configurado o dolo, o panorama é distinto.

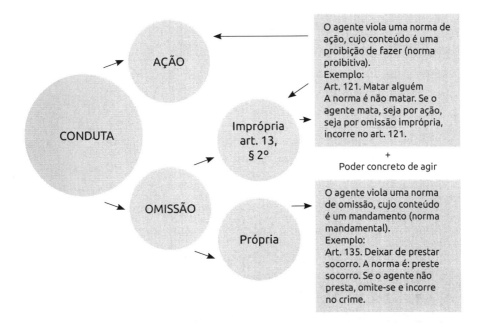

Outras classificações da conduta

Os crimes de *conduta livre* são aqueles que podem ser praticados com qualquer forma de conduta, isto é, qualquer meio executório, como por exemplo, o crime de homicídio, em que o agente pode agir usando as mãos, faca, arma de fogo, veneno etc., podendo, inclusive, agir de forma omissiva. Os crimes de *conduta vinculada*, porém, só podem ser praticados pelo agente mediante meios executórios especificados na lei, como ocorre, por exemplo, com o crime de curandeirismo, previsto no art. 284, o qual prevê as formas de realização da conduta.

> Art. 284 – Exercer o curandeirismo:
> I – prescrevendo, ministrando ou aplicando, habitualmente, qualquer substância;
> II – usando gestos, palavras ou qualquer outro meio;
> III – fazendo diagnósticos.

Em geral, os crimes são *plurissubsistentes*. Nestes crimes, é possível identificar e separar etapas de realização da conduta, como ocorre no crime de roubo, por exemplo, em que o agente se acerca da vítima, aponta a arma, realiza a grave ameaça, subtrai os bens etc. Existem, porém, crimes em que não é possível separar as etapas de realização, sendo impossível distinguir atos preparatórios de atos executórios, como por exemplo, injúria verbal.

Crimes de ação simples são aqueles em que a lei prevê apenas uma forma de conduta, como por exemplo, incitação ao crime, cujo tipo penal prevê a conduta de *incitar*, apenas (art. 286). *Crimes de ação múltipla* são aqueles em que o legislador prevê várias formas de realização, como o art. 288-A, o qual prevê as ações de *constituir, organizar, integrar, manter ou custear*, sendo que a prática de qualquer uma dessas condutas consuma o crime. Os crimes de ação múltipla são também chamados tipos mistos. Nos tipos mistos alternativos, se o agente pratica várias condutas descritas, incorre em apenas um crime. Nos tipos mistos cumulativos, a prática de mais de uma conduta descrita configura, também, mais de um crime.

Crimes habituais são aqueles em que a conduta criminosa apenas se configura se a conduta for reiterada, não bastando uma única realização. Exemplo de crime habitual é o previsto no art. 282, que trata do exercício ilegal da medicina, arte dentária ou farmacêutica, em que só haverá crime se a conduta for praticada com habitualidade, isto é, reiteradas vezes.

Ato e conduta

Não se deve confundir *ato* e *conduta*. Enquanto a conduta é a realização material da vontade humana, mediante a prática de um ou mais atos, ato é apenas uma parte da conduta, quando esta se apresenta sob a forma de ação. Em uma omissão, por exemplo, podem existir atos positivos, como um bombeiro que, em vez de enfrentar o fogo, resolve desviar do perigo. Existe um ato, que é o desvio, mas a conduta punível é, justamente, a não realização do comportamento devido, que é a omissão. Em outras palavras, ato é qualquer movimento corporal, a conduta é o conjunto de atos que configuram o comportamento com relevância jurídica. Assim, a compra de uma corda, por si só, é um ato sem relevância jurídica; a conduta punível poderá ser *matar alguém* com essa corda.

Excludentes da conduta

Excludentes da conduta são situações em que, embora exista um comportamento, não se configura o fato típico, por não se poder considerar que exista de fato uma conduta. Tais excludentes se baseiam na falta de vontade. É o que ocorre nos atos reflexos, nos estados de inconsciência, como a hipnose, bem como nas hipóteses de caso fortuito e força maior.

Atos reflexos

Atos reflexos são reações involuntárias do organismo a impulsos externos, consistindo em mera resposta fisiológica, sem controle da vontade. Exemplo: conduzimos um veículo em velocidade adequada e, de repente, um pássaro de grande porte colide com nosso para-brisa. Instintivamente – por ato reflexo –, viramos bruscamente para a direita e atropelamos um ciclista no acostamento, matando-o. Não há conduta, pois o susto é uma reação puramente fisiológica, infensa ao controle da vontade e inevitável, portanto. Não se pode confundir o ato reflexo com o ato em "curto-circuito", traduzido numa reação explosiva, em que a vontade participa de modo fugaz, tal como ocorre no homicídio cometido sob o domínio de violenta emoção, logo após injusta provocação da vítima (art. 121, § 1º, do CP). Nesse caso, não há aniquilação da vontade, mas esta se manifesta abalada pela torrente do ímpeto emocional, podendo incidir, se for o caso, hipótese de redução de pena, como no exemplo do homicídio privilegiado. Tanto quanto não se pode desprezar a capacidade do homem de vencer os impulsos, especialmente os apelos emocionais, pois nisso se assenta o paradigma da responsabilidade, também não se ignora a força dos impulsos na formação do agir humano. Há emoções que são estopins da alma, acionando, muitas vezes, as mais desatinadas respostas comportamentais, que geralmente apresentam as seguintes características:

a. estímulo externo: o ato em "curto-circuito" vem precedido de um fator de estimulação capaz de gerar no indivíduo uma carga emocional crescente;
b. descarga emocional: o ato em "curto-circuito" corresponde a uma liberação da tensão provocada pelo crescimento cumulativo da carga emocional;

c. **imediatidade entre o estímulo e a descarga:** só se pode imaginar uma ação em "curto-circuito" se houver um mínimo lapso temporal entre o estímulo externo e a reação, pois, se houver um relativo transcurso de tempo, é natural a queda da tensão emocional produzida, de sorte que uma resposta efetivada após algum período de tempo será muito mais refletida do que emocional.

Caso fortuito, força maior e coação física irresistível

Caso fortuito é o fato produzido por mero acaso, uma situação inevitável e imprevisível, que não se pode dominar pela vontade, como por exemplo, um defeito nos freios de um automóvel que acabou de sair da manutenção.

Força maior é o fato que não pode ser evitado em razão de ser mais potente que a vontade do agente. Exemplo: o condutor de um automóvel mata um ciclista que ia pelo acostamento porque um caminhão, na ânsia de ultrapassagem, colidiu com o automóvel e o empurrou contra a bicicleta. Uma forma importante de força maior é a chamada coação física irresistível, que consiste em violência física contra alguém (*vis absoluta* ou *vis corporalis*). Por exemplo, um policial leva um golpe na cabeça e é amarrado e não consegue impedir um crime. Atenção: apenas a violência física exclui a conduta e, consequentemente, a tipicidade. A violência moral, isto é, a grave ameaça (*vis compulsiva*, *vis moralis*) não exclui a conduta típica, embora possa excluir a culpabilidade, na forma do art. 22 do CP. Em qualquer caso de coação, apenas o coator responde criminalmente, ficando a pessoa coagida isenta de responsabilização. Para tanto, é fundamental que a coação seja irresistível, ou seja, que a pessoa coagida não tenha nenhuma possibilidade de reagir.

Estados de inconsciência

Estados de inconsciência são aqueles em que o indivíduo está privado dos sentidos em razão de sono, sonambulismo, embriaguez letárgica, hipnose profunda etc. Suponhamos que a mãe, encarregada de ministrar dose de remédio ao filho durante a noite, deixa de fazê-lo porque o relógio despertador estragou no meio da noite, e ela não acordou. Tal omissão não constitui conduta em face da inconsciência da mãe. A hipnose também pode configurar um estado de inconsciência, embora de difícil configuração, já que, em regra, a pessoa hipnotizada não perde seu senso moral. É mera alegoria cinematográfica a situação vista no filme "O Escorpião de Jade", do cineasta Woody Allen, em cuja história uma pessoa, sob hipnose, pratica crimes. Os estudiosos do assunto dizem que isso não é possível, pois a pessoa hipnotizada mantém íntegros os freios morais. Assim, a hipnose apenas configuraria uma excludente da conduta no caso de transe hipnótico profundo, para eximir uma pessoa em estado letárgico de responder criminalmente por uma omissão, hipótese em que o juízo crítico estaria realmente comprometido.

Resultado
Conceito e classificação
O segundo elemento do fato típico é o resultado, isto é, a consequência da conduta. Resultado natural ou material é a lesão ao objeto material, como exemplo, a vida humana ou o patrimônio. Resultado jurídico ou normativo é a lesão ao bem jurídico protegido, mesmo que não seja material, como exemplo, a incolumidade pública. Dependendo de como se classifica o resultado, os crimes serão divididos em crimes materiais, formais e de mera conduta, crimes de dano e crimes de perigo.

Crimes materiais, formais e de mera conduta
Na maioria dos crimes, o Direito pune a realização de um resultado material ou naturalístico, expresso por uma lesão física, patrimonial, moral etc. Outras vezes, porém, não se pune um resultado físico, mas sim uma simples conduta ofensiva e perigosa, a fim de evitar uma lesão maior. Existem, portanto, crimes *sem resultado material* e crimes *com resultado material*, sendo classificados da seguinte forma:

Crimes materiais ou de resultado: são aqueles que só se consumam com o resultado naturalístico, como ocorre no roubo e no aborto. Mesmo na forma tentada, isto é, quando o resultado não se consuma por circunstâncias alheias à vontade do agente, tem-se um crime material, embora com resultado não alcançado, pois a classificação do crime tentado é a mesma do crime consumado.

Crimes de mera conduta: não apresentam resultado material, apenas normativo, consumando-se com a mera atuação do agente (crimes de pura ou simples atividade). Exemplo: porte ilegal de arma e violação de domicílio, assim como os crimes omissivos próprios em geral, como a omissão de socorro, em que a simples omissão consuma o crime, sem a necessidade de qualquer resultado.

Crimes formais: apresentam resultado naturalístico, mas não há necessidade de sua realização para a consumação do crime, pois o Direito Penal antecipa a consumação do crime para antes mesmo da produção do resultado lesivo, a fim de melhor tutelar o bem jurídico. Esses crimes são também chamados de crimes incongruentes ou, segundo ASSIS TOLEDO,[18] *delitos de intenção* ou *de tendência interna transcendente*, pois o agente busca um resultado que vai além da consumação. Tais crimes são de dois tipos:

a. *Crimes de resultado cortado ou antecipado:* o crime se consuma antes do resultado pretendido, o qual depende da ação de terceira pessoa. Exemplo: na extorsão mediante sequestro, o crime se consuma com a privação da liberdade da vítima, antes que o agente obtenha o resultado pretendido, que é o pagamento do resgate. Note que o art. 159 é um crime contra o patrimônio, mas não se exige a lesão patrimonial para consumar o crime, bastando a extorsão praticada por meio da liberdade da vítima.

b. *Crimes mutilados de dois atos*: o resultado pretendido depende de um ato posterior, perpetrado pelo próprio agente, ou seja, o agente tem que praticar dois atos para atingir sua meta, mas a consumação ocorre já no primeiro ato. Exemplo: no crime do art. 289, o falsificador de dinheiro consuma o crime com a simples falsificação (ato inicial), mas só irá obter vantagem quando, posteriormente, colocar a moeda em circulação (segundo ato).

---

18. TOLEDO, Assis. *Princípios básicos de Direito Penal.* 5. ed. São Paulo: Saraiva, 1994. p. 150-151.

Crimes pluriofensivos

Os chamados "crimes pluriofensivos" apresentam resultados múltiplos, lesando mais de um bem jurídico, embora configurem um crime único. Exemplo: peculato, que ofende a moralidade administrativa e o patrimônio da vítima; roubo, que ofende a integridade física e psíquica da vítima e seu patrimônio.

Crimes de dano e crimes de perigo

Dividem-se os crimes, ainda, de acordo com o resultado, em crimes de dano e de perigo. *Crimes de dano* são aqueles cujo resultado se expressa por um dano real, como por exemplo, art. 121 do CP (resultado é a morte). *Crimes de perigo* são aqueles cujo resultado se expressa pelo simples perigo ao bem jurídico, como ocorre, por exemplo, no art. 132 do CP, em que o resultado é o simples perigo. Note que uma tentativa de crime de dano não se converte em crime de perigo, pois deve ser levada em conta a natureza do resultado previsto no tipo. No caso de um tipo penal de homicídio, por exemplo, o resultado é de dano (morte). Portanto, a tentativa de homicídio, ainda que a vítima sofra apenas perigo de vida, é considerada, também, um crime de dano.

A principal distinção desses crimes está em *crimes de perigo concreto* e *crimes de perigo abstrato ou presumido*.

Crimes de perigo concreto são aqueles em que se exige que o caso concreto tenha produzido um perigo real para o bem jurídico protegido pelo tipo. Nesses crimes, o perigo deve ser comprovado ou admite-se prova em contrário, como por exemplo, o art. 250 do CP.

Crimes de perigo abstrato ou de perigo presumido são aqueles em que a simples conduta gera uma presunção de perigo, não se exigindo, portanto, comprovação. Exemplo: porte ilegal de arma (art. 14 da Lei n. 10.826).

Discute-se acerca da espécie de perigo existente na conduta de *"conduzir veículo automotor com capacidade psicomotora alterada em razão da influência de álcool ou de outra substância psicoativa que determine dependência"* (art. 306 da Lei n. 9.503). Parte da doutrina argumenta tratar-se de uma nova classificação: "perigo abstrato de perigosidade real". Nesta espécie, deve-se demonstrar que a conduta é perigosa, embora não gere perigo para pessoa certa e determinada. Tal construção, em nosso sentir, é desnecessária, pois qualquer exigência de comprovação acaba por afastar a presunção do tipo e, dessarte, impede falar-se em crime de perigo abstrato. Tratando de espécie semelhante proposta por Schröder como "delito de perigo abstrato-concreto", ROXIN afirma que o fato de as atitudes do agente serem determinadas por interpretação judicial não altera sua condição de crime de perigo abstrato.[19]

Em que pese a advertência de que esse tipo de crime pode se pôr em colisão com o princípio da culpabilidade,[20] o STF assentou a constitucionalidade dos crimes de perigo abstrato no HC 104.410, considerando que se trata de *proteção eficiente do Estado*. No RHC 110.258/DF, a Suprema Corte assentou que "o tipo penal de perigo abstrato visa a inibir a prática de determinada conduta antes da ocorrência de eventual resultado lesivo, garantindo, assim, de modo mais eficaz, a proteção aos bens mais caros e valiosos ao ser humano, que são sua vida e sua integridade corporal".

O legislador estabelece crimes que levam perigo para uma ou mais pessoas determinadas e também crimes que geram perigo para uma coletividade indeterminada de pessoas. Assim, tem-se o *crime de perigo individual*, quando a lei protege a incolumidade física de uma ou mais pessoas determinadas (exemplo: art. 132) e *crime de perigo comum*, quando protege a incolumidade pública (exemplo: art. 250).

Crimes de dano	Crimes cujo resultado é uma lesão, podendo ser consumados ou tentados. Exemplo: art. 121.
Crimes de perigo	a) Perigo concreto: exige comprovação do perigo ou admite prova em contrário. Exemplos: arts. 132 e 250 do CP. b) Perigo abstrato ou presumido: o perigo é presumido, dispensando sua comprovação. Exemplo: art. 14 da Lei n. 10.826. c) Perigo abstrato de periculosidade real: classificação polêmica, em que se exige a prova de um perigo, mas não para pessoas determinadas. Exemplo: art. 306 da Lei n. 9.506. d) Perigo individual: pune-se o perigo gerado para uma ou mais pessoas determinadas. Exemplo: art. 132 do CP. e) Perigo comum: pune-se o perigo gerado para a coletividade. Exemplo: art. 250 do CP.

---

19. ROXIN, Claus. *Derecho penal*: parte general. T.1. Madri: Editorial Civitas, 1999. p. 411.
20. Idem, p. 407.

Outrossim, o perigo pode ser atual, iminente ou futuro. *Crimes de perigo atual* são aqueles cujo perigo causado é contemporâneo à conduta do agente. O crime de desabamento ou desmoronamento do art. 256 do CP tende a ser de perigo atual, pois o desabamento de um prédio, no momento em que ocorre, já coloca em perigo a vida, a integridade física ou o patrimônio de outrem. *Crimes de perigo iminente* são aqueles cujo perigo está prestes a acontecer. O abandono de incapaz, do art. 133 do CP, na prática, pode se mostrar um crime de perigo iminente, já que, ainda que a pessoa sob cuidado não fique em perigo imediatamente, pode ficar depois de algum tempo sem cuidado. *Crimes de perigo futuro ou mediato* são aqueles que produzem um risco futuro, como por exemplo, a associação criminosa (CP, art. 289).

O resultado como qualificador ou majorante

O resultado pode servir para qualificar o crime ou modificar sua pena, configurando-se uma das seguintes situações:

a. dolo no fato antecedente e culpa no consequente (dolo + culpa): por exemplo, o agente quer ferir mas acaba, por culpa, matando a vítima, incorrendo no art. 129, § 3º (lesão corporal seguida de morte ou homicídio preterdoloso);
b. dolo no fato antecedente e dolo no fato consequente (dolo + dolo): por exemplo, o agente quer ferir a vítima a ponto de deixá-la deformada, praticando uma lesão corporal gravíssima (art. 129, § 2º, IV);
c. culpa no fato antecedente e dolo no consequente (culpa + dolo): o motorista culposamente atropela um pedestre e posteriormente abandona o local sem prestar socorro (art. 302, § 1º, III da Lei n. 9.503);
d. culpa no fato antecedente e culpa no consequente (culpa + culpa): o agente pratica incêndio culposo (art. 250, § 2º), com resultado de lesão grave ou morte (art. 258).

Em qualquer desses casos, deve-se observar a regra do art. 19 do CP, que proíbe a imputação do resultado mais grave se não houver ao menos culpa, afastando, assim, a responsabilidade penal objetiva. O tema será mais bem estudado no próximo capítulo.

Nexo de causalidade
Conceito e teorias

Nexo de causalidade ou nexo causal é a relação de causa e efeito entre a conduta e o resultado. É a forma como se estabelece a imputação do resultado à conduta. Nos termos do art. 13, *caput*, do Código Penal: o resultado, de que depende a existência de um crime, somente é imputável a quem lhe deu causa. Trata-se de verificar se um resultado está ou não ligado à conduta. Assim, por exemplo, uma morte só é imputável (isto é, "ligável") à conduta de quem lhe deu causa.

As principais teorias do nexo de causalidade são as seguintes:

a. *Teoria da equivalência dos antecedentes causais (conditio sine qua non)*: teoria criada por von Buri e adotada pelo Código Penal (art. 13, *caput*), segundo a qual não há hierarquia de causas, pois tudo o que concorre para a ocorrência do crime constitui sua causa. Para saber o que é causa, o fato antecedente deve ser hipoteticamente eliminado, podendo ser considerado causa se, diante da eliminação, o fato não teria ocorrido ("processo de eliminação hipotética de Thyrén").

b. *Teoria da causalidade adequada*: causa é condição adequada à produção do acontecimento, excluindo-se causas extraordinárias, que fogem da normalidade (von Kries), excluindo-se a relação de causalidade entre o ato de acender uma lareira e um incêndio produzido por fagulhas levadas pelo vento (Beling). É adotada excepcionalmente no Direito Brasileiro para regular a causa superveniente que, por si só, produz o resultado (CP, art. 13, § 1º), excluindo-se a imputação quando o resultado não é um desdobramento natural da conduta do agente. Exemplo: A atropela B, que é levado ao hospital, onde morre em razão de uma explosão, fato que não condiz com o desdobramento natural da conduta de A. A só responde pelos atos praticados, isto é, as lesões.

c. *Teoria da relevância jurídica*: causa é a condição que concorre para o resultado, desde que tenha relevância jurídica, excluindo-se, por exemplo, quem joga um balde d'água numa represa, vindo esta a transbordar, matando pessoas. Não é adotada pelo Código Penal.

d. *Teoria da imputação objetiva*: essa teoria pretende substituir o nexo de causalidade física pela causalidade normativa, por entender que o Direito não é uma ciência natural, mas, sim, uma disciplina axiológica, cujos critérios de imputação pertencem às normas jurídicas e não às leis naturais de causa e efeito, de modo que alguém só pode responder por um resultado que tenha causado mediante a criação de um risco não autorizado pelas normas jurídicas. Tem sido modestamente adotada pela jurisprudência.

Crimes de mera conduta e crimes omissivos

Não há que se falar em nexo de causalidade nos crimes de mera conduta, pois neles não existe um resultado como efeito causado pela conduta. Por conseguinte, não se perquire nexo de causalidade nos crimes omissivos próprios, por serem crimes de mera conduta, em que a simples omissão consuma o delito.

A causalidade deve ser perquirida nos crimes omissivos impróprios ou comissivos por omissão, uma vez que nestes existe um resultado material, como a morte de alguém ou uma lesão patrimonial. Mas como é possível falar em nexo causal entre o resultado e a conduta se esta se revelou um não fazer? Em outras palavras, como um não fazer, que é algo negativo, pode gerar algum efeito no mundo dos fatos? A solução apresentada pela doutrina é a adoção de um nexo de causalidade normativo. Assim, nos crimes omissivos impróprios, a causalidade é normativa ou jurídica, consistente na quebra do dever especial de agir previsto no art. 13, § 2º, do Código Penal. Não se trata, pois, de uma causalidade real ou física, pertencente ao mundo da natureza, mas uma causalidade própria do mundo das normas.

Concausas

O nexo de causalidade pode ocorrer mediante o concurso de causas, chamadas *concausas*. Vale dizer, outras causas, além da conduta, podem influenciar a produção de um resultado. Por exemplo, quando um agente introduz uma faca no braço de um hemofílico, além da sua conduta, também a própria hemofilia pode causar sua morte. Quando um guindaste bate, acidentalmente, contra uma barragem na qual já existia uma rachadura, tanto a colisão, produzida por uma conduta humana, quanto a rachadura, serão causas de eventual desastre. A essa soma de causas ou de forças que operam paralelamente à conduta chamamos de concausas, as quais se classificam em:

a. preexistentes: são anteriores à conduta (exemplo: hemofilia);
b. concomitantes: ocorrem no mesmo momento da conduta (exemplo: um desmoronamento concomitante a uma agressão);
c. supervenientes: ocorrem posteriormente à conduta, como por exemplo, uma infecção hospitalar.

Concausas absolutamente independentes

São aquelas que não têm nenhuma relação com a conduta do agente, de modo que o resultado não é uma consequência da conduta, mas de um evento paralelo, sem qualquer relação. O agente não responde pelo resultado causado por uma concausa absolutamente independente, devendo ser responsabilizado apenas pelos atos anteriores. Por exemplo: A ministra veneno para matar B, que morre, todavia, em razão de um disparo de arma de fogo efetuado por C, desconhecido de ambos. Nesse caso, a morte de B não tem nenhuma relação com a conduta de A, de modo que este não poderá responder por homicídio consumado, apenas por tentativa de homicídio.

Concausas relativamente independentes

São aquelas que se relacionam, de alguma forma, com a conduta do agente, podendo ser preexistentes (ocorrem antes da conduta, como uma doença preexistente), concomitantes (ocorrem no exato momento da conduta, como um disparo paralelo) ou supervenientes (posteriores à conduta, como uma infecção hospitalar).

Diante de concausas relativamente independentes, duas situações se verificam:

a. Regra: o agente responde pelo resultado se este for uma consequência natural e esperada da conduta. Exemplo: se B, ferido por A, é levado ao hospital, onde morre de causas naturais, como uma infecção hospitalar, A responde pela morte. Note que a infecção é um desdobramento natural da lesão efetuada por A.
b. Exceção: o agente não responde pelo resultado, mas apenas pelos atos praticados, quando o resultado não é uma consequência ou um desdobramento natural da conduta. Exemplos:
   1. após Caio envenenar Tício, este é levado ao hospital, mas a ambulância envolve-se em um acidente, causando-lhe traumatismo craniano e morte, resultado que está fora da linha normal de desdobramento do envenenamento, de modo que Caio responderá apenas por tentativa de homicídio;
   2. Cornelius esfaqueia Julius, que é levado ao hospital, onde morre em razão de uma incêndio, fato que não condiz com o desdobramento natural da conduta de Cornelius, que só responderá pelos atos praticados, isto é, as lesões corporais ou tentativa de homicídio, não pela morte.

Tais causas são chamadas de *concausas aberrantes, heterogêneas* ou de *eficácia autônoma*, as quais, segundo o art. 13, § 1º, do CP, são causas que, por si só, causam o resultado, ou seja, embora relacionadas a outra causa, acabam por distorcer o curso natural da primeira, assumindo autonomia e caráter de inevitabilidade, ou seja, fora da "linha de desdobramento normal", segundo um critério anatomopatológico. Adota-se, nesse caso, a teoria da *causalidade adequada*, no sentido de que não é adequado pensar que uma pessoa que sofre um tiro morra num incêndio, por exemplo.

É muito simples identificar uma causa relativamente independente que, por si só, produziu o resultado, devendo ser feitas duas perguntas:

1º) A conduta é condição *sine qua non* do resultado? SIM: tem-se uma causa relativamente independente; NÃO: tem-se uma causa absolutamente independente.

2º) O resultado está na linha natural de desdobramento da conduta? SIM: tem-se uma causa relativamente independente homogênea, devendo o agente responder pelo resultado; NÃO: a causa, por si só, produziu o resultado, devendo o agente responder apenas pelos atos praticados.

Concausas	
Absolutamente independentes	Exclusão da causalidade e responsabilização pelos fatos anteriores ao resultado, se típicos.
Relativamente independentes fora da linha natural de desdobramento (por si só)	Exclusão da causalidade e responsabilização pelos fatos anteriores ao resultado, se típicos.
Relativamente independentes dentro da linha natural de desdobramento físico	Não exclui a culpabilidade; responsabilização pelo resultado típico.

O problema do regressus ad infinitum *e a teoria da imputação objetiva*

A teoria da equivalência, atualmente utilizada, pode levar a causalidade ao infinito (*regressus ad infinitum*). Por mais bizarro que pareça, os pais de um assassino são causadores da morte da vítima, e assim sucessivamente, até o início da genealogia. A fim de limitar a responsabilidade penal, adotam-se os seguintes critérios de imputação:

a. Tipicidade objetiva: o agente não é responsável por resultados estranhos ao tipo. Nesse sentido, se o resultado obtido não faz parte do tipo penal, o agente não poderá ser responsabilizado. Exemplo: o autor de um furto não poderá responder pela morte da vítima, caso ela se assuste e morra em razão de uma parada cardiorrespiratória. A morte não integra o tipo de furto.

b. Tipicidade subjetiva: o agente não pode ser responsabilizado sem dolo ou culpa. Os pais do assassino não serão responsabilizados pela morte da vítima, embora sejam causadores dessa morte, para a qual não concorreram com dolo ou culpa.

c. Imputação objetiva:[21] segundo essa teoria, de matriz funcionalista, os cursos causais só serão imputados à medida que representarem a realização de um risco não permitido criado pelo autor.[22] Exemplo: o dono de uma fábrica de armas legalmente estabelecida, embora realize a conduta perigosa de colocar em circulação artefatos mortais, não poderá ser considerado causador da morte da vítima, pois agiu dentro de um risco permitido pelo ordenamento jurídico. Os critérios de exclusão da imputação objetiva seguem as duas principais vertentes da teoria funcionalista alemã.

O *funcionalismo axiológico*, de Claus Roxin, considera o Direito Penal um mecanismo necessário à realização da política criminal e funda a imputação objetiva nas seguintes premissas:

1. diminuição do risco: pessoa que atira outra do 2º andar, quebrando-lhe o braço, para escapar de incêndio;
2. não criação de risco proibido: pessoa que compra passagem aérea para desafeto, querendo sua morte, e o avião cai, matando-o;
3. não aumento de risco proibido: pessoa que vende arma de fogo atua dentro do risco permitido;
4. esfera de proteção da norma como critério de imputação: se a vítima do furto entra em colapso e morre do coração, isto não se imputa ao ladrão, pois a morte não está no âmbito de proteção do art. 155 do CP.

---

21. Embora a imputação objetiva esteja ligada ao Funcionalismo, que teve início na Alemanha, nos anos 1970, e ao ensaio *Reflexões sobre a imputação no Direito Penal*, de Claus Roxin, sua origem é anterior, estando ligada às obras de Karl Larenz (*A teoria da imputação de Hegel e o conceito de imputação objetiva*, 1927) e de Richard Honig (*Causalidade e imputação objetiva*, 1930).
22. ROXIN, Claus. *Estudo de Direito Penal*. Tradução de Luís Greco. Rio de Janeiro: Renovar, 2008. p. 136.

O *funcionalismo sistêmico*, de Günther Jakobs, considera o Direito Penal uma forma de preservar o sistema jurídico, garantindo obediência às normas, adotando as seguintes premissas de imputação:

1. risco permitido: dar uma passagem de avião a alguém é um risco permitido;
2. princípio da confiança: um médico confia que os instrumentos foram esterilizados, não se imputando a ele a infecção da vítima;
3. proibição de regresso: o taxista cumpre o seu papel na sociedade, ainda que leve o criminoso ao local do crime, não sendo imputável o homicídio;
4. ações a próprio risco: se a vítima consente validamente com o risco ou se expõe a ele, como no racha, não se pode imputar ao agente.

No Brasil, a teoria da imputação objetiva foi adotada, pela primeira vez, no julgamento de acusação pela prática de homicídio culposo de um estudante que, durante um trote universitário, morreu afogado na piscina, sendo que o STJ entendeu pela ausência de nexo de causalidade, pois a vítima havia se autocolocado em risco ao ingerir drogas voluntariamente.[23]

Excludentes do nexo causal

Um problema importante do Direito Penal é limitar a responsabilidade do agente aos resultados efetivamente decorrentes de sua conduta, não podendo responder por fatos estranhos à ação e à omissão, quando decorrentes de forças que estão fora do desdobramento natural do curso causal gerado pela conduta. Com efeito, nem todo resultado poderá ser atribuído ao agente, podendo haver exclusão do nexo causal.

O nexo causal fica excluído nos seguintes casos:

---

23. HC 46.525/MT, Rel. Ministro Arnaldo Esteves Lima, Quinta Turma, julgado em 21/03/2006, DJ 10/04/2006.

a. Causa absolutamente independente: como o resultado não tem nada a ver com a conduta do agente, este não responde pelo resultado, mas apenas pelos atos praticados (exemplo: vítima de tiro que morre em razão de uma alergia a um alimento consumido anteriormente).
b. Causa relativamente independente que, por si só, produziu o resultado: embora o resultado tenha relação com a conduta, é um fato extraordinário, fora da linha natural de desdobramento da conduta, devendo o agente responder apenas pelos fatos anteriores ao resultado, excluindo-se a imputação por este (exemplo: morte da vítima num incêndio no hospital para onde foi levada).
c. Ausência de imputação objetiva: o agente não responde por resultados decorrentes de uma conduta que criou um risco permitido (exemplo: proprietário da fábrica de automóveis não pode ser considerado causador de um atropelamento com um veículo de sua fábrica). Aquele que age de acordo com as normas, dentro do risco permitido pelo Estado, não deve responder por crime nenhum.

Tipicidade ou adequação típica

Definição
Tipicidade ou adequação típica é a perfeita subsunção ou enquadramento do fato praticado a um tipo penal. Assim, para termos um fato típico, a conduta do autor do fato deve preencher todos os elementos previstos na norma incriminadora. Faltando qualquer elemento, não há tipicidade penal e o agente deve ser absolvido por fato atípico.

A doutrina do Tatbestand *e a história da tipicidade penal*
A ideia de "tipo" foi introduzida no Direito Penal para atender ao princípio da legalidade, conferindo certeza à incriminação, por meio de uma descrição clara e objetiva do comportamento criminoso. Salienta LUISI que a doutrina do *Tatbestand* representa na dogmática penal a versão técnica do apotegma político *nullum crimen sine lege*, surgindo no jargão jurídico alemão em fins do século XVIII e princípios do século XIX, no campo do processo

criminal, no qual é mais sentida a necessidade de dar contornos certos e precisos ao fato delituoso.[24]

A expressão alemã *tatbestand* significa "hipótese de fato", originando-se do latim medieval (*facti species*), que significava figura do fato. Por isso, traduz-se em italiano para *fatispecie*, conceito que foi traduzido para o português como "tipo". Até 1906, *tatbestand* existia com sentido diferente, pois significava a totalidade do fato, em seus aspectos objetivo e subjetivo. Graças a Ernst von Beling, o tipo penal assumiu, a partir de 1906, um caráter puramente descritivo e, portanto, objetivo. O tipo seria, pois, mera descrição de um comportamento criminoso-padrão. Mas a teoria objetiva, embora consentânea com o princípio da legalidade, não conseguia explicar questões importantes, como a tipicidade da tentativa, por exemplo. Afinal, só seria possível estabelecer a tipicidade da tentativa se fossem examinados, além dos aspectos objetivos, os aspectos subjetivos (psíquicos) da conduta. As dificuldades da teoria objetiva, o descobrimento da culpabilidade normativa (1907) e dos elementos normativos do tipo (1910) fizeram com que se pensasse que o dolo deveria pertencer ao tipo, de modo que o tipo teria caráter complexo (objetivo-subjetivo), como queriam Hellmuth von Weber (1929), e o Conde Alexander Zu Dohna (1936). Com Welzel, na década de 1930, aperfeiçoa-se o conceito de tipo complexo, dando origem à concepção atual, que inclui no tipo elementos subjetivos e também normativos. Muito se discutiu – e ainda se discute – acerca da relação do tipo com a antijuridicidade.

Elementos ou elementares do tipo penal

Os *elementos* ou as *elementares* são palavras que formam a norma incriminadora. Os tipos penais, portanto, podem conter elementos objetivos (dados da realidade), normativos (dados do mundo dos valores) e subjetivos (dados internos do comportamento), contrariando a ideia original de Beling, que propunha tipos puramente descritivos. *Elementos objetivos* são os ele-

---

24. LUISI, Luiz. *O tipo penal e a teoria finalista da ação*. Dissertação apresentada à Faculdade de Direito da Universidade do Rio Grande do Sul para a livre-docência da cadeira de Direito Penal. Porto Alegre: Gráfica Editora Nação, 1976. p. 9-10.

mentos fáticos descritos no tipo; *elementos subjetivos* são elementos pessoais do agente ou de seu intelecto; elementos normativos são aqueles que derivam de uma norma cultural ou jurídica. São chamados tipos "normais" os que contêm apenas elementos objetivos e tipos "anormais" os que contêm elementos normativos ou subjetivos além dos objetivos.

O art. 155, *caput*, do Código Penal, por exemplo, é composto dos seguintes elementos:

a. o verbo subtrair é um elemento objetivo do tipo, pois traduz ação, sendo, portanto, um dado da realidade, passível de constatação objetiva;
b. coisa móvel é um elemento objetivo, pois se refere a uma coisa da realidade física;
c. alheia: elemento normativo do tipo, pois liga-se às definições jurídicas de posse e propriedade, dependendo de um juízo de valor;
d. para si ou para outrem: elemento subjetivo, pois traduz um dado interno do comportamento, ligado à subjetividade do agente, insuscetível de verificação objetiva.

Verbo nuclear

Verbo nuclear é aquele que descreve a conduta principal, comissiva ou omissiva, como ocorre, no Código Penal, com os verbos "matar" (art. 121), "subtrair" (art. 155), "obter" (art. 171), "deixar" (art. 135) e assim por diante. Esses verbos descrevem a forma de realização do tipo penal. Alguns tipos penais são polinucleares, na medida em que apresentam mais de uma forma de ação ou omissão, como por exemplo, o art. 149-A, que contém os verbos "agenciar", "aliciar", "recrutar", "transferir", "comprar" ou "acolher", ou o art. 150, que descreve "entrar" ou "permanecer". Tais tipos penais são denominados tipos mistos, de conduta múltipla ou de conteúdo variado. De modo geral, a prática de um único verbo basta para a configuração do crime. Caso o agente, na mesma ocasião, realize mais de uma ação descrita, poderá se configurar um crime único ou vários crimes, a depender do caso:

- tipo misto alternativo: se o agente praticar duas ou mais condutas descritas no tipo, pratica um único crime. Exemplo: Lei n. 11.343/06, art. 33;
- tipo misto cumulativo: se o agente praticar duas ou mais condutas descritas no tipo, incorre em dois ou mais crimes, ante a "autonomia funcional" de cada conduta descrita. Exemplo: art. 244 do CP.

Tipo simples, básico ou fundamental

Tipo simples ou básico é aquele que compõe o crime em sua forma essencial, sem nenhum tipo de modificação. Esse tipo dá origem ao chamado crime simples. Exemplo: art. 155, *caput*.

Tipo circunstanciado

Tipo circunstanciado ou crime circunstanciado é aquele revestido de circunstâncias, as quais não fazem parte do tipo. São dados acessórios da figura típica, podendo aumentar ou reduzir a pena, como por exemplo, o repouso noturno, que aumenta a pena do furto em 1/3 (art. 155, § 1º). As circunstâncias que aumentam a pena em determinadas frações se chamam causas de aumento de pena ou majorantes, enquanto as que diminuem a pena são chamadas de causas de diminuição de pena ou minorantes. As majorantes e as minorantes podem estar previstas na Parte Especial, como o arrependimento posterior (art. 16 do CP).

Chama-se crime privilegiado aquele no qual incide uma minorante especialmente prevista, como ocorre, por exemplo, no homicídio cometido por motivo de relevante valor social ou moral, ou sob o domínio de violenta emoção, logo em seguida à injusta provocação da vítima, podendo o juiz reduzir a pena de 1/6 a 1/3, conforme § 1º do art. 121. Assim, o § 1º é uma privilegiadora ou um privilégio, e o homicídio praticado nessas condições é "homicídio privilegiado".

Existem ainda, para fins de aplicação de pena, as agravantes e as atenuantes, que se encontram na Parte Geral e, portanto, se aplicam a todos os crimes, se não constituírem qualificadoras ou causas de aumento ou de diminuição de pena. As agravantes e as atenuantes estão previstas nos arts. 61 a 67 do CP e se distinguem das majorantes e minorantes porque não estabelecem nenhuma quantidade de aumento ou diminuição, cabendo ao juiz justificar o aumento aplicado.

Tipo qualificado

As qualificadoras dão origem a um novo tipo penal, com novos limites de pena mínima e máxima. Esse novo tipo penal se denomina *tipo penal qualificado ou derivado*, com novos limites de pena. Crime qualificado, portanto, é aquele em que existe qualificadora. Exemplos: parágrafos 4º, 4º-A, 5º, 6º e 7º do art. 155. Outro exemplo importante de crime qualificado é o infanticídio, em que a pena do homicídio passa a ser de 12 a 30 anos (CP, art. 121, § 2º, VI).

Crime simples	Crime sem circunstâncias.	Pena nos patamares mínimo e máximo. Exemplo: art. 121, *caput*.
Crime qualificado	Quando se verifica uma causa que a lei considera qualificadora, modificando os limites da pena.	Haverá um novo limite mínimo e um novo limite máximo da pena, isto é, uma nova pena. Exemplo: art. 121, § 2º.
Crime circunstanciado	A pena básica ou a pena qualificada é alterada para cima ou para baixo por circunstâncias.	Majorantes. Minorantes. Agravantes. Atenuantes.
Crime majorado (majorantes)	Circunstâncias que aumentam (majorantes ou causas de aumento) a pena do tipo básico.	A lei define a quantidade de aumento (1/6, 1/3, 1/2, 2/3 etc.). Exemplo: art. 121, § 4º.
Crime minorado (minorantes ou privilegiadoras)	Circunstâncias que diminuem (minorantes, privilegiadoras ou causas de aumento) a pena do tipo básico ou qualificado.	A lei define a quantidade de diminuição (1/6, 1/3, 1/2, 2/3 etc.). Exemplo: art. 121, § 3º.
Crime agravado e crime atenuado	Crime em que incide agravante ou atenuante.	Ocorrerá aumento (agravante) ou diminuição (atenuante) da pena sem um *quantum* estabelecido, cabendo ao juiz realizá-lo.

Tipo concreto ou adequação típica

Enquanto o *tipo abstrato* é a descrição do crime, o *tipo concreto* é a adequação de uma conduta ao tipo abstrato, isto é, a *subsunção* ou o *enquadramento* da conduta ao tipo penal incriminador (tipicidade em sentido estrito). A tipicidade em sentido estrito classifica-se em:

a. *tipicidade objetiva*: realização exterior da conduta;
b. *tipicidade subjetiva*: realização interna, ou seja, os elementos que estão no interior do agente, como dolo, culpa e elementos subjetivos especiais (exemplo: para si ou para outrem, no furto);
c. *tipicidade formal*: mero enquadramento da conduta ao tipo;
d. *tipicidade material*: ofensa ao bem jurídico protegido;
e. *tipicidade direta*: a conduta se ajusta perfeitamente ao tipo penal (adequação típica de subordinação imediata);
f. *tipicidade indireta*: a conduta não se ajusta diretamente ao tipo, sendo necessário o auxílio de uma norma de extensão do tipo, como ocorre na tentativa e no concurso de agentes. Assim, como não existe, na Parte Especial do Código Penal, o tipo "tentar matar alguém", recorre-se à norma de extensão do art. 14, II, como forma de se preservar a legalidade, porquanto o tipo passa a alcançar etapa anterior à consumação do crime, falando-se, pois, em norma de extensão temporal ou cronológica. O mesmo ocorre com o art. 29 do CP, que amplia o alcance do tipo para pessoas que não praticam a ação descrita, tratando-se, pois, de norma de extensão pessoal.

Classificação dos tipos penais

a. *Tipos fechados*: a forma de conduta típica está estritamente definida. Exemplo: subtrair, para si ou para outrem, coisa alheia móvel (art. 155).
b. *Tipos abertos*: a forma de conduta típica está indefinida, dando margem à atuação judicial. Exemplo: crimes culposos, exceto art. 180, § 3º.
c. *Tipos congruentes*: a tipicidade subjetiva coincide com a tipicidade objetiva. Exemplo: matar alguém.
d. *Tipos incongruentes*: a tipicidade subjetiva não coincide com a tipicidade objetiva, ou seja, o agente busca mais do que o tipo descreve. Nessa categoria encontram-se os delitos de tendência transcendente, em que o agente busca um resultado posterior à consumação, que pode depender de uma ação dele próprio ou de terceira pessoa.

Espécies:
- Delitos de resultado cortado: a obtenção do resultado depende de ato posterior, de terceira pessoa. Exemplo: art. 159 (a obtenção da vantagem depende de ato de terceiro).
- Delitos mutilados de dois atos: a obtenção do resultado depende de ato posterior, do próprio agente. Exemplo: art. 289 (a circulação da moeda falsa depende de ato do próprio agente).

e. *Tipos incriminadores:* descrevem crimes (exemplo: art. 121).
f. *Tipos permissivos*: descrevem uma excludente da ilicitude, como a legítima defesa, o estado de necessidade etc. (exemplo: art. 25).
g. *Tipo básico, simples ou fundamental:* descreve o crime sem qualificadoras. Exemplo: art. 121, *caput*.
h. *Tipo derivado ou qualificado:* descreve a qualificadora do crime. Exemplo: art. 121, § 2º.
i. *Tipos mistos:* contemplam várias formas de conduta. Há duas espécies:
   - Tipo misto alternativo: se o agente praticar duas ou mais condutas descritas no tipo, pratica um único crime. Exemplo: Lei n. 11.343/2006, art. 33.
   - Tipo misto cumulativo: se o agente praticar duas ou mais condutas descritas no tipo, incorre em dois ou mais crimes, ante a "autonomia funcional" de cada conduta descrita. Exemplo: art. 244 do CP.

Não podemos concordar com a orientação de que o tipo de estupro seja um tipo misto alternativo.[25] Segundo essa orientação, predominante atualmente, se um indivíduo realiza sexo vaginal e anal, mediante violência ou grave ameaça à vítima, pratica um único estupro. Uma vez que a liberdade sexual pode ser exercida de distintas formas, a violação de mais de uma delas

---

25. Muito se discutiu se, em face da Lei n. 12.015/2011, o atual art. 213, que encerra o estupro e o antigo atentado violento ao pudor, constitui tipo misto alternativo ou cumulativo. No HC 105533 e no REsp 1313444, a 5ª Turma do STJ entendeu que o art. 213 é tipo misto cumulativo. A 6ª Turma, porém, entende que se trata de tipo misto alternativo (REsp 1336215). A divergência entre as Turmas do STJ sobre o tema foi superada, tendo ambas adotado o entendimento do crime único. Nesse sentido: STJ. 5ª Turma. AgRg no REsp 1262650/RS. Min. Regina Helena Costa, julgado em 05/08/2014. STJ. 6ª Turma. HC 212.305/DF, Rel. Min. Marilza Maynard (Des. Conv. TJ/SE), julgado em 24/04/2014. O STF é, no mesmo sentido, conforme HC 118284/RS.

constitui necessariamente ofensa distinta, devendo se considerar mais de um crime. Imagine-se que uma mulher, por convicção pessoal, recuse-se a fazer sexo anal com o próprio marido e, sendo vítima de estupro, tem essa convicção desrespeitada pelo agressor, que resolve praticar sexo vaginal e anal com a vítima. É óbvio que a mulher pode recusar-se a ambas as práticas e, nesse caso, o agressor cometerá dois crimes. Tanto isso é verdade que, caso consinta com o sexo vaginal, mas se recuse à prática anal e seja constrangida a isso, ainda assim haverá estupro. Caso seja duplamente constrangida, deve haver dupla incriminação. A orientação diversa, embora majoritária, amesquinha a liberdade sexual e enfraquece a dignidade humana das vítimas desse odioso crime.

Teorias do tipo penal

A construção da ideia de tipo passou por distintas fases teóricas, que podem ser assim resumidas:

1ª) *Tipo neutro:* orientação causal-naturalista, de Liszt-Beling, em que o tipo é mera descrição do comportamento criminoso. Na orientação causal-naturalista, o tipo penal era avalorado, nada indicando a respeito da antijuridicidade (fase da independência do tipo).
2ª) *Ratio cognoscendi:* posição de Max Mayer, segundo a qual o tipo penal é um indício de ilicitude, ou seja, praticado um ato típico, surge um indício ou uma presunção de ilicitude, a qual só será afastada se houver uma causa justificante, como por exemplo, uma defesa legítima.
3ª) *Ratio essendi:* posição de Edmund Mezger, em que o tipo constitui a própria ilicitude, ou seja, praticado um fato típico, este é necessariamente ilícito. Edmund Mezger transmudou o tipo em tipo de injusto, que assim passou a ser a *ratio essendi* (razão de ser) ou a essência da ilicitude. O tipo penal não é simplesmente uma descrição do comportamento, mas um *tipo total de injusto.* Uma variante dessa teoria preconiza que a tipicidade encerra juízo de antijuridicidade, de modo que, afirmada a tipicidade, também estará afirmada a antijuridicidade, e as causas de justificação eliminarão a tipicidade, compor-

tando-se como elementos negativos do tipo (teoria dos elementos negativos do tipo, sustentada por Hellmuth von Weber).

Prevalece a ideia de Max Ernst Mayer, no sentido de que o tipo é indício de ilicitude (teoria da *ratio cognoscendi*). Assim, praticado um fato típico, a ilicitude é presumida, o que resulta lógico, uma vez que o tipo penal é a descrição de um comportamento contrário ao direito, como matar, furtar etc. Assim, verificado um comportamento com as características do tipo, é natural presumir-se que a ordem jurídica está contrariada. Tal presunção é relativa (*iuris tantum*), pois poderá ser afastada por uma causa excludente da ilicitude, como a legítima defesa ou o estado de necessidade, por exemplo.

Teoria da tipicidade conglobante e teoria constitucionalista do delito
Complexa e pouco aceita entre os advogados é a teoria do jurista argentino Eugenio Raúl Zaffaroni, para quem tipicidade penal implica tipicidade legal mais tipicidade conglobante.[26] Para ZAFFARONI, a tipicidade está formada de duas partes:

a. tipicidade legal: adequação formal e material da conduta ao tipo penal;
b. tipicidade conglobante: a conduta deve ser também antinormativa, isto é, a conduta não pode estar entre aquelas que o direito ordena ou fomenta.

Grosso modo, pode-se dizer que a teoria da tipicidade conglobante transforma o exercício regular de direito e o estrito cumprimento do dever legal em excludentes da tipicidade, contrariando o Código Penal, que prevê essas situações como excludentes da ilicitude (art. 23, III). Segundo o Código Penal, um oficial de justiça que realiza uma penhora pratica um

---

26. ZAFFARONI, Eugênio R; PIERANGELI, José Henrique. *Manual de Direito Penal brasileiro*. 2. ed. São Paulo: RT, 1999. p. 457.

fato típico de furto, pois subtrai, para o poder judiciário, coisa alheia móvel (art. 155), mas sua conduta não é contrária ao direito por estar amparada numa excludente da antijuridicidade. Para a teoria da tipicidade conglobante, porém, o oficial de justiça não pratica um ato típico, já que sua conduta não é antinormativa e, portanto, falta o requisito da tipicidade conglobante.

A tipicidade conglobante pressupõe que as normas devem guardar uma ordem mínima entre si, pois, sendo o tipo uma norma (proibitiva ou mandamental), não pode proibir o que é permitido nem ordenar o que é proibido. Assim, só será antinormativa a conduta que não estiver amparada por uma norma de direito ou por uma norma de dever. Logo, se uma conduta é praticada no estrito do cumprimento do dever legal, ela não será antinormativa e, portanto, não será típica, por falta de tipicidade conglobante.

Se, por exemplo, um oficial de justiça realiza uma penhora, estará realizando um fato formalmente típico, porém, não será antinormativo, pois sua conduta está amparada numa norma de dever. Portanto, embora ajustada formalmente ao art. 155 do Código Penal, a conduta não é típica por falta de antinormatividade e, consequentemente, tipicidade conglobante.

A teoria da tipicidade conglobante esforça-se por distinguir *antinormatividade* de *antijuridicidade* e *atipicidade conglobante* de *justificação*. Para haver antijuridicidade, deve haver antinormatividade; a falta de antinormatividade leva à atipicidade conglobante, enquanto a falta de antijuridicidade conduz à justificação.[27]

Essa teoria não deve ser confundida com a teoria do tipo total do injusto (MEZGER), em que todas as causas excludentes da ilicitude fazem parte do tipo como elementos negativos do tipo, excluindo, todas elas, a tipicidade. Na teoria da tipicidade conglobante, apenas o estrito cumprimento do dever legal e o exercício regular do direito afastam a tipicidade, por falta de antinormatividade da conduta.

---

27. Idem, ibidem, p. 459-461.

Teoria da tipicidade conglobante	Tipicidade penal = tipicidade legal + tipicidade conglobante (antinormatividade).
Teoria do tipo total de injusto	Tipicidade penal = tipicidade legal + antijuridicidade.

Uma variação da teoria da tipicidade conglobante foi proposta, sem maior repercussão, pelo jurista brasileiro Luiz Flávio Gomes, para quem a tipicidade penal depende de tipicidade formal e tipicidade material, sendo que a tipicidade material compreende a tipicidade formal, a imputação objetiva e a tipicidade conglobante (teoria constitucionalista do delito).

Tipicidade subjetiva

Segundo a teoria finalista, não basta a tipicidade objetiva, devendo ser examinada a atitude interna do autor, pois uma conduta típica pode ser dolosa ou culposa. A tipicidade subjetiva se refere, portanto, ao dolo ou à culpa da conduta. Assim, conforme descreva um crime praticado com dolo ou com culpa, o tipo penal será doloso ou culposo. Mas é importante notar que apenas o dolo é um elemento subjetivo do tipo, já que a culpa se configura um elemento normativo, como veremos. Por sua importância, dolo e culpa serão estudados detalhadamente no próximo capítulo, ficando por ora apenas uma síntese necessária ao tema da tipicidade penal.

Dolo: conceito e elementos

Tipo doloso é todo tipo penal que tem o dolo como elemento subjetivo. Consoante o art. 18, I, existe dolo quando o agente quer ou assume o risco de produzir o resultado. Segundo se depreende desse dispositivo, o dolo é formado pelos seguintes elementos:

a. intelectual: representação ou consciência (o agente tem conhecimento do fato);
b. volitivo: o agente age com vontade ou aceitação do risco de produção do resultado.

Ausente o elemento intelectual ou o elemento volitivo, não há que se falar em dolo.

Erro de tipo

Erro de tipo é o desconhecimento de qualquer elemento que compõe o fato típico, isto é, ausência do elemento intelectual do dolo. Segundo o art. 20, o erro sobre elemento constitutivo do tipo legal do crime exclui o dolo do agente, permitindo, porém, a punição por crime culposo, se houver previsão legal. Assim, o erro de tipo sempre exclui o dolo, mas permite a punição do agente por crime culposo, desde que:

a. o agente tenha agido com precipitação ou descaso que o levou ao erro;
b. a forma culposa do crime tenha previsão legal.

Exemplo: um caçador vê um animal indo em direção a uma vegetação e atira, atingindo e matando uma pessoa que estava ali, escondida. Como o agente não sabia que estava matando alguém, não responderá por homicídio doloso, mas poderá responder por crime culposo, se ficar provado que agiu de forma precipitada ou negligente na apreciação da situação.

Classificação do dolo

a. Dolo direto: o agente quer o resultado.
b. Dolo eventual: o agente assume o risco de produzir o resultado ("fórmula de Frank: haja o que houver eu vou agir"). Alguns delitos não admitem dolo eventual, pois o tipo não comporta incerteza. Exemplo: CP, art. 138, § 1º; art. 180, *caput*; art. 339.
c. Dolo direto de primeiro grau: é o dolo em relação ao alvo principal da conduta.
d. Dolo direto de segundo grau ou dolo de consequências necessárias: é o dolo concernente às consequências indissociáveis ao dolo de primeiro grau. Exemplo: para matar a ex-namorada, A explode sua casa, matando todos os moradores, agindo com dolo direto de segundo grau em relação a eles.

e. Dolo específico: é a especial intenção exigida pelo tipo. Atualmente, é chamado de elemento subjetivo do tipo penal, representado pelo especial fim de agir. Exemplo: art. 159 do CP.
f. Dolo genérico: é o dolo comum do tipo penal.
g. Dolo geral: é o dolo em relação aos desdobramentos da conduta, consistente em erro de causalidade (erro sucessivo, *dolus generalis*, *aberratio causae*). Não se confunde com dolo genérico. Exemplo: A desfere tiros e, para ocultar o cadáver, atira a vítima ao mar, vindo esta a morrer, na verdade, por afogamento.
h. Dolo de dano: é o dolo dos crimes de dano.
i. Dolo de perigo: dolo dos crimes de perigo.
j. Dolo normativo: dolo adotado pela teoria causalista, que continha a consciência potencial da ilicitude (elemento normativo), além da vontade e da representação.
k. Dolo natural: dolo adotado pela teoria finalista, que contém apenas elementos naturais: vontade e representação. É a forma aceita atualmente, embora se possa falar numa teoria que concebe a existência de dolo sem vontade, examinada no próximo capítulo.
l. Dolo alternativo: o agente quer atingir um ou outro resultado. Exemplo: o agente desfere tiros na vítima querendo matá-la ou simplesmente feri-la.

Teorias do dolo

As teorias do dolo serão mais bem examinadas no próximo capítulo, porém as mais aceitas no Brasil, diante do que dispõe o art. 18, I, são as seguintes:

a. representação: para que haja dolo, basta que o agente tenha conhecimento do resultado;
b. assentimento: o dolo se configura com a aceitação do resultado pelo agente;
c. vontade: o dolo se configura com a vontade do agente, sendo que, para haver vontade, deve haver representação (vontade de algo representado).

O CP adotou a teoria da vontade em relação ao dolo direto e a teoria do assentimento em relação ao dolo eventual.

Tipo culposo: conceito e elementos

Segundo o art. 18, II, do CP, há crime culposo quando o agente age com imprudência, negligência ou imperícia. O conceito é mais claro no Código Penal Militar, segundo o qual o crime é culposo quando o agente, deixando de empregar a cautela, atenção, ou diligência ordinária, ou especial, a que estava obrigado em face das circunstâncias, não prevê o resultado que podia prever ou, prevendo-o, supõe levianamente que não se realizaria ou que poderia evitá-lo (art. 33, II). A culpa é a violação do cuidado necessário à realização do comportamento, do qual decorre um resultado lesivo e previsto no tipo penal específico. Trata-se de um elemento normativo, pois depende de uma valoração acerca do comportamento, no sentido de saber se houve ou não violação de um dever, qual seja, o dever de cuidado objetivo.

Os elementos configuradores do crime culposo são os seguintes:

a. Conduta inicial voluntária: na culpa, o agente age com vontade, embora não tenha finalidade de praticar um crime. Exemplo: corre de carro para chegar mais cedo em casa.

b. Violação do dever de cuidado: o agente age com negligência, imprudência ou imperícia.

c. Resultado involuntário: o agente não quer nem assume o risco de produzir o resultado.

d. Nexo causal: o resultado deve ser uma consequência do comportamento imprudente, negligente ou imperito, não se admitindo *versare in re illicita*. Exemplo: se a vítima de um atropelamento se atira diante do carro em alta velocidade, não se pode afirmar que houve culpa na morte, pois esta aconteceria mesmo que não houvesse imprudência.

e. Previsibilidade objetiva do resultado: para haver culpa, o resultado deve ser previsível, pois ninguém pode ser punido diante de um caso fortuito.

f. Ausência de previsão: na culpa, o agente age sem prever o que poderia ter previsto. Excepcionalmente, ocorre a culpa com previsão, em que o fato não é apenas previsível, mas efetivamente previsto pelo agente. Nesse caso, só haverá dolo se o agente quis ou assumiu o resultado previsto, pois, do contrário, se o agente confiou na não ocorrência do resultado, ainda assim haverá culpa, chamada culpa consciente.
g. Tipicidade culposa: a culpa deve estar prevista em tipo penal culposo (art. 18, parágrafo único).

Formas de culpa

Estão previstas no art. 18, II:

a. Negligência: o agente age de forma desatenta ou desleixada, com falta de zelo (*culpa in omitendo*). Exemplo: cozinheiro que não lava as mãos.
b. Imprudência: o agente age de forma precipitada, arriscada, desafiando o perigo (*culpa in agendo*). Exemplo: dirigir em excesso de velocidade.
c. Imperícia: conforme BARROS, verifica-se sempre no exercício de uma atividade em que o agente, não obstante autorizado a exercê-la, não dispõe dos conhecimentos teóricos ou práticos para bem desempenhá-la.[28] É o caso do médico que, não possuindo cabedal suficiente para efetuar certa operação, provoca a morte do paciente. Na imperícia, o agente não conhece a técnica correta; se o indivíduo domina a técnica, mas não a utiliza, é negligente ou imprudente, podendo incidir a majorante do art. 121, § 4º: inobservância de regra técnica de profissão, arte ou ofício. Não se confunde a imperícia com o erro profissional, que decorre da falibilidade das regras da ciência, excluindo-se a culpa do agente.[29]

---

28. BARROS, Flávio Augusto Monteiro de. *Direito penal:* parte geral. v. 1. 8. ed. São Paulo: Saraiva, 2010. p. 279.
29. Idem, p. 288.

Classificação da culpa

A culpa se classifica da seguinte forma:

a. **Culpa própria:** é a forma ordinária de culpa, que decorre de negligência, imprudência ou imperícia. É culpa propriamente dita.
b. **Culpa imprópria:** constitui situação anômala, prevista no art. 20, § 1º, em que o agente age com dolo, mas é punido por um crime culposo (culpa por ficção, extensão ou equiparação), em face de erro sobre situação de fato que, se existisse, tornaria a ação legítima (descriminante putativa). Sendo evitável esse erro, o agente, embora querendo o resultado, responde por culpa. Exemplo: A supõe que vai ser agredido e atira para matar, descobrindo-se, depois, que não se tratava de uma agressão, mas uma brincadeira que confundiu o agente. É a única hipótese em que se admite tentativa no crime culposo.
c. **Culpa inconsciente:** o agente não prevê o resultado, embora este seja previsível.
d. **Culpa consciente:** o agente prevê o resultado, mas não quer o resultado nem assume o risco de produzi-lo. Distingue-se do dolo eventual pelo elemento volitivo, pois o agente não quer nem assume o risco, já que o elemento intelectual é idêntico, pois em ambos existe previsão do resultado.

Excepcionalidade do crime culposo

O normal é que os crimes culposos sejam cometidos dolosamente, tanto que, no silêncio da lei, presume-se que o tipo previsto é doloso.[30] Segundo o art. 18, parágrafo único, do CP, *salvo os casos expressos em lei, ninguém pode ser punido por fato previsto como crime, senão quando o pratica dolosamente.* Portanto, em regra, os crimes são dolosos e, para haver culpa, exige-se menção expressa no tipo penal. Exemplo: art. 121, § 3º.

---

30. Idem, p. 287.

Exclusão da culpa

Além das demais causas de exclusão da conduta, ocorrerá exclusão da tipicidade do crime culposo nos seguintes casos:

a. caso fortuito: em razão da imprevisibilidade do evento;
b. força maior: em razão da inevitabilidade do evento.

Peculiaridades da culpa

a. Tentativa: não se admite tentativa em crime culposo, salvo na culpa imprópria, já que esta, na verdade, constitui um crime doloso punido com pena de crime culposo. Isso ocorre porque, na tentativa, o resultado é desejado pelo agente, que não consegue produzi-lo, enquanto na culpa não existe vontade de produzir o resultado.
b. Coautoria e participação: não há participação em crime culposo, apenas coautoria.
c. Graus: para o Direito Penal, o grau da culpa – leve, grave ou gravíssima – só importa para fins de fixação da pena-base (art. 59).
d. Compensação: não há compensação de culpas no direito penal, devendo o juiz considerar o comportamento da vítima na fixação da pena-base (art. 59).
e. Crimes de perigo e de mera conduta: não há incompatibilidade entre culpa e crimes de perigo, bem como entre culpa e crimes de mera conduta. Exemplo: art. 38 da Lei n. 11.343/06; CP, art. 280, parágrafo único.

Tipicidade do crime tentado

A tentativa de crime é uma forma especial de tipicidade, que ocorre por meio de uma norma de extensão, prevista no art. 14, II, do CP: diz-se o crime tentado quando, iniciada a execução, não se consuma por circunstâncias alheias à vontade do agente. O Capítulo 6 aborda a tentativa de crime e todos os temas correlatos.

3.5 ILICITUDE

Definição

Ilicitude, antijuridicidade ou ainda injuricidade,[31] é o segundo elemento constitutivo do crime e consiste na relação de contrariedade entre o fato e a ordem jurídica.

> Tipicidade   Ilicitude   Culpabilidade

Ilicitude formal é a contrariedade à lei, enquanto a ilicitude material é a ofensa aos valores e aos bens protegidos pela lei. No caso de um bem disponível, por exemplo, quando a discordância da vítima não faz parte do tipo penal, o proprietário pode consentir com a ofensa, então o fato não será ilícito.

Vejamos, por exemplo, o crime de dano:

Art. 163 – Destruir, inutilizar ou deteriorar coisa alheia:
Pena – detenção, de 1 a 6 meses, ou multa.

Se alguém danifica algo, mas há consentimento do proprietário, existe ilicitude formal, mas não existe ilicitude material, pois o proprietário consentiu o dano. Portanto, não há ilicitude, isto é, não há contrariedade à ordem jurídica.

Veja que ilicitude, portanto, não é simplesmente a contrariedade à lei (ilicitude formal). É a contrariedade a todo o ordenamento jurídico (ilicitude material).

As expressões ilicitude e antijuridicidade são sinônimas, ou seja, podemos falar em ilicitude ou antijuridicidade. Em algumas teorias, como a do tipo total de injusto, de Edmund Mezger, a tipicidade e a ilicitude fazem parte do mesmo elemento do crime.

---

31. Embora pouco utilizada, injuridicidade é a forma trazida por Nélson Hungria e Heleno Cláudio Fragoso in *Comentários ao Código Penal*. v. I. Tomo II: arts. 11 ao 27. 5. ed. Rio de Janeiro: Forense, 1978. p. 21.

Teorias objetiva e subjetiva da ilicitude

A *teoria subjetiva* considera que os comandos normativos destinam-se apenas a indivíduos imputáveis, de modo que os inimputáveis não praticam fatos ilícitos. A *teoria objetiva* considera que os comandos normativos destinam-se tanto a imputáveis como a inimputáveis, de modo que os indivíduos inimputáveis praticam fatos ilícitos. Adota-se a teoria objetiva, pois qualquer pessoa, mesmo que inimputável, pode cometer um ato contrário à ordem jurídica. Imagine-se, por exemplo, que uma criança de 9 anos cause lesão corporal em seu irmão mais novo. Embora se trate de um inimputável, ficando isento de pena, ainda assim o fato é contrário ao Direito e, portanto, ilícito, à luz da teoria objetiva.

Relação da ilicitude com a tipicidade e o injusto penal

Existe sempre uma relação entre a tipicidade e a ilicitude. Segundo a concepção da *tipicidade indiciária (ratio cognoscendi)*, de Max Mayer, a tipicidade penal constitui indício ou presunção de ilicitude. Tal presunção pode ser afastada pela configuração do tipo permissivo, que consagra uma excludente da ilicitude. Exemplo: matar alguém (tipicidade penal) em legítima defesa (tipicidade permissiva) = fato típico, porém não ilícito. É a teoria predominantemente aceita.

Pela teoria do *tipo total de injusto*, de Edmund Mezger, a ilicitude integra a própria tipicidade, por meio de elementos negativos do tipo. Assim, matar alguém "sem estar em legítima defesa ou outra excludente" (elemento negativo) é fato típico.

Na teoria da *tipicidade conglobante*, de Eugênio Raúl Zaffaroni, alguns aspectos considerados excludentes da ilicitude são tratados como elementos relativos à antinormatividade. Portanto, só haverá tipicidade penal quando houver tipicidade formal e antinormatividade, ou seja, contrariedade da conduta à norma. Só se deve justificar o que for contrário à norma, que é a conduta exigida pelo Estado. Assim, o Estado não pode considerar típica uma conduta que ele próprio exige. Quando, por exemplo, o oficial de justiça cumpre mandado judicial e arromba uma residência, sua conduta não é típica, pois é exigida pelo Estado, faltando-lhe antinormatividade.

Se, porém, durante o mandado, ocorre resistência à ordem e o servidor precisa matar para se defender, haverá necessidade de justificar o ato, já que o Estado não exige a morte de ninguém, salvo em situação de guerra. Nesse caso, o homicídio será um ato típico, pois a morte é uma conduta antinormativa (não exigida pelo Estado), mas não ilícita, em razão da causa de justificação.

Alguns elementos normativos do tipo penal levam a ilicitude para dentro do tipo, surgindo a chamada ilicitude específica (item seguinte).

Costuma-se chamar de *injusto penal* ou, simplesmente, *injusto*, o fato típico e ilícito.

Ilicitude genérica e específica

Podemos falar em ilicitude genérica e ilicitude específica.

Ilicitude genérica é a que se verifica quando o fato típico não está amparado em nenhuma causa excludente da ilicitude. É a forma ordinária de ilicitude.

Ilicitude específica é aquela na qual a ilicitude integra o tipo por meio de elementos normativos do tipo, como ocorre, por exemplo, com os arts. 151 ("indevidamente"), 153 ("sem justa causa") e 345 ("quando a lei permite") do Código Penal. Essas expressões incorporam a ilicitude ao tipo. Por exemplo, se alguém age no estrito cumprimento do dever legal, está realizando a conduta de acordo com a lei e, portanto, não irá incorrer no art. 345. Nesse caso surge a chamada ilicitude específica, em que uma causa de exclusão da ilicitude passa a integrar o tipo, como postulado pela teoria do tipo total de injusto, com as seguintes consequências:

a. a presença de uma excludente de ilicitude afasta a própria tipicidade, pois a ilicitude nesse caso é elementar do tipo, por meio de expressões como "indevidamente", "sem justa causa", "quando a lei permite" etc. – tal como ocorre na teoria do tipo total de injusto;

b. o erro sobre a ilicitude do fato deixa de excluir a culpabilidade para excluir a própria tipicidade.

Os tipos penais que contêm elementos normativos relacionados à ilicitude são regidos pela teoria *ratio essendi* (Edmund Mezger), configurando-se como tipos totais de injusto.

Exclusão da ilicitude (justificação)

Excludentes da ilicitude são situações que afastam o caráter ilícito do fato típico, isto é, afastam a presunção de ilicitude que um fato típico gera (teoria da tipicidade indiciária de Max Mayer). São chamadas de *causas de exclusão de ilicitude*, *descriminantes*, *causa de justificação*, *justificante*s ou, ainda, *tipos permissivos*.

Espécies de excludentes

a. Excludentes legais: estão previstas em lei, isto é, em tipos permissivos da Parte Geral ou da Parte Especial. Dividem-se em gerais e especiais:
 – gerais: são previstas na Parte Geral do Código Penal (art. 23);
 – especiais: previstas na Parte Especial do Código Penal (art. 128, I e II, art. 142, I, II e III, art. 146, § 3º, e art. 150, § 3º).
b. Excludentes supralegais: são causas de exclusão da ilicitude que não estão previstas em lei. Um exemplo de excludente supralegal é o consentimento do ofendido, quando admitido. Os princípios do Direito Penal já foram utilizados como excludentes supralegais (STJ, HC 23376-MG).

As excludentes podem gerar a absolvição ou até mesmo impedir a ação penal, desde que estejam presentes os requisitos subjetivos e objetivos.

Requisitos objetivos e requisito subjetivo

Requisitos objetivos são os dados fáticos previstos no tipo permissivo. *Requisito subjetivo* é o conhecimento, por parte do autor do fato típico, de que está diante de uma situação justificante. Além de cumprir os dados objetivos previstos no tipo permissivo, isto é, na descrição legal da descriminante, o agente deve ter conhecimento da causa justificante, orientando-se subjetivamente pela realização de uma excludente e não por outro motivo. Exemplo:

se A atira em B, seu desafeto, com o intuito de matá-lo, e posteriormente se descobre que B estava prestes a estuprar uma jovem que estava caída aos seus pés, A não se beneficia da legítima defesa de terceiro, por desconhecer tal situação.

Ao contrário desse entendimento, BARROS sustenta que, para o reconhecimento da ilicitude, não há necessidade de que o agente tenha querido atuar conforme o direito, bastando que o fato praticado se encontre acobertado pelos requisitos de índole objetiva.[32]

Estado de necessidade

Conceito e teorias

A excludente do *estado de necessidade* se configura quando o agente pratica o fato típico para salvar-se de um perigo ou salvar terceira pessoa. Exemplo: diante de um incêndio, ao descer a escada do prédio, o agente empurra e lesiona outra pessoa.

Existem duas teorias sobre a natureza jurídica do estado de necessidade, a saber:

a. *Teoria unitária:* para essa teoria, que adota o princípio da razoabilidade, o estado de necessidade é sempre excludente da ilicitude, independentemente do "peso" dos bens em conflito. Foi adotada pelo Código Penal (art. 24, § 2º).

b. *Teoria diferenciadora:* distingue estado de necessidade justificante (quando houver sacrifício de um bem menor) e exculpante (quando houver sacrifício de bem igual ou maior), adotando o princípio da ponderação, isto é, do balanceamento entre os bens em conflito. Foi adotada pelo Código Penal Militar, que ora prevê o estado de necessidade justificante (art. 43), ora exculpante (art. 39). Sem embargo, há entendimento de que a teoria diferenciadora se aplica no Direito Penal comum para resolver o problema da colisão de deveres, que se

---

32. BARROS, Flávio Augusto Monteiro de. *Direito penal:* parte geral. v. 1. 8. ed. São Paulo: Saraiva, 2010. p. 357.

dá num contexto de necessidade, gerando para outro sujeito deveres simultâneos, que não podem ser executados ao mesmo tempo, excluindo a culpabilidade por inexigibilidade de conduta diversa.[33]

Exemplos:

1. Num naufrágio, um homem salva uma caixa de medicamentos que poderão ser úteis aos náufragos, deixando perecer um ser humano. Para a teoria unitária, cuida-se de estado de necessidade justificante; para a teoria diferenciadora, trata-se de estado de necessidade exculpante, na medida em que as duas vidas têm o mesmo valor perante o Direito, o qual não pode ser medido ou quantificado, ante o princípio da dignidade humana, que proíbe "coisificar" o indivíduo.
2. Um pai precisa decidir se salva o filho ou um estranho. Para o Direito, as duas vidas têm o mesmo valor, mas, para o pai, a vida de seu filho vale mais. Para a teoria unitária, cuida-se de estado de necessidade justificante; para a teoria diferenciadora, trata-se de estado de necessidade exculpante, na medida em que as duas vidas são iguais. Em nossa opinião, o pai, sendo garantidor da vida do filho, age em situação justificante, pois, além do estado de necessidade, age no cumprimento do dever legal.

Requisitos do estado de necessidade

O estado de necessidade está previsto no art. 24 do Código Penal, o qual prevê os seguintes requisitos:

a. *Perigo atual:* qualquer perigo que não configure agressão humana (naufrágio, incêndio, ataque de animal etc.). Atualidade do perigo não significa dano atual, bastando que o dano seja iminente, o que torna o perigo atual. A corrente majoritária admite que o perigo seja

---

33. BITENCOURT, Cezar Roberto. *Tratado de direito penal:* parte geral. 24. ed. São Paulo: Saraiva Educacional, 2018. p. 424-426.

iminente, desde que não seja remoto. Em sentido contrário ao perigo iminente: José Frederico Marques. Caso o perigo seja uma agressão humana, não haverá estado de necessidade, mas, sim, legítima defesa.
b. *Inevitabilidade:* não se admite a justificação se o perigo pode ser enfrentado de outra maneira, isto é, sem sacrifício do direito alheio. Assim, se o agente pode afastar o perigo fugindo ou se esquivando, não pode ofender um bem jurídico alegando estado de necessidade. Portanto, o estado de necessidade não é possível se houver possibilidade de fuga (*commodus discessus*) ou outra forma de evitação do perigo.
c. *Involuntariedade do perigo:* não pode alegar estado de necessidade quem causou o perigo voluntariamente. O agente não pode ter causado o perigo intencionalmente ou "por grosseira inadvertência ou leviandade".[34] A doutrina majoritária admite a excludente no caso de perigo causado culposamente pelo agente. Exemplo: em caso de incêndio causado por imprudência, poderá o agente causador, para se salvar, sacrificar a vida de outrem. Contra a possibilidade de invocar estado de necessidade em caso de perigo causado culposamente: Magalhães Noronha e Heleno Fragoso.
d. *Razoabilidade do sacrifício:* o sacrifício de um direito só se justifica se for razoável, isto é, compatível com as regras da razão, compreensível, adequado à natureza das coisas. Portanto, a razoabilidade não significa proporcionalidade ou equivalência dos direitos em cotejo, exceto se esta desproporcionalidade for manifesta. Deve-se ter em conta não apenas o valor objetivo, mas também o significado para o titular, o estado de ânimo do agente, levando-se em conta uma pessoa comum, ou seja, o juiz deve colocar-se, hipoteticamente, na situação em que se encontrou o agente e, apreciando em conjunto as circunstâncias, decidir como teria procedido, em idênticas condições, um homem tipo médio, sem formalismo e dispensando uma precisão

---

34. HUNGRIA, Nélson. *Comentários ao Código Penal.* Vol. I, Tomo 2º, arts. 11 a 27, Rio de Janeiro: Revista Forense, 1953. p. 265.

matemática.[35] Em outras palavras, para haver estado de necessidade a conduta deve ser aceitável e perfeitamente compreensível como algo que qualquer pessoa faria se estivesse no lugar do agente. Porém, mesmo diante de uma situação sem razoabilidade, em que se considera ilícito o ato praticado, poderá haver redução de pena de 1 a 2/3 (art. 24, § 2º). Quanto menos aceitável for o sacrifício praticado, menor a redução, e vice-versa.

    e. *Ausência de dever de enfrentar o perigo:* "não pode alegar estado de necessidade quem tinha o dever legal de enfrentar o perigo" (art. 24, § 1º), como os bombeiros e os policiais. Nelson Hungria ainda dá o exemplo da gestante, que tem a obrigação de enfrentar os perigos normais do parto. Note que essa norma se refere aos perigos normais da profissão, não abrangendo situações excepcionais, que exijam atos de verdadeiro heroísmo. Majoritariamente, entende-se que o dever legal abrange todo e qualquer dever jurídico de evitar o resultado (art. 13, § 2º, do CP), incluindo o dever contratual, não apenas o decorrente da lei em sentido estrito.[36]

Classificação do estado de necessidade

    a. Estado de necessidade real: ocorre quando o perigo realmente se verifica.

    b. Estado de necessidade putativo: ocorre quando a situação de perigo é apenas imaginada pelo agente, configurando-se situação de descriminante putativa (art. 20, § 1º). Exemplo: alarme falso de fogo no cinema lotado, em que o agente, para salvar-se, pisoteia e mata uma criança.

    c. Estado de necessidade defensivo: é sacrificado bem do causador do perigo.

---

35. HUNGRIA, Nélson. *Comentários ao Código Penal.* Vol. I, Tomo 2º, arts. 11 a 27. Rio de Janeiro: Revista Forense, 1953. p. 270-272.

36. Em sentido contrário, entendendo que essa regra só é aplicável ao dever legal e não a todas as hipóteses de "garantidor", ver HUNGRIA, Nélson. Op. cit., p. 271-272.

d. Estado de necessidade agressivo: é sacrificado bem de terceiro. Nesse caso, aquele que agiu em estado de necessidade deve indenizar o terceiro inocente, mas tem ação regressiva contra o causador do perigo.

Legítima defesa
Conceito e teorias

A legítima defesa consiste na repulsa ou reação diante de uma agressão humana injusta, a qual se justifica por diversas teorias, com uma divisão fundamental:[37]

a. De um lado, aqueles que veem na legítima defesa uma ação meramente impune (exclusão da culpabilidade): *teoria da coação psíquica* (a pessoa se defende em estado de medo e irracionalidade, ficando isento de pena); *teoria da inutilidade da ameaça penal* (diante da ameaça concreta do agressor, a pessoa reage de imediato, sem ter medo de um mal apenas possível imposto pelo Estado, ou seja, a pena), *teoria da colisão e direitos* (entre dois direitos em colisão, o Estado sacrifica o direito do agressor, o que não significa dar um direito ao agredido, limitando-se a isentar-lhe de pena).
b. De outro lado, os que pensam que a legítima defesa é uma causa excludente da ilicitude: teoria do direito de necessidade (uma deve reagir diante de uma necessidade, não permitindo sacrificar seu direito), teoria da cessação do direito de punir (fundada no direito natural, diz que tanto o direito natural quanto o direito positivo têm o mesmo fim da conservação humana, logo, quando "fala o primeiro deve calar o segundo"), teoria da legitimidade absoluta (segundo Ihering, a legítima defesa é um direito e um dever, pois existe para o sujeito e para o mundo).

---

37. Sobre o tema: SOLER, Sebastián. *Derecho Penal argentino*. vol. 1. Buenos Aires: Tipográfica Editora Argentina, 1992. p. 438-441.

Em nosso Código Penal, a legítima defesa é uma excludente da ilicitude, segundo o art. 25 do Código Penal. Assinala ROXIN que o direito à legítima defesa atualmente vigente se baseia em dois princípios: a *proteção individual* e a *prevalência do Direito*. A proteção individual significa que uma ação em legítima defesa se justifica sempre que for necessária à proteção de um bem individual, enquanto a prevalência do Direito quer dizer que a legítima defesa tem função preventiva geral, evidenciando que não se vulnera sem risco a ordem jurídica.[38]

Requisitos da legítima defesa

Os requisitos da legítima defesa são extraídos do art. 25 do CP. Ausente qualquer um deles, fica afastada a exclusão da ilicitude. Tais requisitos são os seguintes:

a. *Agressão injusta:* diferentemente do estado de necessidade, a legítima defesa volta-se contra a agressão humana. Tal agressão deve ser injusta, podendo voltar-se contra inimputáveis. No caso de agressão de animal, só haverá legítima defesa se este for usado como instrumento da agressão. Não se configura legítima defesa real contra outra descriminante real, pois, neste caso, a agressão não é injusta. Todavia, admite-se legítima defesa contra descriminante putativa. É possível, segundo alguns, legítima defesa contra ato de pessoa jurídica. Admite-se legítima defesa contra omissão. Exemplo: carcereiro que deixa de liberar o preso ao fim da pena. A legítima defesa também é admitida contra ato atípico. Exemplo: defesa contra furto de uso. A provocação do agredido não elimina a injustiça da agressão, posto que não constitua, em si mesma, uma real agressão.[39]

---

38. Nesse sentido: ROXIN, Claus. *Derecho penal:* parte general. T. 1. Madri: Editorial Civitas, 1999. p. 608-609.

39. Nesse sentido, HUNGRIA, Nélson. *Comentários ao Código Penal.* Vol. I, Tomo 2º, arts. 11 a 27. Rio de Janeiro: Revista Forense, 1953. p. 288.

b. *Defesa de um direito próprio ou alheio:* a legítima defesa não pode ser utilizada para a defesa de bens não protegidos juridicamente. Exemplo: furto de drogas de um traficante. O direito pode ser próprio (legítima defesa própria) ou alheio (legítima defesa de terceiro).
c. *Atualidade ou iminência:* a agressão deve ser atual ou iminente, não se configurando legítima defesa contra agressão passada ou remota.
d. *Uso dos meios necessários:* deve ser utilizado o meio produtor de menor dano, entre os disponíveis. Não se exige *commodus discessus*. Pune-se o excesso doloso ou culposo decorrente do uso de meios desnecessários.
e. *Moderação da repulsa:* os meios devem ser empregados com a intensidade e a extensão necessárias à repulsa da agressão, sendo punível o excesso doloso ou culposo. Excesso é a situação em que, diante de uma agressão, o agente age de forma imoderada, ou seja, de forma desnecessária, apresentando as seguintes formas:
   - excesso intensivo: é o uso de intensidade desnecessária, ou seja, falta de moderação ou necessidade dos meios empregados, como desferir tiros em uma pessoa desarmada;
   - excesso extensivo: é o uso de uma reação mais prolongada do que a necessária, quando a agressão não é mais atual ou iminente, como desferir tiros em um agressor já caído;
   - excesso causal: é a extrema desproporção entre o bem protegido e o bem sacrificado, como tirar a vida diante de um furto de frutas num pomar;
   - excesso punível: ocorre quando o agente se excede com dolo ou culpa, podendo ser extensivo (quando o agente estende a repulsa desnecessariamente, indo além do necessário para repelir a agressão), intensivo (quando o agente utiliza meio com intensidade desnecessária) ou causal (quando há extrema desproporção entre os bens jurídicos em conflito);
   - excesso impunível: ocorre quando o agente se excede sem dolo ou culpa, sendo também chamado de legítima defesa subjetiva ou excesso casual (não confundir com "causal", o qual é punível),

bem como quando o agente age impelido por medo intenso, configurando-se, nesse caso, uma causa de exclusão da culpabilidade por inexigibilidade de conduta diversa.

Legítima defesa funcional

Segundo o parágrafo único do art. 24, incluído pela Lei n. 13.964/2019, considera-se também legítima defesa o agente de segurança pública que repele agressão ou risco de agressão à vítima mantida refém durante a prática de crimes, desde que observados os requisitos do *caput*. Trata-se de acréscimo totalmente desnecessário, pois sempre que estiverem presentes os requisitos do *caput* deverá ser reconhecida a legítima defesa. É como se o parágrafo absurdamente dissesse que será reconhecida a legítima defesa sempre que o agente de segurança, para proteger um refém, observar os requisitos da legítima defesa. A legítima defesa, nessas condições, chama-se *legítima defesa funcional*.

Classificação da legítima defesa (formas)

a. Legítima defesa real: o agente preenche todos os requisitos da excludente.
b. Legítima defesa funcional: é a legítima defesa real praticada por agente de segurança pública que repele agressão ou risco de agressão à vítima mantida refém durante a prática de crimes.
c. Legítima defesa putativa: ocorre quando o agente imagina que está presente a causa de justificação (art. 20, § 1º).
d. Legítima defesa sucessiva: é a defesa contra o excesso.
e. Legítima defesa subjetiva: é a denominação do excesso impunível. Não deve ser confundido com os elementos subjetivos da legítima defesa.

Legítima defesa e estado de necessidade "agressivo"

Estado de necessidade agressivo: a ofensa deliberada a direito de pessoa inocente para defender-se de agressão injusta é considerada pela doutrina situação de estado de necessidade. Exemplo: A, para repelir agressão injusta de B, subtrai a arma de C e atira contra o agressor. Há legítima defesa em relação a B e estado de necessidade em relação a C. *Aberratio ictus* na legítima defesa: ocorre legítima defesa, com *aberratio ictus*, quando há erro no direcionamento da repulsa, atingindo-se pessoa inocente em vez do agressor. Fica excluída a ilicitude.

Legítima defesa da honra

Conforme esclarece HUNGRIA, sustenta a doutrina alemã que qualquer bem jurídico pode ser defendido mesmo com a morte do agressor, se não há outro meio para salvá-lo.[40] De fato, não se pode excluir da legítima defesa nenhum bem jurídico que esteja sofrendo agressão atual ou iminente, mas é verdade que a defesa apenas pode ser considerada legítima se a reação for proporcional ao ataque e, em se tratando de honra, jamais haverá proporcionalidade entre esta e a vida. Assim, em nenhuma hipótese, pode-se admitir que o homicídio seja justificado pela defesa da honra. O Supremo Tribunal Federal, no julgamento da ADPF 779, considerou inconstitucional o argumento da legítima defesa da honra nos julgamentos de homicídios perante o Tribunal do Júri, por contrariar os princípios constitucionais da dignidade da pessoa humana (art. 1º, III, da CF), da proteção à vida e da igualdade de gênero (art. 5º, *caput*, da CF). Na mesma decisão, a Suprema Corte deu interpretação conforme à Constituição aos arts. 23, II, e 25, *caput* e parágrafo único, do Código Penal e ao art. 65 do Código de Processo Penal, de modo a excluir a legítima defesa da honra do âmbito do instituto da legítima defesa.

Em nossa opinião, embora acertada quanto aos crimes contra a vida, a decisão da Suprema Corte brasileira foi longe demais ao banir a legítima defesa da honra do ordenamento jurídico. Imagine-se que alguém está prestes a enviar um e-mail difamatório pelo celular, momento em que a vítima percebe e dá um golpe no aparelho, quebrando-o. Obviamente que sua ação

---

40. HUNGRIA, Nélson. *Comentários ao Código Penal.* Vol. I, Tomo 2º, arts. 11 a 27. Rio de Janeiro: Revista Forense, 1953. p. 292.

configura legítima defesa da honra, a qual foi defendida dentro dos limites legais do instituto.

Exercício regular do direito e estrito cumprimento do dever legal

O exercício regular do direito e o estrito cumprimento do dever legal são *excludentes "em branco"*, pois, assim como as normas penais em branco, necessitam de um complemento previsto em outras normas que estabelecem direitos e deveres.

O exercício regular do direito ocorre quando o agente exerce um direito ou faculdade conferido pela lei. São exemplos dessa excludente o cidadão que realiza prisão em flagrante e o lutador que causa uma lesão no adversário dentro do ringue, desde que não extrapole as regras do esporte. Exemplo de exercício regular do direito é a autotutela da posse, prevista no art. 1.210, § 1º do Código Civil, que é a norma complementar. Segundo esse dispositivo, o possuidor turbado, ou esbulhado, poderá manter-se ou restituir-se por sua própria força, contanto que o faça logo; os atos de defesa, ou de desforço, não podem ir além do indispensável à manutenção ou restituição da posse.

O estrito cumprimento do dever legal, a seu turno, é a descriminante que opera em favor de funcionários públicos no exercício de suas funções e de pessoas que exercem múnus público, apresentando requisitos objetivos e subjetivos:

a. *requisitos objetivos:* existência de um dever público e observância dos limites do dever;
b. *requisitos subjetivos:* competência para a realização do ato e o conhecimento da situação de dever.

Entende-se que não só funcionários públicos, mas também os particulares podem agir em estrito cumprimento do dever legal, como ocorre, por exemplo na recusa em depor como testemunha em face do dever de sigilo profissional imposto a médicos, psicólogos, advogados etc.

Haverá excesso punível se o agente ultrapassar os limites do dever com dolo ou culpa, sendo punido pelo crime praticado e, eventualmente, por crime funcional (exemplo: abuso de autoridade). Verifica-se o excesso impunível se o agente público ultrapassa os limites do dever sem dolo ou culpa. ATENÇÃO: Não existe no ordenamento jurídico o dever de matar. Assim, se um policial mata em serviço, não haverá estrito cumprimento do dever legal, podendo ocorrer, isto sim, legítima defesa própria ou de terceiro.

Consentimento da vítima

O consentimento da vítima ocorre quando a pessoa ofendida concorda validamente com o sacrifício de seu direito. Pode figurar uma excludente da tipicidade penal ou da ilicitude.

a. *causa de atipicidade da conduta:* quando o dissenso integra o tipo, como ocorre no crime de estupro e na violação de domicílio, em que a conduta só se tipifica se o agente pratica o fato contra a vontade da vítima, pois esta integra o tipo penal;
b. *causa supralegal de exclusão da ilicitude:* quando a discordância da vítima não integra o tipo penal, como no crime de dano, de modo que se a vítima concorda, o fato é típico, mas não ilícito.

Para se configurar uma excludente da ilicitude, o consentimento da vítima deve observar os seguintes requisitos: capacidade para consentir; consentimento anterior ou concomitante ao fato; disponibilidade do bem ou direito; não constituir o dissenso elementar do tipo, pois, neste caso, será excludente da tipicidade.

Excludente da ilicitude	Excludente da tipicidade
O consentimento da vítima exclui a ilicitude quando a discordância não integra o tipo, como no dano.	O consentimento da vítima exclui a tipicidade se a discordância, de alguma forma, for elementar do tipo, como no estupro.

Ofendículos

Do latim *offendicula*, ofendículos são artefatos utilizados para a proteção pessoal e residencial, como cacos de vidro no muro, cerca elétrica, cães de guarda etc. São considerados *exercício regular de direito*, enquanto não acionados, e *legítima defesa preordenada*, quando acionados. Seu uso pode estar sujeito à regulamentação especial, como leis municipais relativas à instalação de cerca elétrica.

Descriminantes putativas

Definição e espécies

Descriminante putativa ou imaginária é a conduta aparentemente amparada numa excludente da ilicitude por erro do agente quanto a situação fática ou jurídica, que supõe erroneamente estar agindo amparado por uma excludente da ilicitude. Assim, enquanto na descriminante real o agente age de acordo com o direito, na descriminante putativa o agente supõe estar agindo de acordo com o direito, quando, na verdade, não está. Pode haver descriminante putativa por erro de fato (erro de tipo permissivo) ou por erro de direito (erro de proibição indireto).

Descriminante putativa por erro de fato (erro de tipo permissivo)

A descriminante putativa por erro de fato, também chamada de erro de tipo permissivo, ocorre quando o agente supõe uma situação de fato que, se existisse, tornaria a ação legítima, isto é, justificada (CP, art. 20, § 1º). Nada mais é do que uma ilusão, em que o agente imagina que está diante de um perigo, de uma agressão ou outra situação que justifica agir contra o direito. Assim, o agente supõe erroneamente que está diante de uma situação fática que autoriza a conduta, como no exemplo do pai que acorda sobressaltado no meio da noite com alguém forçando a porta e desfere um tiro, por pensar que é um assaltante, acabando por atingir o próprio filho que estava chegando em casa sem a chave. A situação de legítima defesa era apenas imaginária, pois não se tratava, de fato, de um ladrão. Também exemplifica essa descriminante o seguinte caso: num cinema lotado, adolescentes gritam "fogo" e produzem fumaça com um aparato, fazendo as pessoas acreditarem que precisam sair correndo, pisoteando umas às outras e causando lesão corporal. Essa situação, se fosse real, seria um estado de necessidade, mas, no caso de ser imaginária, é um estado de necessidade putativo.

Aplica-se igualmente a descriminante putativa aos casos de estrito cumprimento do dever legal e exercício regular do direito. Imagine-se que a vítima do assalto indica para o policial o indivíduo que acabou de praticar o crime e o policial o prende, vindo a descobrir, posteriormente, que se trata de um erro da vítima, a qual indicou uma pessoa muito semelhante ao verdadeiro assaltante. Nesse caso, a prisão ilegal foi praticada numa situação de estrito cumprimento do dever legal putativo.

Nada obsta, outrossim, que a excludente putativa ocorra numa causa especial de exclusão da ilicitude. Exemplo: um médico realiza aborto diante de uma falsa comunicação de ocorrência de estupro, pensando estar amparado pela excludente especial prevista no art. 128, II, do CP.

Descriminante putativa por erro de direito (erro de proibição indireto ou erro de permissão)

Nesta espécie de descriminante putativa, o agente não erra sobre a situação de fato, que está perfeitamente delineada em sua mente. O agente age contra o direito sem saber, por pensar que está juridicamente autorizado a agir, o que pode ocorrer de duas maneiras:

a. *Erro sobre a existência de uma excludente:* o agente pensa que existe uma excludente de ilicitude para sua conduta. Exemplo: um delegado de polícia, não tendo como proteger uma propriedade privada, autoriza o proprietário a ter arma. Logicamente que essa autorização não é válida, mas o agente supõe que sim e que sua conduta não é crime, por estar amparada por uma excludente, que é a autorização policial.

b. *Erro sobre os limites de uma excludente válida*: nesse caso, o agente desconhece o alcance da excludente da ilicitude, o que é mais comum do que se imagina, especialmente na legítima defesa. Exemplo: após ser assaltado e a fim de evitar perder seus bens, a vítima resolve matar o assaltante pelas costas, praticando um excesso por desconhecer os limites da excludente.

Erro evitável e erro inevitável

Erro *inevitável, invencível* ou *escusável* é aquele que o agente não pode evitar, ou seja, qualquer pessoa na mesma situação cometeria o erro, por mais cauteloso que fosse. Exemplo: numa noite escura, em bairro violento, alguém se aproxima com uma chave de roda, com o intuito de pedir ajuda para trocar o pneu de seu carro, mas é confundido com assaltante.

Erro *evitável, vencível* ou *escusável* é aquele que a pessoa pode evitar se agir com mais cautela. Exemplo: mesmo em se tratando de um bairro violento, a pessoa que se aproxima é um idoso que se move com dificuldade e gesticulando amistosamente, não podendo ser confundida com assaltante se for mais bem observada.

Consequências das descriminantes putativas

No caso de *erro inevitável*, isto é, que o agente não tem como evitar, nenhuma consequência jurídica advém ao agente, por isso é chamado também de *erro escusável*. Mas, se o agente puder evitar o erro (*erro evitável*), de alguma forma, deverá fazê-lo, caso contrário sofrerá as consequências jurídico-penais de sua conduta, respondendo pelo crime (*erro inescusável*).

Na descriminante putativa fática (art. 20, § 1º), se o erro é inevitável, o agente fica isento de pena. Mas se poderia evitar o erro, o agente deverá responder com a pena do crime culposo, configurando-se a hipótese de culpa imprópria, por ficção ou equiparação, em que, mesmo havendo dolo em relação ao resultado, a pena será de crime culposo, se previsto em lei. Na descriminante putativa por erro de direito, também chamada de erro de permissão ou erro de proibição indireto, deve ser aplicado o art. 21 do Código Penal, que trata do erro de proibição. Assim, no caso de erro inevitável, há isenção de pena, mas, no caso de erro evitável, haverá mera redução de 1/6 a 1/3.

Veja-se que não há autêntica exclusão da ilicitude, pois o fato praticado é contrário ao direito, embora o agente não saiba disso. Com efeito, o que existe é uma situação de excludente da culpabilidade penal. No caso de erro de tipo permissivo, ocorre clara situação de inexigibilidade de conduta diversa, pois o art. 20, § 1º, fala em isenção de pena, o que se refere à culpabilidade como juízo de reprovação e medida da pena. No caso da descriminante putativa por erro de direito, haverá incidência do art. 21, por se tratar de um erro de proibição (indireto).

Essa distinção entre as descriminantes putativas por erro de tipo e por erro de proibição indireto é adotada pela *teoria limitada da culpabilidade*, acolhida em nosso Código Penal, tratando de modo diverso as descriminantes putativas por erro de tipo (art. 20, § 1º) e as descriminantes putativas por erro de proibição indireto (art. 21).[41] Para a chamada *teoria extremada da culpabilidade*, porém, todas as descriminantes putativas decorrem de erro de proibição.

Excesso nas excludentes da ilicitude

Conceito

Ocorre quando a conduta do agente vai além do necessário para salvaguardar o direito ameaçado. Exemplo: para repelir a agressão de um bêbado desarmado, a pessoa agredida efetua disparos de arma de fogo, matando-o. Segundo o art. 23, parágrafo único, o agente, em qualquer das descriminantes, responderá pelo excesso doloso ou culposo.

Excesso punível e impunível

O *excesso punível* está previsto no art. 23, parágrafo único, o qual determina que o agente seja punido por dolo ou culpa, nos limites do excesso praticado. Assim, por exemplo, se a vítima de uma agressão reage em legítima defesa e causa lesões graves, mas, depois de cessada a agressão, continua a golpear o agressor, causando lesões leves, não poderá ser acusada de lesões graves, pois, durante o excesso, praticou apenas lesões de natureza leve.

O *excesso impunível* ocorre quando o agente não é punido pela conduta excessiva, podendo ocorrer nos seguintes casos:

---

41. Nesse sentido, veja item 21 da Exposição de Motivos da Nova Parte Geral do Código Penal.

a. *Excesso fortuito ou casual:* ocorre quando o agente atua sem dolo ou culpa, excedendo-se acidentalmente. Exemplo: ao reagir à importunação de um bêbado, uma mulher sozinha o empurra e ele acaba caindo e batendo a cabeça, vindo a falecer.
b. *Excesso exculpante por inexigibilidade de conduta diversa:* quando o agente atua com dolo ou culpa, mas em situação de medo intenso (inexigibilidade de conduta diversa). Exemplo: uma mulher é atacada por um estuprador e se desespera, conseguindo pegar uma pedra e golpear a cabeça do agressor, mas não percebe que a agressão já cessou e continua a bater, desesperadamente, em razão do pânico.
c. *Excesso exculpante por erro de proibição indireto:* ocorre quando o agente erra sobre os limites da causa de justificação por desconhecer os limites da descriminante. Exemplo: pensando que é lícito conter o ladrão a qualquer custo, alguém reage imoderadamente contra o autor de um roubo, mesmo após este já estar em fuga.

Excesso intensivo e excesso extensivo

O excesso intensivo ou próprio ocorre no contexto da descriminante quando ainda se encontram presentes os pressupostos fáticos, quando o agente usa meios desnecessários ou age com falta de moderação. Por exemplo, para repelir uma agressão de uma pessoa desarmada, o agente efetua vários disparos de arma de fogo, matando o agressor, quando bastava feri-lo. Excesso extensivo ou impróprio ocorre quando não estão mais presentes os pressupostos fáticos, em que a agressão é passada, faltando o requisito da atualidade ou iminência. Por exemplo: o agente continua a desferir golpes contra o agressor após cessada a agressão. Conforme BARROS,[42] o verdadeiro excesso é o intensivo, pois excesso extensivo, a rigor, não é excesso, mas crime autônomo.

---

42. BARROS, Flávio Augusto Monteiro de. Op. cit., p. 393.

3.6 CULPABILIDADE

Conceito de culpabilidade

Culpabilidade é o terceiro requisito ou substrato do crime, de acordo com a teoria tripartida, consistindo num juízo de reprovação do fato praticado.

| Tipicidade | Ilicitude | Culpabilidade |

Segundo a teoria bipartida, culpabilidade não integra o conceito de crime, sendo mero pressuposto de aplicação da pena. Em qualquer das teorias, conceitualmente, culpabilidade é o juízo de reprovação sobre o fato típico e ilícito. Essa reprovação, segundo ZAFFARONI, somente pode ser edificada sobre a base antropológica da autodeterminação como capacidade do homem.[43] Isto significa que, para ser culpável, o indivíduo deve ter capacidade e possibilidade de compreender a ilicitude do fato e de autodeterminar-se de acordo com essa compreensão, de modo que o direito possa exigir-lhe um comportamento adequado.

Repudia-se, modernamente, a ideia de um "Direito Penal do autor". Dessa forma, a reprovação deve incidir sobre o ato e não sobre seu autor. Reprova-se o ato praticado e não a pessoa que o praticou. A ideia de Direito Penal do autor remonta a Aristóteles, que concebia a culpabilidade pela conduta de vida, referindo-se a pessoas que se afastam da virtude.

Princípio da culpabilidade e sua evolução

A primeira forma de conceber-se a culpabilidade foi por meio do brocardo *nullum crimen sine culpa*, o que ficou conhecido como *princípio da culpabilidade*. Esse princípio tinha por fim expurgar do Direito Penal a responsabilidade objetiva, isto é, a punição sem dolo ou culpa. Mais tarde, com a evolução da culpabilidade, dolo e culpa passaram a fazer parte da tipicidade, e o princípio da culpabilidade assumiu uma dupla função:

---

43. ZAFFARONI, Eugenio Raúl. Op. cit., p. 607.

a. não há reprovação sem dolo ou culpa;
b. não há reprovação sem autodeterminação.[44]

Funções da culpabilidade

Atualmente, a culpabilidade assume duas funções distintas:

a. como fundamentação da pena, isto é, condição para aplicação de uma pena criminal (*nullum crimen sine culpa*);
b. na quantificação da pena.

Esclarece ROXIN que ambas as funções – fundamentação da pena e quantificação da pena – não estão isoladas uma da outra.[45]

Evolução da culpabilidade

Primeira fase: responsabilidade objetiva
Nas formas primitivas de reprovação, a punição não levava em conta a subjetividade, traduzindo-se como simples punição pelo resultado lesivo verificado, cujo único limitador era a imputabilidade, ou seja, a capacidade de imputação. Assim, bastava que alguém praticasse uma ofensa para ser punido, independentemente de dolo ou culpa (*versare in re illicita*), o que se traduz por responsabilidade penal objetiva. Era um período de total misticismo e irracionalidade punitiva, em que até animais eram condenados à morte por causar danos ou copular com humanos.

Segunda fase: teoria psicológica e princípio da culpabilidade
Para haver culpabilidade, deve haver uma relação psicológica (liame subjetivo) entre o fato praticado e o autor, ou seja, o autor deve agir com dolo ou culpa. Descarta a responsabilidade objetiva e a culpabilidade, composta por dolo ou culpa, e passa a ser a verificação da existência de vínculo psicológico entre o indivíduo imputável e o fato praticado (*nullum crimen sine culpa*).

---

44. Idem, ibidem, p. 607.
45. ROXIN, Claus. *Derecho penal:* parte general. Tomo I. 2. ed. Madri: Civitas, 1999. p. 814.

Nessa teoria, os elementos da culpabilidade são imputabilidade e vínculo psicológico (dolo e culpa). Assim, para haver culpabilidade é preciso que se trate de indivíduo imputável e que tenha agido dolosa ou culposamente. Há coincidência dessa teoria com o sistema causal-naturalista, em que a conduta é um ato de vontade, causador de um resultado. Nessa fase, vige a dicotomia "erro de fato" e "erro de direito", oriunda do Direito romano. O erro de fato afasta o dolo, permitindo a punição por crime culposo, se previsto em lei. O erro de direito é inescusável (*error juris nocet*).

Terceira fase: normativismo ou teoria psicológico-normativa

Com o *neokantismo* ou *neoclassicismo*, ganhou força o normativismo penal, trazendo uma reorganização teleológica, conforme fins e valores do Direito Penal.[46] O Direito Penal passou a ser influenciado pela concepção de Reinhardt Frank,[47] o qual foi o precursor da teoria normativa em sua monografia *Über den Aufbau des Schuldbegriffs*, além dos pensadores James Goldschmidt, Berthold Freudenthal e outros.[48] Foi introduzida na culpabilidade a "exigibilidade de conduta diversa", elemento normativo que exige a verificação, além do dolo e da culpa (vínculo psicológico), se o agente podia agir de outro modo quando praticou o crime, com base na verificação da "normalidade das circunstâncias concomitantes". Ganhou celebridade na Alemanha o "caso do cavalo indócil", em que o Tribunal absolveu o cocheiro que atropelou uma pessoa, tendo previsto tal fato, em face do comportamento teimoso do cavalo. Mesmo reconhecendo estar presente o vínculo psicológico, afastou-se a culpabilidade por "inexigibilidade de outra conduta", já que o cocheiro havia sido ameaçado de perder o emprego se não cumprisse as ordens do patrão de colocar o cavalo no serviço. Portanto, diante da anormalidade das circunstâncias concomitantes, não se podia haver conduta diversa do cocheiro. Além

---

46. SANTOS, Juarez Cirino dos. *A moderna teoria do fato punível*. Rio de Janeiro: Freitas Bastos, 2002. p. 6.

47. GOLDSCHMIDT assevera que a concepção normativa da culpabilidade foi concebida pela primeira vez por Beling, ao considerar o estado de necessidade uma causa de exclusão da pena. Nesse sentido: GOLDSCHMIDT, James. *La concepción normativa de la culpabilidad*. Buenos Aires: Editorial Depalma, 1943. p. 9.

48. Nesse sentido: NUÑES; Ricardo. *In* GOLDSCHMIDT, James. *La concepción normativa de la culpabilidad*. Buenos Aires: Editorial Depalma, 1943. p. XXV.

disso, para se exigir conduta de acordo com o direito, é preciso averiguar se a pessoa tem conhecimento do direito. Assim, foi inserido na culpabilidade o elemento da "consciência da ilicitude". Inicialmente, foi adotada a ideia de dolo valorado do direito civil – *dolus bonus* e *dolus malus* – atrelando-se a consciência da ilicitude como um terceiro elemento do dolo. Assim, formou-se o dolo normativo, composto de dolo e culpa, como elementos naturais, e consciência da ilicitude, como elemento normativo do dolo.

Para a teoria extremada do dolo, a consciência da ilicitude deve ser real, enquanto para a teoria limitada do dolo é suficiente a consciência potencial da ilicitude. Prevalece a teoria limitada do dolo, na qual basta a consciência potencial da ilicitude, isto é, que seja possível ao agente conhecer o caráter ilícito do fato, para ficar configurada a culpabilidade. Nessa época, já não se falava mais em erro de fato e erro de direito, já que a evolução do conceito de tipicidade demonstrou que o tipo contém elementos normativos, havendo, pois, direito também no tipo penal, e não apenas fato. Assim, foi adotado o conceito de erro de tipo, em substituição a erro de direito, e erro de proibição (ou erro sobre a ilicitude do fato), em substituição ao erro de direito.

Surgiu, dessa forma, a teoria unitária do erro, estabelecendo que tanto o erro de tipo quanto o erro de proibição produzem o mesmo efeito, ou seja, excluem a culpabilidade. Não poderia ser diferente, já que o erro de tipo, incidindo sobre a representação da realidade, exclui o dolo, enquanto o erro de proibição incidia sobre a consciência da ilicitude, que também integrava o dolo. Havendo exclusão do dolo, em qualquer caso, seja por ausência de elemento intelectual, seja por ausência de elemento normativo, ficava excluída a culpabilidade dolosa, podendo haver punição a título de culpa. Mas isso mudou com a teoria normativa pura da culpabilidade.

Quarta fase: teoria normativa pura

A *teoria finalista*, de Hans Welzel, deslocou o dolo e a culpa da culpabilidade e os agregou à tipicidade. Afinal, não haveria sentido em tipificar uma tentativa de homicídio, isto é, um crime doloso contra a vida, e só verificar a existência do dolo posteriormente, por ocasião da culpabilidade. Ou seja, dolo e a culpa são indissociáveis da conduta, que integra a tipicidade, pois permitem identificar o direcionamento finalístico da ação ou da omissão. Ficou na culpabilidade, porém, o elemento normativo, isto é, a consciência potencial da ilicitude, já que o dolo do finalismo, presente na conduta, é dolo natural, composto apenas pelo elemento intelectual e pelo elemento volitivo. Assim, a culpabilidade ficou composta pelos seguintes elementos normativos (teoria normativa pura): imputabilidade, potencial consciência da ilicitude e exigibilidade de conduta diversa.

Assim, surgiu a teoria diferenciadora do erro, na qual o erro de tipo exclui o dolo (falta do elemento intelectual) e o erro de proibição exclui a culpabilidade (falta de consciência da ilicitude). É a teoria adotada atualmente. Dentro dela, há duas variantes, que serão estudadas juntamente do erro de proibição: teoria extremada da culpabilidade e teoria limitada da culpabilidade.

Elementos da culpabilidade

Segundo a teoria normativa pura, a culpabilidade é composta de imputabilidade, consciência potencial da ilicitude e exigibilidade de conduta diversa.

Imputabilidade

Imputabilidade é a capacidade de compreensão e de autodeterminação, presente em todos os indivíduos mentalmente maduros e sãos. É também considerada um pressuposto da culpabilidade. Em termos simplificados, trata-se da capacidade penal, a qual é regida pelos seguintes sistemas:

a. Sistema biológico: leva em conta apenas o desenvolvimento mental completo, ou seja, o aspecto biológico. Foi adotado pelo Código Penal em relação aos menores de 18 anos (presunção absoluta de inimputabilidade).
b. Sistema psicológico: leva em consideração apenas a capacidade intelectual (entender o caráter ilícito do fato) e volitiva (capacidade de agir de acordo com esse entendimento).
c. Sistema biopsicológico ou misto: simbiose dos dois sistemas anteriores, foi adotado pelo Código Penal, exceto para os menores de 18 anos. Quanto aos maiores, a imputabilidade é presumida,

podendo ser afastada por prova em contrário (incidente de insanidade mental ou outra perícia), devendo abranger os dois aspectos da capacidade: entender o caráter ilícito do fato (capacidade intelectual) e determinar-se de acordo com esse entendimento (capacidade volitiva).

Consciência potencial da ilicitude

Além da capacidade de compreensão e autodeterminação, também deve ser possível para o indivíduo compreender a ilicitude do caso concreto. Assim, consciência potencial da ilicitude é a possibilidade de um indivíduo imputável conhecer o sistema de proibições a que está sujeito na vida em sociedade, não se exigindo conhecimento da lei, mas um conhecimento do direito na esfera do profano e comum a todos os membros do grupo social (não matar, não furtar, não enganar etc.). A lei brasileira adotou a teoria limitada do dolo, exigindo que a consciência da ilicitude seja apenas potencial, ou seja, para haver culpabilidade basta que o agente, empregando alguma diligência, consiga adquirir consciência acerca da ilicitude do comportamento. Repudiou-se, portanto, a teoria extremada do dolo, que exige consciência real da ilicitude, ou seja, para haver culpabilidade é preciso haver efetivo conhecimento da ilicitude, não bastando a mera possibilidade de consciência do caráter ilícito do fato. Chamam-se teorias do dolo pois este nasceu, como sabemos, dentro da culpabilidade (teoria psicológica), migrando, graças ao finalismo, para a tipicidade (teoria normativa pura).

Teoria extremada do dolo	Teoria limitada do dolo
Para que haja culpabilidade, a consciência da ilicitude precisa ser efetiva.	Para que haja culpabilidade, basta a possibilidade de compreender a ilicitude. Adotada no Direito brasileiro.

Exigibilidade de conduta diversa

Refere-se à verificação da concreta possibilidade de um indivíduo agir de acordo com as normas jurídicas. Nesse sentido, um fato só será reprovável se o indivíduo pode, nas circunstâncias, agir de acordo com o Direito (*poder agir de outro modo*). Deve ser aferida de acordo com a *teoria da normalidade das circunstâncias concomitantes*, de Reinhard Frank. Assim, diante de situações normais, exige-se um respeito às normas de dever; mas em situações anormais, nem sempre é possível exigir do indivíduo uma ação de acordo com as normas. Exemplo típico é a pessoa que pratica um crime sob ameaça de morte. Obviamente, nesta situação, não há reprovabilidade (culpabilidade), pois não se pode exigir que, em tais circunstâncias, a pessoa não pratique um crime.

Caráter gradual e normativo da culpabilidade: exclusão e diminuição da sanção penal

A culpabilidade pode ser comparada a uma balança. Quanto maior o peso da reprovação, maior a pena; quanto menor a reprovação do fato, menor será a pena, que pode inclusive ser excluída. Portanto, a culpabilidade é uma forma de graduar a reprovação penal desde o máximo até sua isenção. Assim, a culpabilidade é excluída quando falta um de seus elementos (imputabilidade, consciência potencial da ilicitude ou exigibilidade de conduta diversa), ficando o autor do fato isento de pena. Mas, se algum dos elementos da culpabilidade estiver apenas enfraquecido, haverá a diminuição da pena, mas não sua isenção. Isso ocorre, por exemplo, no caso de semi-imputabilidade, prevista no CP, art. 26:

> [...] a pena pode ser reduzida de 1/3 a 2/3, se o agente, em virtude de perturbação de saúde mental ou por desenvolvimento mental incompleto ou retardado não era inteiramente capaz de entender o caráter ilícito do fato ou de determinar-se de acordo com esse entendimento.

Isso acontece porque a culpabilidade é normativa e pode ser graduada. Em resumo, a ausência de reprovabilidade leva à isenção da pena, mas, havendo reprovabilidade, esta pode ser maior ou menor, conforme o caso.

A exclusão da culpabilidade (isenção de pena) ocorre nos seguintes casos:

a. inimputabilidade;
b. erro de proibição inevitável;

c. inexigibilidade de conduta diversa: causas legais e supralegais (coação moral irresistível, obediência hierárquica a ordem não manifestamente ilegal, infiltração de agentes, excesso exculpante nas descriminantes etc.).

A diminuição da culpabilidade (redução da pena) ocorre nos seguintes casos:

a. imputabilidade penal reduzida (semi-imputabilidade);
b. erro de proibição evitável.

Inimputabilidade e semi-imputabilidade

Inimputabilidade é a falta de capacidade penal do agente, enquanto a semi-imputabilidade nada mais é do que a existência de uma capacidade reduzida. A legislação traz diversas situações a serem estudadas, como a menoridade penal, a doença mental, a embriaguez etc.

Menoridade penal

Para os menores de 18 anos foi adotado o critério biológico puro, presumindo-se de modo absoluto a incapacidade, a qual não pode ser afastada nem mesmo pela emancipação civil, não se admitindo prova em contrário. A responsabilidade dos menores de 18 anos em razão de atos considerados crimes pela lei penal é tratada no Estatuto da Criança e do Adolescente, que tem um caráter educativo e não punitivo, muito embora, na prática, as medidas socioeducativas acabem sendo, muitas vezes, mais graves que uma pena criminal. O menor torna-se imputável no primeiro segundo do dia em que faz 18 anos, independentemente da hora do seu nascimento.

Doença mental ou desenvolvimento mental incompleto ou retardado

São inimputáveis os maiores portadores de doença mental ou desenvolvimento mental incompleto ou retardado que lhes retire integralmente a capacidade de compreensão ou autodeterminação, nos termos do art. 26 do CP, devendo-se observar os seguintes requisitos:

a. Causal: é o que causa a inimputabilidade, afetando o aspecto biológico (doença mental ou desenvolvimento mental incompleto ou retardado).
b. Consequencial: é o comprometimento do aspecto psicológico, isto é, a incapacidade de compreender o caráter ilícito do fato ou de determinar-se de acordo com esse entendimento. Basta uma das formas de incapacidade para configurar a inimputabilidade.
c. Cronológico ou temporal: é o momento da ação ou da omissão.

A inimputabilidade sempre determina a absolvição. No caso de inimputabilidade por doença mental, a prova é feita mediante incidente de insanidade mental (CPP, art. 149). O réu será submetido à medida de segurança, em face da periculosidade (absolvição imprópria). No caso de embriaguez completa acidental, não será aplicada a medida de segurança, pois não há periculosidade, apenas situação transitória (absolvição própria). Na inimputabilidade da Lei n. 11.343/2006, o agente poderá ser encaminhado a tratamento médico.

Enquanto a imputabilidade dos maiores de 18 anos se presume, a inimputabilidade se comprova. Nos estados não transitórios, a prova cabível é pericial. A condição de indígena, por si só, não exclui a imputabilidade, podendo, entretanto, excluir a consciência potencial da ilicitude. Em caso de condenação, deve ser aplicada a atenuante prevista no art. 56 do Estatuto do Índio, levando-se em conta o grau de integração (Lei n. 6.001/73).

Exemplo de inimputabilidade: um adulto abusa sexualmente de uma criança de 11 anos, vindo a perícia, durante o processo, a concluir que o autor do fato tem idade mental de 12 anos (desenvolvimento mental incompleto ou retardado) e supunha estar se relacionando com alguém da sua idade, sendo totalmente incapaz de compreender o caráter ilícito do fato.

Imputabilidade reduzida (semi-imputabilidade)

Semi-imputabilidade é a redução da capacidade penal do agente. Na semi-imputabilidade ou imputabilidade reduzida ou restrita, não há incapacidade total do indivíduo, apenas parcial, decorrente de causas distintas. A semi-imputabilidade sempre determina a condenação, mas o juiz irá reduzir a pena de 1 a 2/3 (CP, art. 26, parágrafo único; CP, art. 28, § 2º; Lei n. 11.343/2006, art. 46). No caso de doença mental, o juiz pode substituir a pena por medida de segurança, se verificada a periculosidade (CP, art. 98), vedada a cumulação entre pena e medida de segurança (sistema vicariante).[49] No caso de dependência química ou intoxicação acidental por drogas, prevista no art. 45 da Lei n. 11.343/2006, o agente poderá ser encaminhado a tratamento médico, sem prejuízo da pena aplicada. Na semi-imputabilidade o indivíduo é imputável, mas sua pena é reduzida pois o *requisito causal* (perturbação da saúde mental ou desenvolvimento mental incompleto ou retardado) gera uma incapacidade parcial no requisito consequencial.

Embriaguez

Segundo o Código Penal, a embriaguez voluntária, pelo álcool ou efeitos análogos, não exclui a imputabilidade (art. 28, II), adotando, assim, a teoria da *actio libera in causa* ou *ação livre na causa*, a qual se aplica aos casos em que alguém, no estado de não imputabilidade, é causador, por ação ou omissão, de algum resultado punível, tendo-se colocado naquele estado, ou propositadamente, com a intenção de produzir o evento lesivo, ou sem essa intenção, mas tendo previsto a possibilidade do resultado, ou, ainda, quando a podia ou devia prever.[50] Em outras palavras, quando o agente entra em estado de incapacidade por sua própria vontade, será considerado imputável. Tal corre na embriaguez, que é a intoxicação por álcool ou substância de efeitos análogos.

A embriaguez classifica-se em:

a. Embriaguez voluntária: é aquela em que o agente bebe com intenção de embriagar-se ou se excede no consumo. Não há exclusão da imputabilidade (art. 28, II), desde que a prática do crime seja algo

---

49. O CP de 1940 adotava o sistema duplo-binário, que permitia acumular penas e medidas de segurança. O sistema vicariante, adotado posteriormente, proibiu essa acumulação.
50. QUEIRÓZ, Narcélio de. *Teoria da "actio libera in causa" e outras teses*. 2. ed. Rio de Janeiro: Forense, 1963. p. 37.

previsível ao princípio, como o indivíduo que bebe no bar, sabendo que irá dirigindo embora, culminando por atropelar uma pessoa.
b. Embriaguez preordenada: espécie de embriaguez voluntária, na qual o agente bebe a fim de encorajar-se para praticar o crime, ocorrendo então uma agravante da pena (CP, art. 61, II, *l*).
c. Embriaguez involuntária: é aquela decorrente de caso fortuito ou força maior, como a pessoa que é obrigada a beber ou aquela que cai num tanque de fermentação, acabando por ingerir a bebida em processamento. Essa forma de embriaguez, por não ser uma ação livre na causa, acaba por gerar inimputabilidade ou semi-imputabilidade, pois conforme o art. 28 do Código Penal: É isento de pena o agente que, por embriaguez completa, proveniente de caso fortuito ou força maior, era, ao tempo da ação ou da omissão, inteiramente incapaz de entender o caráter ilícito do fato ou de determinar-se de acordo com esse entendimento (§ 1º). A pena pode ser reduzida de 1/3 a 2/3, se o agente, por embriaguez, proveniente de caso fortuito ou força maior, não possuía, ao tempo da ação ou da omissão, a plena capacidade de entender o caráter ilícito do fato ou de determinar-se de acordo com esse entendimento (§ 2º).

Embriaguez patológica
Caso a embriaguez do agente configure uma doença mental, poderá haver inimputabilidade ou semi-imputabilidade na forma do art. 26 do Código Penal.

Inimputabilidade e semi-imputabilidade por drogas
Embora o art. 28 do Código Penal se refira a álcool e substâncias de efeitos análogos, não se aplica essa regra aos casos de intoxicação acidental por drogas ou dependência de drogas, pois a Lei n. 11.343 dispõe de forma expressa a respeito. Nesse caso, haverá inimputabilidade mediante a total incapacidade de compreensão ou autodeterminação e semi-imputabilidade se a incapacidade for parcial.

Emoção e paixão

Emoção e paixão são estados psíquicos alterados, que podem comprometer o julgamento do indivíduo, como medo, ciúme etc. A emoção é alteração psíquica transitória (exemplo: raiva), enquanto a paixão tem caráter duradouro (exemplo: ódio).

Efeitos penais: não excluem a imputabilidade a emoção e a paixão (art. 28, I, do Código Penal), podendo configurar uma atenuante (art. 65, III, *c*, do CP) ou privilegiadora (art. 121, § 1º), no caso de emoção violenta provocada por ato da vítima. Se patológicos, tais estados podem vir a ser enquadrados no art. 26 do CP.

Erro de proibição

Conceito

Erro de proibição é a falta de consciência potencial da ilicitude. Nessa excludente, o agente atua sem consciência da ilicitude do fato praticado (CP, art. 21). Exemplo: indivíduo tosco que encontra uma joia valiosa e dela se apropria, supondo que sua conduta é lícita, pois ignora o preceito do art. 169, parágrafo único, II, do CP. Distingue-se do erro do tipo, em que o agente, embora tendo conhecimento da ilicitude, erra sobre alguma elementar do tipo penal. Exemplo: agente que, ao sair de uma reunião, leva para casa celular alheio, idêntico ao seu, pensando que, de fato, é o telefone de sua propriedade. Não se confunde com o conhecimento da lei, pois esta não é conhecida por muitos indivíduos, especialmente os analfabetos. Por isso, o desconhecimento da lei é inescusável, isto é, não pode ser usado como desculpa para a prática do crime, nos termos do art. 21. O que se busca identificar é se o indivíduo agiu por ignorância dos valores jurídicos da sociedade no caso concreto.

Classificação
  a. Erro de proibição escusável ou inevitável: o erro é invencível, isto é, o agente atua sem consciência da ilicitude e não tem como adquirir tal conhecimento – exclui a culpabilidade;

b. erro de proibição inescusável ou evitável: há erro vencível, ou seja, o agente poderia, com maior diligência, adquirir conhecimento sobre a ilicitude (art. 21, parágrafo único) – não exclui a culpabilidade, mas a pena pode ser reduzida de 1/6 a 1/3;
c. erro de proibição direto: o agente desconhece a ilicitude do comportamento;
d. erro de proibição indireto (erro de permissão): o agente conhece a ilicitude do comportamento, mas pensa que está amparado em causa excludente.

Teorias

1. Teoria extremada da culpabilidade: considera que toda a descriminante putativa constitui erro de proibição indireto.
2. Teoria limitada da culpabilidade: considera que a descriminante putativa será erro de tipo permissivo ou erro de proibição indireto. Assim, quando o erro incidir sobre os pressupostos fáticos da causa de justificação, será erro de tipo permissivo (CP, art. 20, § 1º). Exemplo: sujeito que atira no próprio filho pensando tratar-se de um ladrão. Porém, haverá erro de proibição indireto (erro de permissão), quando o erro incidir:
   2.1. Sobre a existência de uma descriminante. Exemplo: policial autoriza o porte de arma por uma pessoa que, mesmo sabendo da proibição, pensa que na situação recebeu uma permissão válida; após um acidente com um caminhão, um policial, para evitar maior dano, autoriza que cada pessoa leve apenas um produto, vindo as pessoas a pensarem que estão autorizadas ao saque.
   2.2. Sobre os limites da causa de justificação. Exemplo: após cessada a agressão, indivíduo, pensando que está amparado pela legítima defesa, continua com a reação, praticando excesso, por erro (excesso exculpante por erro de proibição indireto).

A doutrina majoritária afirma que o Brasil adota a teoria limitada da culpabilidade (itens 17 e 19 da Exposição de Motivos do Código Penal). Parte da doutrina, amparada em Hans-Heinrich Jescheck, considera a descriminante putativa por erro quanto aos pressupostos fáticos um erro *sui generis*, ou seja, um misto de erro de tipo permissivo e erro de proibição (Rogério Greco, Cézar Bitencourt, Luiz Flávio Gomes etc.). Não se deve confundir *erro de tipo permissivo* com *erro de permissão* (erro de proibição indireto).

Algumas atividades não admitem erro de proibição, na medida em que se exige do agente que se informe antes de praticar a conduta, como ocorre, por exemplo, com o porte de arma de fogo, existindo o chamado "dever de informar-se".

A Suprema Corte dos Estados Unidos cunhou a "Teoria da Cegueira Deliberada", conhecida no meio jurídico com muitos nomes, tais como "Wilful Blindness Doctrine" (Doutrina da Cegueira Intencional), "Ostrich Instructions" (Instruções de Avestruz), "Conscious Avoidance Doctrine" (Doutrina do Ato de Ignorância Consciente), "Teoria das Instruções da Avestruz", entre outros. Essa doutrina foi criada para as situações em que um agente finge não enxergar a ilicitude da procedência de bens, direitos e valores com o intuito de auferir vantagens. Em síntese, pode-se afirmar que a Teoria da Cegueira Deliberada busca punir o agente que se coloca, intencionalmente, em estado de desconhecimento ou ignorância, para não conhecer detalhadamente as circunstâncias fáticas de uma situação suspeita. É uma teoria muito utilizada nos crimes de lavagem de dinheiro. Normalmente, está relacionada à ignorância de fatos típicos suspeitos, mas pode se referir à ilicitude do fato.

Coação moral irresistível

Conceito

A coação moral irresistível é uma causa legal de exclusão da culpabilidade baseada na inexigibilidade de conduta diversa. Nesse caso, surge hipótese de autoria mediata, em que só é punível o autor da coação (CP, art. 22), com pena agravada (CP, art. 62, II).

Sujeitos da excludente

a. Coator: é a pessoa que realiza a grave ameaça e é quem responde pelo crime como autor mediato;

b. coacto ou coagido: é a pessoa que sofre a ameaça para praticar o fato típico;
c. vítima: é quem sofre a ação delitiva.

Requisitos

a. Coação moral: é a grave ameaça (*vis compulsiva*), não se confundindo com coação física (*vis absoluta*), que exclui a conduta;
b. irresistibilidade da coação: deve ser de tal gravidade que o agente não possa resistir à ordem sem sério risco pessoal ou de terceiro. Em caso de coação resistível, o agente responde pelo crime, com pena atenuada (CP, art. 65, III, *c*).

Coação moral putativa

Admite-se a coação moral irresistível putativa. Exemplo: bilhete falso de sequestro do filho. Em caso de erro escusável, exclui-se a culpabilidade. Se inescusável, a pena poderá ser reduzida de 1/6 a 1/3, por analogia com o art. 21, segunda parte, do CP.

Obediência hierárquica

Conceito

Trata-se de causa legal de exclusão da culpabilidade baseada na inexigibilidade de conduta diversa. Como na coação, só é punível o autor da ordem (CP, art. 22), com pena agravada (CP, art. 62, III), surgindo hipótese de autoria mediata.

Requisitos

a. Ordem emanada de superior hierárquico: deve haver relação de direito público, não ocorrendo em situação de subordinação privada, como nos casos de temor reverencial (pais e filhos) e respeito religioso.
b. Ordem não manifestamente ilegal: a ilegalidade da ordem não pode ser manifesta (exemplo: mandar o diretor que o carcereiro agrida o preso). Em outras palavras, a ordem deve ter uma apa-

rência de legalidade, pois a ilegalidade manifesta afasta a descriminante, embora permita a atenuação da pena (CP, art. 65, III, *c*).

c. Observância dos limites da ordem: se o agente extrapola os limites da ordem, não haverá exclusão da culpabilidade.

Exemplos de obediência hierárquica:

- o policial militar não presta depoimento em juízo, embora intimado, obedecendo a ordem de seu comandante, o qual determina que ele preste serviço;
- estagiário que, na delegacia de polícia, cumpre a ordem do policial para algemar uma pessoa que não oferece nenhum risco de fuga ou à segurança.

Em ambos os casos, o autor da conduta entende que não há ilegalidade no seu comportamento, em face da ordem recebida, que não pode contrariar, sob pena de punição disciplinar.

Infiltração de agentes

A Lei n. 12.850, que trata do combate às organizações criminosas, expressamente dispõe que não é punível, no âmbito da infiltração, a prática de crime pelo agente infiltrado no curso da investigação, quando inexigível conduta diversa (art. 13, § 1º). Trata-se, portanto, de causa legal de exclusão da culpabilidade por inexigibilidade de conduta diversa.

Causas supralegais de exclusão da culpabilidade

Além das causas legais de exclusão da culpabilidade, fala-se também nas dirimentes supralegais, isto é, não previstas em lei. Trata-se de assunto polêmico na doutrina e na jurisprudência. Não obstante, a doutrina brasileira admite a exclusão da culpabilidade baseada na inexigibilidade de conduta diversa, nos seguintes casos:

Objeção de consciência

Ocorre quando, em virtude de crença religiosa, filosófica ou política, o agente deixa de cumprir um dever, conforme prevê o art. 438 do CP em relação aos jurados. Exemplo: Testemunhas de Jeová e a recusa de transfusão de sangue; Adventistas e Judeus Ortodoxos em relação ao trabalho no sábado.

Desobediência civil

Conduta que objetiva transformar a ordem jurídica por meio do descumprimento de preceitos considerados injustos em determinado meio ou organização.

Requisitos:

a. que a desobediência esteja fundada na proteção de direitos fundamentais;
b. que o dano causado não seja relevante.

Estado de necessidade exculpante

Ocorre quando é sacrificado um bem de igual ou menor valor ao protegido. Diante da teoria unitária acolhida pelo Código Penal, nossa posição é de que o estado de necessidade não poderá ser excludente da culpabilidade, exceto nos crimes militares, que expressamente adota a teoria diferenciadora, prevendo o estado de necessidade como causa legal de exclusão da culpabilidade (art. 39) e como causa de exclusão da ilicitude (art. 43). Não temos dúvida de que a teoria unitária, por basear-se na razoabilidade e não na ponderação, torna inútil a ideia de estado de necessidade exculpante, pois se houver violação de um bem de maior valor, e isso for razoável, estará satisfeito o requisito da exclusão da ilicitude, tal como previsto no art. 24.

Excesso exculpante

Ocorre quando há excesso numa descriminante em razão de pavor, medo ou susto. Exemplo: mulher, caminhando à noite em lugar ermo, é agredida por estuprador e, depois de subjugada, consegue atingir o agressor com uma pedra, fazendo cessar a agressão, porém continua o agredindo, em virtude de estar apavorada. Não se deve confundir com excesso por erro quanto aos limites da causa de justificação, que é espécie de erro de proibição indireto e, portanto, previsto em lei, já que o erro de proibição está no art. 21 do CP.

Posição de Claus Roxin

ROXIN é expressamente contrário à adoção das exculpantes supralegais, o que não significa em absoluto uma proposição mais rigorosa, haja vista sua defesa da concepção funcionalista da culpabilidade. Segundo o funcionalismo teleológico de Claus Roxin, o crime é composto de tipicidade, ilicitude e responsabilidade ou reprovabilidade. A reprovabilidade, a seu turno, compõe-se dos seguintes elementos:

a. imputabilidade;
b. potencial consciência da ilicitude;
c. exigibilidade de conduta diversa;
d. necessidade da pena.

Havendo necessidade da pena, a culpabilidade surge como limite da sanção a ser aplicada. Portanto, para o funcionalismo teleológico, culpabilidade é o limite da pena necessária.[51]

Teoria da coculpabilidade e coculpabilidade invertida

Tese segundo a qual o indivíduo que não recebe do Estado as devidas condições para se desenvolver plenamente, ficando sujeito à marginalização social e à criminalidade, deve ter a responsabilidade pelo crime compartilhada com a sociedade, aplicando-se a atenuante genérica prevista no art. 66 do CP. ZAFFARONI, defensor da teoria, sustenta que a coculpabilidade é herdeira do pensamento de Marat e hoje faz parte da ordem jurídica de todo Estado social de direito.[52] Fala-se também em coculpabilidade às avessas, quando, ao contrário, o indivíduo recebe do Estado todas as oportunidades de se desen-

---

51. Sobre o tema, ver: ROXIN, Claus. A culpabilidade e sua exclusão no Direito Penal. In *Estudos de Direito Penal*. Tradução de Luís Greco. Rio de Janeiro: Renovar, 2008. p. 133-163.
52. ZAFFARONI, Eugenio Raúl. Op. cit., p. 611.

volver e, apesar disso, comete o crime, o que sugere maior reprovabilidade do seu comportamento.

3.7 A RESPONSABILIDADE PENAL DA PESSOA JURÍDICA

A responsabilidade penal da pessoa jurídica é um dos temas mais polêmicos da ciência jurídica contemporânea. A teoria da ficção, criada por Savigny, adota o antigo brocardo *societas delinquere non potest*, ou seja, pessoas jurídicas não podem delinquir, pois têm existência fictícia, isto é, constituem seres artificiais criados pelo direito e possuem existência meramente legal, sendo, portanto, incapazes de delinquir. Entretanto, para a teoria da realidade, concebida por Otto von Gierke, a pessoa jurídica é um ente real, distinto dos indivíduos que a compõem, possuindo uma personalidade real, dotada de vontade própria e capaz de cometer infrações penais.

No Brasil, a exemplo de países que adotam a incriminação das pessoas jurídicas,[53] a Constituição Federal expressamente estabeleceu a responsabilidade penal da pessoa jurídica nas infrações penais contra a ordem econômica e financeira e contra a economia popular (art. 173, § 5º), bem como nos crimes ambientais (art. 225, § 3º). Por conta disso, foi editada a Lei n. 9.605, de 12 de fevereiro de 1998, que expressamente prevê as penas aplicáveis às pessoas jurídicas pelos crimes previstos. Da mesma forma que a pessoa natural, pode-se dizer que a pessoa jurídica pratica crime quando realiza um fato típico, ilícito e culpável.

O fato típico consiste numa conduta que não é a de uma pessoa específica, mas de todas as pessoas envolvidas na operação; resultado, isto é, o dano causado; o nexo de causalidade entre a operação da pessoa jurídica (conduta) e o dano produzido; bem como a adequação típica, que, no Brasil, resume-se aos tipos penais da Lei n. 9.605, que tipifica os crimes ambientais. Note que

---

53. Adotam a responsabilidade penal da pessoa jurídica, por exemplo, os Estados Unidos, Espanha, Inglaterra, Portugal etc. Entre os países que não adotam a incriminação dos atos das pessoas jurídicas estão a Bélgica, a Alemanha e a Itália. Este país, contudo, após a recomendação da União Europeia, fez uma série de alterações legislativas, estabeleceu um modelo sancionador diferenciado, incrementando as punições administrativas e civis às pessoas jurídicas e instituindo um modelo de responsabilidade solidária entre a pessoa física e a pessoa jurídica.

as pessoas jurídicas, portanto, só podem ser responsabilizadas criminalmente pelas infrações ambientais previstas nessa lei, sem a possibilidade de punição por outros fatos, diante do princípio da legalidade. Assim, por exemplo, os homicídios decorrentes da poluição não poderão ser imputados à pessoa jurídica, já que tal crime consta apenas no Código Penal e não na Lei n. 9.605. Nada obsta, porém, que as pessoas físicas responsáveis sejam punidas não só pelos crimes ambientais, como também pelas mortes, lesões e outros crimes decorrentes da conduta lesiva ao meio ambiente.

A ilicitude é a contradição entre o fato típico e a ordem jurídica, a qual fica excluída no caso de excludente da ilicitude. A descriminante aplicável à pessoa jurídica é o exercício regular do direito. Uma vez que toda atividade empresarial implica uma atividade potencialmente lesiva, em maior ou menor grau, haverá crime quando não forem atendidas as diretrizes legais para a atividade e, do contrário, se a empresa atua dentro dos padrões impostos pela legislação, a atividade, ainda que lesiva, estará amparada pelo exercício regular do direito (art. 23, III, do Código Penal). Não se descarta a possibilidade de uma atuação respaldada pela excludente do estado de necessidade se ficar demonstrado que a pessoa jurídica agiu para afastar perigo, que não provocou por sua vontade e nem podia de outro modo evitar, perigo para si ou para outrem. Figure-se o exemplo de uma situação de pandemia, em que há um vazamento de resíduos tóxicos justamente porque a pessoa jurídica precisou dispensar empregados responsáveis por conter o vazamento.

A culpabilidade da pessoa jurídica é o juízo de reprovação sobre a decisão que deliberou sobre a atividade lesiva. Havendo imputabilidade do órgão gestor, bem como consciência potencial da ilicitude e exigibilidade de outra conduta, a culpabilidade estará configurada. Nesse caso, não é necessário haver dupla imputação, isto é, imputação conjunta entre pessoas físicas e jurídicas, podendo estas ser acusadas de acordo com suas responsabilidades individuais. Nada impede, porém, a coautoria ou participação entre pessoas físicas e jurídicas, caso em que cada um responderá "na medida de sua culpabilidade", nos termos do art. 29 do Código Penal.

Para haver punição da pessoa jurídica, é mister, portanto, que a sua vontade se manifeste por meio de seu órgão gestor, pois é a vontade coletiva que estabelece a vontade da pessoa jurídica, sem prejuízo do exame individual das condutas de cada um dos integrantes do órgão diretivo, que também estão sujeitos à responsabilidade penal pessoal. Além disso, o ato do órgão gestor deve ser realizado para atender os interesses e objetivos da pessoa jurídica, ainda que, indiretamente, sejam satisfeitos os interesses dos proprietários.

3.8 SÍNTESE DAS EXCLUDENTES DO CRIME

Conceito e importância

Excludentes do crime são todas as situações, previstas ou não em lei, que impedem a verificação da tipicidade, da ilicitude ou da culpabilidade, não se podendo assim falar em infração penal. Sua importância é penal e processual, uma vez que, verificada de plano uma excludente, não se instaura o processo criminal ou, verificada na sentença, o réu deve ser absolvido.

É, portanto, matéria que deve ser alegada e verificada nos processos criminais em geral. Exemplo: verificando que o fato é claramente atípico, o promotor de justiça promove o arquivamento das investigações e não dá início ao processo criminal perante o Poder Judiciário.

Excludentes da tipicidade ou causas de atipicidade

Ocorre atipicidade penal toda vez que não se configurar um dos elementos do fato típico:

1. *excludentes da conduta:* caso fortuito, força maior, coação física irresistível e estados de inconsciência em geral, como hipnose profunda e sonambulismo;
2. *excludentes do nexo causal:* concausa absolutamente independente ou concausa relativamente independente que, por si só, causa o resultado (o agente responde apenas pelo ato que praticou); criação ou aumento de risco permitido (teoria da imputação objetiva);
3. *excludentes da adequação típica (atipicidade ou atipia):*
    a. ausência de tipicidade objetiva por falta de previsão legal;

b. ausência de tipicidade subjetiva por falta de dolo ou culpa (caso fortuito ou força maior) e erro de tipo inevitável;
c. ausência de tipicidade material em razão de insignificância e adequação social;
d. ausência de tipicidade conglobante, embora tenha pouca aplicabilidade no direito brasileiro;
e. consentimento do ofendido, quando a recusa da vítima integra o tipo expressa ou tacitamente (exemplo: estupro).
f. excludentes da tentativa: desistência voluntária, arrependimento eficaz e crime impossível. Nesses casos, porém, embora não respondendo pelo crime tentado, que será estudado mais adiante, responderá pelos atos anteriores, se também configurarem atos típicos.

Não podemos concordar com NUCCI quando este sustenta que o § 3º do art. 148 trate de excludentes de tipicidade do crime de constrangimento ilegal.[54] Em nossa visão, o dispositivo trata de causas especiais de exclusão da ilicitude.[55]

Excludentes da ilicitude, justificantes ou descriminantes

São todas as situações em que um ato típico não se mostra contrário à ordem jurídica, isto é, ilícito. Dividem-se em causas legais (gerais e especiais) e supralegais, a saber:

a. *causas gerais:* legítima defesa, estado de necessidade, exercício regular do direito e estrito cumprimento do dever legal;
b. *causas especiais:* previstas na parte especial, por exemplo: art. 128 do CP; art. 142; § 3º do art. 146;

---

54. NUCCI, Guilherme de Souza. *Manual de Direito Penal*: parte geral: parte especial. São Paulo: Editora Revista dos Tribunais, 2021. p. 671.
55. Nesse sentido, HUNGRIA refere que o § 3º, n. I, do art. 146 expressamente declara a licitude penal da "intervenção médica ou cirúrgica sem o consentimento do paciente ou de seu representante legal, se justificada por iminente perigo de vida [...] Precisamente para dirimir a dúvida relativa ao enquadramento do tratamento arbitrário no estado de necessidade ou na legítima defesa de terceiro, como quer MANZINI, e traçar uma divisa à sua prática, é que o atual Código achou de bom aviso discipliná-lo *expressis verbis*". Ver HUGRIA, Nélson. *Comentários ao código penal.* Vol. VI, arts. 137-154. Rio de Janeiro: Forense, 1953. p. 170-176.

c. *causa supralegal:* consentimento do ofendido, quando o dissenso da vítima não integra o tipo penal (exemplo: dano).

Note que as *descriminantes putativas* não se incluem entre as causas excludentes da ilicitude, pois uma situação imaginária não pode justificar a prática de um fato definido como crime. Assim, uma descriminante putativa poderá afetar a tipicidade penal ou a culpabilidade, conforme o caso.

Excludentes da culpabilidade ou dirimentes

As excludentes da culpabilidade afastam o juízo de reprovação, por ausência dos elementos que formam esse juízo: imputabilidade, de consciência potencial da ilicitude ou exigibilidade de conduta diversa. São as seguintes:

a. inimputabilidade;
b. erro de proibição;
c. coação moral irresistível;
d. obediência hierárquica a ordem não manifestamente ilegal;
e. infiltração de agentes;
f. causas supralegais de inexigibilidade de conduta diversa, por exemplo, excesso esculpante.

Distinção entre excludentes do crime e da punibilidade

O problema da punibilidade

Como regra, uma ação típica, ilícita e culpável é também punível, o que sugere para muitos doutrinadores a existência de uma quarta categoria além do sistema tripartido, que é a punibilidade (teoria quadripartida). Trata-se de categoria extremamente polêmica, especialmente no que diz com a existência de determinadas *condições objetivas de punibilidade*, sem as quais não se configuraria a responsabilidade penal.[56]

---

56. ROXIN, Claus. Op. cit., p. 970.

Independentemente de ser aceita ou não como categoria autônoma, o fato é que a punibilidade pode ser excluída, deixando-se de punir o autor de um crime, pois, eventualmente, o legislador prevê situações que isentam de responsabilidade penal o autor de um fato típico, ilícito e culpável. Não se está falando, assim, de excludente do crime, já que estão presentes todos os requisitos da infração penal: tipicidade, ilicitude e culpabilidade. Trata-se de situações que excluem a punibilidade, isto é, o direito de punir, por razões de política criminal, pois, em uma ponderação, as finalidades extrapenais têm prioridade diante da necessidade da pena.[57] Nessa categoria estão as causas de extinção da punibilidade, o perdão judicial e as escusas absolutórias.

Causas de extinção da punibilidade

São situações previstas em lei em que o Estado perde o direito de punir o autor de um crime. As causas de extinção da punibilidade, previstas no art. 107 do CP, são as seguintes: morte do agente; anistia, graça ou indulto; *abolitio criminis*; prescrição, decadência ou perempção; renúncia do direito de queixa ou perdão aceito nos crimes de ação privada (aquelas em que a lei estabelece que a ação penal contra o criminoso está a cargo da própria vítima e não do Estado); retratação do agente, nos casos que a lei admite e pelo perdão judicial.

Escusas absolutórias

Nas escusas absolutórias o Estado renuncia a pena por entender que a conduta, apesar de criminosa, não pode ser reprovada. Exemplo: no crime de favorecimento pessoal (CP, art. 348), se quem presta auxílio ao criminoso é seu ascendente, descendente, cônjuge ou irmão, fica isento de pena (§ 2º). Em nosso sentir, a natureza desse dispositivo é muito óbvia, pois se trata de uma situação em que não se pode exigir uma conduta diversa, configurando causa especial de exclusão da culpabilidade. Não obstante, a doutrina em geral considera tratar-se de escusa absolutória.

---

57. Idem. Op. cit., p. 977.

RESUMO

Conceitos formal e material de crime

Formal: crime é a violação da lei penal.

Material: crime é a violação do bem jurídico protegido pela norma penal.

Conceito analítico de crime

Segundo a teoria tripartida, crime é o fato típico, ilícito de culpável. Esse conceito se aplica também às contravenções.

O fato típico

Conceito: é a conduta que se amolda ao tipo penal. É composto pelos seguintes elementos: conduta, resultado, nexo causal e tipicidade ou adequação típica.

Conduta: não há crime sem conduta (*nullum crimen sine conducta*). O Direito brasileiro adota a teoria finalista, de Hans Welzel. As formas de conduta são ação e omissão. A omissão pode ser própria ou imprópria. A omissão imprópria se configura se o agente é garantidor (art. 13, § 2º). As excludentes da conduta são: ato reflexo, caso fortuito ou força maior, coação física irresistível. A conduta pode ser dolosa ou culposa. Segundo o CP (art. 18), ocorre dolo quando o agente quis (dolo direto) ou assumiu o risco de produzir o resultado (dolo eventual). Ocorre culpa quando há violação do dever de cuidado e o crime é cometido com negligência, imprudência ou imperícia. Não se confunde dolo eventual com culpa consciente, pois nesta, mesmo prevendo o resultado, o agente não quer nem assume o risco.

Resultado: é a consequência da conduta, podendo ser resultado material, nos crimes materiais, ou normativo, nos crimes de mera conduta. Crimes materiais são aqueles que deixam resultado material. Crimes de mera conduta são aqueles que não produzem resultados, punindo-se a simples atividade (exemplo: posse de drogas para consumo, art. 28 da Lei n. 11.343/2006). Existem ainda os crimes formais ou de consumação antecipada (CP, art. 158), como a extorsão mediante sequestro, em que o resultado é previsto, mas o crime se consuma sem ele. O resultado pode ser entendido ainda como dano (crimes de dano, exemplo: art. 155) e de perigo (crimes de perigo, art. 132). Existem crimes de perigo concreto, em que o perigo precisa ser demonstrado (exemplo: art. 250) e perigo presumido, que dispensam comprovação (exemplo: art. 16 da Lei n. 10.826).

Nexo causal: é a relação de causa e efeito entre a conduta e o resultado nos crimes materiais. Adota-se a teoria da equivalência dos antecedentes. Na concausa superveniente relativamente independente que, por si só, causou o resultado, adota-se a teoria da causalidade adequada e o agente só responde pelos atos praticados. Para evitar o *regressus ad infinitum* gerado pela teoria da equivalência, adota-se a imputação subjetiva e a teoria da imputação objetiva, segundo a qual não há causalidade se o agente criou um risco autorizado.

Tipicidade: é a adequação ao tipo penal. Divide-se em: tipicidade formal e material; objetiva e subjetiva; direta e indireta. Tipo penal é a descrição legal do comportamento incriminado. O tipo pode ser constituído de elementos objetivos, subjetivos e normativos. A ausência de adequação típica se chama atipicidade.

Antijuridicidade ou ilicitude

Conceito: segundo elemento do conceito analítico do crime, consistente na contrariedade do fato típico ao direito.

Teorias:
Neutra: não há relação entre o fato típico e a ilicitude (Liszt-Beling).

Ratio essendi: o fato típico e a ilicitude são uma coisa única, formando o tipo total do injusto (Edmund Mezger). As excludentes da ilicitude afastam a própria ilicitude (elementos negativos do tipo). Não se confunde com a teoria da tipicidade conglobante, em que, para ser típica, uma conduta deve ser antinormativa, de modo que o exercício regular do direito e o estrito cumprimento do dever legal não excluem ilicitude, mas tipicidade (Eugenio Raúl Zaffaroni).

Ratio cognoscendi: o fato típico cria uma presunção relativa de ilicitude. Essa presunção ou indício se afasta diante da ocorrência de uma excludente da ilicitude (Max Meyer). É a teoria adotada no Direito brasileiro.

Excludentes da ilicitude

- *Gerais:* previstas na Parte Geral do CP (art. 23), consistindo em estado de necessidade, legítima defesa, estrito cumprimento do dever legal e exercício regular do direito;
- *especiais:* são previstas em determinados crimes, como as excludentes do aborto, previstas no art. 128;
- *extralegal ou supralegal:* consentimento do ofendido, desde que este seja capaz de consentir, o interesse seja disponível e a discordância não integre o tipo penal. Se a discordância integra o tipo, como no crime de estupro, o consentimento funciona como excludente da tipicidade.

Requisitos do estado de necessidade: a) perigo atual; b) inevitabilidade por outro meio (*commodus discessus*); c) involuntariedade do perigo; d) razoabilidade do sacrifício.

Requisitos da legítima defesa: a) agressão injusta; b) direito próprio ou alheio; c) atualidade ou iminência; d) uso dos meios necessários; e) moderação da repulsa.

Excesso: o excesso na excludente é punível se for causado por dolo ou culpa. Será impunível o excesso em que não houver dolo ou culpa (excesso casual) ou quando for decorrente de medo extremo (excesso exculpante).

Excludentes putativas: ocorre quando o agente supõe que está agindo ao amparo de uma excludente da ilicitude.

Legítima defesa da honra: O STF considerou inconstitucional o argumento da legítima defesa da honra nos julgamentos de homicídios perante o Tribunal do Júri e excluiu a legítima defesa da honra do âmbito do instituto da legítima defesa (ADPF 779).

Culpabilidade

Conceito: terceiro elemento do conceito analítico de crime, consistente no juízo de reprovação.

Teorias: psicológica, psicológico-normativa e normativa pura, utilizada atualmente.

Elementos

- Imputabilidade: é capacidade de compreensão e autocontrole. Sistemas: biológico presumido para os menores e biopsicológico normativo para os maiores.
- Consciência potencial da ilicitude: é a possibilidade de conhecer a ilicitude de acordo com as normas culturais.
- Exigibilidade de outra conduta: é o poder de agir de outro modo, isto é, de acordo com o direito.

Excludentes

- Inimputabilidade: ocorre em razão de menoridade penal (art. 27), doença mental ou desenvolvimento incompleto ou retardado, desde que haja total incapacidade de compreensão ou determinação (art. 26), embriaguez completa, decorrente de caso fortuito ou força maior (art. 28, § 1º). Semi-imputabilidade: configura-se quando a incapacidade é apenas parcial, ocorrendo a diminuição da pena, mas não sua isenção (art. 26, parágrafo único; art. 28, § 2º). Não excluem a imputabilidade penal a emoção ou a paixão, nem a embriaguez vo-

luntária (teoria da *actio libera in causa*). A embriaguez preordenada é agravante (CP, art. 62, II, *l*). A inimputabilidade em razão de drogas é regida pelo art. 45 da Lei n. 11.343/2006.
- Erro sobre a ilicitude do fato ou erro de proibição: não se confunde com o desconhecimento da lei. Se inevitável, isenta de pena; se evitável, poderá diminuí-la de 1/6 a 1/3 (art. 21).
- Inexigibilidade de conduta diversa: ocorre nas situações de coação moral irresistível e obediência hierárquica a ordem não manifestamente ilegal, em que só é punível o autor da coação ou da ordem (autoria mediata), nos termos do art. 22. Também se configura no caso de infiltração de agentes (Lei n. 12.850, art. 13, § 1º) e em algumas situações supralegais admitidas pela doutrina.

Teoria da coculpabilidade e da coculpabilidade invertida: sustenta que a pena do criminoso deve ser reduzida quando este não recebeu do Estado as condições mínimas para se manter fora da criminalidade. A coculpabilidade invertida pretende aumentar a pena de quem, mesmo tendo as melhores condições materiais e culturais, optou por praticar o crime.

Responsabilidade penal da pessoa jurídica

No Brasil, a Constituição Federal expressamente estabeleceu a responsabilidade penal da pessoa jurídica nas infrações penais contra a ordem econômica e financeira e contra a economia popular (art. 173, § 5º), bem como nos crimes ambientais (art. 225, § 3º). Por conta disso, foi editada a Lei n. 9.605/98. Da mesma forma que a pessoa natural, pode-se dizer que a pessoa jurídica pratica crime quando realiza um fato típico, ilícito e culpável.

Excludentes do crime

São todas as situações capazes de excluir a tipicidade, a ilicitude ou a culpabilidade. Não se confundem com outras causas que excluem a punibilidade, como o perdão judicial, a escusa absolutória etc.

JURISPRUDÊNCIA

Omissão imprópria

Registro que ao tratar dos crimes omissivos impróprios, em que há especial dever de agir, a lei penal brasileira equipara as condutas omissivas às comissivas (art. 13, § 2°, CP). Nesse sentido, verifica-se omissão penalmente relevante na hipótese em que há assimetria entre a conduta exigida do agente e aquela efetivamente praticada, sendo que, em caso de coincidência desses planos, o resultado poderia ter sido evitado. É nesse contexto que se afirma que, em delitos dessa natureza, há nexo de imputação sem causalidade física. Nessa ambiência, os omitentes respondem pelo resultado (não por o terem causado, numa acepção naturalística), uma vez que, podendo, não agiram em defesa do bem jurídico com a finalidade de evitar a concretização da ofensa. (STF, RvC 5450/DF, Rel. Min. Edson Fachin, julgado em 29/10/2017.)

Constitucionalidade do crime de perigo abstrato

A Lei n. 10.826/2003 (Estatuto do Desarmamento) tipifica o porte de arma como crime de perigo abstrato. De acordo com a lei, constituem crimes as meras condutas de possuir, deter, portar, adquirir, fornecer, receber, ter em depósito, transportar, ceder, emprestar, remeter, empregar, manter sob sua guarda ou ocultar arma de fogo. Nessa espécie de delito, o legislador penal não toma como pressuposto da criminalização a lesão ou o perigo de lesão concreta a determinado bem jurídico. Baseado em dados empíricos, o legislador seleciona grupos ou classes de ações que geralmente levam consigo o indesejado perigo ao bem jurídico. A criação de crimes de perigo abstrato não representa, por si só, comportamento inconstitucional por parte do legislador penal. A tipificação de condutas que geram perigo em abstrato, muitas vezes, acaba sendo a melhor alternativa ou a medida mais eficaz para a proteção de bens jurídico-penais supraindividuais ou de caráter coletivo, como, por exemplo, o meio ambiente, a saúde etc. Portanto, pode o legislador, dentro de suas amplas margens de avaliação e de decisão, definir quais as medidas mais adequadas e necessárias para a efetiva proteção de determinado bem jurídico, o que lhe permite escolher espécies de tipificação próprias de um direito penal preventivo. Apenas a atividade legislativa que, nessa hipótese, transborde os limites da proporcionalidade poderá ser tachada de inconstitucional. (STF, HC 102087 MG, Rel. Min. Celso de Mello, Segunda Turma, julgado em 28/02/2012.)

Teoria funcionalista

1. É certo que o dolo opera diretamente no tipo penal, que, na hodierna estrutura funcionalista da teoria do crime, leva em consideração, também, os aspectos formais (conduta, resultado jurídico, nexo de causalidade e subsunção legal) e os materiais (imputação objetiva, desvalor da conduta e desvalor do resultado).
2. Por força do princípio da responsabilidade penal subjetiva ninguém pode ser punido senão a título de dolo ou culpa, sob pena de caracterizar a responsabilidade penal objetiva, rechaçada em nosso ordenamento.
3. Segundo a boa doutrina, dolo nada mais é do que a consciência (desejo ou aceitação) dos requisitos objetivos do tipo penal. Sua ausência descaracteriza o tipo e, por consequência, afasta a ocorrência do crime.
4. Inexistindo crime, não há justa causa para a deflagração da ação penal, nos termos do art. 397, III, do CPP. (STJ, AgRg no REsp 1243193/ES, Rel. Min. Jorge Mussi, Quinta Turma, julgado em 22/05/2012.)

Teoria da imputação objetiva

Processual penal. *Habeas corpus*. Homicídio culposo. Morte por afogamento na piscina. Comissão de formatura. Inépcia da denúncia.
Acusação genérica. Ausência de previsibilidade, de nexo de causalidade e da criação de um risco não permitido. Princípio da confiança. Trancamento da ação penal. Atipicidade da conduta. Ordem concedida.

1. Afirmar na denúncia que "a vítima foi jogada dentro da piscina por seus colegas, assim como tantos outros que estavam presentes,

ocasionando seu óbito" não atende satisfatoriamente aos requisitos do art. 41 do Código de Processo Penal, uma vez que, segundo o referido dispositivo legal, "A denúncia ou queixa conterá a exposição do fato criminoso, com todas as suas circunstâncias, a qualificação do acusado ou esclarecimentos pelos quais se possa identificá-lo, a classificação do crime e, quando necessário, o rol das testemunhas".

2. Mesmo que se admita certo abrandamento no tocante ao rigor da individualização das condutas, quando se trata de delito de autoria coletiva, não existe respaldo jurisprudencial para uma acusação genérica, que impeça o exercício da ampla defesa, por não demonstrar qual a conduta tida por delituosa, considerando que nenhum dos membros da referida comissão foi apontado na peça acusatória como sendo pessoa que jogou a vítima na piscina.

3. Por outro lado, narrando a denúncia que a vítima afogou-se em virtude da ingestão de substâncias psicotrópicas, o que caracteriza uma autocolocação em risco, excludente da responsabilidade criminal, ausente o nexo causal.

4. Ainda que se admita a existência de relação de causalidade entre a conduta dos acusados e a morte da vítima, à luz da teoria da imputação objetiva, necessária é a demonstração da criação pelos agentes de uma situação de risco não permitido, não ocorrente, na hipótese, porquanto é inviável exigir de uma Comissão de Formatura um rigor na fiscalização das substâncias ingeridas por todos os participantes de uma festa.

5. Associada à teoria da imputação objetiva, sustenta a doutrina que vigora o princípio da confiança, as pessoas se comportarão em conformidade com o direito, o que não ocorreu *in casu*, pois a vítima veio a afogar-se, segundo a denúncia, em virtude de ter ingerido substâncias psicotrópicas, comportando-se, portanto, de forma contrária aos padrões esperados, afastando, assim, a responsabilidade dos pacientes, diante da inexistência de previsibilidade do resultado, acarretando a atipicidade da conduta.

6. Ordem concedida para trancar a ação penal, por atipicidade da conduta, em razão da ausência de previsibilidade, de nexo de causalidade e de criação de um risco não permitido, em relação a todos os denunciados, por força do disposto no art. 580 do Código de Processo Penal.

(HC 46.525/MT, Rel. Ministro Arnaldo Esteves Lima, Quinta Turma, julgado em 21/03/2006, DJ 10/04/2006, p. 245.)

Teoria da tipicidade conglobante

7. No que se refere ao art. 218-B, § 2º, II, CP, é razoável vislumbrar o ordenamento jurídico como verdadeira unidade jurídica, de forma a extrair da amplitude das normas quais são os bens jurídicos que estão a merecer melhor proteção. É o que reza o princípio da proibição da proteção deficiente. Em tempos atuais, o que se busca é a proteção aos direitos fundamentais em todas as suas dimensões.

8. *In casu*, o escopo primordial dos direitos fundamentais está voltado à proteção integral à (ao) criança/adolescente e ao trabalhador urbano, direitos consagrados na Carta Magna e de vital importância no resguardo da dignidade da pessoa humana, pois além da prática de crime sexual contra menor de idade, houve infração às normas trabalhistas.

9. O erro de tipo em face à ignorância em torno da idade da vítima, não obstante tenha resguardo jurídico, se tornou um modo corriqueiro de se eximir da condenação penal. É desproporcional dar-lhe maior ênfase quando se tem, de outro lado, ofensa a direitos fundamentais.

10. É salutar reavivar os critérios determinantes da tipicidade conglobante de Zaffaroni, em que o juízo de tipicidade é analisado partindo do sistema normativo considerado em sua globalidade. Desse modo, imperiosa a análise do caso nessa perspectiva, não podendo a dúvida quanto à idade da vítima beneficiar os autores quando, por obrigatoriedade, a sua ciência seria requisito intrínseco para a formalização dos contratos trabalhista e de locação de imóvel.

11. É preciso que haja proteção de fato e de direito às crianças e adolescentes brasileiros, pois de nada adiantará todo o aparato judicial preventivo se não aplicado de forma efetiva. (STJ, REsp 1464450/SC, Rel. Min. Joel Ilan Paciornik, Quinta Turma, julgado em 17/08/2017.)

Causa supralegal de exclusão da culpabilidade

1. O crime de apropriação indébita previdenciária exige apenas "a demonstração do dolo genérico, sendo dispensável um especial fim de agir, conhecido como *animus rem sibi habendi* (a intenção de ter a coisa para si). Assim como ocorre quanto ao delito de apropriação indébita previdenciária, o elemento subjetivo animador da conduta típica do crime de sonegação de contribuição previdenciária é o dolo genérico, consistente na intenção de concretizar a evasão tributária" (AP 516, Plenário, Relator o Ministro Ayres Britto, DJe de 20/09/2011).

1. A inexigibilidade de conduta diversa consistente na precária condição financeira da empresa, quando extrema ao ponto de não restar alternativa socialmente menos danosa do que o não recolhimento das contribuições previdenciárias, pode ser admitida como causa supralegal de exclusão da culpabilidade do agente. Precedente: AP 516, Plenário, Relator o Ministro Ayres Britto, DJe de 20/09/2011. (STF, HC 113418, Rel. Min. Luiz Fux, Primeira Turma, julgado em 24/09/2013.)

SÚMULAS

Súmula vinculante 24 (STF)

Não se tipifica crime material contra a ordem tributária, previsto no art. 1º, I a IV, da Lei n. 8.137/90, antes do lançamento definitivo do tributo.

4

Dolo, culpa e preterdolo

4.1 O TIPO SUBJETIVO

O tipo subjetivo ou tipicidade subjetiva é o aspecto interno da conduta, já que a intenção do agente deve coincidir com o tipo doloso ou culposo, pois o Direito Penal rejeita a responsabilidade objetiva, de modo que alguém só pode ser punido por um crime se este for um ato voluntário. A vontade, para o Direito Penal, pode ser finalisticamente dirigida ao resultado, caso em que haverá dolo, ou poderá ser finalisticamente mal dirigida, caso em que haverá um resultado causado por culpa. Dolo e culpa, portanto, são formas pelas quais a vontade punível se manifesta. No dolo, o agente quer ou, pelo menos, aceita a produção do resultado; na culpa, o agente ignora o resultado, que acontece em razão de um descuido ou de uma precipitação.

Dolo e culpa são manifestações de vontade: enquanto o dolo é uma vontade dirigida, direta ou indiretamente ao resultado, a culpa é uma vontade mal conduzida finalisticamente, culminando o agente, por descuido, a praticar um fato definido como crime.

Dolo e culpa fazem parte da tipicidade subjetiva, isto é, a parte do crime que é interna ao agente, ao contrário da tipicidade objetiva, que diz respeito à exteriorização da ação típica. Mas, enquanto o dolo é um *elemento subjetivo do tipo*[1], já que o agente tem consciência do crime, na culpa não há, por parte

---

1. Essa concepção de dolo como elemento subjetivo tem sido questionada por parcela dos pensadores, que pretendem uma normatização do dolo (teoria do dolo sem vontade). Nesse sentido: PUPPE, Ingeborg. *A distinção entre dolo e culpa*. Tradução, introdução e notas: Luís Greco. Barueri: Manole, 2004.

do agente, essa consciência, devendo ser aferidas apenas a previsibilidade e a possibilidade de evitação com maior cuidado, de modo que a culpa assume a condição de um *elemento normativo* do tipo penal.

A *contrario sensu*, a falta de dolo e culpa conduz à atipicidade subjetiva. Assim, ainda que objetivamente, no mundo fático, exista uma conduta que coincide com a descrição do tipo penal, não haverá fato típico e, portanto, não haverá crime, se não houver dolo ou culpa no comportamento.

Disso decorre a importância do estudo dos institutos do dolo e da culpa, bem como de uma estrutura mista denominada preterdolo.

4.2 DOLO E CULPA

Dolo

Definição legal

Nem todas as legislações ao redor do mundo definem o dolo. França[2] e Uruguai[3], por exemplo, falam em *crimes intencionais*, sem definir legalmente a palavra *intenção*. Chile[4] e Argentina[5] também não definem dolo, assim como o Código Penal espanhol, que se limita a dizer que "*no hay pena sin dolo o imprudencia*" (art. 5º).[6] O Código Criminal alemão estabelece que, "se a lei não ameaçar expressamente com punição a negligência, só a ação deliberada é punível"[7], sem definir expressamente o que é uma "ação deliberada".

---

2. FRANÇA. *Code Pénal*, art. 121-3. Disponível em: <https://www.legifrance.gouv.fr/codes/section_lc/LEGITEXT000006070719/LEGISCTA000006136037/#LEGISCTA000006136037>. Acesso em: 05/04/2021.

3. URUGUAI. *Código Penal*, art. 18. Disponível em: <https://parlamento.gub.uy/sites/default/files/CodigoPenal2014-02.pdf>. Acesso em: 05/04/2021.

4. CHILE. *Código Penal*. Disponível em: <https://www.bcn.cl/leychile/navegar?idNorma=1984>. Acesso em: 05/04/2021.

5. ARGENTINA. *Código Penal de La Nación Argentina*. Disponível em: <http://servicios.infoleg.gob.ar/infolegInternet/anexos/15000-19999/16546/texact.htm>. Acesso em: 05/04/2021.

6. ESPANHA. Ley Orgánica 10/1995, de 23 de noviembre, del Código Penal. Disponível em: <https://www.boe.es/buscar/act.php?id=BOE-A-1995-25444>. Acesso em: 05/04/2021.

7. ALEMANHA. *Código Penal (StGB)*, § 15. Disponível em: <https://www.gesetze-im-internet.de/stgb/__15.html>. Acesso em: 05/04/2021.

O Brasil, a exemplo de México,[8] Portugal[9] e Itália,[10] optou por definir o dolo no art. 18, I, do CP, da seguinte forma: *diz-se o crime doloso, quando o agente quis o resultado ou assumiu o risco de produzi-lo*. Age com dolo, portanto, tanto quem *quer* o resultado (dolo direto), como quem não quer, mas assume o risco de produzir o resultado descrito no tipo (dolo eventual). Ambas as formas são equiparadas.

Como adverte GRECO, ao contrário do que a doutrina brasileira ainda costuma pensar, a lei não resolveu nada, porque as palavras que a lei usa são ambíguas.[11] Ademais, o dolo não se resume a um desejo de resultado, mas, sim, de realizar os elementos do fato típico. No caso de crimes de mera conduta, por exemplo, em que não há resultado naturalístico, é impossível utilizar a definição legal. Isso porque o dolo, seja qual for sua definição, deve abranger todo o fato típico, e não apenas o resultado. Exemplo: no crime de porte ilegal de arma de fogo, para haver dolo, o agente deve agir com a consciência de que se trata de uma arma de fogo com potencialidade lesiva.

Natureza jurídica do dolo

O dolo é um elemento subjetivo, pois o fato típico (matar, roubar etc.) é representado mentalmente, isto é, previsto pelo autor do crime. Tal elemento subjetivo está implícito em todos os tipos dolosos, razão pela qual não figura expressamente.

Formas de dolo

A classificação do dolo está, primeiramente, atrelada às duas formas de manifestação da vontade previstas no art. 18, I, do CP, que considera que o crime é doloso quando o agente quer ou assume o risco de produzir o resultado.

---

8. MÉXICO. *Código Penal Federal*, art. 9º. Disponível em: <https://mexico.justia.com/federales/codigos/codigo-penal-federal/libro-primero/titulo-primero/capitulo-i/#articulo-9o>. Acesso em: 05/04/2021.

9. PORTUGAL. *Código Penal*, art. 14º. Disponível em: <http://perso.unifr.ch/derechopenal/assets/files/legislacion/l_20080626_10.pdf>. Acesso em: 05/04/2021.

10. ITÁLIA. *Codice Penale*, art. 43. Disponível em: <https://www.altalex.com/documents/codici-altalex/2014/10/30/codice-penale>. Acesso em: 05/04/2021.

11. GRECO, Luís. In: PUPPE, Ingeborg. *A distinção entre dolo e culpa*. Tradução, introdução e notas de Luís Greco. Barueri: Manole, 2004, op. cit., p. XVII.

A lei não faz distinção entre querer e assumir o risco, de modo que qualquer distinção é meramente conjectural.[12]

Dolo direto existe quando o agente quer o resultado, ou seja, o agente age consciente do resultado pretendido e buscando a sua realização. *Dolo eventual*, por sua vez, ocorre quando o agente não quer, mas *assume o risco de produzir o resultado*. Nesse caso, o agente demonstra indiferença em relação à realização do resultado, dizendo para si mesmo "haja o que houver eu vou agir", segundo a consagrada fórmula de Frank. *Dolo de consequências necessárias*, a seu turno, é aquele que se projeta nos efeitos colaterais indissociáveis da conduta, como, por exemplo, quem explode um avião, com intenção de matar um dos passageiros, necessariamente age com dolo em relação aos demais passageiros, pois estes inexoravelmente também morrerão. Não se trata de dolo eventual, pois, neste, o resultado é meramente possível, ao passo que no dolo de consequências necessárias o resultado é inexorável. Exemplo: há dolo eventual quando o agente, para testar uma arma, atira a esmo em região habitada, sendo provável que irá atingir alguém. Há dolo de consequências necessárias quando o agente instala um artefato explosivo num trem para matar uma pessoa, sendo inerente ao comportamento a morte de outras pessoas, que nada têm a ver com a intenção direta do agente. A doutrina

---

12. No julgamento da apelação criminal n. 70074161902, de 16/08/2017, a Primeira Câmara Criminal do Tribunal de Justiça do Rio Grande do Sul anulou, por maioria, uma decisão do Tribunal do Júri sob a alegação de que o Ministério Público inovou ao sustentar o dolo eventual em plenário. Tal acórdão, *concessa venia*, está em descompasso com a teoria do delito, que há muito consolidou a equiparação do dolo direto ao dolo eventual, não havendo qualquer distinção, senão de ordem terminológica, já que qualquer das modalidades satisfaz o tipo penal que é objeto da acusação, qual seja, o homicídio. Assim, tomada também a dimensão processual penal, uma vez que não houve qualquer inovação típica ou circunstancial – o que só seria possível mediante *mutatio libeli* – não se poderia falar em inovação em plenário e, menos ainda, em nulidade por haver o Ministério Público sustentado o dolo eventual. É verdade, também, que o réu se defende dos fatos e, no caso em apreço, os fatos não mudaram, apenas o *nomen juris*, de dolo direto para eventual. Obviamente, quem se defende de uma acusação de homicídio doloso, sabe que precisa se defender da acusação de querer ou de assumir o risco de produzir a morte, uma vez que, para fins descritivos da adequação típica, basta ao Ministério Público afirmar, de forma clara e com respaldo probatório, que o réu praticou a conduta de "matar alguém", narrando o fato e todas as circunstâncias, sendo que o dolo não é circunstância, mas elemento intrínseco ao tipo penal, tanto que sequer aparece explicitamente no art. 121 ou em qualquer outro crime doloso. A exigência do acórdão soaria absurda, por exemplo, caso se tratasse de um crime de estupro, em que o Ministério Público, diante de uma conjunção carnal ou ato libidinoso diverso, com violência ou grave ameaça, deveria descrever se o agente quis ou assumiu o risco de praticar o crime sexual.

brasileira concebe o dolo de consequências necessárias como espécie de dolo direto, chamado *dolo direto de segundo grau*.[13]

Dolo direto	Dolo eventual
O agente QUER o resultado, podendo ser de primeiro ou de segundo grau (consequências necessárias).	O agente NÃO QUER o resultado, mas ASSUME O RISCO de produzi-lo.

Vontade e representação como elementos do dolo

Numa concepção tradicional, quando a vontade e a representação do agente estão dirigidas, direta ou indiretamente, para a realização da realidade descrita no tipo penal, diz-se que o crime é doloso. Consoante HUNGRIA, dolo é, ao mesmo tempo, vontade e representação.[14] Assim, o dolo é composto por dois elementos:

a. *Representação, consciência ou conhecimento:* para que haja dolo, deve o agente ter conhecimento de todos os elementos que compõem o fato típico. Assim, por exemplo, só haverá dolo de homicídio se o agente souber que sua conduta é apta a matar um ser humano, uma vez que o fato típico é "matar alguém".

b. *Vontade:* voluntária é a ação espontânea, não determinada por força ou coação externa ao agente. É energia psíquica para que alguém faça ou deixe de fazer, enquanto finalidade é o direcionamento dessa vontade. Por exemplo, se alguém pega um copo e o enche com água, certamente se trata de um ato voluntário, mas a finalidade pode ser matar a própria sede, dar a água para outra pessoa ou um animal de estimação, regar uma planta etc.

Dessarte, em não havendo vontade ou representação em relação ao fato típico, poderá haver crime culposo ou crime nenhum. Dolo, jamais.

---

13. BITENCOURT, Cezar Roberto. *Manual de Direito Penal:* parte geral. v. 1. São Paulo: Saraiva, 2000. p. 210.
14. HUNGRIA, Nélson. *Comentários ao código penal.* v. 1. Rio de Janeiro: Forense, 1953. p. 109 e 110.

Modernamente, porém, existe séria discussão sobre a necessidade de haver vontade na configuração do dolo. A jurisprudência do Supremo Tribunal espanhol, por exemplo, admite a existência de dolo quando o autor submete a vítima a situações perigosas que não têm a segurança de controlar, ainda que não persiga o resultado típico, afirmando, em conclusão, que o dolo eventual não se exclui simplesmente pela esperança de que não se produzirá o resultado ou porque este não tenha sido desejado pelo autor, pois, em tais hipóteses, sua ação manifesta uma indiferença para com o resultado, cuja produção tenha sido representada como possível.[15]

Classificação geral do dolo

a. *Dolo direto:* o agente quer o resultado.
b. *Dolo eventual:* o agente não quer, mas assume o risco de produzir o resultado.
c. *Dolo alternativo:* o agente quer um ou outro resultado, como, por exemplo, matar ou ferir. Parte da doutrina entende tratar-se de espécie de dolo indireto, ao lado do dolo eventual.[16] De nossa parte, entendemos que o dolo alternativo é, na verdade, dolo direto em relação a um ou outro resultado desejado pelo agente. Prova disso é que, se o agente deseja matar ou ferir, e ocorrendo apenas uma lesão corporal, sua conduta irá configurar uma tentativa de homicídio, e não lesões corporais, o que demonstra que o dolo alternativo nada mais é do que uma espécie de dolo direto.
d. *Dolo de dano:* dolo de produzir uma lesão efetiva a um bem jurídico (CP, arts. 121, 155 etc.).
e. *Dolo de perigo:* mera vontade de expor o bem a um perigo de lesão (CP, arts. 132, 133 etc.).

---

15. In BACIGALUPO, Enrique. Op. cit., p. 293.
16. Ver STEFAM, André. *Direito penal, volume 1*. São Paulo: Saraiva, 2010. p. 198.

f. *Dolo específico:*[17] partícula subjetiva que envolve um elemento psicológico especial previsto no tipo, como o fim libidinoso, por exemplo (CP, art. 219).

g. *Dolo normativo:* espécie de dolo, concebida pela teoria psicológico-normativa da culpabilidade, que contém a consciência potencial da ilicitude.

h. *Dolo natural:* dolo sem o elemento de ordem normativa (potencial consciência da ilicitude), composto apenas por vontade e representação, que são essencialmente naturais, conforme adotado pela concepção normativa pura de culpabilidade e pelo finalismo.

i. *Dolo de ímpeto:* é o que se verifica nas atitudes impulsivas, geralmente seguidas de arrependimento por parte do agente.

j. *Dolo genérico:* dolo sem vontade especial ou o contrário de dolo específico.

k. *Dolo geral, erro sucessivo ou* aberratio causae: ocorre quando o agente, supondo ter consumado o delito, produz um segundo comportamento que vem, agora sim, a causar o crime. Exemplo: pensando ter exterminado, a tiros, seu desafeto, o criminoso joga-o no rio, sobrevindo a morte não pelos disparos, mas por afogamento.

Culpa

Definição

Culpa é o elemento normativo dos tipos penais culposos. Consoante o art. 18, II, do CP, o crime culposo é praticado por imprudência, negligência ou imperícia. Isso significa que o agente não quis nem assumiu o risco de produzir o resultado, o qual decorreu de uma ação descuidada ou precipitada.

Muitas vezes, ouvimos dizer que uma pessoa é *culpada* de um crime, mas, como ensina KREBS[18], quando usamos a expressão culpa para indicarmos reprovação ou censura, estamos nos referindo à culpa *lato sensu*. Culpa, em sentido amplo, significa culpabilidade; em sentido estrito, é um elemento

---

17. Discute-se a existência do chamado "dolo específico". Hoje em dia, costuma-se adotar a expressão elementos subjetivos do tipo penal.
18. KREBS, Pedro. *Teoria jurídica do delito*. Barueri: Manole, 2004. p. 183.

normativo do tipo. Portanto, é mister distinguir culpa *lato sensu* de *culpa stricto sensu*. A primeira significa culpabilidade, reprovação, censura, enquanto a segunda — culpa em sentido estrito — é elemento normativo do tipo penal, consistente na imprudência, na negligência ou na imperícia, havendo uma tendência atual de utilização da expressão imprudência para designar a culpa em sentido estrito.[19]

Natureza normativa da culpa e o dever de cuidado

Enquanto o dolo é um elemento subjetivo, a culpa é um *elemento normativo* do tipo, pois constitui a violação de um dever. Diferentemente do dolo, a culpa não constitui um vínculo subjetivo do agente com o fato. Na culpa, o resultado não ingressa na subjetividade do agente, salvo na forma extraordinária de culpa, chamada culpa consciente ou com previsão. Essa constatação identifica-se com o sistema finalista, que concebe a culpa como um juízo de valor, um dado normativo, baseado na violação de um dever: dever objetivo de cuidado.

Todos os seres humanos, desde os primórdios, descobriram a importância do convívio social. O comportamento gregário foi fundamental à preservação da espécie, por tornar mais fácil o abate da caça, a morte do animal feroz, o domínio do meio ambiente etc. Portanto, a vida em sociedade tem um fundamento claro, que é o de os seres humanos cuidarem uns dos outros. A violação do dever de cuidado traz prejuízo ao grupo social. Essa ideia sobrevive em nossos dias, em que pese a massificação dos grupos humanos modernos.[20] Assim, cada um é responsável pelo outro. Esse dever é chamado dever de cuidado objetivo (*obligatio diligentiam*). Diz-se objetivo porque toma como padrão o comportamento médio dos seres humanos em geral e se funda na ideia de previsibilidade objetiva, pois só se pode observar cuidado em relação a eventos previsíveis.

Previsibilidade é a possibilidade de previsão do resultado. Não se confunde com previsão, pois nesta há, efetivamente, contato intelectual (repre-

---

19. Idem.

20. Não é gratuita a penalização do crime de omissão de socorro (CP, art. 135), que estabelece um dever geral de assistência.

sentação) do agente com o fato. Com efeito, previsibilidade é a possibilidade da representação; previsão é a representação efetiva. Na previsibilidade, o agente não prevê o que poderia ter previsto. Diz-se objetiva a previsibilidade por levar em conta o homem médio. Se considerasse a capacidade concreta do agente de prever, estaríamos tratando de previsibilidade subjetiva, cujos reflexos dizem com a culpabilidade.

Conforme lição de Juarez Cirino dos Santos, os tipos dessa natureza são tipos abertos, que devem ser preenchidos ou completados por uma valoração judicial e, por isso, não apresentam o mesmo rigor de definição legal dos tipos dolosos.[21] Portanto, toda e qualquer violação do dever de cuidado objetivo que causa um resultado dá origem ao crime culposo, se previsto em lei. Isso explica a inexistência de participação em crime culposo, apenas coautoria.[22]

Formas de culpa

Pode-se violar o dever de cuidado objetivo por negligência, imprudência ou imperícia (CP, art. 18, II).[23] Negligência e imperícia são conceitos próximos, devendo ser compreendidos a partir da ideia de risco permitido ou tolerado, ou seja, aquele tipo de atividade que, embora perigosa, recebe o aval da sociedade, que se beneficia do avanço tecnológico, na esteira do pensamento de Günter Jacobs:

> Posto que uma sociedade sem riscos não é possível e que ninguém se propõe seriamente a enunciar à sociedade, uma garantia normativa a que implique a total ausência de riscos não é factível; pelo contrário, o

---

21. SANTOS, Juarez Cirino dos. Op. cit., p. 99.
22. Cf. Hans Welzel: "Toda forma de co-causalidade evitável é autoria culposa. Dado isso, não há participação no âmbito dos delitos culposos, pois também ela seria co-causa evitável, e, por isso, autoria culposa" (Direito Penal, p. 157).
23. Art. 18. Diz-se o crime: I – (...); II – culposo, quando o agente deu causa ao resultado por imprudência, negligência ou imperícia.

risco inerente à configuração social deve ser irremediavelmente tolerado como risco permitido.[24]

A negligência caracteriza-se pela passividade diante do perigo existente, um relaxamento da atenção relativamente ao perigo, enquanto a imprudência traduz a conduta que ultrapassa os limites médios de segurança relativos a determinada atividade. Assim, dirigir um automóvel é naturalmente perigoso, constituindo uma espécie de risco permitido. Todavia, se o agente conduz o automóvel falando ao celular ou conversando com um passageiro, relaxa indevidamente a atenção em sua atividade perigosa. Se, porém, o agente dirige o automóvel em velocidade acima dos limites de segurança, está ultrapassando os índices seguros de velocidade, agindo, no mínimo, com imprudência.[25]

Diversa é a situação de imperícia. Consoante Aníbal Bruno:

> A imperícia consiste na falta de aptidão técnica, teórica ou prática, para o exercício de uma profissão. Imperito é o médico responsável pela morte do seu paciente em consequência de uma intervenção cirúrgica que ele empreende sem perfeito domínio de uma técnica, ou que ocasiona, operando, lesão a um elemento nobre por falta dos necessários conhecimentos anatômicos. Na imperícia também há uma falta de diligência que impediu o agente de adquirir aptidão necessária ao exercício da sua atividade.[26]

Não se confunde imperícia com a violação de norma técnica de profissão, arte ou ofício, pois nesta o agente conhece o procedimento adequado e não o utiliza, configurando-se forma especial de negligência ou imprudência, podendo restar configurada hipótese de aumento de pena (CP, arts. 121, § 4º, primeira parte; art. 129, § 7º). Exemplo: cirurgião especializado que, em virtude de pressa, não calça as luvas. O próprio Aníbal Bruno adverte que

---

24. JACOBS, Günther. *A imputação objetiva no Direito Penal*. Tradução de André Luiz Callegari. São Paulo: Revista dos Tribunais, 2000. p. 35.
25. Dizemos no mínimo com imprudência porque não descartamos a hipótese de dolo eventual.
26. BRUNO, Aníbal. *Direito Penal*. tomo 2. Rio de Janeiro: Forense, 1967. p. 88.

não se confunde imperícia com a negligência ou imprudência que o profissional possa cometer no exercício das suas atividades.[27]

Seja como for, não se pense que o crime culposo não traduz um comportamento composto de finalidade. Conforme esclarece Francisco de Assis Toledo, "a diferença está na estruturação do tipo: no doloso, pune-se a ação ou omissão dirigida ao fim ilícito; no culposo, o que se pune é o comportamento mal dirigido para o fim lícito".[28]

Culpa imprópria

Figura esdrúxula no sistema penal constitui a chamada culpa imprópria, que constitui, na verdade, um crime doloso equiparado a um crime culposo,[29] recebendo a pena deste, conforme art. 20, § 1º, última parte, do Código Penal. Por não se tratar de um autêntico delito culposo, e sim de um crime doloso, assume todas as características deste, ressalvado o apenamento. Assim, a culpa imprópria admite as figuras da participação e da tentativa, ao contrário da culpa em sentido próprio, que é incompatível com a tentativa e só admite coautoria, como já dito alhures.

Classificação da culpa

A culpa em sentido próprio (negligência, imprudência ou imperícia) costuma ser classificada nos seguintes termos:

a. culpa inconsciente: forma ordinária de culpa, em que não há previsão do resultado;
b. culpa consciente, com previsão ou com representação: forma extraordinária de culpa, em que o agente prevê o resultado, mas não o quer

---

27. BRUNO, Aníbal. Op. cit., p. 89.
28. TOLEDO, Francisco de Assis. *Princípios básicos de Direito Penal.* 5. ed. São Paulo: Saraiva, 1994. p. 293.
29. Conforme Damásio Evangelista de Jesus: "Na culpa imprópria, também denominada culpa por extensão, assimilação ou equiparação, o resultado é previsto e querido pelo agente, que labora em erro de tipo inescusável ou vencível. A denominação é incorreta, uma vez que na chamada culpa imprópria temos, na verdade, um crime doloso a que o legislador aplica a pena do crime culposo" (JESUS, Damásio Evangelista de. In: *Direito Penal.* v. 1. 15. ed. São Paulo: Saraiva, 1991. p. 259).

nem assume o risco de produzi-lo, confiando na não ocorrência do resultado previsto.

> **Culpa**
>
> Negligência: o agente age de forma distraída e sem consciência do risco.
> Imprudência: o agente age de forma temerária e com consciência do risco, mas não do resultado.
> Imperícia: o agente age com consciência do risco, mas sem consciência da técnica.
> Consciente: o agente tem consciência do risco e do resultado que julga poder controlar.

Excepcionalidade do crime culposo

Os delitos culposos constituem, do ponto de vista da definição legal, exceções à regra da criminalidade dolosa, aparecendo na lei penal como hipóteses de menor significação: se o homicídio é culposo (art. 121, § 3º), se a lesão corporal é culposa (art. 129, § 6º) etc.[30] No Direito Penal finalista impera, como critério de punibilidade, o desvalor da intenção.[31] Por conseguinte, o Direito Penal toma por regra o dolo, considerando o desvalor da vontade e da representação voltadas para o resultado. Ausente a intenção de produzir o resultado, pode surgir uma preocupação excepcional com ele, em face da natureza do bem jurídico protegido, desprezando-se a intenção. É quando tem lugar o crime culposo, em que não se punem representação e vontade voltadas para a lesão ao bem jurídico, mas a lesão do bem jurídico em razão de uma inadequada orientação finalística da conduta, por inobservância do dever objetivo de cuidado.

Com efeito, a culpa é forma excepcional de comportamento. Tanto quanto não se faz o bem sem a finalidade de praticá-lo, também não se pratica o mal sem finalidade de fazê-lo. Assim, quem auxilia um mendigo o faz intencionalmente; quem o lesiona também o faz intencional-

---

30. SANTOS, Juarez Cirino. *A Moderna teoria do fato punível*. Rio de Janeiro. Freitas Bastos, 2002. p. 97.
31. Sob o enfoque do resultado, exclusivamente, o desvalor de uma conduta é idêntico, quer se trate de crime doloso ou culposo. Com efeito, a eliminação de um ser humano, por exemplo, é um resultado com desvalor equivalente nos homicídios dolosos ou culposos. Vale dizer, a perda é a mesma.

mente. Esta é a natureza do comportamento, numa concepção *id quod plerunque accidit*. Tanto quanto não se pode presumir a imbecilidade, também não se pode presumir a ausência de domínio do indivíduo sobre seus atos.

Por isso, a culpa surge como forma excepcional de conduta e exige, portanto, que se faça um juízo de valor sobre as circunstâncias, para que se possa verificar se o comportamento é culposo. Claro, a análise das circunstâncias é essencial tanto ao dolo quanto à culpa. É pela exteriorização do comportamento que se compreende sua estrutura interna, pois os seres humanos projetam na realidade suas ideias e pensamentos. Assim ocorre com o crime. Se um indivíduo desfere quatro tiros em alguém, tal exteriorização patenteia a subjetividade homicida. Se houver um único disparo, também. Neste caso, porém, as circunstâncias poderão, excepcionalmente, indicar a ausência de vontade e representação voltadas para o homicídio. Indagar-se-á a excepcionalidade do comportamento que mata sem querer ou assumir o risco de matar. Poderá surgir algo excepcional, portanto: a culpa.

É o que se extrai da leitura do § 3º do art. 129 do CP: "§ 3º – Se resulta morte e as circunstâncias evidenciam que o agente não quis o resultado, nem assumiu o risco de produzi-lo: *Pena – reclusão, de 4 (quatro) a 12 (doze) anos*".

Observe-se o que diz o art. 121, *caput*, do CP:

Matar alguém.

Compare-se com o artigo 121, § 3º, que diz:

Se o homicídio é culposo.

Note que, em se tratando de culpa, há expressa menção no tipo. Quando o crime é doloso, o tipo não faz alusão ao dolo. Afinal, o que isso significa? Simples: a lei presume o dolo da conduta. A propósito, diz o art. 18 do CP: "[...] *Parágrafo único – Salvo os casos expressos em lei, ninguém pode ser punido por fato previsto como crime, senão quando o pratica dolosamente*".

O dolo é a regra porque, nem para o bem, nem para o mal, pode-se conceber um fazer sem representação e vontade de fazê-lo, salvo excepcionalmente. Se alguém ajuda um cego a atravessar a rua, é certo que o faz com representação e vontade de fazê-lo; se o abandona no meio da travessia, idem. Ninguém cogitará, no segundo exemplo, que o agente agiu sem representação ou sem vontade de abandonar o cego ao perigo, pois não é essa a lógica do comportamento humano.

Essa incontestável lógica comportamental, anteriormente exposta, não pode ser subvertida pela ciência jurídica. Assim, o que os juristas chamam de dolo nada mais é do que o *nomen iuris* de uma complexa estrutura subjetiva composta de um elemento intelectual (representação de conduta e resultado) e vontade (energia anímica apta à produção do resultado).

4.3 TEORIAS DO DOLO

Teoria da vontade

Segundo essa teoria, o dolo é concebido como vontade dirigida ao resultado, não bastando a mera representação ou conhecimento do fato. Na verdade, há diversas concepções que se abrigam sobre a teoria da vontade. Todas as tendências que enfatizam o aspecto volitivo, em detrimento do aspecto cognitivo do dolo, podem ser consideradas teorias da vontade.

Teoria da representação ou do conhecimento

Também chamada teoria da possibilidade, distingue-se da teoria da vontade porque enfatiza o elemento intelectual, ou seja, a representação (cognição ou consciência).

Assim, afirma-se o dolo quando o agente prevê o resultado como certo, provável ou possível (representação subjetiva). Esta teoria desenvolveu-se no pós-guerra por Schröeder e, posteriormente, por Schmidhäuser, apoiando-se na ideia de que a simples representação pode fazer o agente deixar de atuar. Em consequência, a teoria da representação recusa a distinção tradicional entre dolo eventual e culpa consciente, pois se deve distinguir dolo e culpa como conhecimento e desconhecimento, respectivamente. Consoante BA-

CIGALUPO, age com dolo aquele que sabe o que faz, conhecendo o perigo concreto gerado por sua conduta, ou seja, quem conhece a ação que realiza e suas consequências.[32]

Teoria do consentimento
Na teoria do consentimento ou da assunção, não basta que o agente tenha previsto o resultado, sendo necessário que consinta na sua produção. Constitui a vertente mais expressiva da teoria da vontade. Segundo essa teoria, portanto, o agente aceita, tolera, admite a produção do resultado por ele previsto. A ênfase, nesse caso, permanece no elemento volitivo, pois não basta a representação, sendo indispensável que o agente queira (volição) agir, apesar do resultado e conformando-se com ele.

Teoria da probabilidade
Segundo esta teoria, de Mayer e Hans Welzel, só há dolo quando o agente entende o fato como provável, e não apenas possível. Prepondera o elemento intelectual, porque se identifica com a cognição do agente quanto à probabilidade da ocorrência do resultado.

Teoria do risco
Esta teoria, de Günter Stratenwerth, afirma a existência do dolo quando o agente tem conhecimento de estar produzindo um risco indevido (tipificado) na realização de um comportamento ilícito. Novamente, há ênfase no elemento intelectual, no sentido de que o agente conheça o risco da sua conduta.

---

32. BACIGALUPO, Enrique. *Direito Penal*: parte geral. Tradução de André Stefam. São Paulo: Malheiros, 2005. p. 295.

Teoria da periculosidade

Teoria cunhada na jurisprudência espanhola, que distingue entre perigo representado "em abstrato" e perigo representado "em concreto", podendo-se falar na hipótese em simples ação culposa e na secunda em crime doloso.[33]

Teoria do perigo desprotegido

Para esta teoria, existe dolo (eventual) quando o agente deixa o bem jurídico à mercê dos fatores sorte e azar, ainda que confie na não ocorrência do resultado, como ocorre na prática de roleta russa. Essa teoria enfatiza a representação do agente, desprezando o elemento volitivo.

Teoria da indiferença

Esta teoria, de Karl Engisch, tenta distinguir dolo eventual e culpa consciente a partir do elevado grau de indiferença do agente em relação ao bem jurídico. O destaque está no elemento volitivo, no sentido de que, apesar da previsão do resultado lesivo, a vontade se mobiliza finalisticamente sem o necessário respeito ao bem jurídico tutelado.

Teoria da evitabilidade

Para essa teoria, existe dolo quando a vontade do agente estiver orientada no sentido de não evitar o resultado. Cuida-se, pois, de teoria que privilegia o elemento volitivo, já que não se satisfaz com a mera previsão do resultado, exigindo que a vontade do agente esteja finalisticamente voltada à sua não evitação.

Dolo sem vontade

"Dolo sem vontade" não é uma teoria, mas um conjunto de teorias que, modernamente, questionam a ideia de que o dolo seja concebido psicologicamente, devendo, isto sim, ser concebido normativamente, no sentido de que bastam o conhecimento e o domínio da conduta perigosa para que se possa

---

33. BACIGALUPO, Enrique. *Direito Penal*: parte geral. Tradução de André Stefam. São Paulo: Malheiros, 2005. p. 293.

imputar ao agente um crime doloso. Nesse sentido, Puppe, Frisch e o próprio Jakobs assumem uma posição normativista, entendendo o dolo como puro conhecimento do risco e probabilidade do resultado. No Brasil, até o momento, essa concepção de dolo é acolhida por Luís Greco, Eduardo Viana, Pedro Jorge Costa e Márcio Schlee Gomes.

Segundo BUSATO, os problemas de prova que afetam a concepção ontológica do dolo levaram parte da doutrina a admitir que o dolo não é uma realidade psicológica, mas o resultado de uma atribuição. Nesse sentido, o dolo não é algo que existe, que seja constatável, mas sim o resultado de uma avaliação a respeito dos fatos que faz com que se impute a responsabilidade penal.[34] Esses autores são francamente partidários de uma concepção normativa de dolo, isto é, o dolo independente da vontade do autor, assumindo uma concepção meramente cognitiva, no sentido de que é suficiente o elemento intelectual: conhecimento do risco, independentemente de assumi-lo.

Consoante BACIGALUPO, o Código Penal espanhol não contém uma definição direta de dolo, o qual se caracteriza basicamente pelo conhecimento dos elementos do tipo objetivo, é dizer, dos elementos que caracterizam a ação como geradora de um perigo juridicamente proibido que afeta de maneira concreta determinado objeto protegido, princípio que foi adotado na jurisprudência.[35]

Teoria adotada no Brasil e revisão teórica necessária

A doutrina moderna utiliza as denominações "teoria da vontade" e "teoria cognitiva" como conceitos genéricos, ou seja, como denominação não de uma única teoria, mas de grupos de teorias. As teorias cognitivas fundamentam o dolo num dado cognitivo qualquer: ou no conhecimento da possibilidade da ocorrência do resultado ou no conhecimento de que a ocorrência do resultado não é só meramente possível, mas provável, ou no conhecimento de um perigo intenso, enquanto as teorias da vontade, além do conheci-

---

34. BUSATO, Paulo César. *Dolo e significado*. In: BUSATO, Paulo César; PÉREZ, Carlos Martínez-Bujan; PITA, María del Mar Díaz. *Modernas tendências sobre o dolo em Direito Penal*. Rio de Janeiro: Lumen Juris, 2008. p. 104-5.

35. BACIGALUPO, Enrique. Op. cit., p. 292.

mento da possibilidade do resultado, exigem um posicionamento pessoal do autor, de ordem voluntária ou emocional, que pode se expressar como indiferença, consentimento, aprovação do resultado ou levar a sério o risco de sua ocorrência.[36]

Os autores brasileiros centram a identificação do dolo no aspecto volitivo (vontade), rechaçando a ideia de que baste a representação intelectual. É a vontade do agente, portanto, que deve prevalecer na compreensão do dolo, no sentido de que não só está em dolo quem quer, mas quem "não não quer", consoante a síntese de BELING.[37]

Há, de fato, certo consenso entre os autores no sentido de que "o Código Penal brasileiro agasalhou a teoria da vontade para tratar de dolo direto e a teoria do consentimento ao cuidar de dolo eventual".[38] Mas, como visto, a teoria do consentimento nada mais é do que uma expressão da teoria da vontade, pois ambas centram a ideia de dolo no aspecto volitivo e não no aspecto intelectual.

Acreditamos, porém, que a fórmula de dolo eventual adotada pelo Direito Penal pátrio – assumir o risco de produzir o resultado (CP, art. 18, I, fine) – não permite uma constatação hermética nesse sentido. Segundo GRECO, a lei não resolveu nada, pois as palavras que a lei usa são ambíguas, podendo ser compreendidas tanto no âmbito de uma teoria volitiva quanto meramente cognitiva.[39]

A "aprovação" do resultado pelo agente é incapaz de conter satisfatória definição do dolo, ainda que na modalidade eventual. É certo que um médico, ao executar uma cirurgia arriscada para salvar a vida do paciente, não aprova o resultado morte, mas, se esta advém, o dolo não pode ser afastado, resolvendo-se a questão na exclusão da ilicitude, e não no dolo. Consoante ROXIN, o sentido dos tipos dolosos é evitar lesões calculadas a bens jurídi-

---

36. GRECO, in Puppe, XIV-XV.
37. SOLER, Sebastián. *Derecho penal argentino*. v. 2. Buenos Aires: Tipográfica Editora Argentina, 1992. p. 128.
38. Cf. PRADO, Luiz Régis, *Curso de Direito Penal brasileiro*. V.1, parte geral. 3. ed. rev., atual. e ampl. São Paulo: Revista dos Tribunais, 2002. p. 296.
39. GRECO, Luís. In: PUPPE, Ingeborg. *A distinção entre dolo e culpa*. Tradução, introdução e notas de Luís Greco. Barueri: Manole, 2004. Op. cit., p. XVII.

cos, independentemente da atitude emocional com que sejam cometidas. O fato de que alguém aprove o resultado por tê-lo incluído em seus cálculos, o trate com indiferença ou inclusive o lamente é importante para a medição da pena, mas não pode influir no caráter doloso do fato.[40]

Segundo GOMES, a posição psicológica de dolo, que adota a teoria da vontade para o dolo direto e a teoria do consentimento para o dolo eventual, recebe duras críticas de uma linha doutrinária que defende uma concepção cognitiva e normativa de dolo. Para BUSATO, por exemplo, a demonstração do dolo como realidade psicológica revela-se totalmente impossível.[41] Dizer, no caso de dolo eventual, que o agente "aceitou" o resultado, é buscar uma justificativa para a punição mais gravosa, fundamentando numa equiparação da aceitação com a vontade, que norteia o dolo direto. Todavia, não é necessária essa equiparação, existindo explicação em outro sentido, que se baseia numa concepção meramente cognitiva de dolo, o chamado "dolo sem vontade".

Acertadamente, BUSATO afirma que chegou o momento de revisar o dolo como categoria delitiva que esteve sempre ancorada ou em uma pretensão de verdade psicológica intangível ou em um processo de atribuição com graves problemas de legitimação.[42]

4.4 EVOLUÇÃO DO DOLO NO DIREITO PENAL

Moniz Sodré descreve que "Xerxes mandou açoitar o mar a fim de castigá-lo e puni-lo pelo mal que lhe fez, destruindo a formidável esquadra com que sonhava suplantar a altiva independência dos gregos". Em nota, acrescenta, citando Hamon, que "em 1896, em Falaise, uma porca foi enforcada pelo carrasco por ter comido o rosto de uma criança. Em 1474, em Kalemberg,

---

40. ROXIN, Claus. *Derecho penal*. Op. cit., p. 431.
41. BUSATO, Paulo César. *Dolo e significado*. In: BUSATO, Paulo César; PÉREZ, Carlos Martínez-Bujan; PITA, María del Mar Díaz. *Modernas tendências sobre o dolo em Direito Penal*. Rio de Janeiro: Lumen Juris, 2008. p. 102.
42. BUSATO, Paulo César. *Dolo e significado*. In: BUSATO, Paulo César; PÉREZ, Carlos Martínez-Bujan; PITA, María del Mar Díaz. *Modernas tendências sobre o dolo em Direito Penal*. Rio de Janeiro: Lumen Juris, 2008. p. 93.

um galo foi judicialmente queimado por ter posto um ovo, que foi conjuntamente lançado na fogueira. Em 1552, o juiz do cabido de Chartes condenou ao enforcamento um porco acusado de ter matado uma jovem. Em 1617, em Hedé, queimou-se solenemente uma jumenta com o indivíduo que com ela cometera o crime de bestialidade. No fim do século XVII, na Bretanha, muitos cadáveres foram condenados ao enforcamento ou à exposição". E – arremata o citado autor – porque a "humanidade na infância é como a infância na humanidade", os homens de outras eras procediam como a criança de hoje que bate no pau que a magoa ou nos objetos que a ferem.[43]

Essa responsabilidade objetiva estava associada às teorias absolutistas ou espiritualistas da pena. A pena era vista como reprovação moral. Punia-se o mal pelo mal: *punitur qui peccatum est*.

Com o surgimento das concepções utilitárias ou relativas, e nisso emergiu fundamental o pensamento de Beccaria, à pena se passou a reclamar um fim útil, de prevenção dos crimes. Para que tivesse a pena o fim de prevenção, era preciso que se voltasse contra condutas que o homem pudesse evitar. Então a evitabilidade passou a ser a tônica. Punia-se o homem por não evitar o mal que era evitável. Nascia, nesse contexto, o princípio *nulla poena sine culpa*.

Assim surgiu a noção de culpabilidade subjetiva, ou teoria psicológica da culpabilidade, pela qual a punição depende de um vínculo subjetivo entre o autor e o fato, não bastando a simples causação de um resultado. Essa teoria expressa a superação da responsabilidade objetiva de outros tempos. Segundo ela, dolo e culpa são espécies da culpabilidade, cujo pressuposto é a imputabilidade do agente. O dolo (assim como a culpa), portanto, nasce dentro da estrutura da culpabilidade, como um liame psicológico que vincula o autor ao fato criminoso.

O erro é tratado segundo a dicotomia erro de fato/erro de direito, dos romanos. Segue-se que *error iuris nocet*, ou seja, o erro de direito nunca é escusável, ao contrário do erro de fato, que é escusável, exceção feita ao erro de

---

43. SODRÉ, Antonio Moniz. *As três escolas penais*. Rio de Janeiro: Freitas Bastos, 1963. p. 298.

direito extrapenal, porque equiparado ao erro de fato. O erro de fato exclui o dolo.[44]

Em seguida, a culpabilidade evoluiu para a teoria psicológico-normativa. Essa concepção apareceu, primeiramente, na jurisprudência da Corte Alemã, em 1897. O dono de carruagens de aluguel determinou ao seu empregado que prendesse um cavalo bravio a um dos carros e saísse para prestar o serviço diário. O empregado negou-se a fazê-lo, temendo que o cavalo pudesse provocar um acidente, mas precisou aceder à ordem, pois foi ameaçado, pelo patrão, de perder o emprego. Porém, conforme havia previsto, apesar de todos os esforços, acabou perdendo o domínio do animal, que atropelou um pedestre, causando-lhe fratura em uma das pernas. Embora demonstrado o liame psicológico entre a conduta do cocheiro e o resultado danoso, o Reichsgerich negou a culpabilidade do acusado, em decisão de 23 de maio de 1897, proferida pela IV Sala Penal do Tribunal do Império, por não ser exigível, considerando a situação concreta dos fatos, que o acusado se recusasse a realizar a ação que ele próprio previra perigosa, ante o risco seguro de perder seu meio de subsistência. Em outras palavras, por não ser exigível que o acusado agisse de forma diversa. É o caso que os alemães denominam Leinenfänger.[45]

Na doutrina, o normativismo apareceu com a obra de Reinhard Frank,[46] o qual esposou a "teoria das circunstâncias concomitantes", que parte do cri-

---

44. A denominação erro de fato e erro de direito há muito é ultrapassada. Cezar Roberto Bitencourt salienta a necessidade de que se ignorem os velhos conceitos romanísticos de erro de direito e erro de fato, pois o erro de tipo abrange situações que, outrora, eram classificadas ora como erro de fato, ora como erro de direito. Por outro lado, o erro de proibição, além de incluir situações novas (como, por exemplo, a existência ou os limites da legítima defesa), antes não consideradas, abrange uma série de hipóteses antes classificadas como erro de direito (Erro Jurídico-penal, p. 47).

45. ASÚA, Luis Jiménez. *Tratado de derecho penal*. t. VI, 2. ed. Buenos Aires: Editorial Losada, 1962. p. 934.

46. "Se está de acuerdo en que Reinhard Frank merece un lugar preferente, como iniciador de esta nueva corriente del pensamiento jurídico penal, por su monografia Uber den Aufbau des Schuldbegriffs (1907) y las sucesivas ediciones de su Kommentar (ahora em la 18. ed.). Pero también ocupan la primera línea, J. Goldschmidt y Freudenthal" (Ricardo C. Nunes, in *Bosquejo de la culpabilidad*, prefácio a "La concepción Normativa de la culpabilidad, de James Goldschmidt, Buenos Aires: Depalma, 1943, XXV"). Consoante José Antonio Paganella Boschi: "A Reinhard Frank é atribuída à autoria da teoria normativa da culpabilidade, que foi aperfeiçoada, sobre as mesmas bases, por seus seguidores, Goldschmidt, Freudenthal, Mezger, com a introdução de alguns aspectos novos: a 'contrariedade ao dever' (Goldschmidt), a 'exigibilidade de conduta diversa' (Freudenthal) e a 'reprovabilidade' (Mezger)" (FRANK, Reinhard. *Das penas e seus critérios de aplicação*. 3. ed. rev. atual. Porto Alegre: Livraria do Advogado, 2004. p. 195.)

tério diferenciador do direito alemão acerca do estado de necessidade. Frank sustentou haver condutas dolosas e, não obstante, não culpáveis, como a que se pratica em estado de necessidade exculpante[47] ou sob coação. Seguiram-se as considerações de fundo neokantiano de James Goldschmidt, para quem uma ação tem dois aspectos diante da norma: o da legalidade e o da exigibilidade. Para Berthold Freudenthal, era justamente a exigibilidade o elemento diferencial entre culpabilidade e inculpabilidade. Ao fim e ao cabo, a evolução do pensamento normativista inseriu a exigibilidade de conduta diversa na estrutura da culpabilidade, como elemento normativo.

Considerando que a culpabilidade residia na possibilidade de o agente agir de acordo com o direito, seria necessário, portanto, que o agente pudesse agir com consciência do direito. Com isso, ganharam espaço as teorias do dolo que concebiam o dolo normativo. Assim, a consciência da ilicitude passou a integrar o dolo, aproveitando-se a noção de *dolus malus* dos romanos. A teoria extremada do dolo (estrita, extrema) exigia consciência atual da ilicitude, enquanto a teoria limitadora (limitada) defendia a consciência potencial da ilicitude.

Em Mezger, assinala-se a fragilidade da teoria extremada, mediante a tese dos criminosos habituais.

Consoante Francisco de Assis Toledo:

> Raciocinemos com um exemplo bem brasileiro: um delinquente profissional do sertão, ou um delinquente habitual das favelas do Rio, ou de São Paulo. Esse tipo criminógeno, em geral menor desamparado ou nascido de família desajustada, é criado e educado, desde a mais tenra infância, em um ambiente social agressivo, onde a criminalidade é a tônica. Para ele o furto, o roubo, os crimes contra a pessoa, é o normal, o certo. Não chegou a formar em seu espírito uma consciência ética, nem teve oportunidade para isso. Os seus padrões de conduta são mo-

---

47. Diferentemente da teoria unitária, adotada pelo direito brasileiro, a teoria diferenciadora consagra o princípio da ponderação dos bens em conflito e concebe o estado de necessidade ora como excludente da ilicitude (quando sacrifica bem de menor valor), ora como excludente da culpabilidade (quando sacrifica bem de valor igual ou superior).

delados segundo as regras do crime. Não sabe distinguir o certo do errado, o reto do torto, o lícito do ilícito.[48]

E arremata o festejado mestre:

Como exigir-se de um desses seres humanos às avessas que tenha a exata "consciência atual da ilicitude", quando jamais soube o que é ilícito? Mas, se a consciência da ilicitude é elemento constitutivo do dolo, a conclusão é a de que um tal tipo criminológico, quando comete crime, age sem dolo. Inexistindo dolo, não há culpabilidade e, sem esta, não há possibilidade de se aplicar a pena criminal.[49]

O pensamento de Mezger, embora tenha contribuído para estabelecer a denominada culpabilidade pela conduta de vida,[50] expôs, por outro lado, toda a fragilidade da teoria extremada do dolo. Destarte, acaba por lograr êxito, por convir à concepção normativa, a teoria limitada do dolo, que se conforma com a consciência potencial da ilicitude. Assim, a culpabilidade acaba constituída por elementos psicológicos (dolo e culpa) e normativos (potencial consciência da ilicitude no dolo e exigibilidade de conduta diversa).

Essa teoria provoca profundas modificações na problemática do erro. Em tendo a consciência da ilicitude como elemento normativo, não cabe mais a simples atuação do princípio *error iuris nocet*, pois a consciência da ilicitude vai condicionar a culpabilidade, de modo que a ignorância ou o erro sobre a ilicitude acaba repercutindo na reprovação. Desenha-se, então, uma nova teoria do erro, que abandona a dicotomia erro de fato/erro de direito, substituindo-a pelas noções de erro de tipo e erro de proibição, ambos escusáveis ou inescusáveis, dependendo das circunstâncias. Assim, o erro de tipo é escusável se representa inevitável erro de representação do agente, atingin-

---

48. TOLEDO, Francisco de Assis. *Princípios básicos de Direito Penal*. 5. ed. São Paulo: Saraiva, 1994.
49. Op. cit., p. 225.
50. Na culpa pela condução de vida "o que importa para a censura não é, especificamente, o fato típico, mas a conduta de vida do autor diante do que é reprovado criminalmente" (Cf. CAMARGO, Chaves. *Culpabilidade e Reprovação Penal*. São Paulo: Saraiva, p. 161).

do o elemento intelectual do dolo e, portanto, excluindo-o. Da mesma forma, o erro de proibição, sendo inevitável, acaba por comprometer o elemento normativo do dolo, ou seja, a consciência da ilicitude. Em ambos os casos, o erro sempre exclui a culpabilidade dolosa, já que sempre incide no dolo, que é elemento dela, permitindo, todavia, a punição por crime culposo, se evitável o erro. É a chamada teoria unitária do erro, pois este sempre exclui o dolo, seja erro de tipo, seja de proibição.

O surgimento do sistema finalista, de Hans Welzel, consagra a teoria normativa pura da culpabilidade. Essa teoria repudia a inserção de dolo e culpa na culpabilidade. Entende que coisas tão distintas não podem ser elementos do mesmo fenômeno, ou seja, da culpabilidade. Ora, se no dolo existe vínculo subjetivo, o mesmo não ocorre na culpa inconsciente, espécie ordinária de culpa. Ademais, se a culpabilidade traduz juízo de valor sobre a vontade contrária ao direito, não podem os elementos volitivos estar no próprio conteúdo da valoração, já que são objetos dela.

Assim, dolo e culpa são transplantados para a ação e, em consequência, para o tipo penal. O dolo é fenômeno natural, composto de um elemento intelectual (representação) e de um elemento volitivo (querer ou assumir o risco), livre do componente normativo (consciência da ilicitude), que, sendo compatível com a culpabilidade, permanece nela, dissociando-se do dolo. Assim, a culpabilidade passa a contar unicamente com elementos normativos: imputabilidade, a consciência potencial da ilicitude e a exigibilidade de conduta diversa.

O erro, por sua vez, assume uma concepção distinta (teoria diferenciadora do erro). Se incidir sobre elemento do tipo, excluirá o dolo e, portanto, a tipicidade. Se evitável, permite a punição por crime culposo. Versando o erro sobre a ilicitude, exclui, quando escusável, a potencial consciência da ilicitude e, portanto, a culpabilidade. Quando inescusável, ou seja, evitável, o erro apenas diminui a culpabilidade, atenuando a pena.

Dolo natural *versus* dolo normativo

O repúdio à responsabilidade objetiva partiu da premissa de que deveria haver um vínculo subjetivo entre o indivíduo e o fato por ele praticado. Esse vínculo subjetivo estava estruturado na ideia de dolo e culpa, que faziam parte da culpabilidade, segundo a chamada teoria psicológica da culpabilidade.

A concepção psicológico-normativa da culpabilidade, a seu turno, concebeu o dolo normativo, porque revestido de um elemento de valor (consciência da ilicitude), ao lado de elementos naturais ou puramente psicológicos (vontade e representação).

Não se confunde a consciência da ilicitude com o desconhecimento da lei. Esta a todos se impõe, não importando se analfabeto ou doutor. Mas todos podem ter uma equivocada compreensão da ilicitude, por má formação ética ou precária evolução cultural. Essa falha no processo de socialização pode levar o agente a agir sem adequada consciência do certo e do errado, sem um adequado conhecimento do direito na esfera do profano, dando origem ao erro sobre a ilicitude do fato ou, simplesmente, erro de proibição.

Para a teoria extremada do dolo, a consciência da ilicitude é efetiva; para a teoria limitada do dolo, tal consciência é apenas potencial, traduzindo-se na possibilidade de o indivíduo, nas circunstâncias, conhecer o desvalor do comportamento. A teoria limitada acabou por prevalecer, ante a impossibilidade de se aferir se alguém tem, efetivamente, consciência da ilicitude. O máximo a que se pode chegar é à conclusão de que era possível adquirir essa consciência nas circunstâncias.

Ou seja, dolo normativo é o dolo valorado, que contém a potencial consciência da ilicitude ao lado da representação e da vontade.

Migrando para a conduta, graças ao finalismo, o dolo deixou na culpabilidade o seu elemento normativo. Assim, tratamos, hoje, do dolo em sua forma psicológica pura, ou dolo natural, composto de representação e vontade.

Pierangeli e Zaffaroni ensinam: "Há quase meio século a doutrina apercebeu-se que é tão falso que o dolo seja representação como que o dolo seja vontade: o dolo é representação e vontade".[51]

É o que também se depreende da teoria de Günther Jakobs, quando salienta que "meu único objetivo é enunciar as condições nas quais tem lugar

---

51. PIERANGELI, José Henrique; ZAFFARONI, Eugênio Raul. *Manual de Direito Penal brasileiro.* 2. ed. São Paulo: Revista dos Tribunais, 1999. p. 481.

o cumprimento da norma: o lado volitivo e o lado cognitivo do comportamento".[52]

Prevalece, portanto, a noção de dolo natural, composto apenas de representação e de vontade, concepção que sofre objeções por parcela significativa dos pensadores. Nesse sentido, Puppe[53], Frisch e Jakobs assumem uma posição normativista, entendendo o dolo como puro conhecimento do risco e probabilidade do resultado. No Brasil, até o momento, essa concepção de dolo é acolhida por Luís Greco[54], Eduardo Viana, Pedro Jorge Costa e Márcio Schlee Gomes.[55]

4.5 A ESTRUTURA DO DOLO NO DIREITO BRASILEIRO

Elemento intelectual

Constitui o aspecto intelectual ou cognoscitivo do dolo, consubstanciado no conhecimento, pelo agente, de todos os contornos típicos do seu comportamento. Muñoz Conde e García Arán advertem não ser imperioso que o agente conheça outros elementos pertencentes à antijuridicidade, à culpabilidade ou à pena. O conhecimento destes elementos pode ser necessário a outros efeitos, por exemplo, para qualificar a ação como antijurídica, culpável ou punível, mas não para tipificá-la.[56]

Assim, no crime de homicídio qualificado pelo emprego de veneno, por exemplo, deve o agente conhecer o potencial tóxico da substância empregada e o fato de sua ingestão por alguém.

No caso dos crimes omissivos, deve o agente conhecer a circunstância ensejadora do dever de agir. Assim, se um pai, por exemplo, passa à ilharga do

---

52. JAKOBS, Günther. *Fundamentos do Direito Penal*. Tradução de de André Luís Callegari. Colaboração de Lúcia Kalil. São Paulo: RT, 2003. p. 14.
53. PUPPE, Ingeborg. *A distinção entre dolo e culpa*. Tradução, introdução e notas de Luís Greco. Barueri: Manole, 2004. p. 31 e ss.
54. GRECO, Luís. Algumas observações introdutórias à "Distinção entre dolo e culpa", de Ingeborg Puppe. In: PUPPE, Ingeborg. *A distinção entre dolo e culpa*. Op. cit., p. IX-XIX.
55. GOMES, Márcio Schlee. *Dolo*: cognição e risco: avanços teóricos. Porto Alegre: Livraria do Advogado, 2019. p. 59-92.
56. CONDE, Muñoz; ARÁN, Garcia. *Derecho penal*: parte general. 4. ed. Valência: Tirant lo Blanch, 2000. p. 304.

filho em iminente perigo de vida, sem conhecer a paternidade, não responde por crime omissivo impróprio a título de dolo.

Não se exige, todavia, que o sujeito tenha um conhecimento exato de cada particularidade ou elemento do tipo objetivo, mas uma valoração paralela na esfera do profano, ou seja, um conhecimento aproximado da significação social ou jurídica dos aspectos integrantes do tipo penal.[57]

Excepcionalmente, admite-se a existência de dolo mesmo quando não há um efetivo conhecimento, naquelas situações em que o agente voluntariamente decide ignorar o caráter criminoso de sua atividade, aplicando-se a chamada *teoria da cegueira deliberada*.

Elemento volitivo

Vontade é a energia que controla o comportamento. É ela que permite ao ser humano conter impulsos e tomar atitudes. Sem a vontade, o ser humano é refém das exigências do meio ambiente e dos caprichos do instinto.

A vontade não se confunde com o desejo, pois este é controlado pela vontade.[58] Também não se confunde com intenção, que é a bússola da vontade, seu elemento finalístico, que norteia para o objetivo eleito. A vontade, portanto, limita-se à conduta. A intenção volta-se ao evento, que é o escopo.[59]

Segundo a matriz finalística, porém, não convém separar vontade e finalidade. Conforme ensinam Eugênio Raul Zaffaroni e José Henrique Pierangeli: "A vontade implica sempre uma finalidade, porque não se concebe que haja vontade de nada ou vontade para nada; a vontade sempre é vontade de algo, isto é, a vontade sempre tem um conteúdo, que é uma finalidade".[60]

---

57. CONDE, Muñoz; ARÁN, Garcia. Op. cit., p. 305.

58. Segundo José Cerezo Mir, não se pode confundir vontade com o simples desejo, pois este não é suficiente para integrar o elemento volitivo do dolo. Se um sobrinho recomenda a seu tio, de quem é o único herdeiro, que viaje muito de avião, na esperança de que morra num acidente aéreo, não há vontade de matar, embora haja, sem dúvida alguma, o desejo de que a morte do tio ocorra. O dolo ocorre apenas quando o sujeito quer o resultado delitivo como consequência de sua própria ação e se atribui alguma influência na sua produção (MIR, José Cerezo. *Curso de Direito Penal espanhol*. v. 2. 6. ed. Madri: Editorial Tecnos, 2001. p. 145).

59. Cf. Paulo José da Costa Jr. *Nexo Causal*. 3. ed. São Paulo: Siciliano Jurídico, 2004. p. 16.

60. PIERANGELI, José Henrique; ZAFFARONI, Eugênio Raul. Op. cit., p. 414.

A vontade conduzida pela intenção de realizar o tipo penal consubstancia o aspecto volitivo do dolo. Tal vontade pode estar, segundo a diretriz finalística, conduzida direta ou indiretamente ao resultado. Conforme ensina Welzel, o dolo "não é somente vontade tendente à concretização do fato, mas também a vontade apta para a realização do fato"[61], verificando-se então que a atuação voluntária caracteriza-se tanto por querer quanto por assumir o risco, havendo uma equiparação entre querer o resultado e assumir o risco de produzir o resultado.

Segundo a concepção adotada no Brasil, a vontade caracteriza o dolo direto, enquanto a aceitação caracteriza o dolo eventual, tendo em vista o disposto no art. 18, I, do Código Penal.

Teoria do dolo sem vontade

Embora o modelo teórico tradicional entenda dolo como representação e vontade, há quem se posicione pela inexistência de vontade. "Dolo sem vontade" é a expressão utilizada por Luís Greco para se referir a um modelo proposto por um conjunto de teorias que, modernamente, questionam a ideia de que o dolo seja concebido psicologicamente, devendo, isto sim, ser concebido normativamente, no sentido de que bastam o conhecimento e o domínio da conduta perigosa para que se possa imputar ao agente um crime doloso. Nesse sentido, Puppe[62], Frisch e Jakobs assumem uma posição normativista, entendendo o dolo como puro conhecimento do risco e probabilidade do resultado. No Brasil, até o momento, essa concepção de dolo é acolhida por Luís Greco,[63] Eduardo Viana, Pedro Jorge Costa e Márcio Schlee Gomes.[64]

Esses autores são francamente partidários de uma concepção normativa de dolo, isto é, o dolo independente da vontade do autor, assumindo uma concepção meramente cognitiva, no sentido de que é suficiente o elemento

---

61. HANS, Welzel. *Direito Penal*. Campinas: Romana, 2003. p. 119.
62. PUPPE, Ingeborg. *A distinção entre dolo e culpa*. Tradução, introdução e notas de Luís Greco. Barueri: Manole, 2004. p. 31 e ss.
63. GRECO, Luís. Algumas observações introdutórias à "Distinção entre dolo e culpa", de Ingeborg Puppe. In: PUPPE, Ingeborg. *A distinção entre dolo e culpa*. Op cit., p. IX-XIX.
64. GOMES, Márcio Schlee. *Dolo: cognição e risco: avanços teóricos*. Porto Alegre: Livraria do Advogado, 2019. p. 59-92.

intelectual. Da mesma forma, Enrique Bacigalupo afirma que age com dolo quem conhece o perigo concreto criado por sua ação geradora de risco para outrem, pois sabe o que faz.[65]

4.6 DOLO E TIPO PENAL

O dolo é um elemento subjetivo geral nos tipos dolosos. Ao lado dele, porém, existem muitos tipos penais compostos de elementos de ordem subjetiva, que podem fazer referência à culpabilidade, à ilicitude ou ao próprio dolo.

Conforme Daniela de Freitas Marques, ligam-se ao dolo as menções no tipo legal de crime referidas diretamente à consciência e à vontade de realizar o tipo subjetivo de um crime. Expressões como "sabendo", "devendo saber", "com conhecimento" ou outras similares, facilmente identificáveis no comportamento humano proibido, aludem não a um propósito ou a uma tendência especial do agente, mas a um dos elementos do dolo: o elemento intelectivo. Essa autora considera dispensáveis tais menções, em razão de serem portadoras de uma forte carga pleonástica.[66]

Tal observação não deixa de ter sentido, na medida em que o saber ou o dever saber integram o dado intelectual do elemento subjetivo geral, ou seja, o dolo, na sua forma direta ou eventual. Mas há situações em que a adoção desses elementos cumpre função importante na estrutura típica, que é justamente quando o legislador pretende limitar a manifestação dolosa, como ocorre na divulgação da calúnia (CP, art. 138, § 1º), em que só se admite o dolo direto. Assim, empregando a fórmula "sabendo falsa a imputação", o legislador exclui o dolo eventual da figura típica.

Existem dados subjetivos ligados à culpabilidade, como os motivos, os quais estão diretamente relacionados à reprovabilidade, que é essência do juízo de culpabilidade penal. É certo que matar por motivo torpe é mais reprovável que matar por motivo de relevante valor social ou moral.

---

65. Op. cit., p. 292.
66. MARQUES, Daniela de Freitas. *Elementos subjetivos do injusto*. Belo Horizonte: Del Rey, 2001. p. 77-78.

Não se confundem os motivos com finalidades especiais do agente. Motivos são a causa da vontade – o porquê – enquanto os fins são os objetivos que a vontade pretende atingir – para quê.

Os fins especiais do agente são vinculações do tipo com a ilicitude, traduzidos em especiais tendências, intenções ou propósitos, que condicionam ou fundamentam o juízo de ilicitude do comportamento.[67] Uma conduta objetiva será considerada lícita quando, subjetivamente, expressar a finalidade de satisfazer a ordem jurídica global. É o que ocorre, por exemplo, na agressão praticada com a finalidade de preservação de outro bem jurídico (legítima defesa e estado de necessidade), com o fim de cumprir dever (estrito cumprimento do dever legal) ou exercer direito (exercício regular do direito).

Afora as referências à ilicitude postas na Parte Geral (tipos permissivos), existem referências à ilicitude na Parte Especial, como ocorre na coação exercida com o fim de impedir suicídio (CP, art. 143, § 3º, II). Não se ignorando que se trata de causa especial de estado de necessidade, é certo dizer que não só a tipicidade, mas também a ilicitude do constrangimento ilegal está condicionada aos fins perseguidos pelo autor do constrangimento.

Os elementos subjetivos do injusto podem estar implícitos no tipo penal, como ocorre nos crimes contra a honra, que requestam *animus diffamandi vel injuriandi*.

Os elementos subjetivos do injusto identificam-se, especialmente, nos seguintes casos:

a. delitos de intenção: caracterizam-se por uma finalidade especial, como ocorre nos arts. 157 (para si ou para outrem), 180 (em proveito próprio ou alheio) e 353 (fim de maltratar), entre outros, do CP;
b. delitos de tendência: são os que exigem um propósito essencial à natureza da conduta, como o propósito de ofender (CP, arts. 138, 139 e 140) e o propósito de ultrajar (CP, art. 212);

---

67. MARQUES, Daniela de Freitas. *Elementos subjetivos do injusto*. Belo Horizonte: Del Rey, 2001. p. 119.

c. momentos especiais de ânimo: traduzem características especiais do ânimo do autor, como a expressão "indulgência", prevista no art. 320 do CP.

Parece-nos imprópria a expressão "dolo específico", pois os elementos subjetivos não devem jamais ser confundidos com o dolo, como adverte Cezar Roberto Bitencourt:

> Na realidade, o especial fim ou motivo de agir, embora amplie o aspecto subjetivo do tipo, não integra o dolo nem com ele se confunde, uma vez que, como vimos, o dolo esgota-se com a consciência e a vontade de realizar a ação com a finalidade de obter o resultado delituoso, ou na assunção do risco de produzi-lo.[68]

De acordo com Claus Roxin:

> Com efeito, é certo que alguns desses elementos subjetivos do tipo (como o "ânimo de apropriação antijurídica" no § 242 ou o "ânimo de enriquecimento ilícito" no § 263) não são total nem parcialmente idênticos ao dolo: quem não tem dolo de furtar não pode querer apropriar-se antijuridicamente da coisa que subtraiu; e quem realiza sem dolo de iludir o tipo objetivo do § 263 não pode ter o propósito de enriquecer a si ou a outrem ilicitamente. Agora, o que é pressuposto necessário de um elemento do tipo penal, também há de pertencer como tal ao tipo.[69]

Sequer os elementos subjetivos especialmente ligados ao dolo podem ser tratados como dolo específico. Como visto, tais elementos são integrantes do dolo em sua concepção genérica. Consoante Luiz Régis Prado:

---

68. BITENCOURT, Cezar Roberto. *Manual de Direito Penal*, op. cit., p. 212-213.
69. ROXIN, Claus. *Derecho penal*, op. cit., p. 309-310.

Assim, tem-se modernamente classificado o dolo tão somente em dolo direto e dolo eventual (...). Desse modo, cai por terra a antiga classificação – oriunda do Medievo e sustentada pela doutrina italiana clássica – que cominuía o dolo em: o dolo determinado, indeterminado, cumulativo, alternativo, eventual, genérico, específico, de dano, de perigo, de ímpeto, de propósito etc.[70]

4.7 DOLO E CIRCUNSTÂNCIAS

Circunstância advém de *circum stare*, que significa estar em redor. Conforme a lapidar lição de Fernando Capez, "circunstância é todo dado secundário e eventual agregado à figura típica, cuja ausência não influi de forma alguma sobre sua existência. Tem a função de agravar ou abrandar a sanção penal e situa-se nos seus parágrafos".[71] Circunstâncias são, portanto, dados que vão modificar as consequências da prática delituosa, sem alterar a tipicidade. Isso implica que, se o operador jurídico não as levar em consideração, a tipicidade não restará alterada. Exemplo: o furto não deixa de ser típico se abstrairmos o fato de ter sido praticado durante o repouso noturno, circunstância prevista no § 1º do art. 155. Assim, o repouso noturno é tão somente uma circunstância de aumento de pena.

Nisso reside a fundamental distinção entre uma circunstância e uma elementar. Enquanto a ausência da circunstância não altera a tipicidade, a ausência de uma elementar do tipo altera a tipicidade, quer extinguindo-a (atipicidade absoluta), quer alterando-a (atipicidade relativa). No caso de atipicidade absoluta, a ausência da elementar afasta a existência de qualquer outro crime. No caso de atipicidade relativa, a ausência da elementar faz surgir outra espécie delituosa. É preciso o exemplo de Damásio de Jesus quanto à condição de funcionário público nos crimes de prevaricação (CP, art. 319) e peculato (art. 312). Abstraída essa condição, o fato deixa de ser crime se tratarmos de prevaricação (atipicidade absoluta), mas desclassifica-

---

70. PRADO, Luiz Régis. *Curso de Direito Penal brasileiro*, op. cit., p. 297.
71. CAPEZ, Fernando. *Curso de Direito Penal: parte geral: volume 1*. São Paulo: Saraiva, 2000. p. 400.

-se para apropriação indébita (CP, art. 168) no caso de peculato (atipicidade relativa).[72] Isso ocorre porque a condição de funcionário público não pode ser abstraída sem prejuízo da tipicidade, tratando-se, pois, de elementar do crime funcional, e não mera circunstância.

Segundo Esmeraldino Bandeira, citado por Damásio de Jesus, os elementos apresentam o crime despido, e as circunstâncias o mostram vestido.[73]

As circunstâncias classificam-se da seguinte forma:

1. Judiciais: estão previstas no art. 59 do CP, servindo para auxiliar o juiz na primeira etapa da fixação da pena.
2. Legais: são todas as outras, não previstas no art. 59, dividindo-se em gerais e especiais, a saber:
   a. Gerais: são as agravantes, as atenuantes e as causas de aumento ou diminuição da parte geral. As agravantes servem para aumentar a pena e estão previstas nos arts. 61 e 62 do CP, enquanto as atenuantes, ao contrário, reduzem a pena e estão nos arts. 65 e 66 do CP. O *quantum* de aumento não é previsto legalmente, cabendo ao prudente arbítrio do juiz. Diversamente, nas causas de aumento (majorantes) ou de diminuição (minorantes), existe um parâmetro estabelecido pelo legislador (Exemplo: CP, art. 16).
   b. Especiais: são as qualificadoras e as causas de aumento e diminuição previstas na parte especial. Estas são circunstâncias de modificação da pena original em patamares determinados (1/2, 1/3 etc.), enquanto as qualificadoras consubstanciam uma pena diferente, com novos limites mínimo e máximo. Como esclarece Cezar Bitencourt:

Alguns doutrinadores não fazem distinção entre as majorantes e as minorantes e as qualificadoras. No entanto, as qualificadoras constituem verdadeiros tipos penais – tipos derivados – com novos limites,

---

72. JESUS, Damásio Evangelista de. Op. cit., p. 479-81.
73. Op. cit., p. 480.

mínimo e máximo, enquanto as majorantes e minorantes, como simples causas modificadoras da pena, somente estabelecem a sua variação. Ademais, as majorantes e minorantes funcionam como modificadoras na terceira fase do cálculo da pena, o que não ocorre com as qualificadoras, que estabelecem limites mais elevados, dentro dos quais será calculada a pena-base.[74]

4.8 DOLO E QUALIFICADORAS

Já ficou dito que, em certos delitos, o legislador elege determinadas situações para agregar ao tipo e torná-lo qualificado, ou seja, mais gravemente apenado. Tais dados, agregados ao tipo penal, denominam-se qualificadoras e dão origem a um tipo penal derivado,[75] com pena fixada em limites mínimo e máximo superiores ao tipo original. Exemplo: enquanto o homicídio simples (art. 121, *caput*) tem pena de 6 a 20 anos, no homicídio qualificado, consubstanciado nas hipóteses do § 2º do art. 121 do Código Penal, a pena é de 12 a 30 anos.

Não há nenhuma incompatibilidade entre o dolo, mesmo na modalidade eventual, e uma circunstância qualificadora, qualquer que seja. Figure-se o exemplo do traficante que efetua disparos contra um automóvel estacionado e aparentemente vazio, anuindo com a possibilidade de vir a matar integrante de uma quadrilha rival, caso ele esteja no interior do veículo, em razão de disputas no comércio de entorpecentes. Nesse caso, o dolo é eventual, sendo torpe o motivo do crime. Excepcionalmente, porém, haverá uma incompatibilidade lógica entre o dolo eventual e a forma qualificada do crime, como já assentou o STF em relação à qualificadora do recurso que dificulta ou torna impossível a defesa da vítima no homicídio,[76] já que uma pessoa não pode

---

74. BITENCOURT, Cezar Roberto. *Manual de Direito Penal*, op. cit., p. 520.

75. Discute-se, na verdade, se o crime qualificado constitui um novo tipo penal ou se a qualificadora é mera circunstância do tipo original, dissidência que repercute na comunicabilidade das circunstâncias, pois, a teor legal, as condições pessoais só se comunicam quando elementares do crime (CP, art. 30).

76. HC 95136, Relator(a): Joaquim Barbosa, Segunda Turma, julgado em 01/03/2011, DJe-060 Divulg 29/03/2011 Public 30/03/2011.

usar de um recurso que dificulta a defesa do ofendido sem querer matá-lo, diretamente.

4.9 CRIMES QUALIFICADOS PELO RESULTADO E PRETERDOLO

Crimes qualificados pelo resultado em geral

Às vezes, o legislador qualifica o crime em razão de um resultado de especial gravidade. Assim ocorre, por exemplo, com a lesão corporal qualificada, em que o legislador optou por punir mais gravemente aquelas ofensas que espelhem maior sofrimento ou consequências mais danosas para a vítima. Com efeito, enquanto a forma básica de lesão corporal tem pena de 3 meses a 1 ano de detenção, as formas qualificadas têm penas muito superiores: reclusão, de 1 a 5 anos para os resultados graves (§ 1º), e 2 a 8 anos para os resultados gravíssimos (§ 2º). O legislador prevê, ainda, a morte como resultado qualificador de uma lesão corporal, cuja pena varia de 4 a 12 anos de reclusão (§ 3º).

Todas as circunstâncias previstas nos parágrafos do art. 129 são resultados qualificadores. Ou seja, o legislador considera o resultado mais grave como fundamento de um apenamento também mais gravoso.

Embora se costume chamar esse gênero de crimes qualificados pelo resultado, nem sempre, porém, se está diante de uma autêntica qualificadora. É o caso, por exemplo, da forma qualificada de aborto, prevista no art. 127 do CP, em que não há limites mínimo e máximo definidos para o apenamento, e sim um parâmetro elástico de 1/3 para o resultado de lesão grave, ou o dobro, para o caso de morte. Trata-se, como vimos, de uma majorante.

Seja como for, em todos esses casos e em muitos outros, previstos na legislação, a pena é modificada em razão do resultado, fazendo surgir o gênero usualmente aceito como crime qualificado pelo resultado, que pode ocorrer das seguintes maneiras:

    a. dolo no fato antecedente e culpa no consequente (dolo + culpa): por exemplo, o agente quer ferir e acaba, por culpa, matando, incorren-

do no art. 129, § 3º (lesão corporal seguida de morte ou homicídio preterdoloso);
b. dolo no fato antecedente e dolo no fato consequente (dolo + dolo): por exemplo, o agente quer ferir a vítima a ponto de deixá-la deformada, praticando uma lesão corporal gravíssima (art. 129, § 2º, IV);
c. culpa no fato antecedente e dolo no consequente (culpa + dolo): o motorista culposamente atropela um pedestre e posteriormente abandona o local sem prestar socorro (art. 302, § 1º, III da Lei n. 9.503);
d. culpa no antecedente e culpa no consequente (culpa + culpa): o agente pratica incêndio culposo (art. 250, § 2º), com resultado de lesão grave ou morte (art. 258).

Nesses crimes, o fato posterior acaba por aumentar a punição, mas deve-se observar o disposto no art. 19 do CP: *Pelo resultado que agrava especialmente a pena, só responde o agente que o houver causado ao menos culposamente.*

Esta regra deixa clara a impossibilidade de punição pelo resultado que não tenha sido causado com dolo ou culpa, afastando do Direito Penal a responsabilidade penal objetiva ou *versari in re illicita*. Por exemplo, dois indivíduos brigam no alto de um prédio, não se podendo definir quem é o responsável pela briga, momento em que um deles é acometido de súbito mal-estar e acaba caindo do alto do prédio. Não poderá o outro lutador responder pela morte, uma vez que esta não decorreu de dolo ou culpa, e sim do mal súbito.

Crimes preterdolosos

Os crimes preterdolosos ou preterintencionais são uma classe à parte de crimes qualificados pelo resultado. São crimes em que o resultado qualificador não é abrangido pelo elemento subjetivo. Com efeito, o preterdolo (*praeter* = além) significa uma consequência que está além do que foi desejado pelo agente. É o caso, por exemplo, do já citado exemplo da lesão corporal seguida de morte. O agente quer produzir uma lesão corporal e a vítima, em consequência das agressões, acaba morrendo. A morte não é buscada, nem a título eventual, pelo agente, pois, se assim fosse, teríamos homicídio doloso. É o que diz o tipo derivado: *"Art. 129. [...] § 3º. Se resulta morte e as circunstâncias evidenciam que o agente não quis o resultado, nem assumiu o risco de produzi-lo"* – grifamos.

No caso, a morte deve derivar de culpa do agente, fazendo surgir um tipo penal híbrido, composto de dolo e culpa. Fala-se que há dolo no antecedente – tipo fundamental – e culpa no consequente – resultado mais grave.

A exigência de que o resultado mais grave derive de culpa está no rechaço à responsabilidade penal objetiva. Com efeito, é insuscetível de imputação o resultado mais grave quando este sequer é previsível pelo agente. Exemplo: Jonas agride Jacó, que morre, ao cair, em virtude de bater com a cabeça numa pedra oculta sob a areia da praia. Nesse caso, a morte advém de caso fortuito, que não pode ser imputado ao agente, respondendo este, apenas, pela lesão corporal em sua forma fundamental.

A lesão corporal seguida de morte é um crime preterdoloso próprio, porque só é possível acontecer com culpa no resultado qualificador. O mesmo ocorre com a lesão corporal qualificada pelo perigo de vida (art. 129, § 1º, II) e na lesão corporal qualificada pelo aborto (art. 129, § 2º, V). Essas duas circunstâncias só admitem culpa em relação a elas, pois, se o agente atua com dolo, responde por tentativa de homicídio, no primeiro caso, e por aborto, no segundo.

Surge, todavia, o crime preterdoloso impróprio quando é praticado mediante culpa no consequente, mas nada impede que seja praticado com dolo. É o que ocorre nas demais qualificadoras da lesão corporal, que podem ser praticadas com dolo ou culpa. Veja-se que é possível produzir incapacidade para ocupações habituais por mais de 30 dias tanto dolosa como culposamente. Exemplo: jogador da reserva que, querendo disputar o campeonato na condição de titular, aproveita-se de um treino para lesionar gravemente seu rival de posição, fazendo com que ele fique fora dos jogos.

Figure-se outro exemplo: inconformado com o final do relacionamento, o namorado agride a namorada e acaba, por excesso, causando-lhe deformidade permanente na face. Trata-se de situação preterdolosa, pois há dolo de lesionar (antecedente) e culpa em relação ao resultado qualificador (consequente). Mas nada obsta que alguém, a fim de impedir que a namorada relacione-se com outro, pretenda causar-lhe deformidade facial, com o que age com dolo em relação ao resultado mais grave. Nesse caso, tem-se crime qualificado pelo resultado, mas a hipótese não é preterdolosa.

Assim, é possível fazer a seguinte distinção:

a. *Crime preterdoloso próprio:* a figura típica só admite dolo antecedente e culpa consequente. Exemplo: lesão corporal seguida de morte, homicídio preterdoloso ou preterintencional (art. 129, § 3º).
b. *Crime preterdoloso impróprio:* a figura típica admite que haja dolo antecedente e dolo ou culpa consequente, só sendo possível falar em crime preterdoloso quando o resultado ocorrer por culpa do agente. Exemplo: lesão corporal qualificada por deformidade permanente (art. 129, § 2º, IV).

No caso do crime preterdoloso impróprio, o juiz deve, no ajuste da pena-base, mercê do art. 59 do CP, considerar a existência de dolo ou culpa em relação ao resultado mais grave, reservando maior censura à forma dolosa.

Adverte Aníbal Bruno que, "ao contrário do dolo e da culpa, não há no agente uma situação psicológica que possamos chamar preterintenção. A preterintencionalidade está no fato, não no agente [...]".[77]

Com efeito, o preterdolo não é uma modalidade especial de elemento subjetivo ou normativo, mas uma estrutura típica híbrida, composta por ambos os elementos.

4.10 DOLO EVENTUAL E CULPA CONSCIENTE: O PROBLEMA DA DISTINÇÃO

O dolo eventual, também chamado dolo condicionado,[78] constitui modalidade de conduta em que o agente representa o resultado, mas não o quer direta-

---

77. BRUNO, Aníbal. Op. cit., p. 76.
78. Adverte Claus Roxin que essa denominação é incorreta, pois o dolo, como vontade de ação realizadora do plano, precisamente não é eventual ou condicionado, mas, ao contrário, incondicional, porquanto o agente quer realizar seu projeto a qualquer preço, ainda que seja a realização do tipo, ou seja, sob qualquer eventualidade ou condição (op. cit., p. 426).

mente. Sem embargo, orienta sua vontade em direção ao resultado, aceitando as consequências do seu ato. Já dissemos, com Beling, citado por Sebastián Soler,[79] que não só está em dolo quem diretamente quis o resultado, mas também quem não o quis.[80]

A lei adota, para o dolo eventual, a seguinte fórmula simplista: assumir o risco de produzir o resultado (CP, art.18, II, segunda parte), consagrando, pois, a chamada teoria do consentimento (assentimento).

De Nélson Hungria, extrai-se que, ao definir o dolo eventual, o Código Penal inspirou-se na fórmula preconizada pela comissão incumbida pelo projeto de reforma do Direito Penal alemão, no sentido de que "também age dolosamente aquele que prevê apenas como possível o resultado, mas consciente do risco de causá-lo".[81]

Costuma-se adotar o critério expresso por Frank, na sua teoria positiva do consentimento, segundo a qual, no dolo eventual, o agente afirma, para si mesmo, "haja o que houver, dê no que der, eu vou agir".

Conforme assentam Zaffaroni e Pierangeli:

> O dolo eventual, conceituado em termos correntes, é a conduta daquele que diz a si mesmo "que aguente", "que se incomode", "se acontecer, azar", "não me importo". Observe-se que aqui não há uma aceitação do resultado como tal, e sim sua aceitação como possibilidade, como probabilidade.[82]

Assim, o dolo eventual é um ato de decisão do agente que, prevendo a possibilidade de produzir o resultado, decide (aceita) correr o risco de produzi-lo. Segundo Julio Fabbrini Mirabete, age também com dolo eventual o agente que, na dúvida a respeito de um dos elementos do tipo, se arrisca em concretizá-lo, como quem, na dúvida sobre a idade de uma jovem, que

---

79. SOLER, Sebástian. *Derecho penal argentino*, op. cit., p. 128.
80. *Apud* SOLER, Sebástian. *Derecho penal argentino*. vol. 2. Buenos Aires: Tipográfica Editora Argentina, 1992. p. 128.
81. HUNGRIA, Nélson. Op. cit., p. 116.
82. PIERANGELI, José Henrique; ZAFFARONI, Eugênio Raul. Op. cit., p. 498.

é menor de 14 anos, com ela mantém conjunção carnal ou pratica outro ato libidinoso.[83]

São exemplos de dolo eventual, citados pela doutrina, dentre outros: o motorista que avança com o automóvel contra uma multidão, porque está com pressa de chegar ao seu destino, aceitando o risco da morte de pedestres; os ciganos que mutilavam as crianças da tribo, para que esmolassem, causando-lhes a morte por infecção; médico que ministra medicamento que sabe poder conduzir à morte o paciente, apenas para testar o produto; agente que desfere pauladas na vítima, a fim de com ela manter relações sexuais, estuprando-a em seguida e provocando-lhe a morte em virtude dos golpes; atirar em outrem para assustá-lo; atropelar ciclista e, em vez de deter a marcha do veículo, acelerá-lo, visando arremessar ao solo a vítima que caíra sobre o carro; dirigir caminhão, em alta velocidade, na contramão, embriagado, batendo em automóvel que trafegava regularmente e matando três pessoas; praticar roleta russa; participar de "racha", causando a morte;[84] o caçador dispara a arma contra o animal que passa em frente a um grupo de árvores onde acaba de penetrar o seu companheiro de caça, prevendo, embora, que este possa ser atingido pelo projétil; o agente que desfecha um tiro na vítima, apesar de prever que a bala possa atingir também a criança que ela tem ao regaço[85] etc.

Quanto à culpa, sabemos que constitui modalidade excepcional de comportamento, em que o resultado se desenvolve em descompasso com a representação e com a vontade do agente,[86] que, por descuido – violação do dever objetivo de cuidado –, produz um resultado danoso que não foi alcançado por sua representação e por sua vontade. Importante, na culpa, é que o resultado não esteja fora do alcance da representação e da vontade. Se estiver, trata-se de caso fortuito ou de força maior. Na culpa, então, o resultado pode ser alcançado subjetivamente pelo agente, mas este não o alcança.

No crime culposo, como regra, o agente não representa o resultado e, por isso, não tem condições de querer ou deixar de querê-lo. Ninguém pode que-

---

83. MIRABETE, Júlio Fabbrini. *Manual de Direito Penal*. v. 1. São Paulo: Atlas, 1997. p. 137.
84. MIRABETE, Julio Fabbrini. Op. cit., p. 137.
85. BRUNO, Aníbal. Op. cit., p. 73.
86. Sobre a excepcionalidade do crime culposo, *vide* Capítulo 3.

rer ou deixar de querer algo que não cogitou, porque a idealização condiciona a vontade. Então, na culpa, como regra, a representação e, por conseguinte, a vontade, divergem do resultado.

A *contrario sensu*, se o agente consegue representar o resultado, a sua vontade tem condições de buscá-lo ou não. Quando a vontade dirige-se, direta ou indiretamente, ao resultado que o agente representou, estão satisfeitas as condições intelectuais e volitivas do crime doloso. Assim, no dolo, vontade e representação convergem para o resultado.

Mas, quando o agente representa o resultado, e sua vontade, numa circunstância excepcional, não se dirige, sequer indiretamente, ao que foi representado, não é possível falar em dolo, pela falta do elemento volitivo. Tem-se um descompasso entre representação e vontade: enquanto a representação converge para o resultado, a vontade diverge do mesmo.

Em regra, no Direito Penal de matriz finalista, em que prevalece o desvalor da intenção, não haverá responsabilidade penal na culpa, a menos que o agente tenha produzido o resultado previsto em virtude de ter conduzido mal o comportamento. Veja-se que dirigir mal o comportamento não significa dirigi-lo para o mal.

Surge, assim, uma hipótese ainda mais excepcional de culpa, que se denomina culpa consciente. Explica-se: a culpa é excepcional porque é da essência dos seres humanos a capacidade de prever riscos e, em os prevendo, evitá-los, sendo que, na culpa, o ser humano não exerce sua capacidade de previsão do previsível, causando um mal que poderia evitar com maior diligência; pois bem: a culpa consciente é mais excepcional porque é quase inconcebível que alguém, tendo efetivamente previsto o risco oriundo do comportamento, prossiga nele sem vontade.

Adverte Aníbal Bruno que "a forma típica da culpa é a culpa inconsciente, em que o resultado previsível não é previsto pelo agente". E arremata o preclaro mestre: "A culpa com previsão representa um passo mais da culpa simples para o dolo".[87] Ora, se o agente representa o resultado, ingressa no plano reservado ao dolo, porque sua vontade tem condições de orientar-se

---

87. BRUNO, Aníbal. Op. cit., p. 73.

finalisticamente em direção ao que foi idealizado, desviando-se ou não do crime. Muito excepcionalmente, porém, é possível admitir que alguém, mesmo com a consciência do resultado, não tenha agido com dolo: quando for possível afirmar, com boa margem de certeza, que o agente não orientou sua vontade para o resultado. Se a vontade não se orientou para o resultado não se pode falar em dolo, remanescendo, então, a espécie subsidiária excepcionalíssima da culpa com previsão.

Costuma-se dizer que, na culpa consciente, o agente confia que o fato por ele previsto não irá acontecer. O agente age convicto de que o resultado previsto não acontecerá.

Adverte Claus Roxin, todavia, que não se pode confundir confiança com mera esperança.

> Com esta reserva se pode dizer que há que afirmar o dolo eventual quando o sujeito conta seriamente com a possibilidade de realização do tipo, mas apesar disso segue atuando para alcançar o fim perseguido, e se resigna assim – seja de boa ou má índole – à eventual realização de um delito, se conforma com ela. Em contrapartida, atua com culpa consciente quem adverte a possibilidade de produção do resultado, mas não a leva a sério e, em consequência, tampouco se resigna a ela em caso necessário, e sim confia, negligentemente, na não realização do tipo. A respeito, é preciso distinguir entre a "confiança" e uma mera "esperança". Quem confia – amiúde por uma supervaloração da própria capacidade de dominar a situação – em um desenlace exitoso não toma seriamente em conta o resultado delitivo e portanto não atua dolosamente. Sem embargo, quem leva a sério a possibilidade de um resultado delitivo e não confia em que tudo sairá bem pode, em qualquer caso, seguir tendo a esperança de que a sorte esteja a seu lado e não aconteça nada. Esta esperança não exclui o dolo quando, a par dela, o sujeito deixa que as coisas sigam seu curso.[88]

---

88. ROXIN, Claus. *Derecho Penal*, op. cit., p. 427.

Clássico é o exemplo do atirador de facas que, no picadeiro, arremessa punhais contra sua mulher. Embora tenha representação de atingi-la, o artista circense confia na sua destreza, não se podendo pensar que esteja aceitando o risco de ferir o ente querido. Assim, a menos que esteja pretendendo mascarar o dolo direto de ferir sua esposa, não se dirá que o atirador de facas age com dolo, e sim com culpa consciente.

Resumindo, se não há previsão (representação), não pode haver dolo; se há previsão, a hipótese é dolosa, a menos que se conclua que o agente, tendo previsto o resultado, orientou sua vontade em sentido diverso da previsão. Esquematicamente, pode-se imaginar o seguinte:

Do ponto de vista estrutural, dolo eventual e culpa consciente divergem, apenas, no plano volitivo, já que, em ambos, faz-se presente o elemento intelectual, ou seja, a representação.

Todavia, em termos práticos, tão problemática é a distinção entre dolo eventual e culpa consciente que já se propôs a equiparação de ambos numa categoria autônoma, situada entre o dolo e a culpa, a exemplo da figura jurídica anglo-americana da *reckleness*.[89]

Tal dificuldade repousa no fato de que a mente humana é insondável. Enquanto um jurista não for capaz de ingressar nos recônditos psíquicos, jamais estará na posse da verdade ao afirmar, taxativa e categoricamente, que determinada hipótese trata de dolo eventual ou culpa consciente. Na verdade, tratados inteiros de psicologia e psiquiatria são insuficientes para descortinar a verdadeira natureza desses complexos fenômenos psíquicos. É por ingenuidade ou vaidade que operadores do direito tentam, em vão, fazê--lo, sem nenhuma base científica.

Seja como for, o certo é que vontade e representação, como fenômenos subjetivos, estão muito mais ligados às ciências da subjetividade do que ao direito, sendo que ao jurista cumpre reconhecer sua limitação epistemológica, em vez de assenhorear-se de objetos que não são seus. Com efeito, pode o jurista aproveitar-se desses fenômenos, não transmudá-los ao sabor de suas divagações hermenêuticas. Um fenômeno psíquico não pode ser definido

---

89. Idem, ibidem, p. 447.

legalmente de forma simplista e fechada, tampouco comporta interpretações de índole reducionista. Juarez Cirino dos Santos, tratando do modelo negativo de comportamento humano, enfatiza:

> Não obstante a honestidade de propósitos, parece impróprio reduzir os conceitos fundamentais da psicanálise aos limites funcionais do conceito de ação (ou de ação típica): as categorias psicanalíticas contêm um potencial teórico-explicativo criminológico que transcende os limites do conceito de ação (ou de ação típica) para tentar apreender o sentido concreto das ações humanas na plenitude do significado incorporado pelos atributos do conceito de crime.[90]

De efeito, é importante salientar que só o autor do fato incriminado, senhor da própria subjetividade, sabe e pode saber com certeza absoluta se representou o resultado e se orientou para ele sua vontade. Mas não podem os operadores do direito criminal ficar reféns da palavra do acusado a respeito do elemento intencional, pois, como é cediço, o réu apenas raramente confessa.[91] Disso resulta o hercúleo esforço argumentativo em torno de casos concretos, em que se devem buscar, nas circunstâncias do fato, indicativos de dolo ou culpa.

No aspecto eminentemente teórico, o que se tem são critérios legais e não definições axiomáticas. Aliás, sequer a lei define a culpa consciente, limitando-se a fixar o dolo eventual como a situação em que o agente assume o risco de produzir o resultado.

Ensina Fernando de Almeida Pedroso:

> Elemento de natureza interna e subjetiva, o *animus* (intenção) que conduz o agente ao crime, por obter nascedouro nos recônditos de sua

---

90. *Apud* MARQUES, Daniela de Freitas. Op. cit., p. 72.
91. Sobre o tema, consultar BATTISTELLI, Luigi. *A mentira nos tribunais*. Coimbra: Coimbra Editora, 1977. p. 30-31.

alma e na sua indevassável mente e inexplorável pensamento, assume-se como dado de difícil perquirição e dificultosa constatação.[92]

A inquietação sobre o tema gerou inúmeras teorias, sendo que as mais conhecidas são de Frank, a saber:

a. teoria hipotética do consentimento, pela qual a previsão do resultado somente não constitui dolo, se a previsão do mesmo resultado como certo não teria detido o agente, isto é, não teria tido o efeito de um decisivo motivo de contraste;
b. teoria positiva do consentimento, critério amiúde aceito, pelo qual o agente que age com dolo diz a si próprio: seja como for, dê no que der, em qualquer caso, não deixo de agir.[93]

Na verdade, as teorias pouco ajudam no enfrentamento de tão intrincado problema. A legislação, tampouco.[94]

Dolo eventual e culpa consciente têm um traço comum: representação do resultado. Distinguem-se, porém, quanto ao elemento volitivo. Enquanto no dolo o agente assume o risco de produzir o resultado, na culpa consciente, ao contrário, o agente acredita na não produção.

É certo dizer que, na culpa consciente, o agente não corre riscos. Imagina que, em virtude de sua habilidade, estes não existam. No dolo eventual, ao contrário, o agente aceita correr o risco inerente ao comportamento.

Figurem-se os seguintes exemplos:

---

92. PEDROSO, Fernando de Almeida. *Prova penal.* Rio de Janeiro: Aide. 1994. p. 103.
93. Cf. HUNGRIA, Nélson. Op. cit., p. 113.
94. "O fato é que, ao contrário do que a doutrina brasileira ainda costuma pensar, a lei não resolveu nada. Isso porque as palavras que a lei usa – o assumir o risco da produção do resultado – são ambíguas, podem ser compreendidas tanto no sentido de uma teoria meramente cognitiva, que trabalha tão só com a consciência de um perigo qualquer, como no sentido de uma teoria da vontade, a qual pode ser a teoria da anuência, como qualquer outra. E a prova disso é que um dos maiores e mais importantes críticos de qualquer visão do dolo sempre como vontade, um defensor da teoria da possibilidade, alguém que considerava, portanto, suficiente que o autor reconhecesse o resultado como possível, dizia inexistir qualquer culpa consciente, pois se há consciência, há dolo ('toda culpa é culpa inconsciente'). Horst Sröeder, em seu clássico estudo na Festschrift em homenagem a Sauer, utiliza várias vezes a expressão do assumir o risco (Inkaufnahme des Risikos) para caracterizar o dolo." (Cf. Luís Greco, Algumas observações introdutórias à "Distinção entre Dolo e Culpa", de Ingeborg Puppe, Barueri: Manole, p. XVII).

1. A, pretendendo ultrapassar um sinal fechado, percebe a aproximação de um veículo com preferência, mas calcula que é capaz de atravessar a artéria preferencial. Nesse caso, o risco só existe objetivamente, pois, subjetivamente, o agente o rejeita. Há culpa consciente.
2. A percebe a aproximação do veículo e, na dúvida se conseguirá ultrapassar a artéria preferencial, opta pela travessia. Nesse caso, o risco existe objetiva e subjetivamente, pois o agente age na dúvida, preferindo correr o risco. Há dolo eventual.

Eis o traço distintivo fundamental: na culpa consciente, o agente tem a crença (equivocada) da não produção do resultado; no dolo eventual, o agente age na dúvida, optando por correr o risco.[95]

Ora, quem prevê o risco de seu comportamento deve orientar-se em sentido diverso desse risco. Essa é uma característica básica da espécie humana, vinculada ao primário instinto de sobrevivência: somos capazes de prever riscos e, em os prevendo, fugir deles. Assim, quem prevê risco para si ou para outrem é capaz de agir para evitar o risco. Se não o faz, age dolosamente, a menos que, por erro, tenha tido a crença de que era capaz de evitá-lo.

Assim, enquanto no dolo direto o agente quer e a sua vontade busca o resultado, no dolo eventual o agente não quer o resultado (se quisesse, seria direto o dolo), mas realiza conduta que sabe ser adequada à sua produção. Exemplo: querendo testar uma arma recém-adquirida, o agente dispara a esmo em região povoada, sabendo que tal conduta é adequada para ferir alguém.

Tal exemplo encontra arrimo na lição de Hans Welzel: "O dolo penal tem sempre duas dimensões: não é somente a vontade tendente à concretização do fato, mas também a vontade apta para a realização do fato".[96]

Na culpa consciente, o agente prevê o resultado e não o quer, empregando meios que supõe inadequados à sua produção. É justamente essa equivocada suposição que transtorna a vontade e impede a configuração do dolo, a

---

95. Nélson Hungria assinala o egoísmo para o dolo eventual e a leviandade para a culpa consciente (HUNGRIA, Nélson. Op. cit., p. 112).
96. WELZEL, Hans. Op. cit., p. 119.

despeito da representação. Exemplo: atirador de elite que atira no sequestrador, supondo seriamente que não vai ferir a vítima (representação negativa), o que, todavia, acontece por apreciação equivocada das circunstâncias.

Veja-se que, em se tratando de um atirador de elite, altamente treinado, portanto, as circunstâncias permitem concluir que ele não quis ou assumiu o risco de produzir o resultado. Nem sempre, porém, as circunstâncias são assim tão eloquentes. A dúvida intransponível deve favorecer o agente, mas isto está longe de significar que se deva presumir a culpa, pois esta, como já ficou assentado, é exceção.

Consoante BACIGALUPO,[97] a diferenciação entre dolo e culpa não deve ser buscada na antinomia entre "voluntário/involuntário", mas no par de conceitos "conhecimento/desconhecimento", pois o autor agirá com dolo eventual quando tenha sabido que as consequências acessórias possíveis de sua conduta não são improváveis. Segundo ele:

> A partir da perspectiva desse conceito de dolo, fica sumamente simples a distinção entre dolo e culpa. As teorias tradicionais do dolo abordavam esse problema ao diferenciar o dolo eventual da chamada culpa consciente ou com representação, isto é, os casos em que o autor agia com conhecimento do perigo de sua conduta, mas confiando em que o resultado não se produziria. Com base na concepção de que o dolo eventual corresponde ao conhecimento de que o resultado não é improvável, somente se pode admitir como culpa a chamada culpa inconsciente, é dizer, aquela em que o autor não teve conhecimento do resultado.

Quem conhece o perigo concreto criado por sua ação geradora de risco para outrem age com dolo, pois sabe o que faz. Pelo contrário, se ignora a criação desse perigo concreto de realização do tipo objetivo ou se houver um erro sobre ele, agirá culposamente.[98]

---

97. BACIGALUPO, Enrique. Op. cit, p. 301.
98. Op. cit., p. 292.

4.11 DOLO E CULPA CONSCIENTE SEGUNDO A CONCEPÇÃO NORMATIVA DE DOLO SEM VONTADE

Ao abordar a distinção entre dolo eventual e culpa consciente, GRECO afirma que, ao contrário do que a doutrina brasileira ainda costuma pensar, a lei não resolveu nada, pois as palavras que a lei usa – assumir o risco da produção do resultado – são ambíguas, podem ser compreendidas tanto no sentido de uma teoria meramente cognitiva, que trabalha tão só a consciência de um perigo qualquer, como no sentido de uma teoria da vontade, a qual pode ser a teoria da anuência, como também qualquer outra.[99] Nesse sentido, o dolo é o mero conhecimento de que a ocorrência do resultado é algo provável.

A fórmula de Frank, descrita anteriormente, é posta à prova no famoso caso de tiro ao alvo de Lacmann. Em um parque de diversões, um homem aposta com outro visitante que ele é capaz de atirar numa bola que está na mão da menina que serve o público no estande de tiro ao alvo. Caso ele fira a menina, planeja ele deixar a arma cair e desaparecer na multidão. Aqui, a ocorrência do resultado é incompatível com o objetivo do autor, que é o de ganhar a aposta. Está claro, assim, que ele não iria agir se a ocorrência do resultado fosse algo seguro, porque a ação, neste caso, não teria nenhuma razão de ser para ele. Ainda assim, os defensores da teoria da vontade, desde então até os dias de hoje, afirmam que o autor age com dolo eventual de lesões corporais.[100]

O caso do tiro ao alvo de Lacmann, além de refutar a fórmula de Frank, refuta toda e qualquer tentativa de compreender o dolo eventual como uma espécie de aprovação interior do resultado.[101]

Segundo GRECO,[102] a teoria do consentimento, defendida quase unanimemente entre nós desde Hungria, representa uma etapa talvez ultrapassada pela evolução da dogmática penal moderna. Por isso propõe a adoção

---

99. GRECO, Luís. Algumas observações introdutórias à "Distinção entre dolo e culpa", de Ingeborg Puppe. In: PUPPE, Ingeborg. *A distinção entre dolo e culpa*. Op cit., p. XVII.
100. PUPPE, Ingeborg. Op. cit., p. 45.
101. Idem, ibidem, p. 46.
102. Idem, ibidem.

de uma concepção normativa, que dispensa a vontade, sustentando que dolo é só conhecimento, porque só o conhecimento gera domínio, e só o domínio fornece razões suficientemente fortes para fundamentar o tratamento mais severo dispensado aos casos de dolo, havendo uma única forma de dolo, não devendo diferenciar-se dolo eventual de dolo direto.[103]

4.12 CULPA IMPRÓPRIA, POR FICÇÃO OU POR EQUIPARAÇÃO

Como o nome indica, culpa imprópria não é, propriamente, culpa. Na verdade, é um crime doloso, ao qual a lei determina aplicação da pena do crime culposo, sendo também chamada de culpa por ficção, culpa por equiparação ao dolo ou culpa por assimilação.

Ocorre quando o agente atua mediante uma descriminante putativa por erro de tipo, incorrendo na segunda parte do § 1º do art. 20 do Código Penal. Numa descriminante putativa, o agente supõe, por erro, uma situação que, se existisse, tornaria a ação legítima. Nesse caso, houve um erro sobre a situação justificante, que pode ser:

1º) Erro plenamente justificado pelas circunstâncias, inevitável ou escusável, ficando o agente isento de pena.

2º) Erro injustificado, evitável ou inescusável, ou seja, que o agente poderia evitar com mais observação e cautela, ocorrendo uma situação de punição por crime culposo, se previsto em lei. Ocorre que o agente quis praticar o fato típico, mas, em vez de ser punido a título de dolo, será punido por culpa, por expressa disposição legal, que nada mais é do que uma ficção destinada a punir de forma menos grave. Essa forma culposa, por não ser genuinamente dolo, é chamada pela doutrina de culpa imprópria.

---

103. GOMES, Schlee. Op.cit., p. 65.

4.13 "DEVER SABER" E TEORIA DA CEGUEIRA DELIBERADA

A doutrina pátria, de modo geral, admite o dolo sem o conhecimento efetivo nos tipos penais formados pela expressão "deve saber", existente nos arts. 130 (exposição a perigo de contágio venéreo), 180, § 1º (receptação qualificada), 180-A (receptação animal), 241 (entrega de filho a pessoa inidônea). Nesses casos, conforme elucida BITENCOURT, com amparo em Nélson Hungria, o elemento subjetivo se refere à consciência ou à *possibilidade de consciência*, configurando-se o dolo eventual quando o agente "deve saber".[104]

Tal entendimento é compatível com a teoria da cegueira deliberada (*willfful blindness doctrine*). Conforme mencionado, o desconhecimento de elementares do tipo penal implica ausência do dolo (erro de tipo). Todavia, é possível que o agente, embora podendo suspeitar da existência de um fato típico, resolva simplesmente recusar uma compreensão mais detalhada dos fatos e continuar agindo (ou se omitindo), o que, segundo a teoria da cegueira deliberada, irá permitir a configuração de crime doloso. O ditado popular "o pior cego é o que não quer ver" sintetiza a ideia central dessa teoria, a qual é utilizada como forma de considerar dolosa a conduta de quem opta por ignorar o caráter criminoso de um fato. A cegueira deliberada é também conhecida como *instrução de avestruz* (*ostrich instruction*), em alusão à ave que enterra a própria cabeça na areia diante de uma situação indesejada.

Essa teoria surgiu na Inglaterra, num julgamento de 1861, no qual a corte considerou a "cegueira intencional" de um réu que poderia saber que participava de uma atividade ilícita, mas preferiu ignorar deliberadamente o fato. Posteriormente, a teoria foi utilizada pela Suprema Corte dos Estados Unidos, no caso *Spurr* vs. *United States* (1899), cunhando-se o termo *wilffull blindness doctrine*, passando a ser utilizada em inúmeros julgamentos até nossos dias.

A ideia central dessa teoria reside na premissa de que um ato não faz a pessoa culpada a menos que o pensamento seja também culpado, o que a

---

104. BITENCOURT, Cezar Roberto. *Tratado de Direito Penal*. Parte Especial: crimes contra a pessoa. V. 2. 20. ed. São Paulo: Saraiva, 2020. p. 346-7.

common law denomina *mens rea* (mente culpada), que engloba os elemenos subjetivos e se desdobra em quatro possíveis atitudes mentais: *purpose* ou *intent* (intenção), *knowledge* (conhecimento), *reckleness* (imprudência) e *negligence* (negligência). Diante de situações sem efetivo conhecimento (*knowledge*), as cortes passaram a utilizar a *wilffull blindness doctrine* para configuração da *mens rea*.

No Brasil, a teoria foi empregada pela primeira vez no julgamento do processo dos autores de furto ao Banco Central de Fortaleza, ocorrido em 2005. Desde então, a cegueira deliberada tem sido utilizada para configuração do dolo eventual, especialmente nos crimes de lavagem de dinheiro.

Parcela da doutrina entende que não é possível equiparar a teoria da cegueira deliberada ao dolo eventual, já que o dolo pressupõe conhecimento, enquanto no direito da *common law* a teoria supre a ausência de conhecimento (*knowledge*). Estar-se-ia, por meio da teoria, criando-se *dolo sem conhecimento*, o que implicaria definir o dolo fora da quadratura desenhada pelos arts. 18 e 20 do CP.[105] Em outras palavras, para haver dolo eventual deve haver conhecimento, enquanto a teoria da cegueira deliberada é uma situação em que o conhecimento não existe, sendo, portanto, institutos insuscetíveis de equiparação. Segundo essa corrente, a teoria da cegueira deliberada modifica o conceito de dolo e inverte o princípio *in dubio pro reo*, bem como o ônus probatório, eis que o acusado passa a ter que provar seu desconhecimento, e não a acusação, o tipo penal.[106]

A verdade é que a ideia de ignorância intencional já está difundida no Brasil desde muito antes de se falar na teoria da cegueira deliberada. ASSIS TOLEDO, cujo pensamento remonta ao século passado, considerava inescusável o erro quando o agente deixava propositadamente de informar-se para não ter que evitar uma possível conduta proibida.[107] Embora se refira o autor ao erro de proibição, seu pensamento original remonta à teoria causa-

---

105. Nesse sentido: LUCCHESI, Guilherme Brenner. *Punindo a culpa como dolo:* o uso da cegueira deliberada no Brasil. 1. ed. São Paulo: Marcial Pons, 2018. p. 154.

106. CALLEGARI, André Luís; WEBER, Ariel Barazzetti. *Lavagem de dinheiro.* 2. ed. rev., atual. e ampl. São Paulo: Atlas, 2017. p. 195.

107. TOLEDO, Francisco de Assis. *Princípios básicos de Direito Penal.* 5.ed. São Paulo: Saraiva, 1994. p. 270

lista e ao paradigma psicológico-normativo da culpabilidade, quando o erro de proibição excluía, de fato, o dolo do agente. Assim, esse pensamento implicava que quem agisse com ignorância deliberada agia com dolo. Nenhuma novidade, portanto, em considerar dolosa a conduta de quem "não sabe", quando "devia saber".

Nessa linha, a doutrina pátria há muito modificou o conceito de dolo, admitindo o dolo sem o conhecimento efetivo nos tipos penais formados pela expressão "deve saber", existente nos arts. 130 (exposição a perigo de contágio venéreo), 180, § 1º (receptação qualificada), 180-A (receptação animal), 241 (entrega de filho a pessoa inidônea). Nesses casos, conforme elucida BITENCOURT, com amparo em Nélson Hungria, o elemento subjetivo se refere à consciência ou à *possibilidade de consciência*, configurando-se o dolo eventual quando o agente "deve saber".[108]

Não há que se falar em violação do princípio *in dubio pro reo*. Tal princípio é de natureza processual, não podendo ser considerado na configuração do dolo, que é instituto de Direito Penal. Ou seja, o *in dubio pro reo* pode ser utilizado para exame da comprovação do dolo no processo criminal, mas não para definição do que é ou não dolo. De qualquer sorte, não há violação do princípio ou inversão de ônus probatório, na medida em que caberá à acusação provar que o réu, mesmo podendo inteirar-se do ilícito, deliberadamente optou por não fazê-lo, quando "devia saber".

Assim, a teoria da cegueira deliberada é perfeitamente aplicável ao Direito brasileiro, uma vez que a definição de dolo é muito mais uma construção doutrinária do que propriamente legal. Nada obsta que, nessa conceituação, agreguem-se elementos de outras origens destinadas a aperfeiçoar a configuração do instituto e dar-lhe contornos mais adequados à contemporaneidade. *Ad argumentandum*, caso fechássemos a porta para esse tipo de atitude hermenêutica, jamais poderíamos conciliar a teoria da imputação objetiva com a ideia de causalidade, por exemplo. Todavia, sabe-se hoje que o

---

108. BITENCOURT, Cezar Roberto. *Tratado de Direito Penal*. Especial: crimes contra a pessoa. V. 2. 20. ed. São Paulo: Saraiva, 2020. p. 346-7.

nexo causal tem, entre suas diretrizes teóricas, a imputação objetiva oriunda do direito alemão. Da mesma forma, o dolo pode ter seus contornos teóricos alimentado por outras concepções.

4.14 DOLO E CULPA DA PESSOA JURÍDICA

Nos termos da Constituição Federal e da Lei n. 9.605, uma pessoa jurídica pode ser sujeito ativo de crimes ambientais, mas isso só será possível dentro do princípio da responsabilidade jurídica, observada a máxima *nullum crimen sine culpa*. O dolo da pessoa jurídica nada mais é do que o resultado da vontade livre e consciente de seu "cérebro", isto é, seu órgão dirigente, que pode ser um único indivíduo ou um grupo de pessoas naturais, dependendo da composição estatutária. Esta vontade coletiva pode ser direcionada, conscientemente, a um ato empresarial definido como crime (dolo direto) ou pode simplesmente assumir o risco de praticá-lo (dolo eventual). Ainda, pode o crime decorrer de uma decisão açodada e negligente, surgindo assim a forma culposa. Não se confunde, entretanto, a vontade do órgão dirigente, isto é, a vontade manifestada em conjunto, com a vontade individual da pessoa física envolvida na decisão. Assim, por exemplo, se um órgão diretivo toma uma decisão que culmina com um crime previsto em lei, o crime deve ser imputado à pessoa jurídica e aos dirigentes que agiram com dolo ou culpa, excluindo-se aqueles que votaram contra a deliberação criminosa.

4.15 A PROVA DO DOLO

Há muito sustentamos que o dolo se comprova pelas circunstâncias, uma vez que é impossível penetrar nos recônditos da mente humana e tampouco se pode condicionar a evidência de crime doloso a uma confissão do agente. Cabe ao julgador aferir, de acordo com as circunstâncias do fato, se houve ou não vontade direcionada, direta ou indiretamente, para a realização do resultado. Nesse sentido, decidiu o STF, no HC 92304, de relatoria da Ministra Helen Gracie, julgado em 05/08/2008, que *o dolo eventual se extrai das cir-*

cunstâncias do evento, e não da mente do autor, eis que não se exige uma declaração expressa do agente.

RESUMO

Dolo
É o elemento subjetivo do tipo de crime doloso, sendo um comportamento voltado conscientemente à realização do tipo penal. Segundo o art. 18, I, do CP, diz-se o crime doloso quando o agente quis ou assumiu o risco de produzir o resultado.

Classificação
- Dolo direto: o agente quer o resultado. Divide-se em dolo direto de primeiro grau e dolo direto de segundo grau ou de consequências necessárias;
- dolo eventual: o agente assume o risco de produzir o resultado;
- dolo alternativo: o agente quer ou assume o risco de produzir um ou outro resultado;
- dolo de dano: o agente quer causar um dano;
- dolo de perigo: o agente quer causar um perigo;

Teorias
- Teoria da vontade;
- teoria da representação ou do conhecimento;
- teoria do consentimento;
- teoria da probabilidade;
- teoria do risco;
- teoria do perigo desprotegido;
- teoria da indiferença;
- teoria da evitabilidade;
- teoria normativa ("dolo sem vontade");
- teorias adotadas no Brasil: teoria da vontade (dolo direto) e teoria do consentimento (dolo eventual).

Culpa

Conceito: é o elemento normativo do tipo de crime culposo, configurando-se pela violação do dever de cuidado objetivo.

Formas de violação do cuidado
- Imprudência: comportamento inconsequente;
- negligência: comportamento desatento;
- imperícia: desconhecimento técnico.

Classificação
- Culpa sem previsão e culpa com previsão: na culpa sem previsão ou culpa ordinária o agente não prevê o resultado; na culpa com previsão ou culpa consciente, o agente prevê o resultado mas não quer nem assume o risco, pois acredita que não ocorrerá.
- Culpa própria e imprópria: na culpa própria o fato é realmente um crime culposo e tratado como tal; a culpa imprópria, por ficção ou por equiparação, ocorre quando o agente quer ou assume o risco de produzir o resultado (dolo direto ou eventual), supondo, por erro plenamente justificado pelas circunstâncias, uma situação de fato que, se existisse, tornaria a ação legítima, como ocorre, por exemplo, na legítima defesa putativa. A culpa imprópria ocorre apenas no caso do art. 21, § 1º, segunda parte.

Excepcionalidade do crime culposo

Salvo os casos expressos em lei, ninguém pode ser punido por fato previsto como crime, senão quando o pratica dolosamente (CP, art. 18, § 1º). Uma pessoa só pode ser punida por um crime culposo quando houver expressa menção à culpa no tipo penal.

Preterdolo

Ocorre quando há dolo no fato antecedente e culpa no fato consequente, como na lesão corporal seguida de morte (art. 129, § 3º), em que o agente tem dolo de ferir e, por culpa, acaba matando.

Dever saber

A expressão "dever saber", utilizada em determinados tipos penais (arts.130, 180, § 1º 180-A e 241, configura dolo eventual, consoante a doutrina majoritária.

Teoria da cegueira deliberada

Segundo essa teoria, age com dolo eventual quem, diante da possibilidade de estar cometendo um crime, opta por não ter uma compreensão melhor dos fatos.

Dolo e culpa da pessoa jurídica

Dolo e culpa decorrem da vontade do órgão dirigente, que não se confunde com a vontade individual do membro do órgão dirigente. A decisão coletiva dirigida ao crime ou que assume o risco de praticá-lo configura crime doloso. A decisão açodada e negligente configura culpa.

Prova do dolo

Deve ser extraído das circunstâncias, não se podendo exigir uma declaração do agente.

JURISPRUDÊNCIA

Dolo e teoria da imputação objetiva

1. É certo que o dolo opera diretamente no tipo penal, que na hodierna estrutura funcionalista da teoria do crime leva em consideração, também, os aspectos formais (conduta, resultado jurídico, nexo de causalidade e subsunção legal) e os materiais (imputação objetiva, desvalor da conduta e desvalor do resultado).
2. Por força do princípio da responsabilidade penal subjetiva, ninguém pode ser punido senão a título de dolo ou culpa, sob pena de caracterizar a responsabilidade penal objetiva, rechaçada em nosso ordenamento.

3. Segundo a boa doutrina, dolo nada mais é do que a consciência (desejo ou aceitação) dos requisitos objetivos do tipo penal. Sua ausência descaracteriza o tipo e, por consequência, afasta a ocorrência do crime.
4. Inexistindo crime, não há justa causa para a deflagração da ação penal, nos termos do art. 397, III, do CPP. (STJ, AgRg no REsp 1243193/ES, Quinta Turma, Rel. Min. Jorge Mussi, julgado em 22/05/2012)

Dolo eventual e qualificadora

1. A qualificadora de natureza objetiva prevista no inciso III do § 2º do art. 121 do Código Penal não se compatibiliza com a figura do dolo eventual, pois, enquanto a qualificadora sugere a ideia de premeditação, em que se exige do agente um empenho pessoal, por meio da utilização de meio hábil, como forma de garantia do sucesso da execução, tem-se que o agente que age movido pelo dolo eventual não atua de forma direcionada à obtenção de ofensa ao bem jurídico tutelado, embora, com a sua conduta, assuma o risco de produzi-la.

Precedentes

2. Embargos de declaração acolhidos, com efeitos infringentes, para afastar da pronúncia a qualificadora reconhecida em face do recorrente, desclassificando a conduta para a prevista no art. 121, *caput*, e § 4º, do Código Penal (por três vezes) e art. 306 do CTB. (EDcl no REsp 1848841/MG, Rel. Ministro Nefi Cordeiro, Sexta Turma, julgado em 02/02/2021, DJe 08/02/2021.)

Prova do dolo eventual

1. A questão de direito, objeto de controvérsia neste *writ*, consiste na configuração do dolo eventual ou da culpa na conduta do paciente no atropelamento que gerou a morte de quatro vítimas e causou lesões corporais em uma quinta. 2. O dolo eventual compreende a hipótese em que o sujeito não quer diretamente a realização do tipo penal, mas a aceita como possível ou provável (assume o risco da produção do resultado, na redação do art. 18, I,

in fine, do CP). 3. Faz-se imprescindível que o dolo eventual se extraia das circunstâncias do evento, e não da mente do autor, eis que não se exige uma declaração expressa do agente. 4. Como se sabe, para a decisão de pronúncia basta um juízo de probabilidade em relação à autoria delitiva. Nessa fase, não deve o Juiz revelar um convencimento absoluto quanto à autoria, pois a competência para julgamento dos crimes contra a vida é do Tribunal do Júri. 5. Na presente hipótese, depreende-se da decisão de pronúncia, a existência de indícios suficientes de autoria em relação aos crimes dolosos de homicídio e lesão corporal, visto que diversas testemunhas afirmaram que o paciente dirigia seu veículo em alta velocidade e, após o atropelamento, aparentava estar alcoolizado. 6. No caso em tela, de acordo com o que consta da denúncia, o paciente aceitou o risco de produzir o resultado típico no momento em que resolveu dirigir seu automóvel em velocidade excessiva, sob o efeito de bebida alcoólica e substância entorpecente. 7. De outro giro, verificar se o paciente agiu, ou não, com dolo eventual no caso concreto, importa, necessariamente, em aprofundado exame de matéria fático-probatória, inadmissível na estreita via do *habeas corpus*. 8. Com efeito, conforme já decidiu esta Suprema Corte "sem exame aprofundado de provas, inadmissível em *habeas corpus*, não se pode concluir pela caracterização, ou não do dolo eventual" (HC 67.342/RJ, Rel. Min. Sydney Sanches, DJ 31/03/1989). 9. Ante o exposto, denego a ordem de *habeas corpus*. (STF HC 97252, Relator(a): Ellen Gracie, Segunda Turma, julgado em 23/06/2009, DJe-167 DIVULG 03/09/2009 PUBLIC 04-09-2009 EMENT VOL-02372-03 PP-00520.)

5

Erro jurídico-penal

5.1 NOÇÕES FUNDAMENTAIS

Introdução

Erro jurídico-penal é a condição em que o agente desconhece uma situação de fato ou de direito. É um desconhecimento ou um "não saber". Ou seja, quando alguém erra, existe algo que "não sabe", seja nas circunstâncias fáticas (não sabe o que está acontecendo), seja no aspecto justo-injusto (não sabe como se comportar nas circunstâncias).

Esse fenômeno foi tradicionalmente tratado como erro de fato e erro de direito. No entanto, com a evolução da dogmática penal, o erro de fato passou a ser um erro sobre o fato típico (erro de tipo), já que, se não se trata de um fato previsto na lei penal como crime, não há interesse jurídico-penal. O erro de direito, por outro modo, passou a se denominar erro de proibição ou erro sobre a ilicitude do fato. Hoje, portanto, se o erro do agente faz parte do fato descrito na norma incriminadora, haverá erro de tipo, mas se o erro diz respeito a como se comportar juridicamente diante de determinada situação, desconhecendo a proibição existente sobre a conduta, haverá erro sobre a ilicitude do fato ou erro de proibição.

Poderá haver, ainda, um erro que incide sobre uma excludente da ilicitude, situação em que o agente acredita que age ao amparo de uma excludente, que se denomina descriminante putativa.

Por fim, existem erros que não passam de meras acidentalidades sem importância e que não alteram a responsabilidade penal do agente.

Erro essencial e não essencial

Erro essencial é aquele que exclui ou diminui a responsabilidade penal do agente. Erro não essencial ou acidental é aquele que não exclui a responsabilidade penal. Os erros essenciais são o erro de tipo, o erro de proibição e o erro numa excludente da ilicitude. Os erros não essenciais são o erro de pessoa, o erro na execução, resultado diverso do pretendido, o erro de causalidade e o erro de objeto.

Erro evitável e erro inevitável

Erro evitável ou inescusável é aquele que poderia ser evitado com maior cuidado e atenção, devendo o agente, apesar do erro, ser responsabilizado, ainda que com pena reduzida. Erro inevitável ou escusável é o que o agente não tinha como evitar, devendo ser absolvido.

Inescusabilidade do desconhecimento da lei

O fato de uma pessoa não conhecer uma lei não altera sua responsabilidade penal, pois, do contrário, a maioria das pessoas não poderia ser punida, já que a maioria dos indivíduos desconhece as leis. Assim, a *ignorantia legis*, embora configure um erro, isto é, um desconhecimento, jamais poderá excluir a responsabilidade penal, conforme preceitua o art. 21 do Código Penal. Não obstante, o desconhecimento da lei configura uma atenuante da pena, prevista no art. 65, II, do CP.

5.2 EVOLUÇÃO DO ERRO PENAL

Durante muito tempo, a problemática do erro gravitou em torno dos conceitos de erro de fato e erro de direito. Quanto ao primeiro, dizia-se escusável, porque não se podia punir o agente que ignorasse as características do fato praticado. O erro de direito, porém, era inescusável – *error iuris nocet*, por presumir-se, como ainda hoje, a inescusabilidade do desconhecimento da lei. É como se tratava o problema do erro ao tempo da teoria psicológica da culpabilidade. Salienta BITENCOURT[1] a necessidade de que se ignore a velha concepção romana de erro de direito e erro de fato, pois o erro de tipo abrange situações que, outrora, eram classificadas ora como erro de fato, ora como erro de direito. Por sua vez, o erro de proibição, além de incluir situações novas (por exemplo, a existência ou os limites da legítima defesa), antes não consideradas, abrange uma série de hipóteses antes classificadas como erro de direito. Sabe-se que o legislador, ao elaborar um tipo, muitas vezes inclui conceitos jurídicos, como "justa causa", "indevidamente", "funcionário público", "alheia" etc. O erro sobre esses conceitos jurídicos que integram o tipo, embora sejam erros sobre o direito, devem ser tratados como erros de tipo. Daí que é preciso distinguir o erro do tipo do erro de proibição simplesmente estabelecendo que, se o erro incide num elemento do tipo, será tratado como erro de tipo.

Com a introdução do normativismo na culpabilidade, graças precipuamente ao pensamento de Frank, a culpabilidade centrou-se no poder de agir conforme o direito, operando profunda modificação na concepção do erro, pois, se o agente erra sobre o direito, não pode agir de outro modo. O dolo passa a ser concebido numa dimensão normativa, envolvendo a compreensão jurídica na esfera do profano, ou seja, a consciência da ilicitude, de modo que, atuando o agente sem a consciência da ilicitude do fato, tem-se um erro de direito escusável, chamado erro sobre a ilicitude ou, simplesmente, erro de proibição.

Paralelamente, o avanço da teoria do tipo, com Beling, transmuda o chamado erro de fato em erro sobre elemento do tipo ou, simplesmente, erro de tipo, que atinge a representação do indivíduo e, por conseguinte, o dolo.

Dentro da culpabilidade psicológico-normativa, portanto, o dolo é composto de vontade, representação e consciência potencial da ilicitude. O erro, nesse caso, ou recai sobre a representação (erro de tipo) ou sobre a consciência da ilicitude (erro de proibição), atingindo o dolo de qualquer modo.

---

1. BITENCOURT, Cezar Roberto. *Erro jurídico-penal*: culpabilidade, erro de tipo, erro de proibição. São Paulo: Editora Revista dos Tribunais, 1996. p. 47.

Diante disso, fala-se numa teoria unitária do erro, pois este, seja de tipo ou de proibição, como visto, irá sempre repercutir no dolo.

Com o advento do finalismo, dolo e culpa são deslocados da culpabilidade, passando para o tipo penal. O dolo é natural, composto apenas de representação (elemento intelectual) e vontade (elemento volitivo), livre da consciência potencial da ilicitude (elemento normativo), que permanece na culpabilidade, agora com autonomia. Sobre a consciência da ilicitude incide o erro de proibição, atuando na culpabilidade. O erro de tipo, a seu turno, atua no dolo e, portanto, na tipicidade. Fala-se, agora, na teoria diferenciadora do erro, já que o erro passa a afetar elementos distintos, ou seja, tipicidade (erro de tipo) ou culpabilidade (erro de proibição), conforme sua natureza.

5.3 ERRO ESSENCIAL

Conceito e espécies

Erro essencial é aquele apto a excluir a responsabilidade penal do agente, podendo se tratar de erro sobre elementos do tipo (erro sobre o fato típico) e erro de proibição.

Erro de tipo

Erro de tipo é o antigo "erro de fato", excluindo a tipicidade penal por ausência de dolo do agente, que desconhece um dos elementos do tipo penal, uma vez que sem conhecimento integral dos elementos não há dolo. Era tratado, antigamente, como erro de fato. Desde o Neolítico, quando os seres humanos se fixaram à terra e dedicaram-se ao seu cultivo, observar o céu tornou-se atividade importante na vida das comunidades, pois assim foi possível prever as cheias, os períodos de cultivo e os períodos de colheita. O céu era tão importante para as primeiras comunidades agrícolas que o observar tornou-se um conhecimento altamente especializado, afeto aos magos e aos sacerdotes da Antiguidade, que deram origem à astrologia, mãe da moderna astronomia. Tendo o céu tanta importância, não é à toa que fosse a morada de deuses, como o próprio Rá (Deus Sol egípcio) e tantos seres das religiões antigas e atuais ("Pai Nosso, que estais no céu [...]"). Assim, desde priscas eras, os seres humanos observam o céu e, todos os dias, deparam-se com uma cena encantadora: o sol movendo-se de um lado a outro no horizonte. Por milhares de anos, os seres humanos testemunharam algo que não existia: o movimento do Sol ao redor da Terra, numa perfeita ilusão divina. Podemos perder a hora por não perceber que o relógio está parado; podemos telefonar para um número errado; podemos pegar por engano um telefone que não nos pertence; podemos cumprimentar uma pessoa que não conhecemos por pensar que conhecemos; quem deixa o guarda-chuva em um canto da loja ao sair pode levar o de outra pessoa, já que são todos iguais.

Na verdade, nossos sentidos são falhos e somos sujeitos ao erro e às suposições, a tomar como verdades as enganações produzidas por distorções sensoriais. A psicologia explica a falibilidade de nossas percepções. A complexidade dos fenômenos psicológicos da consciência permite identificar erros na percepção e na interpretação do mundo que nos rodeia e de circunstâncias do cotidiano. Esses defeitos, que ocorrem no plano da consciência da realidade ou na representação da realidade, são autênticos erros sobre a realidade.

Porém, nem todo erro interessa ao Direito Penal, para quem pouco importa se a camisa subtraída por um ladrão daltônico é vermelha ou verde, já que a cor não é nenhum fato típico. Apenas o erro sobre um fato descrito na norma penal incriminadora poderá ter consequência jurídica. Por isso, o erro sobre o fato típico é um erro essencial. Quando se está diante de dados da realidade descritos num tipo penal, o fenômeno denomina-se erro sobre elemento do tipo ou, simplesmente, *erro de tipo*.

Ao descrever uma conduta criminosa, o tipo recolhe dados da realidade. É o que ocorre, por exemplo, no art. 155, caput, do CP: "*Art. 155 – Subtrair, para si ou para outrem, coisa alheia móvel: Pena – reclusão, de 1 (um) a 4 (quatro) anos, e multa*".

Se o indivíduo erra sobre algum dado dessa realidade descrita no tipo, esse erro assume relevância jurídico-penal e denomina-se erro de tipo.

O erro de tipo, portanto, nada mais é do que hipótese de atipicidade subjetiva por falta ou defeito de representação de algum dado existente no tipo penal. Na verdade, defeito e falta de representação se equivalem, acabando por comprometer o dolo, porque não se concebe dolo sem representação ou com representação defeituosa, pois o indivíduo deve ter perfeita consciência do seu comportamento e de suas implicações. É o clássico exemplo do caçador que vê algo se movendo em meio à vegetação e, pensando tratar-se de um animal, dispara sua arma, sem saber que se trata de outro caçador, o qual acaba morrendo em razão do disparo. O caçador errou sobre um dado da realidade presente num tipo penal: alguém (pensava que era um animal). Erro de tipo configurado, portanto.

Na avaliação do caso, importa saber, então, se o agente poderia, com emprego de maior atenção, ter evitado o erro, atingindo a representação adequada. Se era possível, ao agente, evitar o erro, tem-se que foi negligente no exame da situação, de sorte que o erro deriva de culpa. É o chamado erro evitável ou inescusável, que permite a punição por crime culposo, se previsto em lei. Se, todavia, o exame do fato não permitir vislumbrar negligência por parte do agente, considera-se o erro inevitável e, portanto, escusável. É o que diz o art. 20 do CP, a saber: *"Art. 20 – O erro sobre elemento constitutivo do tipo legal de crime exclui o dolo, mas permite a punição por crime culposo, se previsto em lei".*

São três, portanto, os aspectos do erro de tipo, segundo o art. 20:

a. exclui o dolo;
b. permite a punição por crime culposo (se evitável);
c. a punição por culpa depende de previsão legal do crime culposo.

A exclusão do dolo, segundo o dispositivo, decorre do fato de que não existe dolo sem um de seus elementos, qual seja, a representação (consciência, conhecimento). Mas pode existir culpa, desde que seja possível ao agente, com maior cuidado e diligência, compreender a integralidade do seu comportamento e vencer assim o erro. A ressalva "se previsto em lei" preserva o princípio da legalidade. Isto é, a punição por culpa depende de previsão legal, como ocorre com o homicídio. Diferente é o caso do furto, citado anteriormente, que não tem previsão culposa. Nesse caso, a evitabilidade do erro é irrelevante.

Erro sobre a ilicitude do fato

Erro sobre a ilicitude do fato ou, simplesmente, erro de proibição, é uma excludente da culpabilidade que ocorre quando o agente desconhece a antijuridicidade de sua conduta, presumindo-a adequada ao Direito. Nesse caso, falta ao agente não o dolo, mas a *potencial consciência da ilicitude*.

Neste caso, o indivíduo pratica uma conduta sem saber que é contrária ao Direito, embora esteja totalmente consciente do fato em si. Suponha-se o indivíduo tosco que acha uma joia na rua e, por ter sido ensinado, como tantos, que "achado não é roubado", assimilou a consciência de que é lícito apropriar-se de coisa achada. Não se trata de defeito de representação, porque o agente conhece perfeitamente as características da situação. O defeito ocorre no plano de seus valores, no conhecimento profano do Direito ou, mais singelamente, na compreensão do certo e do errado. O agente deixa de ser responsabilizado, no caso, pelo crime do art. 169, II, do CP, porque atua sem consciência potencial da ilicitude, que é elemento da culpabilidade.

Se, todavia, o agente puder ou tiver razões para suspeitar da ilicitude de seu ato, estará configurada a hipótese de erro de proibição evitável, inescusável ou vencível. Nesse caso, não se exclui a culpabilidade, mas esta fica atenuada, conforme dispõe o art. 21 do CP.

O erro de proibição, como já dissemos, não se confunde com o desconhecimento da lei, por uma razão singela: o efetivo conhecimento da lei só é dado a indivíduos que a tenham estudado, como acontece com juristas ou determinados técnicos. Ora, para se conhecer uma lei é necessário, pelo menos, a leitura dela. Um analfabeto certamente desconhece a lei, mas isto é irrelevante. Importa saber se ele conhece as proibições impostas por essa mesma lei. Assim, se um indivíduo analfabeto alega que desconhece a lei que proíbe o porte de armas, tal alegação é irrelevante. Todavia, dependendo do ambiente sociocultural em que o indivíduo sobreviva, como o meio rural, sem acesso aos meios de comunicação, onde seja comum o porte de arma de fogo, pode ganhar relevância a alegação de desconhecimento da ilicitude do fato de portar arma sem autorização, por ser possível reconhecer, numa circunstância de extrema desinformação, que falecia ao agente a potencial consciência da ilicitude. Sem embargo, a lei prevê que o desconhecimento da lei constitui uma atenuante (CP, art. 65, II).

Consoante TOLEDO,[2] a *ignorantia legis* pode ser *erro de vigência* (o agente desconhece a existência de um preceito legal ou ainda não pôde conhecer uma lei recentemente editada), *erro de eficácia* (o agente não aceita a legitimidade de um preceito legal por supor que ele contraria outro preceito de categoria superior ou norma constitucional), *erro de punibilidade* (o agente sabe que faz algo proibido, mas supõe a inexistência de uma pena criminal para a conduta) e *erro de subsunção* (o agente conhece a previsão legal, isto é, o fato típico, mas, por erro de compreensão, supõe que a conduta que realiza não coincide, não se ajusta ao tipo delitivo). Portanto, o desconhecimento da lei pode, excepcionalmente, coincidir com desconhecimento da ilicitude, pois, conforme assinala WELZEL, o erro de subsunção e o erro de validade devem ser tratados como erro de proibição.[3]

Erro numa excludente da ilicitude ou descriminante putativa

Conceito e teorias

Ocorre uma descriminante putativa quando o agente pensa estar agindo de acordo com o Direito, em razão de supor, erroneamente, uma excludente da ilicitude. Para a *teoria extremada da culpabilidade*, essa forma de erro é sempre um erro de proibição. Todavia, o Código Penal adotou a *teoria limitada da culpabilidade*, de forma que a descriminante putativa poderá ser um erro de tipo permissivo ou um erro de proibição indireto. Em que pese dissenso da doutrina, o item 17 da Exposição de Motivos do CP deixa clara a adoção da teoria limitada da culpabilidade.

---

2. TOLEDO, Francisco de Assis. *Princípios básicos de Direito Penal*. 5. ed. São Paulo: Saraiva, 1994. p. 271.

3. Welzel considera que o erro de subsunção é mero desconhecimento da lei quando afeta apenas a punibilidade de uma conduta cuja antijuridicidade o autor conhecia ou podia conhecer, mas poderá ser escusável quando não se refere somente à punibilidade, mas também à proibição da conduta, o que ocorre nos tipos penais que contêm complicados elementos normativos. Além disso, considera o erro de validade uma espécie de erro de proibição. Nesse sentido: WELZEL, Hans. *O novo sistema penal*: uma introdução à doutrina da ação finalista. Tradução, prefácio e notas: Luiz Regis Prado. 3. ed. São Paulo: Editora Revista dos Tribunais, 2011. p. 166-171.

Teoria extremada da culpabilidade	Erro sobre uma excludente é sempre erro de proibição.
Teoria limitada da culpabilidade	Erro sobre uma excludente de ilicitude pode ser um erro de tipo permissivo (erro fático) ou um erro de proibição indireto (erro jurídico).

Erro de tipo permissivo

Ocorre erro de tipo permissivo quando o agente erra sobre um pressuposto fático de uma excludente da ilicitude. A situação mais comum é a legítima defesa putativa. Segundo o art. 25, entende-se em legítima defesa quem, usando moderadamente dos meios necessários, repele injusta agressão, a direito seu ou de outrem. Se a agressão é imaginária, o erro incide num dos pressupostos fáticos da descriminante.

É o exemplo do homem que, ouvindo um ruído, à noite, pensa que um ladrão está prestes a invadir sua residência e, pretendendo defender-se, atira no suposto agressor. Ao abrir a porta, transfixada pelos projetis, verifica ter atingido o próprio filho, que não encontrava a chave correta para destrancar a fechadura e por isso a forçava.

Esta situação se ajusta ao art. 20, § 1º, do CP, *in verbis*: "§ 1º – É isento de pena quem, por erro plenamente justificado pelas circunstâncias, supõe situação de fato que, se existisse, tornaria a ação legítima. Não há isenção de pena quando o erro deriva de culpa e o fato é punível como crime culposo".

A primeira parte do dispositivo trata do erro escusável, inevitável ou invencível, isto é, plenamente justificado pelas circunstâncias. A parte final trata do erro que não é plenamente justificado pelas circunstâncias e, portanto, poderia ser evitado com maior cautela (erro evitável, vencível, inescusável).

Eis o que ocorre no exemplo citado, no plano subjetivo: matar alguém em legítima defesa. O erro, nesse caso, repousa no tipo permissivo, ou seja, na legítima defesa. Com efeito, não se altera o dolo em relação ao tipo incriminador "matar alguém". Este é, portanto, um crime doloso.

Esquematicamente, é assim que funciona:

Tipo incriminador		Tipo permissivo
MATAR ALGUÉM	em	LEGÍTIMA DEFESA
Representação correta = dolo íntegro		Representação errônea

Portanto, se o agente supõe situação de fato que, se existisse, tornaria a ação legítima (CP, art. 20, § 1º), não há comprometimento do dolo do tipo incriminador, pois o erro está no tipo permissivo. Assim, a prática de um crime em legítima defesa putativa, por exemplo, consubstancia um crime doloso. Conforme o art. 20, § 1º, do CP, sendo invencível o erro, opera-se a isenção de pena; em se tratando de erro vencível, isto é, derivado de culpa, é aplicada a pena do crime culposo correspondente, se previsto em lei. Essa punição por crime culposo é chamada de *culpa imprópria*, pois na verdade é um crime doloso punido com pena de crime culposo.

Nesse caso, tem-se uma descriminante putativa por erro de tipo (permissivo), porque o agente erra sobre os pressupostos fáticos da causa de justificação, verificando-se defeito de representação que não compromete o dolo.

A situação se aplica, evidentemente, a todas as causas de exclusão da ilicitude.

Exemplos:

1. Ao soar o alarme de incêndio num prédio, pessoas saem correndo e pisoteando umas nas outras, sabendo-se depois que era alarme falso. O pisoteamento de pessoas configura estado de necessidade putativo, pois o agente, ao correr para salvar sua vida, supôs uma situação de fato (perigo atual, isto é, incêndio, que, se existisse, tornaria a ação legítima).
2. Imediatamente após o roubo, a vítima indica para o policial o autor do crime, o qual é preso, descobrindo-se, posteriormente, que a vítima se equivocou ao fazer a indicação. Nesse caso, o policial efetuou uma prisão ilegal, mas agiu em estrito cumprimento do dever legal putativo.
3. Uma pessoa telefona para reclamar do defeito no serviço e acusa o prestador de ter sido negligente, descobrindo-se posteriormente que, na verdade, falou com a pessoa errada, ofendendo-a injustamente. No caso, existe exercício regular do direito putativo.

4. Também pode haver uma situação putativa em relação a uma descriminante especial, por exemplo: diante de um boletim de ocorrência de estupro, um médico realiza um aborto autorizado pelo art. 128, II, do CP, vindo a descobrir, posteriormente, que se tratava de uma comunicação falsa de crime e o estupro nunca existiu. Tal situação configura aborto sentimental putativo.

Em todos esses exemplos, o agente supõe uma situação fática que, se existisse, justificaria a sua conduta. Sendo um erro inevitável, o agente fica isento de pena; mas, caso o agente possa evitar, haverá punição por crime culposo, se previsto em lei (culpa imprópria).

Erro de proibição indireto ou erro de permissão

No erro de proibição indireto, também chamado erro de permissão, o agente sabe que não pode realizar determinada conduta, mas supõe que existe justificativa, errando ou sobre a existência ou sobre os limites de uma descriminante. No primeiro caso, a excludente não existe, havendo mera suposição do agente; no segundo caso, a excludente existe, mas o agente desconhece os limites dela.

Exemplos:

1. O proprietário de um mercado vende bebidas alcoólicas para um adolescente em razão de ter sido autorizado pelo pai do menor. Embora saiba, diretamente, que não pode fornecer bebidas para pessoa menor de idade, pensa que a autorização paterna torna lícita a conduta. Mas essa autorização não está prevista no ordenamento jurídico (erro sobre a existência).
2. Um comerciante sofre um assalto e, por estar em legítima defesa, supõe que tem o direito de descarregar sua arma, mesmo após cessada a agressão (erro sobre os limites).

Nos dois exemplos, há um erro indireto sobre a ilicitude, isto é, um erro de proibição indireto, porque o agente não ignora a ilicitude do fato em si, mas ignora a situação justificante.

O erro de proibição indireto, também chamado erro de permissão (não confundir com erro de tipo permissivo), tem a mesma disciplina do erro de proibição direto. Assim, se inevitável (escusável, invencível), isenta de pena; se evitável, poderá diminuí-la de 1/6 a 1/3 (CP, art. 21).

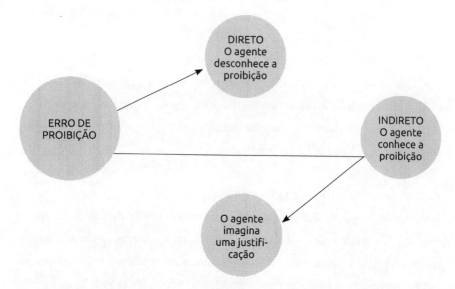

Consequências das descriminantes putativas

Uma descriminante putativa, como visto, pode decorrer de um erro de tipo permissivo ou de um erro de proibição indireto. Há erro de tipo permissivo quando, por defeito de representação, o agente erra sobre os pressupostos fáticos da descriminante. Por exemplo: o agente pensa que vai ser agredido e "reage". Há erro de proibição quando, embora não havendo erro quanto aos pressupostos fáticos, o agente, por defeituosa consciência da ilicitude, engana-se quanto à existência jurídica ou quanto aos limites da descriminante.

- Exemplo 1: o agente pratica eutanásia com autorização do paciente, supondo válida essa autorização como descriminante (erro sobre a existência).
- Exemplo 2: o agente vislumbra alguém apontando uma faca para outrem e reage, excedendo-se, sem conhecer, de fato, os limites da autorização legal para a reação (erro sobre os limites do instituto).

Portanto, segundo o CP, poderá haver descriminante putativa por erro de tipo permissivo, a resolver-se de acordo com o art. 20, § 1º, do CP, ou por erro de proibição indireto, disciplinado no art. 21.

Note que o erro de tipo permissivo não exclui nem a tipicidade nem a ilicitude.[4] No caso de erro inevitável, o agente ficará "isento de pena", excluindo-se a culpabilidade por inexigibilidade de conduta diversa, embora o legislador não mencione expressamente. Mas, caso se trate de erro evitável, exclui-se a tipicidade dolosa, permitindo-se a punição por crime culposo, mediante a ficção legal chamada culpa imprópria.

Com relação ao erro de proibição indireto, não há dúvida de que se trata de uma excludente da culpabilidade por falta de consciência potencial da ilicitude.

Erro	Sede do erro	Configuração	Consequência
Erro de tipo incriminador.	Elementos do tipo incriminador.	O agente erra sobre elementos do tipo incriminador.	Exclui o dolo se inevitável, mas permite a punição por culpa, se evitável.
Erro de tipo permissivo (descriminante putativa por erro de tipo).	Elementos do tipo permissivo.	O agente erra sobre os pressupostos fáticos da excludente.	Inevitável, isenta de pena; evitável, permite a punição por culpa (culpa imprópria).
Erro de proibição direto.	Consciência da ilicitude.	O agente erra sobre a ilicitude do fato.	Inevitável, exclui a culpabilidade; evitável, causa de diminuição (1/6 a 1/3).
Erro de proibição indireto (descriminante putativa por erro de proibição).	Consciência da ilicitude.	O agente erra sobre a existência ou sobre os limites de uma justificação.	Inevitável, exclui a culpabilidade; evitável, causa de diminuição (1/6 a 1/3).

---

4. Há quem considere esse erro um *erro sui generis*, porquanto consubstancia uma mistura de erro de tipo com erro de proibição. Sobre o tema: BITENCOURT, Cezar Roberto. op. cit., p. 68.

Erro mandamental

O erro mandamental não é nenhuma espécie distinta de erro, mas simplesmente um erro essencial que ocorre nos crimes omissivos. O erro recai sobre uma norma mandamental, impositiva, que manda fazer e que está implícita nos tipos omissivos, podendo haver erro de mandamento em qualquer crime omissivo, próprio ou impróprio.[5]

Conforme adverte WESSELS,[6] o objeto do dolo nos crimes omissivos impróprios é a totalidade dos elementos que preenchem o tipo objetivo, incluindo as circunstâncias fundamentadoras do dever de garantidor. Assim, o erro acerca da posição de garantidor é um erro de tipo, enquanto o erro quanto ao dever de garantidor é um erro de proibição.

Suponhamos o seguinte:

1. Um homem percebe que uma criança é deixada na lata do lixo e se omite diante desse fato por desconhecer que é seu próprio filho que está sendo abandonado. Trata-se de erro de tipo, pois o agente não sabe que está na posição de garantidor.
2. Mesmo sabendo que é pai, o indivíduo ignora o dever de socorrer sua criança, por não a haver registrado, e com isso incorre, ao se omitir, em erro de proibição.

5.4 ERRO NÃO ESSENCIAL OU ERRO ACIDENTAL

Conceito e espécies

Erro não essencial (acidental) é aquele que não tem poder para excluir a responsabilidade penal, pois o agente erra sob aspectos que não são essenciais na configuração do delito. Tais erros são o *erro de pessoa*, o *erro na execução*, o *resultado diverso do pretendido*, o *erro de causalidade*, o *erro de objeto* e o *delito putativo*.

---

5. BITENCOURT, Cezar Roberto. op. cit., p. 72.
6. WESSELS. *Direito Penal*. Porto Alegre: Fabris, 1976. p. 166.

Erro de pessoa

Ocorre quando o agente confunde uma pessoa com outra. Está previsto no art. 20, § 3º, do CP:

> § 3º – O erro quanto à pessoa contra a qual o crime é praticado não isenta de pena. Não se consideram, nesse caso, as condições ou qualidades da vítima, senão as da pessoa contra quem o agente queria praticar o crime.

Assim, se um traficante deseja matar um de seus clientes devedores e, por pensar tratar-se dessa pessoa, mata o irmão gêmeo dela, incorreu em falsa representação quanto à pessoa, mas isto é irrelevante para a tipicidade, que se refere a alguém, ou seja, a qualquer pessoa. O erro é acidental, e o agente responde pelo crime de homicídio qualificado por motivo torpe, pois deve ser levada em conta a pessoa que o agente pretendia, de fato, atingir. No exemplo, como o agente queria matar em razão de dívida do tráfico, o homicídio é qualificado por motivo torpe.

Erro de execução

Também chamado de *aberratio ictus*. É um erro na exteriorização da conduta. O agente representa certo, mas executa errado. Está previsto no art. 73 do CP e influencia a aplicação da pena. Ocorre de duas formas:

a. *Aberratio ictus de unidade simples*: o agente responde por crime único quando uma única pessoa é atingida (vítima real), ficando ilesa a pessoa visada (vítima virtual). Em vez de se responsabilizar o agente por tentativa de homicídio contra a vítima virtual e crime culposo quanto à vítima real, o agente será punido como se tivesse atingido a pessoa visada, de acordo com a regra do erro de pessoa (CP, art. 20, § 3º).

b. *Aberratio ictus de unidade complexa*: o agente atinge a pessoa visada e terceiro(s), devendo ser aplicada a regra do concurso formal (CP, art. 70), impondo-se a pena do crime mais grave, aumentada de 1/6 até metade, variando o acréscimo na proporção do número de vítimas.

Questão importante surge quando o agente, desejando atingir pessoa determinada, assume o risco de atingir pessoa diversa (ou mais de uma), caso em que deve ser observada a parte final do art. 70 (concurso formal impróprio), que determina a adoção do critério do acúmulo material (soma de penas) em caso de desígnios autônomos. Exemplo: A quer matar B em praça pública. Percebendo a proximidade de outras pessoas (C e D) e não confiando na sua pontaria, dispara contra B, vindo a atingir B e C. O agente age com dolo direto em relação a B e dolo eventual em relação a C, devendo responder por ambos os resultados, em concurso formal impróprio, em face dos desígnios autônomos.

Resultado diverso do pretendido

Trata-se do chamado *aberratio criminis*, previsto no art. 74, que constitui espécie de erro de execução. Também não se refere ao dolo, pois é um defeito na exteriorização da conduta corretamente representada. É um erro que se configura coisa-pessoa ou pessoa-coisa, isto é, querendo atingir uma coisa, o agente atinge uma pessoa; ou, querendo atingir uma pessoa, atinge uma coisa.

Aberratio ictus	O agente quer atingir uma pessoa, mas atinge outra.
Aberratio criminis	O agente quer atingir uma pessoa, mas atinge uma coisa ou quer atingir uma coisa, mas atinge uma pessoa.

Erro sobre o nexo causal

Também chamado de *aberratio causae* ou *dolo geral* (*dolus generalis*), ocorre quando o agente, pensando ter aperfeiçoado a causalidade proposta, acaba, por erro, precipitando outro desdobramento causal. Assim, se o agente, pensando ter matado a tiros seu desafeto, lança-o da ponte, vindo a vítima a morrer por traumatismo craniano, não resta excluído o dolo da conduta, porque não é relevante o erro sobre o desdobramento causal.

Erro de objeto

Ocorre quando o agente erra sobre uma característica secundária da coisa. Exemplos: um ladrão, querendo roubar um diamante, erra e rouba uma safira. O ladrão erra a cor do carro e rouba um carro verde, quando sua intenção era roubar um carro vermelho.

Delito putativo

Também chamado de erro invertido ou às avessas. Ocorre quando o agente supõe estar praticando um crime, mas, na verdade, comete um irrelevante penal. Exemplos: o agente pensa estar portando cocaína quando, na verdade, trata-se de talco (delito putativo quanto à tipicidade); o agente pratica incesto pensando que está cometendo um crime (delito putativo quanto à proibição). É o caso, também, em que se simula uma situação delitiva para que alguém seja preso em flagrante, como inserir drogas na mochila de alguém para prendê-lo em flagrante (delito de ensaio ou flagrante preparado).

5.5 ERRO E TEORIA DA CEGUEIRA DELIBERADA

Conforme mencionado, o desconhecimento de elementares do tipo penal implica ausência do dolo (erro de tipo). Todavia, é possível que o agente, embora podendo suspeitar da existência de um fato típico, resolva simplesmente recusar uma compreensão mais detalhada dos fatos e continuar agindo (ou se omitindo), o que, segundo a teoria da cegueira deliberada, irá permitir a configuração de crime doloso (dolo eventual), conforme examinado, em detalhes, no capítulo precedente.

RESUMO

Erro jurídico-penal
Conceito
Situação em que o agente supõe um fato ou um direito inexistente.

Erro essencial e acidental (não essencial)

Existe o erro relevante, chamado de essencial, e o erro irrelevante, que se chama não essencial ou acidental. O erro essencial afeta a reponsabilidade do agente e ele não é punido ou tem a pena reduzida. Um erro não essencial não afeta a responsabilidade do agente.

Erro essencial

Erro de tipo: art. 20 do CP. Se inevitável (escusável), exclui o dolo; se evitável (inescusável) permite a punição por crime culposo, se houver previsão legal. Exemplo: caçador que atira em direção a um arbusto, a fim de atingir um animal, mas atinge a pessoa que estava escondida atrás dele.

Erro de proibição: art. 21 do CP. Não se trata de desconhecimento da lei, mas da ilicitude do fato, segundo as concepções culturais. Se inevitável (escusável) isenta de pena, por ausência de potencial consciência da ilicitude. Se evitável (inescusável), reduz a pena de 1/6 a 1/3. É evitável o erro quando a situação é duvidosa e o agente desconfia de sua ilicitude.

Erro sobre uma excludente: descriminante putativa.

a. Erro de tipo permissivo: art. 20, § 1º. É um erro sobre os pressupostos fáticos da causa de justificação. Se inevitável (escusável), isenta de pena, pois o erro é plenamente justificado pelas circunstâncias; se evitável (inescusável) permite a punição por crime culposo se houver previsão legal. Nesse caso, trata-se de culpa imprópria, por extensão ou equiparação, já que há dolo, mas o legislador manda punir por culpa.
b. Erro de proibição indireto: art. 21. É um erro sobre a existência de uma descriminante ou sobre os limites jurídicos de uma descriminante existente. Exemplo: o comerciante vende bebida alcoólica para um adolescente pois foi autorizado pelos pais dele (erro sobre a existência da excludente da autorização paterna, já que isso não existe na ordem jurídica); o comerciante assaltado descarrega uma arma no

assaltante pensando que, por ter sido agredido, pode matar o assaltante, mesmo cessada a agressão (erro sobre os limites).

Erro mandamental

É um erro de tipo ou de proibição num crime omissivo próprio ou impróprio.

Erro acidental

Aberratio personae (erro de pessoa): o agente confunde uma pessoa com outra e responde como se tivesse praticado o crime contra a pessoa que desejava atingir (CP, art. 20, § 3º). Exemplo: A desfere tiros em B a fim de cobrar uma dívida de jogo; ocorre que o verdadeiro devedor é C, irmão gêmeo de B, que sequer gosta de jogar. A responde por homicídio praticado por motivo torpe, isto é, como se tivesse matado C.

Aberratio ictus: é o erro na execução, podendo ser exemplificado com o erro de pontaria. O agente responde como se tivesse atingido a vítima que pretendia (CP, art. 73). Exemplo: A desfere tiros em B, mas, por erro de pontaria, atinge C, que passava pelo local.

Aberratio criminis: resultado diverso do pretendido, em que o agente quer cometer um crime e acaba cometendo outro (CP, art. 74). Exemplo: A atira uma pedra contra a vitrine e acaba atingindo uma pessoa. O agente responde por culpa, se o fato é previsto como crime culposo; se ocorre também o resultado pretendido, aplica-se a regra do concurso de crimes.

Aberratio causae: é o chamado *dolus generalis*, em que o agente pensa que causou o resultado de uma forma, quando acabou causando de outra. Exemplo: após atirar na vítima e a considerar morta, o agente a arremessa em um rio. A perícia conclui que a *causa mortis* não foram os tiros, mas afogamento.

Erro de objeto: o agente se engana quanto ao objeto material. Exemplo: ladrão furta uma safira, pensando tratar-se de um diamante.

Erro invertido, às avessas ou delito putativo

Enquanto no erro tradicional o agente pensa que está fazendo algo correto, no delito putativo o agente pensa estar praticando um crime, mas o fato é permitido. Exemplo: o agente pratica incesto, pensando que se trata de um crime, mas é um fato atípico.

Teoria da cegueira deliberada

Segundo essa teoria, age com dolo eventual quem, diante da possibilidade de estar cometendo um crime, opta por não ter uma compreensão melhor dos fatos.

JURISPRUDÊNCIA

Estupro de vulnerável e erro de tipo

1. O bem jurídico tutelado no crime de estupro contra menor de 14 anos é imaturidade psicológica, por isso que sendo a presunção de violência absoluta não pode ser elidida pela compleição física da vítima nem por sua anterior experiência em sexo. Precedentes: HC 93.263, Rel. Min. Cármen Lúcia, 1ª Turma, DJe de 14/04/08, RHC 79.788, Rel. Min. Nelson Jobim, 2ª Turma, DJ de 17/08/01 e HC 101.456, Rel. Min. Eros Grau, DJe de 30/04/10. 2. A alegação de erro de tipo, fundada em que a vítima dissera ao paciente ter 18 anos de idade e que era experiente na atividade sexual, é insuscetível de exame em *habeas corpus*, por demandar aprofundada análise dos fatos e das provas que o levaram a acreditar em tais afirmações. 3. *In casu*, o paciente manteve relação sexual, mediante paga, com menina de 12 anos de idade, que lhe dissera ter 18 anos, foi absolvido em primeira e segunda instâncias e, ante o provimento de recurso especial do Ministério Público, afastando a atipicidade da conduta e determinando ao TJ/RS que retomasse o julgamento da apelação, com o exame dos demais argumentos nela suscitados, restou condenado a 7 anos de reclusão, em regime inicial semiaberto. 4. A premissa de que a vítima dissera ao paciente ter 18 anos de idade, em acentuada desproporcionalidade com a idade real (12 anos), e que serviu de fundamento para indeferir a liminar nestes autos, foi extraída da própria

inicial, não cabendo falar em contradição e obscuridade nos embargos de declaração opostos contra a referida decisão, com o escopo de esclarecer que o apurado na ação penal conduzia a que a menor aparentava ter 14 anos, o que favoreceria a tese do erro de tipo. 5. De qualquer sorte, e em consonância com a jurisprudência desta Corte, no sentido de que a violência no crime de estupro contra menor de 14 é absoluta, não tem relevância para o deslinde do caso se a vítima aparentava ter idade um pouco acima dos 14 anos ou dos 18 anos que afirmara ter. 6. Ordem denegada, restando prejudicados os embargos de declaração opostos da decisão que indeferiu a liminar.
(STF, Primeira Turma, HC 109206 / RS , Relator Min. Luiz Fux, julgado em 18/10/2011.)

Erro sobre a ilicitude do fato

O erro de direito consistente no desconhecimento da lei é inescusável, nos termos do art. 21 do CP. É que esta presunção funda-se no fato de que a lei é do conhecimento de todos, porquanto pressuposto da vida em sociedade. Consequentemente, a ninguém é dado alegar seu desconhecimento para se furtar à incidência da sanção penal; maxime o Administrador Público, cuja atuação é regida pelo princípio da legalidade administrativa, que veda sua liberdade para atuar além do que estritamente autorizado em lei. 7. O erro sobre a ilicitude do fato, se invencível ou escusável, isenta de pena, nos termos do art. 21 do CP. 8. A doutrina do tema é assente em que: a) "Apura-se a invencibilidade do erro, pelo critério já mencionado no estudo da culpa, consistente na consideração das circunstâncias do fato e da situação pessoal do autor" (NORONHA, E. Magalhães. *Direito Penal*. Vol. 1. Introdução e Parte Geral. 13. ed. São Paulo: Saraiva, 1976. p. 146). b) Esta espécie de erro elimina a consciência da ilicitude do comportamento, no abalizado magistério de Nilo Batista, *verbis*: "Se o agente não atua com a plena consciência da objetividade de sua ação, ou seja, sem a consciência do fato que realiza, atua em erro, em erro sobre o fato, que exclui o dolo na medida em que exclui um de seus componentes" (BATISTA, Nilo. *Decisões criminais comentadas*. Rio de Janeiro: Liber Juris, 1976. p. 72). 9. O erro de direito e o erro quanto à ilicitude são timbrados pela doutrina nos seguintes termos: "O desconhecimento da ilicitude de um comportamento e o desconhecimento de uma norma legal são coisas completamente distintas. A ignorância da lei não pode confundir-se com o desconhecimento do injusto (ilicitude), até porque, no dizer de Francisco de Assis Toledo, 'a ilicitude de um fato não está no fato em si, nem nas leis vigentes, mas entre ambos, isto é, na relação de contrariedade que se estabelece entre o fato e o ordenamento jurídico'. A *ignorantia legis* é matéria de aplicação da lei que, por ficção jurídica, se presume conhecida por todas. Enquanto o erro de proibição é matéria de culpabilidade, num aspecto inteiramente diverso. Não se trata de derrogar ou não os efeitos da lei, em função de alguém conhecê-la ou desconhecê-la. A incidência é exatamente esta: a relação que existe entre a lei, em abstrato, e o conhecimento que alguém possa ter de que seu comportamento esteja contrariando a norma legal" (BITENCOUR, Cezar Roberto. *Tratado de Direito Penal*. Parte Geral, Vol. 1. 14. ed. São Paulo: Saraiva, 2009. p. 403). (STF, Primeira Turma, AP 595, Rel. Min. Luis Fux, julgado em 25/11/2014.)

6

Consumação e tentativa

6.1 *ITER CRIMINIS*

Iter criminis é o caminho do crime ou itinerário do crime, isto é, um percurso que se inicia na mente do autor e culmina com a realização, completa ou incompleta, da figura típica. Esse percurso se denomina *iter criminis* ou, literalmente, itinerário do crime, também chamado de caminho do crime, o qual abrange as seguintes etapas:

1. Cogitação: fase interna e impunível (*cogitationis poenam nemo patitur*), considerada por Nélson Hungria como o "claustro psíquico".
2. Preparação: fase externa impunível, salvo em caso de tipificação autônoma, como ocorre no crime de "ato preparatório para terrorismo" (art. 5º da Lei n. 13.260/16).
3. Execução: fase externa, sujeita à punição.
4. Consumação (*summatum opus*): fase em que o delito se completa. Quando o agente atinge a etapa consumativa do crime, considera-se um crime consumado. Quando isso não ocorre, haverá crime tentado ou crime algum, uma vez que não se pune a fase cogitação, tampouco a preparação, a menos que o ato preparatório esteja tipificado como crime autônomo em alguma norma incriminadora.
5. Exaurimento: fase posterior à consumação, não necessária à tipicidade (CP, art. 158). Veja-se o que diz a Súmula 96 do STJ: O crime de

extorsão consuma-se independentemente da obtenção da vantagem indevida. Portanto, a obtenção da vantagem é o exaurimento da extorsão já consumada. O exaurimento pode configurar causa de aumento de pena, como ocorre na corrupção ativa (art. 333, parágrafo único, do CP).

6.2 CRIME CONSUMADO

Crime consumado é aquele que reúne todos os elementos do fato típico (art. 14, I), isto é, aquele no qual o autor atingiu a fase consumativa, uma vez que o exaurimento não integra o tipo, podendo, quando muito, constituir uma causa de aumento de pena.

É importante verificar, portanto, o momento consumativo dos crimes, a saber:

a. Crimes materiais e culposos: com a produção do resultado naturalístico, por exemplo, no homicídio, a consumação ocorre com a morte da vítima.
b. Crimes omissivos próprios: ocorrem com a abstenção do comportamento devido (exemplo: art. 135).
c. Crimes omissivos impróprios: ocorrem com o resultado naturalístico, pois o agente responde pelo resultado naturalístico. Exemplo: mãe deixa de amamentar o filho (momento omissivo), vindo este a morrer por inanição, ocorrendo a consumação no momento da morte (resultado).
d. Crimes de mera conduta: ocorrem com a simples realização do verbo nuclear do tipo, que não exige nenhum resultado naturalístico (exemplo: art. 150).
e. Crimes formais: ocorrem com a prática da conduta descrita pelo verbo nuclear, já que o resultado naturalístico irá configurar exaurimento da conduta (exemplo: art. 159).
f. Crimes qualificados pelo resultado: ocorrem com a verificação do resultado mais grave (exemplo: art. 129, § 2º, V).

g. Crimes permanentes: enquanto durar a permanência, já que a consumação destes perpetua-se no tempo (exemplo: art. 148).

h. Crimes habituais: com a realização reiterada da ação descrita no verbo nuclear do tipo, já que estes crimes exigem habitualidade (exemplo: art. 284).

6.3 CRIME TENTADO

Definição

Crime tentado ou *conatus* é aquele no qual o agente inicia a execução, mas a consumação não ocorre por circunstâncias alheias à vontade do agente (art. 14, II). Se, analisado o *iter criminis*, o agente ingressou na fase executória, mas não conseguiu ultrapassá-la, em razão de fato impeditivo externo à sua vontade, responde por crime tentado. O Código Penal estabelece que o crime é tentado quando, iniciada a execução, não se consuma por circunstâncias alheias à vontade do agente (CP, art. 14, II). A tentativa, com efeito, constitui forma de adequação típica indireta, pela qual se consideram típicos os fatos que não atingiram a consumação por circunstâncias alheias à vontade do agente. Convém salientar que não existe "delito de tentativa, mas somente tentativa de delito".[1]

Fundamental, portanto, na verificação da tentativa, é que o agente tenha dado início aos atos de execução. Assim, em todo o chamado *iter criminis* – cogitação, preparação, execução, consumação e, eventualmente, exaurimento – somente os atos de execução são verdadeiramente atos de tentativa. Isso porque, a partir da consumação, não se fala em *conatus*, por ter o agente atingido a *meta optata*. Os atos anteriores, de outra parte, são impuníveis, salvo quando os atos preparatórios de um crime constituam crime autônomo, como ocorre, por exemplo, no art. 291 do CP (petrechos para a falsificação de moeda).

---

1. ZAFFARONI, Eugênio Raul; PIERANGELLI, José Henrique. *Da tentativa: doutrina e jurisprudência*. São Paulo: Editora Revista dos Tribunais, 1995. p. 52.

Teorias

Uma vez que no crime tentado não ocorre o resultado desejado pelo agente e, muitas vezes, sequer a vítima é atingida, existem três teorias para justificar a razão de se punir o crime tentado:

a. *teoria sintomática:* o agente deve ser punido com a mesma pena do crime consumado, porque sua conduta expressa sintoma de periculosidade;
b. *teoria subjetiva:* o agente deve ser punido com a mesma pena do crime consumado, porque expressa intenção de delinquir;
c. *teoria objetiva:* o agente deve ser punido porque seu comportamento constitui ameaça ao bem jurídico tutelado, devendo ser levado em conta o grau de perigo ao bem jurídico, isto é, a proximidade da consumação.

O Código Penal brasileiro adotou a teoria objetiva como regra e a teoria subjetiva como exceção (art. 14, II, e parágrafo único), pois, excepcionalmente, a pena é a mesma do crime consumado (exemplo: CP, art. 352).

Elementos da tentativa

Os elementos da tentativa são o início de execução (atos executórios) e a não consumação por circunstâncias alheias à vontade do agente. Ocorre início da execução pela realização dos atos executórios. Como não é possível punir a cogitação e os atos preparatórios, a punibilidade da tentativa requer a verificação de quais atos se consideram como início da execução do crime. A dificuldade prática, inerente a muitos casos, deu origem às seguintes teorias, extraídas, como dito, da existência ou não de risco ao bem jurídico.

a. *subjetiva:* há atos executórios quando o agente, segundo seu entendimento, realiza atos de execução;
b. *objetivo-formal:* há atos executórios quando o agente realiza o verbo do tipo;

c. *objetivo-material:* há atos executórios quando o agente pratica atos que são imediatamente anteriores ao verbo nuclear, valendo-se o juiz do critério do "terceiro observador";

d. *objetivo-individual:* há atos executórios quando o agente pratica atos que são anteriores ao verbo nuclear e, segundo o plano concreto do autor, seja possível concluir que o agente tinha como objetivo a realização do crime (teoria concebida por Beling e desenvolvida por Welzel).

Em face da dificuldade de estabelecer com exatidão o início da execução, costumam-se conjugar esses critérios, com predominância do critério objetivo-formal.

Além do início de execução, outro importante elemento da tentativa é a não consumação por circunstância alheia à vontade do agente. É imperioso não confundir, como já dito, vontade com desejo, intenção, finalidade, motivo etc. Vontade é pura energia anímica. Portanto, a expressão circunstância alheia à vontade do agente significa, apenas, que o agente não contribuiu voluntariamente para a evitação do resultado. Ou seja, dita evitação decorreu de circunstâncias externas ao agente, sendo ilimitadas as possibilidades: desde uma intervenção médica até a pura sorte da vítima.

Pena da tentativa

Tendo em vista a teoria objetiva, deve ser levado em conta o grau de ameaça ao bem jurídico para estabelecer a pena da tentativa. Assim, o Código Penal estabelece que tentativa deve ser punida com a pena do crime consumado, com redução de 1 a 2/3 (art. 14, parágrafo único). Portanto, quanto mais perto da consumação, menor a redução, já que terá havido maior risco ao bem jurídico.

Infrações que não admitem tentativa

Algumas infrações, por sua natureza, não admitem a forma tentada, a saber:

a. crimes habituais: isso porque um ato não configura habitualidade do crime, enquanto a reiteração já o consuma (exemplo: art. 229);

b. crimes culposos, exceto no caso de culpa imprópria: na culpa própria, não há vontade do agente em relação ao resultado, portanto esse não pode ser um crime tentado, salvo na culpa imprópria, pois esta é uma forma de dolo, cuja pena é de crime culposo (art. 20, § 1º, segunda parte);
c. crimes preterdolosos: nesse caso, havendo culpa quanto ao resultado final, não pode ele ser uma meta do agente (exemplo: art. 129, § 3º);
d. crimes de atentado ou de empreendimento: são crimes que se consumam com o simples ato de tentar (exemplo: art. 352);
e. crimes unissubsistentes: são aqueles que não comportam *iter criminis* e ocorrem numa etapa externa única (exemplo: injúria verbal);
f. crimes omissivos próprios: são crimes sem *iter criminis*, consumando-se em etapa única (exemplo: art. 135);
g. crimes condicionados: são crimes cuja tipicidade só é possível com o resultado e se tornam atípicos sem ele (exemplo: art. 164);
h. contravenções penais: as contravenções são infrações de perigo, assim como a tentativa, de modo que admitir-se o *conatus* implicaria punir alguém que causou perigo de perigo, razão pela qual o art. 4º da LCP estabelece que não é punível a tentativa de contravenção.

Tentativa em crime complexo

Questão importante diz respeito à tentativa em crime complexo, isto é, aquele que prevê a tutela a mais de um bem jurídico. Em regra, haverá crime tentado se não forem preenchidos todos os elementos do tipo complexo, mas o STF considera consumado o latrocínio com a morte da vítima, ainda que não se consume a subtração (Súmula 610).

Classificação da tentativa

Costuma-se classificar a tentativa da seguinte forma:

a. *cruenta ou vermelha:* deixa lesão;
b. *incruenta ou branca:* não deixa lesão;
c. *imperfeita:* o agente não exaure os atos de execução;

d. *perfeita ou crime falho:* o agente exaure os atos de execução, mas não consegue atingir o crime;

e. *qualificada:* é o crime remanescente da desistência voluntária ou do arrependimento eficaz;

f. *idônea:* é a tentativa propriamente dita, em que o agente pode consumar o crime, mas não consegue fazê-lo por circunstâncias alheias à sua vontade;

g. *inidônea:* é o crime impossível, em que o agente não pode atingir a consumação;

h. *abandonada:* desistência voluntária e arrependimento eficaz.

6.4 EXCLUDENTES DA TENTATIVA

Desistência voluntária e arrependimento eficaz. Distinção do arrependimento posterior

Quando o agente interrompe a execução ou, depois de esgotar os meios executórios, impede que o resultado se produza, só responde pelos atos praticados (CP, art. 15). É uma "ponte de ouro" para que o agente retroceda (Von Liszt). Na desistência voluntária, ocorre a interrupção da execução pelo próprio agente; no arrependimento eficaz, o agente exaure os meios executórios, mas impede a consumação. Na desistência voluntária a ação é interrompida e no arrependimento eficaz a ação é modificada pelo próprio agente.

Em ambos os casos, exige-se voluntariedade, embora não seja necessário espontaneidade. Segundo a famosa "fórmula de Frank", se o agente diz para si mesmo "posso prosseguir, mas não quero", tem-se uma desistência voluntária; se diz "quero prosseguir, mas não posso", ocorre um crime tentado. A desistência voluntária ocorre quando a execução está em curso e o agente a interrompe. O arrependimento eficaz existe quando, após o processo executório, o agente resolve empreender esforços para evitar o resultado. Vale dizer: considera-se a voluntária interrupção durante (desistência voluntária) ou após (arrependimento eficaz) os atos de execução. Assim, se o agente, depois de ter desferido um disparo contra a vítima, vendo que esta não morreu, deixa de efetuar novos disparos na expectativa de que ela não morra, transparece a sua desistência. Se, porém, tendo efetuado disparos suficientes para matar a vítima, resolve o agente prestar-lhe socorro, trata-se de arrependimento eficaz.

Nas duas hipóteses é importante que o crime não se consume, pois, se isso ocorrer, nenhum valor jurídico terá o esforço do agente. É preciso, pois, que a atuação do agente realmente ajude a impedir o resultado. Com efeito, verificada a desistência voluntária ou o arrependimento eficaz, o agente não responde pela tentativa, mas tão só pelos atos praticados (CP, art. 15).[2]

Para Nélson Hungria, trata-se de causa de extinção da punibilidade da tentativa, não prevista no art. 107. Frederico Marques considera tratar-se de causa de atipicidade da tentativa, opinião com a qual comungamos, uma vez que a desistência voluntária afasta o elemento de tipicidade indireta "circunstância alheia à vontade do agente".[3]

Não se deve confundir o *arrependimento eficaz*, excludente da tipicidade da tentativa, com o *arrependimento posterior*, que constitui mera causa de diminuição da pena, prevista no art. 16 do CP. Quando o agente, após consumar o crime, restitui a coisa ou repara o dano, pode ter sua pena reduzida de 1 a 2/3 (CP, art. 16). Só é cabível em crimes sem violência ou grave ameaça à pessoa, mas se admite em caso de crimes culposos. Se a reparação ocorre após o recebimento da denúncia, incide uma atenuante (CP, art. 65, III, b). No caso de fraude por meio de cheque, o STF entende que o pagamento do cheque antes do recebimento da denúncia extingue a punibilidade (Súmula 554). Em se tratando de infração de menor potencial ofensivo, a composição civil implica renúncia ao direito de queixa ou de representação, extinguindo a punibilidade do agente, pouco importando tratar-se de crime com violência ou grave ameaça.

Desistência voluntária e arrependimento eficaz têm outra natureza jurídica, funcionando como causa de atipicidade da tentativa, por ausência de

---

[2]. Assim, demonstrado que o agente desistiu de causar a morte da vítima ou arrependeu-se eficazmente, responderá apenas por lesões corporais, beneficiando-se da chamada "ponte de ouro", consagrada expressão de Von Liszt.

[3]. Há quem compreenda, como Nélson Hungria, Aníbal Bruno e Magalhães Noronha, que a desistência voluntária e o arrependimento eficaz são causas especiais de extinção da punibilidade. Outros, como Roxin, invocam razões de política criminal. Sobre o tema, ver ZAFFARONI e PIERANGELLI, in *Da tentativa*. 4. ed. São Paulo: RT, 1995. p. 86-91.

adequação típica, já que não existe um elemento da norma de extensão: circunstância alheia à vontade do agente. Na verdade, o crime não se consuma graças à atuação da vontade do agente, ainda que com o concurso de outras circunstâncias, como, por exemplo, socorro médico prestado à vítima conduzida ao hospital pelo próprio agressor.

Uma compreensão errônea da desistência voluntária produz, não raramente, distorções no trato do instituto. Não é o simples fato de o agente não exaurir os meios executórios que configura a desistência. Fosse assim, um indivíduo armado de pistola e metralhadora que fizesse uso de toda a munição daquela seria beneficiado por não utilizar a metralhadora, em que pese ter acertado uma dezena de tiros na vítima. Destarte, a afirmação da desistência voluntária deve levar em conta a suficiência dos atos de execução praticados. Se estes se revelam suficientes para a produção do resultado, não se pode falar em desistência (embora seja possível, ainda, falar-se em arrependimento, se o agente agir em favor da vítima). Se, todavia, os atos executórios não são suficientes à satisfação da *meta optata* e o agente voluntariamente freia a execução, trata-se, aí sim, de genuína desistência. Exemplificando, não existe a tentativa se o agente, ante a queda inerte da vítima, pensando que já fez o suficiente para matar, deixa intactos os demais projéteis de que dispõe.

Não há consenso na doutrina acerca da comunicabilidade da desistência voluntária, do arrependimento eficaz e do arrependimento posterior. Em face de ser circunstância objetiva, prevalece que, se um desiste ou se arrepende, os outros devem ser beneficiados (teoria da acessoriedade). Assim, se não há crime para o desistente ou arrependido, também não haverá para os demais. O mesmo vale para o arrependimento posterior, conforme decidiu o STJ no REsp. 264283/SP.[4]

Crime impossível

Segundo o art. 17 do Código Penal, não se pune a tentativa quando, por ineficácia absoluta do meio ou por absoluta impropriedade do objeto, é impossível consumar-se o crime. Trata-se de situação em que, apesar da aparente

---

4. Rel. Ministro Felix Fischer, Quinta Turma, julgado em 13/02/2001, DJ 19/03/2001, p. 132.

gravidade, nenhum, absolutamente nenhum perigo é levado ao bem jurídico, o que, segundo a *teoria objetiva*, impede a configuração de crime tentado.

A esse respeito, o Código Penal brasileiro adotou a *teoria objetiva temperada, moderada ou matizada*, em que o agente não deve ser punido apenas se a impossibilidade for absoluta, pois, se for relativa, deve haver punição, descartando assim as outras teorias.[5]

O crime impossível se configura nas seguintes hipóteses:

a. Ineficácia absoluta do meio: ocorre quando a execução é totalmente inadequada à obtenção do resultado. Exemplo: tentar matar com balas de festim; tentar abortar com "pílula de farinha".
b. Impropriedade absoluta do objeto: ocorre quando o resultado visado pelo agente não pode ser atingido. Exemplo: tentar matar quem já está morto.

Alguns temas relevantes surgem diante do instituto do crime impossível. São eles o flagrante preparado, a questão da vigilância eletrônica em crimes patrimoniais e o delito putativo.

Flagrante preparado é aquele no qual a polícia induz alguém à prática do crime, aplicando-se a Súmula 145 do STF. Não se confunde com flagrante esperado (em que a polícia, avisada de um crime, toma as precauções para impedir a consumação) ou com flagrante forjado (em que a polícia "enxerta" provas de flagrância).

Não há crime impossível, e sim crime tentado, no caso de haver dispositivos de vigilância eletrônica protegendo o patrimônio dos estabelecimentos, uma vez que essa proteção é relativa e pode ser burlada. Nesse sentido: STJ, HC 207295[6]; STF, HC 107577.[7]

---

5. Segundo a *teoria sintomática*, o agente deve ser punido porque sua conduta revela periculosidade; a *teoria subjetiva* sustenta que o agente deve ser punido porque sua conduta revela intenção criminosa; a *teoria objetiva pura* defende que o agente não deve ser punido, pois o bem jurídico não sofre qualquer risco.
6. Rel. Ministra Laurita Vaz, Quinta Turma, julgado em 25/10/2011, DJe 07/11/2011.
7. Rel. Ministra Cármen Lúcia, Primeira Turma, julgado em 10/05/2011.

Ocorre delito putativo quando uma pessoa pensa que está praticando um crime que, na verdade, não se configura. Pode ocorrer um erro de tipo às avessas, em que o agente pratica um fato pensando que está realizando um tipo penal, como, por exemplo, quem atira num manequim pensando ser uma pessoa, ou um erro de proibição invertido, em que o agente pratica um ato que pensa ser criminoso, mas não está descrito em nenhum tipo penal, como pode ocorrer com o incesto, que, por ser reprovado, pode ser confundido com um crime, quando na verdade é um indiferente penal se praticado por pessoas adultas.

6.5 DOLO EVENTUAL E CULPA NA TENTATIVA

Não há incompatibilidade entre tentativa e dolo em quaisquer de suas modalidades, quer se trate de crime de ímpeto ou refletido.[8] Malgrado posições em contrário,[9] a tentativa é totalmente compatível com o dolo eventual, conforme ensinam Zaffaroni e Pierangelli, não há razão alguma para excluir o dolo eventual da tentativa.[10]

Miguel Reale Jr. registra que "tentativa é sempre tentativa de consumar um determinado delito".[11] Por isso, salienta Muñoz Conde "ser o dolo o mesmo do delito consumado, bastando eventual, se também é suficiente para o delito consumado".[12]

Com efeito, não existe dolo de tentativa e dolo de consumação. O crime tentado é apenas um crime que deveria ter se consumado. Suponha-se que alguém efetue disparos contra outrem, fugindo do local. O fato de a

---

8. JESUS, Damásio Evangelista de. Op . cit., p. 292.
9. Consoante MIRABETE, Julio Fabbrini, "há hipóteses evidentes de impossibilidade de tentativa com dolo eventual nos crimes de homicídio e de lesões corporais, pois quem põe em perigo a integridade corporal de alguém voluntariamente, sem desejar causar a lesão, pratica fato típico especial (CP, art. 132); quem põe em risco a vida de alguém, causando-lhe lesão e não querendo sua morte, pratica o crime de lesão corporal de natureza grave (art. 129, § 1º, II)", op. cit., p. 151-152. O próprio Mirabete, porém, admite a tentativa com dolo eventual "as hipóteses em que este deriva da dúvida a respeito de um elemento do tipo (Op. cit.)".
10. ZAFFARONI, Eugênio R. e PIERANGELLI, José Henrique. *Manual de Direito Penal brasileiro.* 2. ed. São Paulo: RT, 1999. p. 700.
11. REALE Jr, Miguel. *Teoria do Delito.* São Paulo: RT, 1998. p. 190.
12. CONDE, Muñoz. *Teoria geral do delito.* Porto Alegre: Fabris, 1988. p. 182.

vítima não morrer não altera o que já se aperfeiçoou no plano psicológico. Se, na hipótese aventada, havia inicialmente dolo direto ou mesmo eventual de matar, o fato de a vítima ser socorrida não pode retroceder para alterar a subjetividade que sequer existe mais. Quando a conduta se exterioriza, parte de uma subjetividade definida. Esta se projeta no mundo exterior e não pode ser alterada por este. Portanto, o sujeito idealiza e age, precipitando a causalidade. A interrupção desta não retroage para modificar a idealização.

Assim, não se pode condicionar o dolo ao resultado, pois este é externo e posterior ao próprio dolo. Consumando-se ou não o delito, o dolo é o mesmo que presidiu a conduta no seu limiar psicológico.

Em síntese: a subjetividade condiciona o resultado e não o contrário. As posições adversas subvertem a estrutura da conduta humana. A pá de cal sobre o assunto provém de Nélson Hungria:

> Do mesmo modo que é conciliável com o dolo de ímpeto, a tentativa também o é com o dolo eventual. Este ponto de vista é inquestionável em face de nosso Código, que equiparou o dolo eventual ao dolo direto. Se o agente aquiesce no advento do resultado específico do crime, previsto como possível, é claro que este entra na órbita de sua volição: logo, se, por circunstâncias fortuitas, tal resultado não ocorre, é inegável que o agente deve responder por tentativa. É verdade que, na prática, será difícil identificar-se a tentativa no caso de dolo eventual, notadamente quando resulta totalmente improfícua (tentativa branca). Mas, repita-se: a dificuldade de prova não pode influir na conceituação de tentativa.[13]

Diferentemente ocorre com a culpa, pois a tentativa é incompatível com a forma culposa de crime, salvo na chamada culpa imprópria, que se trata, na verdade, de um fato doloso punido com pena de crime culposo, em razão de opção legislativa para os casos de erro de tipo permissivo. Ocorre que a culpa

---

13. HUNGRIA, Nélson. *Comentário ao Código Penal*. Vol. I, Tomo 2º. Rio de Janeiro: Forense, 1953. p. 85-6.

é, por definição, um acontecimento estranho à representação e à vontade do agente, incompatibilizando-se com o *conatus*.

Essa afirmação vale, evidentemente, para a parte culposa dos tipos preterintencionais. Há crimes preterintencionais, porém, que podem, excepcionalmente, realizar-se mediante atos de tentativa, como o aborto tentado seguido de lesão grave ou morte (CP, art. 127), bem como no estupro tentado seguido de lesão grave ou morte (CP, art. 223). No caso de aborto, a lei fala em aborto ou meios empregados para provocá-lo, o que equivale a atos executórios e, portanto, atos de tentativa. No estupro, não fala a lei nas consequências da conjunção carnal, mas da violência, que é, também, ato executório e, portanto, de tentativa. Conforme Julio Fabbrini Mirabete, a tentativa é plenamente possível nos crimes qualificados pelo resultado em que este é abrangido pelo dolo do sujeito.[14]

RESUMO

Consumação e tentativa

Segundo o art. 14 do Código Penal, diz-se o crime: I) consumado quando nele se reúnem todos os elementos da sua definição legal; II) tentado, quando, iniciada a execução, não se consuma por circunstâncias alheias à vontade do agente.

Iter criminis

É o "itinerário do crime". Desdobra-se em *cogitação, preparação, execução e consumação*, podendo ser inserido ainda o *exaurimento*.

Tentativa

Ocorre quando, iniciada a fase de execução, o agente não consuma o crime por circunstâncias alheias à sua vontade.

---

14. MIRABETE, Júlio Fabbrini. *Manual de Direito Penal*. São Paulo: Atlas, 1994. p. 154.

Teorias
- Sintomática (não adotada no Brasil);
- subjetiva (adotada excepcionalmente);
- objetiva (adotada como regra):
  - formal-objetiva;
  - material-objetiva;
  - objetivo-individual.

Inadmissibilidade da tentativa
- Crimes habituais;
- crimes culposos, exceto no caso de culpa imprópria;
- crimes preterdolosos;
- crimes de atentado ou de empreendimento;
- crimes unissubsistentes;
- crimes omissivos próprios;
- crimes de mera conduta;
- crimes condicionados;
- contravenções penais.

Classificação da tentativa
- Cruenta ou vermelha;
- incruenta ou branca;
- imperfeita;
- perfeita ou crime falho;
- qualificada;
- idônea;
- inidônea;
- abandonada.

Pena da tentativa
A mesma do crime consumado, com redução de 1 a 2/3 (art. 14, parágrafo único). Quanto mais perto da consumação, menor a redução, já que terá havido maior risco ao bem jurídico.

Excludentes da tentativa (o agente responde pelos atos praticados, mas não pelo conatus*)*
Desistência voluntária: o agente desiste de prosseguir na execução (art. 15). Arrependimento eficaz: depois de executar o crime, o agente impede a consumação (art. 15). Não se confunde com arrependimento posterior (art. 16). Crime impossível: art. 17 (teoria objetiva temperada: a ineficácia do meio ou impropriedade do objeto deve ser absoluta). Não se configura diante de flagrante esperado (STF Súmula 145) ou na vigilância eletrônica.

Dolo eventual e tentativa
Não há incompatibilidade.

JURISPRUDÊNCIA

Aplicação da pena na tentativa
Habeas corpus. 2. Tentativa de homicídio qualificado (art. 121, § 2º, II, c/c 14, II, todos do CP). 3. Dosimetria. Pedido de fixação do *quantum* de diminuição decorrente da tentativa em seu patamar máximo (2/3). Impossibilidade. 4. A quantificação da causa de diminuição de pena relativa à tentativa (art. 14, II, CP) há de ser realizada conforme o *iter criminis* percorrido pelo agente: a redução será inversamente proporcional à maior proximidade do resultado almejado. 5. Redução no mínimo legal (1/3) devidamente motivada. 6. Ordem denegada. (STF, HC 118203, Relator(a): Gilmar Mendes, Segunda Turma, julgado em 15/10/2013, Processo Eletrônico DJe-223 DIVULG 11-11-2013 PUBLIC 12-11-2013.)

Dolo eventual e tentativa
Ementa: Processual penal. Agravo regimental em *habeas corpus*. Inadequação da via eleita. Homicídio. Incompatibilidade entre dolo eventual e tentativa. Inocorrência. 1. A jurisprudência da Primeira Turma do Supremo Tribunal Federal (STF) não admite a impetração de *habeas corpus* em substituição ao agravo regimental cabível na origem (HC 115.659, Rel. Min. Luiz Fux). Ademais, a superveniente alteração do quadro processual da causa, com a

prolação da sentença condenatória do paciente, prejudica a análise da impetração. 2. As peças que instruem este processo não evidenciam situação de teratologia, ilegalidade flagrante ou abuso de poder que autorize a concessão da ordem de ofício. A jurisprudência do STF, ao analisar caso análogo, consignou orientação no sentido de que não há incompatibilidade na conjugação do dolo eventual e da tentativa (HC 114.223, Rel. Min. Teori Zavascki). 3. Agravo regimental a que se nega provimento. (HC 165200 AgR, Relator(a): Roberto Barroso, Primeira Turma, julgado em 29/04/2019, Processo Eletrônico DJe-099 Divulg 13-05-2019 Public 14/05/2019.)

SÚMULA

Súmula n. 145 do STF

Não há crime, quando a preparação do flagrante pela polícia torna impossível a sua consumação.

7

Concurso de pessoas

7.1 DEFINIÇÃO E ESPÉCIES DE CONCURSO DE PESSOAS

Concurso de pessoas, também chamado concurso de agentes, codelinquência ou concurso de delinquentes, ocorre quando várias pessoas se ocupam da prática do mesmo crime. Há duas espécies de concursos de pessoas: necessário e eventual.

Concurso necessário

O concurso de duas ou mais pessoas é essencial à configuração do crime, que não existe se for praticado por uma única pessoa. O crime de concurso necessário é também chamado crime plurissubjetivo ou pluripessoal, pois depende de várias pessoas para se consumar, ou seja, a participação de várias pessoas é necessária e obrigatória, ou não haverá o crime. Os crimes que exigem duas ou mais pessoas se classificam em:

a. *crimes de condutas paralelas*, em que os agentes auxiliam-se mutuamente, como na associação criminosa (CP, art. 288);
b. *crimes de condutas contrapostas*, em que os participantes agem uns contra os outros, como na rixa (CP, art. 137);
c. *crimes de condutas convergentes*, em que os agentes convergem e somente com a convergência nasce o crime, como no "racha" (art. 308 do CTB).

Concurso eventual ou facultativo

Ocorre em crimes que podem ser praticados por uma única pessoa. Embora não seja obrigatório o concurso, este se estabelece facultativamente, entre pessoas que decidem ajudar-se mutuamente para a prática delitiva. É o concurso de pessoas por excelência, com expressa previsão no art. 29 do Código Penal.

> Art. 29 – Quem, de qualquer modo, concorre para o crime incide nas penas a este cominadas, na medida de sua culpabilidade.
> § 1º – Se a participação for de menor importância, a pena pode ser diminuída de 1/6 a 1/3.
> § 2º – Se algum dos concorrentes quis participar de crime menos grave, ser-lhe-á aplicada a pena deste; essa pena será aumentada até metade, na hipótese de ter sido previsível o resultado mais grave.

O concurso de pessoas (eventual) ocorre de três formas distintas:

a. *autoria:* considera-se autor quem realiza a conduta principal;
b. *coautoria:* quando há pluralidade de pessoas praticando condutas principais, todos são coautores;
c. *participação:* considera-se partícipe quem realiza conduta acessória e secundária.

7.2 REQUISITOS DO CONCURSO DE PESSOAS

Para que exista concurso de pessoas, devem estar presentes os seguintes requisitos:

1. Pluralidade de agentes: exige-se, no mínimo, duas pessoas.
2. Relevância causal de todas as condutas: todas as condutas devem ser causa do resultado.
3. Liame subjetivo: não se exige acordo, bastando a consciência de cooperar. Exemplo: empregada doméstica que, para se vingar do patrão, deixa a porta aberta para o ladrão, sem que este saiba. Deve haver, por

outro lado, homogeneidade de elemento subjetivo, ou seja, não pode haver concurso doloso em crime culposo ou vice-versa.

4. Colaboração anterior à consumação: só pode haver concurso enquanto o crime não estiver consumado, pois a colaboração posterior gera favorecimento pessoal ("delito de encobrimento").[1]
5. Unidade de crime: todos devem concorrer para o mesmo crime. Parte da doutrina entende que se trata de consequência do concurso de pessoas e não de requisito.

7.3 TEORIAS SOBRE AUTORIA E PARTICIPAÇÃO

A fim de determinar a responsabilidade penal e o grau de reprovação de cada integrante do concurso de pessoas, preocupa-se o Direito Penal em distinguir autoria, coautoria e participação.

Teoria extensiva

A teoria extensiva, também chamada unitária ou material-objetiva, simplesmente ignora qualquer distinção entre os integrantes do concurso, pois considera que todos que de alguma forma participam do crime são autores e coautores, não havendo distinção entre autor, coautor e partícipe.

Teoria restritiva

A teoria restritiva ou formal-objetiva, porém, pretende distinguir quem realiza a conduta descrita no tipo de quem, não realizando a ação típica propriamente dita, presta qualquer apoio à prática dos atos descritos no tipo. Nesse sentido, autor (ou coautor) é quem realiza a conduta descrita no "núcleo" do tipo, como "matar", "subtrair", "constranger" etc. Os demais são partícipes. É a teoria adotada pelo Direito Brasileiro.

---

1. "No puede considerar-se la acción del encubridor dentro de la participación criminal, porque no interviene, ni moral ni materialmente, en la ejecución. Si los actos de encubrimiento fueron prometidos con anticipación al delito, a se habría intervenido moralmente en la ejecución, porque se fortalecería el ánimo del delincuente con esa seguridad de la ayuada posterior. El encubridor surge después y el acuerdo de voluntades há de aparecer una vez producida la situación de responsabilidad del delincuente a quien se ampara o favorece." Nesse sentido: MARTIN, Diego Mosquete. *El delito de encubrimiento*. Barcelona: Bosch, Casa Editorial, 1946. p. 9-10.

Teoria do domínio do fato

A teoria do domínio do fato é espécie de teoria restritiva, adotada no Brasil, pois distingue autor de partícipe, rechaçando o conceito extensivo de autor. Como principal critério de diferenciação entre autor e partícipe, adota-se a "teoria do domínio do fato", criada por Hans Welzel e desenvolvida por Claus Roxin. Assim, autor é quem tem domínio do fato típico e partícipe é quem não tem. O domínio do fato típico pode ocorrer de três maneiras:

a. Domínio da ação, chamado de autoria imediata, em que o autor executa os atos típicos.
b. Domínio funcional, em que há divisão de tarefas na realização de atos essenciais à realização típica, o que se denomina coautoria ou autoria funcional.
c. Domínio da vontade é a chamada autoria mediata, em que alguém, por trás do executor, controla a ação deste ("homem de trás"). O domínio da vontade, a seu turno, pode ocorrer: a) *por coação*, caso em que só o coator – autor mediato – será punido, pois o coacto age sem culpabilidade (coação moral irresistível); b) *por utilização do autor direto como "fator causal cego"*, o que ocorre nos casos de utilização de inimputável ou de pessoa que desconhece a ilicitude do fato (erro de proibição); c) *em virtude de aparatos organizados de poder*, o que ocorre nas organizações criminosas, em que os executores dos crimes estão, no mais das vezes, cumprindo ordens de terceiros.

O domínio da vontade pelo domínio de um aparato organizado de poder assenta-se em quatro pressupostos fundamentais:

1. o poder de mando dentro da organização: abrange o dirigente ou pessoa intermediária, com poder gerencial (autor de escrivaninha ou escritório);
2. a desvinculação do direito pelo aparato de poder: compreende a clandestinidade da atividade;

3. a fungibilidade do executor direto: o executor deve ser alguém facilmente substituível dentro da organização;
4. por fim, um pressuposto acrescentado posteriormente, que é a disposição essencialmente elevada dos executores diretos ao cometimento do fato: compreende o alto engajamento dos executores.

Tanto a desvinculação ao direito quanto a fungibilidade do executor direto são pressupostos questionáveis. Quanto à fungibilidade, esta não se aplicaria a muitos casos em que o membro da associação criminosa detém conhecimentos e habilidades financeiras específicas, como é o caso do responsável pela contabilidade de uma empresa encarregada de lavagem de dinheiro. Quanto à desvinculação ao direito, conforme Kai Ambos, esta é somente um pressuposto possível, mas não necessário, com o que concordamos, pois também existem – no âmbito da criminalidade de Estado – aparatos organizados de poder que atuam criminalmente sem desvincular-se do direito.[2]

De modo geral, separam-se três grupos de atuação do "homem de trás", assim considerado o detentor de domínio do aparato de poder:

a. Crimes cometidos por aparatos organizados de poder estatais: crimes praticados em nomes do Estado, geralmente por estados totalitários.
b. Crimes cometidos por aparatos organizados de poder não estatais: neste grupo encontra-se a criminalidade organizada.
c. Crimes cometidos por empresas, embora contrariando o pensamento de Roxin, que se manifesta contra a ideia de domínio do fato nesse caso, pois a empresa não se trata de um aparato de poder desvinculado do direito.

A teoria do domínio do fato só tem aplicação aos crimes dolosos, já que o domínio do fato pressupõe a vontade de que se realize, o que não existe

---

2. AMBOS, Kai. *A parte geral do Direito Penal internacional:* bases para uma elaboração dogmática. Tradução de Carlos Eduardo Adriano Japiassú e Daniel Andrés Raisman, revisão de Pablo Alflen e Fábio Dávila e atualização de Kai Ambos e Miguel Lamadrid. Editora Revista dos Tribunais, 2008. p. 272.

em caso de culpa. Note que a teoria destina-se apenas a estabelecer uma forma de autoria nos casos em que não há execução direta do tipo penal, não sendo admitida "com vistas a solucionar problemas de debilidade probatória ou a fim de arrefecer os rigores da caracterização do dolo delitivo, pois tais propósitos estão dissociados da finalidade precípua do instituto".[3] Assim, não é possível invocar a teoria do domínio do fato simplesmente por não haver prova suficiente de autoria direta ou para postular pena menor por dolo "reduzido".

7.4 AUTORIA E COAUTORIA

Conceito de autoria e coautoria

Considera-se autor quem pratica a ação típica (teoria objetivo-formal) ou exerce controle/comando sobre ela (teoria do domínio do fato). Havendo mais de uma pessoa atuando com domínio do fato, surge a coautoria.

São coautores do crime todos aqueles que praticam ações do tipo (teoria restritiva) ou exercem controle/comando sobre ela (teoria do domínio do fato). Chama-se também "autoria funcional", porque todos dividem funções na prática do crime, o que implica uma contribuição necessária para a realização do fato (domínio funcional do fato).[4]

Formas de autoria e coautoria

Autoria imediata, direta, autor "da ponta": é quem pratica diretamente a conduta descrita no tipo.

Autoria mediata ("o homem de trás"): ocorre quando alguém utiliza outra pessoa, impunível, como instrumento para a prática do crime. Assim, não realiza atos descritos no tipo, mas seu "instrumento", isto é, a pessoa impunível, o faz. Assim, se A auxilia o inimputável B a praticar um crime, responde como autor mediato e não como partícipe. Hipóteses de autoria mediata:

---

[3]. AP 975, Relator(a): EDSON FACHIN, Segunda Turma, julgado em 03/10/2017, ACÓRDÃO ELETRÔNICO DJe-040 DIVULG 01-03-2018 PUBLIC 02-03-2018.

[4]. Idem, ibidem, p. 679.

a. erro determinado por terceiro (CP, art. 20, § 2º);
b. coação moral irresistível (CP, art. 22, primeira parte);
c. obediência hierárquica (CP, art. 22, segunda parte);
d. utilização de pessoa impunível (CP, art. 62, III).

Os crimes de mão própria, como o falso testemunho, não admitem autoria mediata. Crimes próprios, por sua vez, admitem autoria mediata, desde que o autor mediato reúna a condição hipotética de autor imediato.

Autoria de escritório: "autor de escritório" é quem exerce algum tipo de liderança dentro de uma organização que é utilizada na prática de crime. Pressupõe uma "máquina de poder" que pode ser Estatal ou mafiosa. Exemplo: PCC. Para Zaffaroni e Pierangeli, a "autoria de escritório" é uma autoria mediata especial, na qual se pune também o executor.[5]

Autoria colateral: ocorre quando duas pessoas concorrem para o mesmo crime sem liame subjetivo. Exemplo: A e B efetuam disparos contra C, sem liame subjetivo entre ambos. Caso ambos tenham relevância causal na morte de C, responderão por homicídio consumado. Se apenas A matou, B responde por tentativa, e vice-versa.

Autoria incerta: ocorre quando, na autoria colateral, não é possível determinar quem praticou o crime, respondendo ambos por tentativa, ante o princípio *in dubio pro reo*. Não se deve confundir autoria incerta com autoria ignorada, desconhecida ou não apurada, que ocorre quando a investigação não consegue identificar o autor.

Autoria ou coautoria de reserva: é a situação de quem, tendo domínio do fato, permanece pronto para intervir. Embora nada faça de concreto, o autor de reserva contribui decisivamente para a ação, na medida em que garante sua realização caso necessário.

Coautoria sucessiva: ocorre quando alguém se insere no *iter criminis* quando este já está em andamento, antes da consumação. Exemplo: alguém que, testemunhando a prática de um homicídio, resolve efetuar disparos con-

---

5. ZAFFARONI, Eugênio R.; PIERANGELI, José Henrique. *Manual de Direito Penal brasileiro*. 2. ed. São Paulo: RT, 1999. p. 680.

tra a vítima, para auxiliar os matadores. A coautoria sucessiva deve ocorrer durante a execução, pois a adesão após a consumação do crime configura favorecimento real (CP, art. 349), exceto se houver ajuste anterior ao crime.

Coautoria em crime de mão própria: não se admite coautoria em crimes de mão própria, como falso testemunho (CP, art. 342), mas o STF, excepcionalmente, entende que o advogado que orientou seu cliente a mentir em juízo é coautor do falso testemunho.[6]

Autoria por determinação: trata-se de uma teoria, concebida por Zaffaroni e Pierangeli, segundo a qual uma pessoa não é punida por ser autora de um delito, mas por estar incursa num *tipo especial de autor de determinação*, em que o autor só pode ser apenado como autor da determinação em si e não do delito a que tenha determinado. Trata-se de uma teoria destinada a evitar a impunidade das situações em que alguém se vale de outro para praticar crime de mão própria. Suponha-se que A hipnotize B para que este pratique o crime de falso testemunho. Segundo a concepção exposta, A não pode ser punido, por se tratar de crime de falso testemunho, já que este só admite participação, mas falta a B o fato típico, em razão da excludente da conduta. Assim, A ficaria impune, de modo que deveria haver um tipo penal de determinação que incriminasse a conduta de A.[7]

7.5 PARTICIPAÇÃO

Conceito e formas de participação

Participação é a conduta de quem participa do crime sem ter domínio do fato. Partícipe é quem realiza uma conduta acessória e coadjuvante (teoria restritiva).

As formas de participação, segundo o Código Penal, são ajuste, determinação, instigação e auxílio, o que nos permite distinguir a participação moral da participação material.

---

6. Em que pesem decisões do STF (RHC 81327/SP) e do STJ (REsp 402783/SP) admitindo a coautoria do advogado que instrui testemunha, são frequentes as decisões de nossos tribunais afirmando a incompatibilidade da coautoria com o crime de falso testemunho, por se tratar de crime de mão própria.
7. ZAFFARONI, Eugênio R.; PIERANGELI, José Henrique. Op. cit., p. 677-678.

a. *Participação moral:* ajuste, determinação e instigação ao crime. Ajuste é a combinação; determinação é o induzimento à prática do crime, fazendo nascer o propósito criminoso; instigação é o reforço de um propósito preexistente.
Exemplo: escrever uma carta sugerindo o crime.

b. *Participação material:* é a prática de uma conduta de auxílio, no sentido de um ato físico e material.
Exemplo: empréstimo de uma arma.

c. *Participação por omissão:* a participação moral por omissão não é admitida, mas a participação material omissiva é plenamente possível.
Exemplo: A vem subtraindo semanalmente dinheiro do cofre, enquanto B, que não tem o dever de impedir o resultado, omite, por raiva do patrão, providências para impedir A.

d. *Participação em cadeia ou participação de participação:* quando a indução está direcionada a outra indução para a prática do crime.
Exemplo: A induz B a induzir C a induzir D a matar E.

e. *Participação sucessiva:* quando mais de uma pessoa realiza a participação, sucessivamente.
Exemplo: A induz B a matar C. B fica tentado a fazê-lo, quando seu propósito é reforçado por D.

f. *Participação de menor importância:* ocorre quando a conduta do partícipe tem mínima eficácia causal.
Exemplo: vigia que informa o melhor horário para a prática do furto. Nesse caso, a pena pode ser reduzida de 1/6 a 1/3, na forma do art. 1º do art. 29.

g. *Participação dolosamente distinta ou desvio subjetivo de condutas:* nesse caso, cada agente será responsabilizado pela conduta que efetivamente quis praticar, podendo a pena do partícipe ser aumentada até a metade, se previsível o resultado mais grave, na forma do § 2º do art. 29 do CP.
Exemplo: vigia deixa a casa da residência aberta para que o ladrão pratique um furto, mas este, ao entrar, resolve praticar violência contra os moradores, vindo a matar um deles. O autor responderá por

latrocínio, enquanto o vigia, cuja participação é dolosamente distinta, responderá por furto com pena aumentada.

Natureza jurídica da participação

A regra de participação é uma forma de adequação típica de subordinação mediata ou de adequação típica indireta, pois o art. 29 é uma norma de extensão pessoal, tornando típica a conduta do agente que, de qualquer modo, mesmo sem executar a ação nuclear do tipo, concorre para o crime.

O art. 29, portanto, tipifica a conduta de quem, por exemplo, fica de vigília durante o assalto, ainda que distante dos assaltantes e do bem subtraído, perfazendo-se a adequação típica de subordinação mediata ou indireta.

Assim, no exemplo dado, o vigia do assalto não incorre diretamente no art. 157, necessitando da norma do art. 29, de modo que a capitulação de sua conduta é do art. 157 c/c (combinado com) art. 29 norma de extensão pessoal.

Punibilidade da participação (teorias)

A conduta do partícipe será sempre uma conduta acessória, dependendo, portanto, da conduta do autor. Assim, diversas teorias discutem sobre as condições em que o ato do autor passa a ser punível também para o partícipe.

Segundo a *teoria da acessoriedade mínima*, a punição do partícipe exige apenas que o autor pratique um fato típico.

Para a *teoria da acessoriedade média ou limitada* a punição do partícipe exige que o autor pratique um fato típico e ilícito.

A acessoriedade máxima ou extremada propõe que o fato seja típico, ilícito e culpável.

Para a *teoria da hiperacessoriedade*, a punição do partícipe exige que o autor pratique um fato típico, ilícito, culpável e punível.

Com base no disposto no art. 180, § 4º, que diz que a receptação é punível, ainda que desconhecido ou isento de pena o autor do crime de que proveio a coisa, e no art. 183, II (não se aplicam os arts. 181 e 182 ao estranho que participa do crime), podemos afirmar que foi adotada a teoria da acessoriedade média, ou seja, basta a prática de um ato típico e ilícito pelo autor, para que a conduta do partícipe seja punida.

7.6 RESPONSABILIDADE PENAL

Primeiramente, a responsabilidade penal dos autores e dos partícipes está regida pela *teoria monista*, segundo a qual todos, incluindo partícipes, são responsabilizados pelo mesmo crime, na medida de sua culpabilidade. A teoria monista foi adotada pelo CP, art. 29, com as seguintes *exceções pluralistas*:

a. Previsão de crimes autônomos: ocorre quando a lei prevê crimes distintos para os autores. Exemplos: aborto com o consentimento da gestante, em que esta responde pelo art. 124 e o executor responde pelo art. 126; o corruptor responde por corrupção ativa, art. 333, e o funcionário corrupto por corrupção passiva, art. 317.

b. Participação dolosamente distinta ou desvio subjetivo de condutas[8]: nesse caso, cada agente será responsabilizado pela conduta que efetivamente quis praticar, podendo a pena deste ser aumentada até a metade, se previsível o resultado mais grave, na forma do § 2º do art. 29 do CP. Exemplo: vigia deixa a casa da residência aberta para que o ladrão pratique um furto, mas este, ao entrar, resolve praticar violência contra os moradores, vindo a matar um deles. O autor responderá por latrocínio, enquanto o vigia, cuja participação é dolosamente distinta, responderá por furto com pena aumentada.

Além da participação dolosamente distinta, anteriormente examinada, existe também a *participação de menor importância*, que constitui uma causa de redução de pena, quando for mínima a participação do agente. Conforme o § 1º do art. 29, se o juiz verificar que o comportamento do agente teve menor importância, deverá reduzir a pena de 1/6 a 1/3. O juiz deve considerar, na redução, o grau de relevância causal da conduta na produção do resultado.

---

8. É discutível incluir a participação dolosamente distinta como exceção pluralista à teoria monista, uma vez que, em nosso juízo, ocorre ausência de liame subjetivo, que descaracteriza o concurso de agentes.

7.7 PARTICIPAÇÃO IMPUNÍVEL

A participação é impunível em duas situações:

a. *Concurso absolutamente negativo, participação negativa ou crime saliente:* ocorre mera conivência, em situações em que o sujeito toma conhecimento da prática delituosa mas não adere a ela e não possui o dever de agir para impedir o resultado, como a mãe que visita o filho na prisão e toma conhecimento de que ele dará ordem de matar um desafeto. A mera ciência desse fato não torna a mãe partícipe do homicídio.

b. *Concurso em atos preparatórios sem início de execução:* conforme o art. 31 do CP, "o ajuste, a determinação ou instigação e o auxílio, salvo disposição expressa em contrário, não são puníveis, se o crime não chega, pelo menos, a ser tentado". Por exemplo, se alguém instiga uma pessoa a atirar em outra, mas o autor limita a sacar e apontar a arma, não realizando atos executórios, não haverá participação em tentativa de homicídio, já que esta sequer se configurou.

7.8 COMUNICABILIDADE DE CONDIÇÕES

Comunicabilidade é a possibilidade de uma condição relacionada ao autor ser atribuída aos coautores ou partícipes. Condições pessoais ou subjetivas são inerentes ao autor do crime, como sua motivação, sua idade etc., enquanto as circunstâncias objetivas são todas as outras, que não dizem respeito ao agente.

O art. 30 do Código Penal estabelece que não se comunicam as circunstâncias e as condições de caráter pessoal, salvo quando elementares do crime. Portanto, um partícipe só pode ser responsabilizado por alguma circunstância pessoal do autor se esta for elementar do crime, isto é, integrar a figura típica. Assim, a privilegiadora do motivo de relevante valor moral, por exemplo, na prática do homicídio (art. 121, § 1º), não beneficia aqueles que não tiverem esse motivo, pois não se trata de condição pessoal integrada ao tipo penal. O estado puerperal, porém, no infanticídio (art. 123), embora pessoal, é comunicável, pois elementar do crime. Assim, quem concorre para a morte de um recém-nascido, praticado pela mãe, sob a influência do estado puerperal, não incorre no art. 121, mas no art. 122. Obviamente que, para haver comunicação, o agente deve conhecer a circunstância.

Condições objetivas	Comunicam-se sempre, desde que conhecidas pelo partícipe.
Condições subjetivas	Somente se comunicam se forem elementares do tipo, além de conhecidas.

Nos casos de desistência voluntária e arrependimento eficaz, deve-se distinguir entre participação moral e participação material. Tratando-se de participação moral, para se beneficiar do art. 15, o partícipe deve fazer com que o autor desista ou se arrependa, pois, do contrário, responderá pelo crime tentado ou consumado. Em se cuidando de participação material, o partícipe se beneficia do art. 15 quando desfaz totalmente o auxílio moral prestado. Exemplo: após emprestar a arma, recupera-a, ainda que o autor consiga praticar o crime com outro objeto.

7.9 CONCURSO DE AGENTES EM CRIMES CULPOSOS

Os crimes culposos só admitem coautoria, jamais participação, já que toda forma de violação do cuidado objetivo realiza a ação culposa prevista no tipo penal culposo. Exemplo: dois operários deixam cair uma tábua do alto de um prédio em construção, matando um transeunte na calçada.

7.10 INADMISSIBILIDADE DE COAUTORIA

Não se admite coautoria nos crimes de mão própria, que são praticados por pessoas determinadas mediante ações infungíveis, como o falso testemunho (art. 342). Assim, esses crimes não admitem coautoria, apenas participação. No entanto, o STF e o STJ, excepcionalmente, entendem que o advogado que orientou seu cliente a mentir em juízo é coautor do falso testemunho.[9] Os crimes de mão própria não se confundem com *crimes próprios*, que são aqueles que exigem uma condição especial do sujeito ativo. Estes admitem coautoria e participação. Exemplo: infanticídio (CP, art. 123).

Nos crimes omissivos próprios (exemplo: omissão de socorro, art. 135 do CP), cada omissão realiza o tipo, não podendo haver coautoria ou participação, já que cada omitente responde por uma omissão autônoma, como seu autor. Exemplo: se dois médicos deixam de comunicar doença contagiosa, praticam, cada um, o crime do art. 269 do CP, como autores. Todavia, se alguém, sem poder prestar socorro, induz outrem a se omitir, será partícipe deste na omissão. Exemplo: após atropelar um transeunte, o motorista liga para seu patrão para consultar se deve prestar socorro, obtendo resposta negativa. Ao se omitir, o motorista responde por omissão, sendo o patrão seu partícipe (CTB, art. 304).

Crimes de mão própria	Crimes próprios
Só podem ser praticados pessoalmente, não admitindo coautoria ou autoria mediata, mas tão somente participação.	Exigem condição especial do sujeito ativo, mas podem ser praticados por interposta pessoa, admitindo coautoria e participação, bem como autoria mediata.

7.11 AÇÃO PENAL NO CASO DE CONCURSO DE AGENTES

A denúncia, isto é, a petição inicial da ação penal, deve descrever a forma de participação de cada agente, individualizando as respectivas condutas, permitindo a ampla defesa, sob pena de inépcia. Nos crimes de autoria coletiva, os tribunais superiores entendem que é prescindível a descrição minuciosa e individualizada da ação de cada acusado, bastando a narrativa das condutas delituosas e da suposta autoria, com elementos suficientes para garantir o direito à ampla defesa e ao contraditório.

---

9. STF (RHC 81327/SP) e do STJ (REsp 402783/SP).

7.12 CRIMES ASSOCIATIVOS

Denominam-se *crimes associativos* os que demandam a reunião de vários agentes em concurso necessário, de forma coordenada, com estabilidade, hierarquia e organização, para um fim comum de praticar infrações penais. A finalidade preventiva norteia a incriminação de associações e organizações criminosas, punindo o simples ato preparatório de agrupar-se com o fim de delinquir, independente da efetiva prática de qualquer infração penal.

Esses crimes transcendem o simples concurso eventual de agentes, previsto no art. 29 do CP, apresentando, genericamente, as seguintes características:

a. organização, normalmente com hierarquia e divisão de tarefas;
b. certa estabilidade, ou seja, não se trata de uma formação eventual;
c. quantidade mínima de integrantes, variando em cada tipo penal;
d. finalidade voltada à prática de crimes.

A ausência de uma dessas características conduz à existência de simples concurso eventual de pessoas (CP, art. 29).

O Direito Penal brasileiro prevê vários tipos penais com as características mencionadas: art. 288 do CP (associação criminosa), art. 35 da Lei n. 11.343/06 (associação para o tráfico) e art. 2º da Lei n. 12.850/13 (organização criminosa). A distinção entre tais delitos em casos concretos nem sempre é tarefa fácil.

A *organização criminosa*, prevista na Lei n. 12.850, exige no mínimo 4 integrantes atuando de forma estruturalmente ordenada e caracterizada pela divisão de tarefas (na associação, o número mínimo é 3), ainda que informalmente, com objetivo de obter, direta ou indiretamente, vantagem de qualquer natureza (na associação, a finalidade é "praticar crimes"), mediante a prática de infrações penais cujas penas máximas sejam superiores a 4 anos, ou que sejam de caráter transnacional (art. 1º, § 1º).

A *associação para o tráfico* (art. 35 da Lei n. 11.343) distingue-se da organização criminosa por se constituir com o mínimo de 2 integrantes para praticar *especificamente o crime de tráfico de drogas*. Assim, havendo uma organização destinada a praticar outros crimes e com um número mínimo de 4 pessoas, o crime passa a ser o da Lei n. 12.850, art. 2º.

Fora desses casos, estará configurada a *associação criminosa* (art. 288 do CP), que é norma geral, já que se refere a qualquer crime, independente da quantidade de pena, com pelo menos 3 integrantes.

Assim, pelo princípio da especialidade, o crime de *associação criminosa* (CP, art. 288) é afastado pelos crimes de *associação para o tráfico* e *organização criminosa*. Pela especialidade, também, deverá ser aplicado o crime de associação para o tráfico (art. 35 da Lei n. 11.343) quando o grupo for direcionado exclusivamente à prática de narcotráfico. Todavia, havendo finalidade de praticar outros delitos com pena máxima superior a 4 anos, ainda que entre eles esteja também o narcotráfico, deverá ser aplicada a norma geral da Lei n. 12.850.

Não há que se falar em subsidiariedade, pois nenhum dos crimes em questão é parte integrante do outro, havendo, isto sim, relação de gênero na espécie entre eles (princípio da especialidade). Dessa forma, o *quantum* da pena não deve ser levado em consideração na aplicação de uma ou outra norma, pois é a especialidade que impera.

Em tese, não há óbice de cumulação entre os crimes de associação para o tráfico e organização criminosa, uma vez que o art. 35 da Lei n. 11.343 incrimina grupos voltados especificamente aos crimes previstos nos arts. 33, *caput*, § 1º e 34 da Lei n. 11.343, enquanto no art. 2º da Lei n. 12.850 o escopo é a prática de crimes diversos.[10]

---

10. Nesse sentido: Apelação Criminal n. 70083784439, Tribunal de Justiça do Rio Grande do Sul.

Crimes associativos		
Associação criminosa (CP, art. 288)	**Associação para o narcotráfico (art. 35 da Lei n. 11.343)**	**Organização criminosa (art. 2º da Lei n. 12.850)**
Refere-se a qualquer crime e se forma com um mínimo de 3 pessoas.	Refere-se apenas aos crimes da Lei de Drogas e se forma com o mínimo de 2 pessoas.	Refere-se a crimes com pena máxima superior a 4 anos e se forma com o mínimo de 4 pessoas.

RESUMO

Concurso de pessoas
Consiste em um crime praticado por duas ou mais pessoas.

Concurso necessário
Crimes que só podem ser praticados por duas ou mais pessoas, classificando-se em:

- de condutas paralelas;
- de condutas convergentes;
- de condutas contrapostas.

Concurso eventual
Art. 29 do CP, aplicável aos crimes que podem ser praticados por uma ou mais pessoas, das seguintes formas:

- *autoria:* considera-se autor quem realiza a conduta principal;
- *coautoria:* quando há pluralidade de pessoas praticando condutas principais, todos são coautores;
- *participação:* considera-se partícipe quem realiza conduta acessória e secundária.

Requisitos do concurso eventual
- Pluralidade de agentes;

- relevância causal de todas as condutas;
- liame subjetivo;
- colaboração anterior à consumação;
- unidade de crime.

Teorias do concurso eventual

- *Teoria extensiva, unitária ou material-objetiva:* simplesmente ignora qualquer distinção entre os integrantes do concurso.
- *Teoria restritiva:* distingue autores de partícipes. Autor tem uma conduta principal e partícipe, uma conduta assessória.
- *Teoria do domínio do fato:* espécie de teoria restritiva, em que autor é quem tem domínio do fato típico e partícipe é quem não tem. Para essa teoria, é autor quem tem domínio da ação (executor), domínio funcional (divisão de tarefas) ou domínio da vontade de outrem (coação, erro etc.).

Autoria e coautoria

- Conceito: autor é quem pratica a ação típica (teoria objetivo-formal) ou exerce controle/comando sobre ela (teoria do domínio do fato). Havendo mais de um autor, ambos são coautores.
- Formas: autoria imediata, direta, autor "da ponta"; autoria mediata ou "o homem de trás" (não se admite em crimes de mão própria); autoria de escritório; autoria colateral; autoria incerta; autoria por determinação (Zaffaroni e Pierangeli); autoria ou coautoria de reserva; coautoria sucessiva.
- Inadmissibilidade de autoria ou coautoria: não se admite coautoria em crimes de mão própria, mas o STF já admitiu em falso testemunho; não se admite autoria mediata em crimes de mão própria.

Participação

- Conceito: é a conduta de quem participa do crime sem ter domínio do fato, realizando uma conduta acessória e coadjuvante (teoria restritiva).
- Formas: participação moral (instigação e induzimento), participação material (auxílio), participação omissiva, participação em cadeia,

participação sucessiva, participação de menor importância, participação dolosamente distinta.
- Natureza jurídica: adequação típica de subordinação mediata (art. 29 é norma de extensão pessoal).
- Teorias: acessoriedade mínima, acessoriedade média, acessoriedade máxima, hiperacessoriedade. Adota-se a teoria da acessoriedade média ou limitada, bastando que o fato do autor seja típico e ilícito.
- Responsabilidade penal: teoria monista, com exceções pluralistas (participação dolosamente distinta e crimes autônomos).
- Participação impunível: concurso absolutamente negativo, participação negativa ou crime saliente e concurso em atos preparatórios sem início de execução (CP, art. 31 do CP).
- Impossibilidade de participação: crimes culposos.

Comunicabilidade das condições
As condições subjetivas apenas se comunicam (atribuem-se a todos) se forem elementares do crime (CP, art. 30).

Inadmissibilidade de coautoria ou de participação
- Coautoria: não se admite em crimes omissivos próprios e crimes de mão própria, ressalvado entendimento do STF quanto ao falso testemunho;
- participação: não se admite participação em crimes culposos.

Crimes associativos
Crimes de concurso necessário com organização e estabilidade: art. 288 do CP (associação criminosa), art. 35 da Lei n. 11.343 (associação para o tráfico) e art. 2º da Lei n. 12.850 (organização criminosa).

JURISPRUDÊNCIA

Coautoria em falso testemunho
Ementa: *habeas corpus*. Coautoria atribuída a advogado em crime de falso testemunho. Possibilidade. Advogado que instrui testemunha a apresentar

falsa versão favorável à causa que patrocina. Posterior comprovação de que o depoente sequer estava presente no local do evento. Entendimento desta Corte de que é possível, em tese, atribuir a advogado a coautoria pelo crime de falso testemunho. *Habeas corpus* conhecido e indeferido.
(HC 75037, Relator(a): Marco Aurélio, Relator(a) p/ Acórdão: Maurício Corrêa, Segunda Turma, julgado em 10/06/1997, DJ 20-04-2001 PP-00105 Ement Vol-02027-04 PP-00687.)

Coautoria em crimes previstos no Decreto-lei n. 201/67

1. Este Tribunal Superior entende que, em razão da excepcionalidade do trancamento da ação penal, tal medida somente se verifica possível quando ficar demonstrado, de plano e sem necessidade de dilação probatória, a total ausência de indícios de autoria e prova da materialidade delitiva, a atipicidade da conduta ou a existência de alguma causa de extinção da punibilidade. É certa, ainda, a possibilidade de encerramento prematuro da persecução penal nos casos em que a denúncia se mostrar inepta, não atendendo o que dispõe o art. 41 do Código de Processo Penal – CPP, o que, de todo modo, não impede a propositura de nova ação desde que suprida a irregularidade.
2. Não havendo imputação que necessariamente deveria compreender a descrição do dolo específico do agente da obtenção de vantagem indevida, há que reconhecer a inépcia da denúncia em relação ao crime descrito no art. 90 da Lei n. 8.666/93.
3. É certo que, segundo a jurisprudência desta Corte Superior, "é admissível a coautoria e a participação de terceiros nos crimes de responsabilidade de prefeitos e vereadores previstos no Decreto-lei n. 201/67 (HC 316.778/BA, Rel. Ministro Nefi Cordeiro, Sexta Turma, DJe 23/8/2016), entretanto, no presente caso, se não há descrição do dolo específico do agente de obter vantagem a ser auferida pelos contratados "decorrente da adjudicação", também não se verifica justa causa para imputar a conduta do art. 1º, inc. II, do Decreto-lei n. 201/67,

que inclusive foi atribuída ao paciente apenas porque um dos corréus era prefeito à época dos fatos apurados.

4. Recurso em *habeas corpus* provido, para trancar a ação penal em relação ao paciente Gilberto Gomes de Souza, e estender os efeitos desta decisão para também trancá-la em relação aos corréus Eliane Cristina Pucharelli, Aldovandro de Sousa, Agnaldo José Paglione Correa e Márcia Cristina Capellini, visto que eles se encontram na mesma situação fático-processual, nos termos do art. 580 do CPP. (RHC 126.876/SP, Rel. Ministro Nefi Cordeiro, Sexta Turma, julgado em 25/08/2020, DJe 04/09/2020.)

Concurso de agentes e porte de arma
(...)

5. O crime previsto no art. 16, *caput*, da Lei n. 10.826/2003 é chamado tipo misto alternativo, aquele que prevê diversos núcleos que, uma vez praticados no mesmo contexto fático, caracterizam apenas um delito. Nesse diapasão, o porte e o transporte de arma de fogo de uso restrito devem ser imputados ao paciente como um único delito.

6. Acerca da coautoria, é cediço que esta Corte Superior admite o citado instituto na configuração dos delitos previstos nos arts. 14 e 16 da Lei n. 10.826/2003. Para que se verifique a coautoria, é mister que reste evidenciado que a posse ou o porte do armamento eram compartilhados ou que a aquisição e o transporte ocorreram dentro de uma unidade de desígnios, dentro de um objetivo comum.

7. Ademais, deve restar claro que os agentes agem com plena liberdade para eventual emprego da arma.

8. No caso dos autos, percebe-se que o paciente foi condenado como coautor do segundo delito por ter levado o corréu até o local dos fatos, bem como por tê-lo auxiliado na aquisição e no transporte das armas adquiridas. Contudo, a narrativa dos fatos mais aponta para a prática de um único crime de porte ilegal de arma de fogo por parte do paciente, não se vislumbrando a coautoria no crime imputado ao corréu, posto não ter ficado claro o seu intento de compartilhamento

e de unidade de desígnio na aquisição das armas adquiridas por este último.
9. O pleito defensivo de reconhecimento de crime único comporta provimento. Devem os autos, portanto, retornar ao Tribunal de origem para que a pena do paciente seja redimensionada, considerando-se o cometimento de crime único. Por fim, ficam prejudicados os pleitos de abrandamento do regime e de substituição da pena privativa de liberdade por restritivas de direitos.
10. *Habeas corpus* não conhecido. Ordem concedida, de ofício, para reconhecer a prática de um único crime de porte ilegal de arma de fogo de uso estrito, por parte do paciente, afastando-se a coautoria quanto ao delito imputado ao corréu, e determinando o retorno dos autos ao Tribunal de origem para que redimensione a reprimenda.
(HC 516.153/SC, Rel. Ministro Ribeiro Dantas, Quinta Turma, julgado em 18/08/2020, DJe 24/08/2020.)

8

Sanção penal

8.1 TEORIA GERAL DA SANÇÃO PENAL

Conceito e teorias

Sanção penal é a resposta do Estado à infração penal praticada.

Para as teorias absolutas (Kant, Hegel), a sanção penal é meramente retributiva, revelando-se como a retribuição ao mal causado pelo crime, tendo um fundamento moral. Para Kant, trata-se de um imperativo categórico, isto é, algo racionalmente inexorável, enquanto Hegel atribui um efeito dialético, pois, enquanto o crime é a negação do Direito, a pena é a negação da negação, reafirmando o Direito.

Para as teorias relativas (Liszt, Feuerbach), a pena é preventiva, distinguindo-se a prevenção especial e a prevenção geral. A prevenção especial decorre da neutralização do delinquente, que, no cárcere, não voltará a delinquir. A prevenção geral se volta ao restante da comunidade e se divide em prevenção geral positiva e prevenção geral negativa. A prevenção geral negativa consiste na intimidação do grupo social, para que não pratiquem crimes, enquanto a prevenção geral positiva consiste no fato de que, punindo-se um ser humano, reafirmam-se os valores violados pelo crime.

As teorias mistas consideram a pena um misto de retribuição e prevenção, acrescentando o ingrediente da ressocialização, isto é, a finalidade de promover o retorno do delinquente ao convívio social.

As teorias deslegitimadoras são aquelas que repudiam a intervenção do Estado por meio de uma pena, sustentando a total ineficácia dessa forma de atuação estatal, destacando-se o abolicionismo penal (Baratta).

Penas e medidas de segurança

Penas e medidas de segurança são espécies de sanção penal com finalidades distintas. A sanção penal, portanto, poderá ser uma pena, consubstanciada em uma punição, ou uma medida de segurança, no caso de indivíduos com doenças mentais, consubstanciando respostas terapêuticas ao delito.

Enquanto as medidas de segurança são aplicadas a indivíduos absolvidos em razão de inimputabilidade por doença mental, tendo finalidade terapêutica e cumprimento em estabelecimentos psiquiátricos, as penas são aplicadas a indivíduos condenados e são cumpridas em estabelecimentos prisionais. Os fins da pena são de retribuição, no sentido de castigar o autor de um crime, retribuindo-lhe o mal produzido pelo ato criminoso (*punitur quia peccatum est*), e de prevenção, no sentido de evitar a realização de novos crimes, dividindo-se em prevenção geral e especial. A prevenção geral consiste em estimular, pelo exemplo, aos demais indivíduos para que não pratiquem crimes. A prevenção especial dirige-se à recuperação do condenado, procurando fazer com que não volte a delinquir. Nesse sentido, a pena tem um caráter ressocializador e educativo.

No Brasil, a Constituição Federal, consagrando o princípio da humanidade como direito fundamental (art. 5º, XLVII), veda as seguintes penas:

a. de morte, salvo em caso de guerra declarada, nos termos do art. 84, XIX;
b. de caráter perpétuo;
c. de trabalhos forçados;
d. de banimento;
e. cruéis.

Embora vedada no Brasil, a pena de morte está presente em muitos países e é admitida, em crimes graves, pela Convenção Americana de Direitos Humanos (Pacto de San José da Costa Rica), nos países que não a tenham abolido, desde que não se trate de indivíduo menor de 18 ou maior de 70 anos na data do crime, gestante, crime político ou que tenha conexão com este (art. 4º).

Igualmente não se admite pena perpétua. Nesse sentido, o Código Penal brasileiro estabelece o prazo máximo de 40 anos de prisão (art. 75).

Quanto aos trabalhos forçados, a vedação constitucional se refere aos trabalhos desumanos e degradantes, impostos com uso de força, já que o art. 31 da Lei n. 7.210 (Lei de Execução Penal) determina que o condenado é obrigado ao trabalho, exceto se for preso provisório (antes da condenação).

A pena de banimento é também proibida constitucionalmente, nada impedindo, porém, as medidas administrativas de retirada compulsória de estrangeiros (repatriação, deportação e expulsão), bem como a extradição, nos termos da Lei n. 13.445/2017 (Lei de Migração).

Outrossim, o Brasil proíbe a imposição de penas consideradas cruéis, como a castração de estupradores ou outras que eram utilizadas antigamente, *v.g.*, ebulição, esfolamento, apedrejamento, crucificação, chicoteamento, mutilação etc.

Feitas as ressalvas constitucionais, as penas admitidas em nosso país estão previstas no Código Penal, são as privativas de liberdade, restritivas de direitos e multa. Caso se trate de infração penal cometida por pessoa jurídica, as penas aplicáveis são a multa, a restrição de direitos, a prestação de serviços à comunidade ou a liquidação forçada (Lei n. 9.605/98). O cumprimento das penas está regido pela Lei n. 7.210/84 (LEP).

Espécies de penas

As penas são as seguintes:

a. privativas de liberdade, isto é, encarceramento por tempo determinado, consistindo em reclusão e detenção;
b. prisão simples, aplicável às contravenções penais;

Privativas de liberdade	Prisão simples
• Aplicável aos crimes. • Reclusão ou detenção (recolhimento em estabelecimento penal).	• Aplicável às contravenções penais. • Não gera recolhimento em estabelecimento penal.

c. restritivas de direitos, que implicam medidas alternativas à prisão, notadamente as seguintes: prestação pecuniária, perda de bens e valores, prestação de serviços à comunidade ou entidades públicas, interdição temporária de direitos, limitação de fim de semana;

d. multa, que consiste em dívida de valor, a ser executada mediante procedimento da execução fiscal, não se confundindo com a pena de prestação pecuniária, pois esta é espécie de restritiva de direitos e pode ser convertida em carcerária, o que não é defeso em caso de multa; além disso, a prestação pecuniária deve ser destinada à vítima, enquanto a multa destina-se ao Estado.

Prestação pecuniária	Multa
• Valor destinado à vítima. • Pena restritiva de direitos, aplicada em substituição à pena privativa de liberdade. • O seu descumprimento autoriza conversão em privativa de liberdade.	• Valor destinado ao Estado. • Pena autônoma ou substitutiva. • O seu descumprimento não permite conversão, mas execução nos moldes da lei civil.

Cominação das penas

O princípio da legalidade, expresso no brocardo *nullum crimen, nulla poena, sine praevia lege*, estabelece que não só os crimes, mas também as respectivas sanções, estejam previstas em lei. Cominação, portanto, é a previsão legal da pena aplicável ao crime. A cominação, portanto, é tarefa do legislador.

As penas privativas de liberdade são previstas em cada crime e têm seus limites estabelecidos na sanção correspondente a cada tipo penal.

Exemplo:

Art. 121. Matar alguém.

Pena – reclusão, de 6 a 20 anos.

As penas restritivas de direitos não são previstas em cada tipo, pois têm caráter substitutivo, isto é, são aplicáveis, independentemente de cominação na parte especial, em substituição à pena privativa de liberdade, fixada em quantidade inferior a 1 ano, ou nos crimes culposos (CP, art. 54).

A pena de multa pode ser prevista no tipo ou pode, também, ter caráter substitutivo (CP, art. 58).

A cominação é tarefa do legislador.

Fixação ou aplicação das penas

Fixação da pena é a sua concretização, isto é, a transformação da pena abstratamente prevista em uma pena aplicada a um caso concreto. É tarefa do juiz e segue um cálculo estabelecido em três fases, no caso das penas privativas de liberdade, e um cálculo composto de duas fases (excepcionalmente, três), no caso da pena de multa.

Execução das penas

Execução é o processo pelo qual se efetiva o cumprimento de uma pena aplicada pelo juiz, após o trânsito em julgado da condenação. A execução da pena está regulada pela LEP – Lei de Execução Penal (Lei n. 7.210/84). A LEP tem natureza híbrida, abrangendo normas penais, processuais e também de natureza administrativa. A execução penal tem por objetivo efetivar as disposições de sentença ou decisão criminal e proporcionar condições para a harmônica integração social do condenado e do internado (LEP, art. 1º).

Individualização das penas

O princípio da individualização das penas é garantia constitucional, prevista no art. 5º, XLVI, da Constituição Federal. Esse princípio garante que cada pessoa seja tratada de acordo com suas peculiaridades e singularidades. A individualização da pena deve ser observada na cominação, no sentido de que cada crime tenha a pena proporcional, na aplicação, de modo que o juiz, na sentença condenatória, aplique a pena considerando as particularidades do fato, e na execução, levando-se em conta os antecedentes e a personalidade de cada condenado (art. 5º da LEP).

Tempo máximo de prisão

Levando-se em conta a necessidade de ressocialização do apenado, não seria coerente, de fato, permitir-se a subsistência, no ordenamento jurídico brasileiro, de penas de caráter perpétuo.[1] Diante da proibição constitucional de perpetuidade das penas (art. 5º, XLVII, b), o legislador estabelece o tempo máximo que o indivíduo poderá permanecer no cárcere.

Com efeito, o tempo de cumprimento das penas privativas de liberdade não pode ultrapassar o limite de 40 anos previsto no art. 75 do Código Penal. Quando o agente for condenado a penas privativas de liberdade cuja soma supere este limite, devem elas ser unificadas para atender o tempo máximo previsto.

A fim de evitar o crédito penal, isto é, que o agente cuja pena máxima excede 40 anos possa continuar delinquindo impunemente, prevê a lei que o cálculo seja refeito em caso de condenação por fato posterior ao início do cumprimento da pena. Nesse caso, far-se-á nova unificação, desprezando-se, para esse fim, o período de pena já cumprido.

O limite de 40 anos não se aplica no cômputo de benefícios penais, como progressão de regime e livramento condicional, os quais devem ser computados sobre o tempo integral de pena, nos termos da Súmula 715 do STF. Por outro lado, em caso de fuga do condenado, o limite deverá ser contado a partir do início do cumprimento da pena, e não da recaptura do condenado, pois a fuga é causa de suspensão da execução, não de interrupção.

O limite de 40 anos foi introduzido no Código Penal pela Lei n. 13.964/2019, pois antes o limite era de 30 anos. Cuida-se, portanto, de *novatio legis in pejus*, que não poderá ser aplicada aos crimes anteriores à sua vigência. Assim, ainda que sobrevenha condenação posterior à lei, o limite será unificado em 30 anos, se os fatos forem anteriores.

Havendo crimes anteriores e posteriores à Lei n. 13.964, impõe-se observar o seguinte: em relação aos crimes anteriores, o agente só pode cumprir 30 anos, somando-se então as penas dos crimes posteriores, não podendo ultrapassar 40 anos.

Exemplo 1: se for condenado a 60 anos por crimes anteriores e a 20 anos por crimes posteriores, devem-se unificar os 60 em 30 anos, somando-se 20, o que totaliza 50 anos, que devem ser reduzidos para 40, pois o excesso é

---

1. Nesse sentido, manifestou-se o STF no HC 98.450, Rel. Min. Gilmar Mendes, Segunda Turma, julgado em 14/06/2010. DJE 154 de 20/08/2010.

posterior à nova lei. Para fins de benefícios, porém, o cômputo deve ser feito sobre 80 anos (60+20).

Exemplo 2: se for condenado a 20 anos por crimes anteriores e a 60 por crimes posteriores, não há que se falar em unificação em 30. Assim, somam-se 20 aos 60 posteriores, unificando-se em 40 anos, sendo que para fins de benefício o cômputo é sobre 80 anos (60+20).

Exemplo 3: se for condenado a 60 anos por crimes anteriores e a 60 por crimes posteriores, os primeiros 60 são unificados em 30 anos, somando-se mais 60, chega-se a 90 anos, que devem ser unificados em 40. Todavia, os benefícios devem ser computados sobre 120 (60+60).

Exemplo 4: se for condenado a 20 anos por crime anterior e a 25 anos por crime posterior, não há que se falar em unificação em 30 anos, pois a primeira condenação não chegou ao limite, cabendo então somar a primeira com a segunda, esta sim excedente do limite, realizando-se a unificação em 40 anos, sendo 45 para fins de benefícios.

Exemplo 5: se for condenado à pena de 50 anos por crimes anteriores e já tiver cumprido 10 anos, praticando fato posterior à nova lei, sendo condenado a 30 anos, deverá ser descontado, na nova unificação, o tempo de pena cumprido. Assim, deveria cumprir 30 anos da primeira condenação, já tendo cumprido 10, faltando 20 anos. Esses 20 anos somam-se aos 30 do novo crime, resultando num total de 50 anos, que é unificado em 40 anos.

Em síntese, antes da Lei n. 13.694 a pessoa condenada tinha direito a cumprir no máximo 30 anos. Assim, todos os crimes cometidos, independentemente da condenação, limitam-se a 30 anos, como se o restante desaparecesse. A partir da nova lei, toda pena aplicada por fato posterior se soma ao período anterior, mas não pode ultrapassar 40 anos, exceto para fins de livramento condicional e progressão de regime, em que se considera a soma total das penas, desprezando-se a unificação.

Por fim, sobrevindo condenação após ter havido a unificação em 40 anos, deve-se observar o seguinte:

a. Crime posterior à nova lei: simplesmente reunifica-se em 40 anos, desprezando-se o tempo já cumprido.

b. Crime anterior à Lei n. 13.964: deve-se unificar a nova condenação em 30 anos, que era o tempo máximo de prisão ao tempo desse crime, somando-se o período restante da unificação anterior, pois esta era de 40 anos, sem que essa soma possa, porém, ultrapassar 40 anos. Exemplo: A é condenado a 40 anos por crimes anteriores à nova lei e a 20 anos por crimes posteriores. Assim, deve cumprir 30 anos dos crimes anteriores mais 10 dos crimes posteriores, unificando-se em 40. Após cumprir 20 anos de prisão, é condenado a 60 anos por crimes anteriores. Nesse caso, deve cumprir 30 anos da nova condenação, além de 20 que faltavam da condenação anterior, o que totaliza 50 anos, que devem ser unificados, novamente, em 40.

8.2 PENAS PRIVATIVAS DE LIBERDADE

Pena de prisão, prisão processual e prisão civil

Nem toda prisão é uma pena. Apenas a condenação criminal com trânsito em julgado gera efetivamente uma pena criminal e o recolhimento à prisão em caso de pena privativa de liberdade. Nesse caso, fala-se em pena de prisão ou prisão definitiva. Pode haver, contudo, no curso de um processo criminal, uma prisão de natureza processual, isto é, para atender a uma necessidade de garantia da ordem pública ou ordem econômica, por conveniência da instrução criminal ou para assegurar a aplicação da lei penal. Em qualquer desses casos, o juiz poderá decretar uma prisão que não é uma pena, mas uma medida cautelar, chamada de prisão preventiva. Finalmente, a Constituição permite a prisão civil em caso de dívida de alimentos. Essa prisão não tem natureza penal, pois sua finalidade é forçar o devedor a honrar o compromisso da pensão alimentícia.

Portanto, no âmbito da sanção penal, só podemos falar em pena privativa de liberdade quando se trata de uma prisão decorrente de sentença condenatória com trânsito em julgado.

Reclusão, detenção e prisão simples

As penas privativas de liberdade, previstas nos tipos penais, são a reclusão, a detenção e a prisão simples. Não existe uma diferença ontológica, isto é, essencial entre essas penas, que servem para designar uma maior ou menor gravidade genérica da privação da liberdade. Portanto, ao tratarmos da reclusão, estamos nos referindo à máxima intensidade da pena; a detenção é uma pena de intensidade média; a prisão simples corresponde a uma pena privativa de liberdade de mínima intensidade.

A prisão simples destina-se exclusivamente às contravenções penais e não pode ser cumprida em regime fechado. Reclusão e detenção estão reservadas aos crimes. Enquanto a reclusão destina-se a crimes dolosos, a detenção destina-se tanto a crimes dolosos quanto culposos. Não existe distinção significativa entre reclusão e detenção, senão para a determinação dos regimes de cumprimento de pena, uma vez que a reclusão pode ser cumprida em regime fechado, semiaberto ou aberto, ao passo que a detenção somente será cumprida nos regimes semiaberto ou aberto, podendo, todavia, haver regressão de regime, isto é, transferência para regime fechado (art. 33 do CP).

Regimes carcerários e sistema progressivo

O Código Penal estabelece três regimes de cumprimento de pena: fechado, semiaberto e aberto (art. 33). No regime fechado, a execução da pena ocorre em estabelecimento de segurança máxima ou média. No semiaberto, a execução da pena acontece em colônia agrícola, industrial ou estabelecimento similar; no aberto a execução da pena se dá em casa de albergado ou estabelecimento adequado.

A penitenciária destina-se ao cumprimento da reclusão em regime fechado (art. 87 da LEP). A colônia agrícola, industrial ou similar destina-se ao cumprimento da reclusão ou detenção em regime semiaberto (art.91 da LEP). A casa de albergado destina-se ao cumprimento da reclusão ou detenção em regime aberto (art. 93 da LEP). A cadeia pública destina-se apenas ao recolhimento de presos provisórios (art. 102 da LEP). Além disso, a reclusão ou detenção em regime aberto devem ser cumpridas em casa de albergado, mas o recolhimento em residência particular pode ser autorizado no caso de pessoas maiores de 70 anos ou acometidas de doença grave, bem como de mulheres gestantes ou com filho menor ou deficiente físico ou mental (art. 117 da LEP). Na inexistência, porém, de casa de albergado, há julgados que admitem o cumprimento do regime aberto em prisão albergue domiciliar.

Regime fechado é o recolhimento em estabelecimento de segurança máxima ou média, isto é, penitenciária (art. 33, § 1º do CP; art. 87 da LEP). Regime semiaberto é o cumprimento da pena em colônia agrícola, industrial ou estabelecimento similar (art. 33, § 1º, b; art. 91 da LEP). Regime aberto é o que permite a execução da pena em casa de albergado ou estabelecimento adequado (CP, art. 33, § 1º, c; art. 93 da LEP).

O Código Penal, atendendo à individualização da pena, contempla o sistema progressivo, que permite ao condenado passar de um regime a outro de acordo com seu mérito durante a execução. A progressão do regime é a transferência do apenado de um regime mais rigoroso para um menos rigoroso, enquanto a regressão do regime é a passagem para um regime mais gravoso.

A progressão de regime está regulada pelo art. 112 da LEP (Lei de Execução Penal), devendo o preso apresentar comportamento adequado e cumprir um percentual da sua pena, que varia entre 16% e 70%, com regras especiais no caso de mulher gestante ou que for mãe ou responsável por crianças ou pessoas com deficiência.

A regressão, por outro lado, ocorrerá quando o condenado praticar fato definido como crime doloso ou falta grave ou sofrer condenação, por crime anterior, cuja pena, somada ao restante da pena em execução, torne incabível o regime.

Regime disciplinar diferenciado

Apesar do nome, o regime disciplinar diferenciado, introduzido pela Lei n. 10.782, de 01/12/2003, e alterado pela Lei n. 13.694, de 2019, não é, tecnicamente, um regime, mas uma sanção disciplinar imposta em razão de falta grave, prevista no art. 52 da Lei de Execução Penal. O preso deverá cumprir a pena em cela individual, com saída por duas horas diárias para banho de sol, além de sofrer outras medidas, incluindo a restrição de visitas e fiscalização da correspondência. A duração máxima é de até 2 anos, sem prejuízo de repetição da sanção por nova falta grave de mesma espécie. É cabível aos casos de falta grave que ocasione subversão da disciplina interna, nos casos de presos provisórios ou condenados que apresentem alto risco para a sociedade, ou de participantes de organizações criminosas, quadrilha ou bando.

Trabalho do preso e remição de pena

O condenado à pena privativa de liberdade está obrigado ao trabalho na medida de suas aptidões e capacidades (art. 31 da LEP), sendo também um direito do preso a atribuição de trabalho e sua remuneração (art. 41, II, da LEP), garantindo-lhe os benefícios da Previdência Social (art. 39 do CP). O preso, todavia, não está sujeito ao regime da CLT (art. 28, § 2º, da LEP), iniciativa destinada a fomentar a contratação de presos, por se tornar mais vantajoso ao empregador, uma vez que é do interesse do Estado e da sociedade que o preso desenvolva aptidões laborativas.

Consoante o art. 29 da LEP, o trabalho do preso será remunerado mediante prévia tabela, não podendo ser inferior a 3/4 (três quartos) do salário-mínimo, devendo essa remuneração atender à indenização dos danos causados pelo crime, à assistência à família, a pequenas despesas pessoais e ao ressarcimento ao Estado das despesas realizadas com a manutenção do condenado, em proporção a ser fixada e sem prejuízo da destinação prevista nas letras anteriores. A parte restante será depositada em Caderneta de Poupança, para constituição do pecúlio, que será entregue ao condenado quando posto em liberdade.

O condenado pode reduzir, pelo trabalho ou pelo estudo, parte do tempo de execução da pena, sendo o regime fechado ou semiaberto (art. 126 da LEP), o que a lei denomina *remição*. Entretanto, o condenado que for punido por falta grave (casos enumerados nos arts. 50 a 52 da LEP) perderá até 1/3 do tempo remido, começando o novo período a partir da data da infração disciplinar (art. 127 da LEP).

Detração

Detração significa descontar na condenação o tempo de prisão preventiva. Nos termos do art. 111 da Lei de Execução Penal, a prisão provisória anterior pode referir-se ao mesmo processo ou a processo distinto, para fins de detração. Caso tenha havido prisão cautelar, isto é, anterior à condenação, deve ser realizada a detração, ou seja, o desconto efetuado na contagem do cumprimento de pena privativa de liberdade ou de medida de segurança, do tempo anterior de prisão provisória (prisão processual), no Brasil ou no

Estrangeiro, de prisão administrativa ou de internação em hospital de custódia e tratamento psiquiátrico ou estabelecimento similar (art. 42 do CP). Conforme o art. 287, § 2º, do Código de Processo Penal, alterado pela Lei n. 12.736, de 2012, a detração deverá ser observada já na sentença condenatória, para fins de fixação do regime inicial de pena.

Por analogia, as penas restritivas de direitos (prestação de serviços à comunidade, limitação de fim de semana e interdição temporária de direitos) sujeitam-se também à detração. Também ocorre detração nas penas de prestação pecuniária e perda de bens e valores, transferindo-se proporcionalmente a detração para a pena substitutiva.

A detração também é computada para fins prescricionais, pois, nos termos do art. 113 do Código Penal, no caso de evadir-se o condenado, a prescrição é regulada pelo tempo que resta da pena. Como a prisão provisória é computada para efeito de cumprimento da pena, a prescrição nesse caso também deve ser regulada pelo tempo que resta da pena, depois de efetuada a detração ou subtração, pois se trata de situações idênticas.

Não é possível a detração de período de prisão provisória a que sobreveio absolvição referente a outro crime, cometido posteriormente.

Direitos e deveres dos presos

O preso, assim como o internado, tem direito à assistência material, de saúde, jurídica, educacional, social e religiosa, assim como assistência ao egresso, que é o liberado condicional e o liberado definitivo, pelo prazo de 1 ano a contar da saída do estabelecimento (arts. 12 a 25). Ao ser liberado do estabelecimento penal, ser-lhe-á entregue, além do saldo de seu pecúlio e do que lhe pertencer, uma caderneta, que exibirá à autoridade judiciária ou administrativa, sempre que lhe for exigida (art. 138).

Durante a execução, o preso fica sujeito ao cumprimento de deveres. As faltas graves estão previstas nos arts. 50 e 51 e sujeitam o infrator às sanções disciplinares, as quais são impostas pela autoridade administrativa e chanceladas, após oitiva do preso, pelo Juiz da Execução. Tais medidas têm natureza administrativa, devendo estar previamente previstas em lei ou regulamento, não podendo colocar em perigo a integridade física ou moral do condenado, sendo vedadas a cela escura e as sanções coletivas (art. 45). As sanções disciplinares vão desde advertência até o RDD (Regime Disciplinar Diferenciado) nos casos de fato definido como crime doloso ou quando a falta grave ocasionar subversão da ordem ou disciplina internas (LEP, arts. 52 e 53). Em contrapartida, a LEP também estabelece a possibilidade de concessão de recompensas aos presos que apresentarem bom comportamento.

Os condenados que cumprem pena em regime fechado ou semiaberto e os presos provisórios poderão obter permissão, concedida pelo diretor do estabelecimento, para sair da instituição, mediante escolta, quando ocorrer falecimento ou doença grave do cônjuge, companheira, ascendente, descendente ou irmão ou necessidade de tratamento médico. Além disso, os condenados que cumprem pena em regime semiaberto poderão obter autorização para saída temporária da instituição, sem vigilância direta, para visita à família, frequência a curso supletivo profissionalizante, bem como de instrução do ensino médio ou superior, na Comarca do Juízo da Execução, e para participação em atividades que concorram para o retorno ao convívio social. Enquanto a permissão de saída tem duração apenas para a realização da atividade, a saída temporária se refere a vários dias, mediante autorização judicial e satisfeitos os requisitos legais (LEP, arts. 120 a 125).

8.3 PENAS RESTRITIVAS DE DIREITOS

As penas restritivas de direitos são espécies punitivas mais brandas, substitutivas ao encarceramento. As penas restritivas de direitos são substitutivas, isto é, não se aplicam de forma autônoma, mas apenas em substituição às penas privativas de liberdade, desde que satisfeitos os requisitos para tanto, ou seja, após aplicar a pena privativa de liberdade, o juiz deverá substituir a privação da liberdade por pena restritiva de direitos, se o condenado preencher os requisitos para tanto, na forma do art. 44 do CP. Tais penas consistem em:

    a. *Prestação pecuniária*, consistente no pagamento em dinheiro à vítima, seus dependentes ou a entidade pública ou privada com destinação social. O valor é fixado pelo juiz, sendo de, no mínimo, um salário mínimo e, no máximo, 360 daqueles salários. A importância paga será descontada da condenação eventualmente alcançada na ação de reparação civil, se forem os mesmos beneficiários (art. 45, § 1º, do CP). Não existe norma regulamentando a execução, mas, por analogia, poderá ser empregado o procedimento para a cobrança da multa penal (executivo fiscal). Havendo concordância do beneficiário, a prestação pecuniária poderá consistir em prestação de outra natureza (art. 45 § 2º, do CP).

b. *Perda de bens e valores* pertencentes ao condenado em favor do Fundo Penitenciário. O valor terá como teto o montante do prejuízo causado ou o provento obtido pelo agente ou terceiro com a prática do crime, o que for maior (art. 45, § 3º, do CP).

c. *Prestação de serviços à comunidade ou a entidades públicas*, que consiste na atribuição de tarefas gratuitas ao condenado, conforme suas aptidões. Somente terá cabimento quando a pena substituída for superior a 6 meses. O cumprimento será à razão de uma hora de tarefa por dia de condenação. A fixação do período deve ser realizada de modo a não prejudicar a jornada normal de trabalho. Se a pena substituída for superior a um ano, o condenado poderá, querendo, prestar mais horas por dia, cumprindo a pena em tempo menor, até o limite de metade do tempo inicialmente estipulado.

d. *Interdição temporária de direitos*, como a proibição de profissão ou atividade, a suspensão de habilitação para dirigir veículos ou a proibição de frequentar determinados lugares (art. 47, I a IV, do CP).

e. *Limitação de fim de semana*, onde há obrigação de o condenado permanecer, aos sábados e domingos, por 5 horas diárias, em casa de albergado ou outro estabelecimento adequado (art. 48 do CP).

A rigor, a limitação de fim de semana deveria ser classificada como pena privativa de liberdade, e não como restritiva de direitos, pois atinge a liberdade do indivíduo em períodos determinados, da mesma forma como a reclusão e a detenção em regime aberto.

8.4 PENA DE MULTA

Segundo o art. 49 do Código Penal, a pena de multa consiste no pagamento ao fundo penitenciário da quantia fixada na sentença e calculada em dias-multa. Será, no mínimo, de 10 e, no máximo, de 360 dias-multa.

O cálculo da multa segue, em regra, um modelo bifásico. Inicialmente, o juiz deve determinar a quantidade de dias-multa, sendo que o mínimo é de 10 e o máximo é de 360 dias-multa (art. 49, *caput*, do CP). Em seguida, deverá determinar o valor de cada dia-multa, que, no mínimo, deve ser de 1/30 do salário-mínimo e não pode ser superior a cinco vezes esse salário (art. 49, § 1º, do CP).

Nesses dois primeiros momentos, deve o juiz atender principalmente à situação econômica do réu (art. 60 do CP). Deve, então, conhecer os rendimentos, os investimentos, o patrimônio, enfim, antes de fixar o *quantum* da multa.

Excepcionalmente, poderá haver uma terceira fase, tendo em vista a situação econômica do réu que, de tão avantajada, torne a multa ineficaz, embora aplicada no máximo (5 vezes o salário mínimo, vezes 360 dias-multa). Nesse caso, o juiz pode aumentar o valor da multa em até o triplo (art. 60, § 1º, do CP).

A multa pode ser de duas espécies:

a. multa cumulativa: ocorre quando o Código Penal prevê expressamente a incidência de multa, juntamente da pena de detenção ou reclusão;
b. multa substitutiva: ocorre quando a lei autoriza a substituição da pena privativa de liberdade por multa.

Na condenação igual ou inferior a um ano, a pena privativa de liberdade poderá ser substituída por uma multa ou por uma pena restritiva de direitos. Se superior a um ano, a pena privativa de liberdade poderá ser substituída por uma multa mais uma pena restritiva ou por duas penas restritivas de direito, conforme art. 44, § 2º, do CP, com a redação da Lei n. 9.714, que revogou tacitamente a norma do art. 60, § 2º do CP, a qual limitava a 6 meses a pena passível de substituição por multa.

O valor da multa aplicada na sentença deve ser atualizado pelos índices oficiais de correção monetária (art. 49, § 2º, do CP), os quais variam no decorrer do tempo.

8.5 CONVERSÃO

A conversão é um incidente da execução da pena, no qual uma pena aplicada na sentença condenatória pode, no curso da execução, ser convertida em outra. Assim, a pena restritiva de direitos pode ser convertida em privativa de liberdade, nos casos do art. 44, § 4º, do Código Penal, quando ocorrer o descumprimento injustificado da restrição imposta.

Na conversão da pena de limitação de fim de semana em pena privativa de liberdade, contam-se as semanas e os meses em que o condenado ficou privado dos seus fins de semana, e não apenas os sábados e domingos isoladamente. Para se limitar o fim da semana há de se ter uma semana inteira, e não apenas um sábado ou um domingo.

Na conversão do tempo da pena privativa de liberdade será diminuído o tempo já cumprido da pena restritiva de direitos. No entanto, deverá sobrar o saldo mínimo de 30 dias de reclusão ou detenção.

Mesmo que sobrevenha condenação por pena privativa de liberdade, poderá o juiz não converter a pena restritiva se for possível ao condenado cumprir a pena substitutiva anterior.

A pena de multa, caso não haja pagamento, não pode, ainda que tenha natureza substitutiva, ser convertida em privativa de liberdade. Transitada em julgado a sentença condenatória, a multa será executada perante o juiz da execução penal e será considerada dívida de valor, aplicáveis as normas relativas à dívida ativa da Fazenda Pública, inclusive no que concerne às causas interruptivas e suspensivas da prescrição, nos termos do art. 51 do CP, conforme redação dada pela Lei n. 13.964 de 2019.

Quando, no curso da execução da pena privativa de liberdade, sobrevier doença mental ou perturbação da saúde mental, o Juiz de ofício, a requerimento do Ministério Público, da Defensoria Pública ou da autoridade administrativa, poderá determinar a substituição da pena por medida de segurança (LEP, art. 183).

8.6 APLICAÇÃO DA PENA PRIVATIVA DE LIBERDADE

A aplicação da pena é o processo mental, desenvolvido pelo juiz, em que este, de forma fundamentada, concretiza, na sentença condenatória, a pena a ser cumprida pelo indivíduo condenado nessa mesma sentença. Tal processo mental não é feito arbitrariamente, seguindo, isto sim, um modelo previsto em lei, que pode ser assim resumido:

a. *dosimetria*, isto é, o cálculo do tempo de pena privativa de liberdade, segundo padrões legais e jurisprudenciais;
b. *fixação do regime inicial* (fechado, semiaberto ou aberto), de acordo com o tempo aplicado e a reincidência ou não do condenado;
c. *substituição*, quando cabível, da pena privativa de liberdade por restritiva de direitos ou multa.

> **A importância do art. 59 do Código Penal**
>
> O art. 59 do Código Penal descreve as chamadas circunstâncias judiciais e tem extrema importância na aplicação da pena, pois, além de servir como referência para o cálculo da pena na primeira fase da dosimetria, serve para guiar o juiz na substituição da pena privativa de liberdade por restritiva de direitos ou multa, bem como na possibilidade de suspensão condicional da pena.

Dosimetria ou cálculo da pena
Modelo trifásico

Dosimetria ou cálculo da pena é o conjunto de operações matemáticas pelas quais o juiz estabelece a quantidade de anos, meses e dias de pena que o indivíduo condenado deve cumprir, satisfazendo assim o comando constitucional da individualização da pena. É complexa a dosimetria da pena privativa de liberdade, seguindo parâmetros estabelecidos legalmente. Enquanto Roberto Lyra defendia o método bifásico, propondo a análise conjunta de circunstâncias judiciais, agravantes e atenuantes, prevaleceu o método trifásico proposto por Nélson Hungria.

Conforme o item 51 da exposição de motivos do Código Penal, "*fixa-se, inicialmente, a pena-base, obedecido o disposto no art. 59, consideram-se, em seguida, as circunstâncias atenuantes e agravantes, incorporam-se ao cálculo, finalmente, as causas de diminuição e aumento. Tal critério permite o completo conhecimento da operação realizada pelo juiz e a exata determinação dos elementos incorporados à dosimetria. Discriminado, por exemplo, em primeira instância, o quantum da majoração decorrente de uma agravante, o recurso poderá ferir com precisão essa parte da sentença, permitindo às instâncias superiores a correção de equívocos hoje sepultados no processo mental do juiz. Alcança-se, pelo critério, a plenitude da garantia constitucional da ampla defesa*".

É importante destacar que cada uma das fases exige uma fundamentação específica por parte do magistrado e que uma circunstância considerada em uma fase não pode ser novamente utilizada em outra, por força do princípio *non bis in idem*. Assim, em um homicídio qualificado por motivo torpe, considerado na primeira fase, não poderá incidir a agravante do motivo torpe na segunda fase.

Diretrizes dosimétricas

a. A pena-base não pode ser fixada abaixo do mínimo legal nem acima do máximo;

b. não se aplica uma atenuante se esta for deixar a pena abaixo do mínimo legal;

c. não se aplica uma agravante se esta for deixar a pena acima do máximo legal;

d. as causas de diminuição e aumento (majorantes e minorantes) incidem sobre a pena revelada pela segunda fase e não sobre a pena-base fixada na primeira etapa;

e. as causas de diminuição (minorantes) podem deixar a pena abaixo do mínimo;

f. as causas de aumento de pena (majorantes) podem deixar a pena acima do máximo;

g. uma elementar ou qualificadora não pode ser utilizada para fixar a pena-base acima do mínimo por já ter sido utilizada na adequação típica, por exemplo: em um crime de resistência, a conduta grosseira do acusado não poder gerar pena-base acima do mínimo, pois já é própria do tipo;

h. um dado penal não pode ser considerado duas vezes, sendo que, se uma situação é considerada como qualificadora, não poderá ser considerada também como agravante, ainda que prevista em lei como tal (proibição de dupla valoração);

i. diante da proibição de dupla valoração, existe uma ordem de preferência entre os dados, de modo que o juiz deve observar essa ordem, não podendo considerar duas vezes o mesmo dado: 1º) elementar ou qualificadoras; 2º) majorantes e minorantes; 3º) agravantes ou atenuantes; 4º) circunstâncias judiciais;

j. não é possível a compensação entre circunstâncias de uma e outra fase, ainda que o resultado final seja o mesmo, devendo ser analisadas as circunstâncias de cada uma das fases;

k. na última fase, a pena pode ultrapassar o limite de 40 anos (art. 75), embora o réu não vá cumprir mais do que isso;

l. cada uma das fases deve ser fundamentada.

Primeira fase (pena-base): circunstâncias judiciais

Na primeira fase, o juiz fixa a pena dentro dos limites mínimo e máximo, levando em conta as circunstâncias judiciais que estão previstas no art. 59 do Código Penal. De acordo com essas vetoriais, o juiz deve optar pela quantidade de pena dentro dos limites mínimo e máximo. Não há um valor definido para cada uma das circunstâncias, pois, conforme entendimento do Supremo Tribunal Federal, "a ponderação das circunstâncias judiciais do art. 59 do Código Penal não é uma operação aritmética, em que se dão pesos absolutos a cada uma delas, mas sim um exercício de discricionariedade vinculada, que impõe ao magistrado apontar, motivadamente, os fundamentos da consideração negativa, positiva ou neutra das oito circunstâncias judiciais mencionadas no art. 59 do CP e, dentro disso, eleger a reprimenda que melhor servirá para a prevenção e repressão do fato-crime praticado".[2] Segundo a jurisprudência, o patamar mínimo é reservado aos casos em que o conjunto de circunstâncias é favorável, enquanto que o conjunto desfavorável de vetoriais leva ao chamado termo médio, isto é, a fixação da pena-base em tempo intermediário entre o mínimo e máximo.

Por exemplo, em uma pena de 1 a 4 anos, ocorreria o seguinte:

a. circunstâncias favoráveis: pena-base fixada em 1 ano;
b. circunstâncias desfavoráveis: pena-base fixada em 2 anos (termo médio).

Culpabilidade

É o grau de reprovabilidade, pois quanto mais reprovável, maior deve ser a pena. O juiz pode considerar a reprovabilidade em grau mínimo, médio e máximo.

Antecedentes

O juiz deve considerar apenas as condenações, pois, segundo a Súmula 444 do STJ, é vedada a utilização de inquéritos policiais e ações penais em curso para agravar a pena-base. Os antecedentes também podem se referir a fatos positivos da vida pregressa. Antecedentes não se confundem com a reincidência, que é uma agravante e pertence à segunda fase da dosimetria.

Conduta social

É o comportamento da pessoa sentenciada na vida familiar, profissional e social. Em algumas situações, o juiz menciona que não há dados para aferir, deixando de considerar essa circunstância.

---

2. STF, AgRg no HC 270.368/DF, Rel. Ministro Jorge Mussi, Quinta Turma, julgado em 10/06/2014, DJe 20/06/2014.

Personalidade do agente
Refere-se ao modelo psíquico do agente, por exemplo, pessoa agressiva. Em algumas situações, o juiz menciona que não há dados para aferir, deixando de considerar essa circunstância.

Motivos
São as causas internas do delito. Os motivos podem ser comuns à espécie, não interferindo na pena, ou podem ser reprováveis, tornando-se circunstância desfavorável.

Circunstâncias
Condições externas ao crime, das quais o réu se aproveitou ou não, tornando-se mais ou menos reprovável sua conduta. Caso sejam comuns à espécie, não afetam a pena.

Consequências do crime
Leva-se em conta o grau da ofensa produzida, pois quanto maior for a ofensa, maior será a reprovação.

Comportamento da vítima
Leva-se em conta se a vítima facilitou ou provocou a prática do delito, pois isto pode reduzir a reprovabilidade do comportamento.

Segunda fase (pena intermediária): agravantes e atenuantes

As circunstâncias atenuantes e agravantes, também chamadas circunstâncias legais, são circunstâncias às quais a lei deu particular relevo e que não podem ser deixadas de ser levadas em conta. Todavia, a jurisprudência assentou que, apesar de obrigatórias, essas circunstâncias legais não podem levar a pena abaixo ou acima do limite proposto pelo legislador, o que só poderá ocorrer na terceira fase.

As agravantes e atenuantes estão previstas nos arts. 61 a 66 do Código Penal e em leis especiais.

Agravantes

Agravantes são situações que aumentam a pena, em razão da menor reprovabilidade da conduta, com previsão expressa no Código Penal:

a. *Reincidência:* reincidente é quem, depois de ser condenado definitivamente por um crime, volta a delinquir. Em que pese haja posicionamentos contrários, a agravação da pena pela reincidência, que se refere a crime já anterior julgado, não configura *bis in idem*. Ocorre a chamada *reincidência específica* quando o crime da condenação anterior é o mesmo da condenação posterior.[3] Não basta a prática de múltiplos crimes para se configurar reincidência. Esta agravante se configura apenas quando um novo crime é praticado após a condenação transitada em julgado por crime anterior. Ao ser condenado pelo novo delito, a pena será agravada pela reincidência. Ocorre reincidência real quando o agente pratica o novo crime após ter cumprido pena e reincidência ficta quando pratica o novo crime após ser condenado, mas não tendo ainda cumprido a pena aplicada na primeira condenação. Ocorre reincidência específica quando o crime anterior e o posterior estão previstos no mesmo tipo penal. Não se aplica a reincidência se entre a data do cumprimento ou extinção da pena e a infração posterior tiver decorrido período de tempo superior a 5 anos, computado o período de prova da suspensão ou do livramento condicional, se não ocorrer revogação, bem como se a condenação anterior tiver sido por crime militar próprio ou político. Embora alguns sustentem que a reincidência é inconstitucional, por configurar *bis in idem*, há entendimento do STF reconhecendo a constitucionalidade da reincidência (RE n. 453.000).

b. *Crime por motivo fútil ou torpe:* fútil é o motivo sem importância alguma e desproporcional ao crime, enquanto torpe é o motivo abjeto.

---

3. Conforme entendimento do STJ, a reincidência específica, tratada no art. 44, § 3º, do CP (para fins de substituição da pena de prisão), somente se aplica quando forem idênticos, e não apenas de mesma espécie, os crimes praticados (AREsp 1.716.664-SP).

c. *Crime praticado para facilitar ou assegurar a execução, a ocultação, a impunidade ou vantagem de outro crime:* ocorre em caso de crime praticado para que outro crime seja cometido, ou para que não seja descoberto ou, caso descoberto, não haja processo ou condenação.

d. *Crime praticado à traição, de emboscada, ou mediante dissimulação, ou outro recurso que dificultou ou tornou impossível a defesa do ofendido:* traição é a prática do crime por alguém de confiança, emboscada é a armadilha e dissimulação é o fingimento, podendo haver situação análoga agravante, como a surpresa.

e. *Com emprego de veneno, fogo, explosivo, tortura ou outro meio insidioso ou cruel, ou de que podia resultar perigo comum:* essas agravantes impõem sofrimento demasiado à vítima, por isso agravam a pena. Considera-se veneno qualquer substância que cause reação letal, ainda que não seja, tipicamente, venenosa.

f. *Contra ascendente, descendente, irmão ou cônjuge:* por não se admitir analogia em *malan partem*, não se aplica à união estável.

g. *Crime praticado com abuso de autoridade ou prevalecendo-se de relações domésticas, de coabitação ou de hospitalidade, ou com violência contra a mulher na forma da lei específica:* visa à preservação da paz doméstica e proteção dos integrantes do grupo familiar ou de convivência.

h. *Crime praticado com abuso de poder ou violação de dever inerente a cargo, ofício, ministério ou profissão:* trata-se de agravante em razão da maior reprovabilidade de quem viola um dever de ofício.

i. *Crime contra criança, maior de 60 anos, enfermo ou mulher grávida:* leva-se em conta a maior vulnerabilidade da vítima.

j. *Quando o ofendido estava sob a imediata proteção da autoridade:* leva-se em conta o descaso para com a autoridade.

k. *Crime praticado em ocasião de incêndio, naufrágio, inundação ou qualquer calamidade pública, ou de desgraça particular do ofendido:* leva-se em conta a total quebra dos deveres de solidariedade que devem imperar nas situações descritas.

l. *Crime praticado em estado de embriaguez preordenada:* é a situação de quem se embriaga com o propósito de cometer o crime.

m. *Agravantes no caso de concurso de pessoas:* no caso de concurso de pessoas, será agravada a pena do agente que promove, ou organiza a cooperação no crime ou dirige a atividade dos demais agentes; coage ou induz outrem à execução material do crime; instiga ou determina a cometer o crime alguém sujeito à sua autoridade ou não punível em virtude de condição ou qualidade pessoal; executa o crime, ou nele participa, mediante pagamento ou promessa de recompensa.

Note que algumas dessas agravantes, às vezes, estão previstas como qualificadoras, como as previstas, por exemplo, no art. 121, § 2º, do CP. Nesses casos, o juiz deve considerar a qualificadora na primeira fase, para fixação da pena-base, desprezando as agravantes idênticas, pois, segundo o art. 61 do CP, as agravantes só são aplicadas quando não constituem ou qualificam o crime.

Atenuantes

São situações que diminuem a pena, ante a menor reprovabilidade do crime:

I) *Ser o agente menor de 21 anos na data do fato, ou maior de 70 anos, na data da sentença:* leva-se em conta o menor grau de discernimento em razão da idade.

II) *Desconhecimento da lei:* embora seja inescusável (art. 21), o desconhecimento da lei, quando demonstrado, é causa atenuante.

III) *Ter o agente:*
   a. *Cometido o crime por motivo de relevante valor social ou moral:* valor social é o crime praticado em prol da comunidade, enquanto valor moral é o crime praticado em prol de sentimentos pessoais supostamente nobres.
   b. *Procurado, por sua espontânea vontade e com eficiência, logo após o crime, evitar-lhe ou minorar-lhe as consequências, ou ter, antes do julgamento, reparado o dano*: ocorre nas situações em que não se configura arrependimento eficaz ou posterior (arts. 15 e 16).

c. *Cometido o crime sob coação a que podia resistir, ou em cumprimento de ordem de autoridade superior, ou sob a influência de violenta emoção, provocada por ato injusto da vítima*: aplica-se aos casos de coação física ou moral resistível, já que a coação irresistível é excludente do crime, bem como à ordem aparentemente ilegal oriunda de superior hierárquico, pois a ordem aparentemente legal exclui a culpabilidade (art. 22), bem como à influência de violenta emoção provocada pela vítima. Trata-se de mera *influência*, e não *domínio* de violenta emoção, que poderá configurar privilegiadora (art. 121, § 1º) ou, em casos extremos, causa supralegal de exclusão da culpabilidade.

d. *Confessado espontaneamente, perante a autoridade, a autoria do crime:* só é válida se houver confissão judicial, não se aplicando se houver retratação ou se for parcial, como o caso de acusado de tráfico que alega portar a droga para uso pessoal.

e. *Cometido o crime sob a influência de multidão em tumulto, se não o provocou:* não se beneficiando do estado de necessidade, o agente que pratica o crime em razão de multidão e tumulto poderá ter a pena atenuada, desde que não seja um dos provocadores do incidente.

O Código Penal ainda prevê a *atenuante inominada ou da clemência* (art. 66), segundo a qual a pena poderá ser atenuada em razão de circunstância relevante, anterior ou posterior ao crime, embora não prevista expressamente em lei. É aplicada em casos de indivíduo que pratica o crime por absoluta falta de condições de sobreviver de outra maneira (teoria da coculpabilidade).

Concurso de agravantes e atenuantes

Segundo o art. 67 do Código Penal, no concurso de agravantes e atenuantes, a pena deve aproximar-se do limite indicado pelas circunstâncias preponderantes, entendendo-se como tais as que resultam dos motivos determinantes do crime, da personalidade do agente e da reincidência. Por conseguinte, concorrendo uma agravante com uma atenuante, sendo ambas preponderantes, deverão anular-se. Exemplo: concorrendo reincidência e motivo de relevante valor moral, nenhuma dessas circunstâncias será considerada.

Terceira fase (pena definitiva): majorantes e minorantes

As causas de diminuição (minorantes) ou aumento de pena (majorantes), também chamadas circunstâncias legais específicas, são circunstâncias previstas na Parte Especial e na Parte Geral do Código Penal, bem como em leis especiais, com diminuição ou aumento em quantidade expressamente fixada, como a redução de 1/3 a 1/6 do art. 121, § 1º (motivo de relevante valor social ou moral), ou a duplicação da pena no art. 122, parágrafo único (induzimento ao suicídio por motivo egoístico).

Havendo a incidência de mais de uma majorante, é facultado ao juiz aplicá-las em cascata, cumulativamente, ou limitar-se ao uso da que proporcionar maior aumento, nos termos do art. 68 do CP. Todavia, consoante entendimento do STJ, a opção pela cumulação de majorantes deve ser devidamente fundamentada nas peculiaridades do caso concreto, sob pena de violação dos princípios da proporcionalidade e da proibição do excesso.[4]

Regras gerais de aplicação da pena

A mesma circunstância não pode ser computada duas vezes, diante do princípio do *non bis in idem*.

No concurso de agravantes e atenuantes, a pena deve aproximar-se do limite indicado pelas circunstâncias preponderantes, entendendo-se como tais as que resultam dos motivos determinantes do crime, da personalidade do agente e da reincidência (art. 67 do CP). Como a lei determina que se dê preferência aos motivos determinantes do crime, no caso de concurso entre circunstâncias agravantes e atenuantes, entende-se que deve prevalecer a circunstância subjetiva (relevante valor moral, por exemplo, art. 65, III, a, do CP), ou, se ambas forem da mesma espécie, as agravantes e atenuantes se anulariam reciprocamente.

---

4. HC 472.771/SC, Rel. Ministro Reynaldo Soares da Fonseca, Quinta Turma, julgado em 04/12/2018.

No concurso de causas de aumento ou de diminuição prevista na Parte Especial, pode o juiz limitar-se apenas a um aumento ou a uma só diminuição, prevalecendo, todavia, a causa que mais aumente ou diminua (art. 68, parágrafo único, do CP). A *contrario sensu*, o mesmo não ocorre nas causas elencadas na Parte Geral, cujo aumento ou diminuição são obrigatórios.

As circunstâncias judiciais (art. 59) e as agravantes e atenuantes (arts. 61, 62 e 65) não podem levar a pena abaixo do mínimo, nem acima do máximo cominado, conforme Súmula 231, do STJ. As causas de aumento ou diminuição de pena, porém, podem trazer a pena final abaixo do mínimo ou acima do máximo cominado. É o que ocorre, por exemplo, com a tentativa, em que a pena pode ser reduzida de 1/3 a 2/3, ficando bem abaixo do mínimo legal previsto para o crime. Não havendo agravantes, nem causas de aumento ou diminuição, a pena deve situar-se a nível do mínimo legal. Conforme decidiu o TJRS, a aplicação em cascata fere o sistema trifásico, devendo o juiz considerar apenas uma das majorantes na terceira fase, deslocando as demais para o cálculo efetuado na primeira fase, entre as circunstâncias judiciais.[5]

> **Cálculo da pena (dosimetria)**
> 1. Pena-base: circunstâncias judiciais (art. 59).
> 2. Pena intermediária: circunstâncias legais agravantes e atenuantes (arts. 61, 62 e 65).
> 3. Pena definitiva: circunstâncias legais majorantes e minorantes da Parte Especial ou da Parte Geral do CP (causas de diminuição ou aumento da pena).

Regime inicial

Depois de estabelecer a quantidade de pena, deve o juiz fixar o regime inicial de cumprimento de pena. Regimes carcerários são formas mais ou menos rigorosas de cumprimento da pena. São três os regimes carcerários: fechado, semiaberto e aberto.

---

5. Apelação Criminal 70083738740, Oitava Câmara Criminal do TJ/RS, Rel. Fabianne Breton Baisch, julgado em 28/08/2020.

Para fixar o regime inicial de cumprimento e da individualização da pena, levam-se em conta a quantidade da pena e a reincidência. Segundo o art. 33, § 2º, o condenado a pena superior a 8 anos deverá começar a cumpri-la em regime fechado; o condenado não reincidente, cuja pena seja superior a 4 anos e não exceda 8, poderá, desde o princípio, cumpri-la em regime semiaberto; o condenado não reincidente, cuja pena seja igual ou inferior a 4 anos, poderá, desde o início, cumpri-la em regime aberto.

Substituição da pena privativa de liberdade por penas restritivas de direitos e multa

Sempre que possível, deverá o juiz, na sentença, substituir a pena privativa de liberdade fixada por uma pena restritiva de direito, ou pela multa. Nesse caso, a pena privativa de liberdade fixada deve ser usada, em um primeiro passo, apenas como índice para a aplicação da pena substitutiva. Só se não for mesmo possível a substituição é que se manterá a pena privativa de liberdade.

Conforme o art. 44 do Código Penal, a substituição deve observar os seguintes requisitos:

a. que o crime seja culposo ou que a pena por crime doloso não seja superior a 4 anos;
b. que o crime não tenha sido cometido com violência ou grave ameaça a pessoa;
c. que o réu não seja reincidente em crime doloso;
d. que a culpabilidade, os antecedentes, a conduta social e a personalidade do condenado, bem como os motivos e as circunstâncias, recomendem a substituição como suficiente.

Mesmo que o condenado seja reincidente, o juiz poderá aplicar a substituição, desde que seja socialmente recomendável e a reincidência não seja específica (em virtude da prática do mesmo crime). Conforme entendimento do STJ, a reincidência específica, tratada no art. 44, § 3º, do CP, somente se aplica quando forem idênticos, e não apenas de mesma espécie, os crimes praticados (AREsp 1.716.664-SP).

As penas de prestação de serviços, interdição temporária de direitos e limitação de fins de semana terão a mesma duração da pena privativa de liberdade substituída (art. 55 do CP). A prestação de serviços superior a um ano poderá ser cumprida em menor tempo, com mais horas por dia, até o limite de metade do tempo inicialmente estipulado.

Na condenação igual ou inferior a um ano, a substituição pode ser feita por multa ou por uma pena restritiva de direitos; se superior a um ano, a pena privativa de liberdade pode ser substituída por uma pena restritiva de direitos e multa ou por duas restritivas de direitos (art. 44, § 2º).

Substituição da pena por medida de segurança

No caso de semi-imputáveis (art. 26, parágrafo único), a pena pode ser substituída por medida de segurança (art. 98 do CP).

8.7 CONCURSO DE CRIMES, ERRO NA EXECUÇÃO E RESULTADO DIVERSO DO PRETENDIDO

Conceito e espécies de concurso de crimes

O concurso de crimes ocorre quando o agente pratica duas ou mais infrações penais, distinguindo-se o concurso material, o concurso formal e o crime continuado. Paralelamente, o concurso formal pode se configurar em situações que a lei denomina erro na execução e resultado diverso do pretendido.

Acúmulo e exasperação das penas

Se o juiz condenar o réu por mais de um crime, as penas serão, em regra, somadas, aplicando-se o critério do *acúmulo material*. Excepcionalmente, porém, poderá ser aplicada apenas uma das penas, a qual deverá ser exasperada, isto é, aumentada, utilizando-se assim o critério da *exasperação*. Enquanto no concurso material de crimes a regra é o acúmulo material, no concurso formal e no crime continuado, a regra é a exasperação. Não se adotam no Brasil os sistemas da *absorção* (aplica-se apenas uma pena, a pena mais grave, sem qualquer aumento) e do *cúmulo jurídico* (aplica-se uma única pena, a qual deve ser maior que a pena cominada para todos os delitos).

Concurso material

No concurso de crimes, a regra geral é a do concurso material, em que somam-se simplesmente as penas privativas de liberdade, referentes a cada crime, até o limite máximo de 40 anos (arts. 69 e 75 do CP). Adota-se o critério do acúmulo material, que nada mais é do que a soma das penas.

Concurso formal

Definição

No concurso formal, o agente, mediante uma só ação ou omissão, pratica dois ou mais crimes, idênticos ou não. A pena aplicável será a mais grave, ou se iguais, somente uma delas, mas aumentada, em qualquer caso, de 1/6 até a metade (art. 70, primeira parte, do CP). Exemplo: um motorista, por negligência, atropela dois indivíduos, ferindo ambos. A pena será a de lesão corporal dolosa, aumentada, porém, em face da lesão culposa (critério da exasperação). Mas se o agente, apesar da ação única, atuou com desígnios autônomos, isto é, querendo ou assumindo o risco de atingir as duas vítimas, as penas serão aplicadas cumulativamente, como no concurso material (art. 70, segunda parte, do CP).

Espécies

    a. *Concurso formal próprio ou perfeito* (CP, art. 70, primeira parte): há dolo direto em relação a um crime e culpa em relação ao outro crime, ou, ainda, apenas culpa nos dois crimes (aplica-se a pena mais grave, ou só uma delas, se iguais, com aumento de 1/6 até metade). Adota-se assim o critério da exasperação das penas.

    b. *Concurso formal imperfeito ou impróprio* (CP, art. 70, segunda parte): há dolo nos dois crimes, podendo ser dolo direto ou eventual, já que ambos são manifestações autônomas de desígnios (art. 70, segunda parte). Exemplo clássico de concurso formal imperfeito é o caso do agente que coloca várias vítimas em fila, uma atrás da outra, para abatê-las todas com um só tiro (aplica-se a regra do concurso material; simples soma das penas). Adota-se o critério do acúmulo material das penas.

Crime continuado

Conceito

Nos termos do art. 70 do CP, há crime continuado quando o agente, mediante uma só ação ou omissão, pratica dois ou mais crimes, idênticos ou não, aplica-se-lhe a mais grave das penas cabíveis ou, se iguais, somente uma delas, mas aumentada, em qualquer caso, de 1/6 até metade. As penas aplicam-se, entretanto, cumulativamente, se a ação ou omissão é dolosa e os crimes concorrentes resultam de desígnios autônomos, consoante o disposto no artigo anterior. Trata-se de uma ficção, oriunda das práticas medievais, destinadas a evitar a pena de morte, já que isso reduzia a mão de obra e os impostos. Na Idade Média servia o instituto para afastar a pena de morte no terceiro furto. Dessa forma, a prática de vários crimes são, em razão da continuidade, consideradas uma única infração penal, sofrendo, porém, exasperação.

Requisitos

Para configuração do crime continuado, devem estar presentes os seguintes requisitos:

a. *Pluralidade de condutas*, pois do contrário haverá concurso formal. Todavia, não há crime continuado quando configurada habitualidade delitiva ou reiteração criminosa.[6] Não se deve confundir habitualidade criminosa com crime habitual. Habitualidade criminosa é a reiteração de crimes consumados, enquanto crime habitual pressupõe que a consumação de um crime requer reiteração de condutas.

b. *Pluralidade de crimes de mesma espécie*, ou seja, previstos no mesmo tipo penal ou protegendo o mesmo bem jurídico.

c. *Elo de continuidade* estabelecido pelas semelhantes condições de tempo, lugar e maneira de execução em cada um dos crimes, além de outras circunstâncias similares. A continuidade delitiva pode ser

---

6. AgRg no REsp 1747139/RS, Rel. Ministra Laurita Vaz, Sexta Turma, julgado em 13/12/2018, DJe 04/02/2019.

reconhecida quando se tratar de delitos ocorridos em comarcas limítrofes ou próximas, mas não entre cidades distantes ou com tempo superior a 30 dias entre os delitos.[7] Excepcionalmente, admite-se o reconhecimento da continuidade entre crimes com período superior a 30 dias um do outro.[8]

d. *Hogeneidade subjetiva*, sendo imprescindível que os crimes resultem de um plano previamente elaborado pelo agente, a fim de distinguir crime continuado de crime habitual.[9]

Continuidade em crimes dolosos contra vítimas distintas

O Código Penal admite também a continuidade nos crimes dolosos contra vítimas diferentes, cometidos com violência à pessoa ou grave ameaça. Mas, neste caso, a pena pode ser triplicada, neutralizando-se em favor da lei (art. 71, parágrafo único, do CP). A pena aumentada, porém, não pode ser superior à que se obteria pela regra do concurso material, nem pode ultrapassar 40 anos, que é o limite máximo da pena privativa de liberdade (arts. 71, parágrafo único, última parte, e 75, *caput*, do CP).

Aberratio ictus e aberratio criminis

Aberratio significa crime aberrante, isto é, um erro na forma de execução do crime, culminando por atingir pessoa diversa ou produzir resultado diverso do pretendido. Embora não se trate, tecnicamente, de concurso de crimes, poderá se configurar situação de concurso formal, no caso de multiplicidade de resultados.

Aberratio ictus ou erro na execução

Está previsto no art. 73 do Código Penal. É a situação em que uma pessoa atinge pessoa diversa da que pretendia atingir, em razão de uso equivocado

---

7. AgRg no AREsp 771.895/SP, Rel. Ministro Rogerio Schietti Cruz, Sexta Turma, julgado em 25/09/2018, DJe 09/10/2018.

8. AgRg no REsp 1345274/SC, Rel. Ministro Nefi Cordeiro, Sexta Turma, julgado em 20/03/2018, DJe 12/04/2018.

9. REsp 1767902/RJ, Rel. Ministro Sebastião Reis Júnior, Sexta Turma, julgado em 13/12/2018, DJe 04/02/2019.

dos meios de execução ou por acidente. Se o agente atinge apenas pessoa diversa da pretendida, ocorre o chamado *aberratio ictus com unidade simples*, devendo o agente responder na forma do erro de pessoa, isto é, levando-se em conta as características da pessoa visada, não da pessoa atingida. Caso seja atingida também a pessoa visada, haverá *aberratio ictus de unidade complexa*, em que se aplica a regra do concurso formal.

No erro de execução, duas vítimas são sempre consideradas:

a. vítima virtual: pessoa visada;
b. vítima real: pessoa atingida.

Consideram-se, sempre, as características da vítima virtual. Assim, caso se trate de um feminicídio, em que o agente erra a pontaria e atinge um homem, ainda assim o homicídio será qualificado (art. 121, § 2º, VI), quer se trate de unidade simples, quer se trate de unidade complexa.

Em que pese utilize a lei a expressão acidente, este sempre deverá se referir à vítima real, aproveitando-se o dolo que existe em relação à vítima virtual, já que o Direito Penal não comporta responsabilidade penal objetiva, isto é, por mero acidente, sem dolo ou culpa. Assim, o art. 73 prevê o *aproveitamento do dolo*, ou seja, quando alguém tem por objetivo ferir certa pessoa, mas, por erro na execução, lesa outro ser humano, o efeito é o mesmo, pois a lei protege qualquer indivíduo, não importando quem seja.[10]

Note que não haverá *aberratio ictus* se o agente assumiu o risco de atingir pessoa diversa, caso em que se configurará de plano um concurso formal impróprio.

Exemplos:

1. A pretende matar B (vítima virtual) e, por acidente, atinge e mata apenas C (vítima real). Responde como se tivesse atingido B (*aberratio ictus* de unidade simples).

---

10. NUCCI, Guilherme de Souza. *Manual de Direito Penal*: parte geral: parte especial. São Paulo: Editora Revista dos Tribunais, 2007. p. 501.

2. A desfere tiros em B, matando-o, sendo que um dos disparos culposamente atinge C, matando-o. A responde pela morte de B e pelo homicídio culposo de C, devendo aplicar-se apenas a pena do crime mais grave, isto é, homicídio doloso contra B, com a pena aumentada pelo concurso formal.
3. A desfere tiros em B, com intenção de matá-lo, assumindo o risco de matar também C, que passa pelo local. Um dos tiros atinge B, matando-o, enquanto C é também atingido por outro disparo, vindo a falecer. A responde por dois homicídios.
4. A desfere tiros em B, com intenção de matá-lo, assumindo o risco de matar também C, que passa pelo local. Um dos tiros atinge B, matando-o, enquanto C é também atingido por outro disparo, mas é socorrido e sobrevive. A responde por um homicídio consumado contra B e um homicídio tentado contra C.
5. A desfere tiros em B, com intenção de matá-lo, assumindo o risco de matar também C, que passa pelo local. Um dos tiros atinge B, que sobrevive, enquanto C é também atingido por outro disparo, mas é socorrido e sobrevive. A responde por dois homicídios tentados.

Aberratio criminis *ou resultado diverso do pretendido*

Enquanto no *aberratio ictus* o erro ocorre em relação a pessoa-pessoa, no *aberratio criminis* ocorre um erro pessoa-coisa, coisa-pessoa ou coisa-coisa. Com efeito, verifica-se resultado diverso do pretendido *(aberratio delicti* ou *aberratio criminis)*, nos termos do art. 74, quando, em vez de atingir pessoa diversa, o agente produz um resultado distinto do desejado, em razão de acidente ou execução equivocada. Há unidade simples quando apenas o resultado indesejado ocorre, devendo ser o agente responsabilizado por crime culposo. Todavia, caso ocorra também o resultado previsto e desejado, isto é, unidade complexa, deverá ser aplicada a regra do concurso formal. Tomemos o exemplo de um vândalo que deseje quebrar uma vitrine com uma pedra, mas erra e atinge uma pessoa que está próxima, causando lesões corporais. Nesse caso, deverá responder pelo crime de lesão corporal culposa. Todavia, se atinge também a vitrine, danificando-a, responderá pelo crime de dano em concurso formal com as lesões.

Como se percebe, *aberratio criminis* e *aberratio delicti* são espécies de erro acidental, isto é, não essencial, pois não afetam a tipicidade da conduta, ao contrário do erro de tipo essencial, em que a tipicidade dolosa é sempre excluída (CP, art. 20, *caput*).

8.8 SUSPENSÃO CONDICIONAL DA PENA (*SURSIS*)

Sursis: conceito e espécies

A suspensão condicional da pena ou, simplesmente, *sursis* – expressão de origem francesa –, é um instituto pelo qual a execução da pena privativa de liberdade é suspensa por certo período de prova, extinguindo-se a pena no fim do prazo, conforme arts. 77 e 82 do CP. O *sursis* refere-se exclusivamente à pena privativa de liberdade, não se aplicando à multa nem às penas restritivas de direitos (art. 80 do CP). Multa anterior não impede o *sursis* (art. 77, § 1º, do CP). Em outras palavras, o réu é condenado, mas, em vez de cumprir pena, deve cumprir, em liberdade, determinadas condições. Não havendo revogação desse benefício até o final do período de prova, extingue-se a pena. Existem quatro tipos de *sursis*: o simples, o especial, o etário e o humanitário.

Sursis simples

Requisitos

    a. Detenção ou reclusão não superior a 2 anos;
    b. não cabimento da substituição por uma pena restritiva de direitos;
    c. circunstâncias judiciais favoráveis (arts. 59 e 77, II, do CP);
    d. não reincidência em crime doloso.

Período de prova e extinção da pena

É o tempo em que o condenado deverá submeter-se às condições. A pena poderá ficar suspensa por 2 a 4 anos. Findo o período de prova, sem revogação do *sursis*, extingue-se a pena.

Condições

São as condições a serem cumpridas durante o prazo do *sursis*. Em caso de descumprimento, poderá ser revogado o benefício, passando-se à execução da pena. Há duas espécies de condições: legais e judiciais.

Condições legais são aquelas impostas expressamente pelo art. 78, § 1º, do CP, que prevê a prestação de serviços à comunidade ou a limitação de fim de semana no primeiro ano do período de prova. Se todas as condições do art. 59 forem favoráveis e o condenado tiver reparado o dano, ele fará jus ao *sursis* especial, em que a prestação de serviços ou limitação de fim de semana poderá ser substituída pelas seguintes condições:

- proibição de frequentar determinados lugares;
- proibição de ausentar-se da comarca de sua residência sem autorização judicial;
- comparecimento pessoal e periódico em juízo para informar suas atividades.

Tais condições são cumulativas, ou seja, devem ser impostas em conjunto.

As *condições judiciais* não estão expressamente previstas, podendo ser impostas pelo juiz, na sentença, desde que compatíveis com o caso (CP, art. 79).

Exemplo: obrigação de frequentar grupo de alcoólicos anônimos, em crime praticado sob influência de álcool.

Caso necessário, as condições do *sursis* podem ser modificadas no curso do período de prova (art. 158, § 2º, da LEP).

Sursis especial

É a hipótese do § 2º do art. 78 do CP, que prevê a dispensa da prestação de serviços à comunidade ou da limitação de final de semana no primeiro ano do período de prova.

Requisitos

a. Circunstâncias judiciais inteiramente favoráveis;

b. dano reparado, salvo impossibilidade de fazê-lo;
   c. preenchimento dos demais requisitos do *sursis* simples.

Condições
   a. Não frequentar determinados lugares;
   b. não se ausentar, sem autorização, da comarca de residência;
   c. comparecer mensalmente a juízo.

Tais condições são cumulativas, ou seja, devem ser impostas em conjunto. As demais regras são idênticas ao *sursis* simples.

O *sursis* etário e o *sursis* humanitário

Sursis previsto no § 2º do art. 77 do CP destina-se a beneficiar pessoas vulneráveis por razões de idade avançada (70 anos) ou saúde debilitada. Admite a suspensão da pena de detenção ou reclusão não superior a 4 anos, durante um período de prova de 4 a 6 anos, preenchidas as demais condições do *sursis* simples.

Revogação e prorrogação do *sursis*

Revogação do *sursis* é a perda do benefício antes do término do período de prova, nas hipóteses previstas em lei, tendo como consequência o recolhimento do condenado à prisão, para cumprimento da pena aplicada na sentença. A prorrogação é a ampliação do período de prova, isto é, do tempo em que a execução da pena deve ficar suspensa.

A revogação pode ser obrigatória ou facultativa. Enquanto a revogação obrigatória é uma consequência automática do descumprimento da condição, a revogação facultativa deve ser criteriosamente examinada pelo juiz, que poderá manter o benefício.

   a. revogação obrigatória (art. 81): ocorre no caso de nova condenação por crime doloso ou quando o condenado deixa, injustificadamente, de pagar a multa ou reparar o dano, bem como quando descumpre a prestação de serviços à comunidade ou a limitação de fim de semana;

b. revogação facultativa (art. 81, § 1º): ocorre se o condenado descumpre outra condição imposta ou é condenado por crime culposo ou contravenção penal à pena privativa de liberdade ou restritiva de direitos.

No caso de revogação facultativa, em vez de revogar o *sursis*, poderá o juiz prorrogar o período de prova, até o limite máximo, se este não foi fixado (art. 81, § 3º). Se o beneficiário está sendo processado por outro crime ou contravenção, considera-se prorrogado o prazo da suspensão até o julgamento definitivo (art. 81, § 2º).

> **Sursis processual**
>
> Não se deve confundir a suspensão condicional da pena com a suspensão condicional do processo. Nas contravenções penais e nos crimes com pena mínima cominada igual ou inferior a um ano, o Ministério Público, ao oferecer a denúncia, pode propor a suspensão condicional do processo, por 2 a 4 anos, mediante certos requisitos e condições semelhantes às condições do *sursis* (Lei n. 9.099/95). A suspensão do processo é um instituto misto, pois tem caráter processual, com reflexos sobre a punibilidade, a qual é extinta após o cumprimento da suspensão. Esse benefício ficou conhecido como "*sursis* processual".

8.9 EFEITOS DA CONDENAÇÃO

Efeitos penais

A condenação com trânsito em julgado gera a execução forçada da pena imposta na sentença (efeito penal primário) e efeitos secundários, como a reincidência (se houver condenação definitiva anterior), aumento do prazo prescricional, revogação do *sursis* anterior etc.

Efeitos extrapenais

Além dos efeitos penais, a condenação criminal também produz efeitos extrapenais, que correspondem a obrigações do condenado fora da esfera penal, como a reparação do dano, o confisco, a perda do cargo etc.

Reparação do dano

A condenação criminal torna certa a obrigação de reparar o dano, conforme art. 91, I, do CP, de forma que a sentença penal condenatória transitada em julgado é título executivo no âmbito civil. O juiz, ao proferir sentença condenatória, fixará valor mínimo para reparação dos danos causados pela infração, considerando os prejuízos sofridos pelo ofendido (art. 387, IV, do CPP). Assim, a sentença criminal poderá ser executada perante o juiz civil, sem que a matéria precise ser novamente discutida. À aplicação do dano não se aplica o princípio da intranscendência, de modo que os sucessores podem arcar com eventual indenização.

Confisco

A condenação gera também confisco, isto é, a perda em favor da União, dos instrumentos do crime, desde que consistam em coisas cujo fabrico, alienação, uso, porte ou detenção constitua fato ilícito, bem como do produto do crime ou de qualquer bem ou valor que constitua proveito auferido pelo agente com a prática do fato criminoso, ressalvado o direito do lesado ou de terceiro de boa-fé (art. 91, II, do CP). Assim como ocorre com a reparação do dano, não se aplica o princípio da intranscendência, ressalvando-se apenas os direitos de terceiros de boa-fé, isto é, pessoas que tenham adquirido ou recebido bens dos criminosos, sem qualquer envolvimento consciente com estes ou suas atividades.

Confisco por equivalência

Caso não sejam encontrados bens para confisco ou quando se localizarem no exterior, poderá ocorrer confisco por equivalência, isto é, poderá ser decretada a perda de bens ou valores equivalentes ao produto ou proveito do crime (art. 91, § 1º), caso em que poderão ser reservados bens para confisco ainda durante o processo, por meio de medidas assecuratórias processuais (§ 2º), como sequestro de bens, arresto etc.

Confisco alargado

Confisco alargado é um instituto com inspiração em legislações estrangeiras, a exemplo de Portugal, Espanha e Alemanha, introduzido no sistema jurídico brasileiro pela nova redação do art. 91-A e seus parágrafos do Código Penal, introduzida pela Lei n. 13.964 de 2019.

Consiste na perda em favor da União da diferença de valor entre o total do patrimônio do agente e o patrimônio demonstrado como produto de rendimentos lícitos ou de fontes legítimas do agente, sempre que este for condenado por infração à qual a lei comine pena máxima superior 6 anos de reclusão. Entende-se por patrimônio do condenado todos os bens de sua titularidade, ou em relação aos quais ele tenha o domínio e o benefício direto ou indireto, na data da infração penal ou recebidos posteriormente, bem como os bens transferidos a terceiros a título gratuito ou mediante contraprestação irrisória, a partir do início da atividade criminal. A transferência gratuita ou por valor irrisório indica a finalidade de ocultar a real propriedade dos bens, mediante transações simuladas e utilização de pessoas conhecidas como "laranjas".

Trata-se de uma presunção relativa de ilicitude do patrimônio do condenado, o qual poderá demonstrar a inexistência da incompatibilidade ou a procedência lícita, invertendo-se o ônus da prova.

O confisco alargado deverá ser expressamente requerido pelo Ministério Público, indicando a diferença apurada. Na sentença condenatória, o juiz deve declarar o valor da diferença apurada e especificar os bens cuja perda for decretada.

Confisco de bens das organizações criminosas

Os instrumentos utilizados para a prática de crimes por organizações criminosas e milícias deverão ser declarados perdidos em favor da União ou do Estado, dependendo da Justiça onde tramita a ação penal, ainda que não ponham em perigo a segurança das pessoas, a moral ou a ordem pública, nem ofereçam sério risco de ser utilizados para o cometimento de novos crimes (art. 91-A, § 5º).

Perda de cargo, função pública ou mandato eletivo

Conforme o art. 92 do Código Penal, poderá ser decretada a perda de cargo, função pública ou mandato eletivo quando aplicada pena privativa de liberdade por tempo igual ou superior a um ano, nos crimes praticados com abuso de poder ou violação de dever para com a Administração Pública, ou em qualquer crime, desde que a pena privativa de liberdade aplicada seja superior a 4 anos. Essa regra não mais se aplica, porém, às hipóteses de perda de mandato eletivo, pois a Constituição Federal prevê a perda do mandato eletivo na hipótese de qualquer condenação criminal, e não apenas nas hipóteses do Código Penal (art. 15, III). Sendo regra constitucional, deve prevalecer sobre o art. 92 do Código Penal.

No caso de deputados federais e senadores, a perda do mandato será decidida pela Câmara dos Deputados ou pelo Senado Federal, por maioria absoluta, mediante provocação da respectiva Mesa ou de partido político representado no Congresso Nacional, assegurada ampla defesa, nos termos do art. 55, VI, e § 2º, da Constituição, regra que se estende aos deputados estaduais e distritais (CF, arts. 27, § 1º, e 32, § 3º), mas não se aplica aos vereadores, por ausência de dispositivo constitucional expresso. Assim, em relação aos vereadores, a perda do mandato segue as regras do Código Penal.

Perda de direitos familiares

A condenação criminal gera a incapacidade para o exercício do poder familiar, da tutela ou da curatela nos crimes dolosos sujeitos à pena de reclusão cometidos contra outrem igualmente titular do mesmo poder familiar, contra filho, filha ou outro descendente ou contra tutelado ou curatelado.

Perda do direito de dirigir

Conforme o STJ, *"a utilização de veículo para a prática de crime é suficiente para determinar a suspensão do direito de dirigir, nos termos do inc. III do art. 92 do CP, pois, além de dissuasória, a medida dificultará a reiteração criminosa"*.[11]

---

11. REsp 1.506.898/PR. Rel. Min. Nefi Cordeiro, julgado em 15/05/2017.

Efeitos automáticos e não automáticos

Enquanto alguns efeitos são automáticos, prescindindo de expressa declaração na sentença condenatória, outros devem ser expressamente declarados. A execução da pena, como efeito primário, isto é, principal, é obviamente automático, assim como a reincidência e a ampliação do prazo prescricional. Tangente à reparação do dano, o Código de Processo Penal, mediante alteração de 2008, determina que o juiz, ao proferir sentença condenatória, fixará valor mínimo para reparação dos danos causados pela infração, considerando os prejuízos sofridos pelo ofendido (art. 387, IV, do CPP). Caso haja omissão do juiz em fixar a indenização mínima prevista, ainda assim a sentença condenatória poderá ser executada no juízo cível, por se tratar de efeito automático.

Embora o confisco seja, tradicionalmente, um efeito automático da condenação criminal, dependerá de comando sentencial o confisco equivalente e o confisco alargado, como se depreende da redação trazida pelo art. 91-A.

Não são automáticos os efeitos previstos no art. 92, devendo o juiz expressamente declarar as hipóteses de perda do cargo ou função pública, perda de direitos familiares e do direito de dirigir (art. 92, § 2º). Com relação à perda do mandato eletivo, os efeitos não são automáticos, nos termos da Constituição Federal (art. 15, III, e art. 55, VI, e § 2º), regra que se estende aos deputados estaduais e distritais (CF, arts. 27, § 1º, e 32, § 3º), mas não se aplica aos vereadores, por ausência de dispositivo constitucional expresso. Assim, em relação aos vereadores, a perda do cargo deve ser decretada pelo juiz na sentença penal condenatória. Como já decidiu o STF, a perda de cargo ou a inabilitação para o exercício de cargo ou função pública, eletivo ou de nomeação "não é automático, nem depende tão só desses elementos objetivos; ao motivar a imposição da perda de cargo, função ou mandato, o juiz deve levar em consideração o alcance do dano causado, a natureza do fato, as condições pessoais do agente, o grau de culpa etc., para concluir sobre a necessidade da medida no caso concreto".[12]

---

12. AP 441/SP, Tribunal Pleno, Rel. Min. Dias Toffoli, julgado em 08/03/2012.

8.10 REABILITAÇÃO

Por meio da reabilitação, requerida pelo condenado ao juiz criminal, alguns efeitos da condenação podem ser apagados. Com efeito, a reabilitação pode ser requerida após 2 anos da extinção da pena ou do término da execução, nos termos dos arts. 93 a 95 do Código Penal, com o fim de suspender os efeitos extrapenais específicos previstos no art. 92 do Código Penal, vedada a reintegração na situação anterior, nos casos dos incisos I e II do mesmo artigo. Resulta lógica essa vedação, não sendo admissível que a pessoa, mesmo reabilitada, retorne para o mesmo cargo que ocupava quando do crime funcional, ou para o exercício de poder familiar, tutela ou curatela em relação à vítima do crime que gerou a condenação. Nenhuma restrição existe em relação à inabilitação para dirigir veículo, cujo direito é totalmente recuperado a partir da sentença de reabilitação.

Com relação à utilização da reabilitação para obtenção de sigilo dos registros sobre o processo e a condenação, trata-se de norma totalmente inócua, pois o art. 202 da Lei de Execução Penal já assegura o sigilo logo que cumprida ou extinta a pena, sem exigir a espera de 2 anos.

8.11 LIVRAMENTO CONDICIONAL

Conceito

Livramento condicional é um benefício na execução da pena, por meio do qual o condenado que tiver cumprido certo tempo da pena privativa de liberdade poderá ser solto antes do término da sanção, mediante o cumprimento de determinados requisitos e condições, previstas nos arts. 83 a 90 do Código Penal, bem como na Lei de Execução Penal, arts. 131 a 146.

Requisitos objetivos

Requisitos objetivos são relacionados ao tempo de pena cumprida (requisito temporal) e à reparação do dano:

a. a pena deve ser igual ou superior a 2 anos, devendo ser somadas as penas referentes a infrações diversas;

b. o condenado deve ter cumprido mais de 1/3 da pena, se não for reincidente em crime doloso e tiver bons antecedentes, ou mais da metade, se reincidente em crime doloso; cumpridos mais de 2/3 da pena, nos casos de condenação por crime hediondo, prática de tortura, tráfico ilícito de entorpecentes e drogas afins, tráfico de pessoas e terrorismo, se o apenado não for reincidente específico em crimes dessa natureza;
c. o condenado deve ter reparado o dano, salvo comprovada impossibilidade de fazê-lo.

Requisitos subjetivos

Os requisitos subjetivos são relativos à conduta carcerária e aspectos psicológicos do condenado, devendo ser comprovado o seguinte:

a. bom comportamento durante a execução da pena;
b. não cometimento de falta grave nos últimos 12 meses;
c. bom desempenho no trabalho que lhe foi atribuído;
d. aptidão para prover a própria subsistência mediante trabalho honesto.

Para o condenado por crime doloso, cometido com violência ou grave ameaça à pessoa, a concessão do livramento ficará também subordinada à constatação de condições pessoais que façam presumir que o liberado não voltará a delinquir.

Condições do livramento condicional

Ao conceder o livramento, o juiz especificará as condições a que fica subordinado o benefício. As condições estão previstas no art. 132 da Lei de Execução Penal, que prevê condições obrigatórias (§ 1º) e facultativas (§ 2º).

Condições obrigatórias

a. Obter ocupação lícita, dentro de prazo razoável se for apto para o trabalho;
b. comunicar periodicamente ao Juiz sua ocupação;

c. não mudar do território da comarca do Juízo da execução, sem prévia autorização deste.

Condições facultativas
a. Não mudar de residência sem comunicação ao Juiz e à autoridade incumbida da observação cautelar e de proteção;
b. recolher-se à habitação em hora fixada;
c. não frequentar determinados lugares.

Revogação

A revogação é facultativa, isto é, poderá ou não ser decretada pelo juiz, se o liberado deixar de cumprir qualquer das obrigações constantes da sentença, ou for irrecorrivelmente condenado, por crime ou contravenção, a pena que não seja privativa de liberdade (art. 87).

Haverá revogação obrigatória, porém, se o liberado for condenado a pena privativa de liberdade, em sentença irrecorrível, por crime cometido durante a vigência do benefício ou por crime anterior em que a pena, somada à que está em curso, torne incabível o benefício, por ausência de requisito temporal. Exemplo: caso o liberado que cumpriu 1 ano de uma pena de 3 anos, fazendo jus ao livramento condicional, seja condenado a mais 4 anos de reclusão por crime anterior ao benefício, a soma de 4 anos mais 2 anos remanescentes da outra pena torna-se incompatível com o livramento condicional, pois não terá cumprido o requisito objetivo de 1/3.

Justamente pela possibilidade de revogação, o juiz não poderá declarar extinta a pena, enquanto não passar em julgado a sentença em processo a que responde o liberado, por crime cometido na vigência do livramento (art. 89). Isso ocorre porque, caso seja condenado definitivamente a pena privativa de liberdade, será obrigatória a revogação do livramento condicional.

Extinção da pena

Se até o seu término o livramento não é revogado, considera-se extinta a pena privativa de liberdade (art. 90 do CP).

8.12 MEDIDA DE SEGURANÇA

Conceito e espécies

Medida de segurança é uma espécie de sanção penal destinada aos indivíduos acometidos de doença mental ou desenvolvimento mental incompleto ou retardado.

No âmbito das sanções penais, como reações do Estado à pratica dos delitos, ao lado das penas existem as medidas de segurança, que são formas de tratamento não punitivo, e sim, curativo. Enquanto a pena se refere à gravidade do delito, a medida de segurança tem em vista apenas a periculosidade do agente. As penas retratam o passado e as medidas de segurança voltam-se para o futuro. Enquanto a pena é retributiva, a medida de segurança é curativa. A medida de segurança visa à segurança social e ao tratamento, com a cura, se possível, do autor do crime. Há duas formas de medidas de segurança: *detentiva*, consistente em internação em hospital de custódia e tratamento[13], e *restritiva*, que consiste em tratamento ambulatorial.

Sistema vicariante

Pela Reforma Penal de 1984, não há mais imposição isolada de medida de segurança, independente da tipificação de um delito, como ocorria na redação anterior do art. 76, parágrafo único, do Código Penal, que permitia aplicação de medida de segurança no caso de crime impossível, por exemplo, em razão da periculosidade manifestada pelo autor. Também não se admite a aplicação cumulativa de pena e medida de segurança, pugnada pelo sistema duplo binário, pois a Reforma, adotando o sistema vicariante, estabeleceu que não são cumulativas, podendo ser aplicada uma ou outra sanção penal, jamais as duas. Uma única exceção ocorre no caso do semi-imputável condenado a pena privativa de liberdade e multa, substituindo-se apenas a primeira por medida de segurança, o que gera a cumulação da medida de segurança com a pena de multa.

---

13. Consagrou-se o Instituto Psiquiátrico Forense (IPF) como a instituição destinada à execução das medidas de segurança.

Medida de segurança em caso de inimputabilidade

Os inimputáveis por doença mental ou desenvolvimento mental incompleto ou retardo são isentos de pena (art. 26 do CP). Ficam eles, porém, sujeitos a medida de segurança, consistente em internação em hospital de custódia e tratamento, ou apenas a tratamento ambulatorial, se as condições do agente permitirem e o fato for apenado com detenção (art. 97 do CP). Em regra, portanto, se o fato for apenado com reclusão, o inimputável deve ser internado em hospital de custódia para tratamento. Se o fato for apenado com detenção, poderá o inimputável receber tratamento ambulatorial. A jurisprudência tem abrandado o preceito legal, permitindo o tratamento ambulatorial ainda que se trate de pena de reclusão, dependendo da gravidade do fato e do grau de periculosidade do inimputável.[14]

Detalhe importante é que a aplicação da medida de segurança ao inimputável implica uma absolvição, por ausência de um dos substratos do crime, a culpabilidade. Todavia, como essa sentença absolutória gera a imposição de sanção penal, denomina-se *absolvição imprópria*.

Medida de segurança em caso de semi-imputabilidade

Os semi-imputáveis em virtude de perturbação da saúde mental ou desenvolvimento mental incompleto ou retardado, outrora chamados "semiloucos" ou "fronteiriços", não são absolvidos, já que são indivíduos com imputabilidade reduzida. Diante disso, a pena aplicada na condenação pode ser reduzida de 1/3 a 2/3, nos termos do art. 26, parágrafo único, do Código Penal, ou ser substituída por medida de segurança se o condenado necessitar de especial tratamento curativo (art. 98 do CP). Neste caso, porém, só a pena privativa de liberdade pode ser substituída por medida de segurança, uma vez que não há substituição de pena de multa por medida de segurança.

Assim, excepcionando-se o modelo vicariante adotado no Código Penal, quando se trata de indivíduo semi-imputável (art. 26, parágrafo único, do CP), com aplicação de pena privativa de liberdade e também pena de multa, poderá haver a substituição da pena privativa de liberdade, com a

---

14. HC 113.016/MS, STJ Rel. Min. Jane Silva, Sexta Turma, julgado em 18/11/2008.

permanência da pena de multa, uma vez que só a privativa de liberdade pode ser substituída por medida de segurança (art. 98 do CP).[15]

Duração da medida de segurança

A medida de segurança é fixada pelo juiz por tempo indeterminado, com o mínimo de 1 a 3 anos, perdurando enquanto não constatada a cessação da periculosidade por perícia médica (art. 97, § 1º, do CP). O Supremo Tribunal Federal, contudo, consolidou o entendimento de que não pode a medida de segurança assumir caráter perpétuo, devendo ficar limitada ao prazo máximo previsto no art. 75 do Código Penal.[16] O Superior Tribunal de Justiça, a seu turno, editou a Súmula 527 com o seguinte teor: *"O tempo de duração da medida de segurança não deve ultrapassar o limite máximo da pena abstratamente cominada ao delito praticado"*.

Em se tratando de medida de segurança aplicada ao semi-imputável, em substituição à pena privativa de liberdade, o tempo máximo da medida de segurança deve ser o tempo da pena substituída.

8.13 INDULTO E COMUTAÇÃO DE PENAS

O indulto é um instituto pelo qual o Presidente da República extingue a pena de um grupo de condenados, mediante o cumprimento de certos requisitos. Além do indulto, o ato do Poder Executivo também realiza a comutação, que é uma redução da pena privativa de liberdade ou sua substituição por pena restritiva de direitos. O indulto e a comutação competem exclusivamente ao Presidente da República, nos termos do art. 84, XII, da CF. No Brasil, é comum a edição anual de um "decreto natalino" presidencial, concedendo indulto e comutação de penas, geralmente com o objetivo de mitigar os problemas decorrentes da superlotação carcerária.

---

15. RT 629/355.
16. Nesse sentido, HC 84.219, Ministro Marco Aurélio, Primeira Turma, julgado em 16/08/2005.

RESUMO

Conceito e teorias

Sanção penal é a resposta do Estado à infração penal praticada. Para as teorias absolutas, a sanção penal é meramente retributiva. Para as teorias relativas (Liszt, Feuerbach), a pena é preventiva. As teorias mistas consideram a pena um misto de retribuição e prevenção, acrescentando o ingrediente da ressocialização. As teorias deslegitimadoras são aquelas que repudiam a intervenção do Estado por meio de uma pena, destacando-se o abolicionismo penal (Baratta).

Penas e medidas de segurança

Penas e medidas de segurança são espécies de sanção penal com finalidades distintas. A sanção penal, portanto, poderá ser uma pena, consubstanciada em uma punição, ou uma medida de segurança, no caso de indivíduos com doenças mentais, consubstanciando respostas terapêuticas ao delito.

Penas proibidas

No Brasil, a Constituição Federal, consagrando o princípio da humanidade como direito fundamental (art. 5º, XLVII), veda as seguintes penas:

- de morte, salvo em caso de guerra declarada, nos termos do art. 84, XIX;
- de caráter perpétuo;
- de trabalhos forçados;
- de banimento;
- cruéis.

Execução das penas

O cumprimento da pena está regido pela Lei n. 7.210/84 – Lei de Execução Penal (LEP).

- privativas de liberdade, isto é, encarceramento por tempo determinado;
- restritivas de direitos (prestação pecuniária, perda de bens e valores, prestação de serviços à comunidade ou entidades públicas, interdição temporária de direitos, limitação de fim de semana);
- multa.

Cominação, fixação e execução das penas

A cominação é feita pelo legislador no tipo penal, a fixação é feita pelo juiz na aplicação e a execução é feita após a condenação com trânsito em julgado.

Individualização das penas

O princípio da individualização das penas é garantia constitucional, prevista no art. 5º, XLVI, da Constituição Federal. Deve ser observado na cominação, pelo legislador, na fixação, pelo juiz da sentença, e na execução, pelo juiz da execução penal, para que cada indivíduo tenha uma pena adequada ao crime e às suas condições pessoais.

Tempo máximo de prisão

O tempo de cumprimento das penas privativas de liberdade não pode ultrapassar o limite de 40 anos previsto no art. 75 do Código Penal. Quando o agente for condenado a penas privativas de liberdade cuja soma supere este limite, elas devem ser unificadas para atender ao tempo máximo previsto.

Reclusão, detenção e prisão simples

As penas privativas de liberdade, previstas nos tipos penais, são a reclusão, a detenção e a prisão simples. A prisão simples destina-se às contravenções penais e não pode ser cumprida em regime fechado. Reclusão e detenção estão reservadas aos crimes. Enquanto a reclusão destina-se a crimes dolosos, a detenção, destina-se tanto a crimes dolosos quanto culposos.

Regimes carcerários e sistema progressivo

Regimes: fechado, semiaberto e aberto.

Sistema progressivo: a progressão do regime é a transferência do apenado de um regime mais rigoroso para um menos rigoroso, enquanto a regressão do regime é a passagem para um regime mais gravoso.

Trabalho do preso e remição de pena

O condenado pode reduzir, pelo trabalho ou pelo estudo, parte do tempo de execução da pena, sendo o regime fechado ou semiaberto (art. 126 da LEP), o que a lei denomina *remição*. Entretanto, o condenado que for punido por falta grave (casos enumerados nos arts. 50 a 52 da LEP) perderá até 1/3 do tempo remido, começando o novo período a partir da data da infração disciplinar (art. 127 da LEP).

Detração

Detração significa descontar na condenação o tempo de prisão preventiva.

Penas restritivas de direitos

- Prestação pecuniária;
- perda de bens e valores;
- prestação de serviços à comunidade ou a entidades públicas;
- interdição temporária de direitos;
- limitação de fim de semana.

Pena de multa

A multa consiste no pagamento ao fundo penitenciário da quantia fixada na sentença e calculada em dias-multa. Será, no mínimo, de 10 e, no máximo, de 360 dias-multa.

Conversão

A pena restritiva de direitos pode ser convertida em privativa de liberdade, nos casos do art. 44, § 4º, do Código Penal, quando ocorrer o descumprimento injustificado da restrição imposta.

Aplicação da pena privativa de liberdade

A aplicação da pena pelo juiz abrange:

- Dosimetria, isto é, o cálculo do tempo de pena privativa de liberdade, segundo o critério trifásico.
- Fixação do regime inicial (fechado, semiaberto ou aberto), de acordo com o tempo aplicado e a reincidência ou não do condenado.
- Substituição, quando cabível, da pena privativa de liberdade por restritiva de direitos ou multa.

Dosimetria ou cálculo da pena

Método trifásico:

- 1ª etapa: pena-base: circunstâncias judiciais (art. 59);
- 2ª etapa: pena intermediária: circunstâncias atenuantes e agravantes;
- 3ª etapa: causas de diminuição e aumento ou diminuição.

Regime inicial

Depois de estabelecer a quantidade de pena, deve o juiz fixar o regime inicial de cumprimento de pena (fechado, aberto e semiaberto), de acordo com o art. 33, § 2º.

Substituição da pena privativa de liberdade por penas restritivas de direitos e multa

Sempre que possível, deverá o juiz, na sentença, substituir a pena privativa de liberdade fixada por uma pena restritiva de direito, ou pela multa, conforme o art. 44 do CP.

Substituição da pena por medida de segurança

No caso de semi-imputáveis (art. 26, parágrafo único), a pena pode ser substituída por medida de segurança (art. 98 do CP).

Concurso de crimes

Acúmulo material significa a soma de penas. Exasperação significa aplicação da pena de um dos crimes com aumento.

- concurso material (art. 69): acúmulo material;
- concurso formal próprio (art. 70): exasperação;
- concurso formal impróprio (art. 70): acúmulo material;
- crime continuado (art. 71): exasperação.

Aberratio ictus e *aberratio criminis*

- *Aberratio ictus* é o erro de execução:
  - *com unidade simples*, o agente responde levando-se em conta as características da pessoa visada, não da pessoa atingida;
  - *com unidade complexa*, em que é atingida também a pessoa visada, aplica-se a regra do concurso formal;
- *aberratio criminis* ou *aberratio delicti* é o resultado diverso do pretendido (art. 74):
  - com unidade simples, o agente é responsabilizado por crime culposo;
  - com unidade complexa, ocorrendo também o resultado previsto, aplica-se a regra do concurso formal.

Sursis ou suspensão condicional da pena

Conceito: é a suspensão da execução da pena aplicada mediante condições. Não se confunde com "*sursis* processual" (suspensão condicional do processo, art. 89 da Lei n. 9.099).

Espécies: o simples, o especial, o etário e o humanitário.

Revogação: perda do benefício antes do término do período de prova, nas hipóteses previstas em lei.

Efeitos da condenação

- Efeitos penais: execução forçada da pena imposta na sentença (efeito penal primário) e efeitos secundários, como a reincidência (se hou-

ver condenação definitiva anterior), aumento do prazo prescricional, revogação do *sursis* anterior etc.;
- efeitos extrapenais (arts. 91 e 92 do CP): reparação do dano, confisco, perda do cargo ou função pública, perda de mandato eletivo, perda de direitos familiares, perda do direito de dirigir.

Enquanto alguns efeitos são automáticos, prescindindo de expressa declaração na sentença condenatória, outros devem ser expressamente declarados.

Reabilitação

Pode ser requerida após 2 anos da extinção da pena ou do término da execução, nos termos dos arts. 93 a 95 do Código Penal, com o fim de suspender os efeitos extrapenais específicos previstos no art. 92 do Código Penal, vedada a reintegração na situação anterior, nos casos dos incisos I e II do mesmo artigo.

Livramento condicional

Livramento condicional é um benefício na execução da pena, por meio do qual o condenado que tiver cumprido certo tempo da pena privativa de liberdade poderá cumprir solto o período, devendo cumprir determinados requisitos e condições, previstas nos arts. 83 a 90 do Código Penal, bem como na Lei de Execução Penal, arts. 131 a 146. A revogação é facultativa se o liberado deixar de cumprir qualquer das obrigações constantes da sentença, ou for irrecorrivelmente condenado, por crime ou contravenção, a pena que não seja privativa de liberdade (art. 87). Haverá revogação obrigatória se o liberado for condenado a pena privativa de liberdade, em sentença irrecorrível, por crime cometido durante a vigência do benefício ou por crime anterior em que a pena, somada à que está em curso, torne incabível o benefício, por descumprimento do requisito temporal.

Extinção da pena

Se até o seu término o livramento não é revogado, considera-se extinta a pena privativa de liberdade (art. 90 do CP).

Medida de segurança

Conceito e espécies: medida de segurança é uma espécie de sanção penal destinada aos indivíduos acometidos de doença mental ou desenvolvimento mental incompleto ou retardado. Há duas formas de medidas de segurança: *detentiva* e *restritiva*. Detentiva é a internação em hospital psiquiátrico forense e restritiva é o tratamento ambulatorial (psicoterapia).

Sistema vicariante: é vedada a aplicação cumulativa de pena e medida de segurança, adotada pelo sistema "duplo binário".

Medida de segurança em caso de inimputabilidade: os inimputáveis por doença mental ou desenvolvimento mental incompleto ou retardado são isentos de pena (art. 26 do CP), sujeitando-se a medida de segurança (absolvição imprópria).

Medida de segurança em caso de semi-imputabilidade: os semi-imputáveis terão a pena reduzida de 1/3 a 2/3 (CP, art. 26, parágrafo único) ou substituída por medida de segurança (art. 98).

Duração da medida de segurança: tempo indeterminado, com o mínimo de 1 a 3 anos, perdurando enquanto não constatada a cessação da periculosidade por perícia médica (art. 97, § 1º, do CP). Súmula 527 do STJ: *O tempo de duração da medida de segurança não deve ultrapassar o limite máximo da pena abstratamente cominada ao delito praticado.* Em se tratando de medida de segurança aplicada ao semi-imputável, em substituição à pena privativa de liberdade, o tempo máximo da medida de segurança deve ser o tempo da pena substituída.

JURISPRUDÊNCIA

Concurso de crimes

A prática dos delitos de quadrilha ou bando armado e de porte ilegal de armas faz instaurar típica hipótese caracterizadora de concurso material de crimes, eis que as infrações penais tipificadas no parágrafo único do art. 288 do Código Penal e no art. 10, § 2º, da Lei n. 9.437/97, por se revestirem de autonomia jurídica e por tutelarem bens jurídicos diversos (a paz pública, de um lado, e a incolumidade pública, de outro), impedem a aplicação, a tais ilícitos, do princípio da consunção (*major absorbet minorem*). (STF, RHC 83447, Segunda Turma, Rel. Ministro Celso de Melo, julgado em 17/02/2004.)

Concurso de majorantes

- O Superior Tribunal de Justiça, seguindo o entendimento firmado pela Primeira Turma do Supremo Tribunal Federal, não tem admitido a impetração de *habeas corpus* em substituição a recurso próprio, prestigiando o sistema recursal ao tempo que preserva a importância e a utilidade do *habeas corpus*, visto permitir a concessão da ordem, de ofício, nos casos de flagrante ilegalidade.
- A revisão da dosimetria da pena somente é possível em situações excepcionais de manifesta ilegalidade ou abuso de poder, cujo reconhecimento ocorra de plano, sem maiores incursões em aspectos circunstanciais ou fáticos e probatórios (HC n. 304.083/PR, Rel. Min. Felix Fischer, Quinta Turma, DJe 12/03/2015).
- A jurisprudência deste Superior Tribunal de Justiça e a do Supremo Tribunal Federal são no sentido de que o art. 68, Parágrafo Único, do Código Penal, não exige que o juiz aplique uma única causa de aumento da Parte Especial do Código Penal quando estiver diante de concurso de majorantes, mas que sempre justifique a escolha da fração imposta.
- Assim, não há ilegalidade flagrante, em tese, na cumulação de causas de aumento da Parte Especial do Código Penal, sendo razoável a interpretação da lei no sentido de que eventual afastamento da dupla cumulação deverá ser feito apenas no caso de sobreposição do campo de aplicação ou excessividade do resultado (ARE 896.843/MT, Rel. Min. Gilmar Mendes, Segunda Turma, DJe 23/09/2015).
- Contudo, na hipótese ora analisada, as instâncias ordinárias não fundamentaram, concretamente, o cúmulo de causas de aumento, com

remissão a peculiaridades do caso em comento, pois o *modus operandi* do delito, como narrado, confunde-se com a mera descrição típica das majorantes reconhecidas, não refletindo especial gravidade.

- Assim, respeitada a proporcionalidade da pena no caso concreto, e a intenção da Lei n. 13.654/2018, afasta-se a majorante do art. 157, § 2º, inciso II ("A pena aumenta-se de 1/3 até metade se há o concurso de duas ou mais pessoas"), aplicando-se apenas a do art. 157, § 2º-A, inciso I ("A pena aumenta-se de 2/3" se a violência ou ameaça é exercida com emprego de arma de fogo, ambas do Código Penal. *Habeas corpus* não conhecido.

  Ordem concedida, de ofício, para reduzir a reprimenda do paciente ao novo patamar de 9 anos e 26 dias de reclusão, e 21 dias-multa, mantidos os demais termos da condenação.

  (HC 472.771/SC, Rel. Ministro Reynaldo Soares da Fonseca, Quinta Turma, julgado em 04/12/2018, DJe 13/12/2018.)

Crime continuado

1. A jurisprudência do Superior Tribunal de Justiça compreende que, para a caracterização da continuidade delitiva, é imprescindível o preenchimento de requisitos de ordem objetiva (mesmas condições de tempo, lugar e forma de execução) e subjetiva (unidade de desígnios ou vínculo subjetivo entre os eventos), nos termos do art. 71 do Código Penal. Exige-se, ainda, que os delitos sejam da mesma espécie. Para tanto, não é necessário que os fatos sejam capitulados no mesmo tipo penal, sendo suficiente que tutelem o mesmo bem jurídico e sejam perpetrados pelo mesmo modo de execução.

2. Para fins da aplicação do instituto do crime continuado, art. 71 do Código Penal, pode-se afirmar que os delitos de estupro de vulnerável e estupro, descritos nos arts. 217-A e 213 do CP, respectivamente, são crimes da mesma espécie.

3. Em relação ao critério temporal, a jurisprudência deste Tribunal Superior utiliza como parâmetro o interregno de 30 dias. Importante salientar que esse intervalo de tempo serve tão somente como parâ-

metro, devendo ser tomado por base pelo magistrado sentenciante diante das peculiaridades do caso concreto.

4. Tendo em conta que o lapso temporal entre os fatos é de ao menos 2 anos e 5 meses, imperioso afastar a continuidade delitiva, dado o largo lapso temporal decorrido entre os fatos.

5. O art. 234-B do Código Penal determina o segredo de justiça nos processos de apuração dos crimes contra a dignidade sexual, não fazendo distinção entre vítima e acusado. Deve o processo correr integralmente em segredo de justiça, preservando-se a intimidade do acusado em reforço à intimidade da própria vítima.

6. Recurso especial provido para afastar a continuidade delitiva, restabelecendo a condenação nos termos da sentença. (STJ, REsp 1767902/RJ, Rel. Ministro Sebastião Reis Júnior, Sexta Turma, julgado em 13/12/2018, DJe 04/02/2019.)

STJ

1. O art. 71, *caput*, do Código Penal não delimita o intervalo de tempo necessário ao reconhecimento da continuidade delitiva. Esta Corte não admite, porém, a incidência do instituto quando as condutas criminosas foram cometidas em lapso superior a 30 dias.

2. E mesmo que se entenda preenchido o requisito temporal, há a indicação, nos autos, de que o Réu, embora seja primário, é criminoso habitual, que pratica reiteradamente delitos de tráfico, o que afasta a aplicação da continuidade delitiva, por ser merecedor de tratamento penal mais rigoroso.

3. Agravo regimental desprovido.
(STJ, AgRg no REsp 1747139/RS, Rel. Ministra Laurita Vaz, Sexta Turma, julgado em 13/12/2018, DJe 04/02/2019.)

SÚMULAS

Súmula 525 do STF
A medida de segurança não será aplicada em segunda instância, quando só o réu tenha recorrido.

Súmula 605 do STF
Não se admite continuidade delitiva nos crimes contra a vida.

Súmula 611 do STF
Transitada em julgado a sentença condenatória, compete ao Juízo das execuções a aplicação de lei mais benigna.

Súmula 718 do STF
A opinião do julgador sobre a gravidade em abstrato do crime não constitui motivação idônea para a imposição de regime mais severo do que o permitido segundo a pena aplicada.

Sumula 719 do STF
A imposição do regime de cumprimento mais severo do que a pena aplicada permitir exige motivação idônea.
Comentário: conclui-se que é permitido que o juiz aplique uma pena mais severa, desde que necessariamente motivada, por quesitos claros, objetivos e idôneos.

Sumula 723 do STF
Não se admite a suspensão condicional do processo por crime continuado, se a soma da pena mínima da infração mais grave com o aumento mínimo de 1/6 for superior a 1 ano.

Súmula 171 do STJ
Cominadas cumulativamente, em lei especial, penas privativas de liberdade e pecuniária, é defesa a substituição da prisão por multa.

Súmula 231 do STJ

A incidência da circunstância atenuante não pode conduzir à redução da pena abaixo do mínimo legal.

Súmula 241 do STJ

A reincidência penal não pode ser considerada como circunstância agravante e, simultaneamente, como circunstância judicial.

Súmula 444 do STJ

É vedada a utilização de inquéritos policiais e ações penais em curso para agravar a pena-base.

9

Punibilidade e ação penal

9.1 *JUS PUNIENDI*, PUNIBILIDADE E *JUS PERSEQUENDI*

Jus puniendi ou *direito de punir* é o direito do Estado de aplicar uma pena ao autor de um crime. O *jus puniendi* abstrato existe em relação a todos os indivíduos. O *jus puniendi* concreto surge diante de um indivíduo específico quando da prática de um crime. Assim, praticada uma infração penal, surge para o Estado um direito público subjetivo, denominado *jus puniendi*. Para o autor do crime, por outro lado, surge a punibilidade, isto é, a possibilidade de submeter-se a uma punição imposta pelo Estado.

Ocorre que o *jus puniendi*, diferentemente de outros direitos, só pode ser exercido por meio de um pedido ao Poder Judiciário, isto é, por meio do direito de ação. Enquanto a maioria dos direitos pode ser exercida de imediato, como, por exemplo, o direito de propriedade, o direito de punir só pode ser exercido mediante um pronunciamento judicial, que se obtém por meio de outro direito, chamado direito de ação ou *jus persequendi*.

Existe uma dependência, portanto, entre o direito de punir e o direito de ação, de tal modo que, sem direito de punir, não há direito de ação, e sem direito de ação, não há direito de punir.

Neste capítulo estudaremos o direito de ação e a extinção da punibilidade.

| Jus puniendi | Direito Penal |
| Jus persequendi | Direito Processual Penal |

9.2 AÇÃO PENAL

Conceito e classificação

Ação penal é o meio pelo qual o Estado postula ao Poder Judiciário o exercício do direito de punir, de tal forma que só poderá ser aplicada a pena criminal se houver uma sentença condenatória julgando procedente a ação penal.

Em regra, a ação penal é pública, promovida pelo Ministério Público. Excepcionalmente, porém, tem-se a ação penal privada, que é exercida pelo próprio ofendido, que passa a ser chamado de querelante. Nos termos do art. 100 do Código Penal, a ação penal é pública, salvo quando a lei expressamente a declara privativa do ofendido. Com efeito, sempre que o crime expressamente referir "somente se procede mediante queixa", não pode o Ministério Público ajuizar a ação penal.

Por exemplo, art. 179 do Código Penal (fraude à execução):

Art. 179 – Fraudar execução, alienando, desviando, destruindo ou danificando bens, ou simulando dívidas:
Pena – detenção, de 6 meses a 2 anos, ou multa.
Parágrafo único – Somente se procede mediante queixa. (grifo nosso)

Conforme se observa no art. 179 do Código Penal, a ação penal é privada, isto é, deve ser intentada pelo próprio ofendido, mediante queixa.

A ação pública, a seu turno, divide-se em incondicionada e condicionada. A ação penal privada classifica-se em exclusiva, personalíssima e subsidiária.

Ação penal pública

Conceito e princípios

A ação penal pública é promovida pelo Ministério Público, de forma privativa, isto é, com exclusividade e sem interferência de qualquer outro órgão ou instituição, nos termos do art. 129, I, da Constituição Federal. A maioria dos crimes são de ação pública, de maneira que apenas será admitida ação privada (promovida pelo próprio ofendido) quando a lei expressamente mencionar o processamento mediante "queixa". Os princípios da ação pública são os seguintes:

a. *Obrigatoriedade:* havendo prova de materialidade, isto é, prova da existência do crime, e indícios suficientes de autoria, o Ministério Público é obrigado a promover a ação penal. Esse princípio é mitigado nos casos de colaboração premiada, acordo de não persecução penal e transação penal, em que o Ministério Público, em vez de promover a ação penal, faz um acordo com a pessoa imputada, a qual deverá cumprir certas condições em troca de não sofrer a ação penal.
b. *Indisponibilidade:* depois de iniciada a ação penal, o Ministério Público não pode desistir dela, assim como não pode desistir de recurso já interposto.
c. *Indivisibilidade:* o Ministério Público não pode excluir da ação penal pessoas contra quem existam indícios de participação no crime.

Ação penal pública incondicionada

A ação penal pública incondicionada constitui a regra no sistema jurídico brasileiro. Nela, a vítima não tem nenhuma participação e, uma vez ocorrido o crime, o Estado pode imediatamente exercer o direito de ação. É exercida pelo Ministério Público e independente de provocação de outrem. Segundo a Constituição Federal, é função institucional do Ministério Público promover, privativamente, a ação penal pública (art. 129, I, da CF). Inicia-se a ação penal pública por meio de uma *denúncia*, isto é, uma petição ao juiz contendo a exposição do fato criminoso, com as suas circunstâncias, a qualificação do acusado, a classificação do crime e o rol de testemunhas (art. 41 do CPP).

Ação penal pública condicionada

A ação penal pública condicionada é exercida também pelo Ministério Público, por meio de denúncia, mas depende, como o nome indica, de uma condição, chamada *condição de procedibilidade*, que pode ser *representação* do ofendido ou de seu representante legal ou, em certos casos, de *requisição do Ministério da Justiça*.

A requisição do Ministério da Justiça consiste em uma correspondência do Ministro da Justiça ao Ministério Público solicitando a ação penal, sendo cabível no caso do art. 7º, § 3º, do Código Penal (crime cometido por estrangeiro contra brasileiro fora do Brasil) e no do art. 145, parágrafo único, do Código Penal (crime contra a honra praticado contra Presidente da República ou contra chefe de governo estrangeiro). Embora o nome seja *requisição*, que é sinônimo de ordem, esse documento não vincula o Ministério Público, o qual pode deixar de promover a ação penal se entender que não há crime ou que não há prova da materialidade ou indícios suficientes de autoria.

A representação é manifestação de vontade da vítima ou de seu representante legal para que o Estado tome providências criminais contra o autor do crime. Independe de forma especial e é irretratável após a denúncia (art. 102 do CP). A representação pode ser feita por requerimento, ou por manifestação oral, tomada por termo, perante a autoridade policial, o representante do Ministério Público ou o juiz.

Um crime será de ação pública condicionada apenas quando houver expressa exigência da condição.

Por exemplo, crime de ameaça (CP, art. 147):

Art. 147 – Ameaçar alguém, por palavra, escrito ou gesto, ou qualquer outro meio simbólico, de causar-lhe mal injusto e grave:
Pena – detenção, de 1 a 6 meses, ou multa.
Parágrafo único – Somente se procede mediante representação.
(grifo nosso)

Conforme já foi dito, a representação e a requisição do Ministro da Justiça são condições de procedibilidade. A ausência da condição, quando exigida pela lei, impede o Ministério Público de propor uma ação penal, ainda que se trate de crime de ação pública.

Ação penal privada

Ação penal privada exclusiva

A ação privada exclusiva é a que só pode ser movida pelo próprio ofendido ou seu representante legal (art. 100, § 2º, do CP), o qual é chamado de "querelante" (ao passo que o réu é "querelado"). O direito de punir continua sendo do Estado, mas cabe ao ofendido intentar a ação como *substituto processual*[1], uma vez que há um predomínio do interesse particular, como nos crimes contra a honra, por exemplo. Após a condenação, a execução da pena compete ao Estado, titular do *jus puniendi*.

Por ser excepcional, a ação penal privada estará sempre prevista no respectivo tipo penal, por meio da expressão "somente se procede mediante queixa", ou equivalente, tal como ocorre, por exemplo, no crime de fraude à execução (art. 179 do CP, parágrafo único).

A ação penal inicia-se, portanto, não por meio de denúncia, mas por meio de queixa, que é uma petição ao juiz, com os mesmos requisitos da denúncia, só que assinada pelo advogado do querelante e não pelo promotor de justiça. Não se trata, portanto, de queixa sem sentido comum, mas de queixa no sentido técnico, de petição inicial da ação penal, equivalente à denúncia da ação pública.

"No caso de morte do ofendido ou de ter sido declarado ausente por decisão judicial, o direito de oferecer queixa ou de prosseguir na ação passa ao cônjuge, ascendente, descendente ou irmão" (art. 100, § 4º, do CP).

Ao contrário da ação penal pública, a ação penal privada exclusiva rege-se pelos princípios da *oportunidade*, isto é, o ofendido pode optar por não promover a ação penal, e *disponibilidade*, já que pode desistir da ação já intentada ou do recurso interposto. Aplica-se à ação penal privada o princípio da *indivisibilidade*, de modo que a exclusão, pelo querelante, de um dos autores do crime implica a extinção da punibilidade dos demais.

---

1. *Substituição processual* é o instituto que permite a alguém postular direito alheio em nome próprio. No caso da ação privada, este postula o direito de punir, que é do Estado, em nome próprio, devendo o Estado promover a execução da pena em caso de condenação.

Ação privada personalíssima
Nada mais é do que uma espécie muito particular de ação privada exclusiva, pois só pode ser intentada pelo próprio interessado e não por algum dos sucessores previstos no art. 100, § 4º, do Código Penal, anteriormente transcrito. Atualmente, existe apenas no crime previsto no art. 236 (induzimento a erro essencial e ocultação de impedimento ao casamento) do Código Penal. De resto, rege-se totalmente como a ação privada exclusiva.

Ação penal privada subsidiária
Atenção especial merece a ação penal privada subsidiária, a qual é uma ação pública que se tornou privada em razão de inércia do Ministério Público. Nos termos do art. 100, § 3º, do CP, a ação privada subsidiária é a que pode ser intentada pelo particular, mediante queixa, se o Ministério Público não oferece denúncia no prazo legal. Embora a lei autorize a ação privada em caso de o Ministério Público não oferecer denúncia, a doutrina e a jurisprudência assentaram que só é possível ação privada subsidiária quando o Ministério Público for absolutamente inerte. Portanto, caso o Ministério Público, em vez de oferecer denúncia, realizar novas diligências investigatórias ou promover o arquivamento das investigações, não poderá o ofendido oferecer queixa subsidiária. Caso seja intentada a ação penal pública subsidiária, caberá ao Ministério Público aditar a queixa, repudiá-la e oferecer ação penal pública, por meio de denúncia substitutiva, intervir em todos os termos do processo, fornecer elementos de prova, interpor recurso e, ao todo tempo, no caso de negligência do querelante, retomar a ação como parte principal (CPP, art. 29). Sendo assim, esta ação rege-se pelos princípios da ação pública.

Distinções entre as espécies de ação penal, denúncia, queixa e representação

A ação penal pública incondicionada é promovida pelo Ministério Público, por meio de uma petição chamada "denúncia", sempre que o tipo penal não disser nada quanto à ação penal. A ação penal pública condicionada é promovida pelo Ministério Público apenas se houver representação ou requisição do Ministro da Justiça quando esta condição estiver exigida no crime respectivo.

A ação penal privada será promovida pelo próprio ofendido ou seu representante legal, por meio de uma petição denominada "queixa", subscrita por advogado e dirigida ao juiz, em duas situações:

a. quando a lei expressamente mencionar "somente se procede mediante queixa";
b. quando o Ministério Público ficar inerte e não tomar qualquer providência no prazo legal da ação penal pública.

É importante ter bem definida a distinção entre *queixa* e *representação*, pois se trata de institutos distintos. A queixa é a petição inicial da ação privada, exercida pela própria vítima para processar uma pessoa acusada de um crime. A representação é uma simples manifestação de vontade da vítima destinada a autorizar o Ministério Público a ajuizar a ação nos crimes de ação pública. Portanto, enquanto a representação é uma condição da ação pública, exigida em certos crimes (exemplo: ameaça), sem a qual o Ministério Público não pode agir, a queixa é a própria ação penal, porém promovida pela vítima do crime ou seu representante legal, por meio de advogado.

Ação penal	
Pública	• Incondicionada: independe de qualquer condição. • Condicionada à representação da vítima ou requisição do Ministro da Justiça (condições de procedibilidade) quando a lei exigir expressamente.
Privada	• Exclusiva: promovida pelo ofendido ou seu representante legal quando a lei estabelecer expressamente que se procede mediante queixa. • Personalíssima: promovida apenas pelo ofendido no caso do art. 236 do CP. • Subsidiária: promovida pelo ofendido, mediante queixa, quando o MP permanecer inerte.

Decadência do direito de queixa ou de representação

Decadência significa perda do direito em razão de não exercício. Como a ação penal é a única forma de exercer o *jus puniendi*, a decadência fulmina, indiretamente, o direito de punir.

A decadência pode incidir no direito de queixa e no direito de representação do ofendido, se este não o exerce no prazo previsto em lei. Salvo disposição expressa em contrário, o ofendido decai do direito de queixa ou de representação no prazo de 6 meses, contados do dia em que veio a saber quem é o autor do crime (art. 103, primeira parte, do CP).

Da mesma forma, salvo disposição expressa em contrário, o ofendido decai do direito de propor ação penal privada subsidiária se não o exerce em 6 meses contados do dia em que se esgota o prazo para o oferecimento da denúncia (art. 103, segunda parte, do CP), (art. 5º, LIX, da CF).

Ação penal nas infrações penais de menor potencial ofensivo

Nas ações penais abrangidas pelo Juizado Especial Criminal, a acordo homologado, sobre a indenização civil, acarreta a renúncia tácita ao direito de queixa ou representação, por parte do ofendido, se se tratar de ação penal privada ou de ação pública dependente de representação (Lei n. 9.099/95, art. 74, parágrafo único). Além disso, as infrações de menor potencial ofensivo admitem transação penal, isto é, o Ministério Público pode propor a aplicação imediata de pena não privativa de liberdade, deixando de ajuizar a ação penal (art. 76).

Acordo de não persecução

Acordo de não persecução é um negócio jurídico penal entre o autor do fato criminoso e o Ministério Público, permitindo a aplicação imediata de pena, sem o ajuizamento da ação penal. Nos termos do art. 28-A do Código de Processo Penal, não sendo caso de arquivamento e tendo o investigado confessado formal e circunstancialmente a prática de infração penal sem violência ou grave ameaça e com pena mínima inferior a 4 anos, o Ministério Público poderá propor o acordo, se este se mostrar necessário e suficiente para reprovação e prevenção do crime. Aceito o acordo, o autor do crime deverá submeter-se às condições ajustadas, como reparar o dano, renunciar os produtos e instrumentos do crime, prestar serviço à comunidade etc.

> **Retroatividade do acordo de não persecução**
>
> O acordo de não persecução penal foi inovação trazida pelo "Pacote Anticrime" (Lei n. 13.964/2019). Embora previsto no CPP, é indiscutível seu conteúdo material, já que está diretamente relacionado ao exercício da ação penal, prevista no art. 100 do Código Penal, relacionando-se, pois, ao exercício do *jus puniendi*. Assim, sendo uma norma híbrida ou mista, isto é, prevista na legislação processual mas relacionada a direito material, deve preponderar a retroatividade, uma vez que trata-se de lei penal benéfica, nos termos do art. 2º, parágrafo único, do CP, que atende, por sua vez, o direito fundamental insculpido no art. 5º, XL, da CF. É verdade que a operacionalização pelos órgãos do Estado será extremamente penosa, uma vez que a retroatividade alcança um volume imenso de processos, inclusive em sede de execução penal, o que, porém, não pode comprometer a observância da garantia constitucional. Segundo o STJ, o acordo de não persecução poderá retroagir apenas em relação aos processos que não tenham denúncia oferecida (HC 628647, 6ª Turma, Rel. Min. Laurita Vaz).

Ação penal em crime complexo

O crime complexo ocorre quando a lei considera como elementos ou circunstâncias do tipo legal fatos que, por si mesmos, constituem crime. São exemplos de crime complexo o roubo (art. 157), pois este é composto por furto (art. 155) e lesão (art. 129) ou ameaça (art. 147), assim como a extorsão mediante sequestro (art. 159), composta por extorsão (art. 158) e sequestro (art. 148).

Consoante o art. 101 do Código Penal, quando a lei considera como elemento ou circunstâncias do tipo legal fatos que, por si mesmos, constituem crimes, cabe ação pública em relação àquele, desde que, em relação a qualquer destes, se deva proceder por iniciativa do Ministério Público. Portanto, se um dos delitos componentes do crime complexo for de ação penal pública incondicionada e outro de ação pública condicionada ou até mesmo ação privada, ignora-se a representação ou a queixa, ficando o crime sujeito à ação penal pública. Tome-se o exemplo de um roubo praticado mediante grave ameaça. O crime de ameaça, isoladamente, é condicionado a representação (art. 147, parágrafo único do CP), mas o furto é de ação penal pública incondicionada (art. 155), de modo que fica dispensada a representação da vítima, nos termos do art. 101 do Código Penal, para ação penal por crime de roubo praticado mediante grave ameaça (furto + ameaça).

9.3 PUNIBILIDADE E SUA EXTINÇÃO

Formação e extinção da punibilidade

Punibilidade é uma relação jurídica entre o autor do crime e o Estado, formada a partir da prática de um crime, surgindo, assim, uma relação débito/crédito punitivo. Em outras palavras, praticado um crime, surge uma relação jurídica concreta entre o autor do delito e o Estado. Trata-se de uma relação punitiva, em que o indivíduo tem uma espécie de "dívida penal", enquanto o Estado, seu credor, tem uma espécie de "crédito punitivo". A essa relação se chama *punibilidade*, a que alguns atribuem a função de quarta categoria do delito.[2]

Não se trata, porém, de uma quarta categoria, pois, para haver crime, bastam três requisitos (tipicidade, ilicitude e culpabilidade). O Código Penal brasileiro expressamente acolhe a existência dessa relação jurídica ao prever, no art. 107, as causas de extinção da punibilidade. Afinal, como qualquer relação jurídica, a punibilidade também está sujeita à extinção. Assim, para ser punido, o autor de um fato típico, ilícito e culpável deve ser *punível*, isto é, estar em débito com o Estado no sentido de ser suscetível à punição. Por exemplo, alguém que já cumpriu sua pena, embora tenha praticado um crime, não tem mais punibilidade, pois já pagou sua "dívida". O mesmo acontece em caso de *abolitio criminis*, em que a descriminalização extingue o direito estatal de punir o autor de um fato típico, ilícito e culpável.

---

2. ROXIN chama atenção para a polêmica existente em torno de uma quarta categoria do delito, pois muitos desses elementos pertencem ao tipo, à ilicitude ou à culpabilidade, embora vá longe demais quem afirme a impossibilidade, por princípio, de existirem elementos neutros quanto ao injusto e à culpabilidade. Nesse sentido: ROXIN, Claus. *Derecho penal*: parte general. Tomo I. 2. ed. Madri: Civitas, 1999. p. 980-1.

Escusas absolutórias, perdão judicial e condições objetivas de punibilidade

Em regra, a aplicação de uma pena criminal só depende da existência de uma infração penal, isto é, um fato típico, ilícito e culpável. Em alguns casos, isso não é suficiente, pois existem crimes cuja punibilidade se submete a determinadas condições. Além das excludentes do crime, existem situações que, apesar de configurada a infração penal, isto é, verificada a tipicidade, ilicitude e culpabilidade, ocorre, por parte do Estado, uma renúncia ao *jus puniendi*, ou falta alguma condição para imposição de pena. Trata-se das escusas absolutórias, perdão judicial e condições objetivas de punibilidade.

Escusas absolutórias

Escusas absolutórias são situações em que o Estado, por razões humanitárias ou de política criminal, abre mão do *jus puniendi*, declarando a isenção de pena. Por exemplo, no crime de favorecimento pessoal (CP, art. 348), que consiste em auxiliar o criminoso a fugir ou ocultar-se, fica isento de pena quem presta o auxílio para ascendente, descendente, cônjuge ou irmão (§ 2º). Neste caso, embora haja um fato típico, ilícito e culpável, o Estado abre mão da punição, por razões humanitárias.

Perdão judicial

Perdão judicial é uma dispensa de pena feita pelo juiz, com base na lei, ao autor de um crime. Enquanto a escusa absolutória parte de um dado objetivo, que não pode ser ignorado, há situações em que a isenção de pena depende de uma verificação mais apurada do juiz, só podendo ser feita mediante uma sentença condenatória. É o que ocorre no perdão judicial, que exige que o juiz faça uma avaliação do caso concreto, pois as consequências da ação delituosa devem ter atingido o próprio agente, tornando desnecessária a aplicação da pena, como ocorre, por exemplo, no caso de homicídio culposo do próprio filho, situação que, em tese, autoriza o perdão judicial e a isenção de pena, nos termos do art. 121, § 5º, do Código Penal. O fundamento do perdão judicial é no sentido de que a pena, em certos casos, se torna desnecessária. Por isso, o perdão judicial é também chamado de "bagatela imprópria".[3]

Condições objetivas de punibilidade

Segundo WESSELS, as condições objetivas de punibilidade pertencem, na verdade, aos pressupostos materiais da punibilidade, sobre as quais não precisa se estender o dolo.[4] As condições objetivas de punibilidade, como o nome indica, são condições para que um fato típico, ilícito e culpável se torne punível, verificando-se em determinados crimes. A sentença declaratória de falência é condição para que um crime falimentar seja punido, por exemplo. Não se confundem com as condições de procedibilidade. Enquanto as condições objetivas de punibilidade condicionam o próprio direito de punir (*jus puniendi*), as condições de procedibilidade condicionam o direito de ação penal (*jus persequendi*).

Causas de extinção da punibilidade

Conforme já assentado, a relação jurídica denominada punibilidade pode, como qualquer outra, ser extinta. Extingue-se a punibilidade sempre que o Estado perde, por algum motivo, o direito de punir. São causas exteriores ao crime e também, em regra, posteriores a ele. Entre elas estão a morte do agente, a anistia, a prescrição e outros fatos indicados na lei, tanto na Parte Geral do Código Penal (art. 107), como na parte especial ou em leis especiais.

A extinção da punibilidade pode ocorrer de forma direta ou indireta:

a. *extinção da punibilidade direta*: quando o próprio direito de punir é atingido, como na morte do agente, no perdão judicial, na prescrição etc.;

---

3. Sobre bagatela imprópria, ver GOMES, Luiz Flávio. *Princípio da insignificância e outras excludentes da tipicidade*. São Paulo: RT, 2009.

4. WESSELS, Johannes. *Direito Penal:* parte geral (aspectos fundamentais). Tradução de Juarez Tavares. Porto Alegre: Sergio Antonio Fabris, 1976, p .37.

b. *extinção da punibilidade indireta:* quando é fulminado o direito de ação diretamente e o direito de punir indiretamente, como ocorre na decadência, na renúncia etc.

As causas de extinção da punibilidade extinguem os processos em andamento bem como as penas eventualmente aplicadas, inclusive em fase de execução.

O art. 108 trata da extinção da punibilidade em casos de crimes complexos e na conexão entre crimes. Com relação aos primeiros, não se extingue o crime complexo pela extinção da punibilidade em um dos delitos componentes. Por exemplo: o crime de roubo (art. 157) é composto pelo furto (art. 155) e pela grave ameaça (art. 147). Caso ocorra a extinção da punibilidade da ameaça, por alguma causa, não estará afetada, necessariamente, a punibilidade pelo crime de roubo.

Crimes conexos são aqueles praticados em situação de conexão, prevista no art. 76 do CPP, significando que dois ou mais crimes estão ligados entre si e devem ser julgados conjuntamente. Nesses casos, a extinção da punibilidade em um dos delitos não implica, necessariamente, extinção também em outro.

Morte do agente

Consoante o brocardo latino *mors omnia solvit*, a morte dissolve tudo, extinguindo também o direito de punir do Estado, já que, segundo o princípio da intranscendência, a pena não se transmite aos descendentes. Assim, o juiz, à vista da certidão de óbito, ouvido o Ministério Público, em qualquer fase do processo, inclusive na execução da pena, declarará extinta a punibilidade do autor do crime (art. 62 do CPP).

Caso a punibilidade seja extinta com base em certidão de óbito falsificada, entendemos inexistir trânsito em julgado da sentença extintiva, devendo ser declarada sem efeito a extinção. Não há extinção da punibilidade, no caso, pois o requisito para a extinção da punibilidade é a morte real e não a certidão de óbito. Seria absurdo permitir que o réu se beneficiasse da própria torpeza, usando um crime para ficar impune em outro, obtendo a chancela do próprio Estado, que é justamente o titular do direito de punir ofendido. Seria, grosso modo, como aceitar a quitação de uma dívida com dinheiro falso.

Anistia, graça, indulto

A anistia, a graça e o indulto são formas de perdão dadas pelo Estado, que renuncia ao direito de punir, por razões de política criminal. A palavra "graça", em sentido amplo, abrange a anistia, a graça em sentido escrito e o indulto.

A anistia exclui o crime, apagando a infração penal. É dada por lei, abrangendo fatos e não pessoas (art. 48, VIII, da CF). Pode vir antes ou depois da sentença. Rescinde a condenação, ainda que transitada em julgado. Afasta a reincidência. Pode ser geral, restrita, condicionada ou incondicionada. Pode ser recusada, se condicionada, uma vez que o réu pode não concordar com a condição. Aplica-se, em regra, a crimes políticos e não abrange os efeitos civis.

O indulto é um instituto coletivo, destinado a diversos apenados, que exclui apenas a punibilidade e não o crime. Pressupõe, em regra, condenação com trânsito em julgado. Compete ao Presidente da República (art. 84, XII, da CF), abrangendo grupo de sentenciados. Não afasta a reincidência.

A graça (em sentido estrito) é um benefício de extinção da punibilidade concedido a um único indivíduo, distinguindo-se do indulto, que é benefício coletivo (cf. art. 188 da LEP).

As formas de indulto, assim como da graça, são as seguintes:

a. pleno: extingue integralmente a pena;
b. parcial: extingue uma parte da pena ou substitui por pena mais branda (comutação);
c. incondicionado: é concedido sem qualquer condição a cumprir pelo indultado;
d. condicionado: é concedido indulto mediante o cumprimento de condições pelo apenado.

A graça e o indulto podem ser dados na forma de *comutação da pena*, que é a substituição de uma pena por outra mais leve.

Não cabe graça ou anistia em crimes de tortura, terrorismo, tráfico de entorpecentes e drogas afins, bem como nos crimes definidos como hediondos (art. 5º, XLIII, da CF). A Constituição Federal não excluiu a possibilidade de concessão de indulto. Entretanto, a Lei n. 8.072, de 25/7/1990, além de definir os crimes considerados hediondos e equiparados, no seu art. 2º, I, determinou que aqueles delitos são insuscetíveis de anistia, graça a indulto, com expressa vedação ao último benefício.

No Brasil, é comum a edição anual de um "decreto natalino" presidencial, concedendo indulto e comutação de penas.

Abolitio criminis

Abolitio criminis é a descriminalização, isto é, a edição de lei que deixa de considerar o fato como criminoso, destipificando a conduta. Nos termos do art. 2º do Código Penal, ninguém pode ser punido por fato que lei posterior deixa de considerar crime, cessando em virtude dela a execução e os efeitos penais da sentença condenatória, operando-se a extinção da punibilidade, nos termos do art. 107, III, do CP.

Perdão judicial

O perdão judicial é um benefício concedido pelo juiz, na sentença, nos casos expressamente previstos, como nos art. 121, § 5º, e 140, § 1º, I, do Código Penal. O perdão judicial exclui o efeito da reincidência (art. 120 do CP) e não pode ser recusado. É um favor dado pela lei, por razões humanitárias ou de política criminal, devendo ser concedido pelo juiz, sempre que preenchidos os requisitos legais. Funda-se na desnecessidade ou inutilidade da pena, sendo também conhecido como "bagatela imprópria".[5] Não se confunde o perdão judicial com o perdão do ofendido, que é ato bilateral, pois depende

---

5. GOMES, Luiz Flávio. *Princípio da insignificância e outras excludentes da tipicidade*. São Paulo: RT, 2009. p. 24.

de aceitação, cabível em qualquer crime de ação penal privada, independentemente de previsão legal específica.

A legislação de combate às organizações criminosas inclui o perdão judicial entre os benefícios que podem ser concedidos aos réus colaboradores nos casos de colaboração premiada. Com efeito, o juiz poderá, a requerimento das partes, conceder o perdão judicial ao acusado que tenha colaborado efetiva e voluntariamente com a investigação e com o processo criminal (art. 4º da Lei n. 12.850). Para receber o perdão judicial, o réu colaborador deverá levar a um dos seguintes resultados: identificação dos demais coautores e partícipes da organização criminosa e das infrações penais praticadas; a revelação da estrutura hierárquica e da divisão de tarefas da organização criminosa; a prevenção de infrações penais decorrentes das atividades da organização criminosa; a recuperação total ou parcial do produto ou do proveito das infrações penais praticadas pela organização criminosa; a localização de eventual vítima com a sua integridade física preservada. A concessão do benefício levará em conta a personalidade do colaborador, a natureza, as circunstâncias, a gravidade e a repercussão social do fato criminoso e a eficácia da colaboração.

Segundo o entendimento dominante, a sentença concessiva de perdão judicial é meramente declaratória, não tendo natureza condenatória nem absolutória, sem qualquer efeito, portanto, de natureza secundária, nos precisos termos da Súmula 18 do STJ: "A sentença concessiva do perdão judicial é declaratória da extinção da punibilidade, não subsistindo qualquer efeito condenatório".

Decadência

De modo geral, decadência é a perda de um direito em razão da inércia do titular. No Direito Penal, o instituto atinge os seguintes direitos:

a. direito de oferecer queixa: o ofendido que não exerce a ação penal privada, quando cabível, no prazo legal, acaba perdendo esse direito.
b. direito de oferecer representação: o ofendido que não oferece a representação no prazo legal acaba perdendo esse direito, o que impede

o Ministério Público de promover ação pública condicionada, por ausência da condição de procedibilidade.

Como se percebe, a decadência fulmina o *jus persequendi*, isto é, o direito de ação, mas acaba por gerar a perda do *jus puniendi*, uma vez que este só pode ser exercido por meio da ação penal.

Salvo disposição expressa em contrário, o prazo de decadência é de 6 meses, contados do dia em que o ofendido ou seu representante legal veio a saber quem é o autor do crime, ou, no caso de queixa subsidiária, do dia em que se esgota o prazo para o oferecimento da denúncia (art. 103 do CP).

Conta-se o dia do início do prazo (art. 10 do CP). O curso do prazo de decadência não se interrompe nem se suspende, por motivo algum. O inquérito policial, a interpelação judicial e o pedido de explicações não interrompem nem suspendem esse prazo.

Os direitos de queixa ou de representação podem ser exercidos pelo ofendido ou, se incapaz, seu representante legal. O Supremo Tribunal Federal consolidou o entendimento de que são independentes os direitos do incapaz e seu representante, conforme o teor da Súmula 594: "Os direitos de queixa e de representação podem ser exercidos, independentemente, pelo ofendido ou por seu representante legal". Portanto, se o ofendido for menor de 18 anos, o direito de queixa ou representação poderá ser exercido apenas pelo respectivo representante legal. Caso o representante não venha a ajuizar a ação penal no prazo que dispõe, poderá fazê-lo o próprio ofendido após completar a maioridade, pois, para ele, o prazo decadencial só tem início após este momento, e não a partir do dia em que tomou conhecimento da autoria.

No caso de ação penal subsidiária, se o Ministério Público apresenta denúncia após esgotado o prazo para o seu oferecimento, mas antes que seja ajuizada a queixa subsidiária, esta última não poderá ser oferecida, mesmo que o prazo de 6 meses do ofendido não tenha sido ultrapassado, ou seja, o oferecimento de denúncia exclui a possibilidade de ajuizamento da ação penal privada, ainda que o ofendido não tenha perdido o prazo para tanto. Além disso, mesmo após escoado o prazo de decadência de 6 meses, pode o

Ministério Público intentar ação, vez que se trata de ação pública, não atingida pela decadência.

Perempção

Perempção é a perda do direito de prosseguimento da ação penal, de caráter exclusivamente privado, por algum fato previsto na lei, geralmente por inércia do querelante. O art. 60 do Código de Processo Penal arrola vários casos de perempção, como deixar de promover o andamento do processo durante 30 dias seguidos, ou deixar de formular pedido de condenação nas alegações finais. É o resultado da inércia do querelante na ação penal privada. Todavia, em se tratando de ação privada subsidiária da pública, não há perempção, já que o Ministério Público passará a impulsionar a ação penal como parte principal, nos termos do CPP, art. 29.

Renúncia do direito de queixa

O direito de queixa pode ser renunciado antes de proposta a ação penal. A renúncia pode ser expressa, através de declaração assinada, ou tácita, pela prática de ato incompatível com a vontade de exercer o direito de queixa (arts. 104 do CP e 50 do CPP). Existe renúncia tácita, por exemplo, quando a vítima de um crime de injúria convida o ofensor para ser padrinho de casamento.

No âmbito do Juizado Especial Criminal, o acordo homologado, quanto aos danos civis, acarreta tacitamente a renúncia ao direito de queixa ou representação, nos termos do art. 74, parágrafo único, da Lei n. 9.099/95.

A renúncia ao exercício do direito de queixa em relação a um dos autores do crime a todos se estenderá (art. 49 do CPP).

Embora a renúncia fosse um instituto originalmente aplicável apenas à queixa, a partir da Lei n. 9.099 (art. 74) passou a ser aplicada também à representação.

Perdão do querelante

Perdão é a manifestação espontânea e inequívoca do querelante perdoando o querelado em um crime de ação privada exclusiva ou personalíssima.

O art. 105 do Código Penal menciona que o perdão "obsta o prosseguimento da ação penal", o que indica que se trata de medida levada a efeito após o ajuizamento da ação. Assim, caso ocorra antes, estará configurado não o perdão, mas a renúncia ao direito de queixa.

Nos termos do art. 106 do Código Penal, o perdão pode ser expresso ou tácito. Perdão tácito é a prática de ato incompatível com a vontade de prosseguir na ação (§ 1º), como saírem juntos, querelante e querelado, para uma confraternização.

É um ato bilateral e só terá validade se for aceito pelo querelado. Se recusado, não produz efeito de extinção da punibilidade (art. 106, III). A aceitação do perdão pode ser expressa ou tácita. O silêncio importa em aceitação (art. 58 do CPP).

Se forem dois ou mais querelados, o perdão concedido a um deles a todos aproveita (art. 106, I), em face do princípio da indivisibilidade da ação penal (art. 51 do CPP), não produzindo efeito, todavia, em relação ao que o recusou.

Havendo dois ou mais ofendidos, e concedido por apenas um deles, não prejudica o direito dos outros (CP, art. 106, II).

O perdão pode ser dado até o trânsito em julgamento da sentença condenatória (art. 106, § 2º, do CP).

Retratação do agente

Retratação do agente é a manifestação expressa do autor do crime no sentido inverso à manifestação ofensiva, extinguindo a punibilidade em crimes relacionados ao uso da palavra, em casos legalmente previstos. Segundo o art. 107, VI, a punibilidade se extingue pela retratação do agente, nos casos em que a lei a admite.

A retratação cabe nos seguintes casos: na calúnia ou difamação (art. 143 do CP), no falso testemunho ou falsa perícia (art. 342, § 3º, do CP). Deve ser clara e incondicional. Não depende da aceitação do ofendido. Além disso, deve ser reduzida a termo nos autos.

Nos crimes contra a honra, a retratação não se comunica aos coautores e partícipes, isto é, beneficia apenas o autor da retratação. Nos crimes de falso testemunho ou falsa perícia, a extinção da punibilidade se estende aos coautores e partícipes, pois, como dispõe o art. 342, § 3º, do Código Penal, "o fato deixa de ser punível".

Pagamento de débito tributário

O pagamento de débitos tributários e contribuições sociais extingue a punibilidade nos crimes dos arts. 168-A (§ 2º) e 337-A (§ 1º) do Código Penal, bem como dos arts.1º e 2º da Lei n. 8.137/90, que define crimes contra a ordem tributária, conforme dispõe a Lei n. 10.684, de 30/5/2003, art. 9º, bem como arts. 68 e 69 da Lei n. 11.941, de 2009.

A Lei n. 10.684/2003 estabelece também que o parcelamento desses débitos suspende a pretensão punitiva.

9.4 PRESCRIÇÃO

Noções gerais

A prescrição é a extinção da punibilidade em razão da inércia do Estado, isto é, do não exercício do direito de punir por longo período de tempo, de acordo com prazos definidos em lei. Em outros termos, o Estado perderá o direito de punir se não exercer esse direito no prazo devido, o que pode acontecer antes ou depois da condenação criminal, isto é, na execução da pena. Portanto, a prescrição poderá impedir o exercício da ação penal, a condenação ou até mesmo o cumprimento da pena aplicada, se esta não for executada oportunamente. Se a pena não é imposta ou executada dentro de determinado prazo, cessa o interesse público pela punição, passando a prevalecer o interesse pelo esquecimento e pela pacificação social.

Aplica-se tanto aos crimes de ação pública quanto aos crimes de ação privada, pois o que prescreve é o próprio *jus puniendi* e não o *jus persequendi*, tratando-se, pois, de extinção da punibilidade direta. Não se confunde, portanto, com a decadência. Enquanto esta é a perda do direito pelo ofendido que fica inerte, a prescrição é a perda do direito pelo próprio Estado, em razão da inércia estatal.

De acordo com a legislação penal brasileira, trata-se de um instituto de caráter material, uma vez que pertence ao Direito Penal e não ao Direito Processual Penal, já que afeta o direito de punir.

A prescrição é matéria de ordem pública, devendo ser decretada de ofício ou a requerimento de interessado, podendo impedir o oferecimento da ação penal, a extinção do processo em curso ou até mesmo a imediata extinção da pena aplicada.

Segundo o Código Penal, as penas mais leves prescrevem com as mais graves (art. 118). Portanto, se houver prescrição da pena de prisão, que é mais grave, prescreverá a multa cumulativa, que é menos grave. No caso de concurso de crimes, a extinção da punibilidade incidirá sobre a pena de cada um, isoladamente (art. 119), de modo que poderá um dos crimes estar prescrito e o outro não.

A Constituição Federal de 1988 estabeleceu que são imprescritíveis os crimes de racismo (art. 5º, XLII, da CF e Lei n. 7.716, de 05/01/1989), bem como os praticados pela ação de grupos armados, civis ou militares, contra a ordem constitucional e o Estado Democrático (art. 5º, XLIV, da CF). Tais crimes, portanto, não estão sujeitos a essa forma de extinção de punibilidade.

Teorias da prescrição

Para justificar a prescrição, existem diversas teorias que se complementam. As principais teorias são as seguintes:

a. *teoria do esquecimento:* com o passar do tempo, a sociedade se esquece do crime;
b. *teoria da expiação moral:* a expectativa da punição por longo período gera aflição suficiente no autor do crime;
c. *teoria da emenda do delinquente:* o transcurso do tempo faz o criminoso mudar seu comportamento, tornando a pena desnecessária;
d. *teoria psicológica:* semelhante à anterior, considera que o passar do tempo faz o criminoso alterar sua forma de pensar, tornando-se pessoa diversa da que cometeu o crime e a pena desnecessária;
e. *teoria da dispersão das provas:* o transcurso do tempo faz desaparecerem as provas e torna inviável a persecução penal.

Prescrição pela pena em abstrato e prescrição pela pena em concreto

O prazo prescricional de um crime é sempre regulado pelo tempo de pena, podendo haver prescrição com base na pena em abstrato e prescrição com base na pena em concreto:

a. prescrição em abstrato: essa forma de prescrição leva em conta a pena abstratamente cominada, devendo ser utilizada enquanto não houver pena aplicada na sentença com trânsito em julgado para a acusação;

b. *prescrição em concreto:* leva em conta a pena fixada na sentença e é utilizada sempre que a condenação transitar em julgado para a acusação, pois nesse caso a pena não poderá mais ser aumentada, limitando também o prazo de prescrição.

Tabela de prazos

O Código Penal, nos arts. 109 e 110, trata dos prazos da prescrição. O art. 109 estabelece uma "tabela prescricional", prevendo um prazo para cada pena, de tal modo que, quanto maior é a pena, maior é o prazo. Essa tabela é utilizada tanto na prescrição em concreto quanto na prescrição em abstrato. Com base no art. 109, basta verificar o prazo de prescrição que corresponde à pena em cada tipo de prescrição. Uma vez que esteja verificado o prazo prescricional, a punibilidade é automaticamente extinta.

A tabela prescricional é a seguinte, nos termos do art. 109:

Pena	Prazo prescricional
12 anos ou mais	20 anos
Até 12 anos	16 anos
Até 8 anos	12 anos
Até 4 anos	8 anos
De 1 até 2 anos	4 anos
Inferior a 1 ano	3 anos

Exemplos:

1. se um homicídio, cuja pena é de 20 anos, é praticado hoje, o Estado terá o prazo de 20 anos para ingressar com a ação, sob pena de perder o direito de punir com base na pena em abstrato (prescrição em abstrato);
2. se um réu é condenado a 3 anos de reclusão, com sentença transitada em julgado, o Estado tem 8 anos para executar a sentença, sob pena de prescrição com base na pena em concreto.

O prazo prescricional é reduzido pela metade se o réu, ao tempo do crime, tinha menos de 21 anos de idade, ou se, na data da sentença, tiver mais de 70 anos de idade (art. 115 do CP).

Por outro lado, depois de transitada em julgado a sentença condenatória, o prazo de prescrição é aumentado de 1/3, se o condenado é reincidente (art. 110, última parte, do CP).

A reincidência, nesse caso, deve ser declarada na própria sentença, sob pena de não poder ser considerada para o aumento do prazo de prescrição. Também não pode ser considerado para esse efeito o crime posterior.

Na pena de multa, sendo a única cominada, aplicada ou a cumprir, o prazo da prescrição é de 2 anos (art. 114 do CP). As penas restritivas de direitos prescrevem nos mesmos prazos que os previstos para as penas privativas de liberdade (art. 109, parágrafo único, do CP).

No caso de evasão do condenado ou de revogação do livramento condicional, a prescrição é regulada pelo tempo que resta de pena, nos termos do art. 113 do Código Penal. Assim, caso um condenado à pena de 9 anos fuja quando faltam 2 anos e 8 meses a cumprir, a prescrição não ocorrerá em 16 anos, mas em 8 anos, de acordo com o art. 109, já que a pena restante é superior a 2 e não excede a 4 anos.

Início da contagem da prescrição (termo inicial)

O início da prescrição é o marco fundamental para definir a extinção da punibilidade, pois marca o início da contagem do prazo prescricional previsto no art. 109. Há vários momentos previstos em lei que podem dar início à contagem do prazo prescricional. Conforme os arts. 111 e 112 do Código Penal, o início da prescrição poderá se dar em um dos seguintes marcos:

a. no dia em que o crime se consuma começa a fluir o prazo prescricional, devendo ser contado esse dia como o primeiro do prazo;
b. no caso de tentativa, do dia em que cessou a atividade criminosa, devendo ser considerado, portanto, o último ato de execução;
c. nos crimes permanentes, do dia em que cessou a permanência;
d. nos de bigamia e nos de falsificação ou alteração de assentamento do registro civil, da data em que o fato se tornou conhecido;
e. nos crimes contra a dignidade sexual de crianças e adolescentes, previstos neste Código ou em legislação especial, da data em que a vítima completar 18 anos, salvo se a esse tempo já houver sido proposta a ação penal;
f. no dia em que transita em julgado a sentença condenatória, para a acusação, pois a partir desse dia a pena não poderá mais ser aumentada, diante da proibição de *reformatio in pejus*;[6]
g. no dia em que é revogada a suspensão condicional da pena;
h. no dia em que é revogado o livramento condicional, devendo ser considerado que, nesse caso, o tempo de prescrição é computado sobre a pena restante e não sobre o total;
i. no dia em que se interrompe a execução, salvo quando o tempo da interrupção deva computar-se na pena. A interrupção da prescrição ocorre com a fuga do apenado, sendo o dia da evasão o marco inicial da prescrição, que será regulada pelo tempo que resta a ser executado e não pelo total da pena, diante do princípio *pena cumprida é pena extinta*.

---

6. *Reformatio in pejus* é a reforma para pior, ou seja, uma situação em que o réu é prejudicado pelo próprio recurso, o que não é admitido em nosso ordenamento jurídico. Assim, se apenas o acusado recorre, não pode o Tribunal aumentar a sua pena, pois isso configuraria *reformatio in pejus*. Diante disso, quando uma condenação transita em julgado para a acusação, mesmo que o acusado ainda esteja recorrendo, a pena não pode mais ser aumentada, devendo ser utilizada para o cálculo da prescrição.

Iniciada a contagem, se for atingido o prazo previsto no art. 109 sem interrupção ou suspensão, o fato estará prescrito, operando-se a prescrição extintiva da punibilidade.

Interrupção da prescrição

Interrupção é um novo marco inicial que zera a contagem e faz com que a prescrição retorne ao início do prazo a partir do novo marco. As causas que levam à interrupção da prescrição estão previstas no art. 117 do Código Penal. A cada interrupção, "o cronômetro zera" e o prazo da prescrição reinicia, desprezando-se o prazo anterior, com exceção da interrupção provocada pelo início ou continuação do cumprimento da pena. Assim, se um prazo de 8 anos é interrompido após 5 anos, ele recomeça a contar por mais 8 anos, desprezando-se os 5 já transcorridos.

Em caso de fuga do condenado da prisão ou revogação do livramento condicional, aplica-se o princípio de que pena cumprida é pena extinta. Assim, o prazo deve ser recalculado, nos termos do art. 109, de acordo com o tempo restante de pena (arts. 113, 117, V, e 117, § 2º, do CP). Por exemplo, se um condenado a 8 anos de prisão cumpre 5 anos e foge, ao ser recapturado, a prescrição não será sobre 8 anos, mas sobre 3, que é o tempo restante. O mesmo ocorre no caso de revogação de livramento condicional, em que o apenado deve cumprir a pena faltante, que é a base para a prescrição.

Os casos de interrupção do prazo prescricional estão elencados no art. 117 do Código Penal e são taxativos, a saber:

a. *Recebimento da denúncia ou da queixa:* o dia em que o juiz lança a decisão de recebimento da peça inicial da ação penal marca a interrupção e o reinício da contagem do prazo prescricional, desprezando-se o período transcorrido até esse momento.

b. *Pronúncia:* é uma decisão processual, exclusiva dos processos por crime doloso contra a vida (homicídio, participação em suicídio, infanticídio e aborto), na qual o Poder Judiciário admite a acusação e determina o julgamento do acusado pelo júri. Ainda que no júri se decida que o processo deveria ter sido perante um juiz singular, desclassificando-se o delito, a pronúncia exarada manterá o efeito de interrupção, nos termos da Súmula 191 do STJ.

c. *Decisão confirmatória da pronúncia:* é o acórdão do tribunal que, julgando recurso contra a pronúncia, confirma a decisão pronunciatória do réu e o encaminha a julgamento pelo júri.

d. *Sentença condenatória recorrível:* trata-se da condenação do réu em primeiro grau de jurisdição, iniciando o prazo prescricional da data da publicação da sentença, não de sua prolação. Note que só constitui causa interruptiva a sentença condenatória válida, pois o entendimento consolidado e de que a sentença condenatória anulada pelo Tribunal não interrompe a prescrição. Além disso, em caso de embargos de declaração[7], a publicação da sentença não mais interrompe a prescrição, pois esta foi substituída pela decisão dos embargos declaratórios modificativos, sendo este considerado uma nova sentença.[8]

e. *Acórdão condenatório:* também constitui causa interruptiva a condenação proferida pelo acórdão, contando-se da data da publicação, pouco importando tratar-se de acórdão confirmatório ou não da sentença de primeiro grau; vale dizer, ainda que tenha havido condenação em primeiro grau e o acórdão limite-se a confirmar o édito condenatório, terá ele eficácia interruptiva, consoante entendimento do Supremo Tribunal Federal.[9]

f. *Início ou continuação do cumprimento da pena:* após a condenação transitada em julgado, surge a prescrição da pretensão executória, a qual é interrompida no dia da emissão da guia de recolhimento para cumprimento de pena, ou, em caso de fuga, no dia em que reingressa em razão de captura. Nesse caso, em vez de se considerar o tempo total da pena, o prazo prescricional corresponde ao tempo restante.

---

7. Embargos declaratórios são uma medida processual utilizada como recurso para o próprio juiz da sentença, a fim de corrigir omissões, obscuridades e contradições, como por exemplo, quando o juiz diz que aplica uma majorante e erra o cálculo, aplicando menos do que mencionou aplicar. Nesse caso, haverá modificação do julgado, pois a pena ficará maior, ocorrendo os chamados *embargos modificativos.*
8. STJ, HC 573.147, Rel. Min. Antonio Saldanha Palheiro, DJ 17/04/2020.
9. STF, HC 176.473, Tribunal Pleno, Rel. Min. Alexandre de Moraes, julgado em 27/04/2020.

Por exemplo: João foi condenado a 6 anos de reclusão, iniciando o prazo da prescrição executória a partir do trânsito em julgado para ambas as partes. O prazo da prescrição é de 12 anos. João inicia o cumprimento da pena e, depois de 4 anos, empreende fuga. Quando for recapturado, iniciará a contar a prescrição pelo prazo de 4 anos, já que é esse o tempo que resta de pena a cumprir.

g. *Reincidência*: a prática de novo crime após uma condenação definitiva gera reincidência, interrompendo a prescrição relativa ao crime anterior. Embora a existência de crime posterior dependa de sentença condenatória, a interrupção é na data do crime que gerou a reincidência, e não da sentença condenatória respectiva.

h. *Interrupção em caso de multa:* na pena de multa, interrompe a prescrição executória o despacho do juiz, mandando citar o réu para pagar a multa (art. 8º, § 2º, da Lei n. 6.830/80).

Suspensão da prescrição
Conceito e distinção
Durante a suspensão a prescrição não flui, e, quando retoma a contagem, esta começa de onde parou, e não do início. Assim, se um prazo de 8 anos é suspenso após 5 anos, com a retomada da contagem, a prescrição ocorrerá em 3 anos. Não se confunde, portanto, com interrupção, que é um marco que faz o prazo voltar ao início da contagem.

Suspensão no Código Penal
O Código Penal trata as causas de suspensão como "causas impeditivas da prescrição", as quais estão previstas no art. 116. Também o CPP prevê a suspensão da suspensão no caso.

Fica suspensa a prescrição nos seguintes casos:

a. *Antes de transitar em julgado a sentença final*, a prescrição não corre enquanto não resolvida, em outro processo, questão de que dependa o reconhecimento da existência do crime (inc. I), e também enquanto o agente cumpre pena no exterior (inc. II). Também não corre o prazo, suspendendo-se a prescrição, na pendência de embargos de declaração ou de recursos aos Tribunais Superiores, quando inadmissíveis (inc. III), bem como enquanto não cumprido ou não rescindido o acordo de não persecução penal (inc. IV).[10]

b. *Depois de passada em julgado a sentença condenatória*, a prescrição não corre durante o tempo em que o condenado está preso por outro motivo (art. 116, parágrafo único, do CP).

Suspensão no Código de Processo Penal

O Código de Processo Penal prevê, também, causas de suspensão. Na citação por edital suspendem-se o processo e o curso do prazo prescricional se o acusado não comparecer, nem construir advogado (art. 366 do CPP). Na citação por rogatória, suspende-se também o curso da prescrição, até o seu cumprimento (art. 368 do CPP).

A jurisprudência entende que o período da suspensão da prescrição é regulado pelo máximo da pena cominada, sendo esse o teor da Súmula 415 do STJ, chancelada pelo STF.[11] Isso significa que a prescrição ficará suspensa apenas pelo tempo da prescrição em abstrato. Após esse prazo, retoma-se a contagem. Suponha-se, por exemplo, que um réu, acusado de furto simples (CP, art. 155), não localizado, seja citado por edital, aplicando-se o art. 366 do CPP, que suspende o processo e a prescrição. O prazo da prescrição em abstrato para o furto simples é de 8 anos, pois a pena máxima é 4. Portanto, a prescrição ficará suspensa por 8 anos, devendo voltar a correr, pelo período restante, após esse prazo.

---

10. Incisos III e IV foram inseridos pela Lei n. 13.964, de 2019 (Pacote Anticrime).

11. RE 600.851, Relator Ministro Edson Fachin, julgado em 07/12/2020, com o seguinte teor: "Em caso de inatividade processual decorrente da citação por edital, ressalvados os crimes previstos na Constituição Federal como imprescritíveis, é constitucional limitar o período de suspensão do prazo prescricional ao tempo da prescrição da pena máxima em abstrato cominada ao crime, a despeito de o processo permanecer suspenso".

Suspensão em caso de multa

O prazo prescricional da pena de multa fica suspenso durante a suspensão do processo de execução, nos moldes da Lei n. 9.268/96, que mandou aplicar à multa o rito das execuções fiscais (art. 40 da Lei n. 6.830/80).

Prescrição da pretensão punitiva

A prescrição da pretensão punitiva atinge o direito do Estado de obter uma sentença condenatória, verificando-se antes do trânsito em julgado da condenação, portanto. Essa prescrição pode ocorrer:

a. antes do ajuizamento da ação penal;
b. após a ação penal, isto é, durante a tramitação do processo (prescrição intercorrente);
c. após a sentença, enquanto não forem esgotados os recursos e transitar em julgado a condenação (prescrição superveniente);
d. antes da sentença mas com base na pena desta, se transitar em julgado para a acusação e o prazo puder ser contado entre os marcos interruptivos (prescrição retroativa).

Exemplo:

A praticou um crime de roubo, cuja pena máxima é de 10 anos, em 14 de julho de 2016. O Ministério Público deve oferecer denúncia e o juiz deve recebê-la até 13 de julho de 2032, de acordo com o art. 109, II. Se não o fizer, o juiz irá declarar extinta a punibilidade pela prescrição da pretensão punitiva.

Se a denúncia for recebida em 10 de novembro de 2020, este passa a ser o novo marco de contagem e a prescrição só ocorrerá em 9 de novembro de 2036.

Caso haja sentença e a pena fixada seja de 4 anos de reclusão, não havendo recurso do Ministério Público, o prazo prescricional passa para 8 anos (CP, art. 109, IV). Esse prazo passa a viger tanto para a prescrição superveniente quanto para a prescrição retroativa, além da prescrição da pretensão executória, que será estudada adiante.

Prescrição da pretensão punitiva propriamente dita

A prescrição da pretensão punitiva propriamente dita corre da consumação do crime até o recebimento da denúncia ou da queixa, ou a partir deste momento até a sentença (prescrição intercorrente). Na tentativa, o prazo começa a correr do dia em que cessou a atividade criminosa; nos crimes permanentes, do dia em que cessou a permanência; na bigamia e na falsificação ou alteração de assentamento de registro civil, da data em que o fato se tornou conhecido (art. 111 do CP).

Ocorrendo a prescrição da pretensão punitiva propriamente dita, fica impedida a propositura da ação penal, bem como seu prosseguimento, se já proposta (prescrição intercorrente).

A sentença, ao reconhecer esta prescrição, não pode conhecer dos fatos, devendo limitar-se simplesmente a decretar a extinção da punibilidade, vez que, no caso, fica vedado o exame do mérito.

O prazo dessa prescrição regula-se pela pena em abstrato, ou seja, pelo máximo da pena privativa de liberdade cominada ao crime, de acordo com a "tabela" do art. 109 do Código Penal.

Assim, por exemplo, o crime prescreve em 20 anos se o máximo da pena é superior a 12 anos (art. 109, I), ou em 2 anos, se o máximo da pena é inferior a 1 ano (art. 109, VI).

O dia do começo inclui-se no cômputo do prazo. Contam-se os dias, os meses e os anos pelo calendário comum (art. 10 do CP).

Prescrição intercorrente

Como o nome indica, a prescrição intercorrente ocorre no curso do processo, após o oferecimento da denúncia ou da queixa. Verifica-se entre dois marcos interruptivos.

Com a consumação do crime, tem início a fluência do prazo prescricional, que é interrompido com a denúncia, iniciando-se nova contagem. A partir daí, poderá ocorrer a prescrição se não houver sentença condenatória, desde que seja atingido o prazo do art. 109 sem nova interrupção, que ocorre com a pronúncia e sua confirmação, ou com a sentença condenatória e sua confirmação.[12]

Prescrição superveniente

Prescrição superveniente ou subsequente é a que começa a correr após a interrupção operada pela sentença penal condenatória (art. 117, IV, do CP). Vai da sentença até o dia do trânsito em julgado definitivo.

Trata-se de uma forma especial de prescrição da pretensão punitiva, uma vez que o prazo deve ser contado pela pena efetivamente imposta (pena em concreto) e não pelo máximo da pena aplicável (art. 110, § 1º, do CP). Para a verificação da prescrição superveniente, é necessário que a sentença tenha transitado em julgado para a acusação, mas não para a defesa (por não ter havido recurso da acusação, ou por ter sido este improvido, ou, ainda, por se evidenciar que o prazo prescricional não aumentaria, mesmo com o eventual êxito do recurso da acusação).

A prescrição superveniente, sendo uma modalidade da prescrição da pretensão punitiva, apaga a pena e todos e quaisquer efeitos, principais ou secundários, da sentença condenatória.

Prescrição retroativa

Conforme o nome indica, a prescrição retroativa ocorre sempre que, diante da pena fixada na sentença e transitada em julgado para a acusação, tiver transcorrido o prazo do art. 109 entre o recebimento da denúncia e a próxima causa de interrupção. Em outras palavras, o prazo da prescrição retroativa conta-se também pela pena efetivamente imposta (pena em concreto), porém, para trás. Todavia, jamais pode haver prescrição retroativa antes da denúncia ou da queixa (art. 110, § 1º). Consoante entendimento

---

12. Nesse sentido o julgado do Tribunal Regional Federal da 4ª Região: Penal. Prescrição intercorrente. Extinção da punibilidade. 1. Ocorre a prescrição da pretensão punitiva do Estado, na modalidade intercorrente, se entre a prolação do édito condenatório e o presente julgamento houve o transcurso do prazo aplicável à espécie segundo o que dispõe o inciso V do artigo 109 do Código Penal. 2. Uma vez declarada extinta a punibilidade pela prescrição da pretensão punitiva, não há interesse jurídico da parte em recorrer para a obtenção da absolvição, tendo em vista que a extinção do processo, neste caso, não deixa qualquer resíduo ou efeito penal negativo. Apelação criminal ACR 417320054047103 RS 0000041-73.2005.404.7103 (TRF-4), 19/01/2012.

do STF, a Lei n. 12.234/2010, ao dar nova redação ao art. 110, § 1º, do Código Penal, não aboliu a prescrição retroativa, fundada na pena aplicada na sentença. Apenas vedou, quanto aos crimes praticados na sua vigência, seu reconhecimento entre a data do fato e a do recebimento da denúncia ou da queixa.[13]

Verificada a ocorrência da prescrição pela pena em concreto em algum desses módulos temporais, dá-se a prescrição retroativa.

A prescrição retroativa, por ser também uma modalidade da prescrição da pretensão punitiva, apaga a pena e todos e quaisquer efeitos da sentença condenatória, sejam principais ou secundários. Não há pena (efeito principal), nem inscrição no rol dos culpados, nem fixação do pressuposto da reincidência, nem eventual pagamento de custas (efeitos secundários).

Prescrição virtual ou antecipada

Prescrição virtual ocorre quando o juiz conclui que, diante da pena que seria aplicada ao crime, a punibilidade estaria extinta. Portanto, não há condenação, mas uma estimativa de pena, a qual estaria prescrita, o que leva ao reconhecimento antecipado da prescrição. Esse entendimento não tem prevalecido nos tribunais, existindo inclusive a Súmula 438 do Superior Tribunal de Justiça, que expressamente rechaça a prescrição antecipada, *in verbis*: "É inadmissível a extinção da punibilidade pela prescrição da pretensão punitiva com fundamento em pena hipotética, independentemente da existência ou sorte do processo penal".

Não obstante o entendimento do STJ, entendemos que a prescrição em perspectiva, embora não possa extinguir a punibilidade, fulmina o direito de ação do estado, por falta do interesse de agir, que constitui, segundo a teoria geral do processo, uma das condições da ação.

---

13. HC 122.694, Rel. Min. Dias Toffoli, P, julgado em 10/12/2014, DJE 32 19/02/2015.

Prescrição da pretensão executória

A prescrição da pretensão executória, ou prescrição da pena, atinge o direito do Estado de executar a condenação, sempre que, depois de transitar em jugado a sentença penal condenatória, o Estado demorar demasiadamente para promover a execução criminal, o que ocorre, por exemplo, quando o criminoso está foragido e não é encontrado. Verifica-se após o efetivo trânsito em julgado da sentença condenatória para ambas as partes, regulando-se pela pena concreta aplicada na sentença (art. 110, *caput*, do CP). Esta prescrição tem como consequência apenas a extinção da pena, permanecendo íntegros os efeitos secundários da sentença condenatória, como a inscrição no rol dos culpados, a fixação do pressuposto da reincidência e o eventual pagamento de custas.

A prescrição da pretensão executória surge somente após o trânsito em julgado da condenação *para ambas as partes*. Todavia, o marco inicial é o dia em que transitou em julgado a sentença condenatória *para a acusação*, ou a que revogou a suspensão condicional da pena ou o livramento condicional (art. 112, I, do CP).

Esta prescrição também se verifica quando o condenado foge, interrompendo a execução da pena, começando a partir da fuga a contagem do prazo prescricional que, neste caso, regula-se pelo tempo que resta de pena a cumprir (CP, art. 113), de acordo com a tabela do art. 109.

Exemplos:

1. A foi condenado a 8 anos de reclusão. A sentença transitou em julgado para a acusação em 09/12/2018. A partir desse dia, o Estado terá até o dia 08/12/2030 (art. 109, III) para dar início à execução da condenação. Se não o fizer, o juiz irá declarar extinta a punibilidade pela prescrição da pretensão executória.
2. B, condenado a 16 anos, fugiu em 09/12/2018, quando faltavam 4 anos a cumprir. O Estado deverá recapturá-lo até 08/12/2026, isto é, em 8 anos, sob pena de prescrição. Se não o fizer, o juiz irá declarar extinta a punibilidade pela prescrição da pretensão executória.

Não tem aplicabilidade a Súmula 604 do STF, segundo a qual a prescrição pela pena em concreto é somente da pretensão executória da pena privativa de liberdade, já que também são calculadas com base na pena concreta a prescrição retroativa e superveniente, embora se trate de prescrição da pretensão punitiva.

Prescrição	Forma	Início	Interrupção	Suspensão
PRETENSÃO PUNITIVA (antes do trânsito em julgado para ambas as partes)	• Pena em abstrato. • Pena em concreto (trânsito em julgado para a acusação).	• Consumação do crime, último ato de execução ou cessação da permanência. • Do dia em que a vítima do crime contra a dignidade sexual completa 18 anos. • Do dia em que a bigamia ou a falsificação de assentamento no registro civil se torna conhecida.	• Recebimento da denúncia ou queixa. • Pronúncia e acórdão confirmatório da pronúncia. • Publicação da sentença ou acórdão condenatório recorrível. • Reincidência.	• Questão prejudicial sobre a existência do crime. • Enquanto o agente cumpre pena no exterior. • Na pendência de embargos declaratórios nos tribunais superiores. • Enquanto não cumprido ou não rescindido o acordo de não persecução penal. • No caso de réu citado por edital (CPP, art. 366).
PRETENSÃO EXECUTÓRIA (após o trânsito em julgado de ambas as partes)	• Pena em concreto.	• Dia do trânsito em julgado para a acusação ou da revogação do livramento condicional. • Dia da interrupção da execução, salvo quando se deva computar na pena.	• Início ou continuação do cumprimento da pena.	• Durante o tempo em que o condenado está preso por outro motivo.

Prescrição das medidas de segurança

Nos termos do art. 96, parágrafo único, do Código Penal, extinta a punibilidade, não se impõe medida de segurança, nem subsiste a que tenha sido imposta. Portanto, prescrita a pena prevista para o crime, não é possível impor medida de segurança.

Deve-se distinguir, nesse caso, a prescrição antes e após a sentença.

Antes da sentença, a prescrição regula-se pela pena em abstrato, de acordo com os prazos do art. 109. Extinta a punibilidade antes da sentença, não se aplica a medida de segurança, ainda que haja perícia indicando a inimputabilidade e a periculosidade do agente.

Na análise da prescrição posterior à sentença, deve-se distinguir a inimputabilidade da semi-imputabilidade.

No caso de inimputabilidade, não há pena aplicada na sentença, uma vez que ocorre absolvição do acusado, com aplicação direta de medida de segurança (absolvição imprópria). Nesse caso, a prescrição será regida pela pena em abstrato.

Tratando-se, porém, de semi-imputabilidade, a sentença é condenatória, devendo a pena ser reduzida, podendo o juiz realizar a substituição por medida de segurança. A prescrição, nesse caso, é regulada pela pena aplicada na sentença, desde que transitada em julgado para a acusação (pena em concreto).

Prescrição da pena de multa

Se a pena de multa é a única cominada ou foi aplicada em substituição (art. 60, § 2º), opera-se a prescrição em dois anos (art. 114, II, do CP).

Se a pena de multa for prevista juntamente com a pena privativa de liberdade, cumulativa ou alternativamente, o prazo de prescrição da multa será idêntico ao prazo de prescrição da pena corporal (art. 114, II, do CP).

Todavia, se o condenado cumpriu a pena privativa de liberdade, mas não a pena pecuniária, o prazo de prescrição da multa inicia-se no término do cumprimento de pena privativa de liberdade, uma vez que durante o cumprimento da pena não corre prescrição.

Por outro lado, se o condenado fugir durante o cumprimento da pena privativa de liberdade e não for recapturado, opera-se a prescrição da multa juntamente da pena privativa de liberdade. Porque, neste caso, a prescrição é regulada pelo tempo que resta da pena (art.113 do CP) e porque as penas mais leves prescrevem com as mais graves (art. 118 do CP).

O prazo da prescrição da pena de multa é interrompido pelo despacho do juiz que determina a citação para pagamento (Lei n. 6.830/1980, art. 8º,

§ 2º) e fica suspenso enquanto estiver suspenso o processo de execução (*idem*, art. 40).

Prescrição no concurso de crimes

No concurso material de delitos (art. 69 do CP), a prescrição ocorre isoladamente, em relação a cada crime, como se concurso não houvesse, pois, conforme dispõe o Código Penal, no caso de concurso de crimes, a extinção da punibilidade incidirá sobre a pena de cada um, isoladamente (art. 119).

No concurso formal (art. 70 do CP), a prescrição da pretensão punitiva propriamente dita também se opera em relação a cada crime isoladamente, como se concurso não houvesse (art. 119 do CP), tendo-se por base a pena máxima cominada (pena em abstrato).

Após a sentença, a prescrição superveniente, a retroativa e a executória terão por base a pena imposta (pena em concreto), desprezando-se, porém, para efeitos de prescrição, o acréscimo de pena, característico do concurso formal (o acréscimo de 1/6 até a metade, previsto no art. 70 do CP). Incide na espécie, por analogia, a Súmula 497 do CP: "*Quando se tratar de crime continuado, a prescrição regula-se pela pena imposta na sentença, não se computando o acréscimo decorrente da continuação*".

No crime continuado (art. 71 do CP), a prescrição da pretensão punitiva propriamente dita também se opera pelo máximo da pena de cada crime, isoladamente, como se concurso não houvesse (art. 119 do CP). E, do mesmo modo como ocorre no concurso formal, uma vez dada a sentença, a prescrição superveniente, a retroativa e a executória terão por base a pena imposta, desprezando o acréscimo pela continuação, nos termos da citada Súmula 497.

Crime falimentar e prescrição

De acordo com a atual Lei de Falências (Lei n. 11.101/2005), a prescrição deve ser regulada pelo Código Penal, começando a correr do dia da decretação da falência, da concessão da recuperação judicial ou da homologação do plano de recuperação extrajudicial, sendo que a decretação da falência do devedor interrompe a prescrição cuja contagem tenha iniciado com a concessão da recuperação judicial ou com a homologação do plano de recuperação extrajudicial.

Com efeito, perdeu aplicabilidade a Súmula 147 do STF, que foi editada sob a égide da lei revogada.

Detração e prescrição

Consoante o art. 42 do Código Penal, computam-se, na pena privativa de liberdade e na medida de segurança, o tempo de prisão provisória, no Brasil ou no estrangeiro, o de prisão administrativa e o de internação em quaisquer dos estabelecimentos referidos no artigo anterior.

Conforme entendimento do Supremo Tribunal Federal, o período em que o indivíduo esteve preso preventivamente não pode ser utilizado para fins de definição do prazo prescricional.[14] Assim, conforme a Suprema Corte, a *detração* apenas deve ser considerada para efeito da *prescrição* da pretensão executória, não se estendendo aos cálculos relativos à *prescrição* da pretensão punitiva.[15] Ou seja, o tempo de prisão preventiva deve ser abatido da pena e, para fins de prescrição, só se aplica após o trânsito em julgado, em relação à prescrição da pretensão executória, não podendo ser computado para cálculo da prescrição da pretensão punitiva.

9.5 DISTINÇÃO ENTRE PRESCRIÇÃO, DECADÊNCIA E PEREMPÇÃO

A maioria dos nossos direitos é exercida sem interferência do Poder Judiciário, a quem só recorremos quando há uma violação a um desses direitos. O direito de propriedade, por exemplo, é exercido independentemente de tutela judicial, mas, caso haja uma violação, é possível pedir ao Poder Judiciário a reparação. Conforme consagrado na doutrina e na jurisprudência, "a cada direito corresponde uma ação que o assegura".[16] Isso significa que há dois

---

14. RHC 164273 AgR, Rel. Min. Edson Fachin, Segunda Turma, 01/08/2019.
15. HC 100001, Rel. Min. Marco Aurélio, Primeira Turma, 18/06/2010.
16. Nesse sentido: STJ, RE 735.149-SP, Rel. Min. Vasco Della Giustina, Desembargador convocado do TJ/RS.

direitos distintos: o direito propriamente dito e o direito de pedir a sua tutela, isto é, o direito de ação.

O Estado também tem direitos perante os cidadãos, podendo exercê-los independentemente do Poder Judiciário. Assim ocorre com os tributos e outras medidas administrativas que o Estado exerce sem precisar pedir ao Poder Judiciário, embora seja possível usar do direito de ação para tutela. Existe um direito, porém, que só pode ser exercido por meio de ação judicial: o direito de punir. Com efeito, praticado um crime, a única forma de o Estado exercer o direito de punir e aplicar a pena é mediante uma ação penal perante o Poder Judiciário.

Nisso reside a principal diferença entre prescrição, decadência e perempção. Enquanto a prescrição extingue diretamente o direito de punir, a decadência e a perempção extinguem o direito de ação e, por consequência, o próprio direito de punir é indiretamente extinto, já que o único meio de exercê-lo é através do direito de ação, que não existe.

A prescrição ocorre quando o Estado fica inerte e não oferece denúncia em crime de ação pública ou não executa a pena, extinguindo-se o próprio direito de punir. A decadência ocorre quando o ofendido fica inerte e não exerce o direito de ação privada no prazo legal ou quando deixa, nos casos de ação pública condicionada, de oferecer representação. Veja-se que representação e queixa são institutos distintos, sujeitos ao mesmo prazo decadencial, que é de 6 meses a contar da ciência quanto à autoria do crime. A perempção, por sua vez, ocorre quando o ofendido deixa de impulsionar a ação penal privada já interposta.

Instituto	O que se extingue	Extinção direta ou indireta da punibilidade
Prescrição	Extingue o direito de punir.	Extinção direta do *jus puniendi*.
Decadência	Extingue o direito de ação.	Extinção indireta do *jus puniendi*.
Perempção	Extingue o direito de prosseguir na ação intentada.	Extinção indireta do *jus puniendi*.

RESUMO

Jus puniendi
Direito de punir do Estado.

- abstrato: antes de qualquer crime, em relação a todas as pessoas;
- concreto: a partir do crime em relação ao criminoso.

Ação penal
É o direito de pedir ao Poder Judiciário o reconhecimento do direito de punir e a imposição de uma pena. É a forma pela qual o Estado exerce o direito de punir.

Espécies de ação penal
- Ação penal pública: exercida pelo Ministério Público. Divide-se em incondicionada ou condicionada.
- Ação penal privada: exercida pelo próprio ofendido, seu representante legal ou sucessor. Divide-se em privada exclusiva, personalíssima e subsidiária da pública.

Ação penal é sempre pública incondicionada nos crimes praticados contra a União, Estados, DF ou Municípios.

Denúncia e queixa
- Denúncia é a petição inicial da ação pública, subscrita pelo Ministério Público;
- queixa é a petição inicial da ação privada, subscrita pelo procurador do ofendido, mediante procuração com poderes especiais.

Condições de procedibilidade
- Representação do ofendido: não exige forma definida, bastando manifestação inequívoca da vítima, nos crimes em que é exigida (exemplo: art. 147);

- requisição do Ministro da Justiça.

Decadência do direito de queixa ou de representação

O ofendido perde o direito de queixa ou representação se não o exerce no prazo de 6 meses contados do conhecimento da autoria. Não corre o prazo para menores de 18 anos. A decadência extingue a punibilidade (extinção indireta).

Infrações de menor potencial ofensivo

Nas infrações com pena máxima de até 2 anos caberá acordo de composição civil e transação penal.

Acordo de não persecução

Nos crimes com pena mínima não superior a 4 anos caberá acordo de não persecução penal, previsto no art. 28-A do CPP.

Ação penal em crime complexo

A ação penal no crime complexo é pública se um dos crimes for de ação pública.

Causas de extinção da punibilidade ou extinção do *jus puniendi*

- Morte do agente;
- anistia, graça, indulto;
- *abolitio criminis*;
- perdão judicial;
- decadência;
- perempção;
- renúncia do direito de queixa: ocorre antes de iniciada a ação privada;
- perdão do querelante: ocorre após iniciada a ação privada;
- retratação do agente;
- pagamento de débito tributário;
- prescrição.

Conceito de prescrição
Enquanto decadência é a inércia do ofendido, a prescrição é a extinção da punibilidade em razão da inércia do Estado.

Imprescritibilidade
São imprescritíveis os crimes de racismo (art. 5º, XLII, da CF e Lei n. 7.716, de 05/01/89), bem como os praticados pela ação de grupos armados, civis ou militares, contra a ordem constitucional e o Estado Democrático (art. 5º, XLIV, da CF).

Contagem do prazo
- Prescrição pela pena em abstrato e prescrição pela pena em concreto.
- Tabela prescricional: art. 109.
- Início da contagem: de acordo com os arts. 111 e 112.
- Interrupção: a prescrição volta ao início da contagem nas hipóteses do art. 117.
- Suspensão: a prescrição não corre e quando volta a correr é pelo período restante, nas hipóteses do art. 116. O período da suspensão é regulado pelo máximo da pena cominada (415 do STJ).

Prescrição da pretensão punitiva
Ocorre antes do trânsito em julgado da condenação, dividindo-se em:

- *Prescrição da pretensão punitiva propriamente dita:* da consumação do crime até o recebimento da denúncia ou queixa. Regula-se pela máxima pena cominada.
- *Prescrição intercorrente:* ocorre no curso do processo, com base na pena máxima abstratamente prevista.
- *Prescrição superveniente:* após a sentença condenatória até o trânsito em julgado. Regula-se pela pena aplicada se transitada em julgado para a acusação.
- *Prescrição retroativa:* ocorre entre os marcos interruptivos com base na pena aplicada na sentença, se houver trânsito em julgado para a acusação, jamais podendo ser anterior à denúncia ou à queixa.

- *Prescrição virtual ou antecipada:* vedada pela Súmula 438 do STJ.

Prescrição da pretensão executória

Ocorre após o trânsito em julgado para ambas as partes, embora possa começar a correr com o trânsito em julgado para a acusação, apenas.

Prescrição das medidas de segurança

Extinta a punibilidade, não se impõe medida de segurança, nem subsiste a que tenha sido imposta. Antes da sentença, a prescrição regula-se pela pena em abstrato.

Após a sentença:

- inimputabilidade: a prescrição regula-se pela pena em abstrato;
- semi-imputabilidade: a prescrição regula-se pela pena substituída.

Prescrição da pena de multa

Em dois anos quando isolada ou no mesmo prazo da pena privativa de liberdade.

Prescrição no concurso de crimes

Opera-se em relação a cada crime isoladamente.

JURISPRUDÊNCIA

Deputado federal. Crime contra a honra. Injúria (art. 140 CP). Representação do ofendido. Ofensa ao art. 44 do CPP. Inexistência. Imunidade parlamentar material não configurada. Ofensas recíprocas. Reprovabilidade da conduta do ofendido. Retorsão imediata. Perdão judicial. Extinção da punibilidade. 1. A representação do ofendido é ato que dispensa maiores formalidades, bastando a inequívoca manifestação de vontade da vítima, ou de quem tenha qualidade para representá-la, no sentido de ver apurados os fatos acoimados de criminosos (INQ 3438, de minha relatoria, Primeira Turma, DJe 10/2/2015). Preliminar de ofensa ao art. 44 do CPP rejeitada. 2.

A jurisprudência desta Suprema Corte é firme no sentido de que a inviolabilidade parlamentar material, especialmente com relação a declarações proferidas fora da Casa Legislativa, requer a existência de nexo de implicação entre as declarações e o exercício do mandato. Imunidade afastada no caso concreto. 3. Ofensor e ofendido, ao projetarem deliberadamente ofensas recíprocas – incitando um ao outro -, devem suportar as aleivosias em relação de vice e versa. Hipótese de perdão judicial, nos termos do artigo 140, § 1º, do CP. Extinção da punibilidade declarada com fundamento no artigo 109, IX, do CP. (STF, AP 926, Relator(a): Rosa Weber, Primeira Turma, julgado em 06/09/2016, Acórdão Eletrônico DJe-257 Divulg 01/12/2016 Public 02/12/2016)

Prescrição da pretensão punitiva, na modalidade retroativa, após o advento da Lei 12.234/2010 A Lei n. 12.234/2010, ao dar nova redação ao art. 110, § 1º, do Código Penal, não aboliu a prescrição da pretensão punitiva, na modalidade retroativa, fundada na pena aplicada na sentença. Apenas vedou, quanto aos crimes praticados na sua vigência, seu reconhecimento entre a data do fato e a do recebimento da denúncia ou da queixa. (...) Não se olvida que o art. 1º da Lei n. 12.234/2010 assim dispõe: "Esta Lei altera os arts. 109 e 110 do Decreto-lei n. 2.848, de 7 de dezembro de 1940 – Código Penal, para excluir a prescrição retroativa". Ocorre que, se o legislador pretendeu, no art. 1º da Lei n. 12.234/2010, abolir integralmente a prescrição retroativa, essa intenção não se converteu em realidade normativa, haja vista que seu art. 2º, ao dar nova redação ao art. 110, § 1º, do Código Penal, determinou que "a prescrição, depois da sentença condenatória com trânsito em julgado para a acusação ou depois de improvido seu recurso, regula-se pela pena aplicada, não podendo, em nenhuma hipótese, ter por termo inicial data anterior à da denúncia ou queixa". (...) O texto permite concluir, com segurança, que o legislador optou por conferir efeito *ex tunc* à prescrição da pretensão punitiva com base na pena concreta apenas a partir do recebimento da denúncia ou da queixa. Na sua liberdade de conformação, o legislador poderia ter suprimido integralmente a prescrição da pretensão punitiva, na modalidade retroativa, com base na pena em concreto, a fim de que essa regulasse apenas a prescrição da pretensão executória, o que, como visto, optou por não fazer. (STF, HC 122.694, Rel. Min. Dias Toffoli, P, julgado em 10/12/2014, DJE 32 19/2/2015.)

Habeas corpus. Alegada prescrição da pretensão punitiva. Inocorrência. Interrupção da prescrição pelo acórdão confirmatório de sentença condenatória. 1. A prescrição é o perecimento da pretensão punitiva ou da pretensão executória pela inércia do próprio Estado; prendendo-se à noção de perda do direito de punir por sua negligencia, ineficiência ou incompetência em determinado lapso de tempo. 2. O Código Penal não faz distinção entre acórdão condenatório inicial ou confirmatório da decisão para fins de interrupção da prescrição. O acórdão que confirma a sentença condenatória, justamente por revelar pleno exercício da jurisdição penal, é marco interruptivo do prazo prescricional, nos termos do art. 117, IV, do Código Penal. 3. *Habeas corpus* indeferido, com a seguinte TESE: Nos termos do inciso IV do artigo 117 do Código Penal, o Acórdão condenatório sempre interrompe a prescrição, inclusive quando confirmatório da sentença de 1º grau, seja mantendo, reduzindo ou aumentando a pena anteriormente imposta.
(HC 176473, Relator(a): Alexandre de Moraes, Tribunal Pleno, julgado em 27/04/2020, Processo Eletrônico DJe-224 Divulg 09/09/2020 Public 10/09/2020.)

SÚMULAS

Ação penal

Súmula 594 do STF
Os direitos de queixa e de representação podem ser exercidos, independentemente, pelo ofendido ou por seu representante legal.

Súmula 609 do STF
É pública incondicionada a ação penal por crime de sonegação fiscal.

Súmula 608 do STF
No crime de estupro, praticado mediante violência real, a ação penal é pública incondicionada.

Súmula 714 do STF
É concorrente a legitimidade do ofendido, mediante queixa, e do Ministério Público, condicionada à representação do ofendido, para a ação penal por crime contra a honra de servidor público em razão do exercício de suas funções.

Extinção da punibilidade
Súmula 146 do STF
A prescrição da ação penal regula-se pela pena concretizada na sentença, quando não há recurso da acusação.

Súmula 497 do STF
Quando se tratar de crime continuado, a prescrição regula-se pela pena imposta na sentença, não se computando o acréscimo decorrente da continuação.

Súmula 18 do STJ
A sentença concessiva do perdão judicial é declaratória da extinção da punibilidade, não subsistindo qualquer efeito condenatório.

Súmula 191 do STJ
A pronúncia é causa interruptiva da prescrição, ainda que o Tribunal do Júri venha a desclassificar o crime.

Súmula 220 do STJ
A reincidência não influi no prazo da prescrição da pretensão punitiva.

Súmula 415 do STJ
O período de suspensão do prazo prescricional é regulado pelo máximo da pena cominada.

Súmula 438 do STJ
É inadmissível a extinção da punibilidade pela prescrição da pretensão punitiva com fundamento em pena hipotética, independentemente da existência ou sorte do processo penal.

10

Classificação dos crimes

10.1 CRIMES DO DIREITO PENAL NUCLEAR E DO DIREITO PENAL SECUNDÁRIO

Os crimes em espécie encontram-se na Parte Especial do Código Penal e em leis especiais, também chamadas de "legislação extravagante". Enquanto a Parte Geral do Direito Penal trata do sistema penal como um todo, na Parte Especial se apresentam os tipos penais (homicídio, roubo, estupro etc.), que se destinam à proteção de bens jurídicos específicos. Na Parte Especial, portanto, o legislador tipifica o comportamento socialmente nocivo como a ofensa a um bem digno de proteção resumidamente designado como bem jurídico.[1] Assim ocorre com o Código Penal brasileiro, a exemplo do alemão, do espanhol e do português, que se divide em duas partes: geral e especial. A Parte Geral contém a chamada teoria das normas, do crime e da sanção penal, enquanto a Parte Especial contém os tipos penais.

Entretanto, conforme afirma GRECO,[2] verificam-se também, na Parte Especial, normas que não possuem natureza incriminadora, destinando-se ora a eliminar a própria infração penal – com a exclusão da tipicidade, da ilicitude ou da culpabilidade – ora a afastar tão somente a punibilidade do

---

1. ARZT, Gunther. *Introdução ao Direito Penal e ao Direito Processual Penal*. Belo Horizonte: Del Rey, 2007. p. 77.
2. GRECO, Rogério. *Curso de Direito Penal:* parte especial, volume II: introdução à teoria geral da parte especial: crimes contra a pessoa. 9. ed. Niterói: Impetus, 2012. p. 2-3.

agente; pode, ainda, traduzir conceitos que serão utilizados quando da interpretação dos tipos penais, como acontece quando a lei penal explicita o que vem a ser a casa para fins de identificação do delito de violação de domicílio (art. 150, § 4º, do CP), filiando-se, assim, esse autor à corrente que entende como fundamental o estudo de uma teoria geral da Parte Especial, que procurará ocupar a função de "ponte" entre as Partes Geral e Especial, preenchendo as lacunas existentes.

Este capítulo se dedica aos crimes em espécie, os quais são classificados, inicialmente, segundo a sua localização, sendo que os fatos penais "clássicos", como homicídio e furto, encontram-se no Código Penal, enquanto as leis especiais regulam outros crimes que, em muitos casos, não são menos importantes, como os crimes de drogas (Lei n. 11.343/2006) e os crimes ambientais (Lei n. 9.605/98), entre tantos outros.

ARZT[3] trata essa divisão entre crimes do Código Penal e crimes da legislação extravagante como *Direito Penal nuclear* e *Direito Penal secundário*, respectivamente, explicando que essa separação tem influência sobre a apreciação material dos tipos penais. No Direito Penal nuclear, lida-se com proibições descomplexas, cujo fundamento ético parece imediatamente evidente, como ocorre no homicídio, no roubo, no estupro e assim por diante. O Direito Penal secundário, por sua vez, sinaliza um contexto complexo com regulações legais especiais, como a posse de armas ou de drogas. Essa oposição entre Direito Penal nuclear e Direito Penal secundário pode ser apreendida na fórmula daquele, o qual proíbe comportamentos pelo fato de serem injustos em si mesmos (*mala in se:* proibidos porque são maus), ou no caso do comportamento proibido por este, em que a proibição é o que torna o comportamento injusto (*mala prohibita:* mau porque é proibido).[4]

---

3. ARZT, Gunther, op. cit., p. 97.
4. Idem, p. 98.

10.2 CLASSIFICAÇÃO, DIVISÃO OU DENOMINAÇÃO DAS ESPÉCIES DE CRIME

Quanto à hediondez

Crimes hediondos: a Constituição Federal dispõe que "a lei considerará crimes inafiançáveis insuscetíveis de graça ou anistia a prática de tortura, o tráfico ilícito de entorpecentes e drogas afins, o terrorismo e os definidos como crimes hediondos, por eles respondendo os executores, os mandantes e os que, podendo evitá-los, se omitem" (art. 5º, XLIII). No Brasil, foi adotado um critério legal. Assim, crime hediondo é todo aquele que se enquadra no rol do art. 1º da Lei n. 8.072/90.

Crimes equiparados a hediondos: os crimes considerados assemelhados a hediondos estão classificados no art. 5º, XLIII, da Constituição Federal e no art. 2º da Lei n. 8.072/90, que assim os classifica: "[...] a prática de tortura, o tráfico ilícito de entorpecentes e drogas afins e o terrorismo [...]". O tráfico ilícito de entorpecentes está regulado pela Lei n. 11.343, a tortura é prevista na Lei n. 9.455, e o terrorismo é previsto na Lei n. 13.260.

A crimes dessa natureza (hediondos e assemelhados) é vedada a concessão de anistia, graça e indulto. O prazo para progressão de regime aos crimes hediondos ou equiparados a hediondos é diferenciado: 2/5 ao réu primário e 3/5 ao reincidente, sendo 1/6 para os demais. A prisão temporária, prevista na Lei n. 7.960, também tem prazo diferenciado: 30 dias, prorrogáveis por igual período, em caso de extrema e comprovada necessidade. A pena aos crimes hediondos e assemelhados será cumprida inicialmente em regime fechado (art. 2º, § 1º).

Quanto ao potencial ofensivo

Infrações penais de menor potencial ofensivo: segundo o art. 61 da Lei n. 9.099, são todas as contravenções penais e os crimes para os quais a lei comine pena máxima não superior a 2 anos, cumulada ou não com multa, admitindo-se transação penal, composição civil e tramitação do processo perante os Juizados Especiais Criminais.

Infrações penais de médio potencial ofensivo: são todos os crimes cuja pena mínima cominada é igual ou inferior a um ano, admitindo-se suspensão condicional do processo, nos termos do art. 89 da Lei n. 9.099.

Infrações penais de grande potencial ofensivo: os demais crimes.

Quanto aos sujeitos do crime

Crime comum: é aquele que não exige nenhuma qualidade específica do sujeito ativo para sua prática. Diz-se *crime bicomum* aquele em que qualquer pessoa pode figurar tanto no polo passivo quanto no ativo. São exemplos os delitos de homicídio, de furto e de estupro.

Crime próprio: é aquele que exige determinada qualidade do sujeito ativo para sua prática. Admitem-se a autoria mediata, a coautoria e a participação nos crimes próprios. São exemplos o peculato, no qual se exige a qualidade de funcionário público (crime funcional), e o autoaborto, que só pode ser praticado pela própria gestante. Chama-se *bipróprio* o crime que exige qualidades especiais tanto do sujeito ativo quanto do passivo. Exemplo: infanticídio, em que o sujeito ativo é a mãe e o passivo, o próprio filho.

Crime de mão própria: é aquele que somente pode ser praticado pela própria pessoa, por si mesma, não se admitindo coautoria, apenas a participação, ressalvado o caso de perícia assinada por dois profissionais, caso em que a doutrina entende excepcionalmente cabível a coautoria. Também denominado de delito de conduta infungível. São exemplos o falso testemunho e a falsa perícia. O STF, excepcionalmente, entende que o advogado que orientou seu cliente a mentir em juízo é coautor do falso testemunho.

Crime vago: é aquele que possui como sujeito passivo imediato um ente sem personalidade jurídica, como a coletividade. Exemplo: ato obsceno.

Crime de dupla subjetividade passiva: é aquele que possui mais de um sujeito passivo imediato. Exemplo: aborto sem consentimento da gestante (art. 125 do CP), cujas vítimas são a gestante e o feto.

Quanto à necessidade de resultado naturalístico para sua consumação

Crimes materiais ou de resultado: são aqueles que só se consumam com o resultado naturalístico, como ocorre no roubo e no aborto. Mesmo na forma tentada, isto é, quando o resultado não se consuma por circunstâncias alheias à vontade do agente, tem-se um crime material, embora com resultado não alcançado, pois a classificação do crime tentado é a mesma do crime consumado.

Crimes de mera conduta: não apresentam resultado material, apenas normativo, consumando-se com a mera atuação do agente (crimes de pura ou simples atividade). Exemplo: porte ilegal de arma e violação de domicílio, assim como os crimes omissivos próprios em geral, como a omissão de socorro, em que a simples omissão consuma o crime, sem a necessidade de qualquer resultado.

Crime formais: apresentam resultado naturalístico, mas não há necessidade de sua realização para a consumação do crime, pois o Direito Penal antecipa a consumação do crime para antes mesmo da produção do resultado lesivo, a fim de melhor tutelar o bem jurídico. Esses crimes são também chamados de crimes incongruentes ou, segundo Assis Toledo[5], *delitos de intenção* ou *de tendência interna transcendente*, pois o agente busca um resultado que vai além da consumação.

Tais crimes são de dois tipos:

a. *Crimes de resultado cortado ou antecipado:* o crime se consuma antes do resultado pretendido, o qual depende da ação de terceira pessoa. Exemplo: na extorsão mediante sequestro, o crime se consuma com a privação da liberdade da vítima, antes que o agente obtenha o resultado pretendido, que é o pagamento do resgate. Note que o art. 159 é um crime contra o patrimônio, mas não se exige a lesão patrimonial para consumar o crime, bastando a extorsão praticada por meio da liberdade da vítima.

b. *Crimes mutilados de dois atos:* o resultado pretendido depende de um ato posterior, perpetrado pelo próprio agente, ou seja, o agente tem de praticar dois atos para atingir sua meta, mas a consumação ocorre já no primeiro ato. Exemplo: no crime do art. 289, o falsificador de dinheiro consuma o crime com a simples falsificação (ato inicial),

---

5. Ver TOLEDO, Assis. *Princípios básicos de Direito Penal.* 5. ed. São Paulo: Saraiva, 1994. p. 150-151.

mas só irá obter vantagem quando, posteriormente, colocar a moeda em circulação (segundo ato).

Quanto à necessidade de lesão ao bem jurídico para sua consumação

Crime de dano: é aquele em que se exige, para sua configuração, a efetiva ocorrência de lesão ou de dano ao bem jurídico protegido pela norma penal. São exemplos o crime de vilipêndio a cadáver, o próprio crime de dano e o infanticídio.

Crime de perigo: a consumação exige apenas que o bem seja exposto a perigo, sendo desnecessária a ocorrência de dano ao bem jurídico protegido para que o crime se consume. São exemplos os crimes de perigo de contágio venéreo, de omissão de socorro e de tráfico ilícito de entorpecentes.

Os crimes de perigo, por sua vez, classificam-se em:

a. *De perigo concreto*: nesta classe de crimes, o perigo deve ser comprovado e admite-se prova em contrário. Exemplo: incêndio, crime previsto no art. 250 do CP, em que deve haver prova de que houve perigo para pessoas indeterminadas, não se configurando, por exemplo, se foi incendiada uma casa em lugar isolado, caso em que haverá apenas crime de dano (art. 163).

b. *De perigo abstrato ou de perigo presumido*: é dispensada a prova do perigo, não se admitindo prova em contrário, bastando a prova da conduta. O risco é presumido, de forma absoluta, pela lei. É o caso do crime de associação criminosa e de posse irregular de munição de uso permitido (art. 12 da Lei n. 10.826/2003).[6] O STF assentou a constitucionalidade dos crimes de perigo abstrato considerando que se trata de *proteção eficiente do Estado*.[7] A mesma Corte também assentou que "o tipo penal de perigo abstrato visa a inibir a prática

---

6. STF, RHC 146081 AgR, Relator(a): Rosa Weber, Primeira Turma, julgado em 10/11/2017, Processo Eletrônico DJe-262 Divulg 17-11-2017 Public 20/11/2017.

7. HC 104410, Relator(a): Gilmar Mendes, Segunda Turma, julgado em 06/03/2012, Acórdão Eletrônico DJe-062 Divulg 26/03/2012 Public 27/03/2012.

de determinada conduta antes da ocorrência de eventual resultado lesivo, garantindo, assim, de modo mais eficaz, a proteção aos bens mais caros e valiosos ao ser humano, que são sua vida e sua integridade corporal".[8] Discute-se acerca da espécie de perigo existente na ação de *"conduzir veículo automotor com capacidade psicomotora alterada em razão da influência de álcool ou de outra substância psicoativa que determine dependência"* (art. 306 da Lei n. 9.503). Parte da doutrina argumenta tratar-se de nova classificação: "perigo abstrato de perigosidade real". Nesta espécie, deve-se demonstrar que a conduta é perigosa, embora não gere perigo para pessoa certa e determinada.

c. *Crime de perigo individual:* é o delito que causa perigo a uma pessoa ou a um grupo determinado de pessoas. Pode-se apontar como exemplo o delito de perigo de contágio de moléstia grave.

d. *Crime de perigo comum ou coletivo:* é aquele cujo perigo de dano atinge um número indeterminado de pessoas, como o crime de fabrico, fornecimento, aquisição, posse ou transporte de explosivos ou gás tóxico, ou asfixiante (art. 253 do CP) e o de incêndio (art. 250 do CP).

e. *Crime de perigo atual:* é aquele cujo perigo causado é contemporâneo à conduta do agente. O crime de desabamento ou desmoronamento do art. 256 do CP tende a ser de perigo atual, pois o desabamento de um prédio, no momento em que ocorre, já coloca em perigo a vida, a integridade física ou o patrimônio de outrem.

f. *Crime de perigo iminente:* é aquele cujo perigo está prestes a acontecer. O abandono de incapaz, do art. 133 do CP, na prática, pode se mostrar um crime de perigo iminente, já que, ainda que a pessoa sob cuidado não fique em perigo imediatamente, pode ficar depois de algum tempo sem cuidado.

g. *Crime de perigo futuro ou mediato*: é aquele que produz risco futuro. Os exemplos são a associação criminosa ou o porte de munição de uso permitido.

---

8. RHC 110258, Relator(a): Dias Toffoli, Primeira Turma, julgado em 08/05/2012, Processo Eletrônico DJe-101 Divulg 23/05/2012 Public 24/05/2012.

Quanto à forma da conduta

Crime comissivo: é aquele praticado por um comportamento positivo do agente, isto é, um fazer. É comissiva a maioria dos crimes previstos na lei penal, por exemplo, o roubo.

Crime omissivo: é aquele praticado por meio de um comportamento negativo, uma abstenção, um não fazer, dividindo-se em omissivo próprio ou puro e omissivo impróprio, impuro ou comissivo por omissão, ou, ainda, crime comissivo-omissivo. Omissivo puro é o crime cuja descrição típica é composta de elementos omissivos, como "deixar de fazer algo", sendo o art. 135 o exemplo clássico. Crimes comissivos impróprios são todos os crimes comissivos praticados por garantidores, ou seja, pessoas que tenham obrigação de impedir o resultado, de acordo com o art. 13, § 2º, do CP.

Crime de conduta mista: é aquele cujo tipo prevê uma ação, seguida de uma omissão, sendo que ambos os comportamentos são necessários para a sua configuração. O exemplo é o crime de apropriação de coisa achada, do art. 162, II, do CP.

Quanto ao tempo da consumação

Crime instantâneo: é aquele que se consuma imediatamente, em um instante definido. Exemplo: furto.

Crime permanente: é aquele cuja consumação se prolonga no tempo como ocorre no crime de sequestro, cuja consumação dura enquanto a vítima não é libertada.

Crime instantâneo de efeitos permanentes: é aquele que se consuma imediatamente, em um momento determinado, mas cujos efeitos se prolongam no tempo. São exemplos o homicídio e o crime de parcelamento ilegal de solo.[9]

---

9. STJ, RHC 65785/RJ, Rel. Min. Jorge Mussi, Quinta Turma, DJe 27/04/2018.

Crime a prazo: é aquele que depende de determinado prazo para sua consumação, como o de apropriação de coisa achada (art. 169, II, do CP) e o de lesão corporal de natureza grave com resultado de incapacidade para as ocupações habituais por mais de 30 dias (art. 129, § 1º, I, do CP).

Quanto à complexidade do tipo penal

Crime simples: é aquele formado por um único tipo penal, não resultando da reunião de outros tipos. Exemplos: infanticídio e furto.

Crime complexo: é aquele que protege mais de um bem jurídico, cujo tipo é resultante da junção ou fusão de outros tipos penais, como o roubo, que decorre do constrangimento ilegal, da ameaça ou do crime relativo à violência e do furto. Existe, ainda, o latrocínio, resultante da soma do furto e do homicídio. Por fim, um exemplo é a extorsão mediante sequestro, delito no qual se fundem os tipos penais da extorsão e do sequestro.

Quanto à dependência de outro crime para existir

Crime principal: é aquele que existe independentemente da ocorrência de outro delito. Exemplos: furto, homicídio e estupro.

Crime acessório: é aquele cuja ocorrência depende de um crime anterior. Exemplos: receptação, lavagem de capitais e favorecimento real.

Quanto à absorção

Crime-fim: é o crime posterior que absorve o anterior. Exemplo: o estelionato é o "crime-fim" da falsificação, nos termos da Súmula 17 do Superior Tribunal de Justiça, absorvendo a falsidade.

Crime-meio: é o crime que fica absorvido em um crime posterior. O crime-meio é considerado um "antefato impunível", pois é uma ação de passagem para o crime-fim. Exemplos: no exemplo anterior, o estelionato é o crime-meio; em um homicídio, os disparos de arma de fogo são crime-meio.

Crime-exaurido: é o crime que fica absorvido no crime anterior, sendo considerado um "pós-fato impunível". Exemplo: quem pratica o crime de moeda falsa não responde pela sua colocação em circulação, pois este ato é mero exaurimento da falsificação.

Crime progressivo: é aquele em que o agente, para atingir o seu objetivo, precisa praticar um crime menos grave, que é o caminho para a prática de outro. Exemplo: para poder matar, uma pessoa necessariamente precisa passar pelas lesões corporais. O crime progressivo não se confunde com a *progressão criminosa*, em que há modificação do elemento subjetivo do agente, que passa pela realização de dois ou mais tipos penais, ocorrendo a absorção pelo crime-fim. É o caso do sujeito que decide causar lesões em alguém e, durante as agressões, resolve matar. Nesse caso, o homicídio absorve o crime-meio, isto é, as lesões corporais. Na progressão criminosa, o crime anterior poderá ser absorvido se integrar o crime-fim.

Crime consunto: é o crime absorvido.

Crime consuntivo: é o crime que absorve.

Quanto à subsidiariedade

Crime subsidiário: é o "soldado de reserva", isto é, só se configura se não se configurar o crime mais grave. A subsidiariedade pode ser expressa, como ocorre no art. 132 (perigo para a vida ou a saúde de outrem), ou tácita, nos casos de crimes complexos, em que um crime menos grave (exemplo: ameaça, art. 147) faz parte de um crime mais grave (exemplo: roubo). Nesse caso, o tipo subsidiário só será aplicado se não se configurar o crime mais grave (principal).

Crime principal: é o crime mais grave em relação ao subsidiário. Exemplo: roubo em relação à ameaça.

Quanto ao número de atos exigidos para sua consumação

Crime unissubsistente: é aquele que se realiza com um único ato, sem fracionamento do *iter criminis*, motivo pelo qual não admite tentativa. Exemplo: omissão de socorro.

Crime plurissubsistente: é aquele cuja prática se realiza mediante mais de um ato, revelando *iter criminis* fracionável, por exemplo, o homicídio.

Quanto à necessidade de mais de um sujeito ativo

Crime unissubjetivo, monossubjetivo ou de concurso eventual: é aquele que pode ser praticado por apenas um indivíduo, como ocorre na imensa maioria dos tipos penais.

Crime plurissubjetivo ou de concurso necessário: é aquele cuja realização típica exige mais de um agente.

Classifica-se em:

a. crime plurissubjetivo de condutas convergentes: as condutas dos agentes devem seguir uma em direção à outra, completando-se (exemplo: racha);
b. crime plurissubjetivo de condutas paralelas: as condutas dos indivíduos devem atuar paralelamente, possibilitando a prática delitiva (exemplo: associação criminosa);
c. crime plurissubjetivo de condutas contrapostas: os agentes agem uns contra os outros (exemplo: rixa).

Crime associativo: espécie de crime plurissubjetivo de condutas paralelas, em que a lei pune a associação de indivíduos para praticar crimes, ainda que tais crimes não sejam efetivamente praticados.

Quanto à exigência de forma específica para sua prática

Crime de forma livre: é aquele que não prevê nenhuma forma específica de realização do núcleo do tipo, como os crimes de homicídio, furto e roubo.

Crime de forma vinculada: é aquele que tem forma ou formas de realização do núcleo do tipo especificamente previstas em lei. Exemplo: curandeirismo, em que o art. 284 prevê as formas de execução: *prescrevendo, ministrando ou aplicando, habitualmente, qualquer substância; usando gestos, palavras ou qualquer outro meio; fazendo diagnósticos.*

Quanto ao lugar

Crime a distância ou de espaço máximo: é a infração penal cujo *iter criminis* se desenvolve em mais de um país. Exemplo: um brasileiro, visitando a cidade de Rivera, no Uruguai, é gravemente ferido durante um assalto e busca socorro no hospital brasileiro de Santana do Livramento, onde acaba falecendo.

Crime plurilocal: é aquele que se desenvolve em mais de um lugar, mas dentro do mesmo país. Exemplo: uma pessoa é atingida por disparo de arma de fogo na cidade de Gramado e é conduzida de ambulância para um hospital em Porto Alegre, onde acaba falecendo.

Quanto aos vestígios

Crime de fato transeunte (delicta facti transeuntis): é aquele que não deixa vestígios, tornando desnecessária a realização do exame de corpo de delito. Exemplo: injúria verbal e ato obsceno.

Crime de fato permanente (delicta facti permanentis): é aquele que deixa vestígios, tornando necessária a realização do exame de corpo de delito. Exemplo: estupro e lesão corporal.

Quanto à condição objetiva de punibilidade

Crime condicionado: é aquele em que a lei prevê condição objetiva de punibilidade, como no caso dos crimes tributários do art. 1º da Lei n. 8.137/90 (dependem da constituição definitiva do crédito tributário) e dos crimes falimentares (dependem da sentença que decrete a falência, conceda a recuperação judicial ou homologue o plano de recuperação extrajudicial, conforme art. 180 da Lei n. 11.101). Em outras palavras, crimes condicionados são aqueles cuja punibilidade depende de uma condição imposta pelo legislador. Não se deve confundir condição de punibilidade do crime, relativa aos crimes condicionados, com as condições da ação penal (representação e requisição do Ministro da Justiça).

Crime incondicionado: é aquele que não possui condições objetivas de punibilidade para sua configuração e consumação. Exemplos: roubo, furto, descaminho.

Quanto ao número de bens jurídicos atingidos

Crime mono-ofensivo: é aquele que atinge apenas um bem jurídico, como furto, que ofende o patrimônio.

Crime pluriofensivo: é aquele que viola mais de um bem jurídico. Exemplo é o latrocínio, que atinge o patrimônio e a vida.

Quanto ao resultado perseguido

Crimes de intenção ou de tendência interna transcendente: são espécies de crime formal, em que a intenção do agente transcende a consumação, perseguindo um resultado posterior ao crime consumado. Dividem-se em *crimes de resultado cortado ou antecipado* e *crimes mutilados de dois atos*. Sobre o tema, veja a classificação dos crimes formais, já mencionada.

Crimes de tendência interna peculiar ou intensificada: são os crimes habituais e aqueles que exigem um elemento subjetivo especial do tipo ou um dolo específico, como os crimes contra a honra, em que se exige o *animus diffamandi vel injuriandi*, isto é, a intenção de ofender, além de mera vontade e representação de praticar o fato típico, que configuraria o dolo. Assim, o crime contra a honra não se configura se houver intenção de ofender (*animus caluniandi, diffamandi vel injuriandi*).

Outras classificações

Crimes de atentado ou de empreendimento: o legislador equipara a forma tentada à forma consumada do delito, não admitindo, consequentemente, tentativa. É o exemplo do art. 352 do CP ("Evadir-se ou *tentar evadir-se* o preso ou o indivíduo submetido à medida de segurança detentiva, usando de violência contra a pessoa").

Crime multitudinário: é aquele cometido por multidão.

Crime de opinião: é todo crime praticado com o abuso da liberdade de expressão ou de pensamento, como o caso da difamação.

Crime de ação múltipla, de conteúdo variado ou tipo misto alternativo: é o crime que possui mais de um núcleo do tipo, sendo que a prática de apenas um deles é suficiente para a sua consumação e a prática de mais de um deles, no mesmo contexto, configura crime único. Para que haja crime único, deve haver homogeneidade, isto é, semelhança entre as condutas previstas, que atingem o mesmo bem jurídico, ainda que repetidas. É o caso do art. 33, *caput*, da Lei n. 11.343/2006.

Crime de tipo misto cumulativo: é o crime que possui mais de um núcleo do tipo, sendo que a prática de mais de um deles configura mais de um crime. Nesse caso, não há homogeneidade entre as condutas, já que elas atingem bens jurídicos distintos. É o caso do art. 242 do CP.

Crime cumulativo ou delito de acumulação: o resultado lesivo é fruto de muitas ações isoladas, como nos crimes ambientais. Exemplo: se uma pessoa pesca um peixe proibido sem autorização legal, não lesa expressivamente o meio ambiente, mas a soma de várias pessoas poderá causar o dano. Por isso se pune a conduta isolada de quem pesca ilegalmente, nos termos do art. 34 da Lei n. 9.605.

Crime habitual: é o crime que exige reiteração de atos para sua consumação, sendo considerado um modo de vida. São exemplos o rufianismo e a casa de prostituição.

Crime profissional: é o crime habitual, realizado com intuito de lucro.

Crime mercenário: é o crime cometido com intuito de lucro. Exemplo: homicídio praticado mediante paga ou promessa de recompensa.

Crime de ímpeto: é qualquer crime cometido por impulso, sem premeditação. É o que ocorre no caso de homicídio cometido sob o domínio de violenta emoção, logo após injusta provocação da vítima.

Crime funcional: é o crime cometido pelo funcionário público. O crime funcional próprio (puro) ocorre quando a qualidade de funcionário público é essencial à realização do crime, tornando-se atípico se for praticado por um particular. Exemplo: prevaricação. No crime funcional impróprio (impuro), ausente a condição de funcionário público, subsiste a tipicidade, mas em outro tipo, operando-se a desclassificação. Exemplo: peculato, sem a condição funcional, desclassifica-se para furto ou apropriação indébita, conforme o caso. Nada impede que um particular atue no crime funcional como coautor ou partícipe, desde que conheça essa condição, já que se trata de elementar do tipo, sendo, pois, comunicável, na forma do art. 30 do CP.

Crime de ação violenta: é aquele praticado com emprego de força física ou com grave ameaça. Exemplo: estupro.

Crime de ação sutil: é praticado sem violência ou grave ameaça, como o furto.

Crime de ação astuciosa: é o crime praticado por meio de astúcia, de fraude ou engodo, como o estelionato.

Crime saliente, de participação negativa ou concurso absolutamente negativo: é a hipótese de participação impunível, pois decorre de mera conivência, em situações em que o sujeito toma conhecimento da prática delituosa, mas não adere a ela e não possui o dever de agir para impedir o resultado, como a mãe que visita o filho na prisão e toma conhecimento de que ele dará ordem de matar um desafeto.

Crime de ódio: do inglês *hate crime*, é aquele cometido por preconceito de raça, cor, religião, etnia, gênero, sexualidade etc. São exemplos desses crimes a injúria preconceituosa, que consiste em ofensa que utiliza elementos referentes a raça, cor, etnia, religião, origem ou condição de pessoa idosa ou portadora de deficiência (art. 140, § 3º), e os crimes de preconceito previstos na Lei n. 7.716/89. No julgamento da DO 26 e do MI 4733, o STF entendeu que houve omissão inconstitucional do Congresso Nacional por não editar lei que criminalize atos de homofobia e de transfobia, decidindo que esses crimes devem ficar sujeitos à Lei n. 7.716/89 até a edição de lei específica.

Crime de circulação: é o crime praticado na condução de veículo automotor.

Crime internacional ou mundial: é todo aquele regido pelo princípio da justiça universal, que o Brasil se obrigou a reprimir por meio de tratado ou convenção, como o tráfico internacional de entorpecentes e o tráfico internacional de pessoas para fins de exploração sexual, sujeitando-se à extraterritorialidade penal.

Crime remetido: é o delito cuja definição faz remissão ou referência a outro tipo penal ou norma, como o uso de documento falso. É também chamado norma penal em branco e se classifica em:

a. Heterogênea, heteróloga ou em sentido estrito: complemento advém de fonte legislativa de hierarquia diversa. Exemplo: art. 33 da Lei n. 11.343/2006 – Portaria n. 344 da ANVISA.
b. Homogênea, homóloga, em sentido amplo ou fragmentária: complemento advém da mesma fonte legislativa. Exemplo: art. 237 (conhecimento prévio de impedimento para casar), cujo complemento está no CC, art. 1.521.
c. Homovitelina: complemento da norma penal advém de outra norma penal. Exemplo: art. 312 (peculato), cujo complemento está no art. 327, que estabelece o conceito de "funcionário público".

d. Heterovitelina: complemento da norma penal está em outro ramo do direito. Exemplo: art. 237, cujo complemento está no art. 1.521 do CC; art. 172 (duplicata é instituto do direito comercial).
e. Norma penal em branco invertida: o preceito secundário é que necessita de complemento. Exemplo: art. 1º da Lei n. 2.889/56 (genocídio). Obs.: é também chamada de norma penal incompleta, imperfeita, secundariamente remetida.
f. Norma penal em branco e incompleta, duplamente remetida ou norma penal em branco intensificada: o preceito primário e o secundário reclamam complementação. Exemplo: art. 304 do CP (uso de documento falso).

10.3 ESTUDO DOS CRIMES EM ESPÉCIE

O estudo dos crimes em espécie abrange, em regra, os seguintes aspectos:

a. *sujeitos:* definição de quem pode ser o autor (sujeito ativo) e quem pode ser vítima (sujeito passivo);
b. *objetividade jurídica:* é o bem jurídico tutelado pela norma incriminadora, como a vida, o patrimônio, a liberdade etc.;
c. *objeto material:* é a coisa ou pessoa sobre a qual incide a conduta, por exemplo, no crime de roubo, objeto material é a coisa subtraída, nas lesões corporais é a pessoa ferida;
d. *tipo objetivo:* estudo dos verbos nucleares e demais elementos descritivos que compõem o tipo penal básico e qualificado;
e. *tipo subjetivo:* exame do dolo ou da culpa, bem como fim especial do agente, quando exigido para configuração do crime;
f. *consumação e tentativa:* exame da forma como o crime se consuma e de possibilidade de se configurar na modalidade tentada;
g. *outros aspectos:* caso necessário, estudam-se também as causas de aumento ou diminuição de pena, escusas absolutórias, condições objetivas de punibilidade etc.

RESUMO

Direito Penal nuclear e Direito Penal secundário

O Direito Penal nuclear trata de proibições descomplexas, cujo fundamento ético parece imediatamente evidente, como ocorre no homicídio, no roubo, no estupro e assim por diante. O Direito Penal secundário, por sua vez, sinaliza um contexto complexo com regulações legais especiais, como a posse de armas ou de drogas. Os crimes em espécie estão na Parte Especial do Código Penal e nas leis penais especiais, também chamadas de leis extravagantes.

Quanto à hediondez

- Crimes hediondos;
- crimes equiparados a hediondos.

Quanto ao potencial ofensivo

- Infrações penais de menor potencial ofensivo;
- infrações penais de médio potencial ofensivo;
- infrações penais de grande potencial ofensivo.

Quanto aos sujeitos do crime

- Crime comum;
- crime próprio;
- crime de mão própria;
- crime vago;
- crime de dupla subjetividade passiva.

Quanto à necessidade de resultado naturalístico para sua consumação

- Crimes materiais ou de resultado;
- crimes formais (de resultado cortado e mutilados de dois atos);
- crimes de mera conduta.

Quanto à necessidade de lesão ao bem jurídico para sua consumação
- Crime de dano;
- crime de perigo (crime de perigo concreto e crime de perigo abstrato):
  - de perigo individual;
  - de perigo comum ou coletivo.

Quanto à forma da conduta
- Crime comissivo;
- crime omissivo próprio;
- crime omissivo impróprio;
- crime de conduta mista.

Quanto ao tempo da consumação
- Crime instantâneo;
- crime permanente;
- crime instantâneo de efeitos permanentes;
- crime a prazo.

Quanto à complexidade do tipo penal
- Crime simples;
- crime complexo.

Quanto à dependência de outro crime para existir
- Crime principal;
- crime acessório.

Quanto à consunção ou absorção
- Crime progressivo (não se confunde com progressão criminosa);
- crime-fim;
- crime-meio;
- crime-exaurido;

- crime consunto;
- crime consuntivo.

Quanto ao número de atos exigidos para sua consumação
- Crime unissubsistente;
- crime plurissubsistente.

Quanto à necessidade de mais de um sujeito ativo
- Crime unissubjetivo, monossubjetivo ou de concurso eventual;
- crime plurissubjetivo ou de concurso necessário: crime plurissubjetivo de condutas convergentes, crime plurissubjetivo de condutas paralelas, criminosa, crime plurissubjetivo de condutas contrapostas: os agentes agem uns contra os outros (exemplo: rixa);
- crimes associativos.

Quanto à exigência de forma específica para sua prática
- Crime de forma livre;
- crime de forma vinculada.

Quanto ao lugar
- Crime a distância ou de espaço máximo;
- crime plurilocal.

Quanto aos vestígios
- Crime de fato transeunte (*delicta facti transeuntes*);
- crime de fato permanente (*delicta facti permanentis*).

Quanto à condição objetiva de punibilidade
- Crime condicionado;
- crime incondicionado.

Quanto ao número de bens jurídicos atingidos
- Crime mono-ofensivo;

- crime pluriofensivo.

Quanto ao resultado perseguido
- Crimes de intenção ou de tendência interna transcendente;
- crimes de tendência interna peculiar ou intensificada.

Outras classificações
- Crimes hediondos ou assemelhados;
- crimes de atentado ou de empreendimento;
- crime subsidiário;
- crime multitudinário;
- crime de opinião;
- crime de ação múltipla, de conteúdo variado ou tipo misto alternativo;
- crime de tipo misto cumulativo;
- crime habitual;
- crime profissional;
- crime mercenário;
- crime de ímpeto;
- crime funcional;
- crime de ação sutil;
- crime de ação astuciosa;
- crime saliente, de participação negativa ou concurso absolutamente negativo;
- crime de ódio;
- crime de circulação;
- crime internacional ou mundial;
- crime remetido (norma penal em branco):
    a. heterogênea, heteróloga ou em sentido estrito;
    b. homogênea, homóloga, em sentido amplo ou fragmentária;
    c. homovitelina: complemento da norma penal advém de outra norma penal;
    d. norma penal em branco heterovitelina;

e. branco invertida;

f. em branco e incompleta, duplamente remetida ou norma penal em branco intensificada.

JURISPRUDÊNCIA

Constitucionalidade do crime de perigo abstrato

A Lei n. 10.826/2003 (Estatuto do Desarmamento) tipifica o porte de arma como crime de perigo abstrato. De acordo com a lei, constituem crimes as meras condutas de possuir, deter, portar, adquirir, fornecer, receber, ter em depósito, transportar, ceder, emprestar, remeter, empregar, manter sob sua guarda ou ocultar arma de fogo. Nessa espécie de delito, o legislador penal não toma como pressuposto da criminalização a lesão ou o perigo de lesão concreta a determinado bem jurídico. Baseado em dados empíricos, o legislador seleciona grupos ou classes de ações que geralmente levam consigo o indesejado perigo ao bem jurídico. A criação de crimes de perigo abstrato não representa, por si só, comportamento inconstitucional por parte do legislador penal. A tipificação de condutas que geram perigo em abstrato, muitas vezes, acaba sendo a melhor alternativa ou a medida mais eficaz para a proteção de bens jurídico-penais supraindividuais ou de caráter coletivo, por exemplo, o meio ambiente, a saúde etc. Portanto, pode o legislador, dentro de suas amplas margens de avaliação e de decisão, definir quais as medidas mais adequadas e necessárias para a efetiva proteção de determinado bem jurídico, o que lhe permite escolher espécies de tipificação próprias de um direito penal preventivo. Apenas a atividade legislativa que, nessa hipótese, transborde os limites da proporcionalidade poderá ser tachada de inconstitucional. (STF, HC 102087 MG, Rel. Min. Celso de Mello, Segunda Turma, julgado em 28/02/2012.)

11

Crimes contra a pessoa

11.1 CRIMES CONTRA A VIDA

Os crimes contra a vida são os seguintes: homicídio (art. 121), infanticídio (art. 122), participação em suicídio ou automutilação (art. 123) e aborto em suas diversas formas (arts. 124, 125 e 126). Segundo o entendimento do Supremo Tribunal Federal, não se admite continuidade delitiva nos crimes contra a vida. Os crimes dolosos contra a vida devem ser julgados pelo Tribunal do Júri, nos termos da CF, art. 5º, XXXVIII.

11.2 HOMICÍDIO

Aspectos gerais
O homicídio (do latim *omnis excidium*) está descrito no art. 121 como *matar alguém*, apresentando diversas modalidades (simples, privilegiado, qualificado, majorado e culposo).

Segundo HUNGRIA:

> O homicídio é o tipo central dos crimes contra a vida e é o ponto culminante na ortografia dos crimes. É o crime por excelência. É o padrão da delinquência violenta ou sanguinária, que representa como que uma reversão atávica às eras primevas, em que a luta pela vida,

presumivelmente, se operava com o uso normal dos meios brutais e animalescos. É a mais chocante violação do senso moral médio da humanidade civilizada.[1]

Homicídio é a morte de um ser humano por outro. O objeto material é a pessoa humana, sobre a qual recai a conduta. O objeto jurídico é a vida extrauterina (após o nascimento), sendo que a linha divisória da vida intra e extrauterina é representada pelo início do parto. A distinção não é meramente acadêmica, pois antes do nascimento haverá crime de aborto, em vez de homicídio. Note que o início da vida extrauterina ocorre antes mesmo da separação do seio materno, durante o nascimento, ou seja, desde o começo das dores do parto.[2] No caso de cesariana, o parto começa com a incisão abdominal que dá início ao ato cirúrgico. No plano da conduta, temos o tipo objetivo, que é "matar", isto é, causar a morte, o que ocorre com a cessação da atividade encefálica (morte cerebral), sendo um crime de ação livre, que pode ser executado tanto na forma de ação quanto de omissão; "alguém" é qualquer ser humano após o nascimento com vida. O *tipo subjetivo* é composto de dolo direto ou eventual, sendo que a lei prevê a forma culposa. Quanto aos sujeitos, o homicídio é crime bicomum, admitindo qualquer pessoa tanto no polo ativo, quanto no passivo. As qualificadoras previstas nos incisos VI e VII do § 2º exigem condições especiais da vítima.

As formas de homicídio previstas no art. 121 do Código Penal são as seguintes: homicídio simples (*caput*); homicídio privilegiado (§ 1º), homicídio qualificado (§ 2º); homicídio doloso majorado (§ 4º, parte final, e § 6º); homicídio culposo (§ 3º) e homicídio culposo majorado (§ 4º, primeira parte). Note que o chamado homicídio preterdoloso ou preterintencional não é, tecnicamente, um crime de homicídio, e sim, lesão corporal seguida de morte (art. 129, § 3º).

---

1. HUNGRIA, Nélson. *Comentário ao Código Penal*. Vol. V. Rio de Janeiro: Forense, 1942. p. 23.
2. SOLER, Sebastián. *Derecho penal argentino*. v. III. Buenos Aires: 1992. p. 12.

O homicídio é crime material, consumando-se com a morte da vítima. O conceito utilizado é o de morte cerebral. Crime plurissubsistente, admite tentativa, exceto na forma culposa.

A ação penal, em qualquer das formas, é pública incondicionada.

Homicídio simples

É a forma básica de homicídio, com pena de 6 a 20 anos, prevista no *caput* do art. 121 do CP. Será simples o homicídio sempre que não incidir qualquer das qualificadoras previstas no § 2º. Portanto, o homicídio simples pode ser privilegiado ou majorado, porém jamais "simples qualificado". O homicídio simples só será hediondo quando for praticado em atividade típica de grupo de extermínio (art. 1º, I, da Lei n. 8072/90), incidindo a majorante do § 6º do art. 121, caso em que é também tratado como "homicídio condicionado", pois depende dessa condição para ser considerado crime hediondo.

Homicídio privilegiado

O § 1º do art.121 prevê uma causa de diminuição de pena, tratado doutrinariamente como homicídio privilegiado. Trata-se de um *privilégio impróprio*, pois ocorre uma diminuição da pena, e não de novos limites.[3] Com efeito, a pena será reduzida de 1/6 a 1/3 nos seguintes casos:

a. *Homicídio cometido por motivo de relevante valor social:* motivo altruísta, em que o agente pratica o crime para atender um interesse coletivo, desde que relevante. Exemplo: matar estuprador que ataca as mulheres da comunidade.

b. *Homicídio cometido por motivo de relevante valor moral:* crime praticado para atender um sentimento particular, porém relevante, como a compaixão, a misericórdia etc., por exemplo: homicídio piedoso, praticado para aliviar o sofrimento de uma pessoa desenganada. Nesse

---

3. A privilegiadora propriamente dita se verifica nos crimes em que os limites mínimo e máximo da pena são reduzidos em relação aos limites do tipo principal, como no crime de explosão (CP, art. 251), em que a pena é de 3 a 6 anos e, se não houver emprego de dinamite ou explosivo ou substância análoga, a pena é de 1 a 4 (§ 1º).

caso, podem surgir três situações: eutanásia, que tem caráter ativo, em que o agente antecipa a morte natural; ortotanásia, em que o agente não retarda a morte natural, deixando apenas de adotar as medidas de manutenção artificial da vida, tendo caráter omissivo; distanásia, também com caráter ativo, em que o agente prolonga, por medicamentos e outros procedimentos, o sofrimento da vítima. A doutrina atual considera crime apenas a eutanásia, mas a questão não é pacífica, pois visões conservadoras apregoam que mesmo a ortotanásia constitui crime. Em qualquer caso, trata-se de fato cometido por relevante valor moral.

c. *Homicídio cometido sob o domínio de violenta emoção* (homicídio emocional), exigindo alguns requisitos:
   - domínio de violenta emoção: o agente deve agir sob descontrole emocional, ou seja, sob o domínio de violenta emoção. Se não houver domínio, mas mera influência de violenta emoção, configura-se apenas a atenuante do art. 65, III, *c*, do CP;
   - injusta provocação da vítima: a provocação não significa necessariamente agressão ou mesmo conduta típica. Exemplo: flagrante de adultério; pai que mata estuprador da filha;
   - imediatidade da reação: é o revide imediato, sem intervalo temporal. A jurisprudência entende como reação imediata enquanto perdurar o domínio da violenta emoção.

Note que o privilégio não se comunica aos coautores e partícipes, pois tem caráter subjetivo. Exemplo: A pretende vingar-se do estuprador de sua filha e resolve matá-lo com a ajuda de B. Nesse caso, A poderá ser beneficiado com a causa de diminuição, mas esta não será aplicada a B, que não tem nenhum parentesco com a pessoa estuprada.

Homicídio qualificado

É o homicídio praticado nas situações descritas no § 2º do art. 121, tendo a pena modificada para o mínimo de 12 e o máximo de 30 anos de reclusão. Portanto, sempre que o agente "matar alguém" nas condições do § 2º, responderá por homicídio qualificado. As qualificadoras do homicídio são as seguintes:

Motivo torpe

A qualificadora é matar mediante paga, promessa de recompensa ou outro motivo torpe. Torpe é o motivo repugnante, extremamente odioso aos olhos da sociedade. Assim, primeiramente, trata-se de homicídio mercenário, praticado por matador de aluguel, sicário, que mata por recompensa, ou outra situação assemelhada, ainda que não tenha natureza econômica, tal como o favor sexual. Figure-se o exemplo da mulher que contrata alguém para matar seu marido em troca de manter relações sexuais com o matador.

A expressão "outro motivo torpe" abrange qualquer motivação repulsiva. Não se confunde o motivo torpe com motivo injusto, devendo, isto sim, ser uma injustiça odiosa, como o fato de matar alguém para ficar com sua mulher ou com seus bens. A vingança, assim como o ciúme, por si só, não geram torpeza, dependendo do que causa a vingança ou o ciúme. Em 13 de junho de 2019, no julgamento da Ação Direta de Inconstitucionalidade por Omissão (ADO) 26 e do mandado de injunção (MI) 4733, o STF reconheceu que a homofobia constitui motivo torpe. Prevalece o entendimento de que a qualificadora do motivo, por integrar o tipo qualificado, é aplicável não só ao executor do crime, que age motivado por pagamento ou promessa de recompensa, mas também ao mandante, qualquer que seja sua motivação.

Motivo fútil

É o motivo insignificante, isto é, a desproporcionalidade entre o delito e sua causa moral. Ausência de motivo equivale ao motivo fútil, segundo orientação prevalente, com o que concordamos. O caso é claramente de interpretação extensiva, já que a palavra fútil deve abranger tanto o homicídio banal quanto o ato gratuito e desmotivado. Sabe-se que o homicídio, salvo as hipóteses de legítima defesa e outras honrosas exceções, é um ato que beira a irracionalidade. Portanto, se o agente, sem qualquer divergência com a vítima, resolve matá-la, isto é menos que fútil e não pode ser tratado como homicídio simples. Em nossa opinião, deve ser entendido como crime sem motivo aquele em que existe a vontade de "matar por matar", um simples capricho do autor do crime. Imagine-se que um motorista, após um desentendimento amoroso, resolve descontar sua raiva no trânsito, atropelando um ciclista absolutamente desconhecido e inocente. Obviamente, nenhum motivo pode ser extraído das circunstâncias, senão a vontade de matar por matar, o que necessariamente deve configurar a qualificadora do motivo fútil. Conforme a jurisprudência, a existência de discussão prévia, com alteração emocional, afasta a qualificadora, pois desconfigura a futilidade.

Meio insidioso, cruel ou que cause perigo comum
Meio insidioso é o enganoso, em que a vítima não sabe que está sendo morta. Meio cruel é matar causando padecimento desnecessário à vítima. Ocorre nos casos de morte causada por veneno, fogo, explosivo, asfixia, tortura etc. Venefício é o homicídio mediante veneno, que é toda substância biológica ou química, animal, mineral ou vegetal, capaz de perturbar ou destruir o organismo humano. Segundo a doutrina, é imprescindível que a vítima desconheça estar sendo envenenada, o que caracteriza a insídia. Se alguém aponta uma arma para a vítima, obrigando-a a ingerir veneno, haverá meio cruel, por certo, mas não insídia. No caso de tortura, esta deve ser desde logo o meio empregado para matar. Assim, se o agente quer ou assume o risco de matar mediante tortura, pratica homicídio qualificado por meio cruel. Mas se quer apenas torturar a vítima e, por excesso, acaba matando, responde pelo crime de tortura qualificada pelo resultado da morte (art. 1º, § 3º da Lei n. 9.455/97), que é preterdoloso. Perigo comum é aquele que causa perigo para um número indeterminado de pessoas, como ocorre no uso de explosivos em local habitado para matar alguém, sendo óbvio que, além das pessoas vítimas do homicídio, outras sofrem perigo em razão da explosão.

Recurso que dificulta ou torna impossível a defesa da vítima

a. traição: é o ataque desleal, repentino e inesperado, seja pela forma do ataque (exemplo: atirar pelas costas), seja pela condição do agente (exemplo: sócio, melhor amigo etc.);

b. emboscada: a palavra advém de "bosque" e pressupõe o ocultamento do agente, que ataca a vítima com surpresa;
c. dissimulação: fingimento, disfarçando o agente a sua intenção hostil;
d. outro recurso que dificulte ou torne impossível a defesa da vítima: é a fórmula analógica *intra legem*, que permite qualquer situação capaz de dificultar a defesa da vítima, como a surpresa, por exemplo. A premeditação por si só não qualifica o homicídio. O fato de o ofendido ser idoso ou criança não qualifica, por si só, o homicídio, pois não basta que o agente se aproveite de uma condição pessoal da vítima, devendo tal condição ser utilizada pelo agente como forma de facilitar a prática do crime. Também não qualifica o homicídio a superioridade de agente ou de armas por si só. É necessário que o agente tenha intenção de, com mais agentes ou mais armas, impossibilitar ou dificultar a defesa. Segundo pacificado pelo STF, essa qualificadora não é compatível com o dolo eventual.[4] De fato, seria ilógico que uma pessoa quisesse dificultar a defesa de alguém sem querer, diretamente, sua morte.

Conexão com outro crime

Ocorre quando o agente pratica o crime para assegurar a execução, ocultação, vantagem ou impunidade de outro crime. A conexão pode ser:

a. teleológica: para executar crime futuro. Exemplo: matar o pai de uma jovem para estuprá-la;
b. consequencial: para garantir a impunidade, vantagem ou ocultação de um crime já cometido no passado. Exemplo: matar a vítima do estupro para não ser reconhecido.

Não qualifica o crime a conexão ocasional, em que não há relação entre o homicídio e o outro crime, desaparecendo a qualificadora. Exemplo: du-

---

4. HC 95136, Rel. Joaquim Barbosa, Segunda Turma, julgado em 01/03/2011, DJe-060 Divulg 29/03/2011 Public 30/03/2011.

rante a prática de um crime, o agente encontra um desafeto e o mata. Também não qualifica o crime a conexão com contravenção, podendo, porém, configurar-se o motivo fútil (exemplo: matar para garantir a vantagem na exploração de jogo do bicho).

Feminicídio

Feminicídio é a morte de uma mulher "por razões da condição do sexo feminino". O feminicídio não é um crime autônomo, mas uma qualificadora do homicídio, inserida pela Lei n. 13.104/2015, acrescentando o inciso VI ao § 2º do art. 121 do Código Penal, como forma de conferir maior proteção à mulher contra a violência de gênero prevista na Lei Maria da Penha.

Distingue-se *feminicídio* de *femicídio*. *Femicídio* é qualquer homicídio de mulher, enquanto *feminicídio* é o homicídio praticado contra a mulher por razões da condição do sexo feminino, ou seja, o homicídio praticado por motivação de gênero, o qual qualifica o crime de homicídio, ocorrendo em duas situações (art. 121, § 2º-A):

1. *Em situação de violência doméstica ou familiar:* norma penal em branco, devendo se recorrer ao conceito de violência doméstica ou familiar previsto na Lei Maria da Penha (Lei n. 11.340/2006). Assim, só haverá qualificadora no caso de violência doméstica e familiar relacionada a questões de gênero. Por exemplo, se um irmão mata sua irmã para não dividir a herança, não há que se falar em motivação de gênero, pois o motivo é a herança, e não a condição de vítima mulher. Nesse caso, em vez da qualificadora do feminicídio, tem-se a qualificadora do motivo torpe.
2. *Menosprezo ou discriminação à condição de mulher:* o sujeito passivo da qualificadora é sempre a mulher. No caso de relações homoafetivas, só haverá feminicídio se a vítima for do sexo biológico feminino e o ato ocorrer em situação de violência doméstica ou familiar ou por menosprezo ou discriminação à condição de mulher. Não incide a qualificadora se um companheiro mata o outro do sexo biológico masculino. Também não há feminicídio em se tratando de vítima

travesti, pois se trata de indivíduo homem. Não há consenso quando se trata de vítima transexual que realizou cirurgia de transgenitalização (neocolpovulvoplastia), e alterou seu sexo no registro civil. Uma posição sustenta que é possível, em respeito ao direito à identidade, que no caso é feminina, enquanto corrente diversa entende que não há feminicídio, pois isso implicaria analogia *in malam partem*, já que a lei fala estritamente em mulher, sem qualquer equiparação. Em nosso sentir, não se trata de analogia *in malam partem*, pois deve prevalecer a identidade social, uma vez que ninguém é homem ou mulher fora da sociedade, mas em razão do grupo social. Assim, tratando-se de pessoa nascida como homem, mas socialmente identificada como mulher, deve merecer a proteção específica contra violência de gênero. Devemos lembrar que, no Direito Penal de matriz finalista, a finalidade do agente é fundamental, de modo que sendo uma conduta voltada contra uma mulher (ainda que não biologicamente) está ajustada à qualificadora, desde que o autor do crime tenha conhecimento dessa condição da vítima. A lógica, no caso, não pode ser diferente do que ocorre no erro de pessoa, em que o agente, querendo atingir uma mulher, acaba, por erro, atingindo um homem, devendo responder como se houvesse efetivamente atingido uma pessoa do sexo feminino, por força do art. 20, § 3º.

Homicídio contra autoridades, integrantes dos órgãos de segurança pública ou contra seus familiares

Qualificadora inserida pela Lei n. 13.142/2015, acrescentando o inciso VII ao § 2º do art. 121 do Código Penal. A sua incidência depende de dois requisitos:

1. Condição da vítima, que deve ser autoridade ou agente das forças armadas (art. 142 da CF) ou das polícias civis e militares e corpo de bombeiros (art. 144 da CF) ou seus familiares, isto é, cônjuge, companheiro ou parente consanguíneo até o terceiro grau, sejam ascendentes (pais, avós e bisavós), descendentes (filhos, netos e bisnetos) e

colaterais (irmãos, tios e sobrinhos). Os integrantes da Guarda Civil estão incluídos (art. 144, § 8º da CF), assim como agentes de segurança viária (art. 144, § 10 da CF).

2. Relação com a função exercida como autoridade ou integrante do órgão de segurança, podendo ocorrer em razão do exercício ou em decorrência da função.

Trata-se de qualificadora de natureza subjetiva, pois se refere ao motivo do crime.

Homicídio com uso de arma restrita ou proibida

Trata-se de qualificadora prevista no inciso VIII e inserida pela Lei n. 13.964/2019. A Lei n. 10.826 faz distinção entre armas de uso permitido, armas de uso restrito e armas de uso proibido. *Armas de fogo de uso permitido* são aquelas cuja utilização é autorizada a pessoas físicas, bem como a pessoas jurídicas, de acordo com as normas do Comando do Exército e nas condições previstas na Lei n. 10.826/2003. *Armas de fogo de uso restrito* são aquelas de uso exclusivo das Forças Armadas, de instituições de segurança pública e de pessoas físicas e jurídicas habilitadas, devidamente autorizadas pelo Comando do Exército, de acordo com legislação específica. *Armas de fogo de uso proibido* são as armas de fogo dissimuladas, com aparência de objetos inofensivos, e as classificadas como de uso proibido em acordos e tratados internacionais. A especificação técnica de armas de uso restrito é feita por ato do Poder Executivo.[5] Diante da incidência da qualificadora, fica absorvido o crime-meio de posse ou porte ilegal de arma de fogo de uso restrito (art. 16 da Lei n. 10.826).

Combinação de qualificadoras e privilegiadoras

No que diz respeito à combinação de qualificadoras entre si e entre qualificadoras e privilegiadoras, a doutrina se posiciona da seguinte forma:

---

5. Decreto n. 9.847/2019, modificado pelo Decreto n. 10.630/2021, que regulamenta também as munições proibidas, restritas e permitidas.

a. *concurso de qualificadoras:* incompatibilidade de motivo torpe e fútil, pois um motivo não pode ser sem importância e, ao mesmo tempo, abjeto; no concurso de qualificadoras, apenas uma é considerada para configuração do tipo qualificado (pena-base), enquanto as outras deverão ser tratadas como agravantes, se previstas no art. 61 do Código Penal;
b. *concurso de qualificadora e privilegiadora (homicídio qualificado-privilegiado):* é possível, desde que a qualificadora seja objetiva, mas o crime deixa de ser hediondo (STJ e STF);
c. *feminicídio privilegiado:* no julgamento do HC 430.222/MG (julgado em 15/03/2018), o STJ sustentou que as qualificadoras do motivo torpe e do feminicídio não são incompatíveis porque não têm a mesma natureza: enquanto a primeira é subjetiva, esta última é dotada de índole objetiva. Em nosso sentir, não se trata, ao contrário desse entendimento, de qualificadora objetiva, e sim, subjetiva. A parte objetiva diz respeito à agressão de uma mulher, mas não é qualquer homicídio de mulher que configura o feminicídio. Na verdade, o que distingue o feminicídio de outros homicídios a mulheres é a motivação – razões do sexo feminino –, o que é eminentemente subjetivo. Além disso, a tese do STJ, em vez de proteger a mulher, torna mais débil sua situação, na medida em que, sendo objetiva, poderá conviver com as privilegiadoras de ordem subjetiva, causando dois efeitos deletérios à proteção da vida da mulher: drástica redução de pena do agressor e exclusão do rol de crimes hediondos, por se tratar de homicídio qualificado-privilegiado. Ao conviverem as qualificadoras do motivo torpe e do feminicídio, pouca repercussão haverá na pena do agressor, que aumentará poucos meses. Todavia, a combinação com o privilégio permite uma redução de até 1/3 da pena do autor do crime.

Homicídio culposo

O § 3º do art. 121 prevê o homicídio culposo. É o homicídio praticado em razão da violação do cuidado objetivo (imprudência, negligência ou imperícia). A pena é de 1 a 3 anos (admite suspensão condicional do processo). Caso o homicídio culposo seja praticado por motorista na direção de veículo, o crime é do art. 302 do Código de Trânsito Brasileiro, cuja pena é de 2 a 4 anos, não admitindo suspensão condicional do processo. Não admite participação, apenas coautoria. Não admite tentativa, salvo em caso de culpa imprópria. A ação penal é pública incondicionada.

Homicídio majorado

É aquele no qual incide uma causa de aumento de pena (majorante), assim entendida a circunstância que acrescenta uma fração à pena definida no tipo simples ou qualificado.

Homicídio doloso majorado

Nos termos do § 4º do art. 121, em caso de homicídio doloso, a pena é aumentada de 1/3 se a vítima é menor de 14 ou maior de 60 anos, devendo o agente conhecer a idade da vítima.

Nos termos do § 6º, a pena é aumentada de 1/3 até a metade quando se trata de homicídio cometido por milícia ou grupo de extermínio. Tal majorante só irá incidir se o fato não for considerado como motivo torpe para fins de qualificar o crime, pois, do contrário, haveria *bis in idem*.

Em caso de feminicídio, a pena é aumentada de 1/3 até a metade se ocorre uma das situações do § 7º do art. 121, isto é:

I. durante a gestação ou nos 3 meses posteriores ao parto, época em que a mulher está mais fragilizada e, ademais, é mais necessária à criança, sem olvidar que, no caso de gestante, ocorre o concurso com o crime de aborto;

II. vítima menor de 14 ou maior de 60 anos ou com deficiência, pois nessas condições a vítima tem menos chance de defesa, revelando-se maior covardia do agente;

III. crime praticado na presença de descendente ou ascendente da vítima, pois nessa situação o agente causa trauma aos familiares que presenciam o crime.

Homicídio culposo majorado

No caso de homicídio culposo, o § 4º prevê aumento de 1/3 da pena nas seguintes hipóteses:

a. Inobservância de regra técnica de profissão, arte ou ofício: negligência profissional não se confunde com imperícia. Na imperícia o agente desconhece a técnica, enquanto na negligência profissional ele conhece e não a emprega. As opiniões se dividem quanto à majoração da pena do crime culposo por inobservância de regra técnica. Para uma corrente, não há *bis in idem*, pois a inobservância de regra técnica não caracteriza a essência do crime culposo, e sim, circunstância indicativa de maior gravidade do delito (STF, HC 86969/RS e STJ, REsp 191911/SP). Para outra corrente, ocorre *bis in idem*, pois a negligência é considerada duas vezes em prejuízo do agente (STF, HC 95078/RJ).
b. Omissão de socorro: não incide essa majorante se a vítima é socorrida por terceiro ou se há morte instantânea.
c. O agente não procura diminuir as consequências: essa majorante é uma redundância, na medida em que é uma forma de omissão de socorro.
d. Fuga do local: parcela da doutrina entende que é inconstitucional, já que o agente não é obrigado a ceder voluntariamente à prisão em flagrante. Além disso, a fuga se justifica quando o agente corre perigo em casos como linchamento ou vingança de familiares.

Perdão judicial

Nos termos do § 5º do art. 121, em caso de homicídio culposo, o juiz poderá deixar de aplicar a pena se as consequências da infração atingirem o próprio agente de forma tão grave que a sanção penal se torne desnecessária. Uma vez que o caráter retributivo da pena se apoia no sofrimento que inflige ao autor do crime, se este já sofre o suficiente em razão de seu ato, a pena perde o sentido. Conforme a Súmula 18 do STJ: "A sentença concessiva do perdão judicial é declaratória da extinção da punibilidade, não subsistindo qualquer efeito condenatório". Não se confunde o perdão judicial com o perdão do ofendido, que se aplica em crimes de ação privada e é uma faculdade da própria vítima do crime. Os requisitos do perdão judicial são os seguintes:

a. *expressa previsão legal:* o perdão judicial deve sempre estar previsto em lei, como ocorre no caso de homicídio, não podendo decorrer de arbítrio judicial, mas a doutrina admite o perdão judicial no homicídio culposo no trânsito, art. 302 do Código de Trânsito Brasileiro, embora sem previsão legal, pois o veto ao art. 300 ocorreu em virtude de haver previsão no Código Penal, configurando-se clara hipótese de analogia *in bonam partem.*
b. *crime culposo:* no caso de homicídio, o perdão judicial só é admitido para a forma culposa;
c. *consequências graves para o próprio agente:* não há necessidade que a vítima seja parente do agente, podendo ser qualquer consequência grave. Exemplo: em razão de uma conduta negligente, além de matar a vítima, o próprio agente resulta paraplégico.

11.3 PARTICIPAÇÃO EM SUICÍDIO OU EM AUTOMUTILAÇÃO

Aspectos gerais

Segundo o art. 122 do Código Penal, constitui crime, punido com pena de 6 meses a 2 anos, *instigar, induzir ou prestar auxílio ao suicídio ou à automutilação.* O suicídio, assim como a automutilação, não constitui crime, mas pratica o delito em questão quem presta auxílio moral ou material para o suicídio ou automutilação de alguém, desde que o fato não configure homicídio.

A objetividade jurídica é a vida, que deve ser tutelada contra o suicídio ou riscos decorrentes da automutilação, já que esta constitui, em última análise, uma escalada até o suicídio, como se percebeu no emblemático "desafio da baleia azul", em que, pela internet, jovens eram induzidos à automutilação e ao suicídio. O objeto material é a pessoa humana. O sujeito ativo é qualquer pessoa, assim como o sujeito passivo, que deve ser pessoa capaz. Se a vítima é incapaz, o agente responde pelo art. 121. A incapacidade não se refere à menoridade, e sim à saúde mental. Admite-se coautoria e participação, por exemplo:

a. se A e B induzem C ao suicídio, ambos são coautores;
b. se A induz B a prestar auxílio ao suicídio de C: B é autor do art. 122 e A é partícipe.

O tipo penal prevê conduta mista ou de conteúdo variado: induzir (auxílio moral), instigar (auxílio moral) e auxiliar (auxílio material) ao suicídio (tirar a própria vida) ou à automutilação (praticar mutilações no próprio corpo). Induzir é criar o propósito na mente do autor, instigar é reforçar o propósito preexistente e auxiliar a praticar atos acessórios. Auxílio na execução do ato configura homicídio. Auxílio por omissão: 1ª corrente: não admite (Frederico Marques); 2ª corrente (majoritária): admite, desde que o agente seja garantidor (Nélson Hungria). Note que, no caso de *suicida arrependido*, isto é, o caso em que a pessoa desiste, na última hora, de suicidar-se, quem auxiliou deve prestar auxílio para evitar a morte, pois se não o fizer responderá por homicídio, em virtude da posição de garantidor, por ter criado o risco do resultado com seu comportamento anterior. Quanto ao tipo subjetivo, admite-se apenas dolo, direto ou eventual. Se alguém esquece veneno perto de suicida, há duas correntes: 1ª) homicídio culposo; 2º) fato atípico. Entendemos que o esquecimento de veneno, gerando a morte de um suicida, é homicídio culposo, na medida em que houve negligência do agente ao disponibilizar o meio causador da morte. Todavia, se, após negligenciar quanto ao veneno, o agente ainda se omite em socorrer o suicida, haverá auxílio ao suicídio por omissão, pois, com seu comportamento anterior negligente, o agente criou o risco do resultado, tornando-se garantidor. O tipo penal é doloso, não se admitindo forma culposa. Consuma-se o crime com o simples ato de induzir, instigar ou auxiliar, devendo-se notar que, com a redação dada pela Lei n. 13.968/2019, este crime deixou de ser condicionado para ser um crime formal, que independe de qualquer resultado. A tentativa se afigura possível. A ação penal é pública incondicionada.

Pena, qualificadoras e majorantes

A pena é de reclusão, de 6 meses a 2 anos. Curiosamente, trata-se de infração de menor potencial ofensivo, que deve, não obstante, ser julgada pelo Tribunal do Júri, por força do art. 5º, XXXVIII, da CF, não se aplicando a competência do juizado especial criminal. Os parágrafos 1º e 2º do art. 122 preveem crimes qualificados pelo resultado. Assim, se do ato suicida ou de automutilação resulta lesão grave ou gravíssima (CP, arts. 129, § 1º e 2º), a pena é de reclusão, de 1 a 3 anos. Se o suicídio se consuma ou se da automutilação resulta morte, a pena é de reclusão de 2 a 6 anos. Os parágrafos 6º e 7º, introduzidos pela Lei n. 13.968, criam regra de subsidiariedade expressa em relação às qualificadoras, determinando a punição pelo crime de homicídio ou de lesões corporais gravíssimas quando a vítima for:

a. menor de 14 anos;
b. pessoa que, por enfermidade ou deficiência mental, não tem o necessário discernimento para a prática do ato;
c. pessoa que, por qualquer outra causa, não pode oferecer resistência.

Nesses casos, considera-se irrelevante a vontade da vítima em relação ao suicídio ou às lesões, prevalecendo a vontade de quem induz, instiga ou auxilia, tornando-se autor do crime de homicídio ou de lesões corporais.

A pena é duplicada se o crime é praticado por motivo egoístico, fútil ou torpe ou se a vítima é menor ou tem diminuída sua capacidade de resistência por qualquer causa (§ 3º). Motivo egoístico é o que revela individualismo exagerado, colocação do interesse pessoal sobre a vida ou a saúde de outrem. Motivo fútil e torpe são os mesmos estudados em relação ao homicídio. Vítima menor, para fins do aumento de pena, deve ser entendida a pessoa entre 14 e 18 anos. Vítima que tem diminuída, por qualquer causa, a capacidade de resistência é aquela que já completou 18 anos, mas apresenta vulnerabilidade decorrente de doença mental, consumo de álcool ou drogas etc. Obviamente, a incidência da majorante só ocorre se o agente conhece tais circunstâncias.

Eutanásia, ortotanásia e distanásia

A eutanásia constitui a abreviação do sofrimento de paciente terminal, produzindo-lhe a morte por qualquer meio, sendo o agente punido por homicídio privilegiado por relevante valor moral (*pietatis causa*). Distanásia é o prolongamento da vida de paciente desenganado, sendo um indiferente penal. Já a ortotanásia não é punível, conforme opinião predominante, na medida em que consiste apenas em não prolongar a vida do paciente terminal, permitindo sua morte sem qualquer intervenção.

Situações especiais

a. Duelo americano: duas armas e uma descarregada, sendo que o tiro fatal é realizado pelo próprio suicida contra si – o vencedor responde pelo art. 122;
b. roleta russa: uma arma com um projetil apenas – o vencedor responde pelo art. 122, pois o tiro fatal é dado pelo próprio suicida contra si;
c. pacto de morte: aquele que pratica o ato responderá por homicídio consumado ou tentado se sobreviver; o que apenas participa do pacto, sem praticar nenhum ato, responderá pelo art. 122. Exemplo: dois indivíduos combinam de cometer suicídio mediante inalação de gás, sendo que um deles abre a válvula. Se este sobreviver, como praticou o ato, responde por homicídio consumado ou tentado; caso só o outro participante sobreviva, responderá pelo art. 122.

11.4 INFANTICÍDIO

Infanticídio, previsto no art. 123, consiste em *matar, sob a influência do estado puerperal, o próprio filho, durante o parto ou logo após*. A pena é de detenção, de 2 a 6 anos, e multa, causando espécie o fato de ser inferior ao homicídio, já que a vítima é um recém-nascido. Ocorre que o legislador leva em conta a alteração biopsíquica da parturiente. Tem como objeto jurídico a vida extrauterina e como objeto material o recém-nascido. O infanticídio é crime biprópio, exigindo que o sujeito ativo e o passivo sejam especiais. O sujeito ativo é a parturiente em estado puerperal, isto é, a mãe que, ao dar a luz, sofre uma série de alterações biopsíquicas. Predomina o entendimento de que o estado puerperal, sendo elementar do tipo, comunica-se a terceiros, na forma do art. 30 do CP, admitindo-se, portanto, as seguintes situações de participação ou coautoria:

a. médico e parturiente executam o verbo matar: ambos respondem pelo art. 123;
b. médico auxilia e parturiente executa o verbo matar: ambos respondem pelo art. 123;
c. médico executa e parturiente apenas auxilia: uma corrente entende que o médico responde pelo art. 121 e a parturiente pelo art. 123, enquanto outra orientação sustenta que ambos respondem pelo infanticídio.

Em nosso sentir, é um grande equívoco do legislador prever o estado puerperal como elementar do tipo, criando um tipo especial. O infanticídio deveria, isto sim, figurar como forma de homicídio privilegiado ou uma causa especial de semi-imputabilidade. Com isso, restaria evitada a injustiça de se considerar autor de infanticídio aquele que colabora com a gestante ou, até mesmo, executa a morte do recém-nascido.

O sujeito passivo do crime é o próprio filho. Se a mulher, por engano, matar outro bebê, haverá erro de pessoa, previsto no art. 20, § 3º, respondendo ainda assim por infanticídio.

Quanto à conduta, o tipo objetivo compreende:

a. *matar:* execução livre, admitindo ação ou omissão, meios diretos ou indiretos;
b. *sob influência do estado puerperal:* alteração fisiopsíquica decorrente do parto, o qual deve ser comprovado por exame pericial;
c. *durante o parto ou logo após (elementar de tempo):* o crime deve ser praticado durante ou após o trabalho de parto (sobreparto), enquanto houver influência do estado puerperal, não havendo um período determinado.

O tipo subjetivo é dolo. Se houver culpa, em razão do estado puerperal, em vez de infanticídio, haverá homicídio culposo. Crime material, consuma-se com a morte do recém-nascido, admitindo tentativa. Para configuração do infanticídio, não é suficiente agir em estado puerperal, exigindo-se relação de causa e efeito entre o estado puerperal e a morte, ou seja, a ação de matar deve ocorrer sob a influência do estado puerperal. Assim, não foi adotado puramente biológico, mas biopsicológico ou fisiopsicológico.

No infanticídio, o estado puerperal é uma perturbação da saúde mental inserida no próprio tipo penal. Não obstante, a doutrina admite o estado puerperal também como causa de semi-imputabilidade ou exclusão da culpabilidade pela inimputabilidade (CP, art. 26, *caput* e parágrafo único). Portanto, se a perícia declarar que a parturiente era, ao tempo da ação e da omissão, em razão do estado puerperal, inteiramente capaz de compreender o caráter ilícito do fato ou de determinar-se de acordo com esse entendimento, deverá ser declarada inimputável.

O infanticídio não se confunde com o art. 134, § 2º (expor ou abandonar recém-nascido para ocultar desonra própria, qualificado pelo resultado de morte), em que o dolo é de perigo e a morte é culposa.

A ação penal é pública incondicionada.

11.5 ABORTO

Conceito, formas e ação penal

Aborto é a interrupção da gravidez com destruição do produto da concepção, protegendo-se a vida intrauterina. Apesar da expressão legal, o nome correto é "abortamento", pois aborto é o produto do ato de abortar. A gravidez ocorre com a nidação (fixação do óvulo fecundado ao útero), e não com a fecundação. A lei prevê as seguintes formas de crime:

a. autoaborto;
b. aborto consentido;
c. aborto praticado por terceiro com o consentimento válido da gestante;

d. aborto praticado sem o consentimento válido da gestante.

Em qualquer caso, a ação penal é pública incondicionada.

Autoaborto e aborto consentido

Consiste em provocar aborto em si mesma ou consentir que outrem lho provoque (art. 124). A pena é de detenção, de 1 a 3 anos. O objeto jurídico é a vida intrauterina. O objeto material é o feto. O sujeito ativo é a gestante e, segundo a corrente majoritária, trata-se de crime de mão própria, só admitindo participação, pois o coautor responde pelo art. 126. O sujeito passivo é o feto, sendo que, na gestação de gêmeos, existe concurso de crimes. O tipo objetivo compreende tanto o autoaborto (a gestante pratica as manobras abortivas), quanto o aborto consentido (terceiro pratica as manobras com anuência da gestante) de modo que a gestante responde pelo art. 124 e o terceiro pelo art. 126, não se configurando concurso de pessoas, em razão de exceção pluralista. Tipo subjetivo é dolo direto ou eventual, não se admitindo a forma culposa. Exemplo de dolo eventual: gestante comete suicídio, não morre, mas perde o filho. Se as manobras tiverem o fim de antecipar o nascimento não há aborto, mas lesão corporal qualificada pela aceleração de parto (art. 129, § 1º, IV). O crime se consuma com a morte do feto, não importa se dentro ou fora do útero materno, admitindo-se tentativa. Se há nascimento com vida e depois a criança é morta, haverá homicídio ou infanticídio, caso em que a tentativa de aborto fica absorvida.

Aborto sem o consentimento

Consiste em *provocar aborto, sem o consentimento da gestan*te (art. 125). A pena é de reclusão, de 3 a 10 anos. O objeto jurídico é a vida intrauterina. O objeto material é o feto e também a gestante, pois o aborto não é consentido por ela. O sujeito ativo é qualquer pessoa (crime comum). O sujeito passivo é o feto, bem como a gestante, que sofre um constrangimento. O tipo objetivo é a interrupção da gravidez sem o consentimento da gestante. Há duas formas de dissenso:

- dissenso real: a gestante não consente;

- dissenso presumido: a gestante é menor de 14 anos, alienada ou débil mental ou seu consentimento é obtido mediante fraude, grave ameaça ou violência, desde que o agente saiba destas qualidades.

O tipo subjetivo é o dolo direto ou eventual, não se admitindo forma culposa. Crime material, consuma-se com a morte do feto, admitindo tentativa.

Observação: quem atira em mulher grávida, conhecendo a gravidez, pratica homicídio (art. 121) em concurso formal com aborto (art. 125); quem desfere chute no ventre de mulher grávida, conhecendo o estado gravídico, comete aborto do art. 125, consumado ou tentado, conforme o caso, podendo haver concurso com lesões corporais, simples ou qualificadas por outro resultado que não o aborto que, *in casu*, é crime autônomo.

Aborto com consentimento válido

Consiste em provocar aborto com o consentimento da gestante (art. 126). A pena é de reclusão, de 1 a 4 anos. O objeto jurídico é a vida intrauterina. O objeto material é o feto. O sujeito ativo é qualquer pessoa (crime comum). O sujeito passivo é o feto (a gestante não é vítima, mas autora do art. 124). Segundo a jurisprudência, se o namorado transporta a namorada até uma aborteira, é partícipe do art. 124; se convence a namorada ao abortamento, é partícipe do art. 124; se paga o médico para realizar o aborto, é partícipe do art. 126 (contrariando a teoria do domínio do fato, pela qual seria coautor). O tipo objetivo compreende a interrupção da gravidez com o consentimento válido. Se não for válido, o crime é do art. 125. Note que, se a gestante se arrepende e o agente não interrompe as manobras, pratica o crime do art. 125. A gestante só se beneficia do arrependimento se este for eficaz. O tipo subjetivo é o dolo, não se admitindo forma culposa. Crime material, consuma-se com a morte do feto, admitindo tentativa.

Causas de aumento de pena

Embora a lei use a expressão "forma qualificada", trata-se na verdade de causas de aumento de pena (majorantes). Assim, se a gestante resulta com lesão grave, haverá aumento de 1/3; em caso de morte da gestante, em razão das manobras abortivas, a pena será duplicada. Se a criança sobrevive às manobras, prevalece o entendimento de que ocorre aborto majorado tentado. O aumento de pena só incide nos arts. 125 e 126, pois no caso do art. 124, em que a própria gestante realiza manobras abortivas ou consente para que terceiro o faça, ocorre extinção da punibilidade pela morte ou atipicidade das lesões graves, já que a autolesão não é fato típico.

Aborto legal ou permitido

Aborto necessário

Está previsto no art. 128, II, que constitui forma especial de estado de necessidade, desde que observados os seguintes requisitos:

a. deve haver perigo de vida, e não apenas risco à saúde da gestante;
b. deve ser praticado por médico, mas, se for outra pessoa, poderá incidir no art. 24 do CP;
c. deve haver impossibilidade de salvar a gestante por outro meio, ou seja, inevitabilidade do aborto.

O aborto necessário dispensa o consentimento da gestante e autorização judicial.

Aborto sentimental

O art. 128, II, do CP, exclui a ilicitude do aborto quando a gravidez resulta de estupro. Por analogia, pode ser aplicável também à gravidez resultante de posse sexual mediante fraude (CP, art. 215), em que a gestante é enganada para consentir com o ato sexual (exemplo: falso trabalho espiritual). Discute-se sobre a aplicabilidade desse artigo aos casos de estupro de vulnerável, isto é, menor de 14 anos, doente mental ou incapaz de resistir (art. 217-A), em que não há violência real. Em nossa posição, uma vez que há equiparação da violência presumida à real, seria injustificado moralismo proibir o aborto nesses casos. Ademais, se a lei considera que a mulher não tem maturidade para a relação sexual, obviamente será ainda mais imatura para decidir ser mãe. Depende dos seguintes requisitos:

a. deve ser praticado por médico (outra pessoa responde pelo crime);
b. a gravidez deve ser resultante de estupro (abrange estupro de vulnerável, art. 217-A);
c. deve haver consentimento da gestante ou de seu representante legal.

O aborto sentimental dispensa autorização judicial, sendo suficiente o boletim de ocorrência acerca do crime sexual. Em caso de falso registro policial, o médico fica isento de responsabilidade penal, por ter sido induzido em erro (de tipo). Nesse caso, responde pelo aborto quem determina o erro (CP, art. 20, § 2º).

Aborto eugênico, eugenésico ou embriopático
É o aborto realizado quando o feto é portador de séria deformidade. Na ADPF 54, o STF passou a admitir o aborto nos casos de anencefalia, ou seja, ausência significativa de encéfalo a ponto de inviabilizar a vida extrauterina. Em nossa opinião, trata-se de causa excludente da tipicidade, pois se não há vida viável, não há ofensa ao bem jurídico tutelado, resultando em atipicidade material.

11.6 LESÕES CORPORAIS

Aspectos gerais
Consiste em *ofender a integridade corporal ou a saúde de outrem* (art. 129). A pena é de detenção, de 3 meses a 1 ano. O crime corresponde a qualquer ofensa à integridade física ou psíquica. O objeto jurídico é a saúde física, fisiológica (funcionamento do organismo) e psicológica. O objeto material é a pessoa humana. Trata-se de crime bicomum, pois o sujeito ativo é qualquer pessoa, assim como o sujeito passivo, salvo nas formas qualificadas pela aceleração de parto e aborto, em que a vítima necessariamente é gestante. O tipo penal é de ação livre e comporta qualquer forma de execução, podendo ser

praticado por ação ou omissão. Responde por lesões corporais quem limita-se a agravar lesões já existentes. A pluralidade de ferimentos configura lesão única, podendo a multiplicidade, porém, ser considerada na fixação da pena.

A ação penal é:

a. pública condicionada à representação nos casos de lesões leves (art. 129), exceto em se tratando de crime praticado em situação de violência doméstica contra a mulher;
b. pública incondicionada: nos demais casos (lesões graves, gravíssimas e lesão seguida de morte), e em qualquer tipo de lesão, ainda que leve, praticada em situação de violência doméstica contra a mulher (Lei Maria da Penha), por força da Súmula 542 do STJ e da decisão do STF na ADI 4.424.

Lesões corporais leves ou simples

É qualquer tipo de lesão, desde que não esteja entre as arroladas nos §§ 1º e 2º, ainda que não cause dor, que é dispensável para configuração do crime, podendo ser considerada na fixação da pena. No caso de corte de cabelo não consentido, há três correntes doutrinárias: configura lesões corporais, desde que constitua alteração considerável do aspecto exterior do indivíduo; configura injúria real; configura apenas a contravenção penal de vias de fato, prevista no art. 21 do Decreto n. 3.688/41.

Lesões corporais qualificadas pelo resultado

As lesões corporais qualificadas pelo resultado podem ser graves (art. 129, § 1º), gravíssimas (§ 2º) ou lesões corporais seguidas de morte (§ 3º).

Lesões corporais graves (art. 129, § 1º)

a. *Incapacidade para as ocupações habituais por mais de 30 dias:* ocupação habitual não se refere à atividade profissional, mas, sim, a qualquer atividade exercida rotineiramente por uma pessoa, podendo ser vítima, por exemplo, uma prostituta que fica privada de ter relações sexuais, ou um bebê que fica privado de ser amamentado em virtude da lesão. Deve se tratar de atividade que a vítima realizava frequentemente, e não de atividade realizada eventualmente. O prazo é penal, incluindo-se na contagem o dia da lesão. Trata-se de diagnóstico e não de mero prognóstico médico. Assim, exige-se perícia no primeiro dia do prazo e exame complementar depois de 30 dias (CPP, art. 168, § 2º). A forma mais comum é o preterdolo, mas o dolo também é admitido. Exemplo: jogador da reserva que, durante um treino, deliberadamente quebra a perna do companheiro de equipe para assumir seu lugar em jogo decisivo.

b. *Perigo de vida:* deve haver perigo concreto, comprovado pericialmente. Trata-se de fato preterdoloso, admitindo-se apenas culpa no resultado, pois perigo de vida não pode ser doloso, já que uma lesão corporal produzida com dolo de perigo à vida irá configurar uma tentativa de homicídio.

c. *Aceleração de parto:* consiste em antecipar o nascimento, ou seja, causar parto prematuro. Embora seja mais comum o preterdolo, isto é, dolo de ferir e culpa quanto à aceleração, esta forma admite o dolo, desde que o agente não assuma o risco de produzir o aborto. Exemplo: o médico que, adotando todos os cuidados cirúrgicos necessários à preservação da vida extrauterina, antecipa o parto de uma modelo a fim de fazê-la retornar ao trabalho mais rapidamente.

d. *Debilidade permanente de membro, sentido ou função:* debilidade é o enfraquecimento, que não precisa ser perpétuo, mas deve ser de longa duração. Membro é parte do corpo (membros superiores e inferiores), sendo que a qualificadora subsiste mesmo com uso de prótese pela vítima. Sentido diz respeito ao contato com o mundo exterior: visão, audição, tato, olfato e paladar. Função é a forma como o organismo funciona, isto é, se mantém vivo: respiração, reprodução, digestão etc. A perda de um dente pode configurar a qualificadora, desde que a perícia ateste comprometimento da função respectiva. O mesmo vale para dedos, se não houver deformidade. Exige-se prova pericial. O resultado admite dolo, embora seja mais comum a forma preterdolosa.

Lesões gravíssimas (art. 129, § 2º)

a. *Perda ou inutilização de membro, sentido ou função:* enquanto o § 1º trata da debilidade, o § 2º trata da perda, que pode ser anatômica, com a retirada do órgão, ou funcional, em que o órgão é mantido sem funcionamento. No caso de órgãos duplos, a perda de um deles é lesão grave por debilidade (§ 1º), enquanto a perda dos dois configura lesão gravíssima (§ 2º).

b. *Enfermidade incurável:* é a enfermidade que não pode ser curada pelos meios ordinários da medicina, admitindo-se dolo ou preterdolo. Polêmica existe em relação à transmissão de HIV, pois no HC 98.712/RJ,[6] o STF considerou tratar-se de crime previsto no art. 131 (perigo de contágio de moléstia incurável), mas o STJ considera tratar-se do tipo penal previsto no art. 129, § 2º, II.[7] Sustentamos que não se pode afastar a tentativa de homicídio. Primeiramente porque todo ato capaz de levar à morte como resultado esperado é um ato executório de homicídio, cujo tipo penal é aberto; segundo, porque pode efetivamente haver *animus necandi* na conduta. Imagine-se quem, por ódio, deseja vingar-se de outras pessoas em razão de ter contraído o vírus, pretendendo efetivamente produzir o contágio de outrem. Se, em última instância – o que é matéria de prova – o agente desejar matar ou assumir o risco de matar por contágio, haverá dolo de homicídio. A existência de medicamentos capazes de obstar a morte nada mais é, em nossa opinião, do que circunstância alheia à vontade do agente.

c. *Incapacidade permanente para o trabalho:* o indivíduo deve ficar incapacitado para qualquer trabalho, e não apenas para o trabalho anterior. Mas esta regra deve ser aplicada com reservas, pois não se pode ignorar que um renomado pianista, que se dedica exclusivamente a esse trabalho altamente especializado, possa simplesmente exercer outra atividade. A simples vergonha de ir para o local de trabalho,

---

6. Rel. Min. Marco Aurélio, Primeira Turma, DJe 17/12/2010.
7. HC 160.982/DF, Rel. Ministra Laurita Vaz, Quinta Turma, julgado em 17/05/2012, DJe 28/05/2012.

por causa da lesão, não qualifica o crime. A forma mais comum é o preterdolo, mas o dolo também é admitido.

d. *Deformidade permanente:* dano estético aparente e considerável, de certa monta. No crime de vitriolagem (arremesso de ácido contra a vítima), a deformidade só se configura se for aparente, isto é, perceptível, mesmo que esteja em local usualmente oculto pelas roupas ou que só apareça em momentos íntimos. Admite-se dolo em relação ao resultado.

e. *Aborto:* é o aniquilamento da vida intrauterina, o qual só admite a forma preterdolosa, ou seja, dolo de lesão e culpa em relação ao aborto. Se houver dolo em relação ao aborto o crime será o do art. 125.

Lesão corporal seguida de morte (art. 129, § 3º)

Trata-se do chamado homicídio preterdoloso ou homicídio preterintencional. Ocorre quando há dolo de lesão e culpa em relação à morte (preterdolo). Portanto, a morte deve ser previsível. Exemplo: se uma pessoa agride outra, a qual vem a cair, batendo a cabeça em um prego, de forma imprevisível, não há lesão corporal seguida de morte, pois esta foi acidental. O agente responderá apenas por lesão corporal grave ou gravíssima, sem a qualificadora da morte.

Violência doméstica

A configuração da violência doméstica exige uma condição especial do sujeito ativo e passivo do crime (crime biróprio), referindo-se a pessoas que tenham algum tipo de relação doméstica ou familiar: ascendente, descendente, irmão, cônjuge ou companheiro, com quem conviva ou tenha convivido, prevalecendo-se das relações domésticas, de coabitação ou de hospitalidade (art. 129, § 9º). Não há necessidade de convívio no momento da lesão, pois basta que tenha havido convivência. No caso de lesões corporais praticadas em situação de violência doméstica, poderão surgir as seguintes situações:

a. lesão corporal leve: a pena será de reclusão, de 3 meses a 3 anos (art. 129, § 9º), caso em que a violência doméstica configura forma qualificada;

b. lesão corporal grave ou gravíssima: a pena do § 1º ou 2º será aumentada de 1/3 (art. 129, § 10), caso em que a violência doméstica configura majorante;
c. se a vítima for portadora de deficiência: a pena será aumentada de 1/3 (art. 129, § 11), caso em que é a deficiência da vítima de violência doméstica que constitui a majorante.

Violência contra agente de segurança ou familiar

Nos termos do § 12 do art. 129, a pena será aumentada de 1 a 2/3 se a lesão for praticada contra autoridade ou agente descrito nos arts. 142 e 144 da Constituição Federal, integrantes do sistema prisional e da Força Nacional de Segurança Pública, no exercício da função ou em decorrência dela, ou contra seu cônjuge, companheiro ou parente consanguíneo até terceiro grau, em razão dessa condição.

Violência contra a mulher

A violência doméstica contra a mulher, por razões do sexo feminino, constitui crime qualificado, punido com pena de 1 a 4 anos de reclusão (art. 129, § 13). A ação penal é pública incondicionada, consoante ADI 4.424 (STF) e Súmula 542 do STJ. Admite-se suspensão condicional do processo (art. 89 da Lei n. 9.099), mas é vedada a aplicação de pena pecuniária, cestas básicas ou aplicação isolada de pena de multa. Também não se admite acordo de não persecução penal (CPP, art. 28-A, § 2º, IV).

Forma privilegiada

Aplicam-se às lesões corporais as mesmas privilegiadoras do homicídio, consoante art. 129, § 4º. Mas, diante da topografia do art. 4º, o privilégio não se aplica à lesão corporal qualificada pela violência doméstica.

Lesões corporais culposas

As lesões culposas estão previstas no art. 129, § 6º, não importando, nesse caso, a gravidade das lesões, que só se consideram na aplicação da pena. É curioso notar que a lesão corporal prevista no Código de Trânsito Brasileiro, art. 303, comina pena de 6 meses a 2 anos, sendo, portanto, mais grave que a lesão dolosa prevista no Código Penal.

Perdão judicial e majorantes

O art. 129, § 8º, permite ainda o perdão judicial, da forma como ocorre com o homicídio culposo. Também as majorantes são, em regra, as mesmas do homicídio (§ 7º), ou em caso de lesões graves ou gravíssimas em situação de violência doméstica (§ 10), bem como no caso de violência doméstica contra portador de deficiência (§ 11) ou ainda no crime cometido contra autoridade de segurança ou familiar no exercício da função (§ 12).

11.7 CRIMES DE PERIGO À VIDA OU À SAÚDE

Entre os crimes contra a pessoa, estão diversos crimes que se destinam a proteger a vida e à saúde de atos meramente perigosos, sem qualquer ofensa efetiva, constituindo crimes de perigo individual, pois não se confundem com os crimes de perigo comum, previstos também no Código Penal (arts. 250 e seguintes), que correspondem a condutas que levam perigo a um número indeterminado de pessoas. Nos crimes de perigo individual tratados neste capítulo, o perigo deve ser comprovado, por isso se chamam *crimes de perigo concreto*, em oposição aos *crimes de perigo abstrato*, em que não é necessária a prova do perigo, pois este é presumido. Os crimes de perigo têm natureza subsidiária, ora expressa (art. 132), ora tácita (art. 130), só se aplicando em caso de a situação não corresponder a um crime mais grave e com pena maior, uma vez que, havendo dano, este deve prevalecer ao mero perigo.

Perigo de contágio venéreo

Previsto no art. 130, consiste em *expor alguém, por meio de relações sexuais ou qualquer ato libidinoso, a contágio de moléstia venérea, de que sabe ou deve saber que está contaminado*. A pena é de detenção, de 3 meses a 1 ano, ou multa, mas, se a intenção do agente for transmitir a moléstia, a pena é de 1 a 4 anos (crime qualificado). O objeto jurídico tutelado é a incolumidade física e a saúde, enquanto o objeto material é a pessoa humana. O sujeito ativo é qualquer pessoa, mas SANCHES CUNHA afirma que se trata de crime próprio, em razão da necessidade de o sujeito ativo ser portador da moléstia.[8] O sujeito passivo é qualquer pessoa, inclusive o cônjuge. A conduta é vinculada, isto é, não admite forma livre, exigindo-se uma ação definida (jamais omissão), consistente em contato sexual entre os sujeitos. O crime ocorre mesmo que haja consentimento da vítima. O elemento subjetivo é o dolo de perigo e, excepcionalmente, de dano (§ 1º). O legislador, de forma pouco convencional, utilizou a fórmula "sabe ou deve saber". A expressão "sabe" nada acrescenta, uma vez que só existe dolo se houver conhecimento. Já a expressão "deve saber" acrescenta enorme confusão no tipo penal, já que remete à ideia da violação de um dever, isto é, culpa, fazendo parte da doutrina crer que se trata de crime culposo,[9] com base na exposição de motivos, que diz que esse crime é punido tanto a título de dolo de perigo como a título de culpa. Todavia, conforme esclarece GRECO, a expressão indica dolo eventual.[10]

Consoante BITENCOURT, a expressão "sabe" configura tanto dolo direto quanto dolo eventual. Se o agente sabe que está contaminado e deseja praticar o ato perigoso, há dolo direto, mas se sabe que está contaminado e age na dúvida sobre o contágio, ocorre dolo eventual. A expressão "deve saber" configura dolo eventual, pois o agente suspeita estar contaminado, mas não tem certeza de sua infecção e, quiçá, contaminação, e, no entanto, mantém relação sexual sem tomar qualquer precaução, expondo alguém ao perigo. Não há, em nenhuma das hipóteses, qualquer intenção de transmitir a moléstia, tampouco a assunção do risco de transmiti-la, pois o dolo é de perigo.[11]

Não é possível concordar com a forma culposa do crime, embora tenhamos aqui, de fato, um elemento normativo, uma vez que soa totalmente excepcional a ideia de um crime culposo de perigo, já que os crimes culpo-

---

8. SANCHES, Rogério. *Código penal para concursos*. Salvador: Juspodivm, 2021. p. 233.
9. HUNGRIA, Nélson. *Comentários ao Código Penal*. V. 5, arts. 121 a 136. Rio de Janeiro: Ed. Revista Forense, 2018. p. 362.
10. GRECO, Rogério. *Curso de Direito Penal:* parte especial, volume II. Niterói: Impetus, 2012. p. 300.
11. BITENCOURT, Cezar Roberto. *Tratado de Direito Penal Parte Especial:* crimes contra a pessoa. Volume 2. 20. ed. São Paulo: Saraiva, 2020. p. 346-347.

sos são, em essência, de dano, não de perigo. Embora essa regra possa ser excepcionada, não nos parece ter sido essa a intenção do legislador. Assim, se o agente age com negligência, não será punido, mas se tiver razões para suspeitar de que está doente, então deve saber que está doente, de modo que assume o risco de contágio. Consuma-se o crime com o ato sexual. Admite-se a tentativa.

A ação penal é pública condicionada à representação, o que se justifica para evitar *strepitus fori*, isto é, constrangimento à vítima, a qual deve escolher se quer ou não se expor em processo judicial.

Perigo de contágio de moléstia grave

Consiste em *praticar, com o fim de transmitir a outrem moléstia grave de que está contaminado, ato capaz de produzir o contágio*. A pena é de reclusão, de 1 a 4 anos, e multa (art. 131). O objeto jurídico tutelado é a incolumidade física e a saúde, enquanto o objeto material é a pessoa humana. O sujeito ativo é qualquer pessoa, desde que contaminado pela doença. O sujeito passivo é, também, qualquer pessoa. Pune-se qualquer ação ou omissão capaz de transmitir a moléstia, seja por meio direto (contato físico) ou indireto (por meio de objetos, v.g., talheres, copos e seringas contaminadas). A moléstia deve ser grave e contagiosa. Caso resulte lesão leve, ficará absorvida. No caso de lesão grave ou morte, haverá concurso de crimes. O tipo subjetivo é o dolo direto apenas, ante a expressão "fim de transmitir", consistente em dolo de perigo. Consuma-se o crime com a prática do ato perigoso. Admite-se a tentativa. A ação penal é pública incondicionada. No caso de transmissão de HIV, o STF decidiu que não se trata de crime doloso contra a vida, e sim, perigo de contágio de moléstia grave[12]. Discordamos do respeitável posicionamento, porque todo ato capaz de levar a morte como resultado esperado é um ato executório de homicídio, cujo tipo penal é aberto. Assim, caso o agente resolva, por ódio de sua condição, vingar-se de outras pessoas em razão de ter contraído o vírus, pretendendo efetivamente causar-lhes sofrimento ou até mesmo a morte, haverá *animus necandi*, a ensejar responsabilização pelo cri-

---

12. HC 98.712/RJ, Rel. Min. Marco Aurélio, Primeira Turma, DJe 17/12/2010.

me do art. 121. Em nossa opinião, a existência de medicamentos capazes de obstar a morte nada mais é do que circunstância alheia à vontade do agente. A ação penal é pública incondicionada.

Perigo para a vida ou saúde de outrem

Nos termos do art. 132, consiste em *expor a vida ou a saúde de outrem a perigo direto e iminente*. A pena prevista é de detenção, de 3 meses a 1 ano, se o fato não constituir crime mais grave (subsidiariedade expressa). Segundo o parágrafo único, a pena é aumentada de 1/6 a 1/3 se a exposição da vida ou da saúde de outrem a perigo decorre do transporte de pessoas para a prestação de serviços em estabelecimentos de qualquer natureza, em desacordo com as normas legais. O objeto jurídico é a incolumidade física e a saúde, enquanto o objeto material é a pessoa humana. O sujeito ativo é qualquer pessoa, assim como o sujeito passivo (crime bicomum). A conduta é qualquer ação ou omissão que coloque a vida ou a saúde de qualquer pessoa em perigo direto e iminente. O tipo subjetivo é doloso em relação ao perigo. Se houver dolo de ferir ou matar, o crime será de lesões corporais ou homicídio, na forma consumada ou tentada. Se o agente cria o perigo mediante disparo de arma de fogo, deverá responder pelo art. 15 da Lei n. 10.826, já que a pena deste crime é mais grave e o art. 132 é expresso nesse sentido. Consuma-se o crime com o ato capaz de gerar perigo, admitindo-se a tentativa. A ação penal é pública incondicionada.

Abandono de incapaz

O art. 133 tipifica a conduta de *abandonar pessoa que está sob seu cuidado, guarda, vigilância ou autoridade, e, por qualquer motivo, incapaz de defender-se dos riscos resultantes do abandono*. A pena é de detenção, de 6 meses a 3 anos, sendo crime qualificado se do abandono resultar lesão corporal de natureza grave ou morte (§§ 1º e 2º). Além disso, a pena será majorada nos seguintes casos (§ 3º): se o abandono ocorre em lugar ermo; se o agente é ascendente ou descendente, cônjuge, irmão, tutor ou curador da vítima; e a vítima é maior de 60 anos. Este crime é subsidiário do art. 244 do Código Penal.

O objeto jurídico tutelado é a incolumidade física e a saúde, enquanto o objeto material é a pessoa humana incapaz. O sujeito ativo é o garantidor. Não havendo qualquer relação com a vítima, o crime será o de omissão de socorro. O sujeito passivo é a pessoa incapaz de defender, o que deve ser entendido de forma ampla, como o próprio abandono durante o sono, que é uma situação de fragilidade e impossibilidade de defesa. Tratando-se de abandono de recém-nascido com o fim de ocultar desonra, o crime é o do art. 134. A conduta é abandonar, no sentido de afastar-se do incapaz, deixando-o à própria sorte, por tempo relevante e capaz de colocá-lo em risco. Admite-se ação, como levar a vítima a um lugar de abandono, ou omissão, simplesmente afastando-se do lugar onde a vítima está. Não se configura o crime se a vítima estiver protegida, como em hospital, por exemplo, nem se o agente permanece vigiando a vítima, para evitar o perigo, até que alguém a socorra. Não há crime se a pessoa abandonada tem condições de se defender de eventuais perigos. Caso o sujeito ativo abandone o incapaz a fim de que este pereça, poderá se configurar crime de homicídio. O tipo subjetivo compreende o dolo de perigo; havendo dolo de lesão ou homicídio, será este o crime. As formas preterdolosas ocorrem no caso em que o abandono resulta em lesão grave ou morte (§§ 1º e 2º). Nesse caso, as lesões e a morte não podem ter sido desejadas pelo agente, pois do contrário o crime será de lesões ou de homicídio, na forma consumada ou tentada. A consumação ocorre com o abandono, independentemente de qualquer resultado. Admite-se a tentativa. A ação penal é pública incondicionada.

Exposição ou abandono de recém-nascido

Nos termos do art. 134, o crime é *expor ou abandonar recém-nascido à própria sorte, para ocultar desonra própria*. É semelhante ao infanticídio, mas com este não se confunde. Primeiramente, pode ser praticado por qualquer pessoa, ao contrário do infanticídio, que é crime próprio. Mas a grande distinção está no elemento subjetivo, já que no infanticídio existe dolo de matar, enquanto que no crime do art. 134 o dolo é de perigo, além de conter um elemento subjetivo especial, que é o fim de ocultar desonra própria. A pena é de detenção, de 6 meses a 2 anos; de 1 a 3 anos se resulta lesão grave; e de 2 a 6 anos se resulta morte. O objeto jurídico tutelado é a incolumidade física e a saúde, enquanto o objeto material é a pessoa humana recém-nascida. O sujeito ativo é o pai ou a mãe. O sujeito passivo é o recém-nascido. O crime pode ser praticado por ação (expor) ou omissão (abandonar recém-nascido). O tipo subjetivo compreende o dolo de perigo; havendo dolo de lesão ou homicídio, será este o crime. Exige-se ainda a finalidade especial de "ocultar desonra própria", o que se aplica tanto a homem ou mulher. Imagine, por exemplo, um líder religioso e moralista que tenha um filho adulterino e resolva, para ocultar a desonra própria, ocultar seu nascimento. A consumação ocorre com a exposição ou abandono, independentemente de qualquer resultado naturalístico. Admite-se a tentativa. A ação penal é pública incondicionada.

Omissão de socorro

Consoante o art. 135, consiste em *deixar de prestar assistência, quando possível fazê-lo sem risco pessoal, à criança abandonada ou extraviada, ou à pessoa inválida ou ferida, ao desamparo ou em grave e iminente perigo; ou não pedir, nesses casos, o socorro da autoridade pública*. É um crime omissivo próprio, cuja pena é de detenção, de 1 a 6 meses, ou multa, sendo aumentada de metade, se da omissão resulta lesão corporal de natureza grave, e triplicada, se resulta a morte. O objeto jurídico tutelado é a vida e a saúde, enquanto o objeto material é a pessoa humana que deixa de ser atendida. O sujeito ativo é qualquer pessoa. Se o sujeito ativo for garantidor, poderá haver crime comissivo por omissão em caso de lesões ou morte. Além disso, não pode figurar como sujeito ativo o causador do perigo, pois este será o garantidor, na forma do art. 13, § 2º, *c*. O sujeito passivo é qualquer pessoa que esteja em uma das condições do tipo. A conduta é omissiva pura, no sentido de que o agente é punido por permanecer inerte diante de uma situação de perigo para alguém, e não pelo resultado suportado pela vítima. Se o agente tiver que se deslocar até onde a vítima está, não haverá crime ao deixar de fazê-lo. A configuração do crime exige que o auxílio pode ser prestado sem risco pessoal ao agente. A assistência tardia equivale à omissão. Assim, a prestação de socorro deve estar ao seu alcance e não oferecer risco. Entendemos que o crime se configura ainda que a vítima recuse o socorro. Imagine-se, por exemplo, que uma pessoa maior e capaz esteja prestes a cometer suicídio e o agente, ao perceber tal ato, nada faz a respeito, sequer comunicando um policial que esteja próximo, porque foi advertido pela vítima de que não o fizesse. A omissão pode ser de dois tipos:

a. imediata: o omitente deixa de prestar pessoal e diretamente a assistência à vítima;
b. mediata: o omitente, não podendo socorrer pessoalmente, deixa de pedir auxílio à autoridade pública.

O tipo subjetivo é doloso em relação ao perigo. Havendo dolo de lesão ou de morte, responderá o agente por lesões ou homicídio, na forma consumada ou tentada. Consuma-se o crime com o perigo abstrato, no caso de criança abandonada ou extraviada, e perigo concreto nos demais casos. É natural que, em se tratando de criança, presuma-se que sua vulnerabilidade a deixa exposta a um perigo, o que deve ser comprovado nos demais casos. Ocorrerá aumento de pena nos casos de lesão grave (aumento de metade) ou morte (pena triplicada). Tratando-se de omissão de socorro de vítima de evento de trânsito, incidirá o Código de Trânsito Brasileiro. Em se tratando de vítima idosa, configura-se o art. 97 do Estatuto do Idoso. Por fim, não se confunde a omissão de socorro com o crime de omissão praticado pelo garantidor, pois, neste caso, o omitente deverá responder por um resultado, como se tivesse praticado uma ação (CP, art. 13, § 2º). Consuma-se o crime com a omissão (crime de mera conduta), não se admitindo a forma tentada, pois a execução já consuma o crime (crime unissubsistente). A ação penal é pública incondicionada.

Crime de omissão de socorro	Crime de omissão imprópria
É a omissão de quem não tem nenhum dever para com a vítima, incorrendo no art. 135, que configura uma *omissão própria*.	É a omissão de quem tem o dever de impedir o resultado, nos termos do art. 13, § 2º (garantidor), incorrendo em crime de ação (art. 121, art. 129 etc.).

Condicionamento de atendimento médico-hospitalar emergencial

Conforme art. 135-A, *consiste em exigir cheque-caução, nota promissória ou qualquer garantia, bem como o preenchimento prévio de formulários administrativos, como condição para o atendimento médico-hospitalar emergencial.* A pena é de detenção, de 3 meses a 1 ano, e multa, aumentando-se até o dobro se da negativa de atendimento resulta lesão corporal de natureza grave, e até o triplo se resulta a morte. Este crime foi incluído no Código Penal pela Lei n. 12.653/2013, com o objetivo de evitar que as pessoas fragilizadas, em busca de atendimento médico, sofressem constrangimentos e coerções antes de serem atendidas. O objeto jurídico é a integridade corporal e a saúde, garantindo-se atendimento rápido e sem burocracia. O objeto material é a pessoa humana que deixa de ser atendida. O sujeito ativo é o funcionário do serviço de atendimento à saúde. O sujeito passivo é qualquer pessoa. A conduta consiste em condicionar o atendimento a uma prestação prévia do paciente: cheque-caução, nota promissória ou qualquer garantia, bem como o preenchimento prévio de formulários administrativos. O crime depende de que exista perigo na demora no atendimento, que não possa esperar pelas formalidades. Se o paciente não tem risco ou prioridade no atendimento, o crime não se configura. O crime é de perigo real. O tipo subjetivo é doloso. Consuma-se com a exigência prevista. Embora de difícil configuração, a tentativa é possível na forma plurissubsistente. Exemplo: a exigência ocorre por interposta pessoa, que não consegue entregar o "recado" à vítima. A ação penal é pública incondicionada.

Maus-tratos

Pratica o crime de *maus-tratos* (art. 136) quem expõe a perigo a vida ou a saúde de pessoa sob sua autoridade, guarda ou vigilância, para fim de educação, ensino, tratamento ou custódia, quer privando-a de alimentação ou cuidados indispensáveis, quer sujeitando-a a trabalho excessivo ou inadequado, quer abusando de meios de correção ou disciplina. A pena é de detenção, de 2 meses a 1 ano, ou multa (infração de menor potencial ofensivo). Se resulta lesão grave a pena é de 1 a 4 anos e de 4 a 12 anos se resulta morte.

Em qualquer caso, aumenta-se a pena de 1/3, se o crime é praticado contra pessoa menor de 14 anos. Note que a pena mínima prevista para maus-tratos a animal é de 3 meses (art. 32 da Lei n. 9.605/98), sendo portanto mais severa que a prevista no CP para maus-tratos a seres humanos, em flagrante violação ao princípio da proporcionalidade.

A objetividade jurídica é a proteção da vida e a integridade física e psíquica da pessoa sob autoridade, guarda ou vigilância do agente. O objeto material é a pessoa humana que sofre com os maus-tratos. O sujeito ativo é quem exerce autoridade, guarda ou vigilância do agente. O padrasto e a madrasta só serão sujeitos do crime se tiverem algum grau de autoridade, guarda ou vigilância sobre a vítima. O sujeito passivo é a pessoa sujeita a guarda, autoridade ou vigilância.

A conduta é de ação múltipla, comportando diversas formas de atuação:

a. *privação de alimentos ou de cuidados indispensáveis*: conduta omissiva, não precisando haver privação total dos alimentos ou cuidados, bastando que haja perigo concreto à vítima, consumando-se o crime com a mera conduta que, sendo omissiva, não admite tentativa;

b. *sujeição a trabalho excessivo ou inadequado*: é o trabalho incompatível com as condições pessoais da vítima, que devem ser consideradas;

c. *abuso do meio disciplinar*: o abuso da disciplina deve levar em conta o disposto no Estatuto da Criança e do Adolescente e, em especial, arts. 18-A e 18-B, que foram introduzidos pela Lei n. 13.010, que estabelece o direito da criança e do adolescente de serem educados e cuidados sem o uso de castigos físicos ou de tratamento cruel ou degradante, conhecida como "Lei da Palmada", a qual, assevera NUCCI, é inadequada no contexto cultural brasileiro, sendo que castigos físicos não constituem, necessariamente, maus-tratos.[13]

Tratando-se de tipo misto alternativo, a prática de mais de uma das condutas descritas constitui crime único. É crime de perigo concreto, de-

---

13. NUCCI, Guilherme de Souza. *Manual de Direito Penal*. 17. ed. Rio de Janeiro: Forense, 2021. p. 615.

vendo ser demonstrado o efetivo perigo à integridade e à saúde física ou psíquica da vítima. O tipo subjetivo é o dolo, mas, nas formas qualificadas, deve estar presente o preterdolo, isto é, dolo em relação ao fato antecedente (maus-tratos) e culpa em relação ao resultado (lesões graves ou morte). Caso haja dolo de lesão grave ou morte, estará configurado o crime de lesões corporais graves ou homicídio, na forma tentada ou consumada, conforme o caso. Não se confunde com o crime de tortura, previsto na Lei n. 9.455/97, pois neste exige-se intenso sofrimento físico ou mental. Consuma-se o crime com a realização da conduta geradora de perigo, admitindo tentativa, ressalvada a forma omissiva. A ação penal é pública incondicionada.

11.8 RIXA

O Capítulo IV do Código Penal prevê, de forma isolada, o crime de *rixa* (art. 137), com a seguinte redação: *participar de rixa, salvo para separar os contendores*. Consiste o crime na participação em contenda generalizada, em que não é possível distinguir quem se volta contra quem, exceto se o agente o faz para separar os contendores. A pena é de detenção, de 15 dias a 2 meses, ou multa (infração de menor potencial ofensivo), mas se ocorre morte ou lesão corporal de natureza grave, aplica-se, pelo fato da participação na rixa, a pena de detenção, de 6 meses a 2 anos. A objetividade jurídica é a incolumidade física e a saúde. O objeto material é o conjunto de pessoas expostas a perigo. O crime é de perigo abstrato e plurissubjetivo, exigindo-se a participação de no mínimo três pessoas, computando-se, nesse número, eventuais inimputáveis, pessoas não identificadas e que tenham morrido durante a briga. Meros expectadores do conflito, que não participaram da rixa, figuram como sujeitos passivos. A conduta é tomar parte na briga generalizada, podendo ser de participação material (o agente entra na briga) ou moral (incentivo). A troca de agressões verbais entre várias pessoas não configura o crime, devendo haver contato corporal. O tipo subjetivo é o dolo de perigo. Não há dolo se a intenção for separar os contendores. O crime de mera conduta consuma-se com o início do conflito, não admitindo tentativa.[14] A rixa qualificada ocorre no caso de resultar lesão grave ou morte. O agente que abandonou a rixa antes da morte ou da lesão grave responde, igualmente, pela qualificadora, pois sua conduta anterior teve relevância causal para o resultado previsível. Se identificado o causador das lesões ou da morte, este responderá também por estes crimes. Em regra, aquele que participa da rixa é verdadeiro agressor, não podendo alegar legítima defesa. Todavia, poderá invocar a descriminante o contendor que repele uma agressão desproporcional à contenda, como por exemplo, usando uma arma em uma rixa de pessoas desarmadas. A ação penal é pública incondicionada.

11.9 CRIMES CONTRA A HONRA

Introdução

Crimes contra a honra são infrações penais que ofendem a honra objetiva (conceito) ou subjetiva (sentimento pessoal) de alguém, podendo constituir calúnia, injúria ou difamação. Nesses crimes, o objeto jurídico é a honra, que pode ser objetiva ou subjetiva, assim como o objeto material. Embora a Constituição Federal consagre a liberdade de expressão, esta não é ilimitada, devendo ser respeitados os direitos fundamentais da pessoa humana, entre os quais se encontram o direito à honra e à imagem, tão importantes ao convívio social. Os limites impostos à liberdade de expressão decorrem justamente do potencial e, muitas vezes, concreto, conflito entre tal direito e o direito humano fundamental à honra. A previsão expressa no art. 13, item 2, da Convenção Americana de Direitos Humanos, faz claro que o exercício malicioso e exacerbado da liberdade de expressão gera responsabilidades ulteriores nas hipóteses em que incorra em violação do devido respeito aos direitos ou à reputação das demais pessoas, ou, afronte a proteção da segurança nacional, da ordem pública, ou da saúde ou da moral públicas.

---

14. Em sentido contrário, Guilherme de Souza Nucci admite a forma tentada se houver premeditação. In *Manual de Direito Penal*. 17. ed. Rio de Janeiro: Forense, 2021. p. 618.

Calúnia

Consiste em *caluniar alguém, imputando-lhe falsamente fato definido como crime* (art. 138). A pena é de 6 meses a 2 anos, e multa (infração de menor potencial ofensivo). O sujeito ativo é qualquer pessoa, assim como o sujeito passivo (crime bicomum). O objeto jurídico é a honra objetiva. O objeto material é a reputação da vítima. O tipo objetivo prevê a conduta de caluniar alguém, imputando-lhe (atribuindo-lhe) falsamente (elemento normativo do tipo) fato definido como crime, isto é, fato previsto em um tipo penal. Não se aplica às contravenções, podendo, nesse caso, configurar-se difamação. Pode ser praticado por omissão, como no exemplo do indivíduo que, ao saber da falsidade, recusa-se a modificar a versão dos fatos. Não se confunde com denunciação caluniosa (art. 339), falsa comunicação de crime (art. 340) e autoacusação falsa (art. 341), podendo ser praticado por e contra qualquer pessoa (crime bicomum). É punível a calúnia contra os mortos (art. 138, § 2º), caso em que o sujeito passivo são os descendentes. O tipo subjetivo é dolo direto ou eventual, exigindo-se ainda o *animus diffamandi vel injuriandi*, isto é, a intenção de ofender (tendência intensificada), excluindo-se o crime em caso de *animus jocandi* (gracejo), *animus consulendi* (aconselhamento), *animus corrigendi, instruendi, docendi, emendandi* (intenção de corrigir ou repreender), *animus narrandi* (narrar o que viu ou ouviu sobre alguém) e *animus defendendi* (direito de defesa), segundo a *teoria dos animi*. Nos termos do art. 138, § 1º, também comete o crime quem propala (espalha) ou divulga (replica) a imputação que sabe ser falsa, não se admitindo o dolo eventual nessa modalidade. Consuma-se quando a ofensa chega ao conhecimento de terceiros (honra objetiva), admitindo-se a tentativa.

Exceções da verdade e de notoriedade

No processo pelo crime de calúnia, a lei admite a "exceção da verdade", que é uma forma de defesa pela qual o réu pode apresentar provas de que os fatos imputados são verdadeiros. A exceção da verdade exclui a tipicidade, uma vez que afasta a falsidade da imputação, que é elementar do tipo.

Essa medida se justifica pelo interesse do Estado em apurar a verdade em crimes de ação pública. Consoante o § 3º do art. 138, a exceção não será admitida nos casos que digam respeito à honra do Presidente da República ou chefe de governo estrangeiro, em crime de ação privada sem condenação e crime de ação pública com absolvição, casos em que o interesse público na apuração perde o sentido, quer por se tratar de crime de ação privada sem condenação, quer por já ter havido a absolvição pelo crime de ação pública imputado, quer por haver necessidade de preservar a figura do Presidente da República.

A exceção de notoriedade, prevista no CPP, art. 523, também é admitida, podendo o réu comprovar que o fato imputado é notório, afastando a calúnia em razão de se tratar de crime impossível, já que é impossível atingir a honra objetiva de alguém se um fato é por todos conhecido.

Difamação

Consiste em *difamar alguém, imputando-lhe fato ofensivo à sua reputação* (art. 139). A pena é de detenção, de 3 meses a 1 ano, e multa (infração de menor potencial ofensivo). O objeto jurídico é a honra objetiva. O objeto material é a reputação da vítima. O sujeito ativo, qualquer pessoa. O sujeito passivo é qualquer pessoa, inclusive jurídica. O tipo objetivo prevê a conduta de difamar alguém, imputando-lhe (atribuindo) fato ofensivo à sua reputação, ou seja, fato não criminoso, porém, ofensivo (exemplo: imputar alguém a prática de incesto). O tipo abrange divulgar (replicar) e propalar (espalhar). O tipo subjetivo é o dolo direto ou eventual, exigindo-se finalidade específica de ofender a honra objetiva da vítima (*animus diffamandi vel injuriandi*), por se tratar de crime de tendência intensificada. Crime formal, dispensa a ofensa efetiva. Consuma-se quando a ofensa chega ao conhecimento de terceiros (honra objetiva). Admite-se tentativa.

Exceções da verdade e da notoriedade
Conforme HUNGRIA, é irrelevante indagar, para reconhecimento da difamação, se o fato imputado corresponde ou não à realidade. Desde que não se trate de imputação de um crime, como na calúnia, o interesse social deixa de ser o de facilitar o descobrimento da verdade, para ser o de impedir que um cidadão se arvore em censor do outro, com grave perigo para

a paz social.[15] Assim, a prova da verdade somente é admitida nos casos de ofensa *propter officium*, isto é, na ofensa contra funcionário público, no exercício da função (parágrafo único), caso em que também se admite exceção de notoriedade. A exceção se justifica, nesse caso, por haver interesse público na apuração das faltas cometidas por seus agentes. Note que tais exceções não são admitidas em relação ao Presidente da República, o que se justifica pela necessidade de se preservar o chefe do Poder Executivo contra investidas políticas que possam desestabilizar as funções governamentais.

Injúria

Consiste em injuriar alguém, ofendendo-lhe a dignidade ou decoro (art. 140). A pena é de detenção, de 1 a 6 meses, ou multa (infração de menor potencial ofensivo). O objeto jurídico é a honra subjetiva. O objeto material é a autoestima da vítima. O sujeito ativo é qualquer pessoa, ressalvadas as pessoas com imunidade. O sujeito passivo é qualquer pessoa. A pessoa jurídica não pode ser vítima do crime, por não possuir honra subjetiva. O tipo objetivo prevê a conduta de injuriar, ofendendo a dignidade (atributos morais, costumes, honestidade etc.) ou decoro (atributos físicos, intelectuais e sociais). Não se confunde a injúria com a incivilidade ou a simples expressão grosseira, que apenas revela falta de educação, protegendo a lei os justos melindres do brio, e não as exageradas e fictícias suscetibilidades dos presunçosos.[16] A injúria pode ser direta (imediata), quando atinge qualidades do próprio ofendido, ou oblíqua (mediata), quando se dirige a pessoa que lhe é cara (exemplo: "teu filho é um canalha"); explícita ou implícita, por exclusão (quando se declara honestas determinadas pessoas, excluindo-se o ofendido), interrogativa ("será você um gatuno?"), dubitativa ou suspeitosa ("talvez seja fulano um impostor"), irônica, reticente, por fingido quiprocó ("meretríssimo, digo, meritíssimo juiz"), condicionada ou por hipótese (quando se diz de alguém que seria um canalha se tivesse praticado tal ou qual ação, sabendo-se que ele realmente praticou), truncada ("fulana não passa de uma p..."), simbólica

---

15. HUNGRIA, Nélson. *Comentários ao Código Penal*. Vol. VI. Rio de Janeiro: Forense, 1953. p. 82.
16. Idem, p. 88.

(dar o nome de alguém a um asno, imprimir o retrato de alguém em folhas de papel higiênico, pendurar chifres na porta de um homem casado).[17] Em caso de ofensa a funcionário público, em razão do ofício, se for por interposta pessoa, mensagem, telefone ou imprensa, configura injúria, mas se for na presença do funcionário, haverá desacato (art. 331). Pode ser praticada por omissão, como recusar um cumprimento. O tipo subjetivo é o dolo direto ou eventual, exigindo-se finalidade específica de ofender a honra objetiva da vítima (*animus diffamandi vel injuriandi*), por se tratar de crime de tendência intensificada. Crime formal, dispensa a ofensa efetiva. Consuma-se quando a ofensa chega ao conhecimento da vítima (honra subjetiva). Admite-se tentativa.

Injúria qualificada pela violência ou vias de fato

O § 2º do art. 140 prevê a injúria real, que consiste em agressão vexatória contra alguém. Assim, na injúria real estão todas as agressões físicas que produzem algum tipo de humilhação: jogar excrementos, chicotear, arrastar em via pública etc. Se essa agressão causar lesão, haverá concurso entre injúria real e lesão corporal. A pena é de 3 meses a 1 ano, sem prejuízo da pena correspondente à violência (lesão leve, grave ou gravíssima).

Injúria qualificada pelo preconceito e crimes de ódio

A injúria pode configurar um *crime de ódio* sempre que manifestar alguma forma de preconceito. Crimes de ódio (do inglês *hate crime*) são crimes cometidos quando o criminoso seleciona intencionalmente a sua vítima em função de esta pertencer a certo grupo, tendo normalmente razões de raça, cor, religião, etnia, gênero, sexualidade etc.

A injúria preconceituosa consiste em ofensa que utiliza elementos referentes a raça, cor, etnia, religião, origem ou condição de pessoa idosa ou portadora de deficiência (art. 140, § 3º). A pena é de reclusão, de 1 a 3 anos, e multa. Na injúria preconceituosa, o agente ofende de forma a menosprezar a vítima ou desonrar sua raça, cor, etnia etc.

---

17. Idem, p. 91.

Não se confunde essa forma de injúria com os crimes de preconceito previstos na Lei n. 7.716/89, nos quais não há uma simples ofensa, mas a privação ou restrição de direito ou faculdade em razão de preconceito, como o seguinte exemplo:

> Art. 3º Impedir ou obstar o acesso de alguém, devidamente habilitado, a qualquer cargo da Administração Direta ou Indireta, bem como das concessionárias de serviços públicos.
> Pena: reclusão de 2 a 5 anos.

As penas para os crimes de preconceito são bem maiores do que as da injúria preconceituosa. Além disso, é preciso fazer a distinção entre os crimes de *racismo* e de *injúria racial*. O racismo está previsto na Lei n. 7.716, enquanto a injúria racial está prevista no art. 140, § 3º, do CP. Ambos podem ser considerados crimes de ódio, assim como a xenofobia, o machismo e a homofobia. No julgamento da DO 26 e do MI 4733, o STF entendeu que houve omissão inconstitucional do Congresso Nacional por não editar lei que criminalize atos de homofobia e de transfobia, decidindo que esses crimes devem ficar sujeitos à Lei n. 7.716/89 até a edição de lei específica.

Exceção da verdade e de notoriedade

O crime de injúria não admite, de forma alguma, a interposição das exceções da verdade ou de notoriedade. Trata-se de crime que agride a honra subjetiva, em que não há imputação de fatos, mas de características pejorativas, o que é impossível de ser provado, por falta de objetividade.

Perdão judicial

O § 1º do art. 140 prevê o perdão judicial, não aplicável às formas qualificadas, nas seguintes hipóteses:

- quando o ofendido de modo reprovável provocou a injúria;
- no caso de retorsão imediata que consista em outra injúria.

Majorantes dos crimes contra a honra

Nos termos do art. 141, aumentam-se de 1/3 as penas de injúria, calúnia ou difamação, se qualquer dos crimes é cometido:

I. Contra o Presidente da República, ou contra chefe de governo estrangeiro.
II. Contra funcionário público, em razão de suas funções (não se deve confundir com o crime de desacato, previsto no art. 331 do CP), ou contra os presidentes do Senado Federal, da Câmara dos Deputados ou do Supremo Tribunal Federal. Esse dispositivo foi modificado pela Lei n. 14.197/2021 para incluir os presidentes dos poderes referidos, o que é redundante, pois estes se ajustam ao conceito de funcionário público.
III. Presença de várias pessoas, ou por meio que facilite a divulgação da calúnia, da difamação ou da injúria (para que se configure a majorante de várias pessoas, entende-se que deve haver pelo menos três).
IV. Pessoa maior de 60 anos ou portadora de deficiência, exceto no caso de injúria.

Consoante o § 1º, se o crime é cometido mediante paga ou promessa de recompensa, aplica-se a pena em dobro.

Exclusão do crime

Excludentes especiais da ilicitude

O art. 142 prevê excludentes especiais da ilicitude aplicáveis exclusivamente à injúria ou difamação, excluindo-se, portanto, a calúnia. Assim, não constitui crime de injúria ou difamação:

a. A ofensa irrogada em juízo, na discussão da causa, pela parte ou por seu procurador: trata-se de imunidade judiciária, destinada a permitir a adequada atuação dos procuradores, mas tal imunidade não abrange a ofensa dirigida ao juiz, pois este não é parte. Existe regra específica para membros da OAB no art. 7º, § 2º, da Lei n. 8.906/94

(Estatuto da Advocacia), sendo que a expressão "desacato" desse dispositivo foi declarada inconstitucional pelo STF (ADI 1.127-8). Conforme já decidiu o STF, a imunidade do advogada é relativa.[18]

b. Opinião desfavorável da crítica literária, artística ou científica, salvo quando inequívoca a intenção de injuriar ou difamar: trata-se de exercício da liberdade de expressão, direito fundamental previsto na CF, art. 5º, IV, só sendo punível em caso de abuso (inequívoca a intenção de injuriar ou difamar).

c. O conceito desfavorável emitido por funcionário público, em apreciação ou informação que preste no cumprimento de dever do ofício: neste caso, a excludente se baseia na regular prestação dos serviços públicos, em que há hierarquia e sujeição a inquéritos e processos disciplinares.

Imunidades materiais por delitos de expressão

Além das hipóteses previstas no art. 142, deputados federais e senadores são invioláveis, civil e penalmente, por quaisquer de suas opiniões, palavras e votos, nos termos da Constituição Federal (art. 53), o que se aplica aos deputados estaduais (CF, art. 27, § 1º). Quanto aos vereadores, a imunidade por palavras e votos fica adstrita ao exercício do mandato e na circunscrição do município (CF, art. 29, VIII). Consoante o STF, "o mandato parlamentar não implica, por si só, imunidade. Há de apreciar-se o nexo entre as ideias expressadas e as atribuições próprias à representação do povo brasileiro".[19]

Retratação do agente

A retratação do agente é causa extintiva da punibilidade, conforme o art. 143. Trata-se de um pedido formal de desculpas, em que o agente volta atrás no que disse, admitindo o equívoco. Aplica-se apenas à calúnia e à difamação, já que estes crimes atingem a honra objetiva, referindo-se a fatos. Deve ser feita até a sentença.

---

18. HC 86.044, Rel. Min. Ricardo Lewandowski, Primeira Turma, julgado em 07/11/2006.
19. HC 115.397, voto do Rel. Min. Marco Aurélio, Primeira Turma, julgado em 16/05/2017, T, DJE de 03/08/2017.

Ofensas equívocas e pedido de explicações

A ofensa pode ser equívoca, isto é, não manifesta, encoberta ou ambígua, quer quanto ao conteúdo, quer quanto ao seu destinatário, que se verifica quando há emprego de palavras de duplo sentido, frases vagas ou reticentes, alusões veladas ou imprecisas, referências dissimuladas, antífrases irônicas, circunlóquios ou rodeios de camuflagem.[20] Nesses casos, o art. 144 do CP prevê o "pedido de explicações", que é uma medida preparatória, anterior à ação penal, em que o ofendido deve pedir ao juiz que intime o autor das ofensas para esclarecer as declarações supostamente ofensivas. Se o autor se recusa a prestar esclarecimentos ou se estes são insatisfatórios, será admitida ação penal, apesar da ambiguidade da ofensa. Embora a lei mencione que o ofensor "responderá pela ofensa", não deve o juiz julgar o mérito desta, mas simplesmente o teor das explicações eventualmente prestadas, para dizer se são ou não satisfatórias para fins de futura ação penal.

Ação penal

Conforme se depreende do art. 145, nos crimes contra a honra, a ação penal pode ser:

a. *Pública condicionada à representação*: no caso de ofensa a funcionário público bem como na injúria real com lesão leve e na injúria por preconceito (Lei n. 12.033/2009).
b. *Pública condicionada à requisição do Ministro da Justiça:* nos crimes contra a honra do Presidente (requisição).
c. *Pública incondicionada:* no caso de injúria real com lesão grave ou gravíssima.
d. *Legitimidade concorrente:* nos crimes contra a honra de funcionário público, a legitimidade é concorrente, nos termos da Súmula 714 do STF. Isso significa que o funcionário ofendido pode escolher entre representar para fins de ação pública ou ingressar diretamente com ação penal privada. Note-se, porém, que uma via exclui a outra, pois,

---

20. HUNGRIA, Nélson. *Comentários ao Código Penal*. Vol. VI. Rio de Janeiro: Forense, 1953. p. 125.

se opta o ofendido pela representação ao MP, fica-lhe preclusa a ação penal privada.[21]

e. *Ação penal privada:* nos demais casos.

11.10 CRIMES CONTRA A LIBERDADE INDIVIDUAL

No Capítulo VI, o Código Penal traz os crimes contra a liberdade individual, divididos em crimes contra a liberdade pessoal (Seção I), crimes contra a inviolabilidade do domicílio (Seção II), crimes contra a inviolabilidade de correspondência (Seção III), crimes contra a inviolabilidade dos segredos (Seção IV).

Constrangimento ilegal

Está previsto no art. 146: *Constranger alguém, mediante violência ou grave ameaça, ou depois de lhe haver reduzido, por qualquer outro meio, a capacidade de resistência, a não fazer o que a lei permite, ou a fazer o que ela não manda.* A pena é de detenção, de 3 meses a 1 ano, ou multa (infração de menor potencial ofensivo). A ação penal é pública incondicionada.

Objetividade jurídica e material

A objetividade jurídica é a liberdade individual, uma vez que a Constituição Federal prevê, como direito fundamental, que ninguém será obrigado a fazer ou deixar de fazer alguma coisa senão em virtude de lei (art. 5º, II). O objeto material é a pessoa humana constrangida.

Sujeitos do crime

O sujeito ativo é qualquer pessoa, mas, se for funcionário público no exercício da função, o crime será o do art. 350 do CP ou abuso de autoridade (Lei n. 13.869). O sujeito passivo é qualquer pessoa capaz. Tratando-se de pessoa idosa, coagida a testar ou outorgar procuração, o crime será da Lei n. 10.741

---

21. HC 84659, Relator(a): Sepúlveda Pertence, Primeira Turma, julgado em 29/06/2005, DJ 19/08/2005 PP-00046 EMENT VOL-02201-02 PP-00384.

(art. 107). Caso o constrangimento seja utilizado na cobrança de dívida do consumidor, poderá se configurar o crime previsto no art. 71 da Lei n. 8.078.

Tipo penal

O núcleo do tipo é constranger, ou seja, obrigar, compelir, contrariar a vontade, a fazer ou deixar de fazer algo em desacordo com a vontade da lei, usando, para tanto, de:

a. violência: emprego de força física para vencer a resistência; pode ser direta (sobre a vítima) ou indireta (exercida sobre pessoa ou coisa importante para a vítima);
b. grave ameaça: consiste em "violência moral", a *vis compulsiva*, a intimidação, a promessa de mal contra a vítima ou pessoa que lhe é cara, devendo ser suficientemente idônea para causar medo na vítima; não necessita se tratar de um mal injusto, bastando que seja grave, apto a causar medo real na vítima; a pessoa coagida não precisa estar na presença do coator;
c. redução da capacidade de resistência: o agente faz uso sub-reptício de meios de viciar a vontade da vítima, como álcool, narcóticos etc.

O constrangimento por omissão é plenamente possível, como no caso em que um irmão deixa de entregar a outra pessoa um medicamento para que este haja de determinada maneira. A vítima deve ser constrangida a fazer ou deixar de fazer algo ilegalmente. Caso a vítima seja constrangida a fazer ou deixar de fazer algo legal, o crime não se configura, embora possa haver outro crime. Não se admite o emprego de violência para evitar algo que é meramente imoral. Assim, se a vítima for constrangida a não fazer algo imoral, porém lícito (exemplo: incesto), o crime se configura. O tipo subjetivo é o dolo.

Consumação e tentativa

Consuma-se o crime no instante em que a vítima age ou deixa de agir, independentemente do tempo da coação. Admite-se a forma tentada.

Majoração da pena e concurso de crimes

As penas aplicam-se cumulativamente e em dobro, quando, para a execução do crime, se reúnem mais de três pessoas, ou há emprego de armas, devendo se observar a regra de concurso de crimes prevista no § 2º, aplicando-se cumulativamente as penas correspondentes à violência, isto é, caso ocorra lesão corporal ou outro crime violento, o agente responderá por este, além do constrangimento.

Exclusão do crime

O § 3º do art. 146 prevê as seguintes causas especiais de exclusão da ilicitude:[22]

a. a intervenção médica ou cirúrgica, sem o consentimento do paciente ou de seu representante legal, se justificada por iminente perigo de vida;
b. a coação exercida para impedir suicídio.

Concurso aparente de normas

Impõe-se distinguir o constrangimento ilegal de outros crimes semelhantes, tais como:

a. ameaça: no crime de ameaça o mal deve ser injusto e não visa a qualquer ação ou omissão por parte da vítima;
b. o sequestro e cárcere privado: o agente não busca uma ação ou omissão da vítima, exceto no caso de fins libidinosos, e a vítima é privada de sua liberdade pessoal por tempo extenso (crime permanente), enquanto o constrangimento ilegal é crime instantâneo;
c. extorsão: o constrangimento à vítima é para fins de obtenção de vantagem econômica;

---

22. Guilherme de Souza Nucci sustenta que se trata de exclusão da tipicidade penal. Nesse sentido: *Manual de Direito Penal*. Op. cit., p. 632.

d. extorsão mediante sequestro: a privação de liberdade visa à vantagem econômica;

e. abuso de autoridade: o constrangimento é exercido por funcionário público no exercício da função.

O constrangimento ilegal é subsidiário dos crimes de sequestro, cárcere privado, extorsão, extorsão mediante sequestro e abuso de autoridade, mas é especial em relação ao crime de ameaça.

Ameaça

Consiste em *ameaçar alguém, por palavra, escrito ou gesto, ou qualquer outro meio simbólico, de causar-lhe mal injusto e grave* (art. 147). A pena é de detenção, de 1 a 6 meses, ou multa (infração de menor potencial ofensivo). O objeto jurídico é a liberdade da pessoa humana no que diz respeito à sua tranquilidade. O objeto material é a pessoa humana ameaçada. O sujeito ativo é qualquer pessoa, assim como o sujeito passivo (crime bicomum). Ameaçar é causar medo, com a promessa de causar mal injusto e grave. Injusto é o mal que a vítima não tem obrigação de suportar, podendo ser de ordem física ou moral. Assim, a ameaça de um processo criminal, quando descabido, pode configurar ameaça. Pode se tratar de um mal atual (exemplo: "cala a boca ou te mato") ou futuro (exemplo: "vou te matar na próxima"). A ameaça pode ser expressa ou implícita, como, por exemplo, o simples fato de levar a mão à cintura, sugerindo estar armado. Trata-se de conduta livre, que pode ser feita por gesticulação, gritos, uso de armas etc. O mal prometido deve ser algo verossímil, não podendo, por exemplo, ser algo sobrenatural, como alguém que promete invocar um demônio contra a outra pessoa, ou algo fantástico, como alguém que diz que vai derrubar um avião sobre a casa de outrem. O elemento subjetivo é o dolo. O crime é formal, consumando-se quando a vítima toma conhecimento da ameaça, ainda que não se sinta amedrontada, bastando que a ameaça tenha essa potencialidade. Admite-se a tentativa na forma plurissubsistente, isto é, com *iter criminis* fracionável (ameaça escrita, simbólica ou por gestos). A ação penal é pública condicionada à representação, inclusive quando se trata de ameaça contra mulher em situação da Lei Maria da Penha.

Perseguição (*stalking*)

Nos termos do art. 147-A, consiste em *perseguir alguém, reiteradamente e por qualquer meio, ameaçando-lhe a integridade física ou psicológica, restringindo-lhe a capacidade de locomoção ou, de qualquer forma, invadindo ou perturbando sua esfera de liberdade ou privacidade.* A pena é de reclusão, de 6 meses a 2 anos, e multa (infração de menor potencial ofensivo).

Este crime é conhecido como *stalking* e foi introduzido pela Lei n. 14.132/2021, revogando expressamente o art. 65 da Lei das Contravenções Penais (perturbação do sossego). Tutela-se a liberdade da vítima. O objeto material é a pessoa humana. O sujeito ativo é qualquer pessoa, assim como o sujeito passivo, tratando-se, pois, de crime bicomum, embora a conduta seja mais frequente entre pessoas que tenham mantido algum tipo de relacionamento amoroso. O tipo penal objetivo prevê a conduta de perseguir (molestar, aproximar-se, seguir) reiteradamente (repetidas vezes, com insistência, habitualidade) e por qualquer meio, seja por simples aproximação corporal ou de veículo, eletrônico e em redes sociais (*cyberstalking*) ou por interposta pessoa, causando um dos seguintes resultados:

a. ameaça à integridade física ou psicológica: ocorre quando a conduta do agente impõe à vítima medo de sofrer qualquer mal de natureza injusta e grave;
b. restrição da liberdade de locomoção da vítima: ocorre quando a pessoa ofendida se sente incapaz de ir de um lugar para outro, seja por medo, vergonha ou outro sentimento associado à perseguição;
c. qualquer invasão à esfera de liberdade ou privacidade da vítima: ocorre quando a pessoa perseguida deixa de falar com alguém ou realizar determinada atividade em razão da perseguição.

O tipo subjetivo é o dolo, devendo haver especial finalidade de causar algum tipo de ameaça, restrição da liberdade de locomoção ou invasão à esfera de privacidade da vítima. Com efeito, simplesmente acompanhar, com insistência, postagens em redes sociais, não configura o crime. Consuma-se com a reiteração. Em se tratando de crime habitual, não se admite a tentativa. Havendo um único ato, poderá se configurar ameaça.

Majorantes e ação penal
Nos termos do § 1º, aumenta-se a pena de metade se for cometido contra:

I. criança, adolescente ou idoso: leva-se em conta a condição de maior vulnerabilidade da vítima;
II. mulher, por razões de sexo feminino, nos termos do § 2º-A do art. 121): leva-se em conta a motivação fundada no preconceito de gênero contra as mulheres;
III. mediante concurso de 2 ou mais pessoas ou com emprego de arma: aplica-se a majorante ainda que um dos participantes seja inimputável ou desconhecido, sendo que arma inclui as armas brancas e armas impróprias, desde que tenha potencial para intimidar ou causar dano (exemplo: um taco de golfe).

A ação penal é pública condicionada à representação.

Violência psicológica contra a mulher
O art. 147-B, inserido pela Lei n. 14.188/2021, embora sem *nomen juris*, prevê o crime de violência psicológica contra a mulher. Cremos que o legislador andou mal ao tratar a conduta fora das hipóteses de lesões corporais, uma vez que estas também se configuram diante de danos psicológicos. A objetividade jurídica é a integridade psicológica da mulher. O objeto material é a mulher que sofre a *vis moralis*. Não se exige condição especial do sujeito ativo. O sujeito passivo é somente a mulher. Entendemos que o dispositivo não se refere apenas ao sexo biológico, devendo ser tutelada a condição de mulher em termos de gênero, que abrange toda pessoa com identidade psicossexual feminina, independentemente do aspecto puramente fisiológico e anatômico. A conduta é *causar dano emocional à mulher que a prejudique ou perturbe*

seu pleno desenvolvimento ou que vise a degradar ou a controlar suas ações, comportamentos, crenças e decisões, mediante ameaça, constrangimento, humilhação, manipulação, isolamento, chantagem, ridicularização, limitação do direito de ir e vir ou qualquer outro meio que cause prejuízo à sua saúde psicológica e autodeterminação. O tipo subjetivo é o dolo, devendo haver motivação relacionada ao gênero feminino, uma vez que tal crime é uma forma de violência contra a mulher. Assim, o dano emocional produzido à mulher sem qualquer relação com o gênero feminino não configura este crime, podendo configurar lesão corporal. Consuma-se o crime com o efetivo dano emocional à vítima (crime material), admitindo-se a tentativa. A pena é de reclusão de 6 meses a 2 anos, e multa, se o crime não constitui fato mais grave. Trata-se de crime subsidiário (subsidiariedade expressa). Assim, por exemplo, a limitação do direito de ir e vir poderá, caso se estenda no tempo, configurar sequestro ou cárcere privado. Além disso, não se descarta a ocorrência de lesões corporais graves previstas nos § 1º ou 2º do art. 129. Imagine-se, por exemplo, que a vítima, em razão do dano emocional, fique por mais de 30 dias incapacitada para o trabalho, devendo o agente responder pelo art. 129, § 1º, I. A ação penal é pública incondicionada.

Sequestro e cárcere privado

Nos termos do art. 148, consiste em privar *alguém de sua liberdade, mediante sequestro ou cárcere privado*. Não se confunde esse crime com o constrangimento ilegal (CP, art. 146), já que neste é a liberdade de fazer ou de deixar de fazer que está em jogo, enquanto o sequestro e cárcere privado atinge a liberdade deambulatória, isto é, o direito de ir e vir. Além disso, não se confunde este crime com o delito de extorsão mediante sequestro, que é crime patrimonial, previsto no art. 159 do Código Penal, em que o cerceamento da liberdade tem por objetivo a obtenção de resgate. Portanto, o art. 148 é especial em relação ao art. 146 e subsidiário em relação ao art. 159.

O bem jurídico tutelado é a liberdade deambulatória (direito de ir, vir e permanecer). O objeto material é a pessoa que sofre o sequestro ou o cárcere privado. O sujeito ativo é qualquer pessoa, assim como o sujeito passivo (crime bicomum). O núcleo do tipo é privar, que consiste em limitar total ou parcialmente a liberdade. Pode ser praticado mediante detenção (levar a vítima ao cativeiro) ou retenção (impedir a vítima de sair). O consentimento da vítima, se válido, exclui a ilicitude (excludente supralegal). O tipo subjetivo é o dolo. Dependendo do fim especial do agente, poderá se configurar outro crime, como extorsão mediante sequestro (art. 159), exercício arbitrário das próprias razões (art. 345), maus-tratos (art. 136) ou tortura (art. 1º, 4º, III, da Lei n. 9.455). Além disso, o fim libidinoso configura a qualificadora prevista no § 1º, V. O crime é permanente, consumando-se enquanto durar a privação da liberdade. Com isso, a prescrição só começa a correr quando a vítima é posta em liberdade (CP, art. 111, III). Admite-se a tentativa.

A pena é de reclusão, de 1 a 3 anos, mas o § 1º prevê formas qualificadas, com pena de reclusão, de 2 a 5 anos, nos seguintes casos:

a. se a vítima é ascendente, descendente, cônjuge ou companheira do agente ou maior de 60 anos;
b. se o crime é praticado mediante internação da vítima em casa de saúde ou hospital;
c. se a privação da liberdade dura mais de 15 dias, devendo ser aplicado o art. 10 do Código Penal na contagem do prazo, que começa no primeiro dia de privação da liberdade;
d. se o crime é praticado contra menor de 18 anos;
e. se o crime é praticado com fins libidinosos, lembrando-se que, se o ato libidinoso se realiza, poderá haver também o delito sexual.

O § 2º prevê forma qualificada pelo resultado. Com efeito, a pena é de reclusão de 2 a 8 anos, se resulta à vítima, em razão de maus-tratos ou da natureza da detenção, grave sofrimento físico ou moral. Não se confunde com a tortura mediante sequestro, em que a privação da liberdade é o meio de fazer a vítima sofrer, ou seja, o sofrimento é a finalidade do agente (art. 1º, 4º, III, da Lei n. 9.455). No caso da qualificadora, o sofrimento é uma consequência culposa do sequestro, que é um fim em si mesmo. Ou seja, há crime de tortura quando o sofrimento em razão do sequestro é doloso; há crime de sequestro qualificado pela tortura quando o sofrimento é preterdoloso.

A ação penal é pública incondicionada.

Redução a condição análoga à de escravo

Consoante o art. 149, consiste em *reduzir alguém a condição análoga à de escravo, quer submetendo-o a trabalhos forçados ou a jornada exaustiva, quer sujeitando-o a condições degradantes de trabalho, quer restringindo, por qualquer meio, sua locomoção em razão de dívida contraída com o empregador ou preposto.* É o ato de manter uma pessoa em condição servil, semelhante à escravidão, quer submetendo-a a trabalhos forçados ou a jornada exaustiva, quer sujeitando-o a condições degradantes de trabalho, quer restringindo, por qualquer meio, sua locomoção em razão de dívida contraída com o empregador ou preposto. A pena é de reclusão, de 2 a 8 anos, e multa, além da pena correspondente à violência. Também pratica esse crime quem cerceia o uso de qualquer meio de transporte por parte do trabalhador, com o fim de retê-lo no local de trabalho, ou mantém vigilância ostensiva no local de trabalho ou se apodera de documentos ou objetos pessoais do trabalhador, com o fim de retê-lo no local de trabalho.

Este crime é também conhecido como *plagio*, denominação que remonta ao Direito romano, que vedava a escravização de pessoa livre e o comércio de escravo pertencente a outrem.

O objeto jurídico é a liberdade. O objeto material é a pessoa humana. O núcleo do tipo é reduzir, que significa diminuir uma pessoa no sentido da sua liberdade e dignidade. A palavra escravo é elemento normativo do tipo e significa condição indigna e aviltante, semelhante à vivenciada pelos escravos da história, embora não se utilizem correntes e açoites. Configura-se o crime mediante as seguintes situações:

a. submissão de alguém a trabalhos forçados ou jornada de trabalho exaustiva: é a grave violação das leis trabalhistas, desrespeitando o horário máximo de trabalho ou condições mínimas de salubridade e tolerabilidade física e psicológica (exemplo: alguém só pode encerrar a jornada de trabalho depois de descarregar 50 caminhões cheios de móveis);

b. sujeição de alguém a condições degradantes: é a situação humilhante, como ter de ajoelhar-se perante os patrões, por exemplo;
c. restringir, por qualquer meio, a locomoção de alguém em razão de dívida contraída com empregador ou preposto: o empregador impede que o empregado saia do trabalho até pagar sua dívida feita em vales ou consumo de bens, não se podendo confundir com o crime previsto no art. 203, § 1º, I, em que o empregado é obrigado a consumir no estabelecimento onde trabalha, nada impedindo que, se houver também a restrição de locomoção, acumulem-se os crimes;
d. cercear o uso de transporte por parte do trabalhador com o fim de retê-lo no local de trabalho: trata-se de figura equiparada (§ 1º), em que, estando o trabalhador em local isolado ou distante, fica impedido de utilizar o transporte para deixar o local de trabalho, seja por imposição física, seja porque o empregador não lhe fornece os meios de custear o transporte. Nesse caso, exige-se a finalidade específica, pois, caso o fim seja outro, não há crime (por exemplo, evitar que o empregado viole uma regra de isolamento em razão de epidemia);
e. mantém vigilância ostensiva com o fim de reter o empregado: cuida-se de medida destinada a intimidar o empregado para que este se sinta compelido a ficar no local, não sendo necessário que haja emprego de forças ou armamento, bastando a mera insinuação nesse sentido;
f. apoderar-se de documentos ou objetos pessoais do trabalhador com o fim de reter o empregado: o empregador ou seu preposto deixa de entregar ao empregado documento ou objeto sem o qual ele não pode deixar o local, mas não se confunde com o art. 203, § 1º, I, pois neste o empregado pode deixar o local, mas fica impedido de se desvincular da atividade profissional, enquanto no crime em comento o trabalhador é impedido de deixar o local de trabalho, ficando preso ao local.

O sujeito ativo é qualquer pessoa e não necessariamente o empregador ou o preposto. O sujeito passivo é, também, qualquer pessoa. O tipo subjetivo é doloso, exigindo-se, nas figuras equiparadas, o fim especial de reter o empregado. Consuma-se o crime quando é cerceada a autodeterminação da vítima. Admite-se a tentativa.

A pena é de 2 a 8 anos, e multa, além da pena correspondente à violência. Portanto, havendo lesão ou morte, haverá concurso material de crimes.

O § 2º prevê majorantes, aumentando a pena de metade, se o crime é cometido contra criança ou adolescente ou por motivo de preconceito de raça, cor, etnia, religião ou origem. Note que o STF ampliou o conceito de preconceito, abrangendo também os atos de homofobia.[23]

A ação penal é pública incondicionada.

Tráfico de pessoas

Consiste em *agenciar, aliciar, recrutar, transportar, transferir, comprar, alojar ou acolher pessoa, mediante grave ameaça, violência, coação, fraude ou abuso, com a finalidade de: remover-lhe órgãos, tecidos ou partes do corpo; submetê-la a trabalho em condições análogas às de escravo; submetê-la a qualquer tipo de servidão; adoção ilegal; exploração sexual* (art. 149-A). Trata-se de crime extremamente grave e cada vez mais comum em nossa sociedade, dominada por facções criminosas e interesses econômicos escusos, que sequestram pessoas com o fim de enviá-las ao exterior ou simplesmente forjam falsos contratos de trabalho, levando pessoas desesperadas ao exterior onde, sem poder retornar, por falta de recursos, submetem-se a condições degradantes de trabalho, quando não, à prostituição. Portanto, o consentimento da vítima não exclui o crime.

O bem jurídico protegido é a liberdade pessoal. O objeto material é a pessoa humana. O sujeito passivo é qualquer pessoa, assim como o sujeito passivo (crime bicomum), mas se for praticado por funcionário público ou contra criança, adolescente ou pessoa idosa ou adolescente, poderá incidir a majorante prevista no § 1º. O tipo penal é agenciar (intermediar), aliciar (atrair), recrutar (contratar), transportar (levar de um lugar para outro), transferir (mudar de um lugar para outro, sem ser o transportador), comprar

---

23. ADO 26 e MI 4733.

(a pessoa que paga por outra) e acolher (a pessoa que recebe outra). O tipo penal prevê, ainda, que o crime se realize por qualquer das seguintes formas:

a. *violência física ou moral (grave ameaça)*: o tipo penal é redundante nesse sentido, pois acrescenta a elementar da *coação*, que nada mais é do que a *vis absoluta* (violência física) ou a *vis compulsiva* (grave ameaça);
b. *fraude*: consiste em enganar, como prometer um trabalho honesto em outro país, quando, na verdade, a finalidade é outra, e, por fim, o abuso;
c. *abuso*: é a superioridade do agente sobre a vítima, isto é, o uso de poder sobre esta em uma relação pública ou privada.

O elemento subjetivo é o dolo, acrescido de uma das seguintes finalidades:

a. *remoção de órgãos, tecidos ou partes do corpo*: se for realizada a remoção, o agente também irá responder pela lesão ou morte da vítima, podendo ainda se configurar crime previsto na Lei dos Transplantes (art. 14 da Lei n. 9.434);
b. *submissão da vítima a condição análoga à de escravo*: o agente poderá responder também pelo crime do art. 149;
c. *submissão da vítima a qualquer tipo de servidão*: submissão da vítima à vontade e aos caprichos do agente, fora da condição análoga à de escravo. Exemplo: a vítima é dançarina profissional e o crime é praticado para obrigá-la a dançar para o autor do crime;
d. *adoção ilegal*: o tráfico é praticado para fins de adoção sem obediência ao disposto no ECA (arts. 39 e ss.) e no Código Civil (art. 1.619);
e. *exploração sexual*: na exploração sexual, o agente lucra com a atividade sexual da vítima na satisfação de terceiros, não se confundindo com o sequestro e cárcere privado para fins libidinosos, em que o agente satisfaz sua própria libido; além disso, se as práticas sexuais se realizam efetivamente, poderá também se configurar um crime contra a dignidade sexual (estupro, estupro de vulnerável, exploração sexual etc.).

A pena é de reclusão, de 4 a 8 anos, e multa, aumentada de 1/3 até a metade em uma das seguintes situações:

I. se o crime for cometido por funcionário público no exercício de suas funções ou a pretexto de exercê-las;
II. se o crime for cometido contra criança, adolescente ou pessoa idosa ou com deficiência;
III. se o agente se prevalecer de relações de parentesco, domésticas, de coabitação, de hospitalidade, de dependência econômica, de autoridade ou de superioridade hierárquica inerente ao exercício de emprego, cargo ou função;
IV. se a vítima do tráfico de pessoas for retirada do território nacional.

O § 2º prevê que a pena será reduzida de 1/3 a 2/3 se o agente for primário e não integrar organização criminosa.

Trata-se de crime formal e de conteúdo variado (tipo misto alternativo), consumando-se com a conduta de agenciar, aliciar, recrutar, transportar, transferir, comprar, alojar ou acolher, mediante emprego de grave ameaça, violência, coação, fraude ou abuso. Admite-se a tentativa. A ação penal é pública incondicionada.

11.11 CRIMES CONTRA A INVIOLABILIDADE DO DOMICÍLIO

Violação de domicílio

Consiste em *entrar ou permanecer, clandestina ou astuciosamente, ou contra a vontade expressa ou tácita de quem de direito, em casa alheia ou em suas dependências* (art. 150). A pena é de detenção, de 1 a 3 meses, ou multa (infração de menor potencial ofensivo). O bem jurídico tutelado é a inviolabilidade do domicílio, direito fundamental previsto no art. 5º, XI, da Constituição Federal. Paradoxalmente, a violação desse direito recebe tratamento penal de infração de menor potencial ofensivo, sujeita às medidas despenalizadoras da Lei n. 9.099/95. Mesmo na forma qualificada, em que o crime é cometido durante a noite, ou em lugar ermo, ou com o emprego de violência ou de arma, ou por duas ou mais pessoas, tem-se uma infração de menor potencial ofensivo, já que a pena não ultrapassa 2 anos. Somente não se estará diante de infração de menor potencial ofensivo se houver violência, uma vez que, nesse caso, haverá cumulação de penas, por expressa disposição legal. O mesmo não se aplica à grave ameaça, uma vez que o dispositivo legal é bem específico: violência.

O objeto material é o domicílio invadido, que não se restringe à residência.

O sujeito ativo é qualquer pessoa. O sujeito passivo é "quem de direito", isto é, a pessoa que tem autoridade sobre o lugar, podendo ser uma pessoa a quem os demais moradores estão subordinados ou diversas pessoas habitantes da mesma casa, quando todos têm igual autoridade sobre o local. Caso a violação seja cometida por funcionário público, poderá se configurar crime de abuso de autoridade (art. 22 da Lei n. 13.869). A conduta típica é entrar, podendo ser o ingresso total ou parcial, já que a simples invasão do pátio da residência configura o crime, bem como permanecer, em que a entrada é lícita seguida de uma omissão, consistente na negativa em sair do local. Assim, o crime é de ação (entrar) ou misto, isto é, de ação e omissão (permanecer). Trata-se de tipo misto alternativo. Os elementos normativos do tipo são a astúcia, que consiste na esperteza maliciosa, muitas vezes manifestada em uma fraude, bem como a clandestinidade, isto é, o desconhecimento do proprietário ou titular, além do dissentimento, em que o titular manifesta sua recusa em permitir a entrada, o que pode ser feito de forma expressa ou tácita. A ação penal é pública incondicionada.

Conceito de domicílio

O conceito de domicílio do Código Civil, como o lugar que a pessoa estabelece sua residência com ânimo definitivo (CC, art. 70), é diferente do concebido pelo legislador penal, que fala em "casa alheia ou suas dependências", referindo-se tanto à edificação principal quanto aos lugares que são como um complemento da casa de moradia, ainda que não estejam materialmente unidos a esta, como pátios, quintais, celeiros, adegas, jardins etc., sendo necessário que tais lugares estejam cercados ou participem de recintos fechados, ou não estará indicada a vontade de excluir o ingresso de estranhos.[24] Além disso, a inviolabilidade domiciliar se estende às situações previstas no art. 150, § 4º, abrangendo:

I. Qualquer compartimento habitado: é a estrutura física que serve de moradia a alguém, ainda que se trate de uma simples barraca, um prédio abandonado, uma armação coberta sobre uma calçada, uma gruta, uma cabine de caminhão etc. Como ressalta HUNGRIA, uma casa de cômodos, o aposento ocupado privativamente por uma pessoa ou família é a sua casa, no sentido de lar doméstico, mas se o chefe da família entra no quarto da empregada, ainda que com oposição desta, não comete violação de domicílio, salvo a responsabilidade por outros crimes eventualmente praticados na ocasião.[25]
II. Aposento ocupado de habitação coletiva: é o quarto utilizado como abrigo de alguém em hotéis, repúblicas, albergues, pousadas, pensões e motéis, ressalvadas as restrições do § 5º.
III. Compartimento não aberto ao público, onde alguém exerce profissão ou atividade: é a parte não aberta ao público de um estabelecimento comercial, como um escritório ou área reservada à administração ou espaço exclusivo de funcionários, não se aplicando ao órgão público, já que este, por pertencer à coletividade, não pode ser considerado domicílio de alguém.

Consoante as restrições do § 5º, a expressão "casa" não se aplica a hospedaria, estalagem ou outra habitação coletiva na parte aberta ao público, bem como a taverna, casa de jogos ou outras do mesmo gênero, aqui se incluindo todos os estabelecimentos de festas e diversões, exceto no espaço reservado. Assim, por exemplo, em um prostíbulo, o dormitório exclusivo da prostituta é considerado seu domicílio. Se, todavia, uma casa de espetáculos ou

---

24. HUNGRIA, Nélson. *Comentários ao Código Penal*. Vol. VI. 2. ed. Rio de Janeiro: Ed. Forense, 1953. p. 209.
25. Idem, ibidem, p. 213.

de eventos estiver alugada para um evento privado, sua inviolabilidade está protegida, uma vez que, nesse caso, seu acesso não é aberto ao público, mas tão somente a convidados do locatário.

Elemento subjetivo

O crime é doloso. Não se admite o dolo eventual. O elemento normativo é "contra a vontade expressa ou tácita de quem de direito". Não há dolo se o sujeito age para esconder-se da polícia.[26]

Consumação e tentativa

Trata-se de crime de mera conduta, consumando-se com a simples ação (entrar) ou omissão (permanecer), devendo haver ingresso efetivo ou o crime não se consuma, não se configurando na simples ação de observar, ainda que com uso de binóculos. Um drone, evidentemente, que ingresse no espaço aéreo da residência poderá configurar o crime, por perturbar a paz doméstica. A doutrina admite a tentativa, embora se trate de crime de mera conduta, como, por exemplo, o agente escala uma parede para ingressar por uma janela e antes do ingresso é preso.[27]

Formas qualificadas

O § 1º prevê as seguintes qualificadoras:

a. durante a noite: embora haja controvérsia, leva-se em conta o período de ausência de luz solar que vai do pôr ao nascer do sol, independentemente do horário;
b. em lugar ermo: lugar afastado, por ser desprotegido de forças policiais, com dificuldade de defesa;

---

26. Nesse sentido: MASSON, Cleber. *Código Penal Comentado*. Rio de Janeiro: Forense; São Paulo: Método, 2019. p. 696.
27. MASSON, Cleber. Op. cit., p. 607; CUNHA, Rogério. *Código Penal para Concursos*. São Paulo: Editora Juspodivm, 2011. p. 282. BITENCOURT, Cezar Roberto. *Tratado de Direito Penal:* parte especial, volume 2. 20. ed. São Paulo: Saraiva Educação, 2020. p. 597.

c. **com o emprego de violência**: trata-se de violência física em relação à pessoa ou à coisa, havendo concurso de crimes com eventual lesão corporal, homicídio ou dano;

d. **com emprego de arma**: refere-se tanto à arma própria, isto é, ao objeto que pode ser usado ordinariamente como arma de fogo (revólver, pistola etc.) ou arma branca (faca, facão etc.), quanto à arma imprópria, que é qualquer objeto utilizado para ferir;

e. **por duas ou mais pessoas**: refere-se ao concurso de pessoas, bastando que um dos agentes seja imputável para responder pela forma qualificada.

Em qualquer desses casos, a pena é de detenção, de 6 meses a 2 anos.

Excludentes do crime

A Constituição Federal (art. 5º, XI), ampliou o rol de excludentes especiais da ilicitude previstas no Código Penal (art. 150 § 3º).

Com efeito, o ingresso ou permanência pode ocorrer:

a. *com ordem judicial, apenas durante o dia*: nesse caso, o ingresso ocorre durante o dia para cumprir mandado judicial, que pode ser de prisão, busca e apreensão ou outra diligência, como a condução coercitiva de testemunha para prestar depoimento, por exemplo, bem como diligências de ordem administrativa, mas sempre com respaldo em mandado judicial (reserva de jurisdição);

b. *sem ordem judicial a qualquer horário*: quando algum crime está sendo ali praticado ou na iminência de o ser, em situação de desastre ou para prestar socorro. No caso de flagrante delito, é possível ingressar na residência mesmo sem mandado judicial, inclusive nos crimes permanentes, como manter drogas no interior da residência.[28] A possibilidade de ingresso em caso de crime iminente deve ser vista com reservas, na medida em que os atos preparatórios não são puníveis,

---

28. STF, HC 127.457, Segunda Turma, Rel. Min. Dias Toffoli, julgado em 09/06/2015.

de forma que não se poderia, nesse caso, autorizar a entrada sem mandado judicial, a menos que configurada a hipótese constitucional de socorro.

Obviamente, há situações que implicam aceitação tácita do ingresso, dispensando o mandado judicial, como no caso de caixa de cartas ou medidores de energia elétrica quando se encontram no interior do pátio da residência. Nesse caso, porém, não há exclusão da ilicitude, e sim da tipicidade penal, uma vez que o dissentimento é elementar do tipo, de modo que o consentimento afasta essa elementar.

Concurso de crimes

Diante de outros crimes, a violação de domicílio somente caracteriza-se como crime autônomo quando: a) constituir um fim em si mesma; b) seu fim não for criminoso ou, no mínimo, houver dúvida sobre o verdadeiro fim pretendido pelo agente; c) houver desistência do agente quanto ao crime-fim; d) o crime-fim é punido menos duramente, como, por exemplo, invasão para ameaçar o morador.[29] Não se trata de subsidiariedade, pois esta se configura expressamente ou quando um crime menos grave é parte de um tipo complexo, mais grave, do que evidentemente não se trata, pois nenhum tipo penal mais grave tem a violação de domicílio entre suas elementares. O que ocorre, efetivamente, é a consunção. Assim, diante de um crime menos grave, a violação de domicílio absorve; diante de um crime mais grave, a violação será absorvida.

Busca domiciliar nos crimes permanentes

Crimes permanentes são aqueles cuja consumação se prolonga no tempo, como o sequestro e a ocultação de drogas, por exemplo. Nesse sentido, decidiu o STF, num caso de tráfico de drogas, que no crime permanente a situação de flagrância se protrai no tempo, sendo que a cláusula que limita o

---

29. BITENCOURT, Cezar Roberto. *Tratado de Direito Penal:* parte especial, volume 2. 20. ed. São Paulo: Saraiva Educação, 2020. p. 605.

ingresso ao período do dia é aplicável apenas aos casos em que a busca é determinada por ordem judicial, mas a entrada forçada em domicílio, sem uma justificativa prévia conforme o direito, é arbitrária, não podendo a constatação da situação de flagrância ocorrer posteriormente ao ingresso, devendo os policiais demonstrar que havia elementos mínimos a caracterizar fundadas razões (justa causa) para a medida. Assim, a Corte firmou a interpretação de que a entrada forçada em domicílio sem mandado judicial só é lícita, mesmo em período noturno, quando amparada em fundadas razões, devidamente justificadas *a posteriori*, que indiquem que dentro da casa ocorre situação de flagrante delito, sob pena de responsabilidade disciplinar, civil e penal do agente ou da autoridade e de nulidade dos atos praticados.[30] Relativizando a possibilidade de acesso em domicílio sem mandado nos crimes permanentes, o STJ entende que somente o flagrante delito que traduza verdadeira urgência legitima o ingresso em domicílio alheio, como se infere da própria Lei de Drogas (Lei n. 11.343/2006, art. 53, II) e da Lei n. 12.850/2013 (art. 8º), que autorizam o retardamento da atuação policial na investigação dos crimes de tráfico de entorpecentes, a denotar que nem sempre o caráter permanente do crime impõe sua interrupção imediata a fim de proteger bem jurídico e evitar danos.[31] Conforme consolidou o STJ, a entrada e domicílio deve ser regida pelos seguintes princípios: 1) na hipótese de suspeita de flagrante, exige-se a existência de fundadas razões (justa causa) aferidas de modo objetivo e devidamente justificadas; 2) em caso de tráfico de drogas, a entrada na residência sem mandado somente será lícita em caso de urgência, quando se concluir que o atraso decorrente da obtenção de mandado possa ensejar a destruição ou ocultação das drogas; 3) a concordância do morador para ingresso na residência deve ser voluntária e livre de qualquer coação física ou moral; 4) a prova da autorização do morador incumbe ao Estado e deve ser feita com declaração assinada pela pessoa que autorizou e por testemunhas, além de ser registrada em vídeo; 5) a não observância dessas regras acarreta

---

30. RE 603616, Relator(a): Gilmar Mendes, Tribunal Pleno, julgado em 05/11/2015, Acórdão Eletrônico Repercussão Geral – Mérito DJe-093 DIVULG 09/05/2016 PUBLIC 10/05/2016.
31. HC 598.051/SP, Rel. Min. Rogerio Schietti Cruz, Sexta Turma, julgado em 02/03/2021, DJe 15/03/2021.

a ilicitude da prova, além das que dela derivarem, bem como a responsabilização penal dos agentes.[32]

> **Violação de domicílio e crime de abuso de autoridade**
>
> A Lei n. 13.869/2019 prevê uma série de condutas consideradas crime de abuso de autoridade, entre as quais consta: *Invadir ou adentrar, clandestina ou astuciosamente, ou à revelia da vontade do ocupante, imóvel alheio ou suas dependências, ou nele permanecer nas mesmas condições, sem determinação judicial ou fora das condições estabelecidas em lei* (art. 22). Assim, o ingresso em residência sem mandado judicial ou fora dos casos de dispensa expressamente previstos, configura o crime em questão, punido com pena de detenção, de 1 a 4 anos, e multa. Segundo o § 1º, também pratica abuso de autoridade quem coage alguém, mediante violência ou grave ameaça, a franquear-lhe o acesso a imóvel ou suas dependências ou cumpre mandado de busca e apreensão domiciliar após as 21h ou antes das 5h. O § 2º prevê causas especiais de exclusão da ilicitude, excluindo-se o crime se o ingresso for para prestar socorro, ou quando houver fundados indícios que indiquem a necessidade do ingresso em razão de situação de flagrante delito ou de desastre.

11.12 CRIMES CONTRA A INVIOLABILIDADE DE CORRESPONDÊNCIA

Violação de correspondência

O crime de violação de correspondência, propriamente dito, consiste em *devassar indevidamente o conteúdo de correspondência fechada, dirigida a outrem*. Foi previsto inicialmente no art. 151 do Código Penal, mas atualmente é regido pelo art. 40 da Lei n. 6.538, com pena de detenção de até 6 meses ou multa de até 20 dias-multa (infração de menor potencial ofensivo). O objeto material é o conteúdo da correspondência fechada. O bem jurídico tutelado é a inviolabilidade da correspondência, direito fundamental previsto no art. 5º, XII, da Constituição Federal. A garantia se refere tanto aos serviços postais, regulados pela Lei dos Serviços Postais (Lei n. 6.538), quanto aos serviços de telecomunicações, regulados pelo

---

32. HC 598051/SP; AgRg no RHC 150798/MG; AgRg no HC 653202/PE.

Código Brasileiro de Telecomunicações (Lei n. 4.117/62). O serviço postal consiste no recebimento, expedição, transporte e entrega de objetos de correspondência, valores e encomendas (art. 7º da Lei n. 6.538); serviços de telecomunicações são a transmissão, emissão ou recepção de símbolos, caracteres, sinais, escritos, imagens, sons ou informações de qualquer natureza, por fio, rádio, eletricidade, meios ópticos ou qualquer outro processo eletromagnético.

O sujeito ativo é qualquer pessoa. O sujeito passivo é tanto o destinatário quanto o emissor. O tipo penal consiste em devassar correspondência fechada, dirigida a outrem, isto é, acessar o conteúdo de correspondência alheia. Remanescem no Código Penal e na Lei n. 6.538 as condutas que são equiparadas à violação de correspondência. Assim, também pratica o crime:

a. Quem se apossa indevidamente de correspondência alheia, embora não fechada e, no todo ou em parte, a sonega ou destrói (art. 150, § 1º, I, e art. 40, § 1º, da Lei n. 6.538): neste caso, basta impedir que o emissor ou destinatário tenham acesso à correspondência, sem necessidade de devassar o conteúdo.

b. Quem indevidamente divulga, transmite a outrem ou utiliza abusivamente comunicação telegráfica ou radioelétrica dirigida a terceiro, ou conversação telefônica entre outras pessoas (CP, art. 150, § 1º, II). Em se tratando de funcionário encarregado do serviço, aplica-se a Lei n. 4.117, que prevê pena de 1 a 2 anos (art. 58).

c. Quem impede a comunicação ou a conversação referidas na letra b (CP, art. 150, § 1º, III). Em se tratando de funcionário encarregado do serviço, aplica-se a Lei n. 4.117, que prevê pena de 1 a 2 anos (art. 58).

d. Quem instala ou utiliza estação ou aparelho radioelétrico, sem observância de disposição legal (art. 70 da Lei n. 4.117).

As penas são aumentadas de metade se houver dano a outrem, nos termos do § 2º do art. 150 do CP. O crime é qualificado, com pena de 1 a 3 anos, caso o agente tenha atuado com abuso de função em serviço postal, telegráfico, radioelétrico ou telefônico (CP, art. 150, § 3º). O elemento subjetivo é o dolo. Consuma-se o crime com qualquer dessas condutas. Admite-se a tentativa.

Nos termos do § 4º, a ação penal é pública condicionada à representação, exceto nas seguintes situações, em que é incondicionada:

a. instalação ou utilização de estação ou aparelho radioelétrico, sem observância de disposição legal (§ 1º, IV);
b. se o agente comete o crime, com abuso de função em serviço postal, telegráfico, radioelétrico ou telefônico.

Violação de correspondência comercial

Prevê o art. 152 uma forma especial de violação de correspondência, que é *abusar da condição de sócio ou empregado de estabelecimento comercial ou industrial para, no todo ou em parte, desviar, sonegar, subtrair ou suprimir correspondência, ou revelar a estranho seu conteúdo*. A pena é de detenção, de 3 meses a 2 anos (infração de menor potencial ofensivo). O bem jurídico tutelado é a inviolabilidade da correspondência, direito fundamental previsto no art. 5º, XII, da Constituição Federal. O objeto material é o conteúdo da correspondência comercial. O sujeito ativo deve ser o sócio ou o empregado (crime próprio). O sujeito passivo é a pessoa jurídica lesada pela violação. O tipo versa sobre correspondência comercial, ou seja, cujo conteúdo diga respeito à atividade mercantil ou industrial, podendo se referir às comunicações que ocorrem dentro da empresa, como memorandos e outros. Os verbos são abusar (agir fora dos limites da função), desviar (afastar a correspondência do destino), sonegar (privar o acesso do destinatário ao documento ou seu conteúdo), subtrair (tomar para si), suprimir (eliminar), revelar a estranho (significa expor o conteúdo a pessoa diversa do destinatário). O elemento subjetivo é o dolo. Consuma-se o crime com o desvio, sonegação, subtração, supressão ou revelação. Admite-se a tentativa. A ação penal é pública condicionada à representação.

11.13 CRIMES CONTRA A INVIOLABILIDADE DOS SEGREDOS

Divulgação de segredo

Conforme o art. 153, consiste em *divulgar alguém, sem justa causa, conteúdo de documento particular ou de correspondência confidencial, de que é destinatário ou detentor, e cuja divulgação possa produzir dano a outrem*. A pena é de detenção, de 1 a 6 meses, ou multa (infração de menor potencial ofensivo). Também constitui crime, todavia com pena muito mais grave (detenção, de 1 a 4 anos, e multa), conforme o § 1º-A, divulgar, sem justa causa, informações sigilosas ou reservadas, assim definidas em lei, contidas ou não nos sistemas de informações ou banco de dados da Administração Pública. A gravidade do crime está associada, justamente, ao fato de expor segredos que dizem respeito à atividade do Estado. Havendo prejuízo para a Administração Pública, a ação penal será incondicionada, nos termos do § 2º.

O bem jurídico protegido é a intimidade. O objeto material é o conteúdo do documento ou da correspondência. O sujeito ativo é o possuidor ou destinatário do documento cujo conteúdo é sigiloso. O sujeito passivo é a pessoa lesada com a divulgação. A conduta é divulgar (dar conhecimento) sem justa causa (elemento normativo do tipo) conteúdo de documento particular ou correspondência confidencial. A pessoa que faz a divulgação deve ser o detentor de documento ou destinatário do mesmo, não se configurando o crime se alguém, sem ser detentor ou destinatário, tomando conhecimento do conteúdo, o divulga. A divulgação deve ter potencialidade lesiva (crime de perigo), não se configurando o crime se o conteúdo, ainda que sigiloso, for irrelevante. Além disso, só haverá crime se o documento for particular ou estiver revestido de confidencialidade. É indispensável a forma escrita do documento. O elemento subjetivo é o dolo. Consuma-se o crime com a prática da conduta, independentemente de resultado (crime formal). Admite-se a tentativa. A ação penal é pública condicionada à representação, exceto quando resultar prejuízo à Administração Pública, caso em que será pública incondicionada (§ 2º).

Violação de segredo profissional

Nos termos do art. 154, *consiste em revelar, sem justa causa, segredo, de que tem ciência em razão de função, ministério, ofício ou profissão, e cuja revelação possa produzir dano a outrem.* A pena é de 3 meses a 1 ano de detenção, ou multa (infração de menor potencial ofensivo). O objeto jurídico é a intimidade, no tocante à inviolabilidade dos segredos. O objeto material é o assunto sigiloso. O sujeito ativo é a pessoa que tem, por função, ministério, ofício ou profissão, contato com informações sigilosas (crime próprio). O sujeito passivo é a pessoa lesada pela revelação. A conduta consiste em revelar (expor), sem justa causa (elemento normativo do tipo), segredo (informação sigilosa ou que não deva ser divulgada), de que o agente tem ciência em razão da função, ministério (religioso), ofício ou profissão: sacerdote, médico, advogado etc. A revelação deve ter potencial lesivo (crime de perigo), não se configurando o crime se a informação revelada for irrelevante. O elemento subjetivo é o dolo. Consuma-se o crime com a prática da revelação, independentemente de qualquer resultado (crime formal). A ação penal é pública condicionada à representação.

Invasão de dispositivo informático

O art. 154-A prevê o crime praticado, amiudemente, por *hackers*. O crime assim descrito: *Invadir dispositivo informático alheio, conectado ou não à rede de computadores, mediante violação indevida de mecanismo de segurança e com o fim de obter, adulterar ou destruir dados ou informações sem autorização expressa ou tácita do titular do dispositivo ou instalar vulnerabilidades para obter vantagem ilícita.* A pena é de detenção, de 3 meses a 1 ano, e multa (infração de menor potencial ofensivo). Segundo o § 1º, na mesma pena incorre quem produz, oferece, distribui, vende ou difunde dispositivo ou programa de computador com o intuito de permitir a prática da conduta definida no *caput*.

O bem jurídico tutelado é a liberdade individual e a intimidade, no tocante à inviolabilidade dos segredos. O objeto material é o dispositivo informático invadido. O sujeito ativo é qualquer pessoa. O sujeito passivo é qualquer pessoa. O tipo penal prevê a seguinte conduta: invadir (devassar, ingressar sem autorização) dispositivo informático alheio, conectado ou não à rede de computadores, mediante violação indevida de mecanismo de segurança e com o fim de obter, adulterar ou destruir dados ou informações sem autorização expressa ou tácita do titular do dispositivo ou instalar vulnerabilidades para obter vantagem ilícita. Dispositivo informático alheio é qualquer mecanismo informático, conectado ou não à internet, dividindo-se em:

a. dispositivos de processamento: destinam-se ao processamento de dados, como placas de vídeo, processadores de computadores, *smartphones* etc.;
b. dispositivos de entrada: destinam-se a captar dados (teclados, microfones e câmeras);
c. dispositivos de saída: destinam-se à apresentação dos dados, como impressoras e monitores;
d. dispositivos de armazenamento: *pendrives*, HDs etc.

O tipo contém elemento normativo, de modo que o crime só se configura se a invasão for indevida, isto é, sem motivo justificado. Mecanismo de segurança é qualquer ferramenta ou programa destinado a impedir o acesso, como senhas, *firewall*, programas antivírus etc. Portanto, não se configura o crime se o dispositivo não tiver nenhuma proteção. O elemento subjetivo é o dolo, acompanhado da finalidade especial de obter, adulterar ou destruir dados ou informações sem autorização expressa ou tácita do titular do dispositivo ou instalar vulnerabilidades para obter vantagem ilícita. Dados são símbolos, números, imagens e palavras armazenadas e incompreensíveis, ao passo que informações são os dados processados e suscetíveis de compreensão. A instalação de vulnerabilidades consiste em instalar programas que possam facilitar o acesso ao dispositivo ou sujeitá-lo a ameaças ou falhas. Consuma-se o crime com a invasão do dispositivo, independentemente de qualquer dano (crime formal).

Admite-se a tentativa.

O § 1º prevê figuras equiparadas, sendo punível a conduta de quem *produz, oferece, distribui, vende ou difunde dispositivo ou programa de computador com o intuito de permitir a prática da invasão do dispositivo informático alheio*.

Pune-se a conduta de quem fornece uma ferramenta ou *software* que capacite alguém a invadir o dispositivo informático de terceira pessoa.

Crime majorado e qualificado

Segundo o § 2º, aumenta-se a pena de 1/6 a 1/3 se da invasão resulta prejuízo econômico. Trata-se de majorante, aplicável a terceira e a última etapa da fixação da pena, aos casos do *caput* e da figura equiparada. Qualificadora: se da invasão resultar a obtenção de conteúdo de comunicações eletrônicas privadas, segredos comerciais ou industriais, informações sigilosas, assim definidas em lei, ou o controle remoto não autorizado do dispositivo invadido, a pena é de reclusão, de 6 meses a 2 anos, e multa, se a conduta não constitui crime mais grave (§ 3º). Nesse caso, em razão da invasão, o agente obtém: a) acesso a comunicações privadas, segredos da indústria ou comércio ou informações previstas em lei como sigilosas; b) acesso remoto ao dispositivo informático. A qualificadora apenas se configura se não constituir crime mais grave, como, por exemplo, estelionato (subsidiariedade expressa). Esta qualificadora, ainda, está sujeita ao aumento de pena (majorante) prevista no § 4º: houver divulgação, comercialização ou transmissão a terceiro, a qualquer título, dos dados ou informações obtidos. Finalmente, a pena será ainda majorada com aumento de 1/3 até a metade se o crime for praticado contra as autoridades enumeradas no § 5º: Presidente da República, Governadores, Prefeitos, Presidente do STF, presidentes das casas legislativas no âmbito federal, estadual, distrital e municipal, dirigente máximo da administração direta e indireta federal, estadual, municipal ou do Distrito Federal.

Ação penal

Consoante o art. 154-B, a ação penal é:

a. pública incondicionada se o crime é cometido contra a Administração Pública direta ou indireta de qualquer dos Poderes da União, Estados, Distrito Federal ou Municípios ou contra empresas concessionárias de serviços públicos;
b. pública condicionada à representação nos demais casos.

RESUMO

Crimes contra a vida
- Homicídio: matar alguém (art. 121);
- homicídio simples: tipo fundamental, com pena de 6 a 20 anos;
- homicídio privilegiado: causa de diminuição de pena;
  - homicídio cometido por motivo de relevante valor social;
  - homicídio cometido por motivo de relevante valor moral;
  - homicídio cometido sob o domínio de violenta emoção logo após injusta provocação da vítima.

Homicídio qualificado: § 2º
- Motivo torpe;
- motivo fútil;
- meio cruel:
  - recurso que dificulta ou torna impossível a defesa da vítima;
- feminicídio;
- homicídio contra autoridades, integrantes dos órgãos de segurança pública ou contra seus familiares.

Homicídio culposo: § 3º
Praticado por imprudência, negligência ou imperícia.

Majorantes
- Homicídio culposo:
  - inobservância de regra técnica de profissão, arte ou ofício;
  - omissão de socorro;
  - não procura diminuir as consequências;
  - fuga (parte da doutrina entende que é inconstitucional).
- homicídio doloso: pena aumenta-se de 1/3 se a vítima é menor de 14 ou maior de 60 anos, devendo o agente conhecer a idade da vítima;
- feminicídio: pena do feminicídio é aumentada de 1/3 até a metade se ocorre uma das situações do § 7º do art. 121.

Perdão judicial
- Causa de extinção da punibilidade aplicável apenas ao homicídio culposo;
- homicídio e legítima defesa da honra.

Participação em suicídio ou em automutilação
O suicídio, assim como a automutilação, não constitui crime, mas pratica o delito em questão quem presta auxílio moral ou material para o suicídio ou automutilação de alguém, desde que o fato não configure homicídio.

Infanticídio
É a morte do recém-nascido pela própria mãe, durante o parto ou logo após, sob influência do estado puerperal.

Aborto
Aborto é a interrupção da gravidez com destruição do produto da concepção, protegendo-se a vida intrauterina.
Espécies:

- autoaborto e aborto consentido (art. 124);
- aborto sem o consentimento (art. 125);
- aborto com consentimento válido (art. 126);
- aborto legal ou permitido: art. 128 (aborto necessário e aborto sentimental) e ADPF 54 (anencefalia).

Lesões corporais
- Lesões corporais leves ou simples (art. 129, *caput*);
- lesões corporais qualificadas:
  - lesões graves – art. 129, § 1º (crime qualificado pelo resultado);
  - lesões gravíssimas – art. 129, § 2º (expressão doutrinária – crime qualificado pelo resultado);
  - lesão corporal seguida de morte – art. 129, § 3º;
  - lesão qualificada pela violência doméstica – art. 129, §§ 9º, 10 e 11;

- lesão corporal contra agentes de segurança – art. 129, § 12;
- Lesão corporal contra mulher por razões de gênero – art. 129, § 13;
• majorantes: mesmas do homicídio (art. 129, § 4º);
• perdão judicial: idem ao homicídio (art. 12, § 8º).

Crimes de perigo à vida ou à saúde
• Perigo de contágio venéreo, previsto no art. 130;
• perigo de contágio de moléstia grave (art. 131);
• perigo para a vida ou saúde de outrem (art. 132);
• abandono de incapaz (art. 133);
• exposição ou abandono de recém-nascido (art. 134);
• omissão de socorro (art. 135);
• condicionamento de atendimento médico-hospitalar emergencial (art. 135);
• maus-tratos (art. 136).

Rixa
O Capítulo IV do Código Penal prevê, de forma isolada, o crime de *rixa* (art. 137), que é a briga generalizada.

Crimes contra a honra
• Calúnia: imputação falsa de crime (art. 138);
• difamação: imputação de fato determinado, não criminoso, mas ofensivo à reputação (art. 139);
• injúria: ofender a dignidade ou decoro (art. 140);
• majorantes: art. 141;
• excludentes especiais da ilicitude (imunidades): art. 142;
• ação penal:
  a. privada: regra;
  b. pública incondicionada: injúria real com lesão grave e injúria por preconceito;

c. pública condicionada à requisição: honra do Presidente da República ou chefe de governo estrangeiro;
d. pública condicionada à representação: injúria real com lesão leve e honra de funcionário público no exercício da função;
e. legitimidade concorrente: honra de funcionário público no exercício da função (Súmula 714 do STF).

Crimes contra a liberdade individual

- Constrangimento ilegal (art. 146).
- Ameaça (art. 147).
- Perseguição (art. 147-A). Observação: este crime é conhecido como *stalking* e foi introduzido pela Lei n. 14.132/2021, revogando expressamente o artigo 65 da Lei das Contravenções Penais (perturbação do sossego).
- Violência psicológica contra a mulher (art. 147-B): inserido pela Lei n. 14.188/2021, com natureza subsidiária.
- Sequestro e cárcere privado (art. 148).
- Redução a condição análoga à de escravo (art. 149).
- Tráfico de pessoas, previsto no art. 149-A.
- Violação de domicílio, de correspondência e de segredo (art. 150 a 153).
- Invasão de dispositivo informático (art. 154-A).

JURISPRUDÊNCIA

Homofobia

Ementa: Ação direta de inconstitucionalidade por omissão – Exposição e sujeição dos homossexuais, transgêneros e demais integrantes da comunidade LGBTI+A graves ofensas aos seus direitos fundamentais em decorrência de superação irrazoável do lapso temporal necessário à implementação dos mandamentos constitucionais de criminalização instituídos pelo texto constitucional (CF, art. 5º, incisos XLI e XLII) – A ação direta de inconstitucionalidade por omissão como instrumento de concretização das cláusulas constitucionais frustradas, em sua eficácia, por injustificável inércia do poder público – A situação de inércia do estado em relação à edição de diplomas legislativos necessários à punição dos atos de discriminação praticados em razão da orientação sexual ou da identidade de gênero da vítima – a questão da "ideologia de gênero" – Soluções possíveis para a colmatação do estado de mora inconstitucional: (A) Cientificação ao Congresso Nacional quanto ao seu estado de mora inconstitucional e (B) Enquadramento imediato das práticas de homofobia e de transfobia, mediante interpretação conforme (que não se confunde com exegese fundada em analogia *"in malam partem"*), no conceito de racismo previsto na Lei n. 7.716/89 – Inviabilidade da formulação, em sede de processo de controle concentrado de constitucionalidade, de pedido de índole condenatória fundado em alegada responsabilidade civil do Estado, eis que, em ações constitucionais de perfil objetivo, não se discutem situações individuais ou interesses subjetivos – Impossibilidade jurídico-constitucional de o Supremo Tribunal Federal, mediante provimento jurisdicional, tipificar delitos e cominar sanções de direito penal, eis que referidos temas submetem-se à cláusula de reserva constitucional de lei em sentido formal (CF, art. 5º, XXXIX) – Considerações em torno dos registros históricos e das práticas sociais contemporâneas que revelam o tratamento preconceituoso, excludente e discriminatório que tem sido dispensado à vivência homoerótica em nosso país: "o amor que não ousa dizer o seu nome" (Lord Alfred Douglas, do poema "Two loves", publicado em "The chameleon", 1894, verso erroneamente atribuído a Oscar Wilde) – A violência contra integrantes da comunidade LGBTI+ ou "a banalidade do mal homofóbico e transfóbico" (Paulo Roberto Iotti Vecchiatti): uma inaceitável (e cruel) realidade contemporânea – O Poder Judiciário, em sua atividade hermenêutica, há de tornar efetiva a reação do Estado na prevenção e repressão aos atos de preconceito ou de discriminação praticados contra pessoas integrantes de grupos sociais vulneráveis – A questão da intolerância, notadamente quando dirigida contra a comunidade LGBTI+: a inadmissibilidade do discurso de ódio (Convenção Americana de Direitos Humanos, artigo 13, § 5º) – A noção de tolerância como a harmonia na diferença e o respeito pela diversidade das pessoas e pela multiculturalidade dos povos – Liberdade religiosa e repulsa à homotransfobia: convívio constitucionalmente harmonioso entre o dever estatal de reprimir práticas ilícitas contra membros integrantes do grupo LGBTI+ e a liberdade fundamental de professar, ou não, qualquer fé religiosa, de proclamar e de viver segundo seus princípios, de celebrar o culto e concernentes ritos litúrgicos e de praticar o proselitismo (ADI 2.566/DF, Red. p/ o acórdão Min. Edson Fachin), sem quaisquer restrições ou indevidas interferências do poder público – República e laicidade estatal: a questão da neutralidade axiológica do poder público em matéria religiosa – O caráter histórico do Decreto n. 119-A, de 07/01/1890, editado pelo Governo Provisório da República, que aprovou projeto elaborado por Ruy Barbosa e por Demétrio Nunes Ribeiro – Democracia constitucional, proteção dos grupos vulneráveis e função contramajoritária do Supremo Tribunal Federal no exercício de sua jurisdição constitucional – A busca da felicidade como derivação constitucional implícita do princípio fundamental da dignidade da pessoa humana – Uma observação final: o significado da defesa da constituição pelo Supremo Tribunal Federal – Ação direta de inconstitucionalidade por omissão conhecida, em parte, e, nessa extensão, julgada procedente, com eficácia geral e efeito vinculante – Aprovação, pelo plenário do Supremo Tribunal Federal, das teses propostas pelo Relator, Ministro Celso de Mello. Práticas homofóbicas e transfóbicas configuram atos delituosos passíveis de repressão penal, por efeito de mandados constitucionais de criminalização (CF, art. 5º, XLI e XLII), por traduzirem expressões de racismo em sua dimensão social – Até que sobrevenha lei emanada do Congresso Nacional destinada a implementar os mandados de criminalização definidos nos incisos XLI e XLII do art. 5º da Constituição da República, as condutas homofóbicas e transfóbicas, reais ou supostas, que envolvem aversão odiosa à orientação sexual ou à identidade de gênero de alguém, por traduzirem expressões de racismo, compreendido este em sua dimensão social, ajustam-se, por identidade de razão e mediante adequação típica, aos preceitos primários de incriminação definidos na Lei n. 7.716, de 08/01/1989, constituindo, também, na hipótese de homicídio doloso, circunstância que o qualifica, por configurar motivo torpe (Código Penal, art. 121, § 2º, I, "in fine"). Ninguém pode ser privado de direitos nem sofrer quaisquer restrições de ordem jurídica por motivo de sua orientação sexual ou em razão de sua identidade de gênero – Os integrantes do grupo LGBTI+, como qualquer outra pessoa, nascem iguais em dignidade e direitos e possuem igual capacidade de autodeterminação quanto às suas escolhas pessoais em matéria afetiva e amorosa, especialmente no que concerne à sua vivência homoerótica. Ninguém, sob a égide de uma ordem democrática justa, pode ser privado de seus direitos (entre os quais o direito à busca da felicidade e o direito à igualdade de tratamento que a Constituição e as leis da República dispensam às pessoas em geral) ou sofrer qualquer restrição em sua esfera jurídica em razão de sua orientação sexual ou de sua identidade de gênero! Garantir aos integrantes do grupo LGBTI+ a posse da cidadania plena e o integral respeito tanto à sua condição quanto às suas escolhas pessoais pode significar, nestes tempos em que as liberdades fundamentais das pessoas sofrem ataques por parte de mentes sombrias e retrógradas, a diferença essencial entre civilização e barbárie. As várias dimensões conceituais de racismo. O racismo, que não se resume a aspectos estritamente fenotípicos, constitui manifestação de poder que, ao buscar justificação na desigualdade, objetiva viabilizar a dominação do grupo majoritário sobre integrantes de grupos vulneráveis (como a comunidade LGBTI+), fazendo instaurar, mediante odiosa (e inaceitável) inferiorização, situação de injusta exclusão de ordem política e de natureza jurídico-social – O conceito de racismo, compreendido em sua dimensão social, projeta-se para além de aspectos estritamente biológicos ou fenotípicos, pois resulta, enquanto manifestação de poder, de uma construção de índole histórico-cultural motivada pelo objetivo de justificar a desigualdade e destinada ao controle ideológico, à dominação política, à subjugação social e à negação da alteridade, da dignidade e da humanidade daqueles que, por integrarem grupo vulnerável (LGBTI+) e por não pertencerem ao estamento que detém posição de hegemonia em uma dada estrutura social, são considerados estranhos e diferentes, degradados à condição de marginais do ordenamento jurídico, expostos, em consequência de odiosa inferiorização e de perversa estigmatização, a uma injusta e lesiva situação de exclusão do sistema geral de proteção do direito. Compatibilidade constitucional entre a repressão penal à homotransfobia e a intangibilidade do pleno exercício da liberdade religiosa – A repressão penal à prática da homotransfobia não alcança nem restringe ou limita o exercício da liberdade religiosa, qualquer que seja a denominação confessional professada, a cujos fiéis e ministros (sacerdotes, pastores, rabinos, mulás ou clérigos muçulmanos e líderes ou celebrantes das religiões afro-brasileiras, entre outros) é assegurado o direito de pregar e de divulgar, livremente, pela palavra, pela imagem ou por qualquer outro meio, o seu pensamento e de externar suas convicções de acordo com o que se contiver em seus livros e códigos sagrados, bem assim o de ensinar segundo sua orientação doutrinária e/ou teológica, podendo buscar e conquistar prosélitos e praticar os atos de culto e respectiva liturgia, independentemente do espaço, público ou privado, de sua atuação individual ou coletiva, desde que tais manifestações não configurem discurso de ódio, assim entendidas aquelas exteriorizações que incitem a discriminação, a hostilidade ou a violência contra pessoas em razão de sua orientação sexual ou de sua identidade de gênero. Tolerância como expressão da "harmonia na diferença" e o respeito pela diversidade das pessoas e pela multiculturalidade dos povos. A proteção constitucional da liberdade de manifestação do pensamento, por revestir-se de caráter abrangente, estende-se, também, às ideias que causem profunda discordância ou que suscitem intenso clamor público ou que provoquem grave rejeição por parte de correntes majoritárias ou hegemônicas em uma dada coletividade – As ideias, nestas compreendidas as mensagens, inclusive as pregações de cunho religioso, podem ser fecundas, libertadoras, transformadoras ou, até mesmo, revolucionárias e subversivas, provocando mudanças, superando imobilismos e rompendo paradigmas até então estabelecidos nas formações sociais. O verdadeiro sentido da proteção constitucional à liberdade de expressão consiste não apenas em garantir o direito daqueles que pensam como nós, mas, igualmente, em proteger o direito dos que sustentam ideias (mesmo que se cuide de ideias ou de manifestações religiosas) que causem discordância ou que provoquem, até mesmo, o repúdio por parte da maioria existente em uma dada coletividade. O caso "United States v. Schwimmer" (279 U.S. 644, 1929): o célebre voto vencido (*"dissenting opinion"*) do Justice Oliver Wendell Holmes Jr. É por isso que se impõe construir espaços de liberdade, em tudo compatíveis com o sentido democrático que anima nossas instituições políticas, jurídicas e sociais, para que o pensamento – e, particularmente, o pensamento religioso – não seja reprimido e, o que se mostra fundamental, para que as ideias, especialmente as de natureza confessional, possam florescer, sem indevidas restrições, em um ambiente de plena tolerância, que, longe de sufocar opiniões divergentes, legitime a instauração do dissenso e viabilize, pelo conteúdo argumentativo do discurso fundado em convicções antagônicas, a concretização de valores essenciais à configuração do Estado Democrático de Direito: o respeito ao pluralismo e à tolerância. – O discurso de ódio, assim entendidas aquelas exteriorizações e manifestações que incitem a discriminação, que estimulem a hostilidade ou que provoquem a violência (física ou moral) contra pessoas em razão de sua orientação sexual ou de sua identidade de gênero, não encontra amparo na liberdade constitucional de expressão nem na Convenção Americana de Direitos Humanos (art. 13, § 5º), que expressamente o repele. A questão da omissão normativa e da superação temporal irrazoável na implementação de ordens constitucionais de legislar. A instrumentalidade da ação direta por omissão na colmatação e concretização das cláusulas constitucionais frustradas, em sua eficácia, por injustificável inércia do poder público a omissão do Estado – que deixa de cumprir, em maior ou em menor extensão, a imposição ditada pelo texto constitucional (como aquela que deriva do art. 5º, XLI e XLII, de nossa Lei Fundamental) – qualifica-se como comportamento revestido de intensa gravidade político-jurídica, eis que, mediante inércia, o Poder Público também desrespeita a Constituição, também ofende direitos que nela se fundam e também impede, por ausência (ou insuficiência) de medidas concretizadoras, a própria aplicabilidade dos postulados da Lei Fundamental. Doutrina. Precedentes (ADI 1.458--MC/DF, Rel. Min.

Celso de Mello, v.g.). – Nada mais nocivo, perigoso e ilegítimo do que elaborar uma Constituição sem a vontade de fazê-la cumprir integralmente ou, então, do que a promulgar com o intuito de apenas executá-la com o propósito subalterno de torná-la aplicável somente nos pontos que se mostrarem convenientes aos desígnios dos governantes ou de grupos majoritários, em detrimento dos interesses maiores dos cidadãos ou, muitas vezes, em frontal desrespeito aos direitos das minorias, notadamente daquelas expostas a situações de vulnerabilidade. – A ação direta de inconstitucionalidade por omissão, nesse contexto, tem por objetivo provocar legítima reação jurisdicional que, expressamente autorizada e atribuída ao Supremo Tribunal Federal pela própria Carta Política, destina-se a impedir o desprestígio da Lei Fundamental, a neutralizar gestos de desprezo pela Constituição, a outorgar proteção a princípios, direitos e garantias nela proclamados e a obstar, por extremamente grave, a erosão da consciência constitucional. Doutrina. Precedentes do STF.
(ADO 26, Relator(a): Celso de Mello, Tribunal Pleno, julgado em 13/06/2019, Processo Eletrônico DJe-243 DIVULG 05-10-2020 PUBLIC 06-10-2020)

Transmissão de HIV

1. O Supremo Tribunal Federal, no julgamento do HC 98.712/RJ, Rel. Min. Marco Aurélio (1ª Turma, DJe de 17/12/2010), firmou a compreensão de que a conduta de praticar ato sexual com a finalidade de transmitir AIDS não configura crime doloso contra a vida. Assim não há constrangimento ilegal a ser reparado de ofício, em razão de não ter sido o caso julgado pelo Tribunal do Júri.

2. O ato de propagar síndrome da imunodeficiência adquirida não é tratado no Capítulo III, Título I, da Parte Especial, do Código Penal (art. 130 e seguintes), onde não há menção a enfermidades sem cura. Inclusive, nos debates havidos no julgamento do HC 98.712/RJ, o eminente Ministro Ricardo Lewandowski, ao excluir a possibilidade de a Suprema Corte, naquele caso, conferir ao delito a classificação de "Perigo de contágio de moléstia grave" (art. 131, do

Código Penal), esclareceu que, "no atual estágio da ciência, a enfermidade é incurável, quer dizer, ela não é só grave, nos termos do art. 131".

3. Na hipótese de transmissão dolosa de doença incurável, a conduta deverá ser apenada com mais rigor do que o ato de contaminar outra pessoa com moléstia grave, conforme previsão clara do art. 129, § 2º, II, do Código Penal.

4. A alegação de que a vítima não manifestou sintomas não serve para afastar a configuração do delito previsto no art. 129, § 2, II, do Código Penal. É de notória sabença que o contaminado pelo vírus do HIV necessita de constante acompanhamento médico e de administração de remédios específicos, o que aumenta as probabilidades de que a enfermidade permaneça assintomática. Porém, o tratamento não enseja a cura da moléstia.

5. Não pode ser conhecido o pedido de sursis humanitário se não há, nos autos, notícias de que tal pretensão foi avaliada pelas instâncias antecedentes, nem qualquer informação acerca do estado de saúde do Paciente.

6. *Habeas corpus* parcialmente conhecido e, nessa extensão, denegado. (HC 160.982/DF, Rel. Ministra Laurita Vaz, Quinta Turma, julgado em 17/05/2012, DJe 28/05/2012)

SÚMULAS

Súmula 605 do STF
Não se admite continuidade delitiva nos crimes contra a vida.

Súmula 600 do STJ
Para a configuração da violência doméstica e familiar prevista no artigo 5º da Lei n. 11.340/2006 (Lei Maria da Penha) não se exige a coabitação entre autor e vítima.

Súmula 714 do STF

É concorrente a legitimidade do ofendido, mediante queixa, e do ministério público, condicionada à representação do ofendido, para a ação penal por crime contra a honra de servidor público em razão do exercício de suas funções.

12

Crimes contra o patrimônio e propriedade imaterial

12.1 FURTO E ROUBO

Distinção

Furto e roubo são os principais crimes contra o patrimônio, já que se mostram os mais comuns na prática forense. Segundo o art. 155 do CP, furto é a subtração de coisa alheia sem violência ou grave ameaça, pois, do contrário, seria roubo, previsto no art. 157. Em ambos, o verbo nuclear é subtrair, distinguindo-se, porém, quanto à violência ou grave ameaça, pois no furto a coisa é subtraída sem qualquer violência ou grave ameaça à vítima, enquanto no roubo temos a situação vulgarmente conhecida como "assalto".

Objetividade jurídica e material

O objeto jurídico, em ambos os crimes, é o patrimônio, não se devendo confundir objeto jurídico com objeto material, que é o objeto de ação, ou seja, o objeto sobre o qual recai a ação do agente. No caso do furto, o objeto material é a coisa subtraída; no roubo, o objeto material é a coisa subtraída e a pessoa agredida ou ameaçada. Subtrair é retirar a coisa contra a vontade do dono. Portanto, não se configura furto ou roubo se o dono concordar com a inversão da posse. Além disso, o agente não pode ter a posse desvigiada do bem, pois, do contrário, poderá haver o crime de apropriação indébita. Exemplo: a pessoa encarregada de transportar um objeto, caso a subtraia, praticará crime de apropriação indébita, já que detém a posse desvigiada do bem.

Tutelam-se tanto a propriedade quanto a posse. Em caso de mera detenção, poderá haver furto, mas a vítima não será o detentor, e sim, o proprietário do bem. Sobre esse tema, algumas situações merecem destaque. O trabalhador doméstico, que fica na casa sem que o dono esteja por perto e aproveita para pegar algumas coisas, responderá por furto, pois não tem a posse dos objetos da casa, apenas a mera detenção. O mesmo vale para trabalhadores do comércio. No caso do indivíduo que pega determinados bens em uma loja e sai para vender, entende-se que ele tem a posse desvigiada e se ficar com os bens haverá apropriação indébita.

Teorias sobre a consumação

É controvertida a questão da consumação dos crimes de furto e roubo, havendo várias teorias a respeito. Na *teoria da contrectatio*, ao simplesmente "tocar" na coisa móvel alheia o autor consuma o crime. Na *teoria da apprehensio*, é necessário segurar na coisa móvel para a consumação. Segundo a *teoria da amotio*, o crime se consuma com a remoção da coisa do lugar onde se achava, sem exigência de posse tranquila e mansa. Para a *teoria da ablatio* os crimes se consumariam quando a coisa houvesse sido colocada no local a que se destinava, segundo o agente. Na *teoria da inversão da posse* o crime se consuma com a posse tranquila da coisa, ainda que por pouco tempo. Os tribunais superiores há algum tempo referem-se às teorias *apprehensio* e *ablatio* como sinônimas e dispensam a posse mansa e pacífica, sendo que o STJ emitiu a Súmula 582, nos seguintes termos: *Consuma-se o crime de roubo com a inversão da posse do bem mediante emprego de violência ou grave ameaça, ainda que por breve tempo e em seguida à perseguição imediata ao agente e recuperação da coisa roubada, sendo prescindível a posse mansa e pacífica ou desvigiada.* Veja que, num primeiro momento, fala-se em inversão da posse, mas em seguida a súmula dispensa posse mansa e pacífica, o que permite concluir pela adoção da *teoria da amotio*. Embora a súmula se refira apenas ao roubo, é aplicável também ao furto. Observe que, mesmo havendo perseguição do proprietário ou da polícia e rápida recuperação da coisa, o crime estará consumado. Não está inviabilizada, porém, a existência de crime tentado, quando há início da execução sem consumação por circunstâncias alheias à vontade do agente, como ocorre, por exemplo, quando o autor anuncia o assalto e a vítima reage de imediato, impedindo o roubo ou, no caso de furto, a vítima percebe que o ladrão introduziu a mão em sua bolsa e consegue desvencilhar-se dele.

Haverá consumação sempre que houver prejuízo ao dono. Se um ladrão subtrai um bem da loja e ao sair arremessa o bem para longe, não sendo possível a localização, o crime estará consumado.

Coisa alheia móvel

A expressão "coisa alheia móvel" se refere a um bem material, ou seja, objeto sobre o qual recai a conduta de subtrair. Não precisa necessariamente ter valor econômico, podendo ter valor sentimental (doutrina majoritária), valor de utilidade e econômico. Um cadáver, via de regra, não é objeto do crime de furto e sim de crime de vilipêndio a cadáver (art. 212), mas por exceção pode ser objeto de furto desde que seja coisa alheia, como no caso de um cadáver utilizado para estudos numa faculdade de medicina.

Valor sentimental é o bem que tem um significado, como a fotografia de uma antepassado. Valor de uso é a utilidade que o bem representa. Valor econômico é aquilo que pode ser devidamente quantificado em pecúnia.

Valor insignificante, chamado crime de bagatela, exclui a tipicidade material do furto, *não se aplicando jamais em casos de roubo*. Considera-se insignificante, para fins de furto, um valor de até 10% do salário mínimo da época em que a conduta foi praticada, devendo-se utilizar os demais requisitos do STJ e STF: mínima ofensividade da conduta, ausência de periculosidade do agente, reduzido grau de reprovabilidade, inexpressividade do valor do bem subtraído. Assim, por exemplo, subtrair 10 reais de um idoso na fila do atendimento médico não poderá ser considerado um furto bagatelar, tendo em vista o alto grau de reprovabilidade desse comportamento, ante as condições da vítima.

Só haverá crime se a coisa subtraída for alheia, não podendo se tratar de coisa própria, podendo, excepcionalmente, verificar-se o crime previsto no art. 346 do Código Penal.[1] Há algumas coisas que não podem ser objeto de furto. Quais são: *res nullius* (coisa de ninguém), *res derelicta* (coisa abandonada), coisas de uso comum como a água da chuva e a *luz do sol*, a menos que estejam destacadas, como no desvio de energia solar, por exemplo. Coisa esquecida não se confunde com a chamada *res desperdicta* (coisa perdida). Coisa perdida não pode ser objeto de furto, e sim apropriação de coisa achada (art. 169, II CP). A coisa precisa ser móvel. O significado de móvel é real e não jurídico. É tudo aquilo que puder ser deslocado de um local para o outro, sem que haja separação destrutiva do solo.

Furto simples

É a figura fundamental, prevista no art. 155, *caput*: *Subtrair, para si ou para outrem, coisa alheia móvel: Pena – reclusão, de 1 a 4 anos, e multa.*

O sujeito ativo é qualquer pessoa. O sujeito passivo é qualquer pessoa, física ou jurídica (crime bicomum). A conduta é subtrair, isto é, retirar da esfera de proteção do legítimo possuidor ou proprietário, coisa alheia móvel, qualquer bem de valor econômico. Embora os direitos não possam ser objeto de furto, podem ser subtraídos os documentos que os representam. O tipo subjetivo é o dolo. A expressão típica "para si ou para outrem" nada mais é que o chamado *animus rem sibi habendi*, ou seja, é o fim de tornar-se dono ou de que outra pessoa se torne. Portanto, não há crime no caso de "furto de uso". Requisitos para ser furto de uso: a) momentâneo, isto é, por período breve; b) restituição do bem no mesmo estado e no mesmo local de onde o agente retirou. Assim, se uma pessoa pega o carro e o danifica o furto é consumado, pois é prejuízo para o dono. Preenchidos esses requisitos há um fato atípico, pelo reconhecimento de furto de uso. Tal excludente, que é uma construção doutrinária, não se aplica ao roubo e não existe no Direito Penal Militar em que o furto de uso constitui crime.

---

1. "Tirar, suprimir, destruir ou danificar coisa própria, que se acha em poder de terceiro por determinação judicial ou convenção: Pena – detenção, de 6 meses a 2 anos, e multa". Aplica-se aos casos em que o indivíduo é o dono do bem e que por determinação judicial o bem foi penhorado e designado o credor para ficar como depositário do bem.

Consuma-se o crime com a inversão da posse, dispensando-se que seja mansa e pacífica, uma vez que o STF[2] e o STJ[3] adotam a teoria da *amotio* (ou *apprehensio*), segundo a qual se consuma a subtração quando a coisa passa para o poder do agente, mesmo que num curto espaço de tempo, independentemente de deslocamento ou posse mansa e pacífica. Admite-se a tentativa.

Furto majorado

É o furto praticado durante o repouso noturno, aumentando-se a pena de 1/3 (art. 155, § 1º). Repouso noturno é quando os habitantes de uma determinada localidade se recolhem, não precisando tratar-se necessariamente da noite.

Furto privilegiado

Ocorre quando um indivíduo primário subtrai coisa de pequeno valor, podendo a pena ser reduzida de 1/3 a 2/3, ou aplicar somente a pena de multa. Furto de pequeno valor não se confunde com valor insignificante, pois este afasta a tipicidade (material). Segundo a jurisprudência, pequeno valor é aquele que não ultrapassa um salário mínimo nacional considerado na época do fato. Consoante a Súmula 511 do STJ, é aplicável o privilégio ao furto qualificado se a qualificadora for objetiva. Entende SANCHES[4] que todas as qualificadoras do furto são objetivas, pois são relacionadas ao meio/modo de execução do crime e conciliáveis com o privilégio, enquanto corrente distinta sustenta que abuso de confiança e fraude são subjetivas.

Furto qualificado

É aquele praticado nas condições do art. 155, § 4º, aplicando-se a pena de reclusão de 2 a 8 anos, e multa, se o crime é cometido:

---

2. HC 135.674/PE, DJe 13/10/2016.
3. AgInt no REsp 1.662.616/MG, DJe 25/09/2017.
4. CUNHA, Rogério Sanches. *Manual de direito penal:* parte especial. Salvador: JusPODIVM, 2020. p. 294.

a. Com rompimento de obstáculo à subtração da coisa: entende-se que o obstáculo tem que ser externo à coisa subtraída. Quebrar o vidro do carro para levar o casaco que está no banco traseiro. Duas correntes: se o indivíduo quebra o vidro do carro para levar o próprio carro, não tem qualificadora. Se quebrar o vidro do carro para levar o casaco, o vidro é o obstáculo. Questão da proporcionalidade. A Quinta Turma do STJ entende que tem qualificadora e no STF também se entende que quebrar o vidro do carro para levar o que está dentro existe qualificadora. Sentido contrário, Sexta Turma do STJ: não qualifica, com base na proporcionalidade. A destruição ou rompimento pode ocorrer antes, durante e após o agente colocar as mãos no bem.

b. Com abuso de confiança, ou mediante fraude, escalada ou destreza: para configuração da confiança, é indispensável que haja uma especial relação de confiança entre o agente e a vítima, sendo que tal relação deve constar da denúncia. Precisa ser analisado o caso concreto. Fraude é todo expediente utilizado pelo agente para iludir a vigilância que a vítima exerce sobre a *res*, possibilitando a subtração. Exemplo: sujeito entra na residência disfarçado. Há muita semelhança entre o furto mediante fraude e o estelionato. No estelionato, a vítima voluntariamente transfere o bem para o agente, concordando com a perda da posse ou propriedade da *res*, já no furto mediante fraude a vítima não concorda com a perda da propriedade ou a posse do bem, já que este lhe é retirado contra a sua vontade. Exemplo: hipótese do sujeito que vai testar o carro e desaparece. Decisões da 4ª Turma Cível do STJ, pacificaram como furto mediante fraude. Escalada para o Direito Penal é toda utilização de um acesso incomum. Exemplo: entrar na residência por um túnel de esgoto. Observação: a doutrina entende que se o meio de acesso for preparado pelo agente haverá qualificadora da fraude e não da escalada. De acordo com o STJ, é indispensável à realização do auto de exame dessa qualificadora. Quando o sujeito escala muro/cerca, a doutrina entende que para haver escalada precisa ter um esforço por parte do agente. Exemplo: anão que for pular o muro. Destreza, por sua vez, é habilidade, como acontece nos casos de *pick pocket*.

c. Com emprego de chave falsa: de acordo com a pacífica jurisprudência do Superior Tribunal de Justiça, considera-se chave falsa todo e qualquer instrumento que tenha ou não o formato de chave (clipe dobrado, pedaço de ferro) e que é utilizado no lugar desta, ou seja, da chave. Ligação direta não é considerada emprego de chave falsa, visto que não foi utilizado objeto externo por parte do agente. Quanto à chave verdadeira obtida ou utilizada de forma ilícita parte da doutrina entende que se trata de chave falsa, sendo esse, inclusive, o entendimento do Superior Tribunal Federal. Já a doutrina majoritária entende que a chave verdadeira jamais poderá ser considerada como falsa, podendo haver qualificadora da fraude ou do abuso de confiança dependendo da situação. Além disso, ligação direta não configura chave falsa, podendo configurar rompimento de obstáculo.

d. Mediante concurso de duas ou mais pessoas: uma corrente entende que a qualificadora exige que as pessoas estejam presentes à subtração, enquanto outra posição diz que é dispensável a presença *in loco*, bastando que haja o concurso de agentes, pouco importando se um dos agentes está ou não presente.

Segundo o art. 155, § 5º, a pena é de reclusão, de 3 a 8 anos, se a subtração for de veículo automotor que venha a ser transportado para outro Estado ou para o exterior. A doutrina dominante diz que veículo automotor é todo aquele meio de transporte que possuir um motor de propulsão e que faz com que o veículo circule com seus próprios meios. A qualificadora em questão fica condicionada à efetiva transposição do veículo de um estado para outro ou para outro país, incluindo-se o DF. Consoante o § 6º, "a pena é de reclusão de 2 a 5 anos se a subtração for de semovente domesticável de produção, ainda que abatido ou dividido em partes no local da subtração", o que se destina a reprimir com maior rigor o abigeato. A pena é de reclusão, de 4 a 10 anos, e multa, se a subtração for de substâncias explosivas ou de acessórios que, conjunta ou isoladamente, possibilitem sua fabricação, montagem ou emprego (§ 7º), pretendendo o legislador evitar que facções criminosas tenham acesso a materiais explosivos que serão acrescidos a seu arsenal.

Em razão dos frequentes furtos a caixas eletrônicos, com utilização de explosivos, foi incluído no furto o § 4º-A: a pena é de reclusão, de 4 a 10 anos, e multa, se houver emprego de explosivo ou de artefato análogo que cause perigo comum. Essa modalidade de furto, ademais, constitui crime hediondo, nos termos da Lei n. 8.072, IX, com redação da Lei n. 13.964.

Admite-se o furto qualificado-privilegiado. Exemplo: indivíduo primário arromba a porta de uma casa, entra na residência e furta um objeto avaliado em 60% do salário mínimo, portanto, pequeno valor.

Consoante o art. 155, § 3º, para fins de furto, "equipara-se à coisa móvel a energia elétrica ou qualquer outra que tenha valor econômico", como energia térmica, energia genética, sinal de televisão etc. Note que, se o agente obtém a energia de forma clandestina, ou seja, antes de ela passar pelo medidor, cometerá o crime de furto. Se a energia passa pelo medidor e posteriormente este último, no caso o medidor, é alterado, haverá estelionato.

Furto famélico

É uma situação que não tem previsão expressa, sendo admitida pela jurisprudência como estado de necessidade (CP, art. 24), excluindo a ilicitude e o caráter criminoso do fato, desde que: seja praticado para matar a fome; inevitabilidade do comportamento lesivo; a coisa subtraída seja imediatamente capaz de afastar a emergência; haja insuficiência de recursos ou impossibilidade de trabalhar.

Furto de uso

É o fato atípico por ausência de *animus rem sibi habendi*, ou seja, é ausência de finalidade de tornar-se dono ou de que outra pessoa se torne, faltando a elementar do tipo "para si ou para outrem". Não se aplica ao roubo e não existe no Direito Penal Militar.

Roubo

Roubo é a subtração prevista no art. 157 do CP. A figura do *caput* é chamada de *roubo simples*. Embora se assemelhe ao furto no contexto da subtração patrimonial, dele se diferencia em vários aspectos, pois trata-se de crime complexo, em que há fusão de dois ou mais delitos em um único tipo. Por ser um crime complexo, tutela o patrimônio e a integridade corporal. O sujeito ativo, assim como o passivo, é qualquer pessoa (crime bicomum). O tipo penal do roubo é uma fusão de furto e de crime contra a pessoa, uma vez que se realiza mediante violência, podendo ser própria ou imprópria, em que o agente reduz a possibilidade de resistência, como a ingestão de uma droga, por exemplo, ou grave ameaça, em que o agente impõe à vítima algum tipo grave de violência psíquica, atemorizando-a, como na ameaça de morte, a qual pode ser feita apenas por gesto, como apontar uma arma, por exemplo, deixando subentendida a ameaça de morte. O roubo cometido contra mais de uma pessoa, no mesmo contexto fático, configura concurso formal. Consuma-se o crime com a apreensão, ainda que por tempo breve (teoria da *amotio*).

Roubo impróprio (roubo por aproximação)

Consoante o § 1º, na mesma pena incorre quem, logo depois de subtraída a coisa, emprega violência contra pessoa ou grave ameaça, a fim de assegurar a impunidade do crime ou a detenção da coisa para si ou para terceiro. É o chamado *roubo impróprio*, em que a violência e/ou a grave ameaça surge logo após a subtração. No roubo próprio a violência ou a grave ameaça são anteriores ou concomitantes à subtração. No roubo impróprio há uma evolução, o agente vai para o furto, ainda que ele esteja preparado para usar violência ou grave ameaça se necessário for, e logo após a subtração ele se vê numa situação em que ele precisa usar grave ameaça ou violência a fim de garantir a subtração, ocorrendo assim uma progressão criminosa. Exemplo de roubo impróprio é o ladrão que entra e, ao sair, já com os bens subtraídos, depara-se com o vigilante, aplicando-lhe um golpe na cabeça para poder fugir com os bens. É importante notar que o roubo impróprio só ocorre mediante violência ou grave ameaça. Se o agente utiliza outra forma que impossibilite a vítima de resistir, não haverá roubo impróprio, podendo se configurar outro crime. Só haverá roubo impróprio, ainda, se o ladrão já tiver se apoderado do bem. Caso o ladrão seja surpreendido e fuja sem realizar a subtração, empregando violência na fuga, o crime não será de roubo, mas tentativa de furto em concurso com lesão corporal.

Roubo majorado

É o roubo agregado às circunstâncias majorantes ou causas de aumento de pena. Nos termos do art. 157, § 2º: "A pena aumenta-se de 1/3 até metade":

a. *Se há o concurso de duas ou mais pessoas:* basta que um dos agentes empregue a violência ou grave ameaça para que todos respondam pelo crime de roubo qualificado, exceto se um dos agentes estivesse pretendendo participar de crime menos grave, aplicando-se, então, a regra do art. 29, § 2º, do Código Penal, não importando que um dos agentes seja inimputável.

b. *Se a vítima está em serviço de transporte de valores e o agente conhece tal circunstância:* valor não é só dinheiro em espécie, mas tudo que possa ser traduzido economicamente, por exemplo, cheque, joias, objetos de valor. Obviamente, para incidir a qualificadora, precisa ficar comprovado que o agente conhecia a situação de transporte.

c. *Se a subtração for de veículo automotor que venha a ser transportado para outro estado ou para o exterior:* a majorante em questão fica condicionada a efetiva transposição do veículo de um estado para outro ou para outro país, incluindo-se o DF.

d. *Se o agente mantém a vítima em seu poder, restringindo sua liberdade:* trata-se da situação de "sequestro relâmpago", em que o agente mantém sob seu poder. Restringe a liberdade. Via de regra, nos assaltos a liberdade da vítima sempre é de uma forma restringida. A majorante só pode existir quando a restrição da liberdade da vítima durar um tempo maior do que o necessário para a execução do roubo. Jurisprudência diz "tempo juridicamente relevante". Por outro lado, vários doutrinadores dizem que não se pode aplicar essa majorante quando a restrição é necessária para a execução do roubo. A doutrina diz que se o cidadão, mesmo após total desnecessidade de ficar com a vítima sob seu poder, mantém a vítima por horas dentro de um porta-malas, por exemplo, não tem a majorante, ocorrendo crime de roubo mais cárcere privado, art. 148 do Código Penal.

A Lei n. 13.654/2018 modificou as disposições relativas a emprego de arma, anteriormente previstas no inciso I. Segundo o § 2º-A, incluído pela mencionada, aumenta-se a pena de 2/3 se há destruição ou rompimento de obstáculo mediante o emprego de explosivo ou de artefato análogo que cause perigo comum ou se a violência ou ameaça é exercida com emprego de arma de fogo. Segundo a posição majoritária, basta o porte ostensivo da arma, não bastando, porém, o simples fato de estar armado. É prescindível a apreensão da arma para o reconhecimento da majorante, segundo orientação do STJ e do STF. O STF entende que mesmo desmuniciada ou ineficaz haverá a majorante referida, visto que a arma de fogo é um instrumento que possui lesividade *in re ipsa*, ou seja, pode-se usar como instrumento apto a causar lesões graves. Em se tratando de arma de fogo de uso restrito ou proibido, a pena do *caput* do art. 157 deve ser aplicada em dobro (§ 2º-B).

Roubo qualificado: lesões graves e morte (latrocínio)

Ocorre roubo qualificado no caso de lesão grave ou morte em razão da violência empregada no roubo. Segundo o art. 157, § 3º: *Se da violência resulta lesão corporal grave, a pena é de reclusão, de 7 a 18 anos, além da multa; se resulta morte, a reclusão é de 20 a 30 anos, sem prejuízo da multa*. Trata-se de crime qualificado pelo resultado. Assim, para configuração da qualificadora, o resultado morte deve ter sido causado com dolo ou culpa. A configuração da qualificadora, ainda, depende que a lesão ou a morte sejam resultado da violência empregada pelo agente, não se admitindo no caso em que a vítima, assustada, corre para a rodovia e acaba sendo atropelada.[5] Também não pode haver latrocínio se a lesão ou morte decorre da grave ameaça, como no

---

5. Em sentido contrário: JTJ 158/304.

caso em que a vítima se assusta e morre de parada cardiorrespiratória, pois o tipo penal qualificado menciona apenas a violência.[6]

No caso de morte, ocorre o chamado latrocínio.

> **Latrocínio**
>
> Latrocínio é o crime de roubo qualificado pela morte, punido com pena de reclusão de 20 a 30 anos, sem prejuízo da multa. É um crime grave, considerado hediondo, nos termos da Lei n. 8.072/90. A morte pode ocorrer a título de culpa ou a título de dolo e, além disso, precisa ser decorrente da violência empregada, pois se for decorrente da grave ameaça não há latrocínio. Assim, se alguém assalta uma idosa, com 90 anos de idade, cardíaca, empregando grave ameaça, mas sem aplicar violência, caso ela morra de infarto em razão da grave ameaça, não incidirá a qualificadora. Nos crimes complexos, a consumação, em regra, depende da consumação dos vários crimes componentes do tipo. No latrocínio, porém, aplica-se o entendimento excepcional adotado na Súmula 610: *"Há crime de latrocínio, quando o homicídio se consuma, ainda que não se realize o agente a subtração de bens da vítima"*.
>
> Note que haverá latrocínio ainda que a pessoa morta seja diversa da vítima, como um transeunte atingido por bala perdida ou o próprio coautor do crime, em face da reação da vítima. Consolidou-se o entendimento de que o coautor que participa de um roubo armado responde pelo crime, ainda que não tenha efetuado o disparo, sendo desnecessário saber quem efetuou o disparo letal, pois todos os coautores respondem pelo fato. Se um comparsa mata outro, durante o roubo, ocorrem homicídio e roubo, mas se a morte de um dos autores do crime ocorre por erro de execução do assaltante (CP, art. 73), haverá latrocínio. Se a intenção inicial do agente é matar a vítima, resolvendo em seguida subtrair, haverá então homicídio e furto. Havendo mais de uma vítima morta e uma única subtração haverá latrocínio único, devendo o número de vítimas ser considerado na quantidade da pena.

Crimes hediondos

Nos termos da Lei n. 8.072/90, modificada pela Lei n. 13.964/19, o furto é qualificado pelo emprego de explosivo ou de artefato análogo que cause perigo comum (art. 155, § 4º-A). O roubo também será considerado hediondo nas seguintes situações: a) circunstanciado pela restrição de liberdade

---

6. Em sentido contrário: RT 620/333.

da vítima (art. 157, § 2º, inciso V); b) circunstanciado pelo emprego de arma de fogo (art. 157, § 2º-A, inciso I) ou pelo emprego de arma de fogo de uso proibido ou restrito (art. 157, § 2º-B); c) qualificado pelo resultado de lesão corporal grave ou morte (art. 157, § 3º). Esses crimes, portanto, são insuscetíveis de anistia, graça ou indulto, assim como são inafiançáveis, devendo a pena ser cumprida inicialmente em regime fechado (art. 2º da Lei n. 8.072).

Ação penal

Ação penal nos crimes de furto e de roubo é pública incondicionada.

12.2 EXTORSÃO, EXTORSÃO MEDIANTE SEQUESTRO E EXTORSÃO INDIRETA

Extorsão

O crime de extorsão, previsto no art. 158 do Código Penal, significa constranger alguém, mediante violência ou grave ameaça, com o intuito de obter para si ou para outrem indevida vantagem econômica, a fazer, tolerar que se faça ou deixar fazer alguma coisa. Conforme HUNGRIA, são elementos da extorsão:

a. emprego de violência física ou moral (grave ameaça);
b. coação, daí resultante, a fazer, tolerar ou omitir alguma coisa;
c. intenção de obter, para si ou para outrem, indevida vantagem econômica.

O meio comumente empregado para a extorsão é a grave ameaça, e, tal como no roubo, não há distinção se o mal prometido é, em si mesmo, injusto ou não. Não confundir o crime de ameaça (art. 147) com a ameaça como meio executivo de crime: no primeiro caso, é necessário que o mal ameaçado seja injusto; no segundo, é indiferente que possa ser, ou não, infligido *secundum jus*. Ainda que se tenha direito à inflição do mal, a ameaça de exercê-lo torna-se obviamente contra *jus* quando empregada como meio à pratica de um crime. É preciso, porém, não confundir o caso em que o mal é, em si mesmo, justo e injusta a vantagem pretendida, e em que, injusto o mal, é justa a vantagem pretendida: no primeiro há extorsão; no segundo, não, apresentando-se o crime de violento "exercício arbitrário das próprias razões".[7]

Conforme ensina PRADO, diferentemente do que ocorre com o crime de ameaça (art. 147, CP), há extorsão ainda que o mal prometido à vítima seja justo (v.g., constranger um fugitivo da polícia a lhe pagar certa quantia em dinheiro, caso contrário, informará às autoridades a sua localização).[8]

Trata-se de crime com dupla ofensividade jurídica: patrimônio e saúde da vítima. O objeto material é o patrimônio, assim como a pessoa agredida ou ameaçada. O sujeito ativo, assim como o passivo, é qualquer pessoa (crime bicomum).

Embora se assemelhe ao roubo, neste o agente não precisa de nenhum comportamento da vítima, mas na extorsão o comportamento da vítima é essencial, pois o agente precisa que a vítima faça ou deixe de fazer algo, sob pena de não conseguir obter a vantagem que deseja. Diferentemente do roubo, ainda, o objeto material da extorsão pode ser um bem imóvel ou qualquer vantagem econômica. Nada obsta que ocorra concurso de crimes entre roubo e extorsão, por exemplo: o agente, com ameaça de arma de fogo, subtrai o telefone da vítima e, além disso, a obriga a digitar sua senha no caixa eletrônico para entregar-lhe dinheiro.

A vantagem deve ser econômica, pois, se for outro tipo de vantagem, haverá outro crime: no caso de vantagem moral, haverá constrangimento ilegal; vantagem sexual poderá configurar estupro. É importante, ainda, que se trate de vantagem indevida, pois, caso a vantagem seja devida, ocorrerá o crime de exercício arbitrário das próprias razões (art. 345).

A pena é de reclusão, de 4 a 10 anos, e multa. A extorsão distingue-se do roubo, basicamente, porque nela é a própria vítima que disponibiliza um bem ou uma vantagem ao autor do crime, ou seja, a participação da vítima é essencial, não bastando, como no roubo, que o autor resolva subtrair o bem.

---

7. HUNGRIA, Nélson. *Comentários ao Código Penal*. Vol. VII, arts. 155 a 196. 1. ed. Rio de Janeiro: Editora Revista Forense, 1955. p. 65-6.

8. PRADO, Luiz Regis. *Tratado de Direito Penal:* parte especial – arts.121 a 249 do CP, volume 2. 3. ed. Rio de Janeiro: Forense, 2019. p. 511.

Os meios utilizados para constranger são a violência e a grave ameaça. Não existe violência imprópria na extorsão. É crime formal, de acordo com a Súmula 96 do STJ: "O crime de extorsão consuma-se independentemente da obtenção da vantagem indevida". A obtenção da vantagem é mero exaurimento. Ocorrerá tentativa se, apesar do emprego de violência ou grave ameaça, o agente não conseguiu que a vítima faça, deixe de fazer ou tolere que se faça alguma coisa.

Se o crime é cometido por duas ou mais pessoas, ou com emprego de arma, aumenta-se a pena de 1/3 até metade (art. 158, § 2º). Uma vez que a lei emprega a palavra "cometido", não basta o concurso de pessoas, sendo indispensável que duas ou mais pessoas tenham praticado atos de execução, ou seja, no sentido de constranger a vítima com violência ou grave ameaça.

Assim como no roubo, ocorrerá *extorsão qualificada* em caso de lesão grave ou de morte da vítima (art. 158, § 2º).

Também há crime qualificado, punido com pena de 6 a 12 anos, além de multa, se houver restrição da liberdade da vítima ("sequestro relâmpago"), que ocorre por curto espaço de tempo para que a vítima possa realizar a ação necessária à obtenção da vantagem indevida, caso que é também considerado crime hediondo, nos termos da Lei n. 8.072/90, art. 1º, III.

Haverá significativo aumento de pena se a vítima sofrer lesão grave ou acabar morrendo, nos termos do § 3º, que manda aplicar as mesmas penas da extorsão mediante sequestro qualificada, isto é, reclusão de 16 a 24 anos em caso de lesão grave, e de 20 a 24 em caso de morte. Para incidência da qualificadora, a lesão grave ou morte deve ser da própria vítima e não de terceira pessoa, interpretação ditada pelo item 57 da Parte Especial da exposição de motivos do Código Penal.

Roubo	Extorsão
• Violência ou grave ameaça empregada para subtrair: a vítima não entrega o bem. • O comportamento da vítima não é essencial: o agente não precisa de uma ação da vítima para conseguir o que deseja. • Refere-se a bens móveis.	• Violência ou grave ameaça empregada para obter: a vítima entrega o bem ou a vantagem. • O comportamento da vítima é essencial: o agente necessita de uma ação da vítima para conseguir o que deseja. • Refere-se a bens móveis, imóveis ou qualquer outra vantagem econômica.

Extorsão mediante sequestro

O crime de extorsão mediante sequestro, previsto no art. 159 do CP, é crime hediondo (Lei n. 8.072/90, art. 1º, IV). Não se confunde com a extorsão qualificada pela restrição da liberdade da vítima (art. 158, § 3º), em que a privação da liberdade é transitória, apenas para que a vítima possa realizar a ação necessária à obtenção da vantagem indevida. Há dupla objetividade jurídica: patrimônio e liberdade da vítima. O objeto material é a pessoa privada de liberdade e o dinheiro ou outro bem transferido ao sequestrador a título de resgate.

O termo "sequestrar" abrange não só o sequestro, mas também o cárcere privado. No sequestro há uma privação de liberdade, mas não é tão restritiva. No cárcere privado a vítima fica confinada. Sequestro pode ou não ser presidido de rapto. Exemplo: convidar uma pessoa para passar um final de semana no sítio, impedindo-a de deixar o local, para extorquir seus familiares. O crime em questão é formal, consumando-se com o sequestro da vítima independentemente da obtenção da vantagem por parte do agente. Se ele obtiver a vantagem, ocorre o exaurimento do crime. Ocorre a tentativa quando o agente tenta sequestrar a vítima, mas não consegue. Sequestrar pessoa é um crime pluriofensivo, pois tem dupla objetividade jurídica: patrimônio e liberdade pessoal. Sequestrar um animal de estimação é um crime de extorsão (art. 158), não configurando extorsão mediante sequestro, que se refere à liberdade pessoal. É crime bicomum, podendo ser praticado por qualquer pessoa contra qualquer pessoa.

As formas qualificadas de sequestro estão previstas no art. 159, § § 1º e 2º do Código Penal, a saber:

a. Penas de 12 a 20 anos (§ 1º):
   - sequestro com duração superior a 24 horas: conta-se o tempo a partir do momento da privação da liberdade da vítima;
   - se o sequestrado é menor de 18 anos ou maior de 60 anos: considera-se a idade existente a partir da privação da liberdade até a liberação da vítima;
   - cometido por bando ou quadrilha: praticado em situação de associação criminosa, caso em que não se tipifica o crime autônomo previsto no art. 288 do CP, a fim de evitar o *bis in idem*.

b. Reclusão de 16 a 24 anos em caso de lesão grave, de 20 a 24 anos em caso de morte. Para incidência da qualificadora, a lesão grave ou morte deve ser da própria vítima e não de terceira pessoa (§ 2º), interpretação ditada pelo item 57 da Parte Especial da exposição de motivos do Código Penal.

O art. 159, § 4º prevê uma causa de diminuição de pena (minorante): "Se o crime é cometido em concurso, o concorrente que o denunciar à autoridade, facilitando a libertação do sequestrado, terá sua pena reduzida de 1/3 a 2/3". Este parágrafo trata da chamada "colaboração premiada".

Extorsão indireta

Constitui crime de *extorsão indireta*, punido com reclusão de 1 a 3 anos, exigir ou receber, como garantia de dívida, abusando da situação de alguém, documento que pode dar causa a procedimento criminal contra a vítima ou contra terceiro (art. 160). Exemplo desse crime é emprestar dinheiro, exigindo-se que a vítima assine a confissão de um crime que será levado ao conhecimento das autoridades em caso de não pagamento da dívida.

Tutelam-se o patrimônio e a liberdade nas relações negociais, protegendo uma pessoa economicamente fraca de uma pessoa economicamente forte.[9] O objeto material é o documento obtido com a extorsão. O sujeito ativo é qualquer pessoa, assim como o sujeito passivo (crime bicomum). A conduta é a exigência de documento comprometedor contra a própria vítima ou terceira pessoa. Segundo HUNGRIA, a configuração do crime pressupõe: a) exigência ou recebimento de documento que possa dar causa a processo penal contra a vítima ou terceiro; b) abuso da situação de necessidade do sujeito passivo; c) intuito de garantir ameaçadoramente o pagamento da dívida.[10] O tipo subjetivo é o dolo, devendo o agente pretender que o documento sirva como garantia de pagamento. Consuma-se o crime com o ato de exigir (crime formal) ou receber (crime material). A consumação independe

---

9. HUNGRIA, Nélson. Op. cit., p. 75.
10. Op. cit., p. 77.

de ser dado início ao procedimento criminal contra a vítima. Se após obter o documento, o agente ensejar o procedimento criminal, sabendo que o imputado é inocente, haverá concurso com denunciação criminosa (CP, art. 339). Admite-se a tentativa.

Crimes hediondos

Nos termos da Lei n. 8.072/90, modificada pela Lei n. 13.964/19, haverá crime hediondo nos seguintes casos: extorsão qualificada pela restrição da liberdade da vítima, ocorrência de lesão corporal ou morte (art. 158, § 3º); extorsão mediante sequestro e na forma qualificada (art. 159, *caput*, e §§ 1º, 2º e 3º). Esses crimes, portanto, são insuscetíveis de anistia, graça ou indulto, assim como são inafiançáveis, devendo a pena ser cumprida inicialmente em regime fechado (art. 2ª da Lei n. 8.072).

Ação penal

A ação penal nos crimes de extorsão e extorsão mediante sequestro e extorsão indireta é pública incondicionada.

12.3 USURPAÇÃO

As formas de usurpação são a alteração de limites, a usurpação de águas, o esbulho possessório e a supressão ou alteração de marcas em animais.

Alteração de limites

O Código Penal prevê diversas formas de cocrime de usurpação. A primeira delas é a alteração de limites, que consiste em suprimir ou deslocar tapume, marco, ou qualquer outro sinal indicativo de linha divisória, para apropriar--se, no todo ou em parte, de coisa imóvel alheia. Segundo o art. 161, a pena é de detenção de 1 a 6 meses, sendo que, se o agente usa de violência contra a pessoa, incorre também na pena a esta cominada (§ 2º). O objeto jurídico é a propriedade ou a posse. O objeto material é o tapume, marco, ou qualquer outro sinal indicativo de linha divisória. O sujeito ativo é qualquer pessoa e o sujeito passivo é o proprietário ou o possuidor do prédio contíguo ao que foi feita a alteração de limites. A conduta é suprimir ou deslocar, devendo essa supressão ou deslocamento provocar confusão ou dificuldade de restauração, exigindo-se perícia. A colocação de novos marcos, sem deslocamento ou supressão dos anteriores não configura o crime. O tipo subjetivo é o dolo, exigindo-se a intenção de apropriar-se. O crime é formal, pois não se exige apoderamento efetivo, mas simplesmente a confusão das divisas. Consuma-se com a supressão ou deslocamento do tapume. Admite-se a tentativa.

Usurpação de águas

Na mesma pena do crime anterior incorre quem desviar ou represar, em proveito próprio ou de outrem, águas alheias (art. 161, § 1º, I). O sujeito ativo é qualquer pessoa. O sujeito passivo é o proprietário ou possuidor da água represada ou desviada. A água canalizada, caso esteja em reservatório particular, pertence ao dono do reservatório, podendo configurar-se o crime de furto. O tipo é doloso. O crime é material, consumando-se com o ato de represar ou desviar. Admite-se a tentativa.

Esbulho possessório

Consiste em invadir, com violência à pessoa ou grave ameaça, ou mediante concurso de mais de duas pessoas, terreno ou edifício alheio, para o fim de esbulho possessório (art. 161, § 1º, I). Segundo HUNGRIA, há crime somente quando há invasão para o fim de ocupação permanente ou *uti dominus* (e não qualquer invasão) e quando o terreno ou edifício não seja propriedade do agente, sendo *essentialia* do crime: a) invasão de prédio (terreno ou edifício) alheio; b) emprego de violência (bastando vias de fato) ou grave ameaça, ou concurso de duas ou mais pessoas; c) fim de esbulho possessório.[11]

A pena é a mesma dos crimes anteriores. O objeto jurídico é a posse ou a propriedade. O objeto material é o terreno ou edifício alheio. O sujeito ativo é qualquer pessoa. O sujeito passivo é o proprietário ou possuidor do imóvel esbulhado; secundariamente, a pessoa que sofre a violência, ainda que não

---

11. HUNGRIA, Nélson. Op. cit., p. 89.

seja proprietária ou possuidora, como um visitante, por exemplo. O tipo é doloso, exigindo-se o fim de esbulho, isto é, apropriação permanente. Crime formal, consuma-se com a simples invasão, desde que a finalidade seja esbulhar. Haverá mera tentativa se a invasão for impedida por reação imediata do proprietário, possuidor ou terceiros.

Veja que há, nesses casos, especialmente de esbulho possessório, manifesta proteção deficiente por parte do Estado, em razão da pena cominada. Em processo no qual atuamos, indivíduos armados, integrantes de facção criminosa, expulsaram uma família de casa, mediante grave ameaça, a fim de se estabelecerem no local. Tendo em vista que não houve violência, mas apenas grave ameaça, a pena será de detenção de 1 a 6 meses, configurando-se infração de menor potencial ofensivo, nos termos da Lei n. 9.099/95, evidenciando-se inaceitável desproporcionalidade entre o crime praticado e a resposta estatal.

Supressão ou alteração de marcas em animais

Consiste em suprimir ou alterar, indevidamente, em gado ou rebanho alheio, marca ou sinal indicativo de propriedade. A pena é de detenção, de 6 meses a 3 anos, e multa (art. 162). A objetividade jurídica é a proteção da propriedade sobre os animais. O objeto material é o animal. O sujeito ativo é qualquer pessoa. O sujeito passivo é o proprietário do animal. As condutas puníveis são suprimir ou alterar marca ou sinal indicativo de propriedade. Portanto, marcar animal desmarcado, a fim de apropriar-se dele, não constitui crime, lamentável omissão do legislador. O tipo é doloso, exigindo-se o fim de apropriação do animal. Se a finalidade for outra, como ofender o proprietário, haverá injúria e dano, e não o crime em questão. Trata-se de crime material. Consuma-se com a supressão ou alteração. Admite-se a tentativa. Caso haja subtração do animal, supressão ou alteração será absorvida pelo crime de furto.

Ação penal

Nos casos de usurpação, se a propriedade é particular, e não há emprego de violência, somente se procede mediante queixa.

12.4 DANO

Dano propriamente dito

Constitui crime de dano, punido com pena de detenção, de 1 a 6 meses, ou multa, destruir, inutilizar ou deteriorar coisa alheia. O objeto jurídico é o patrimônio. O objeto material é a coisa danificada. O sujeito ativo é qualquer pessoa, exceto o próprio dono. Admite-se como sujeito ativo o condômino que danifica a coisa. O dano praticado por militar é crime militar (art. 259 do CPM). O sujeito passivo é o proprietário do bem danificado. A conduta é destruir (a coisa de existir na forma anterior), inutilizar (a coisa perde sua utilidade) ou deteriorar (a coisa perde valor) qualquer coisa, móvel ou imóvel. Dependendo do dano praticado, poderá se configurar crime diverso: arts. 62 e 65 da Lei n. 9.605 (crimes ambientais); arts. 208, 210 ou 305 do CP etc. O tipo subjetivo é o dolo, não se exigindo finalidade específica de causar prejuízo. Conforme decidiu o STF: "Comete o crime de dano qualificado o preso que, para fugir, danifica a cela do estabelecimento prisional em que está recolhido. Cod. Penal, art. 163, parag. único, III. II. – O crime de dano exige, para a sua configuração, apenas o dolo genérico".[12] O STJ, entretanto, no Agravo Regimental no REsp 0001723-93.18.8.21.4001, decidiu, em sentido contrário, que a danificação de tornozeleira eletrônica para evasão não configura o delito do art. 163, parágrafo único, III, do CP, por ausência de *animus nocendi*, isto é, dolo específico de danificar.[13] O dano é crime material, consumando-se com a destruição, total ou parcial, inutilização ou deterioração. Admite-se a tentativa.

Consoante o parágrafo único do art. 163, o dano é qualificado, e punido com pena de 6 meses a 3 anos, se cometido:

---

12. HC 73189, Rel. Ministro Carlos Velloso, Segunda Turma, julgado em 23/02/1996.
13. AgRg no REsp 1861044/RS, Rel. Ministro Joel Ilan Paciornik, Quinta Turma, julgado em 28/04/2020, DJe 04/05/2020.

a. com violência à pessoa ou grave ameaça, a violência deve ser anterior ou concomitante ao dano, pois, se posterior, haverá concurso de crimes;
b. com emprego de substância inflamável ou explosiva, se o fato não constitui crime mais grave (crime subsidiário);
c. contra o patrimônio da União, de Estado, do Distrito Federal, de Município ou de autarquia, fundação pública, empresa pública, sociedade de economia mista ou empresa concessionária de serviços públicos;
d. por motivo egoístico ou com prejuízo considerável para a vítima, tudo conforme as disposições do art. 163, caso em que o autor do dano deve ter intenção de causar prejuízo considerável, que será avaliado de acordo com a condição financeira da vítima.

Introdução ou abandono de animais em propriedade alheia

O Código Penal tipifica, ainda, a introdução ou abandono de animais em propriedade alheia (art. 164), que consiste em introduzir ou deixar animais em propriedade alheia, sem consentimento de quem de direito, desde que o fato resulte prejuízo. A pena é de detenção, de 15 dias a 6 meses, ou multa. O objeto jurídico é a propriedade ou a posse. O objeto material é a propriedade sujeita a invasão ou abandono de animais. O sujeito ativo é qualquer pessoa. O sujeito passivo é o proprietário ou possuidor do imóvel invadido pelos animais. Note que a expressão "propriedade" empregada no tipo penal é no sentido de imóvel urbano ou rural. O tipo é doloso. O crime é material, consumando-se com a introdução ou abandono de animais, desde que isso cause prejuízo. Trata-se de crime condicionado, pois, se não houver prejuízo, não há crime. Com efeito, a tentativa não é admitida.

Revogação tácita dos arts. 165 e 166

O dano em coisa de valor artístico, arqueológico ou histórico (art. 165), e a alteração, sem licença da autoridade competente, de local especialmente protegido por lei (art. 166), foram tacitamente revogados pela Lei n. 9.605/98, que trata dos crimes ambientais.

Ação penal

A ação penal será privada nos casos de dano simples (art. 163, *caput*), dano qualificado por motivo egoístico ou prejuízo considerável para a vítima (inciso IV do parágrafo único) e no crime de introdução ou abandono de animais em propriedade alheia (art. 164).

12.5 APROPRIAÇÃO INDÉBITA

Apropriação indébita propriamente dita

Segundo o art. 168, consiste esse crime em apropriar-se de coisa alheia móvel, de que tem a posse ou a detenção. Em outras palavras, trata-se de uma apropriação "indevida". A pena é de reclusão, de 1 a 4 anos, e multa, sendo aumentada de 1/3, quando o agente recebeu a coisa em depósito necessário, na qualidade de tutor, curador, síndico, liquidatário, inventariante, testamenteiro ou depositário judicial ou em razão de ofício, emprego ou profissão, não se configurando no caso de funcionário público, pois se este se apropria de um bem público ocorre o crime de peculato (art. 312). O objeto jurídico é a propriedade. O objeto material é a coisa apropriada. O sujeito ativo é qualquer pessoa, mas, tratando-se funcionário público que se apropria de bem público, o crime é de peculato (art. 312). O sujeito passivo é a pessoa física ou jurídica atingida em seu patrimônio. Apropriar-se é fazer sua coisa alheia. A simples mora em restituir ou esquecimento não configura o crime. O agente tem que ter a posse ou a detenção lícita do bem. Além disso, a posse ou detenção do bem deve ser desvigiada. Quem transporta objeto lacrado para outrem não tem a posse legítima sobre o conteúdo deste. Assim, se houver rompimento do lacre ou da fechadura e apropriação desse conteúdo, o crime configurado é o furto (art. 155). Se o agente obtiver a posse mediante fraude não será apropriação indébita, podendo se configurar estelionato (art. 171). Costuma-se distinguir duas espécies de apropriação:

a. Apropriação propriamente dita, em que o agente tem a posse desvigiada do bem (posse vigiada configura furto) e passa a agir como proprietário, por exemplo, vendendo a coisa.

b. Negativa de restituição, em que é concedida a posse mediante o compromisso de restituição, recusando-se o agente a fazê-lo. Não há possibilidade de tentativa na negativa de restituição. Esta forma não admite tentativa: ou o agente devolve e não há crime ou se recusa a fazê-lo e está consumado o crime.

O tipo é doloso. A apropriação indébita é crime material, consumando-se com qualquer ato de inversão da posse, sendo que vários atos podem configurar o crime: venda, doação, consumo, dissipação, cessão, penhor, caução, ocultação, retenção sem causa legítima etc. Admite-se a tentativa.

Apropriação indébita previdenciária

Conforme o Código Penal, o crime consiste em:

> Art. 168-A. Deixar de repassar à previdência social as contribuições recolhidas dos contribuintes, no prazo e forma legal ou convencional:
> Pena – reclusão, de 2 (dois) a 5 (cinco) anos, e multa.
> *§ 1º Nas mesmas penas incorre quem deixar de:*
> I – recolher, no prazo legal, contribuição ou outra importância destinada à previdência social que tenha sido descontada de pagamento efetuado a segurados, a terceiros ou arrecadada do público;
> II – recolher contribuições devidas à previdência social que tenham integrado despesas contábeis ou custos relativos à venda de produtos ou à prestação de serviços;
> III – pagar benefício devido a segurado, quando as respectivas cotas ou valores já tiverem sido reembolsados à empresa pela previdência social.

O objeto jurídico tutelado é o patrimônio de todos os que fazem parte da seguridade social. O objeto material são as contribuições recolhidas dos contribuintes e não repassadas. Sustenta-se a inconstitucionalidade desse crime, em razão da vedação de prisão por dívidas (CF, art. 5º, LXVII). Não concordamos com esse entendimento, uma vez que, em caso de condenação, haverá prisão penal e não civil.[14]

O sujeito ativo é o responsável tributário (crime próprio). O sujeito passivo é a União. O tipo penal é omissivo: deixar de repassar contribuições recolhidas dos empregados à previdência social. O tipo subjetivo é o dolo. Entendemos que não é necessário fim específico de fraudar a previdência social. A necessidade do agente poderá excluir a ilicitude, mas não a tipicidade. Consuma-se o crime quando se esgota o prazo de recolhimento à previdência. Tratando-se de crime omissivo, a tentativa não é admitida.

Extinção da punibilidade, perdão judicial ou privilegiadora

De modo geral, a lei concede benefícios a quem colabora com o fisco e efetua o recolhimento dos valores devidos.

Caso o recolhimento ocorra antes do início da ação fiscal, haverá extinção da punibilidade, nos termos do § 2º, segundo o qual é extinta a punibilidade se o agente, espontaneamente, declara, confessa e efetua o pagamento das contribuições, importâncias ou valores e presta as informações devidas à previdência social, na forma definida em lei ou regulamento, antes do início da ação fiscal.

Se o recolhimento for posterior ao início da ação fiscal, poderá haver perdão judicial ou a configuração de crime privilegiado, aplicando-se apenas multa, nos termos do § 3º, sendo facultado ao juiz deixar de aplicar a pena ou aplicar somente a multa se o agente for primário e de bons antecedentes, desde que:

I. Tenha promovido, após o início da ação fiscal e antes de oferecida a denúncia, o pagamento da contribuição social previdenciária, inclusive acessórios.

II. O valor das contribuições devidas, inclusive acessórios, seja igual ou inferior àquele estabelecido pela previdência social, adminis-

---

14. O STF entendeu pela constitucionalidade no HC 91.704, Rel. Min. Joaquim Barbosa, Segunda Turma, julgado em 06/05/2008.

trativamente, como sendo o mínimo para o ajuizamento de suas execuções fiscais.

§ 4º. A faculdade prevista no § 3º deste artigo não se aplica aos casos de parcelamento de contribuições cujo valor, inclusive dos acessórios, seja superior àquele estabelecido, administrativamente, como sendo o mínimo para o ajuizamento de suas execuções fiscais.

Outras formas de apropriação

O art. 169, *caput*, prevê a apropriação de coisa havida por erro, caso fortuito ou força da natureza. O objeto jurídico é o patrimônio. O objeto material é a coisa apropriada por erro, caso fortuito ou força da natureza. O sujeito ativo é qualquer pessoa. O sujeito passivo é o proprietário do bem. A conduta é uma apropriação indébita, isto é, indevida, de coisa recebida por erro, caso fortuito ou força da natureza. O erro é a falsa percepção da realidade, como ocorre com uma encomenda entregue em lugar errado. Caso fortuito é um fato que não teve dolo ou culpa de qualquer pessoa, como um animal doméstico que ingressa na residência de alguém, que dele se apropria. Força da natureza é qualquer causa natural, como um vendaval que lança coisas de valor no terreno de alguém, que delas se apropria. O crime é doloso. Crime material consuma-se com qualquer ato de inversão da posse venda, tais como doação, consumo, dissipação, cessão, penhor, caução, ocultação, retenção sem causa legítima etc. Admite-se a tentativa.

Estão previstas formas equiparadas nos incisos I e II do parágrafo único.

O inciso I prevê o crime de *apropriação de tesouro*, praticado por "quem acha tesouro em prédio alheio e se apropria, no todo ou em parte, da quota a que tem direito o proprietário do prédio". Consoante o art. 1.264 do Código Civil, "o depósito antigo de coisas preciosas, oculto e de cujo dono não haja memória, será dividido por igual entre o proprietário do prédio e o que achar o tesouro casualmente". Tutela-se o patrimônio do proprietário do imóvel onde o tesouro foi encontrado, sujeito passivo do crime. O sujeito ativo é qualquer pessoa. A conduta é encontrar e não dividir o tesouro encontrado com o proprietário do prédio onde foi encontrado (crime misto comissivo e omissivo). Consuma-se com a não divisão. Admite-se a tentativa, por exemplo, quando o proprietário do terreno, diante da negativa do descobridor do tesouro em dividir, consegue por esforço pessoal a parte a que tem direito. Caso o descobridor não tenha autorização para procurar o tesouro, a conduta de apropriação será furto.

O inciso II prevê o crime de *apropriação de coisa achada*, assim descrito: *quem acha coisa alheia perdida e dela se apropria, total ou parcialmente, deixando de restituí-la ao dono ou legítimo possuidor ou de entregá-la à autoridade competente, dentro no prazo de 15 dias.* Trata-se de crime misto de ação e omissão. O sujeito ativo é qualquer pessoa. O sujeito passivo é o proprietário ou legítimo possuidor, que tenha perdido a coisa. Aplica-se ao caso de coisas perdidas, isto é, que está em lugar público e fora da esfera da disponibilidade do proprietário ou possuidor. Não há crime quando se trata de coisa abandonada (*res derelicta*) ou que nunca teve proprietário ou possuidor (*res nullius*). Nesse crime, é comum haver erro de tipo, pelo fato de o agente pensar que a coisa foi abandonada, ou erro de proibição, diante do ditado "achado não é roubado", que leva a muitas pessoas sem maior cultura ao entendimento errôneo de que é lícito apropriar-se de coisa achada. Crime material consuma-se com qualquer ato de inversão da posse venda, tais como doação, consumo, dissipação, cessão, penhor, caução, ocultação, retenção sem causa legítima etc. Admite-se a tentativa.

Apropriação indébita privilegiada

Consoante o art. 170, aplicam-se à apropriação indébita as privilegiadoras do furto (art. 155, § 2º).

Ação penal

A ação penal é pública incondicionada.

12.6 ESTELIONATO E OUTRAS FRAUDES

Conceito e objetividade jurídica e material

Stelio provém do latim, "camaleão". Estelionato é a trapaça, a fraude, a mentira, o golpe, destinado à obtenção de alguma vantagem ilícita. Segundo a descrição do tipo, art. 171, estelionato consiste em *obter, para si ou para ou-*

trem, vantagem ilícita, em prejuízo alheio, induzindo ou mantendo alguém em erro, mediante artifício, ardil, ou qualquer outro meio fraudulento. A pena é de reclusão, de 1 a 5 anos, e multa. A objetividade jurídica é o patrimônio. O objeto material é a vantagem obtida ilicitamente.

Sujeitos do crime

O sujeito ativo é qualquer pessoa. O sujeito passivo é tanto a pessoa ludibriada quanto quem suporta o prejuízo, podendo tratar-se da mesma pessoa ou de pessoas distintas. Portanto, nem sempre o prejuízo é suportado pela pessoa enganada, podendo a fraude ludibriar pessoa diversa da que sofre o prejuízo, como ocorre, por exemplo, quando alguém se apresenta ao banco como titular da conta, com documento falso, e logra fazer um saque, enganando o funcionário responsável. A vítima no estelionato precisa ser sempre pessoa ou pessoas determinadas, pois a indeterminação do sujeito transforma o fato em crime contra a economia popular (Lei n. 1521/51).

Além disso, a vítima precisa possuir uma capacidade mínima para ser ludibriada, pois aproveitar-se de necessidade, paixão ou inexperiência de menor, ou da alienação ou debilidade mental de outrem, configura o crime de abuso de incapaz (art. 173 do CP). A vítima precisará ser capaz, pois, do contrário, poderá se configurar abuso de incapaz (CP, art. 173). Caso a vítima seja pessoa idosa, a pena será aumentada em dobro, nos termos do § 4º.

Conduta

O crime de estelionato pressupõe a existência de fraude, que é qualquer malicioso subterfúgio para alcançar um fim ilícito.[15]

HUNGRIA enfatiza a difícil distinção entre fraude penal e fraude civil, salientando que há quase sempre fraude penal quando a fraude é preconcebida e o agente usa meio iludente relativamente idôneo e não grosseiro[16], apresentando a estrutura do crime quatro momentos:

---

15. HUNGRIA, Nélson. Op. cit., p. 164.
16. Op. cit., p. 186.

a. emprego de fraude (artifício, ardil ou qualquer meio fraudulento);
b. produção ou manutenção em erro;
c. locupletação ilícita;
d. lesão patrimonial de outrem.

A fraude pode ser:

a. *artifício:* uma encenação material, como um disfarce ou um documento falso;
b. *ardil:* um expediente astuto, uma conversa enganosa, podendo ser até mesmo a simples mentira verbal;
c. *outro meio fraudulento:* fórmula analógica *intra legem*, que permite qualquer tipo de expediente ilusório, como o silêncio, por exemplo, no estelionato por omissão.

O estelionato não se confunde com mero inadimplemento de obrigação civil, só se configurando a fraude penal quando a intenção de inadimplir antecede a realização do negócio entre as partes. Quem adquire bens com dinheiro falso incorre no crime de moeda falsa (CP, art. 289), mas caso seja falsificação grosseira o crime é estelionato.

A fraude bilateral não exclui o crime, uma vez que o tipo penal não exige boa-fé da vítima.

O Supremo Tribunal Federal, no julgamento do IP n. 1.145/PB, sufragou o entendimento no sentido de que a conduta denominada "cola eletrônica", embora reprovável, é atípica. No mesmo sentido, decidiu o Superior Tribunal de Justiça, no HC 227.550. Não se descarta, porém, a possibilidade de se configurar crime de falsidade ideológica (CP, art. 299), uma vez que, ao lançar na prova respostas "coladas", o candidato insere informações diversas das que deveriam constar, que dizem respeito ao seu próprio conhecimento.

Tipo subjetivo

O tipo subjetivo é doloso, consistente na vontade de induzir alguém em erro a fim de obter vantagem ilícita, para si ou para outrem.

Idoneidade do meio

Meio idôneo é aquele apto a ludibriar a vítima do caso concreto. Artifício é o aparato material, como vender uma máquina de fazer ouro. Ardil é o aparato intelectual, como a simples mentira. Qualquer outro meio fraudulento pode configurar o estelionato, inclusive o próprio silêncio, apto a induzir ou manter a vítima em erro. Ocorre quando a vítima erra por si só, mas o sujeito percebe o erro da vítima, estimulando este erro pela mentira ou pelo silêncio, a fim de obter uma vantagem indevida. Por exemplo, o agente percebe que a vítima está vendendo o produto mais caro, mas fica silente, obtendo um produto melhor por um preço menor.

Nem sempre a pessoa que é enganada é a que sofre o prejuízo patrimonial, podendo se distinguir a vítima do prejudicado.

Falsidade e estelionato

Caso o estelionato (crime contra o patrimônio) seja obtido mediante o uso de documento falso, há quatro correntes:

a. O estelionato absorve a falsidade quando esta foi o meio fraudulento empregado para a prática do crime-fim que era o estelionato (STJ – Súmula 17).
b. Há concurso formal (STF: RTJ 117/70; RT 636/381; 609/440; 606/405; 582/400).
c. O crime de falso prevalece sobre o de estelionato (RT 561/324).
d. Há concurso material (TJSP – RJTJ 85/366). Prevalece o entendimento consagrado na Súmula 17 do STJ: quando o falso se exaure no estelionato, fica por este absorvido.

Note que, para que haja absorção, a falsidade deve ser o meio exclusivo de praticar o estelionato, não podendo se vincular a outros crimes. Por exemplo: se um agente falsifica um documento para abrir conta em um banco, o estelionato absorve a falsificação. Se o documento falso for público, a falsificação absorverá o estelionato, por ter pena maior.

Vantagem ilícita

A vantagem ilícita obtida pelo agente não precisa ser econômica. O que importa é que o prejuízo causado à vítima seja de ordem patrimonial. Haverá estelionato, por exemplo, quando o preso convence alguém a pagar sua fiança, fazendo-se passar por ministro da religião da vítima.

Consumação e tentativa

Ocorre a consumação quando da obtenção de vantagem e consequente prejuízo alheio. A tentativa ocorre quando for empregado meio idôneo a ludibriar o agente não obtém a vantagem indevida por circunstância alheia à sua vontade.

Distinção entre estelionato e furto mediante fraude

O estelionato não se confunde com o furto mediante fraude. Neste, a vítima é enganada para desvigiar seu bem, mas não transfere a posse, enquanto no estelionato a vítima transfere, enganada, a posse do bem.

Estelionato	Furto qualificado por fraude
A vítima é enganada para se desfazer do bem, permitindo sua tomada pelo autor do crime. Exemplo: vítima entrega seu celular na troca por um voucher de viagem falso.	A vítima é enganada para desvigiar o bem, facilitando, sem permitir, sua tomada pelo autor do crime. Exemplo: vítima empresta seu celular para uma pessoa, que disse ter sido assaltada, a qual foge subtraindo o aparelho.

Figuras equiparadas

Segundo o § 2º, também pratica o crime de estelionato, ficando às mesmas penas, quem:

- Vende, permuta, dá em pagamento, em locação ou em garantia coisa alheia como própria: o sujeito passivo é tanto o adquirente de boa-fé quanto o real proprietário da coisa, dispensando-se a tradição da coisa móvel ou o registro em caso de imóvel, sendo admitida a tentativa. *Observação: o autor de furto que vende coisa subtraída não pratica este-*

lionato, uma vez que a venda é mero exaurimento da conduta do ladrão (pós-fato impunível).

- Vende, permuta, dá em pagamento ou em garantia coisa própria inalienável, gravada de ônus ou litigiosa, ou imóvel que prometeu vender a terceiro, mediante pagamento em prestações, silenciando sobre quaisquer dessas circunstâncias.
- Defrauda, mediante alienação não consentida pelo credor ou por outro modo, a garantia pignoratícia, quando tem a posse do objeto empenhado.
- Defrauda substância, qualidade ou quantidade de coisa que deve entregar a alguém.
- Destrói, total ou parcialmente, ou oculta coisa própria, ou lesa o próprio corpo ou a saúde, ou agrava as consequências da lesão ou doença, com o intuito de haver indenização ou valor de seguro.
- Emite cheque, sem suficiente provisão de fundos em poder do sacado, ou lhe frustra o pagamento. Consoante a Súmula 246 do STF, *comprovado não ter havido fraude, não se configura o crime de emissão de cheque sem fundos.* Conforme o STF, ainda, "O pagamento de cheque emitido sem provisão de fundos, após o recebimento da denúncia, não obsta ao prosseguimento da ação penal" (Súmula 554), o que significa que o pagamento do cheque anterior ao recebimento da denúncia extingue a punibilidade do agente.

Fraude eletrônica, qualificadoras e majorantes

Nos termos do § 2º-A, que prevê a *fraude eletrônica*, o crime é qualificado, com pena de reclusão de 4 a 8 anos, quando cometido mediante utilização de informações fornecidas pela vítima ou por terceiro induzido a erro por meio de redes sociais, contatos telefônicos, *e-mail* fraudulento ou qualquer meio fraudulento análogo. Essa pena pode ser aumentada de 1/3 a 2/3, devendo o juiz considerar a relevância do resultado gravoso, se for utilizado servido mantido fora do território nacional (§ 2º-B).

A lei prevê ainda o aumento da pena do estelionato em 1/3, se o crime é cometido em detrimento de entidade de direito público ou de instituto de economia popular, assistência social ou beneficência (§ 3º).

O § 4º trata do estelionato contra idoso ou vulnerável, prevendo o aumento de 1/3 até o dobro, considerada a relevância do resultado gravoso.

Ação penal

De acordo com o § 5º, introduzido pela Lei n. 13.964/19, a ação penal no crime de estelionato passou a ser condicionada à representação, salvo se a vítima for a Administração Pública, direta ou indireta, criança ou adolescente, pessoa com deficiência mental, ou maior de 70 anos de idade ou incapaz.

Duplicata simulada

Nos termos do art. 172, o crime consiste em *emitir fatura, duplicata ou nota de venda que não corresponda à mercadoria vendida, em quantidade ou qualidade, ou ao serviço prestado*. A pena é de detenção, de 2 a 4 anos, e multa, incorrendo nas mesmas penas aquele que falsificar ou adulterar a escrituração do Livro de Registro de Duplicatas (parágrafo único).

Este crime é uma falsificação que o legislador optou por inserir entre os crimes patrimoniais. Tutelam-se o patrimônio e a boa-fé. O objeto material é a fatura, duplicata ou nota de venda. O sujeito ativo é quem emite o falso título, não podendo figurar no polo passivo o endossante e o avalista, isoladamente. O sujeito passivo é o sacado ou o tomador (quem desconta a duplicata). A conduta típica é emitir um dos documentos descritos no tipo, sem uma correspondência real com o produto vendido ou serviço prestado. O mero aceite é atípico. Os tribunais consideram típica a "duplicata fria", isto é, sem nenhum negócio real subjacente, em que pese entendimento contrário da doutrina, que sustenta atipicidade da conduta, por considerar que a existência de uma venda ou um serviço é elementar do tipo, o qual pune a discordância entre o documento e a venda ou serviço.

Diverge a doutrina quanto ao momento consumativo. Entendemos que a consumação ocorre com a emissão, independente da circulação do documento. A tentativa é inadmissível, por se tratar de crime unissubsistente.

O crime do parágrafo único decorre do fato de que todo estabelecimento comercial deve ter um livro onde são registradas as duplicatas emitidas, configurando-se o crime quando o agente falsifica ou adultera a escrituração do Livro de Registro de Duplicatas. O sujeito ativo é quem falsifica ou adultera o registro. O sujeito passivo é o Estado. Se o agente, após falsificar ou alterar o registro, emite a duplicata falsa, verifica-se o crime do *caput*. Mas se a pessoa que emite o título for diversa da que realiza a adulteração do registro, o crime é de falsidade. Crime material, consuma-se com a falsificação. O crime não é de duplicata simulada, e sim, de falsidade (art. 298). A tentativa é possível. A ação penal é pública incondicionada.

Abuso de incapazes

O crime de abuso de incapazes consiste em abusar, em proveito próprio ou alheio, de necessidade, paixão ou inexperiência de menor, ou da alienação ou debilidade mental de outrem, induzindo quaisquer deles à prática de ato suscetível de produzir efeito jurídico, em prejuízo próprio ou de terceiro (art. 173). A pena é de reclusão, de 2 a 6 anos, e multa.

A objetividade jurídica é o patrimônio da pessoa menor com alguma incapacidade mental. O objeto material é a pessoa abusada. O sujeito ativo é qualquer pessoa. O sujeito passivo é o menor de 18 anos, a pessoa alienada ou débil mental. Secundariamente, também são vítimas as pessoas que sofram prejuízo patrimonial pela conduta do incapaz. A conduta é abusar, no sentido de tirar vantagem de:

a. vítima menor: que sofre abuso em razão de sua necessidade, paixão ou inexperiência;
b. vítima alienada ou débil mental: deve haver prova pericial dessa condição.

O ato praticado pelo incapaz deve ser apto a produzir efeito jurídico. Portanto, não há tipicidade em caso de ato absolutamente nulo, já que este não é apto a produzir efeito jurídico. Quanto ao prejuízo causado à vítima, deve ser de natureza patrimonial, embora o benefício auferido pelo agente possa ser de outra natureza. Exemplo: agente induz a vítima, alienada mental, a pagar sua fiança. O tipo subjetivo é o dolo. Consuma-se o crime quando a vítima realiza ato capaz de produzir efeito jurídico, ainda que não ocorra o prejuízo ou obtenção de vantagem pelo agente. O abuso de incapaz, ao contrário do estelionato, dispensa qualquer tipo de fraude. Assim, ainda que o agente empregue fraude, tratando-se de vítima incapaz, alienada ou débil mental, o crime será o do art. 173.

Estelionato	Abuso de incapaz
Ocorre fraude contra qualquer pessoa que não seja incapaz.	Pode ou não haver fraude e a vítima é sempre pessoa incapaz.

Ação penal
A ação penal é pública incondicionada.

Induzimento à especulação
O crime consiste em abusar, em proveito próprio ou alheio, da inexperiência ou da simplicidade ou inferioridade mental de outrem, induzindo-o à prática de jogo ou aposta, ou à especulação com títulos ou mercadorias, sabendo ou devendo saber que a operação é ruinosa (art. 174). A pena é de reclusão, de 1 a 3 anos, e multa. Distingue-se do crime anterior, pois o objetivo é induzir a vítima a jogar, apostar ou especular no mercado de investimentos.

A objetividade jurídica é o patrimônio. O sujeito ativo é qualquer pessoa. O sujeito passivo é pessoa inexperiente, simplória ou de mentalidade inferior, além de pessoa eventualmente prejudicada com a conduta. A conduta é induzir à prática de jogo ou aposta, ou à especulação em títulos ruinosos da bolsa, mercadorias e valores, agindo o autor do crime de má-fé, visando à ruína da vítima em benefício próprio ou de outrem. O tipo subjetivo é doloso, havendo também o fim especial de obter proveito próprio ou de terceiro. O crime se consuma com a prática do jogo, aposta ou especulação. Admite-se a tentativa. A ação penal é pública incondicionada.

Fraude no comércio
Conforme o art. 175, consiste em enganar, no exercício de atividade comercial, o adquirente ou consumidor:

   I. vendendo, como verdadeira ou perfeita, mercadoria falsificada ou deteriorada;

II. entregando uma mercadoria por outra. A pena é de detenção, de 6 meses a 2 anos, ou multa.

Entendemos que esse crime foi tacitamente revogado pela Lei n. 8.078/90 (Código de Proteção e Defesa do Consumidor). Com a vênia de posições em contrário, sustentando a manutenção dos dispositivos, não se pode admitir a hipertrofia do sistema penal com diplomas concorrentes sobre a mesma matéria. O legislador, atendendo comando constitucional garantindo a tutela do consumidor pelo Estado como direito fundamental (CF, art. 5º, XXXII), optou por codificar a matéria, inaugurando uma nova forma de criminalização, não se justificando manter a eficácia de dispositivos anteriores sobre essa matéria. A ação penal é pública incondicionada.

Outras fraudes

O legislador denomina "outras fraudes" o seguinte: *art. 176 – tomar refeição em restaurante, alojar-se em hotel ou utilizar-se de meio de transporte sem dispor de recursos para efetuar o pagamento. Pena – detenção, de 15 dias a 2 meses, ou multa.*

Tutela-se o patrimônio das pessoas que se dedicam ao comércio de alimentação, hotelaria e transporte. O sujeito ativo é qualquer pessoa. O sujeito passivo é quem sofre o prejuízo. A conduta consiste em realizar quaisquer das ações previstas "sem dispor de recursos para efetuar o pagamento", mediante o ato fraudulento de silenciar sobre a intenção de não pagar por falta de meios. Caso o agente, dispondo de recursos, resolva não pagar, haverá apenas ilícito civil, como ocorre no caso do chamado "pendura", que consiste numa tradição de acadêmicos de direito para comemorar, no dia 11 de agosto, a data de instalação dos cursos de direito no Brasil. O tipo penal comporta interpretação extensiva, na medida em que a expressão restaurante se refere a qualquer estabelecimento que forneça refeições ao público, como *food trucks*, lanchonetes etc. Da mesma forma, hotel abrange todo comércio de hospedagem, podendo ser pousada, motel, Airbnb etc. Finalmente, meio de transporte refere-se a toda espécie de serviço destinado à locomoção de passageiros, mesmo de tração animal. O tipo subjetivo é o dolo. Consuma-se o crime com o consumo da refeição, a hospedagem ou uso do transporte, não se podendo exigir prejuízo à vítima, já que este pode não ocorrer, como no caso de um ônibus do transporte urbano, cujo itinerário não se altera com ou sem a presença do passageiro, sendo irrelevante, portanto, se ele paga ou não pelo transporte. Admite-se a tentativa. A ação penal é pública condicionada à representação. Além disso, o juiz pode conceder o perdão judicial.

Fraudes e abusos na fundação ou administração de sociedade por ações

Consiste o crime, em sua forma fundamental, promover a fundação de sociedade por ações, fazendo, em prospecto ou em comunicação ao público ou à assembleia, afirmação falsa sobre a constituição da sociedade, ou ocultando fraudulentamente fato a ela relativo (art. 177). A pena é de reclusão, de 1 a 4 anos, e multa, se o fato não constitui crime contra a economia popular.

Trata-se de crime subsidiário, diante da expressa menção ao caráter principal dos crimes contra a economia popular. Tutela-se o patrimônio dos investidores em ações. O objeto material é o prospecto ou comunicação falsa.

O sujeito ativo é o sócio-fundador da sociedade por ações (crime próprio). O parágrafo primeiro prevê outros sujeitos ativos, a saber: I – o diretor, o gerente ou o fiscal de sociedade por ações, que, em prospecto, relatório, parecer, balanço ou comunicação ao público ou à assembleia, faz afirmação falsa sobre as condições econômicas da sociedade, ou oculta fraudulentamente, no todo ou em parte, fato a elas relativo; II – o diretor, o gerente ou o fiscal que promove, por qualquer artifício, falsa cotação das ações ou de outros títulos da sociedade; III – o diretor ou o gerente que toma empréstimo à sociedade ou usa, em proveito próprio ou de terceiro, dos bens ou haveres sociais, sem prévia autorização da assembleia geral; IV – o diretor ou o gerente que compra ou vende, por conta da sociedade, ações por ela emitidas, salvo quando a lei o permite; V – o diretor ou o gerente que, como garantia de crédito social, aceita em penhor ou em caução ações da própria sociedade; VI – o diretor ou o gerente que, na falta de balanço, em desacordo com este, ou mediante balanço falso, distribui lucros ou dividendos fictícios; VII – o diretor, o gerente ou o fiscal que, por interposta pessoa, ou conluiado com acionista, consegue a aprovação de conta ou parecer; VIII – o liquidante, nos casos dos ns. I, II, III, IV, V e VII; IX – o representante da sociedade anônima estrangeira, autorizada a funcionar no país, que pratica os atos mencionados nos ns. I e II, ou dá falsa informação ao governo.

O sujeito passivo é o acionista. A conduta é promover a fundação da sociedade fazendo afirmação falsa ou ocultando informação relevante, de forma fraudulenta. Nas figuras do parágrafo, diversas são as condutas, estando todas relacionadas aos deveres e vedações do administrador das sociedades de ações, conforme prevê a Lei n. 6.404/76 (norma penal em branco).

O tipo é doloso. A consumação ocorre com a prática das condutas descritas, ainda que não se verifique o efetivo prejuízo (crime formal). Admite-se a tentativa.

A forma privilegiada está prevista no § 2º: incorre na pena de detenção, de 6 meses a 2 anos, e multa, o acionista que, a fim de obter vantagem para si ou para outrem, negocia o voto nas deliberações de assembleia geral.

A ação penal é pública incondicionada.

Emissão irregular de conhecimento de depósito ou *warrant*

O art. 178 consigna: *Emitir conhecimento de depósito ou* warrant, *em desacordo com disposição legal. Pena – reclusão, de 1 a 4 anos, e multa.*

Conhecimento de depósito é um documento emitido quando alguém deposita uma mercadoria nos armazéns gerais (por falta de espaço em sua sede, por exemplo), no qual o Armazém Geral garante e descreve pormenorizadamente a mercadoria que está em seu poder. O *warrant* nasce com o conhecimento de depósito e pode ser utilizado separadamente. O conhecimento de depósito permite que o proprietário negocie a mercadoria que está depositada, mediante endosso (transferência do título ao comprador, que passa a ser o proprietário da mercadoria depositada); o *warrant*, por outro lado, permite que o proprietário utilize a mercadoria depositada como garantia.

No período que decorre entre a data da admissão e a data de vencimento, os *warrants* podem ser transacionados na bolsa de valores, de forma semelhante à negociação de ações.

O art. 178 tutela o patrimônio representado pelo conhecimento de depósito e pelo *warrant*. O objeto material é o conhecimento de depósito ou *warrant* emitido. O sujeito ativo é qualquer pessoa. O sujeito passivo é o portador ou endossatário do título. Conduta é emitir conhecimento de depósito ou *warrant* em desacordo com a lei. Trata-se de norma penal em branco, uma vez que esses títulos são regidos pelo Decreto n. 1.102 de 1903. Vale ressaltar que produtos agropecuários, seus derivados, subprodutos e resíduos de valor econômicos são legislados pela Lei n. 9.973 e os títulos surgidos destes produtos são denominados: Conhecimento de Depósito Agropecuário (CDA) e *Warrant* Agropecuário (WA). O tipo subjetivo é doloso. Consuma-se o crime com a emissão dos títulos (circulação efetiva), independentemente de prejuízo (crime formal). Não é admitida a tentativa, por ser crime unissubsistente.[17]

A ação penal é pública incondicionada.

Fraude à execução

Consoante o art. 179: *Fraudar execução, alienando, desviando, destruindo ou danificando bens, ou simulando dívidas: Pena – detenção, de 6 meses a 2 anos, ou multa.*

Tutela-se o patrimônio dos credores e, secundariamente, a autoridade das decisões judiciais. O objeto material é o bem danificado ou a dívida simulada. O sujeito ativo é o devedor, desde que não comerciante, pois aos comerciantes se aplica o art. 168 da Lei n. 11.101. O sujeito passivo é o credor. A conduta é fraudar a execução, isto é, um processo presente ou futuro, mediante quaisquer das seguintes ações: alienar, desviar, destruir, danificar bens ou simular dívidas. É imperioso que a conduta do devedor o deixe sem patrimônio capaz de suportar suas dívidas. A alienação de bem dado em ga-

---

[17] Rogério Greco considera tratar-se de crime plurissubsistente, admitindo tentativa, dependendo do caso concreto. Nesse sentido: *Curso de Direito Penal*: parte especial, volume III. Niterói: Impetus, 2012. p. 321.

rantia configura o crime apenas se não houver outro que remanesça em condições de suportar o pagamento. Discute-se a necessidade de haver processo civil em andamento. Em nosso entendimento, configuração do dolo só é claramente possível a partir da citação, momento em que o credor está ciente de que seu patrimônio está sob discussão, sendo exigível, portanto, processo em curso. Antes disso, a execução é uma possibilidade remota. Assim, ainda que não se exija um processo de execução propriamente dito, satisfazendo-se a literalidade do tipo, ao menos a citação para uma ação civil, que demonstra claramente o interesse do credor em receber, faz-se necessária. O tipo subjetivo é o dolo de fraudar a execução. Consumam-se, no momento da alienação, desvio, destruição, danificação de bem ou simulação de dívida. Admite-se a tentativa.

A ação penal deste crime é privada, nos termos do parágrafo único.

12.7 RECEPTAÇÃO

Receptação consiste em receber coisa proveniente de crime. Importante: não há receptação quando o fato antecedente é uma contravenção criminal, uma vez que a lei fala em "crime", não se admitindo analogia contra o réu. A incriminação visa desencorajar a prática de crimes patrimoniais, pois, não havendo quem compre os objetos, a tendência é que os crimes não ocorram. Receptar é receber e isso importa mobilidade da coisa. Não admite receptação de bem imóvel. O tipo não diz coisa alheia, o que significa que, em tese, a coisa própria pode ser receptada; por exemplo, alguém arromba o carro e subtrai o computador, a pessoa sabe com quem está e paga para ter de volta a coisa. A receptação é um crime acessório, ou seja, significa que a existência da receptação está vinculada à existência de um crime antecedente. A receptação é punível, ainda que desconhecido ou isento de pena o autor do crime de que proveio a coisa (CP, art. 180, § 4º).

A objetividade jurídica é o patrimônio. O objeto material do crime é qualquer bem móvel ou imóvel. O sujeito ativo é qualquer pessoa, desde que não tenha participado do crime antecedente. Excepcionalmente, o proprietário poderá ser sujeito ativo, caso o bem esteja na posse legítima de terceiro.

Assim, se alguém subtrai o bem do possuidor legítimo e o vende para o proprietário, pode este responder por receptação. O sujeito passivo é a vítima do crime antecedente.

Classifica-se a receptação em:

a. *Receptação direita ou própria:* adquirir, receber, transportar, conduzir ou ocultar, em proveito próprio ou alheio, coisa que sabe ser produto de crime. Não se admite dolo eventual, diante da expressão "sabe".

b. *Receptação indireta ou imprópria:* influir para que terceiro, de boa-fé, a adquira, receba ou oculte, coisa que sabe proveniente de crime. Igualmente, não se admite dolo eventual. Nesse caso, pune-se a conduta do intermediário, sendo atípica a conduta do terceiro que adquire o bem de boa-fé. Portanto, quem adquire o bem deve estar de boa-fé, pois, do contrário, poderá incorrer na receptação própria.

c. *Receptação culposa:* adquirir ou receber coisa que, por sua natureza ou pela desproporção entre o valor e o preço, ou pela condição de quem a oferece, deve presumir-se obtida por meio criminoso. Nesse caso, considera-se que há negligência na avaliação do negócio.

d. *Receptação qualificada:* adquirir, receber, transportar, conduzir, ocultar, ter em depósito, desmontar, montar, remontar, vender, expor à venda, ou de qualquer forma utilizar, em proveito próprio ou alheio, no exercício de atividade comercial ou industrial, coisa que deve saber ser produto de crime. A qualificadora procura inibir a prática profissional e institucionalizada da receptação, prevendo pena de reclusão, de 3 a 8 anos, ante a maior gravidade do fato.

e. *Receptação majorada:* tratando-se de bens do patrimônio da União, de Estado, do Distrito Federal, de Município ou de autarquia, fundação pública, empresa pública, sociedade de economia mista ou empresa concessionária de serviços públicos, aplica-se em dobro a pena.

f. *Receptação privilegiada:* se o criminoso é primário e é de pequeno valor a coisa, aplica-se a redução prevista para o furto ou, no caso de receptação culposa, a isenção de pena.

Admite-se a receptação da receptação. Assim, quem adquire do receptador, sabendo tratar-se de coisa advinda de crime, é também receptador.

O tipo penal, ressalvada a forma culposa, é o dolo. O dolo do agente determina o tipo de crime cometido, a saber:

a. dolo anterior à subtração: nesse caso, o agente responde pelo furto;
b. dolo posterior à subtração: nesse caso, há receptação.

Distingue-se a receptação do favorecimento real (CP, art. 349), pois neste o agente quer beneficiar o autor do crime antecedente, enquanto que na receptação visa a benefício próprio.

Furto	O agente tem dolo antecedente à subtração, tornando-se coautor ou partícipe desta.
Receptação	O agente tem dolo posterior à subtração, buscando beneficiar-se com a coisa.
Favorecimento real	O agente tem dolo posterior à subtração, mas visa ao benefício do autor desta.

Receptação animal (abigeato)

O art. 180-A destina-se a coibir o abigeato (furto e roubo de gado), prevendo a receptação de animal, punindo com pena de 2 a 5 anos quem *adquirir, receber, transportar, conduzir, ocultar, ter em depósito ou vender, com a finalidade de produção ou de comercialização, semovente domesticável de produção, ainda que abatido ou dividido em partes, que deve saber ser produto de crime.*

A objetividade jurídica é a tutela da propriedade sobre animais. O objeto material é o animal. O sujeito ativo é qualquer pessoa. O sujeito passivo é o proprietário ou possuidor do animal. A conduta é a mesma da receptação própria, porém o objeto material da ação é exclusivamente o animal, qualquer que seja. O tipo é doloso, exigindo-se finalidade especial: produção ou comercialização. A expressão "deve saber" é indicativa de dolo eventual, não devendo ser confundida com a expressão "deve presumir-se" da receptação culposa (§ 3º). Consuma-se o crime com quaisquer das condutas (tipo misto alternativo). Admite-se a tentativa.

12.8 ESCUSAS ABSOLUTÓRIAS E AÇÃO PENAL

Consoante o art. 181, o crime contra o patrimônio está sujeito à isenção de pena quando é praticado em prejuízo do cônjuge, na constância da sociedade conjugal, de ascendente ou descendente, seja o parentesco legítimo ou ilegítimo, seja civil ou natural, consagrando-se assim hipóteses de escusas absolutórias, destinadas à preservação das relações familiares.

Por outro lado, sofre modificação, dependendo do caso, a ação penal, que poderá ser pública condicionada à representação, se o crime patrimonial for praticado em prejuízo do ex-cônjuge, de irmão, legítimo ou ilegítimo e de tio ou sobrinho, com quem o agente coabita (art. 182). Por força do art. 183, essas disposições não são aplicáveis nas seguintes situações:

1. nos crimes praticados com emprego de grave ameaça ou violência à pessoa;
2. ao estranho que participa do crime, já que este não tem vínculo familiar com a vítima;
3. se o crime é praticado contra pessoa com idade igual ou superior a 60 anos, em razão da vulnerabilidade da vítima.

Nesses casos, pois, não há escusa absolutória e a ação penal é pública incondicionada. Com o advento da Lei n. 11.340/2006 (Lei Maria da Penha), também não se aplicam os benefícios aos crimes cometidos nas situações reguladas por essa lei.

12.9 CRIMES CONTRA A PROPRIEDADE IMATERIAL

Nos últimos anos, intensificou-se no Brasil o combate à pirataria, o que, no aspecto jurídico penal, refere-se aos crimes contra a propriedade intelectual ou imaterial. Nesses crimes encontra-se, basicamente, a violação de direito autoral, uma vez que os crimes de privilégio de invenção, crimes contra as marcas de indústria e comércio e crimes de concorrência desleal foram revogados pela Lei n. 9.279/96, que regula os direitos autorais. Direitos autorais referem-se tanto aos efeitos morais quanto patrimoniais de uma criação literária, artística ou científica.

A propriedade imaterial constitui-se na relação jurídica entre autor e sua obra, sendo que o art. 184 tipifica o crime de *violação de direito autoral* e tem como objetividade jurídica garantir ao autor os direitos relacionados à execução, reprodução e circulação da obra. Violar significa ofender por qualquer meio o direito do autor, utilizando a obra indevidamente e sem autorização do seu titular. A tentativa é admitida, quando o *iter criminis* for fracionável. A imitação grosseira não configura o delito. O crime pode ser cometido por qualquer pessoa, sendo que a vítima é o titular dos direitos autorais, isto é, o autor ou seus sucessores, ou quem se subrogue nesses direitos.

Quanto ao tipo subjetivo, não há forma culposa. Exige-se o dolo de violar direito de autor, sendo desnecessário o intuito de lucro, pois, se houver, o crime assume uma das formas qualificadas previstas nos §§ 1º, 2º e 3º do art. 184, com pena de 2 a 4 anos, e multa.

Segundo o § 4º, não configura crime qualificado quando se tratar de exceção ou limitação ao direito de autor ou os que lhe são conexos, em conformidade com o previsto na Lei n. 9.610, de 19 de fevereiro de 1998, nem a cópia de obra intelectual ou fonograma, em um só exemplar, para uso privado do copista, sem intuito de lucro direto ou indireto. Embora a exclusão da tipicidade se refira apenas aos crimes qualificados, é pacífico entendimento de que se aplica também ao *caput*, em face de interpretação mais favorável ao acusado, pois não teria sentido excluir-se a tipicidade apenas do crime mais grave.

As limitações aos direitos do autor, que consagram a exclusão da tipicidade do crime de violação do direito autoral, estão previstas no art. 46 da Lei n. 9.610/96.

A ação penal nos crimes de violação do direito autoral está prevista no art. 186, sendo privada no crime do *caput*, pública incondicionada nos crimes cometidos em desfavor de entidades de direito público, autarquia, empresa pública, sociedade de economia mista ou fundação instituída pelo Poder Público e nas formas qualificadas, exceto na hipótese do § 3º, que é pública condicionada à representação.

RESUMO

Furto e roubo

Furto: subtração de coisa alheia móvel sem violência ou grave ameaça (art. 155).

"Equipara-se à coisa móvel a energia elétrica ou qualquer outra que tenha valor econômico."

Furto majorado: praticado durante o repouso noturno (art. 155, § 1º).

Furto privilegiado: coisa de pequeno valor (não se confunde com insignificante).

Furto qualificado: rompimento de obstáculo, abuso de confiança, emprego de chave falsa, concurso de duas ou mais pessoas, emprego de explosivo.

Roubo: subtração de coisa alheia móvel com violência ou grave ameaça (art. 157).

Roubo impróprio: violência após a subtração.

Roubo majorado (art. 157, § 2º): se há o concurso de duas ou mais pessoas; se a vítima está em serviço de transporte de valores e o agente conhece tal circunstância; se a subtração for de veículo automotor que venha a ser transportado para outro estado ou para o exterior; se o agente mantém a vítima em seu poder, restringindo sua liberdade ("sequestro relâmpago"); emprego de arma ou explosivo.

Roubo qualificado: se da violência resulta lesão grave ou morte (latrocínio).

Latrocínio: é roubo qualificado pela morte, consumando-se com a morte, independentemente da subtração (Súmula 610 do STF).

Teoria da amotio: o crime patrimonial se consuma com a remoção da coisa do lugar onde se achava, sem exigência de posse tranquila e mansa (Súmula 582 do STJ).

Extorsão
Distingue-se do roubo porque a vítima entrega o bem, enquanto no roubo ocorre subtração (art. 158).

Consumação: independe da vantagem (Súmula 96 do STJ).

Majorantes: cometido por duas ou mais pessoas, ou com emprego de arma, aumenta-se a pena de 1/3 até metade (art. 158, § 2º).

Extorsão qualificada: sequestro relâmpago, lesão grave ou de morte da vítima (art. 158,§ 2º).

Extorsão mediante sequestro
A extorsão ocorre mediante privação da liberdade da vítima, de forma duradoura (art. 159). O termo "sequestrar" abrange não só o sequestro, mas também o cárcere privado.

Forma qualificada: sequestro com duração superior a 24 horas: conta-se o tempo a partir do momento da privação da liberdade da vítima; se o sequestrado é menor de 18 anos ou maior de 60 anos: considera-se a idade existente a partir da privação da liberdade até a liberação da vítima; cometido por bando ou quadrilha: praticado em situação de associação criminosa, caso em que não se tipifica o crime autônomo previsto no art. 288 do CP, a fim de evitar o *bis in idem*; lesão grave; morte.

Minorante: "delação premiada" (art. 159, § 4º).

Extorsão indireta
Exigir ou receber, como garantia de dívida, abusando da situação de alguém, documento que pode dar causa a procedimento criminal contra a vítima ou contra terceiro (art. 160).

Usurpação
O Código Penal prevê diversas formas de cocrime de usurpação (art. 161).

Dano
Destruir, inutilizar ou deteriorar coisa alheia. Não existe dano culposo.

Apropriação indébita
Consiste em apropriar-se de coisa alheia móvel, de que tem a posse ou a detenção (art. 168). Formas:

- apropriação propriamente dita;
- negativa de restituição.

Estelionato
Estelionato (art. 171) é a trapaça, a fraude, a mentira, o golpe, destinado à obtenção de alguma vantagem ilícita. Não se confunde com furto qualificado por fraude.

Receptação
Consiste em receber coisa proveniente de crime (art. 180 e ss). É punível, ainda que desconhecido ou isento de pena o autor do crime de que proveio a coisa. Formas:

- *receptação direita ou própria:* receber;
- *receptação indireta ou imprópria:* influenciar;
- *receptação culposa:* coisa que devia saber;
- *receptação qualificada:* no exercício de atividade comercial ou industrial;
- *receptação majorada:* coisa oriunda do patrimônio público;
- *receptação privilegiada:* criminoso é primário e é de pequeno valor a coisa;
- *receptação de animal* (art. 180-A).

Escusas absolutórias e ação penal

Nos crimes entre familiares, aplicam-se:

- escusas absolutórias: art. 181;
- ação penal pública condicionada nos casos do art. 182;
- exceções: em relação ao estranho que pratica o crime; crime com violência ou grave ameaça à pessoa; contra pessoa idosa; nos casos de violência doméstica contra a mulher.

Crimes contra a propriedade imaterial

Violação de direito autoral (art. 184).

JURISPRUDÊNCIA

Teorias da consumação

O *habeas corpus* não constitui meio processualmente adequado ao exame da realização integral do tipo, eis que a discussão jurídica em torno da consumação do delito de roubo, acaso admitida nesta sede processual, implicaria irrecusável análise da prova e importaria em aprofundada investigação dos elementos instrutórios produzidos no processo penal condenatório. A constatação da ocorrência, ou não, da posse tranquila dos bens subtraídos – qualquer que seja a teoria jurídica que se possa perfilhar no tema (a da *contrectatio*, a da *apprehensio*, a da *amotio* ou a da *ablatio*) – encontra obstáculo insuperável no caráter sumaríssimo da ação penal de *habeas corpus*. Não constitui situação de injusta coação o reconhecimento, pelo juízo sentenciante, da ocorrência da continuidade delitiva, especialmente se a imputação penal constante da denúncia atribuía ao réu a prática, em concurso material, dos crimes de roubo. Essa qualificação jurídico-penal operada pelo magistrado, em função da clara, objetiva e expressa descrição dos fatos mencionados na peça acusatória, não caracteriza a *mutatio libelli* nem traduz cerceamento de defesa. A apresentação da defesa prévia não constitui atividade processual vinculada do defensor. A ausência dessa peça processual – que traduz faculdade decorrente do postulado constitucional da plenitude de defesa – não configura, por si só, causa de invalidação do processo penal condenatório. Precedentes. O que gera, na realidade, esse vício formal, e a falta de notificação do defensor – em especial quando dativo –, para oferecer a peça defensiva em favor do acusado, notadamente quando o seu patrono não tenha estado presente ao ato de interrogatório judicial. (STF, HC 69034, Rel. Min. Celso de Mello, Primeira Turma, julgado em 18/02/1992.)

Apropriação indébita

1. O crime de apropriação indébita previdenciária exige apenas "a demonstração do dolo genérico, sendo dispensável um especial fim de agir, conhecido como *animus rem sibi habendi* (a intenção de ter a coisa para si). Assim como ocorre quanto ao delito de apropriação indébita previdenciária, o elemento subjetivo animador da conduta típica do crime de sonegação de contribuição previdenciária é o dolo genérico, consistente na intenção de concretizar a evasão tributária" (AP 516, Plenário, Relator o Ministro Ayres Britto, DJe de 20.09.11).

2. A inexigibilidade de conduta diversa consistente na precária condição financeira da empresa, quando extrema ao ponto de não restar alternativa socialmente menos danosa do que o não recolhimento das contribuições previdenciárias, pode ser admitida como causa supralegal de exclusão da culpabilidade do agente. Precedente: AP 516, Plenário, Relator o Ministro Ayres Britto, DJe de 20.09.11. (STF, HC 113418, Rel. Min. Luiz Fux, Primeira Turma, julgado em 24/09/2013)

SÚMULAS

Súmula 511 do STJ
É possível o reconhecimento do privilégio previsto no § 2º do art. 155 do CP nos casos de furto qualificado, se estiverem presentes a primariedade do agente, o pequeno valor da coisa e a qualificadora for de ordem objetiva.

Súmula 610 do STF
Há crime de latrocínio, quando o homicídio se consuma, ainda que não realize o agente a subtração de bens da vítima.

13

Crimes contra a organização do trabalho

Esses crimes estão previstos nos arts. 197 a 207, contidos no Título IV do Código Penal.

Atentado contra a liberdade de trabalho

O crime de *atentado contra a liberdade de trabalho* (art. 197) tutela a liberdade do trabalhador na escolha do seu trabalho, sendo sujeito ativo qualquer pessoa. O objeto material é o trabalhador constrangido. No polo passivo, há divergência em poder ser vítima a pessoa jurídica. A conduta objetiva consiste em constranger mediante violência ou grave ameaça a exercer ou não exercer arte, ofício, profissão ou indústria, ou a trabalhar ou não trabalhar durante certo período ou em determinados dias, ou a abrir ou fechar o seu estabelecimento de trabalho, ou a participar de parada ou paralisação de atividade econômica. O crime é doloso e admite tentativa, consumando-se quando a vítima faz ou deixa de fazer aquilo a que foi constrangida. A pena é de detenção, de 3 meses a 1 ano, e multa (infração de menor potencial ofensivo), além da pena correspondente à violência. A ação penal é pública incondicionada.

Atentado contra a liberdade de contrato de trabalho e boicotagem violenta

No crime de *atentado contra a liberdade de contrato de trabalho e boicotagem violenta* (art. 198), tutela-se a liberdade de contratar e ser contratado. O objeto material é o trabalhador constrangido, assim como o contrato obtido sob coação. O sujeito ativo ou passivo pode ser qualquer pessoa (crime bicomum). A conduta típica é constranger alguém, mediante violência ou grave ameaça, a:

a. celebrar contrato de trabalho: neste caso, a vítima é coagida a contratar, o que viola sua liberdade econômica e laboral;
b. ou a não fornecer ou não adquirir matéria-prima ou produto industrial ou agrícola: neste caso, a vítima é coagida a praticar boicote contra consumidor ou contra fornecedor, ficando impedida de fornecer ou adquirir matéria-prima ou produto industrial ou agrícola, o que viola sua liberdade econômica e laborativa.

O crime é doloso e admite tentativa, consumando-se quando a vítima celebra o contrato ou deixa de fornecer matéria-prima ou produto industrial ou agrícola. O agente responde também pelo emprego da violência ou grave ameaça. A pena é de detenção, de um mês a um ano, e multa (infração de menor potencial ofensivo), além da pena correspondente à violência. A ação penal é pública incondicionada.

Atentado contra a liberdade de associação

O *crime de atentado contra a liberdade de associação* (art. 199) tem como objetividade jurídica a tutela da liberdade de associação, garantida pela Constituição Federal (arts. 5º, VII, e 8º, V). O objeto material é a pessoa constrangida. O sujeito ativo e o passivo podem ser qualquer pessoa, ainda que sem ligação com sindicato ou associação profissional. A conduta objetiva consiste em constranger mediante violência ou grave ameaça a participar ou deixar de participar de determinado sindicato ou associação profissional. O crime é doloso e admite tentativa, consumando-se quando a vítima inicia a participação ou deixa de participar do órgão. O agente responde também pelo emprego da violência ou grave ameaça. A pena é de detenção, de 1 mês a 1 ano, e multa (infração de menor potencial ofensivo), além da pena correspondente à violência. A ação penal é pública incondicionada.

Paralisação de trabalho, seguida de violência ou perturbação da ordem

O delito de *paralisação de trabalho, seguida de violência ou perturbação da ordem* (art. 200) tem como objetividade jurídica a tutela da liberdade de trabalho, já que a greve é um direito constitucional (art. 9º, *caput*, da CF) e não um dever. O objeto material é a pessoa que sofre a violência. O crime se refere ao chamado "piquete", muito comum durante os movimentos grevistas. Tutela-se a liberdade de trabalho. O sujeito ativo é o empregado, no caso de abandono, e o empregador, no caso de suspensão. O sujeito passivo é a pessoa que sofre a violência, assim como a pessoa jurídica prejudicada. Para que se considere coletivo o abandono, é necessária a participação de pelo menos três empregados, nos termos do parágrafo único, não se exigindo número mínimo no caso de suspensão. Em qualquer caso, é essencial a participação de várias pessoas (crime plurissubjetivo). A conduta consiste em participar da suspensão ou do abandono, isto é, associar-se, tomar parte e praticar violência ou perturbação da ordem. Note que a simples paralisação, de modo pacífico, não constitui crime, pois a greve é um direito. O crime se consuma com o emprego da violência ocorrida durante a suspensão ou abandono coletivo de trabalho, admitindo-se a tentativa. O tipo subjetivo é doloso. A pena é de detenção, de 1 mês a 1 ano, e multa (infração de menor potencial ofensivo), além da pena correspondente à violência. A ação penal é pública incondicionada.

Paralisação de trabalho de interesse coletivo

O crime de *paralisação de trabalho de interesse coletivo* (art. 201) tem como objetividade jurídica o interesse na manutenção de obras e serviços. O objeto material é o trabalho paralisado. O sujeito ativo é qualquer empregado ou empregador. O sujeito passivo é a coletividade (crime vago). O tipo penal incrimina a conduta de participar, isto é, tomar parte, associar-se à paralisação ou ao abandono coletivo de trabalho, provocando a interrupção de obra pública ou serviço de interesse coletivo. O elemento subjetivo é o dolo. Consuma-se o crime quando ocorre a interrupção da obra ou do serviço. Admite-se a tentativa. A pena é de detenção, de 6 meses a 2 anos, e multa (infração de menor potencial ofensivo). A ação penal é pública incondicionada.

Invasão de estabelecimento industrial, comercial ou agrícola. Sabotagem

O art. 202 tipifica a conduta de *invadir ou ocupar estabelecimento industrial, comercial ou agrícola, com o intuito de impedir ou embaraçar o curso normal do trabalho, ou com o mesmo fim danificar o estabelecimento ou as coisas nele existentes ou delas dispor.*

Os objetos jurídicos são o patrimônio e a liberdade do trabalho. O objeto material é o estabelecimento ocupado (ou coisas danificadas). O sujeito ativo é qualquer pessoa e o sujeito passivo é o proprietário do estabelecimento, além da coletividade, caso se trate de serviço essencial. O tipo penal incrimina tanto a invasão, que é a entrada pura e simples, ou a ocupação, que é a tomada da posse, de estabelecimento industrial, comercial ou agrícola. O crime é doloso, exigindo-se a finalidade especial de impedir (paralisar) ou embaraçar (dificultar) o curso normal do trabalho ou, ainda, a finalidade de causar danos ou ao estabelecimento ou suas coisas ou simplesmente dispor das mesmas, ou seja, utilizá-las como suas. O crime se consuma com a invasão ou ocupação com qualquer das finalidades descritas, independentemente de qualquer dano ou prejuízo (crime formal). Admite-se a tentativa. A pena é de reclusão, de 1 a 3 anos, e multa. A ação penal é pública incondicionada.

Frustração de direito assegurado por lei trabalhista

O delito de *frustração de direito assegurado por lei trabalhista* (art. 203) tem como objeto jurídico a organização e a liberdade de trabalho. O objeto material é a pessoa trabalhadora. O sujeito ativo é qualquer pessoa, podendo ser praticado à revelia do empregador. O sujeito passivo é o titular do direito frustrado ou o trabalhador atingido. O tipo penal prevê três formas distintas:

a. *Frustrar, mediante fraude ou violência, direito assegurado pela legislação do trabalho:* nesse caso, o empregado se vê privado de benefícios trabalhistas previstos em lei. Consuma-se com a sonegação de qualquer direito trabalhista.

b. *Obrigar ou coagir alguém a usar mercadorias de determinado estabelecimento, para impossibilitar o desligamento do serviço em virtude de dívida:* consiste em endividar o trabalhador de forma que ele não tenha salário integral a receber, em razão de descontos pela aquisição de mercadorias. Consuma-se com o consumo de mercadorias pelo empregado.

c. *Impedir alguém de se desligar de serviços de qualquer natureza, mediante coação ou por meio da retenção de seus documentos pessoais ou contratuais:* consiste em reter documentos do trabalhador ou de outra forma coercitiva impedi-lo de se demitir. Consuma-se com a retenção de documentos ou outra forma de coação, como a grave ameaça.

O crime é doloso. Admite-se a tentativa em qualquer das modalidades. A pena é de detenção, de 1 ano a 2 anos, e multa, além da pena correspondente à violência, podendo ser aumentada de 1/6 a 1/3 se a vítima for menor de 18 anos, idosa, gestante, indígena ou portadora de deficiência física ou mental (majorantes).

Note que nessa infração a finalidade é privar o empregado de direitos trabalhistas, inclusive rescisórios, não se confundindo com o previsto no art. 149 (redução à condição análoga de escravo), em que a finalidade é a desumanização do trabalhador, sendo o bem jurídico a liberdade.

Frustração de lei sobre a nacionalização do trabalho

O art. 204 prevê o crime de *frustração de lei sobre a nacionalização do trabalho*, que consiste em frustrar, mediante fraude ou violência, obrigação legal relativa à nacionalização do trabalho. O objeto jurídico é o interesse do Estado. O objeto material é o contrato celebrado irregularmente. O sujeito ativo é qualquer pessoa. O sujeito passivo é o Estado. Destina-se a preservar a prioridade dos brasileiros no acesso aos postos de trabalho. É norma penal em branco, sendo discutível a vigência desse crime em face do art. 5º da CF, que garante igualdade entre brasileiros e estrangeiros residentes no Brasil. A conduta típica é frustrar (descumprir), mediante fraude ou violência, obrigação legal relativa à nacionalização do trabalho. O crime é doloso. Consuma-se com o descumprimento da obrigação. Admite-se a tentativa. A pena é de detenção, de 1 mês a 1 ano, e multa (infração de menor potencial ofensivo), além da pena correspondente à violência. A ação penal é pública incondicionada, sendo a competência da Justiça Federal.

Exercício de atividade com infração de decisão administrativa

O delito de *exercício de atividade com infração de decisão administrativa* (art. 205) busca assegurar a execução das decisões administrativas emanadas do Poder Público. O objeto jurídico é o interesse do Estado em cumprir suas decisões. O objeto material é a atividade realizada. O sujeito ativo é a pessoa impedida de exercer determinada atividade (crime próprio). O sujeito passivo é o Estado. O tipo penal é exercer, isto é, desempenhar ou cumprir, com certa habitualidade e regularidade, uma atividade que se está proibido de exercer por uma decisão administrativa. Exemplo desse crime é a prática de atos de representação judicial por advogado suspenso por decisão da OAB. Deve-se observar que, se a violação for a ordem judicial, o crime será o do art. 359 do CP. O crime se consuma com a prática reiterada e regular da atividade proibida, não se admitindo a tentativa, por se tratar de crime habitual. A pena é de detenção, de 3 meses a 2 anos, e multa (infração de menor potencial ofensivo), além da pena correspondente à violência. A ação penal é pública incondicionada.

Aliciamento para o fim de emigração

O art. 206 prevê o crime de *aliciamento para o fim de emigração*, um crime extremamente grave, que consiste em recrutar trabalhadores, mediante fraude, com o fim de levá-los para território estrangeiro. O objeto jurídico é o interesse do Estado em manter trabalhadores no país. O objeto material é a pessoa aliciada, assim como o instrumento da fraude. Neste caso, o sujeito ativo é qualquer pessoa, figurando no polo passivo o Estado, além da pessoa aliciada fraudulentamente. A conduta é recrutar, isto é, selecionar e atrair trabalhadores, com emprego de fraude, que consiste em qualquer meio para enganar e obter o consentimento. O elemento subjetivo é o dolo, exigindo-se o fim especial de levá-los para território estrangeiro. Consuma-se o crime com o recrutamento fraudulento, dispensando-se a saída do país, tratando-se, pois, de crime formal, em que a tentativa é admitida. A pena é de 1 a 3 anos de detenção e multa. A ação penal é pública incondicionada, e a competência é da Justiça Federal.

Aliciamento de trabalhadores de um local para outro do território nacional

Crime semelhante está previsto no art. 207, que prevê o *aliciamento de trabalhadores de um local para outro do território nacional*. Este crime tutela o interesse do Estado em manter ou regular o povoamento do território, evitando-se a emigração em massa de cidadãos de um território para outro, a fim de evitar problemas econômicos. O objeto material é a pessoa aliciada. O sujeito passivo é o Estado, mas, nas hipóteses do § 1º, é também a vítima da fraude ou da cobrança. O sujeito passivo é qualquer pessoa. A conduta é aliciar, isto é, atrair trabalhadores, para levá-los para outra localidade dentro do Brasil. O § 1º prevê condutas equiparadas, que consistem em recrutar (contratar) mediante emprego de fraude, cobrança ou sem fornecer meios de retorno ao local de origem. Dada a mobilidade e volatilidade do mercado de trabalho nos dias atuais, o § 1º constitui a forma em que esse crime irá realmente se configurar, já que a captação do trabalhador envolve exploração de sua vulnerabilidade de alguma forma, seja por meio de fraude, cobrança ou não lhe fornecendo meios de retorno à sua origem. O crime exige que o aliciamento ou o recrutamento atinja uma pluralidade de trabalhadores, uma vez que o tipo penal emprega o plural: "trabalhadores". O crime é doloso, exigindo o fim especial de levar os trabalhadores para outro lugar no território nacional. Consuma-se o crime com o aliciamento ou recrutamento, independentemente de qualquer resultado (crime formal). Admite-se a tentativa, salvo na forma omissiva de não assegurar as condições de retorno. A pena é de 1 a 3 anos de detenção e multa, sendo aumentada de 1/6 a 1/3 se a vítima for menor de 18 anos, idosa, gestante, indígena ou portadora de deficiência física ou mental. A ação penal é pública incondicionada, e a competência é da Justiça Federal.

RESUMO

Atentado contra a liberdade de trabalho (art. 197): tutela a liberdade do trabalhador na escolha do seu trabalho, sendo sujeito ativo qualquer pessoa.

Atentado contra a liberdade de contrato de trabalho e boicotagem violenta (art. 198): tutela-se a liberdade de contratar e ser contratado.

Atentado contra a liberdade de associação (art. 197): tutela a liberdade de associação (CF, arts. 5º, VII, e 8º, V).

Paralisação de trabalho, seguida de violência ou perturbação da ordem (art. 200): tutela a liberdade de trabalho, já que a greve é um direito constitucional (art. 9º, *caput*, da CF) e não um dever. O crime se refere ao chamado "piquete", muito comum durante os movimentos grevistas. Não é crime o movimento pacífico.

Paralisação de trabalho de interesse coletivo (art. 201): tutela o interesse na manutenção de obras e serviços.

Invasão de estabelecimento industrial, comercial ou agrícola. Sabotagem (art. 202): invadir ou ocupar estabelecimento industrial, comercial ou agrícola, com o intuito de impedir ou embaraçar o curso normal do trabalho, ou com o mesmo fim danificar o estabelecimento ou as coisas nele existentes ou delas dispor. Tutelam-se o patrimônio e a liberdade do trabalho.

Frustração de direito assegurado por lei trabalhista (art. 203): tem por fim privar o trabalhador de direitos trabalhistas; não se confunde com o art. 149 (redução à condição análoga de escravo), cujo fim é cercear a liberdade do trabalhador.

Frustração de lei sobre a nacionalização do trabalho (art. 204): discutível constitucionalidade, em face do art. 5º da CF, que garante igualdade entre brasileiros e estrangeiros residentes no Brasil.

Exercício de atividade com infração de decisão administrativa (art. 205): se a violação for a ordem judicial, o crime será o do art. 359 do CP.

Aliciamento para o fim de emigração (art. 206): consiste em recrutar trabalhadores, mediante fraude, com o fim de levá-los para território estrangeiro.

Aliciamento de trabalhadores de um local para outro do território nacional (art. 207): dada a mobilidade e volatilidade do mercado de trabalho nos dias atuais, o § 1º constitui a forma em que esse crime irá realmente se configurar, já que a captação do trabalhador envolve exploração de sua vulnerabilidade mediante emprego de fraude, cobrança ou sem fornecer meios de retorno ao local de origem.

JURISPRUDÊNCIA

Crime contra a organização do trabalho *versus* inobservância de direitos trabalhistas. Deve-se sopesar o quadro fático delineado soberanamente pela Corte de origem, no julgamento do recurso extraordinário, cujas razões vinculam a caracterização de crime contra a organização do trabalho. O simples fato de haver o descumprimento de normas trabalhistas, prevendo direitos dos trabalhadores, não configura o crime a ponto de deslocar a competência para a Justiça Federal (STF, RE 469632, Rel. Min. Marco Aurélio, Primeira Turma, julgado em 02/12/2008).

14

Crimes contra o sentimento religioso e contra o respeito aos mortos

Crimes contra o sentimento religioso

Ultraje a culto e impedimento ou perturbação de ato a ele relativo
No art. 208, o Código Penal tipifica o *ultraje a culto e impedimento ou perturbação de ato a ele relativo*, punido com pena de detenção, de 1 mês a 1 ano, ou multa, aumentando-se em 1/3 caso haja emprego de violência contra a pessoa, além da pena prevista para a própria violência, em acúmulo material. Tutelam-se o sentimento e a liberdade de religião e de culto, direito fundamental previsto no art. 5º, VI e VIII, da Constituição. O objeto material é o culto e seus instrumentos. O sujeito ativo é qualquer pessoa. O sujeito passivo é a vítima do escárnio ou a coletividade religiosa atacada. Se a vítima for indígena, o crime será o previsto no art. 58 da Lei n. 6.001/73. O tipo prevê três formas de conduta. Trata-se de tipo misto cumulativo, já que, as condutas são heterogêneas, de modo que, se o agente praticar mais de uma delas, incidirá mais vezes no tipo.

As condutas típicas são as seguintes:

a. escarnecer, isto é, ridicularizar, de alguém publicamente, por motivo de crença ou função religiosa, consumando-se com o ato de escarnecer de alguém, independentemente de a vítima sentir-se ou não ridicularizada (crime de mera conduta), caso em que não admite tentativa.

b. impedir ou perturbar cerimônia ou prática de culto religioso, consumando-se com o ato de impedir ou perturbar, seja obstando seu início, interrompendo ou simplesmente atrapalhando seu andamento (crime material).
c. vilipendiar, ou seja, desrespeitar, publicamente ato ou objeto de culto religioso, consumando-se com a prática de qualquer ato desrespeitoso a qualquer objeto de culto, como a destruição de uma imagem, altar ou oferenda (crime material) ou simples ofensa verbal (crime de mera conduta).

A tentativa é admitida nos casos em que o fracionamento do *iter criminis* é possível. Pune-se apenas a conduta dolosa. A modalidade de escarnecer se consuma no momento em que o sujeito ativo zomba da vítima publicamente. Nas demais hipóteses, consuma-se com o impedimento, perturbação ou vilipêndio.

A ação penal é pública incondicionada.

Crimes contra o respeito aos mortos
Impedimento ou perturbação de cerimônia funerária

O crime previsto no art. 209 consiste em *impedir ou perturbar enterro ou cerimônia funerária*, sendo punido com pena de detenção, de 1 mês a 1 ano, ou multa. Se há emprego de violência, a pena é aumentada de 1/3, sem prejuízo da correspondente à violência. O objeto jurídico é o respeito aos mortos. O objeto material é a cerimônia funerária e objetos funerários. O sujeito ativo é qualquer pessoa e o sujeito passivo é a coletividade (crime vago). A conduta é impedir (interromper ou obstar o prosseguimento) ou perturbar (atrapalhar) enterro (ato de colocar o cadáver sob a terra) ou cerimônia funerária (cremação, velório, traslado etc.). Trata-se de tipo penal alternativo, em que a prática de mais de uma conduta – impedir e perturbar –, no mesmo contexto fático, configura crime único. Além do dolo, exige-se elemento subjetivo específico, consistente na vontade de ultrajar a memória da pessoa morta. Consuma-se com a conduta que impede ou perturba, independentemente de qualquer resultado (crime formal). Admite-se a tentativa. A ação penal é pública incondicionada.

Violação de sepultura

O art. 210 tipifica a *violação de sepultura*, que consiste em *violar ou profanar sepultura ou urna funerária*. A pena é de reclusão, de 1 a 3 anos, e multa. Se houver subtração de objetos colocados na sepultura poderá se configurar, também, o crime de furto (art. 155). O objeto jurídico é o respeito aos mortos. O objeto material é a sepultura ou a urna funerária. O sujeito ativo é qualquer pessoa e o sujeito passivo é a coletividade (crime vago). A conduta é violar (devassar ou invadir) ou profanar (desrespeitar de qualquer forma, tornar profano, dessacralizar) sepultura ou urna funerária. Trata-se de tipo penal alternativo, em que a prática de mais de uma conduta – violar ou profanar –, no mesmo contexto fático, configura crime único. Além do dolo, exige-se elemento subjetivo específico, consistente na vontade de ultrajar a memória da pessoa morta. Consuma-se com a conduta, independentemente de qualquer resultado (crime formal). Admite-se a tentativa. A ação penal é pública incondicionada.

Destruição, subtração ou ocultação de cadáver

O crime previsto no art. 211 consiste em *destruir, subtrair ou ocultar cadáver ou parte dele*. O objeto jurídico é o respeito aos mortos. O objeto material é o cadáver ou parte dele. O sujeito ativo é qualquer pessoa e o sujeito passivo é a coletividade (crime vago) e, secundariamente, a família da pessoa morta. A conduta consiste em destruir (eliminar), subtrair (apoderar-se, retirar de onde se encontra) ou ocultar (colocar em lugar desconhecido) cadáver ou parte dele. Cadáver é qualquer corpo humano sem vida, ainda que a morte tenha ocorrido antes do nascimento. O crime se configura ainda que apenas parte do corpo sem vida seja destruído, subtraído ou ocultado. Não se aplica às cinzas ou à múmia, embora, neste caso, possa haver valor cultural e econômico, configurando-se o crime de furto (art. 155). O tipo penal é doloso, exigindo-se também elemento subjetivo específico, consistente na vontade de ultrajar a memória da pessoa morta. Se a subtração ocorre, por exemplo, para salvar de um ataque de vândalos, não há crime. Consuma-se com a destruição, subtração ou ocultação (crime material). Admite-se a tentativa. A ação penal é pública incondicionada.

Vilipêndio a cadáver

Consiste o crime em *vilipendiar cadáver ou suas cinzas* (art. 212). O objeto jurídico é o respeito aos mortos. O objeto material é o cadáver ou suas cinzas. O sujeito ativo é qualquer pessoa e o sujeito passivo é a coletividade (crime vago) e, secundariamente, a família da pessoa morta. A conduta, que pode ser praticada por gestos ou palavras escritas ou verbais, é vilipendiar (tratar de forma desrespeitosa e indigna) cadáver ou suas cinzas. Cadáver é qualquer corpo humano sem vida, ainda que a morte tenha ocorrido antes do nascimento, enquanto as cinzas são os compostos orgânicos remanescentes do processo de cremação. Aquele que esquarteja o cadáver para facilitar sua remoção e ocultação responde apenas pelo art. 211, ficando absorvido o vilipêndio. O tipo penal é doloso, exigindo-se também elemento subjetivo específico, consistente na vontade de ultrajar a memória da pessoa morta. Consuma-se com a conduta, independentemente de qualquer resultado (crime formal). Admite-se a tentativa. Se o vilipêndio de cadáver consistir em calúnia, poderá haver concurso de crimes (CP, art. 138, § 2º). A pena é de reclusão, de 1 a 3 anos, e multa. A ação penal é pública incondicionada.

RESUMO

Crimes contra o sentimento religioso e contra o respeito aos mortos

Ultraje a culto e impedimento ou perturbação de ato a ele relativo (art. 208): escarnecer de alguém publicamente, por motivo de crença ou função religiosa; impedir ou perturbar cerimônia ou prática de culto religioso; vilipendiar publicamente ato ou objeto de culto religioso. Tipo misto cumulativo – a prática de mais de uma conduta descrita implica mais de um crime.

Impedimento ou perturbação de cerimônia funerária (art. 209): impedir ou perturbar enterro ou cerimônia funerária. Se há emprego de violência, a pena é aumentada de 1/3, sem prejuízo da correspondente à violência. Além do dolo, exige-se a vontade de ultrajar a memória da pessoa morta.

Violação de sepultura (art. 210): consiste em *violar ou profanar sepultura ou urna funerária.* A pena é de reclusão, de 1 a 3 anos, e multa. Se houver subtração de objetos colocados na sepultura poderá se configurar, também, o crime de furto (art. 155). Além do dolo, exige-se a vontade de ultrajar a memória da pessoa morta.

Destruição, subtração ou ocultação de cadáver (art. 211): consiste em *destruir, subtrair ou ocultar cadáver ou parte dele.* Não se aplica às cinzas ou à múmia, embora, neste caso, possa haver valor cultural e econômico, configurando-se o crime de furto (art. 155). O tipo penal é doloso, exigindo-se também a vontade de ultrajar a memória da pessoa morta.

Vilipêndio a cadáver (art. 212): vilipendiar cadáver ou suas cinzas. O tipo penal é doloso, exigindo-se também elemento subjetivo específico, consistente na vontade de ultrajar a memória da pessoa morta. Se o vilipêndio de cadáver consistir em calúnia, poderá haver concurso de crimes (CP, art. 138, § 2º).

JURISPRUDÊNCIA

Ementa: *habeas corpus*. Homicídio qualificado praticado contra menor, com 4 anos de idade, e ocultação de cadáver. Alegações de atipicidade do crime de ocultação de cadáver, falta de fundamentação da sentença de pronúncia e incompatibilidade entre qualificadoras e agravantes. 1. Retirar o cadáver do local onde deveria permanecer e conduzi-lo para outro em que não será normalmente reconhecido caracteriza, em tese, crime de ocultação de cadáver. A conduta visou evitar que o homicídio fosse descoberto e, de forma manifesta, destruir a prova do delito. Trata-se de crime permanente que subsiste até o instante em que o cadáver é descoberto, pois ocultar é esconder, e não simplesmente remover, sendo irrelevante o tempo em que o cadáver esteve escondido. Crime consumado, que pode ser apenado em concurso com o de homicídio. 2. Sentença de pronúncia que atende às exigências mínimas do art. 408 do CPP e suficientemente fundamentada. A pronúncia, sentença processual que é, deve conter apenas sucinto juízo de probabilidade, pois, se for além, incidirá em excesso de fundamentação, o que pode prejudicar a defesa do paciente. 3. Os crimes imputados e as qualificadoras constam da denúncia e seus aditamentos. Na pronúncia o Juiz não deve excluir as qualificadoras, salvo as manifestamente improcedentes, levando em conta que não é de rigor nem recomendável cuidar de circunstâncias agravantes ou atenuantes, que permanecerão no libelo crime acusatório a fim de serem submetidas ao soberano Tribunal do Júri. 4. *Habeas corpus* conhecido, mas indeferido (STF, HC76678, Rel. Min. Maurício Correa, Segunda Turma, julgado em 29/06/1998).

15

Crimes contra a dignidade sexual

15.1 INTRODUÇÃO

O Título VI do Código Penal contempla disposições penais de extrema importância, pois o objeto jurídico tutelado é a dignidade sexual das pessoas. Graças à Lei n. 13.718, de 2018, que alterou o art. 225, todos os crimes desse título são de ação penal pública incondicionada. Além disso, nos termos da Lei n. 8.072, os crimes de estupro (art. 213), estupro de vulnerável (art. 217-A) e favorecimento da prostituição ou de outra forma de exploração sexual de criança ou adolescente ou de vulnerável (art. 218-B, *caput*, e §§ 1º e 2º), são considerados hediondos. Nos crimes contra a dignidade sexual de crianças e adolescentes, a prescrição, antes de transitar em julgado a sentença final, começa a correr da data em que a vítima completar 18 anos, salvo se a esse tempo já houver sido proposta a ação penal (CP, art. 111, V). Os crimes contra a dignidade sexual estão divididos nos seguintes capítulos do Título VI: *crimes contra a liberdade sexual, exposição da intimidade sexual, crimes sexuais contra vulnerável, rapto, lenocínio e tráfico de pessoa para fins de prostituição ou outra forma de exploração sexual e ultraje público ao pudor*. Em razão da afinidade, trataremos o estupro e o estupro de vulnerável conjuntamente, embora pertençam a capítulos distintos do Código Penal. Outrossim, faremos um apartado para tratar os crimes relacionados à prostituição.

Consoante o STF, a palavra da vítima, quando não está em conflito com os elementos produzidos ao longo da instrução penal, assume importância probatória decisiva, especialmente quando a narração que faz apresenta-se verossímil, coerente e despojada de aspectos contraditórios.[1] Não obstante, adverte GRECO para a *síndrome da mulher de potifar*, personagem bíblica que fez acusação falsa de estupro contra José, deve o juiz ter a sensibilidade necessária para verificar se os fatos relatados pela vítima são verdadeiros.[2]

15.2 ESTUPRO E ESTUPRO DE VULNERÁVEL

Estupro

Definição e tipo penal

Estupro é o principal crime contra a dignidade sexual. Segundo o art. 213 do Código Penal, consiste em *constranger alguém mediante violência ou grave ameaça, a ter conjunção carnal ou a praticar ou permitir que com ele se pratique outro ato libidinoso*.[3] A pena é de reclusão, de 6 a 10 anos. O crime é qualificado e a pena é de 8 a 12 anos de reclusão, se da conduta resulta lesão corporal de natureza grave ou se a vítima for menor de 18 ou maior de 14 anos; se resulta morte, a pena é de 12 a 30 anos.

A objetividade jurídica é a liberdade sexual. O objeto material é a pessoa. O sujeito passivo é qualquer pessoa, de ambos os sexos, mas para haver conjunção carnal, os sujeitos ativo e passivo devem ser de sexo oposto, pois conjunção carnal é a forma como o legislador denomina a penetração do pênis na vagina. Pode ser sujeito do delito o cônjuge ou pessoa que se dedica à prostituição, desde que não haja consentimento para o ato sexual. O tipo penal é constranger (agir contra a vontade, coagir, obrigar) alguém (pessoa

---

1. Inq 3932, Relator(a): Luiz Fux, Primeira Turma, julgado em 21/06/2016, ACÓRDÃO ELETRÔNICO DJe-192 DIVULG 08-09-2016 PUBLIC 09/09/2016.
2. GRECO, Rogério. *Curso de Direito Penal*: parte especial, volume III. Niterói: Impetus, 2012. p. 486.
3. A redação do art. 213 incorpora a do art. 214, que tratava do crime de atentado violento ao pudor, sendo revogado pela Lei n. 21.015. Tal revogação, todavia, não tem efeito de *abolitio criminis*, ante o fenômeno da migração, isto é, o art. 214 "migrou" para dentro do art. 213, restando preservada a continuidade típico-normativa.

humana) à conjunção carnal (cópula entre pênis e vagina) ou outro ato libidinoso (qualquer satisfação sexual envolvendo partes íntimas ou eróticas, como boca, ânus, pernas, seios e pés). É realizado mediante uma conduta violenta ou ameaça grave, séria e idônea, não havendo necessidade de contato físico, pois o agente pode constranger a vítima a se masturbar, por exemplo. É indiferente que a ameaça à mulher seja justa, como no caso de policial que ameaça prender a autora de um furto se esta não praticar relação sexual. Além disso, não precisa haver uma resistência extrema por parte da vítima, já que esta não precisa se tornar "mártir da própria virtude", de modo que haverá estupro quando a vítima, percebendo que é inútil reagir, entrega-se ao ato sexual para não sofrer nenhum dano e, quiçá, convencer o estuprador a usar preservativo. O consentimento livre e legítimo da vítima exclui a tipicidade, por ausência do elemento "constranger".

O estupro é crime comum, material, instantâneo, múltiplo e em regra comissivo, mas pode ser praticado por meio de omissão imprópria, quando o garante não impede o ato sexual com quem tem o dever de cuidado, proteção ou vigilância.

Tipo subjetivo

O elemento subjetivo é o dolo, consistente na vontade livre e consciente de constranger alguém ao ato sexual, não se exigindo elemento subjetivo especial, embora exista posição isolada exigindo elemento subjetivo especial, consistente no fim de satisfação da lascívia.[4] *Concessa venia*, não muda o fato de haver estupro com o fim de satisfazer a lascívia, orientar sexualmente, vingar-se da vítima etc. É totalmente dispensável o elemento subjetivo especial, pois o estupro não é delito de tendência.

Formas qualificadas

Os §§ 1º e 2º do Código Penal trazem as seguintes formas qualificadas:

---

[4] Nesse sentido: NUCCI, Guilherme de Souza. *Manual de Direito Penal*. 15. ed. Rio de Janeiro: Forense, 2019. p. 871.

a. a pena é de 8 a 12 anos de reclusão, se da conduta resulta lesão corporal de natureza grave (qualquer das consequências previstas no art. 129, §§ 1º e 2º, do CP) ou se a vítima for menor de 18 ou maior de 14 anos (pessoa com 14 anos completos, desde o primeiro minuto do seu aniversário até o último segundo dos seus 17 anos);
b. a pena é de reclusão, de 12 a 30 anos, se resulta a morte da vítima.

Consumação e tentativa

A consumação de orgasmo, bastando que haja a introdução do pênis na vagina, mesmo que parcial, ou a prática de um ato libidinoso distinto, de qualquer natureza. A tentativa é teoricamente admissível, embora de difícil comprovação, uma vez que iniciado qualquer ato libidinoso o crime se consuma e, antes disso, existe ato mero preparatório. No caso das qualificadoras (lesão grave ou morte), aplica-se o entendimento expresso na Súmula 610 do STF, ou seja, haverá crime qualificado quando a morte ou a lesão grave se consuma em razão da execução do estupro, ainda que este não se consume. Assim, se o agente dá início à violência para o estupro, mas, antes de conseguir realizar o ato sexual, a vítima morre em razão das agressões, deve ser considerado o crime de estupro qualificado pelo resultado de morte, aplicando-se a pena prevista no § 2º; se a vítima, em razão da violência, resulta com lesões graves ou gravíssimas, a pena será do § 1º.

Estupro e ato libidinoso diverso no mesmo contexto

Caso o agente pratique conjunção carnal e outro ato libidinoso mediante violência, prevalece o entendimento de que se trata de crime único, por ser crime misto alternativo, com o que não concordamos, uma vez que a liberdade sexual deve ser preservada em todas as suas manifestações, sendo que o art. 213 deve ser considerado tipo misto cumulativo, como forma de proteção integral das escolhas sexuais do ser humano, porquanto não há que se falar em liberdade sexual sem que o direito de escolha possa ser exercido de forma plena e livre. Nessa linha, imagine uma mulher que, exercendo tal liberdade, recusa-se a manter sexo anal com o próprio marido; um dia, sozinha em casa, um invasor a agride, praticando com ela sexo vaginal e anal. Seria injusto que tamanha violação da sua liberdade sexual, que não é apenas qualitativa, mas quantitativa, seja punida como fato único. Ou seja, toda pessoa tem o direito de decidir quando e como exercer sua sexualidade, sendo que tais direitos são autônomos, de modo que violações distintas ferem direitos distintos. Considerar que se trata de crime único é diminuir a liberdade de escolha em prol de um tratamento mais brando ao violador de direitos fundamentais. Note que conjunção carnal e ato libidinoso diverso eram coisas distintas até 2009, quando a Lei n. 2.015 unificou os tipos penais. Até então, não havia dificuldade em se considerar dois crimes, sequer se admitindo a possibilidade de continuidade delitiva. Não é porque a norma mudou, englobando num único tipo penal os dois fatos, que a natureza das coisas se modifique. A vítima continua sofrendo dois atentados à sua liberdade quando há penetração vaginal dissentida somada de penetração anal dissentida.

Crime hediondo e ação penal
O estupro sempre será considerado um crime hediondo, ainda que não resulte em lesão. A ação penal é pública incondicionada.

Estupro de vulnerável

O estupro de vulnerável não é, segundo o Código Penal, um crime contra a liberdade sexual (Capítulo I), estando localizado entre os crimes sexuais contra vulneráveis previstos no Capítulo II. Sem embargo, optamos por tratá-lo junto do estupro por razões de afinidade e melhor compreensão das diferenças entre ambos.

A lei prevê, no art. 217-A, descrito como *ter conjunção carnal ou praticar outro ato libidinoso com menor de 14 anos ou com alguém que, por enfermidade ou deficiência mental, não tem o necessário discernimento para a prática do ato, ou que, por qualquer outra causa, não pode oferecer resistência.* Nesse caso, não há qualquer violência ou grave ameaça, obtendo o agente total concordância da vítima.

Todavia, esse consentimento é inválido, por se tratar de pessoa vulnerável. Se o consentimento decorre de medo, o crime é o previsto no art. 213.

O componente da vulnerabilidade gera uma presunção absoluta, que não admite prova em contrário. A lei deixa clara que o crime se configura independentemente do consentimento da vítima ou do fato de ela ter mantido relações sexuais anteriormente ao crime (§ 5º).

O objeto jurídico tutelado é a liberdade sexual. O objeto material é a pessoa vulnerável. O sujeito ativo é qualquer pessoa. O sujeito passivo é a pessoa vulnerável. O tipo penal consiste em ter (no sentido de realizar o ato lascivo, manter) conjunção carnal (cópula entre pênis e vagina) ou outro ato libidinoso (qualquer satisfação sexual envolvendo partes íntimas ou eróticas, como boca, ânus, pernas, seios e pés), com:

a. menor de 14 anos, isto é, pessoa com 13 anos completos até a meia--noite do dia anterior ao seu aniversário de 14 anos;
b. pessoa portadora de enfermidade ou deficiência mental (refere-se a qualquer doença psíquica, orgânica ou funcional, comprovada pericialmente), sem o necessário discernimento para a prática do ato (não é suficiente a enfermidade ou deficiência mental, devendo haver inaptidão emocional ou intelectual, também atestada por perícia);
c. pessoa que, por qualquer outra causa das antes enumeradas, não pode oferecer resistência: a vulnerabilidade, decorre de qualquer outra situação em que a vítima não pode resistir, anuir ou repelir, ainda que nos estados de sedação, influência de droga, álcool, hipnose, espaço físico em que a vítima não pode se mover etc., quer esse estado seja causado pelo agressor ou pela própria vítima.

No caso de menor de 14 anos basta a comprovação da idade, pois há uma presunção absoluta de sua incapacidade para consentir, não se admitindo prova em contrário. Tampouco importa que a vítima não seja virgem ou já tenha experiência sexual. No caso de enfermidade ou deficiência mental não é suficiente a condição, devendo ser demonstrado que a vítima não tem o "necessário discernimento".

O elemento subjetivo é o dolo, não se exigindo qualquer elemento subjetivo especial, pois não se trata de crime de tendência.[5]

Consuma-se o crime com a conjunção carnal ou qualquer outro ato libidinoso, independentemente de haver orgasmo.

As formas qualificadas são a lesão grave e a morte (§§ 3º e 4º). Lesão grave é qualquer das consequências previstas no art. 129, §§ 1º e 2º do CP, sendo a pena de reclusão, de 10 a 20 anos. Ocorrendo morte, a pena é de reclusão, de 12 a 30 anos.

Aplica-se o entendimento expresso na Súmula 610 do STF, ou seja, haverá crime qualificado quando a morte ou a lesão grave se consuma em razão da execução do estupro, ainda que este não se consume. Assim, se o agente, a fim de induzir a vítima à letargia, ministra-lhe uma droga e acaba por causar a morte, estará consumada a forma consumada, ainda que o agente não realize qualquer ato libidinoso.

O estupro sempre será considerado um crime hediondo, ainda que não resulte em lesão. A ação penal é pública incondicionada.

Estupro coletivo e estupro corretivo

O art. 226, IV, prevê duas majorantes específicas para os casos de estupro. Com efeito, a pena é aumentada de 1/3 a 2/3 no caso de estupro praticado por duas ou mais agentes ("estupro coletivo") ou quando a prática se destina a exercer controle sobre o comportamento social ou sexual da vítima ("estupro corretivo"), como ocorre, por exemplo, nos casos em que se queira reprovar hábitos como a homossexualidade ou a prostituição.

15.3 OUTROS CRIMES CONTRA A LIBERDADE SEXUAL

Violação sexual mediante fraude

O art. 215 é também chamado de *estelionato sexual*, pois consiste em *ter conjunção carnal ou praticar outro ato libidinoso com alguém mediante fraude ou*

---

5. Em sentido contrário: NUCCI, Guilherme de Souza. *Manual de Direito Penal*. 15. ed. Rio de Janeiro: Forense, 2019. p. 886.

outro meio que impeça ou dificulte a livre manifestação de vontade da vítima. A pena é de reclusão, de 2 a 6 anos.

O objeto jurídico é a liberdade sexual e o objeto material é a pessoa. O sujeito ativo é qualquer pessoa, assim como o sujeito passivo. O tipo penal consiste em ter (no sentido de realizar o ato lascivo, manter) conjunção carnal (cópula entre pênis e vagina) ou outro ato libidinoso (qualquer satisfação sexual envolvendo partes íntimas ou eróticas, como boca, ânus, pernas, seios e pés) com alguém (pessoa humana) mediante fraude (enganar, iludir, mentir, ludibriar) ou outro meio que impeça ou dificulte a livre manifestação de vontade da vítima (a vítima imagina uma situação falsa, mas o agente, que não a criou, não desfaz a confusão, a fim de praticar o ato sexual mesmo assim). O engano recai sobre aspectos essenciais da situação que, se a vítima realmente conhecesse, não anuiria com o ato. Exemplo: um líder religioso que submete a vítima, pessoa crente e influenciável, a um ritual mágico com práticas sexuais. É crime material, instantâneo e comissivo, embora possa ser praticado por omissão, caso o garantidor seja conivente com as práticas. Exemplo: o pai da vítima, querendo que esta engravide, leva a mesma até um falso curandeiro, que realiza as práticas sexuais. Trata-se de crime comum, que pode ocorrer em situação de atendimento de saúde, ou quando a vítima está em estado de embriaguez, mas em nível que não prejudique seu discernimento. Caso a vítima esteja paralisada, sem poder reagir ou discernir, será o crime de estupro de vulnerável. Consuma-se o crime com a efetiva prática do ato lascivo. O elemento subjetivo é o dolo. Admite-se a forma tentada, como no exemplo em que a polícia, avisada de ritos sexuais numa falsa congregação religiosa, impede a consumação da violação.

Importunação sexual
Introdução
O crime previsto no art. 215-A foi incluído pela Lei n. 13.718, de 2018, especialmente após a onda de abusos ocorridos no interior de veículos do transporte coletivo, em que as pessoas, principalmente mulheres, eram vítimas de indivíduos que se aproveitavam do excesso de passageiros para es-

fregar seus órgãos genitais e, inclusive, ejacular nas vítimas. No calor dos debates sobre a adequação típica, ante a aparente desproporção da conduta em relação ao crime de estupro, acabou o legislador por editar um tipo penal que descreve a conduta como *praticar contra alguém e sem a sua anuência ato libidinoso com o objetivo de satisfazer a própria lascívia ou a de terceiro. Pena – reclusão, de 1 a 5 anos, se o ato não constitui crime mais grave.*

Subsidiariedade

A expressão "se o ato não constitui crime mais grave" consagra subsidiariedade expressa no art. 215-A. Todavia a situação mencionada anteriormente e que deu origem ao tipo penal não afasta a possibilidade de se configurar "crime mais grave", estando satisfeitas as elementares do tipo de estupro de vulnerável, uma vez que a vítima se submete, contra a própria vontade, a ato libidinoso, quando, *por qualquer outra causa, não pode oferecer resistência*. De fato, surpreendida pelo abusador em lugar em que mal consegue se mover, às vezes cansada e dormindo após um dia exaustivo, a vítima está claramente em situação de vulnerabilidade, configurando-se o art. 217-A.

Objetividade jurídica e material, sujeitos, elementos do crime, consumação e ação penal

O objeto jurídico é a liberdade sexual e o objeto material é a pessoa. O sujeito ativo é qualquer pessoa, assim como o sujeito passivo. A conduta consiste em praticar (pôr em prática, realizar) contra alguém (contra um ser humano) e sem sua anuência (a vítima não manifesta concordância de modo expresso ou implícito, embora não seja constrangida, pois é pega de surpresa ou distraída) ato libidinoso (é qualquer ato com potencial de satisfação sexual). O tipo penal é doloso, exigindo-se fim especial, no sentido da obtenção de satisfação de lascívia (desejo, luxúria, excitação erótica) do próprio agente ou de terceira pessoa. Portanto, qualquer prática sexual com finalidade diversa, como, por exemplo, pregar uma peça em alguém, desconfigura o crime. Exemplo: um amigo de longa data passa sua mão nas nádegas de um homem, dizendo "vamos ver se a tua bunda é mole", como tivemos oportunidade de vislumbrar em um processo no qual atuamos. A consumação ocorre com a prática do ato lascivo (roçar, apalpar, ejacular etc.) sem o consentimento. Admite-se a tentativa. O crime é de ação penal pública incondicionada.

Assédio sexual

Consiste em *constranger alguém com o intuito de obter vantagem ou favorecimento sexual, prevalecendo-se o agente da sua condição de superior hierárquico ou ascendência inerentes ao exercício de emprego, cargo ou função*. A pena é de detenção, de 2 meses a 2 anos (art. 216-A). É infração de menor potencial ofensivo, portanto.

É crime pluriofensivo, pois protege a dignidade sexual e o direito ao trabalho. O objeto material é a pessoa. É crime biprório, pois o sujeito ativo só pode ser superior hierárquico da vítima, enquanto o sujeito passivo só pode ser subordinado. A conduta é constranger, que neste crime não tem o mesmo sentido dado a ela no crime de estupro, pois não há emprego de violência ou grave ameaça, sendo o constrangimento feito por meio de poder hierárquico e conduta opressora, tendo por objetivo a obtenção de favores sexuais, devendo ser interpretada no sentido de assédio, que nada mais é do que a abordagem insistente e inadequada. Entendemos que o crime se configura entre docente e estudante, desde que presente o constrangimento, consistente na ameaça implícita ou explícita de qualquer prejuízo acadêmico, especialmente na relação entre professores universitários e seus monitores. O crime não se configura diante de cantadas insistentes ou declarações de amor, devendo estar presente o temor da vítima de sofrer retaliações ou prejuízos no ambiente de trabalho. O tipo subjetivo é o dolo, exigindo-se elemento subjetivo especial, consistente na finalidade de obter vantagem ou favorecimento sexual. Em que pese entendimentos de que se trata de crime habitual, devendo reiteração, prevalece tratar-se de crime formal, em que basta um ato de constrangimento, independentemente da obtenção do favor sexual. Nesse caso, é possível a tentativa de crime, embora de difícil configuração, como por exemplo, envio de um bilhete interceptado, que não chega ao conhecimento da vítima.

15.4 EXPOSIÇÃO DA INTIMIDADE SEXUAL

Registro não autorizado da intimidade sexual

No Capítulo I-A, que trata da "exposição da intimidade sexual", prevê o Código Penal o crime de registro não autorizado de intimidade sexual (art. 216-B, introduzido no Código Penal pela Lei n. 13.772), assim descrito: *produzir, fotografar, filmar ou registrar, por qualquer meio, conteúdo com cena de nudez ou ato sexual ou libidinoso de caráter íntimo e privado sem autorização dos participantes*. Figura equiparada: *na mesma pena incorre quem realiza montagem em fotografia, vídeo, áudio ou qualquer outro registro com o fim de incluir pessoa em cena de nudez ou ato sexual ou libidinoso de caráter íntimo* (§ 1º). A pena é de detenção, de 6 meses a 1 ano, e multa.

Trata-se de crime destinado à proteção da dignidade sexual contra a exposição indevida, especialmente diante da possibilidade de manipulação e divulgação de imagens proporcionada pela tecnologia. O objeto jurídico é a liberdade sexual e a imagem. O objeto material é o registro feito sem autorização. O sujeito ativo é qualquer pessoa, inclusive um dos participantes da cena. O sujeito passivo é, igualmente, qualquer pessoa. A conduta típica é produzir (criar, editar, montar), fotografar, filmar ou registrar por qualquer meio (qualquer registro audiovisual), conteúdo de cena de nudez ou ato sexual ou libidinoso de caráter íntimo ou privado sem autorização dos participantes. A lei pune tanto a edição ou montagem de uma imagem, dando-lhe conteúdo sexual, quanto o registro de uma cena real por qualquer meio audiovisual, quando não há permissão das pessoas fotografadas, filmadas ou, de qualquer modo, constantes do registro. O tipo penal é doloso. Consuma-se com a simples produção ou com o registro, independentemente de qualquer resultado (crime formal). A divulgação dos registros é mero exaurimento. Admite-se a tentativa. A ação penal é pública incondicionada.

15.5 CRIMES SEXUAIS CONTRA VULNERÁVEL

Vulnerabilidade e prescrição

O capítulo II do título VI trata dos crimes contra vulneráveis, pessoas cuja capacidade de discernimento ou decisão são comprometidas, cujo principal é o estupro de vulnerável, examinado anteriormente. A vulnerabilidade é a falta de discernimento que decorre da idade ou de outro fator como doença, estados mentais e drogas. Portanto, a vulnerabilidade pode ser:

a. etária: em razão da idade da vítima;
b. patológica: enfermidade ou deficiência mental;
c. ocasional: estados mentais temporários, como o sono ou ingestão de álcool ou drogas, consciente ou inconscientemente.

O legislador não foi feliz na definição da vulnerabilidade etária, pois ora trata como tais pessoas menores de 14 anos (art. 217-A), ora pessoas menores de 18 anos (art. 218-B). Segundo NUCCI, essa discrepância indica a "intenção legislativa de apontar para a existência de graus de vulnerabilidade: absoluta (não comporta prova em contrário) e relativa (comporta prova em contrário).[6]

Nos crimes contra a dignidade sexual de crianças e adolescentes, o prazo prescricional da pretensão punitiva (antes do trânsito em julgado da sentença penal condenatória), somente começa a correr da data em que a vítima completar 18 anos, salvo se a esse tempo já houver sido proposta a ação penal (CP, art. 111, V). Note que essa forma de prescrição não se refere a qualquer tipo de vulnerabilidade, mas tão somente em relação à vulnerabilidade etária, por expressa disposição legal.

Estupro de vulnerável

Previsto no art. 217-A do Código Penal, conforme anteriormente estudado.

Corrupção de menores

O art. 218 prevê pena de reclusão, de 2 a 5 anos, para quem *induzir alguém menor de 14 anos a satisfazer à lascívia de outrem*. Não se confunde esse crime com a corrupção de menor de 18 anos para praticar crime, previsto no art. 244-B do Estatuto da Criança e do Adolescente.

---

6. NUCCI, Guilherme de Souza. *Manual de Direito Penal*. 15. ed. Rio de Janeiro: Forense, 2019. p. 895.

O objeto jurídico é a liberdade sexual e o objeto material é a pessoa vulnerável. O sujeito ativo é qualquer pessoa. O sujeito passivo é a pessoa menor de 14 anos. O crime consiste em induzir (sugerir, dar a ideia, convencer) alguém menor de 14 anos (pessoa com até 13 anos completos até a meia-noite do dia anterior ao seu aniversário) a satisfazer a lascívia (satisfazer o desejo erótico) de outrem (terceira pessoa, diversa de quem induz). Este crime se refere a práticas sexuais meramente contemplativas (nudez, roupa ou pose sensual etc.), pois, havendo qualquer ato libidinoso, o crime será de estupro de vulnerável para quem induz e para quem participa do ato. O sujeito ativo é qualquer pessoa e o sujeito passivo é a pessoa menor de 14 anos. Admite-se a forma tentada, consumando-se o crime com a prática do ato pela vítima, ainda que não satisfaça o agente. A ação penal é pública incondicionada.

Atenção: a corrupção de menores, como crime sexual, difere da corrupção de menores prevista no art. 244-B da Lei n. 8.069 (Estatuto da Criança e do Adolescente), que consiste em "corromper ou facilitar a corrupção de menor de 18 anos, com ele praticando infração penal ou induzindo-o a praticá-la".

Corrupção sexual de menor	Corrupção criminal de menor
Art. 218 do CP: induzir menor à prática sexual.	Art. 244-B do ECA: induzir menor à prática de crime ou contravenção.

Satisfação de lascívia mediante presença de criança ou adolescente

Semelhante à corrupção sexual de menores, porém com pena de 2 a 5 anos, é o delito previsto no art. 218-A: *praticar, na presença de alguém menor de 14 anos, ou induzi-lo a presenciar, conjunção carnal ou outro ato libidinoso, a fim de satisfazer lascívia própria ou de outrem*. Neste crime, denominado *satisfação de lascívia mediante presença de criança ou adolescente*, o agente realiza conjunção carnal ou ato libidinoso na presença de menor de 14 anos, ou o proporciona assistir, para ter satisfação pessoal ou alheia. Note que o vulnerável é mero observador, pois, caso tome parte nos atos lascivos, haverá estupro de vulnerável (art. 217-A).

O objeto jurídico é a liberdade sexual. O objeto material é a pessoa. O sujeito ativo é qualquer pessoa. O sujeito passivo é a pessoa menor de 14 anos. A conduta típica é praticar (realizar, executar, por em prática), na presença de alguém menor de 14 anos, ou induzi-lo (convencer, persuadir, sugerir, dar a ideia de presenciar, podendo abranger a instigação, que é uma forma de indução) a presenciar (testemunhar, assistir, podendo ser ao vivo ou por meio virtual), conjunção carnal (cópula entre pênis e vagina) ou outro ato libidinoso (qualquer satisfação sexual envolvendo partes íntimas ou eróticas, como boca, ânus, pernas, seios e pés). O tipo subjetivo é doloso, exigindo-se elemento subjetivo especial, consistente na finalidade de satisfazer a lascívia (excitação sexual) do próprio agente ou de terceira pessoa. Consuma-se com a visualização do ato sexual pelo menor. Admite-se a tentativa. A ação penal é pública incondicionada.

Favorecimento da prostituição ou outra forma de exploração sexual de vulnerável

Introdução

O crime tipificado no art. 218-B consiste em *submeter, induzir ou atrair à prostituição ou outra forma de exploração sexual alguém menor de 18 anos ou que, por enfermidade ou deficiência mental, não tem o necessário discernimento para a prática do ato, facilitá-la, impedir ou dificultar que a abandone.* A pena é de reclusão, de 4 a 10 anos, e, se houver fim de lucro, também multa. Incorre nas mesmas penas quem pratica conjunção carnal ou outro ato libidinoso com alguém menor de 18 anos e maior de 14 anos na situação descrita, bem como o proprietário, o gerente ou o responsável pelo local em que se verifiquem as práticas sexuais. Esse crime revogou, tacitamente, o art. 244-A do Estatuto da Criança e do Adolescente. Trata-se de crime hediondo (Lei n. 8.072, art. 1º, VIII).

Objetividade jurídica e material e sujeitos do crime

Tutela-se a liberdade sexual. O objeto material é a pessoa vulnerável. O sujeito ativo é qualquer pessoa. O sujeito passivo é a pessoa menor de 18 anos e maior de 14 anos, ou portadora de deficiência mental ou outra enfermidade.

Tipo penal

O tipo prevê situações em que a vítima é submetida às seguintes situações:

a. prostituição: ato sexual em troca de dinheiro, de forma habitual, sendo dispensada a penetração, podendo se configurar por outras formas de contato físico;
b. exploração sexual: é o ato sexual ou qualquer atividade erótica, sendo dispensada a habitualidade, bastando que seja trocada por dinheiro ou outro benefício ou utilidade com valor para a vítima, como, por exemplo, fazer a vítima mostrar os seios em troca de alimento.

O tipo penal contempla situações em que a vítima é iniciada pelo agente na prostituição, haja vista os verbos submeter (dominar, sujeitar, obrigar), induzir (dar a ideia, sugerir) ou atrair (chamar, recrutar), bem como situações em que a vítima não é iniciada, e sim, mantida pelo agente na atividade, diante dos verbos facilitar (o agente cria benefícios e facilidades ao exercício da prostituição) impedir ou dificultar o abandono. Vulnerabilidade abrange pessoa menor de 18 anos ou que, por enfermidade (doença) ou deficiência (retardo) mental, não tiver o necessário discernimento (plena capacidade intelectual) para a prática do ato (ou seja, o ato sexual). Segundo NUCCI, esta vulnerabilidade é relativa, pois o menor, com 17 anos, procurando a prostituição por conta própria, sem ser seduzido à atividade por qualquer pessoa, não pode ser tutelado pela lei penal.[7] Nos termos do § 2º, incorre no crime, igualmente, quem pratica ato sexual em situação de prostituição com a pessoa vulnerável (inciso I), bem como o proprietário, o gerente ou o responsável pelo local em que a prostituição se realiza (inciso II). O inciso II é totalmente dispensável, já que o proprietário, gerente ou responsável do local nada mais faz do que facilitar, um dos verbos do tipo fundamental.

O elemento subjetivo do crime é o dolo. Consuma-se o delito com a prostituição efetiva, caso em que exige-se habitualidade, ou outra forma de exploração sexual, em que a habitualidade é dispensada. Admite-se a tentati-

---
7. Op. cit., p. 895.

va, embora seja difícil sua configuração, pois, mesmo que não haja habitualidade na prostituição, um único ato nesse sentido é apto a consumar o crime na forma de exploração sexual.

Efeito da condenação e ação penal
Nos termos do § 3º a cassação da licença de localização e de funcionamento do estabelecimento é efeito obrigatório da condenação nas hipóteses do § 2º, II. Em se tratando de efeito obrigatório, tem caráter automático, sendo dispensada a declaração expressa desse efeito na sentença condenatória.

A ação penal é pública incondicionada.

Divulgação de cena de estupro ou de cena de estupro de vulnerável, de cena de sexo ou de pornografia

O art. 218-C prevê o seguinte crime: *oferecer, trocar, disponibilizar, transmitir, vender ou expor à venda, distribuir, publicar ou divulgar, por qualquer meio – inclusive por meio de comunicação de massa ou sistema de informática ou telemática –, fotografia, vídeo ou outro registro audiovisual que contenha cena de estupro ou de estupro de vulnerável ou que faça apologia ou induza a sua prática, ou, sem o consentimento da vítima, cena de sexo, nudez ou pornografia: Pena – reclusão, de 1 a 5 anos, se o fato não constitui crime mais grave.*

O objeto jurídico é a dignidade sexual. O objeto material é a fotografia ou outro registro da cena de estupro. O sujeito ativo é qualquer pessoa, assim como o sujeito passivo. Trata-se de tipo misto alternativo, pois configura-se mediante variadas formas de conduta, todas com homogeneidade, o que significa que a prática de mais de uma das condutas no mesmo contexto configuram crime único. As condutas são oferecer, trocar, disponibilizar, transmitir, vender ou expor à venda, distribuir, publicar ou divulgar por qualquer meio – inclusive por meio de comunicação de massa ou sistema de informática ou telemática – fotografia, vídeo ou outro registro audiovisual que contenha cena de estupro ou de estupro de vulnerável ou que faça apologia ou induza a sua prática, ou, sem o consentimento da vítima, cena de sexo, nudez ou pornografia. A pena é de reclusão, de 1 a 5 anos, sendo expressamente subsidiária, ante a expressão "se o fato não constitui crime mais grave", sofrendo ainda majoração no caso da chamada *revenge porn*, isto é, vingança pornográfica, em que o agente pratica o fato em represália ao final de um relacionamento, com o fim de vingança ou humilhação da vítima (§ 1º). O § 2º prevê uma causa especial de exclusão da ilicitude, que ocorre quando as condutas são praticadas em publicação jornalística, científica, cultural ou acadêmica, com a adoção de recurso que impossibilite a identificação da vítima, ressalvada sua prévia autorização, caso seja maior de 18 anos. A ressalva, em nosso entendimento, não pode ser apenas para a pessoa maior de 18 anos, pois não se justifica que o vulnerável fique totalmente sem possibilidade de vetar a divulgação. Assim, a interpretação mais razoável é a sistemática, que permite ao menor também exercer sua vontade por intermédio de representante legal. O tipo subjetivo é o dolo, não se exigindo qualquer fim especial. Consuma-se o crime com a prática de qualquer das condutas, independentemente de qualquer resultado (crime formal). Admite-se a tentativa. A ação penal é publica incondicionada.

15.6 AUMENTO DE PENA NOS CRIMES ANTERIORES

Nos termos do art. 226, todos os crimes examinados anteriormente incidem as seguintes majorantes ou causas de aumento de pena, que devem ser consideradas na terceira fase da aplicação da pena:

a. concurso de duas ou mais pessoas: aumento de 1/4 (inciso I);
b. se o agente é ascendente, padrasto ou madrasta, tio, irmão, cônjuge, companheiro, tutor, curador, preceptor ou empregador da vítima ou por qualquer outro título tiver autoridade sobre ela: aumento de 1/2 (inciso II);
c. estupro coletivo (praticado por dois ou mais agentes): aumento de 1/3 a 2/3, não incidindo, nesse caso, o aumento de 1/4 previsto no inciso I do art. 226 (inciso IV, *a*);
d. estupro corretivo (praticado para controlar o comportamento social ou sexual da vítima): aumento de 1/3 a 2/3 (inciso IV, *b*).

15.7 LENOCÍNIO, PROSTITUIÇÃO E EXPLORAÇÃO SEXUAL

Introdução

No Brasil, o exercício da prostituição não é crime, mas a lei brasileira, em diversos dispositivos, incrimina as condutas que exploram a prostituição, sendo sujeito passivo desses crimes a pessoa submetida à exploração. No Capítulo V, o Código penal prevê o capítulo assim intitulado: *do lenocínio e do tráfico de pessoa para fim de prostituição ou outra forma de exploração sexual*. Convém lembrar, todavia, que a prostituição de vulnerável faz parte do capítulo II.

Mediação para servir à lascívia de outrem

O art. 227 trata do *lenocínio*, que é o ato de *induzir alguém a satisfazer a lascívia de outrem*, punido com pena de reclusão, de 1 a 3 anos. As formas qualificadas são as seguintes: a) se a vítima é maior de 14 anos e menor de 18 anos ou se o agente é seu ascendente, descendente, cônjuge ou companheiro, irmão, tutor, ou curador ou pessoa a quem esteja confiada para fins de educação, de tratamento ou de guarda, a pena é de reclusão, de 2 a 5 anos (§ 1º); b) se o crime é cometido com o emprego de violência, grave ameaça ou fraude, a pena é de reclusão, de 2 a 8 anos, além da pena correspondente à violência (§ 2º). Se o crime é cometido com o fim de lucro, aplica-se também multa.

O objeto jurídico é a liberdade sexual e a moralidade pública. O objeto material é a pessoa. O sujeito ativo é quem induz (persuade, sugere, convence, alicia, idealiza), podendo ser qualquer pessoa, mas quem tiver sua lascívia satisfeita não pratica o crime, pois o tipo penal fala em outrem, isto é, terceira pessoa. O sujeito passivo é, também, quem é induzido a agir sexualmente, podendo ser qualquer pessoa. Assim, o lenocínio constitui um triângulo composto pela vítima, que é a pessoa induzida, o destinatário da prestação sexual, e o lenão, isto é, quem induz, sendo este o único agente punível. Se a vítima é menor de 14 anos, ocorrerá corrupção de menores (CP, art. 218). Não há crime se a pessoa induzida é alguém que exerce a prostituição, já que esta tem por atividade profissional, justamente, a satisfação da lascívia. Secundariamente, é vítima do crime a coletividade. O tipo penal é induzir (dar a ideia, sugerir, criar o propósito), alguém (qualquer pessoa humana, homem ou mulher) a satisfazer a lascívia de outrem (satisfazer o desejo erótico de outrem). O tipo penal é doloso. Consuma-se o crime com o ato capaz de satisfazer a lascívia, ainda que não haja orgasmo (crime material). Admite-se a tentativa. A ação penal é pública incondicionada.

Favorecimento da prostituição ou outra forma de favorecimento sexual

O art. 228 incrimina *induzir ou atrair alguém à prostituição ou outra forma de exploração sexual, facilitá-la, impedir ou dificultar que alguém a abandone*. Pena: reclusão, de 2 a 5 anos, e multa. Nos termos dos § 1º e 2º, o crime é qualificado se praticado por ascendente, padrasto, madrasta, irmão, enteado, cônjuge, companheiro, tutor, ou curador, preceptor ou empregador da vítima, ou que assumiu, por lei ou outra forma, obrigação de cuidado, proteção ou vigilância (reclusão de 3 a 8 anos) ou se há violência, grave ameaça ou fraude, caso em que a pena é de reclusão, de 4 a 10 anos, além da pena da violência. A multa é cumulativa se houver fim de lucro (§ 3º).

O bem jurídico tutelado é a moralidade sexual. O objeto material é a pessoa. O sujeito ativo é qualquer pessoa, assim como o sujeito passivo. O tipo prevê situações em que a vítima é submetida às seguintes situações:

a. prostituição: ato sexual em troca de dinheiro, de forma habitual, sendo dispensada a penetração, podendo se configurar por outras formas de contato físico;
b. exploração sexual: é o ato sexual ou qualquer atividade erótica, sendo dispensada a habitualidade, bastando que seja trocada por dinheiro ou outro benefício ou utilidade com valor para a vítima como, por exemplo, fazer a vítima mostrar os seios em troca de alimento.

O tipo penal é misto alternativo, contemplando situações em que a vítima é iniciada pelo agente na prostituição, diante dos verbos induzir (dar a ideia, sugerir) e atrair (chamar, recrutar), bem como situações em que a vítima não é iniciada, e sim, mantida pelo agente na atividade, diante dos verbos facilitar (o agente cria benefícios e facilidades ao exercício da prostituição, como o fornecimento de documentos ou abrigo) impedir (obstar, não permitir, como a manutenção em cárcere privado) ou dificultar o abandono (criar qualquer obstáculo, estorvo, dificuldade, como a retenção de documentos, por exemplo). O elemento subjetivo é o dolo. Consuma-se o crime com o exercício da prostituição, nos casos de induzir ou atrair, ou com qualquer ação ou omissão que crie facilidade, obstáculo ou dificuldade, nos demais casos. Admite-se a tentativa. A ação penal é pública incondicionada.

Casa de prostituição

O art. 229 tipifica o crime de "casa de prostituição", punido com pena de 2 a 5 anos de reclusão. *Consiste em manter, por conta própria ou de terceiro, estabelecimento em que ocorra exploração sexual, haja, ou não, intuito de lucro ou mediação direta do proprietário ou gerente.* Refere-se a qualquer estabelecimento com exploração sexual, e não apenas "casa".

O bem jurídico tutelado é a moralidade sexual. O objeto material é o estabelecimento em que ocorra exploração sexual. O sujeito ativo é qualquer pessoa e o sujeito passivo é a coletividade (crime vago). A conduta é manter, por conta própria ou de terceiro, isto é, prover, administrar, ser o proprietário, gerente ou responsável, estabelecimento em que ocorra exploração sexual, que consiste em ato sexual ou qualquer atividade erótica, sendo dispensada a habitualidade, bastando que seja trocada por dinheiro ou outro benefício ou utilidade com valor para a vítima, como por exemplo, fazer a vítima mostrar os seios em troca de alimento. O crime é doloso, sendo que o próprio tipo penal dispensa a finalidade de lucro ou a mediação direta do proprietário ou gerente, o que significa que é dispensável que o proprietário ou gerente estejam presentes ou que tenham conhecimento de uma vítima ou situação específica, bastando o conhecimento genérico de que o local se destina à exploração sexual (dolo genérico). Embora a exploração sexual, conforme sustentamos, não exija habitualidade, nisso se distinguindo da prostituição, o verbo nuclear "manter" denota que o crime em questão é habitual. Portanto, a consumação depende da reiteração de atos de exploração sexual no local, não se admitindo a tentativa.

Rufianismo

Objeto jurídico e material, sujeitos e tipo penal

O art. 230 incrimina a prática de rufianismo ou da cafetinagem, que consiste em *tirar proveito da prostituição alheia, participando diretamente de seus lucros ou fazendo-se sustentar, no todo ou em parte, por quem a exerça*. O crime é punido com pena de reclusão, de 1 a 4 anos, e multa, mas há duas formas qualificadas: a) no caso em que a vítima é menor de 18 anos e maior de 14 anos ou em que o crime é praticado por ascendente, padrasto, madrasta, irmão, enteado, cônjuge, companheiro, tutor, ou curador, preceptor ou empregador da vítima, ou que assumiu, por lei ou outra forma, obrigação de cuidado, proteção ou vigilância (reclusão de 3 a 6 anos); b) no caso em que há emprego de violência, grave ameaça ou fraude ou outro meio que impeça ou dificulte a manifestação de vontade da vítima, caso em que a pena é de reclusão, de 2 a 8 anos, além da pena da violência.

O bem jurídico tutelado é a moralidade sexual. O objeto material é a pessoa prostituída. O sujeito ativo é qualquer pessoa. O sujeito passivo é a pessoa que exerce a prostituição, homem ou mulher, e, secundariamente, a coletividade. O tipo penal é tirar proveito (beneficiar-se) da prostituição alheia, participando diretamente de seus lucros (obtendo uma comissão ou parte dos ganhos da prostituta) ou fazendo-se sustentar (tirando sustento da prostituição de outrem), no todo ou em parte, ou seja, o agente pode viver exclusivamente da prostituição de outrem ou apenas obter benefícios resultantes da prática por quem a exerça.

Violência, grave ameaça, fraude ou outro meio que dificulte ou impeça a vontade da vítima

O tipo penal não exige violência ou grave ameaça contra quem exerce a prostituição, configurando-se diante de simples acordo entre a prostituta e o rufião ou cafetina, muitas vezes em troca de vigilância ou proteção. Mas caso ocorra qualquer ato que vicie a vontade da vítima, estará configurada a forma qualificada, aplicando-se ainda a pena correspondente a eventual violência. A violência não deve ser praticada para a prostituição em si, mas para a participação nos ganhos da atividade. Em caso de violência ou grave ameaça empregada para obrigar a vítima a se prostituir, poderá o agente responder pelo art. 213, além do crime em questão. O que se pune é a conduta lesiva ao patrimônio da prostituta, em que esta, por medo, engano ou outra situação comparte seus ganhos ou sustenta o autor do crime. Fraude ocorre, por exemplo, quando o agente simula uma doença grave ou outra necessidade a fim de receber dinheiro.

Elemento subjetivo, consumação e ação penal
O elemento subjetivo é o dolo. Exige-se a vontade de habitualmente obter lucros ou sustento, no todo ou em parte. Consuma-se o crime com a prática reiterada de obter lucros ou sustento com a prostituição alheia. A ação penal é pública incondicionada.

Tráfico de pessoas para fins de exploração sexual

O tráfico de pessoas para fins de exploração sexual, que consiste em *agenciar, aliciar, recrutar, transportar, transferir, comprar, alojar ou acolher pessoa, mediante grave ameaça, violência, coação, fraude ou abuso, com a finalidade de exploração sexual* (art. 149-A, V), é considerado uma forma de crime contra a liberdade individual, diante da redação da Lei n. 13.344, que revogou os arts. 231, 231-A e 232 e reposicionou esse delito dentro do Código Penal. Não consta mais, portanto, no título relativo aos crimes contra a dignidade sexual.

Promoção de migração ilegal

Ficou fora de contexto esse tipo penal, incluído pela Lei n. 13.445/2017 e previsto no art. 232-A, que consiste em *promover, por qualquer meio, com o fim de obter vantagem econômica, a entrada ilegal de estrangeiro em território nacional ou de brasileiro em país estrangeiro*. Não se trata de crime contra a dignidade sexual, podendo, porém, configurar crime conexo a uma das formas de exploração sexual, na medida em que o § 3º determina o acúmulo material com as infrações conexas. Assim, por exemplo, poderá somar-se ao rufianismo, caso a promoção de migração ilegal tenha a *finalidade de tirar proveito da prostituição alheia*, configurando-se também o crime do art. 230.

O objeto jurídico é o interesse público em regular a entrada e saída de estrangeiros. O objeto material é a pessoa estrangeira. O sujeito ativo é qualquer pessoa. O sujeito passivo é o Estado e, secundariamente, a pessoa eventualmente prejudicada. A conduta típica é promover (dar causa, por execução direta ou mero auxílio), por qualquer meio (conduta livre), a entrada ilegal (norma penal em branco, pois implica infração às leis de imigração) de estrangeiro (pessoa não nascida no Brasil nem naturalizada brasileira, ainda que tenha, aqui, residência) em território nacional (art. 5ª da Código Penal) ou de brasileiro (brasileiro nato ou naturalizado) em país estrangeiro. O § 1º prevê figura equiparada, incriminando quem promove a saída de estrangeiro do Brasil para ingressar ilegalmente em país estrangeiro. Assim, são as seguintes as situações abrangidas pelo tipo:

a. promover a entrada ilegal de estrangeiro no Brasil;
b. promover a entrada ilegal de brasileiro em país estrangeiro;
c. promover saída de estrangeiro do Brasil e ingresso ilegal em país estrangeiro.

O § 2º prevê as causas de aumento de pena, consistentes em emprego de violência e submissão da vítima a condição desumana ou degradante, caso em que a pena será aumentada de 1/6 a 1/3. Além disso, segundo o § 3º, as penas serão previstas independentemente de outros crimes, afastando-se qualquer possibilidade de concurso aparente de normas.

Ultraje público ao pudor

Encerrando os crimes sexuais, estão os crimes de ultraje público ao pudor, compreendidos pelo art. 233, ato obsceno, e 234, escrito ou objeto obsceno. Ambos os crimes são considerados infrações de menor potencial ofensivo e de reduzida aplicabilidade prática, como se verá.

Ato obsceno

Segundo o art. 233: *praticar ato obsceno em lugar público, ou aberto ou exposto ao público*. O crime é punido com pena de detenção, de 3 meses a 1 ano, ou multa. O objeto jurídico é a moralidade pública. O objeto material é a pessoa que presencia o ato. O sujeito ativo é qualquer pessoa e o sujeito passivo é a coletividade (crime vago). Trata-se de tipo aberto e extremamente controvertido, pelo fato de que o conceito de ato obsceno é polivalente, dependendo das condições de tempo e de lugar. Exemplo disso é a micção em público, que pode ou não configurar ato obsceno, já que, antes de mais nada, é uma necessidade fisiológica, só configurando ato obsceno se o objetivo for o exibicionismo. De modo geral, ato obsceno é qualquer ato ofensivo ao pudor, capaz de escandalizar. Essencial é que seja realizado em lugar público ou passível de publicidade como, por exemplo, fazer sexo dentro de um cinema ou de um carro estacionado em via pública. O elemento subjetivo é o dolo, exigindo-se ainda o elemento subjetivo especial, consistente na vontade de ofender o pudor alheio. Assim, uma apresentação artística, por exemplo, não será considerada ato obsceno, ainda que envolva atos com conteúdo moralmente inapropriado. É crime formal, consumando-se com o simples ato, ainda que não presenciado, bastando a potencialidade nesse sentido. Admite-se a tentativa. A ação penal é pública incondicionada.

Escrito ou objeto obsceno

Escrito ou objeto obsceno, descrito pelo art. 234 como *fazer, importar, exportar, adquirir ou ter sob sua guarda, para fim de comércio, de distribuição ou de exposição pública, escrito, desenho, pintura, estampa ou qualquer objeto obsceno*, é um crime totalmente em desuso, perdendo sua tipicidade material em razão da liberdade de expressão, consagrada constitucionalmente, e da evolução dos costumes, em que há disseminação de cenas de sexo nas manifestações artísticas em geral e nos meios de comunicação.

Aumento de pena nos crimes sexuais

Nos crimes previstos nos arts. 213 a 218 incidem as seguintes majorantes:

   a. *concurso de pessoas*: se o crime é cometido por 2 ou mais pessoas, aumenta-se a pena de 1/3 a 2/3 no caso *estupro coletivo* (art. 226, IV, a), e de 1/4 nos demais crimes (art. 226, I);

b. *ascendente, padrasto ou madrasta, tio, irmão, cônjuge, companheiro, tutor, curador, preceptor ou empregador da vítima ou por qualquer outro título tem autoridade sobre ela*: aumento de metade;
c. *estupro corretivo, isto é, destinado a controlar o comportamento social ou sexual da vítima*: aumento de 1/3 a 2/3.

Em todos os crimes contra a dignidade sexual incidem as seguintes majorantes:

a. *gravidez da vítima*: aumento de metade (art. 234-A, III);
b. *transmissão de DST*: aumento de 1/3 a 2/3 (art. 234-A, IV);
c. *vítima idosa ou deficiente*: aumento de 1/3 a 2/3 (art. 234-A, IV).

RESUMO

Estupro
Constranger alguém mediante violência ou grave ameaça a ter conjunção carnal ou a praticar ou permitir que com ele se pratique outro ato libidinoso.

- *Contato físico*: desnecessário.
- *Sujeitos*: crime bicomum.
- *Qualificadoras*: vítima é menor de 18 anos ou maior de 14 anos, lesão grave e morte, ainda que o estupro não se consume (semelhante ao latrocínio, Súm. 610 do STF).

Estupro de vulnerável
Relação sexual consentida com pessoa vulnerável.
Casos de vulnerabilidade:

- etária: em razão da idade da vítima (menor de 14 anos);
- patológica: enfermidade ou deficiência mental;
- ocasional: estados mentais temporários, como o sono ou ingestão de álcool ou drogas, consciente ou inconscientemente.

Violação sexual mediante fraude
"Estelionato sexual", em que a vítima é enganada para consentir o ato sexual (art. 215).

Importunação sexual
Crime subsidiário do estupro (art. 215-A).

Assédio sexual
O agente abusa da sua condição de superior hierárquico ou ascendência inerentes ao exercício de emprego, cargo ou função, para fins sexuais (art. 216-A). É infração de menor potencial ofensivo

Registro não autorizado da intimidade sexual
Incrimina-se a conduta de reproduzir, fotografar, filmar ou registrar, por qualquer meio, conteúdo com cena de nudez ou ato sexual ou libidinoso de caráter íntimo e privado sem autorização dos participantes, assim como realizar montagem em fotografia, vídeo, áudio ou qualquer outro registro com o fim de incluir pessoa em cena de nudez ou ato sexual ou libidinoso de caráter íntimo (art. 215-B).

Corrupção sexual de menores e satisfação de lascívia mediante presença de criança ou adolescente (art. 218)
Não se confunde esse crime com a corrupção de menor de 18 anos para praticar crime, previsto art. 244-B do Estatuto da Criança e do Adolescente. O menor é mero observador, pois, caso tome parte nos atos lascivos, haverá estupro de vulnerável (art. 217-A).

Divulgação de cena de estupro ou de cena de estupro de vulnerável, de cena de sexo ou de pornografia (art. 218-C)
Crime subsidiário, sofrendo ainda majoração no caso da chamada *revenge porn*, isto é, vingança pornográfica, em que o agente pratica o fato em represália ao final de um relacionamento, com o fim de vingança ou hu-

milhação da vítima (§ 1º). O § 2º prevê uma causa especial de exclusão da ilicitude.

Lenocínio (art. 227)

Induzir alguém a satisfazer a lascívia de outrem, punido com pena de reclusão, de 1 a 3 anos. Se a vítima é maior de 14 anos e menor de 18 anos ou se o agente é seu ascendente, descendente, cônjuge ou companheiro, irmão, tutor, ou curador ou pessoa a quem esteja confiada para fins de educação, de tratamento ou de guarda, a pena é de reclusão, de 2 a 5 anos (§ 1º). E se o crime é cometido com o emprego de violência, grave ameaça ou fraude, a pena é de reclusão, de 2 a 8 anos, além da pena correspondente à violência (§ 2º). Quando houver lucro na atividade, irá se configurar uma das formas de exploração da prostituição, examinadas a seguir.

Exploração da prostituição e o tráfico de pessoas

O exercício da prostituição não é crime, mas a lei brasileira incrimina a exploração da prostituição e o tráfico de pessoas para tal fim: arts. 218-B, 228, 229, 230, 229, 230, 232-A.

Ato obsceno (art. 233)

Praticar ato obsceno em lugar público, ou aberto ou exposto ao público. Tipo penal aberto. Crime de mera conduta.

Escrito ou objeto obsceno

Crime totalmente em desuso, perdendo sua tipicidade material em razão da liberdade de expressão e da evolução dos costumes.

Aumento de pena nos crimes sexuais

- *Concurso de pessoas*: se o crime é cometido por 2 ou mais pessoas, aumenta-se a pena de 1/3 a 2/3 no caso estupro coletivo (art. 226, IV, a), e de 1/4 nos demais crimes (art. 226, I);

- *ascendente, padrasto ou madrasta, tio, irmão, cônjuge, companheiro, tutor, curador, preceptor ou empregador da vítima ou por qualquer outro título tem autoridade sobre ela*: aumento de metade;
- *estupro corretivo, isto é, destinado a controlar o comportamento social ou sexual da vítima*: aumento de 1/3 a 2/3.

Em todos os crimes contra a dignidade sexual incidem as seguintes majorantes:

- *gravidez da vítima*: aumento de metade (art. 234-A, III);
- *transmissão de DST*: aumento de 1/3 a 2/3 (art. 234-A, IV);
- *vítima idosa ou deficiente*: aumento de 1/3 a 2/3 (art. 234-A, IV).

JURISPRUDÊNCIA

Casa de prostituição

Ao contrário do que ocorria com a redação primitiva do art. 229 do Código Penal, a nova redação do dispositivo, ao adequar o tipo penal ao atual momento da sociedade, tornou atípica a conduta de manter estabelecimento destinado a encontros para fim libidinoso, tais como motéis e casas noturnas, mas conservou, contudo, a criminalização da conduta de manter casa de prostituição, já que nesses locais ocorre exploração sexual. Na espécie vertente, foi constatada no estabelecimento dos Pacientes a prática, em tese, de prostituição. Assim, mesmo com a recente alteração legislativa, a conduta imputada aos ora Paciente permaneceu criminalizada pelo legislador. [...] Quanto à aplicação do princípio da adequação social, esse, por si só, não tem o condão de revogar tipos penais. Nos termos do art. 2° da Lei de Introdução às Normas do Direito Brasileiro (com alteração da Lei n.12.376/2010), "não se destinando à vigência temporária, a lei terá vigor até que outra a modifique ou revogue". Somente uma lei pode revogar outra lei. Assim, mesmo que a conduta imputada aos Pacientes fizesse parte dos costumes ou fosse socialmente aceita, isso não seria suficiente para revogar a lei penal em vigor. (STD, HC 104467, Rel. Min, Cármen Lúcia, Primeira Turma, julgamento em 08/02/2011.)

Favorecimento da prostituição ou de outra forma de exploração sexual de criança ou adolescente ou de vulnerável

7. No que se refere ao art. 218-B, § 2º, II, CP, é razoável vislumbrar o ordenamento jurídico como verdadeira unidade jurídica, de forma a extrair da amplitude das normas quais são os bens jurídicos que estão a merecer melhor proteção. É o que reza o princípio da proibição da proteção deficiente. Em tempos atuais, o que se busca é a proteção aos direitos fundamentais em todas as suas dimensões. 8. *In casu*, o escopo primordial dos direitos fundamentais está voltado à proteção integral à (ao) criança/adolescente e ao trabalhador urbano, direitos consagrados na Carta Magna e de vital importância no resguardo da dignidade da pessoa humana, pois além da prática de crime sexual contra menor de idade, houve infração às normas trabalhistas. 9. O erro de tipo em face à ignorância em torno da idade da vítima, não obstante tenha resguardo jurídico, se tornou um modo corriqueiro de se eximir da condenação penal. É desproporcional dar-lhe maior ênfase quando se tem, de outro lado, ofensa a direitos fundamentais. 10. É salutar reavivar os critérios determinantes da tipicidade conglobante de Zaffaroni, em que o juízo de tipicidade é analisado partindo do sistema normativo considerado em sua globalidade. Desse modo, imperiosa a análise do caso nessa perspectiva, não podendo a dúvida quanto à idade da vítima beneficiar os autores quando, por obrigatoriedade, a sua ciência seria requisito intrínseco para a formalização dos contratos trabalhista e de locação de imóvel. 11. É preciso que haja proteção de fato e de direito às crianças e adolescentes brasileiros, pois de nada adiantará todo o aparato judicial preventivo se não aplicado de forma efetiva. (STJ, REsp 1464450 / SC, Rel. Min. Joel Ilan Paciornik, Quinta Turma, julgado em 17/08/2017.)

SÚMULAS

Súmula 608 do STF
No crime de estupro, praticado mediante violência real, a ação penal é pública incondicionada.

Súmula 593 do STJ

O crime de estupro de vulnerável se configura com a conjunção carnal ou prática de ato libidinoso com menor de 14 anos, sendo irrelevante eventual consentimento da vítima para a prática do ato, sua experiência sexual anterior ou existência de relacionamento amoroso com o agente.

16

Crimes contra a família

16.1 CRIMES CONTRA O CASAMENTO

Como o nome indica, a objetividade jurídica desses crimes é a proteção da instituição do casamento, a organização da família e a segurança jurídica na celebração dos atos matrimoniais. Convém notar que, desde 2005, o adultério deixou de ser crime no Brasil, em razão da *abolitio criminis* operada pela Lei n. 11.106.

Bigamia

Segundo o art. 235, contrair alguém, sendo casado, novo casamento, isto é, casar duas ou mais vezes, constitui crime de bigamia. O objeto jurídico é o casamento e a família monogâmica. O objeto material é o casamento bígamo. O tipo penal é *contrair alguém, sendo casado, novo casamento*. O § 1º incrimina também quem, sendo solteiro, casa com pessoa casada, sabendo desse fato. A pena é de reclusão, de 2 a 6 anos. Portanto, o sujeito ativo é a pessoa casada, bem como eventuais testemunhas que, tendo conhecimento da situação, participam, de qualquer modo, para o crime (art. 29), além da pessoa solteira, no caso do parágrafo. O sujeito passivo é o Estado e as pessoas prejudicadas secundariamente, isto é, tanto o cônjuge legítimo quanto a pessoa que contrai casamento nulo. Pratica o crime a pessoa solteira que casa com pessoa casada, tendo conhecimento dessa condição, caso em que a pena é de reclusão ou detenção, de 1 a 3 anos. Considera-se inexistente o crime se houver anulação de qualquer um dos casamentos. O crime é doloso. Consuma-se o crime com a realização do casamento. Admite-se a tentativa. A ação penal é pública incondicionada. Note que a prescrição desse crime começa a correr quando o fato ficou conhecido (art. 111, IV, do CP) e não da data do fato, isto é, do novo casamento.

Induzimento a erro essencial e ocultação de impedimento

Segundo o art. 236 do CP, constitui crime *contrair casamento, induzindo em erro essencial o outro contraente, ou ocultando-lhe impedimento que não seja casamento anterior*. A pena é de detenção, de 6 meses a 2 anos (infração de menor potencial ofensivo). O objeto jurídico é a instituição do casamento e a organização da família. O objeto material é o casamento irregular. O sujeito ativo é qualquer pessoa. O sujeito passivo é o Estado, além do contraente enganado. A conduta é contrair casamento, isto é, formalizar casamento de acordo com a lei civil, induzindo o outro contraente em erro essencial ou ocultando-lhe impedimento. O erro essencial em matéria de casamento está previsto no art. 1.557 do Código Civil, e o rol de impedimentos para casar consta no art. 1.521 do mesmo diploma. Portanto, o art. 236 do Código Penal é uma norma penal em branco homogênea (normas de mesma hierarquia) heterovitelina (ramos distintos). O crime é doloso. Consuma-se com a efetiva celebração do casamento, isto é, no momento em que ambos os contraentes manifestam a vontade de estabelecer o vínculo conjugal perante o juiz e este os declara casados (CC, art. 1.514). Trata-se de crime condicionado, pois o § 2º exige o trânsito em julgado da sentença que anular o casamento por erro ou impedimento (condição objetiva de punibilidade), de modo que não é possível a forma tentada. Segundo o § 2º, ainda, a ação penal depende de queixa do contraente enganado. Trata-se da única hipótese de *ação penal privada personalíssima*, pois não se transmite aos sucessores. Nos parece absurdo ter o legislador previsto ação privada nesse crime, uma vez que a vítima é o próprio Estado.

Conhecimento prévio de impedimento

Segundo o art. 237, o crime consiste em *contrair casamento, conhecendo a existência de impedimento que lhe cause a nulidade absoluta*. A pena é de detenção, de 3 meses a 1 ano (infração de menor potencial ofensivo). O objeto jurídico é a instituição do casamento e a organização da família. O objeto material é o casamento irregular. O sujeito ativo é qualquer pessoa. O sujeito passivo é o Estado, além do contraente enganado. A conduta é contrair casamento, isto é, formalizar casamento de acordo com a lei civil, sabendo que este, em razão de impedimento, não pode ser formalizado. Não há necessidade de qualquer engano ou fraude, bastando que um dos contraentes saiba do impedimento. O rol de impedimentos para casar consta no art. 1.521 do Código Civil. Assim, o art. 237 do Código Penal é uma norma penal em branco homogênea (normas de mesma hierarquia) heterovitelina (ramos distintos). O tipo subjetivo é o dolo direto, não se admitindo dolo eventual. Consuma-se com a efetiva celebração do casamento, isto é, no momento em que ambos os contraentes manifestam a vontade de estabelecer o vínculo conjugal perante o juiz e este os declara casados (CC, art. 1.514).

Simulação de autoridade para celebração de casamento

O art. 238 tipifica a simulação de autoridade para celebração de casamento, que consiste em *atribuir-se falsamente autoridade para celebração de casamento*. A pena é de detenção, de 1 a 3 anos, se o fato não constitui crime mais grave, por exemplo, um estelionato. O objeto jurídico é a instituição do casamento e a organização da família. O objeto material é o casamento irregular. O sujeito ativo é qualquer pessoa. O sujeito passivo é o Estado, além das pessoas enganadas. A conduta é atribuir-se (intitular-se, autodenominar-se) falsamente (mediante qualquer meio fraudulento ou enganoso) autoridade para celebração do casamento, configurando-se norma penal em branco, pois o Código Civil, nos arts. 1.514 e 1.515, admite celebração por juiz de paz ou autoridade religiosa. O tipo penal é doloso. Consuma-se o crime com a realização de qualquer ato que configure inequívoca atribuição de falsa autoridade, independentemente de ser levada a termo a celebração do casamento (crime formal). A tentativa é, em tese, possível, mas de difícil configuração.

Casamento simulado

O art. 239 trata da simulação de casamento: *simular casamento mediante engano de outra pessoa.* Pena: detenção, de 1 a 3 anos, se o fato não constitui elemento de crime mais grave (subsidiariedade expressa). Enquanto no art. 238 o engano diz respeito à autoridade celebrante, o que obviamente implica a invalidade de toda a cerimônia, a simulação do casamento é o ato como um todo que está viciado em razão da fraude. Segundo o Código Civil, o casamento celebrado por autoridade incompetente pode ser convalidado, se tiver havido boa-fé e for registrado no Registro Civil (CC, art. 1.554). Não há convalidação, porém, no caso do art. 239, em que toda a cerimônia é uma fraude.

O objeto jurídico é a instituição do casamento e a organização da família. O objeto material é o casamento irregular. O sujeito ativo é qualquer pessoa que participe da simulação, seja contraente, autoridade, testemunha ou pessoa distinta. O sujeito passivo é a pessoa iludida, podendo também ser qualquer pessoa, inclusive os pais dos nubentes. O tipo penal é simular, isto é, fingir, representar, casamento, mediante engano de outra pessoa. Assim, se não há engano de alguém, não há crime. O elemento subjetivo é o dolo. Consuma-se o crime com a efetiva celebração simulada. Admite-se a tentativa. A ação penal é pública incondicionada.

16.2 CRIMES CONTRA O ESTADO DE FILIAÇÃO

Registro de nascimento inexistente

O art. 241 se destina a proteger a fé pública dos registros públicos, além do estado de filiação. A conduta tipificada é *promover no registro civil a inscrição de nascimento inexistente,* cuja pena é de reclusão, de 2 a 6 anos. Este crime absorve o delito de falsidade ideológica, previsto no art. 299. A prescrição da pretensão punitiva (antes do trânsito em julgado da condenação) tem início na data em que o fato se torna conhecido (CP, art. 111, IV). O objeto jurídico é a fé pública. O objeto material é o registro falso. O sujeito ativo é qualquer pessoa, podendo ser o funcionário que realiza o registro, quem faz a declaração perante o funcionário ou quem de qualquer forma concorre para a falsidade. O sujeito passivo é o Estado e eventual prejudicado. A conduta é promover (dar causa, requerer, fazer) no registro civil a inscrição de nascimento (Lei n. 6.015/73, arts. 50 e ss.) que não ocorreu, o que inclui o registro de natimorto, tratando-se, pois, de criar um registro falso. O crime é doloso. Consuma-se com a inscrição do nascimento inexistente. Admite-se a tentativa. A ação penal é pública incondicionada.

Parto suposto, bem como a supressão ou alteração de direito inerente ao estado civil de recém-nascido

O art. 242 prevê o *parto suposto, bem como a supressão ou alteração de direito inerente ao estado civil de recém-nascido*, tipificando as seguintes condutas:

a. dar parto alheio como próprio (parto suposto): uma vez que uma das elementares do crime é o parto, esta conduta só pode ser praticada por mulher, a qual se identifica como mãe de uma criança que não é sua, independentemente de qualquer registro falso;
b. registrar como seu o filho de outrem: este caso contempla a "adoção à brasileira", em que é feito o registro de neonato, no qual o registrante assume falsamente a paternidade, o que pode ser feito tanto por homem, quanto por mulher, ficando absorvida a falsidade ideológica (CP, art. 299);
c. ocultar recém-nascido ou substituí-lo, suprimindo ou alterando direito inerente ao estado civil: o agente oculta a ocorrência de um nascimento ou realiza uma "troca de bebês", sonegando ou alterando direitos civis do recém-nascido.

O objeto jurídico é a fé pública e o estado de filiação. O objeto material é o registro falso. O sujeito ativo, no caso de dar parto alheio como próprio, é a mulher que assim procede; nos demais casos, é qualquer pessoa. O sujeito passivo é o Estado e, secundariamente, a pessoa prejudicada. O tipo subjetivo é o dolo. A consumação ocorre com a prática das condutas descritas, admitindo-se a tentativa.

A pena para essas condutas é de 2 a 6 anos, mas, caso o motivo seja reconhecida nobreza, a pena é de 1 a 2 anos, podendo o juiz deixar de aplicar a pena, concedendo perdão judicial. Reconhecida nobreza é o altruísmo, como o agente que registra como seu o filho recém-nascido de uma mulher que vive em condições de extrema vulnerabilidade social, a fim de livrar a criança do sofrimento.

A ação penal é pública incondicionada.

Sonegação de estado de filiação

Constitui *sonegação de estado de filiação*, punido com pena de reclusão, de 1 a 5 anos, e multa, *deixar em asilo de expostos ou outra instituição de assistência filho próprio ou alheio, ocultando-lhe a filiação ou atribuindo-lhe outra, com o fim de prejudicar direito inerente ao estado civil* (art. 243). O objeto jurídico é a organização da família e o estado de filiação. O objeto material é a criança abandonada. O sujeito ativo é qualquer pessoa. O sujeito passivo é o Estado e a criança abandonada. O verbo nuclear é deixar (abandonar, largar) em asilo de expostos ou outra instituição de assistência qualquer criança, não bastando, porém, a conduta nuclear, pois o agente deve também mentir sobre a filiação da criança, ocultando ou atribuindo-lhe outra. O crime é doloso, mas exige elemento subjetivo especial, consistente na finalidade de prejudicar direito inerente ao estado civil, ou seja, deve o agente agir com o fim especial de privar a criança de algum direito civil, que pode ser moral, real, hereditário etc. Não se configura o crime quando são deixadas informações sobre a verdadeira filiação. O abandono em lugar diverso dos previstos no tipo poderá configurar os crimes de abandono de incapaz (CP, art. 133) ou exposição ou abandono de recém-nascido (CP, art. 134). O crime se consuma no instante do abandono. Admite-se a tentativa. A ação penal é pública incondicionada.

16.3 CRIMES CONTRA A ASSISTÊNCIA FAMILIAR

Nos termos do art. 229 da CF, "os pais têm o dever de assistir, criar e educar os filhos menores, e os filhos maiores têm o dever de ajudar e amparar os pais na velhice, carência ou enfermidade". A violação desse dever constitucional pode dar origem a um dos crimes contra a assistência familiar.

Abandono material

O art. 244 prevê o delito de *abandono material*, punido com pena de detenção, de 1 a 4 anos, além de multa. O objeto jurídico é a família e sua preservação. O objeto material é a renda ou outro auxílio devido. O crime é bipróprio: o sujeito ativo é quem tem o dever de assistência; o sujeito passivo é a pessoa assistida. O tipo penal prevê as seguintes condutas:

a. Deixar, sem justa causa, de prover a subsistência do cônjuge, ou de filho menor de 18 anos ou inapto para o trabalho, ou de ascendente inválido ou maior de 60 anos, não lhes proporcionando os recursos necessários, consumando-se no momento em que o agente deixa de prover a subsistência da vítima, quando poderia fazê-lo, não se admitindo tentativa.

b. Deixar de pagar pensão alimentícia judicialmente acordada, fixada ou majorada, consumando-se no momento em que há recusa em prestar alimentos ou no vencimento do prazo pactuado, não se admitindo tentativa. O descumprimento de pensão alimentícia pode gerar prisão decretada pelo juízo cível (CPC, art. 528, § 3º), a qual, nos termos do art. 42 do Código Penal, deverá ser computada, a título de detração, na pena imposta pelo juiz criminal em relação ao abandono material.[1]

c. Deixar, sem justa causa, de socorrer descendente ou ascendente, gravemente enfermo, consumando-se no momento da omissão, hipótese que não admite tentativa.

d. De qualquer modo frustrar ou iludir, inclusive por abandono injustificado de emprego ou função, o pagamento de pensão alimentícia judicialmente acordada, fixada ou majorada, sendo pessoa solvente,

---

1. JESUS, Damásio de. *Parte especial:* crimes contra a propriedade imaterial e crimes contra a paz pública. Atualização: André Estefam – Direito Penal vol. 3. 24. ed. São Paulo: Saraiva Educação, 2020. p. 214.

consumando-se quando há ato inequívoco de frustrar ou ilidir, de qualquer modo, o pagamento devido, admitindo-se, neste caso, a tentativa.

Trata-se de tipo penal cumulativo, em que a realização de mais de uma das condutas descritas implica concurso de crimes. O tipo penal também prevê o elemento normativo "sem justa causa", não se configurando o crime, por exemplo, caso o sujeito ativo seja desprovido de recursos mínimos ou tenha sido inobservada a ordem prevista nos arts. 1.696 e 1.697 do Código Civil, bem como a inobservância da proporcionalidade prevista no art. 1694, § 1º, do Código Civil. O tipo subjetivo é doloso. Trata-se, ademais, de crime omissivo próprio, consumando-se quando o sujeito ativo deixa de cumprir seus deveres de assistência. Além disso, é crime permanente, cuja consumação perdura enquanto não cumprida a obrigação. Não se admite tentativa. A ação penal é pública incondicionada.

Entrega de filho menor a pessoa inidônea

Consoante o art. 245, o crime consiste em: *entregar filho menor de 18 anos a pessoa em cuja companhia saiba ou deva saber que o menor fica moral ou materialmente em perigo* constitui crime de *entrega de filho menor a pessoa inidônea* (art. 245). Conforme o § 2º, também pratica o crime *quem, embora excluído o perigo moral ou material, auxilia a efetivação de ato destinado ao envio de menor para o exterior, com o fito de obter lucro.* A pena é de detenção, de 1 a 2 anos (infração de menor potencial ofensivo). A forma qualificada prevê pena de 1 a 4 anos de reclusão, se o agente pratica delito para obter lucro, ou se o menor é enviado para o exterior.

O objeto jurídico é a assistência familiar. O objeto material é o filho menor de 18 anos. O sujeito ativo é qualquer dos pais e, no caso da figura equiparada (§ 2º), qualquer pessoa. O sujeito passivo é o filho menor de 18 anos. O tipo objetivo é entregar, no sentido de confiar, deixar aos cuidados, ainda que por pouco tempo, filho ou filha menor de 18 anos (seja legítimo, natural, adotivo ou adulterino) a pessoa que possa gerar perigo ao menor. O perigo pode ser tanto ao patrimônio ou à integridade corporal, saúde ou vida do menor, como simplesmente perigo moral, como no exemplo de confiá-lo a um criminoso. O crime é de perigo concreto, exigindo prova do risco para o menor. Assim, não basta a simples entrega do menor a pessoa inidônea, isto é, pessoa que ofereça riscos à educação ou sobrevivência do menor, sendo necessário que essa pessoa possa de fato prejudicar o menor material ou moralmente. Note que, na figura equiparada, o perigo é presumido, uma vez que o § 2º incrimina quem, *embora excluído o perigo moral ou material*, auxilia a efetivação de ato destinado ao envio de menor para o exterior, visando à obtenção de lucro. Trata-se de crime doloso. O tipo penal ainda prevê o elemento "saiba" (elemento subjetivo) ou "deva saber" (elemento normativo). Consuma-se o crime com o efetivo perigo. Admite-se a tentativa. A ação penal é pública incondicionada.

Abandono intelectual

O art. 246 incrimina o abandono intelectual, que consiste em *deixar, sem justa causa, de prover à instrução primária de filho em idade escolar*. A pena é de detenção, de 15 dias a 1 mês, ou multa (infração penal de menor potencial ofensivo). O objeto jurídico é o direito à assistência familiar e o direito à educação (CF, art. 6º). O objeto material é a instrução formal. Crime biprópio: o sujeito ativo é o pai ou a mãe e o sujeito passivo é o filho ou filha em idade escolar. O tipo prevê conduta omissiva, que consiste em deixar de prover a instrução primária. Pune-se, portanto, o pai ou a mãe que não providencia a frequência de seu filho em idade escolar às aulas do ensino fundamental. Trata-se de norma penal em branco, já que as condições para frequência ao ensino fundamental dependem da Lei de Diretrizes e Bases da Educação. O tipo penal prevê o elemento normativo "sem justa causa", de modo que o crime poderá não se configurar em situações em que não há condições materiais de frequência à escola, como a ausência de transporte escolar em zona rural remota e distante do estabelecimento de ensino. O crime se consuma quando o agente não adota as providências de matrícula e frequência ao ensino por tempo relevante. A ausência de matrícula no prazo devido, por si só, não implica consumação do crime, devendo haver efetiva omissão por tempo relevante e capaz de prejudicar o acesso à educação fundamental. Admite-se a tentativa quando, a despeito da inércia paterna ou materna, ocorre intervenção de terceiro, que providencia a matrícula, como o conselho tutelar, por exemplo. O crime é doloso, exigindo-se, ainda, a consciência de agir sem motivo justo. A conduta é omissiva (crime omissivo próprio), não admitindo tentativa. A ação penal é pública incondicionada.

Abandono moral

O abandono moral, previsto no art. 247, consiste em *permitir alguém que menor de 18 anos, sujeito a seu poder ou confiado à sua guarda ou vigilância, frequente casa de jogo ou mal-afamada, ou conviva com pessoa viciosa ou de má vida, frequente espetáculo capaz de pervertê-lo ou de ofender-lhe o pudor, ou participe de representação de igual natureza, resida ou trabalhe em casa de prostituição, mendigue ou sirva a mendigo para excitar a comiseração pública.* A pena para esse crime é de detenção, de 1 a 3 meses, ou multa (infração de menor potencial ofensivo).

O objeto jurídico é a assistência familiar no que diz respeito à formação do caráter. O objeto material é o menor de 18 anos. O sujeito ativo é qualquer pessoa, desde que tenha a responsabilidade de cuidado ou vigilância sobre o menor. O sujeito passivo é o menor de 18 anos. A conduta é omissiva, no sentido de permitir, isto é, tolerar, autorizar, que menor de 18 anos realize um dos comportamentos mencionados. Assim, a configuração do crime depende do comportamento do menor. O tipo penal contém elementos normativos: "casa de jogo ou mal-afamada" (lugar de apostas ou que possa denegrir a imagem do menor), "pessoa viciosa ou de má vida" (com vícios ou hábitos imorais), "espetáculo capaz de pervertê-lo ou de ofender-lhe o pudor" (qualquer apresentação ofensiva à moral ou bons costumes ou que incite à prática de crime ou outro ato reprovável), "trabalhe em casa de prostituição" (não se trata de exercer a prostituição, mas qualquer outra atividade no local, independente de reiteração), "mendigue ou sirva a mendigo para excitar a comiseração pública" (situação em que o maior, para impressionar e comover, utiliza menor). O elemento subjetivo é o dolo. Trata-se de crime de perigo abstrato, consumando-se quando o menor realiza qualquer dos comportamentos mencionados ou no momento em que o responsável, tomando conhecimento da atividade, deixa de tomar providências para impedi-lo. Admite-se tentativa, salvo na forma omissiva.

A ação penal é pública incondicionada.

16.4 CRIMES CONTRA O PÁTRIO PODER, TUTELA E CURATELA

Poder familiar, tutela e curatela

A expressão pátrio poder, oriunda do Direito romano, está atualmente em desuso – embora persista no Código Penal –, pois foi substituída pela expressão poder familiar, consagrada no Código Civil, para designar as obrigações e direitos igualmente exercidos por pais e mães em relação aos filhos, os quais ficam sujeitos ao poder familiar enquanto menores (CC, art. 1.630). A tutela é um instituto destinado à proteção dos filhos com o falecimento ou ausência dos pais ou no caso de os pais perderem, judicialmente, o poder familiar (CC, art. 1.728), sendo nomeado tutor aos menores. A curatela, a seu turno, destina-se à proteção de maiores que sofrem interdição, nas hipóteses do art. 1.767 do Código Civil (pessoas que não podem exprimir sua vontade e pródigas, isto é, que dissipam patrimônio), nomeando-se curador que fica responsável pelo interdito e seus filhos (CC, art. 1.778). Os crimes desse capítulo, portanto, referem-se aos *incapazes* como sendo os menores de 18 anos, sujeitos ao poder familiar, tutela e guarda, e aos *interditos*, que são os maiores sujeitos à curatela.

Induzimento a fuga, entrega arbitrária ou sonegação de incapazes

O art. 248 prevê o seguinte crime: *Induzir menor de 18 anos, ou interdito, a fugir do lugar em que se acha por determinação de quem sobre ele exerce autoridade, em virtude de lei ou de ordem judicial; confiar a outrem sem ordem do pai, do tutor ou do curador algum menor de 18 anos ou interdito, ou deixar, sem justa causa, de entregá-lo a quem legitimamente o reclame*: Pena – detenção, de 1 mês a 1 ano, ou multa (infração de menor potencial ofensivo). O objeto material é o menor de 18 anos ou interdito. A objetividade jurídica é o poder familiar, exercido por pai e mãe, assim como a tutela e a curatela, que são institutos do direito civil. A tutela, exercida por um tutor, destina-se à proteção de menores, enquanto a curatela, exercida por curador, destina-se à proteção de maiores de idade que não podem se autogerir. O sujeito ativo é qualquer pessoa. O sujeito passivo é o pai, mãe, tutor ou curador, bem como o menor de 18 anos ou interdito, que é a pessoa sem discernimento, que sofre decisão judicial de interdição. O tipo penal prevê as seguintes condutas: a) *induzimento a fuga de incapaz:* induzir menor de 18 anos ou interdito a fugir do lugar em que se acha por determinação de quem sobre ele exerce autoridade (a autoridade é exercida pelos pais, tutores e curadores), em virtude de lei ou de ordem judicial (a autoridade dos pais decorre da lei, enquanto a tutela e a curatela decorrem de ordem judicial); b) *entrega arbitrária de incapaz:* confiar a outrem sem ordem do pai, do tutor ou do curador algum menor de 18 anos ou interdito; c) *sonegação de incapaz:* deixar, sem justa causa, de entregar o menor de 18 anos ou interdito a quem legitimamente o reclame, sendo crime omissivo próprio. O tipo subjetivo é doloso. A consumação depende da forma de conduta: o induzimento a fuga consuma-se com a fuga do incapaz, admitindo-se a tentativa; a entrega arbitrária é crime de mera conduta, consumando-se com qualquer ato inequívoco de entrega do incapaz, não se admitindo a tentativa; a sonegação consuma-se com a mera omissão, não admitindo tentativa. A ação penal é pública incondicionada.

Subtração de incapazes

O crime de *subtração de incapazes*, previsto no art. 249, consiste em *subtrair menor de 18 anos ou interdito ao poder de quem o tem sob sua guarda em virtude de lei ou de ordem judicial*. A pena é de detenção, de 2 meses a 2 anos, se o fato não constitui elemento de outro crime (subsidiariedade expressa), como sequestro ou cárcere privado, por exemplo. A lei prevê o perdão judicial, podendo o juiz deixar de aplicar a pena, no caso de restituição do menor ou do interdito, desde que este não tenha sofrido maus-tratos ou privações (§ 2º). O objeto jurídico é o direito de guarda exercido por pais, tutores e curadores. O objeto material é o menor de 18 anos ou interdito. O sujeito ativo pode ser qualquer pessoa, inclusive pais, tutores e curadores. O fato de ser o agente pai ou tutor do menor ou curador do interdito não o exime de pena, se destituído ou temporariamente privado do pátrio poder, tutela, curatela ou da guarda (§ 1º). O sujeito passivo é quem tem a guarda legal ou judicial violada, bem como o próprio incapaz, subsidiariamente. O tipo penal é doloso, não se exigindo fim específico. Se a finalidade for colocação em família substituta, configura-se o art. 237 do ECA. Consuma-se com a retirada do incapaz, configurando-se crime permanente. Admite-se a tentativa. A ação penal é pública incondicionada.

RESUMO

Crimes contra o casamento

Bigamia: segundo o art. 235, contrair alguém, sendo casado, novo casamento, isto é, casar duas ou mais vezes, constitui crime de bigamia.

Induzimento a erro essencial e ocultação de impedimento (art. 236): crime de ação privada personalíssima. Ver art. 1521 do CC.

Simulação de autoridade para celebração de casamento (art. 238): consiste em atribuir-se falsamente autoridade para celebração de casamento.

Simulação de casamento (art. 239): se tiver por fim vantagem econômica configura o estelionato.

Adultério não é crime (Lei n. 11.106).

Crimes contra o estado de filiação

Registro de nascimento inexistente (art. 241): este crime absorve o delito de falsidade ideológica.

Parto suposto, bem como a supressão ou alteração de direito inerente ao estado civil de recém-nascido (art. 242): dar parto alheio como próprio, registrar como seu o filho de outrem, ocultar recém-nascido ou substituí-lo (art. 242).

Sonegação de estado de filiação (art. 243): o abandono em lugar diverso dos previstos no tipo poderá configurar os crimes de abandono de incapaz (CP, art. 133) ou exposição ou abandono de recém-nascido (CP, art. 134).

Crimes contra a assistência familiar

Abandono material (art. 244): tipo misto cumulativo.

Entrega de filho menor a pessoa inidônea (art. 245): crime de perigo concreto.

Abandono intelectual (art. 246): não se configura por deixar transcorrer o prazo de matrícula.

Abandono moral (art. 247).

Dos crimes contra o pátrio poder, tutela e curatela

A expressão pátrio poder, oriunda do Direito romano, está atualmente em desuso e foi substituída pela expressão poder familiar, consagrada no Código Civil, para designar as obrigações e direitos igualmente exercidos por pais e mães em relação aos filhos, os quais ficam sujeitos ao poder familiar enquanto menores (CC, art. 1.630).

Induzimento a fuga, entrega arbitrária ou sonegação de incapazes (art. 248).

Subtração de incapazes (art. 249): crime permanente. Se a finalidade for colocação em família substituta, configura-se o art. 237 do ECA.

JURISPRUDÊNCIA

Abandono material

Penal e processual penal. Agravo regimental em recurso especial. Abandono material. Absolvição em 1º grau. Condenação, em sede de apelação. Recurso especial provido, para restabelecer a sentença absolutória. Justa causa para a falta de assistência aos dependentes. Ônus probatório da acusação. Inversão

indevida do ônus probatório. Alegação da existência de prova. Reexame do contexto fático-probatório. Incidência da Súmula 7 do STJ. Agravo regimental desprovido.
I. O Tribunal *a quo*, ao reformar sentença absolutória, condenou o acusado pela prática do crime previsto no art. 244 do Código Penal – abandono material –, ao entendimento de que o réu não teria comprovado a existência de justa causa para o inadimplemento das prestações alimentícias devidas aos filhos. II. A decisão atacada neste Regimental, por sua vez, ao prover o Recurso especial do acusado, fundamentou-se na jurisprudência do Superior Tribunal de Justiça, no sentido de que, para a configuração do crime de abandono material, deve ser provada, pela acusação, a ausência de justa causa para a falta de assistência aos dependentes. III. O provimento do Recurso Especial decorreu da afirmação, efetuada pelo Tribunal *a quo*, de que caberia à defesa comprovar a presença de justa causa para a inadimplência. A questão discutida no Recurso Especial, assim, cingiu-se à indevida inversão do ônus da prova, destacando-se a existência de ofensa ao disposto no art. 156 do Código de Processo Penal. IV. Consoante a jurisprudência do STJ, "Não basta, para o delito do art. 244 do Código Penal, dizer que o não pagamento de pensão o foi sem justa causa, se não demonstrado isso com elementos concretos dos autos, pois, do contrário, toda e qualquer inadimplência alimentícia será crime e não é essa a intenção da Lei Penal" (STJ, HC 141.069/RS, Rel. Ministra Maria Thereza de Assis Moura, Sexta Turma, DJe de 21/03/2012). Em igual sentido: "A denúncia, relativa ao crime tipificado no artigo 244 do Código Penal, como toda inicial acusatória, deve descrever a conduta imputada em todas as suas circunstâncias, não bastando, à sua validade, a descrição da obrigação descumprida, qualificada pela expressão 'sem justa causa', que há, por certo, enquanto substancia fato, de ser definida. A inversão do ônus da prova, quando se a admita, reclama previsão legal" (STJ, REsp 928.406/RS, Rel. Ministro Hamilton Carvalhido, Sexta Turma, DJe de 04/08/2008). V. Agravo Regimental improvido (STJ, AgRg no REsp 1354416/MG, Min. Rel. Ministra Assusete Magalhães, Sexta Turma, julgado em 02/04/2013).

Abandono intelectual

Apelação crime. Abandono intelectual. Art. 246 do Código Penal. Evasão escolar. Dolo configurado. Sentença condenatória mantida. Pena readequada. 1. Delito que resta configurado na medida em que deixou o réu, sem justa causa, de prover à instrução primária do filho em idade escolar, omitindo-se no seu dever legal de mantê-lo estudando. 2. Elemento subjetivo (dolo), que se faz presente, já que o réu foi advertido, em diversas ocasiões, acerca da necessidade da frequência escolar, bem como das consequências de sua omissão. 3. Sendo favoráveis as circunstâncias judiciais, a pena é readequada para multa, prevista alternativamente no tipo penal. Recurso parcialmente provido, por maioria. (Recurso Crime, n. 71006669485, Turma Recursal Criminal, Turmas Recursais, Relator: Edson Jorge Cechet, julgado em 05/06/2017.)

Abandono de incapaz

Apelação criminal. Crimes dolosos e culposos contra a pessoa. Abandono de incapaz (arts. 133, § 3º, II, do CP). Inconformismo defensivo. Insuficiência probatória. A materialidade e a autoria restaram comprovadas, no sentido de que o réu abandonou sua mãe, incapaz de defender-se dos riscos resultantes do abandono, não estando abrigado por qualquer excludente de antijuridicidade, devendo ser mantida a sentença *a quo*, com o consequente improvimento do apelo da defesa, quanto ao pleito absolutório. Nesse sentido, temos o depoimento da ofendida, de seu curador Elias e da assistente social Dulcinéia. Veja-se que o filho, ora réu, deixou à própria sorte a mãe, incapaz da própria subsistência e cuidado, tratando-se de pessoa com evidentes limitações de ordem mental, e em extrema vulnerabilidade social e econômica como se observa dos relatórios das visitas de órgão de assistência social. Quanto à pena, deve ser redimensionada. Isto porque a vetorial da culpabilidade não apresenta fundamentação idônea para que seja mantida, motivo pelo qual vai afastada. Mantida a vetorial das consequências, em razão das privações suportadas pela vítima, de alimentos e abrigo. Afastada uma vetorial negativa, redimensionada a pena-base. Voto vencido. Apelação parcialmente provida, por maioria. (Apelação Criminal, n. 70081189961, Segunda Câmara Criminal, Tribunal de Justiça do RS, Relator: José Antônio Cidade Pitrez, julgado em 10/10/2019.)

17

Crimes contra a incolumidade pública e crimes contra a paz pública

17.1 INTRODUÇÃO

No Título VIII do Código Penal estão catalogados os *crimes contra a incolumidade pública*, que antigamente eram tratados como "crimes contra a tranquilidade pública". Incolumidade é o estado de preservação ou segurança em face de possíveis eventos lesivos em relação a pessoas ou coisas.[1] Assim, a tipificação, embora envolva diversas situações que causam dano, estão voltadas à incriminação do perigo gerado aos bens jurídicos tutelados. Conforme já estudado, nos crimes de perigo, o Direito Penal ocupa-se do perigo causado e não do dano. Com efeito, para haver crime de incêndio (art. 250), por exemplo, deve existir um perigo causado a um número indefinido de pessoas. Ausente tal perigo, não haverá crime de incêndio, mas tão somente crime de dano (art. 163).

Os *crimes contra a incolumidade pública* estão distribuídos em três subclasses: crimes de perigo comum (aqueles que, mais nítida ou imediatamente que os das outras subclasses, criam uma situação de perigo de dano a um indefinido número de pessoas), crimes contra a segurança dos meios de comunicação e transporte e outros serviços públicos e crimes contra a saúde pública. Os crimes desse título são, em sua maioria, de perigo concreto, isto

---

1. Ver HUNGRIA, Nélson. *Comentários ao Código Penal*. Rio de Janeiro: Forense, 1978. v. IX, p. 9.

é, não podem ser presumidos, dependendo de comprovação da efetiva periclitação da vida, da saúde ou do patrimônio. Não obstante, há crimes de perigo abstrato, em que se dispensa a comprovação, presumindo-se o perigo à coletividade. Nesses crimes, de perigo abstrato ou presumido, a prova que se dispensa é a do perigo e não a da existência do fato e sua autoria. Em outras palavras, comprovadas a materialidade e a autoria do crime, presume-se o perigo, cuja prova é dispensada.

Crimes de perigo

Crimes de perigo individual	Perigo para pessoa determinada. Exemplo: art. 132.
Crimes de perigo comum	Perigo para pessoas indeterminadas, coletividade ("crime vago"). Exemplo: todos os crimes do Título VIII do CP.
Crimes de perigo abstrato	Dispensa comprovação do perigo, que se presume, devendo ser comprovadas apenas a materialidade e a autoria. Exemplo: art. 257.
Crimes de perigo concreto	Devem ser comprovadas a materialidade e a autoria, bem como o efetivo perigo. Exemplo: art. 250.

17.2 CRIMES DE PERIGO COMUM

Aspectos gerais

Os arts. 250 a 258 tratam dos crimes de perigo comum, que são praticados contra um número indeterminado de pessoas, diferentemente dos crimes previstos no Capítulo III do Título I do Código Penal, que são crimes de perigo individual, pois praticados contra pessoa determinada. Os crimes de perigo comum são, portanto, crimes vagos.

A lei prevê situações de perigo causadas a título de dolo, isto é, com representação e vontade direcionadas ao perigo, ou formas culposas, em que o perigo é causado por imprudência, negligência, ou imperícia. Dolo de perigo significa que a finalidade do agente volta-se para o perigo e não para o dano efetivo, já que, se o agente pretender causar dano efetivo, responderá pelo crime respectivo. Exemplo: se o agente, ao causar incêndio, assume o risco de matar, deve responder por homicídio qualificado pelo emprego de fogo.

Note que restou revogado o art. 259, que tratava do crime de difusão de doença ou praga, em razão da Lei n. 9.605, que trata dos crimes ambientais e regulou essa matéria no art. 61.

O art. 258 traz para todos os crimes uma majorante genérica em caso de lesão grave ou morte. Com efeito, no caso de crime doloso, se resulta a alguém lesão corporal de natureza grave, a pena privativa da liberdade é aumentada de metade, e, se resulta em morte, é aplicada em dobro; no caso de culpa, se resulta em lesão corporal (leve ou grave), as penas são aumentadas de metade e, se resulta em morte, é aplicada a de homicídio culposo, aumentada de 1/3. Trata-se de hipótese de crime qualificado pelo resultado, em que o agente não quer nem assume o risco de produzir a lesão ou a morte.

Incêndio

Consiste em *causar incêndio, expondo a perigo a vida, a integridade física ou o patrimônio de outrem* (art. 250). A pena é de reclusão, de 3 a 6 anos, e multa, podendo ser aumentada de 1/3 nas hipóteses do § 1º. Admite-se a forma culposa, cuja pena é de detenção, de 6 meses a 2 anos. A objetividade jurídica é a incolumidade pública, bem como a vida, a saúde e o patrimônio. O objeto material é a coisa incendiada. O sujeito ativo é qualquer pessoa. O sujeito passivo é a coletividade (crime vago), assim como, secundariamente, as pessoas atingidas em sua vida, integridade física ou patrimônio. O tipo prevê a conduta de causar (produzir, provocar, dar causa) incêndio, expondo a perigo a vida, a integridade física ou o patrimônio de outrem. Trata-se de crime de perigo concreto, não bastando o incêndio, exigindo-se o efetivo e comprovado perigo para a vida, a integridade física ou o patrimônio de alguém. Assim, o incêndio em casa isolada e desabitada configura, tão somente, dano qualificado. O elemento subjetivo é o dolo, que deve ser de perigo, pois, havendo dolo de dano, aplica-se a pena deste. Assim, caso o agente assuma o risco de matar pessoas, o crime será de homicídio qualificado pelo emprego de fogo (art. 121, § 2º, III). Admite-se a forma culposa, prevista no § 2º, apenada com detenção de 6 meses a 2 anos (infração de menor potencial ofensivo), no caso de crime provocado por negligência, imprudência ou imperícia do agente (CP, art. 18, II). Consuma-se o crime com a propagação do fogo, produzindo um perigo concreto (comprovado) para um número indeterminado de pessoas, pela sua extensão e dificuldade de extinção. Admite-se a tentativa, como no exemplo de um coquetel molotov lançado em uma casa em condomínio de habitações geminadas, mas imediatamente debelado pelo morador. A forma culposa não admite tentativa. A ação penal é pública incondicionada.

Aumento de pena

Além da majorante genérica prevista no art. 258, o § 1º prevê as causas de aumento de pena previstas para o crime de incêndio:

I. Crime cometido com fim de vantagem pecuniária em proveito próprio ou alheio: diversamente de outros crimes, a majorante só incide em caso de vantagem em dinheiro, que ocorre, por exemplo, no caso de crime mercenário.

II. Crime cometido em circunstâncias de maior perigo pela facilidade de propagação ou dificuldade de extinção, a saber: b) em edifício público ou destinado a uso público ou a obra de assistência social ou de cultura; c) em embarcação, aeronave, comboio ou veículo de transporte coletivo; d) em estação ferroviária ou aeródromo; e) em estaleiro, fábrica ou oficina; f) em depósito de explosivo, combustível ou inflamável; g) em poço petrolífico ou galeria de mineração; h) em lavoura, pastagem, mata ou floresta. Em caso de incêndio em mata ou floresta de preservação permanente, haverá concurso com o crime ambiental previsto no art. 38 da Lei n. 9.605.

Explosão

Consiste em *expor a perigo a vida, a integridade física ou o patrimônio de outrem, mediante explosão, arremesso ou simples colocação de engenho de dinamite ou de substância de efeitos análogos* (art. 251). A pena é de reclusão, de 3 a 6 anos, e multa. Caso o agente não utilize dinamite ou explosivo de efeitos análogos, a pena é de reclusão, de 1 a 4 anos, e multa (§ 1º). Aplicam-se as mesmas causas de aumento de pena previstas para o incêndio (§ 2º), já examinadas anteriormente. No caso de culpa, se a explosão é de dinamite ou substância de efeitos análogos, a pena é de detenção, de 6 meses a 2 anos; nos demais casos, é de detenção, de 3 meses a 1 ano (§ 3º).

A objetividade jurídica é a incolumidade pública, bem como a vida, a saúde e o patrimônio. O objeto material é o engenho de dinamite ou substância análoga. O sujeito ativo é qualquer pessoa. O sujeito passivo é a coletividade (crime vago), assim como, secundariamente, as pessoas atingidas em sua vida, integridade física ou patrimônio.

As condutas são as seguintes:

a. causar explosão;
b. arremessar engenho de dinamite ou de substância análoga;
c. colocar engenho de dinamite ou substância análoga.

O engenho mencionado é qualquer artefato ou substância explosiva, como bomba, granada, nitroglicerina, artefato caseiro etc. Todavia, se a substância não for dinamite ou explosivo análogo, ocorre a figura privilegiada prevista no § 1º, a qual depende de exame pericial para determinar o tipo de substância empregada. É crime de perigo concreto, devendo ser comprovado o perigo à vida, integridade física ou patrimônio de outrem. A explosão é crime de atentado, consumando-se com os atos executórios, independentemente de haver efetiva explosão, bastando que o agente arremesse ou coloque artefato explosivo, contanto que exponha a perigo a vida, a integridade física ou o patrimônio de outrem. Portanto, não se admite tentativa, já que o simples ato executório consuma o crime. Caso o agente instale artefato explosivo sem causar perigo, ocorrerá crime impossível. Note que, independentemente de haver perigo comum, poderá se configurar o art. 16, parágrafo único, III, do Estatuto do Desarmamento (Lei n. 10.826), que comina pena de reclusão, de 3 a 6 anos, para quem possuir, deter, fabricar ou empregar artefato explosivo ou incendiário, sem autorização ou em desacordo com determinação legal ou regulamentar. O elemento subjetivo é o dolo, que deve ser de perigo, pois, havendo dolo de dano, aplica-se a pena deste. Assim, caso o agente assuma o risco de matar pessoas, o crime será de homicídio qualificado pelo emprego de explosivo (art. 121, § 2º, III). No caso de culpa, se a explosão é de dinamite ou substância de efeitos análogos, a pena é de detenção, de 6 meses a 2 anos; nos demais casos, é de detenção, de 3 meses a 1 ano (§ 3º). Consuma-se o crime com a comprovada produção de um perigo concreto para um número indeterminado de pessoas, pela sua extensão e dificuldade de extinção. Não é possível tentativa, uma vez que se trata de crime de atentado: o simples arremesso ou a simples colocação do artefato explosivo realiza a conduta típica. A ação penal é pública incondicionada.

Uso de gás tóxico ou asfixiante

O art. 252 tipifica o ato de *expor a perigo a vida, a integridade física ou o patrimônio de outrem, usando de gás tóxico ou asfixiante*, o qual foi parcialmente revogado pelo art. 54 da Lei n. 9.605, que trata da poluição de qualquer natureza, em níveis que possam causar danos à saúde humana. O art. 252, portanto, só será aplicado no caso de perigo ao patrimônio. A pena é de reclusão, de 1 a 4 anos, e multa ou, no caso de crime culposo, detenção, de 3 meses a 1 ano. Não se confunde este crime com os relacionados a armas químicas, previstos na Lei n. 11.254.[2] A objetividade jurídica é a incolumidade pública, bem como a vida, a saúde e o patrimônio. O objeto material é o gás tóxico ou asfixiante. O sujeito ativo é qualquer pessoa. O sujeito passivo é a coletividade (crime vago), assim como, secundariamente, as pessoas afetadas. A conduta é usar (empregar) gás tóxico ou asfixiante, tais como dióxido de carbono, cloro, cianeto, fluoreto e sulfureto de hidrogênio etc. Se o crime é praticado em lugar sujeito à administração militar, o crime é militar (art. 270 do CPM). O tipo subjetivo é doloso (dolo de perigo), admitindo-se a forma

---

2. Segundo o art. 4º da Lei n. 11.254, constitui crime, punido com reclusão de 1 a 10 anos:
   I – fazer uso de armas químicas ou realizar, no Brasil, atividade que envolva a pesquisa, produção, estocagem, aquisição, transferência, importação ou exportação de armas químicas ou de substâncias químicas abrangidas pela CPAQ com a finalidade de produção de tais armas;
   II – contribuir, direta ou indiretamente, por ação ou omissão, para o uso de armas químicas ou para a realização, no Brasil ou no exterior, das atividades arroladas no inciso I.

culposa. Consuma-se o crime com a produção de um perigo comprovado para um número indefinido de pessoas. Admite-se a tentativa, exceto na modalidade culposa. A ação penal é pública incondicionada.

Fabrico, fornecimento, aquisição, posse ou transporte de explosivos, gás tóxico ou asfixiante

Consoante o art. 253, este crime consiste em *fabricar, fornecer, adquirir, possuir ou transportar, sem licença da autoridade, substância ou engenho explosivo, gás tóxico ou asfixiante, ou material destinado à sua fabricação.* A pena é de detenção, de 6 meses a 2 anos, e multa (infração de menor potencial ofensivo). Este delito foi parcialmente revogado pelo art. 16, parágrafo único, III, do Estatuto do Desarmamento (Lei n. 10.826), que comina pena de reclusão, de 3 a 6 anos, para quem possuir, deter, fabricar ou empregar artefato explosivo ou incendiário, sem autorização ou em desacordo com determinação legal ou regulamentar. A objetividade jurídica é a incolumidade pública. O objeto material é a substância ou engenho explosivo, gás tóxico ou asfixiante ou material destinado à sua fabricação. O sujeito ativo é qualquer pessoa. O sujeito passivo é a coletividade (crime vago), assim como, secundariamente, as pessoas potencialmente atingidas. O tipo é misto alternativo, incriminando condutas que são preparatórias ao efetivo uso de gás tóxico ou asfixiante: fabricar (produzir, criando ou combinando elementos), fornecer (entregar, prover), adquirir (comprar, receber), possuir (dispor direta ou indiretamente) ou transportar (levar de um lugar a outro). O tipo também prevê o elemento normativo *sem licença da autoridade,* não havendo crime quando a atividade perigosa está devidamente licenciada, isto é, autorizada pelo poder público, atendidos os requisitos legais. O elemento normativo é de suma importância, uma vez que muitos gases tóxicos são necessários às atividade industriais, sanitárias etc., como a amônia, produzida em larga escala para a produção de fertilizantes, resinas, explosivos e *nylon,* devendo ser objeto de regulamentação. O tipo subjetivo é doloso (dolo de perigo), não se admitindo a forma culposa. Consuma-se o crime com a conduta descrita no tipo (crime de mera conduta). Prevalece o entendimento doutrinário de que se trata de perigo abstrato, com o que não concordamos, uma vez que o uso (art. 252) é perigo concreto, não podendo ser diferente a incriminação do ato meramente preparatório deste. Admite-se a tentativa. A ação penal é pública incondicionada.

Inundação

Causar inundação, expondo a perigo a vida, a integridade física ou o patrimônio de outrem, é crime punido com reclusão, de 3 a 6 anos, e multa, no caso de dolo, ou detenção, de 6 meses a 2 anos, no caso de culpa (art. 254). A objetividade jurídica é a incolumidade pública, bem como a vida, a saúde e o patrimônio. O objeto material é a grande quantidade de água. O sujeito ativo é qualquer pessoa. O sujeito passivo é a coletividade (crime vago), assim como, secundariamente, as pessoas afetadas. O tipo penal prevê a conduta de causar (produzir, criar) inundação (grande afluência de água fora do local adequado). Trata-se de perigo concreto, devendo comprovadamente expor a perigo a vida, a integridade física ou o patrimônio de pessoas indeterminadas. Não havendo grande intensidade de água, poderá se configurar mera usurpação de águas (art. 161, § 1º I) ou dano (art. 163). O tipo subjetivo é o dolo de perigo. Admite-se a forma culposa. A consumação ocorre com a exposição da coletividade ao perigo. Admite-se a tentativa. A ação penal é pública incondicionada.

Perigo de inundação

Consiste em *remover, destruir ou inutilizar, em prédio próprio ou alheio, expondo a perigo a vida, a integridade física ou o patrimônio de outrem, obstáculo natural ou obra destinada a impedir inundação* (art. 255). A pena é de reclusão, de 1 a 3 anos, e multa. A objetividade jurídica é a incolumidade pública, bem como a vida, a saúde e o patrimônio. O objeto material é o obstáculo ou obra destinado a impedir inundação. O sujeito ativo é qualquer pessoa. O sujeito passivo é a coletividade (crime vago), assim como, secundariamente, as pessoas afetadas. O tipo penal é misto alternativo, prevendo as condutas de remover (mudar de lugar), destruir (fazer perecer, exterminar) ou inutilizar (retirar a utilidade, tornar inócuo) obstáculo natural (pedra, barranco, margem de rio, árvores caídas etc.) ou obra (barragem, represa, muro, ponte etc.), expondo a perigo concreto (isto é, que deve ser comprovado) a vida, a integridade física ou o patrimônio de pessoas determinadas. O tipo subjetivo é o dolo de perigo. Não há previsão de culpa. Consuma-se o crime com a produção do perigo. Ocorrendo a inundação, sem que o agente tenha querido ou assumido o risco, incorrerá também no art. 254, na modalidade culposa (concurso formal). Caso tenha desejado a inundação, responderá apenas pela forma dolosa desta, ficando absorvido o art. 255, por ser meio executório (antefato impunível). A ação penal é pública incondicionada.

Desabamento ou desmoronamento

Consoante o art. 256, *causar desabamento ou desmoronamento, expondo a perigo a vida, a integridade física ou o patrimônio de outrem,* é crime punido com reclusão, de 1 a 4 anos, e multa. Em caso de culpa, detenção, de 6 meses a 1 ano, configurando infração de menor potencial ofensivo. A objetividade jurídica é a incolumidade pública, bem como a vida, a saúde e o patrimônio. O objeto material é a construção ou o solo. O sujeito ativo é qualquer pessoa. O sujeito passivo é a coletividade (crime vago), assim como, secundariamente, as pessoas afetadas. A conduta típica é causar (produzir, provocar, criar, influenciar de qualquer modo) desabamento (queda de construção) ou desmoronamento (queda de solo). Para a ocorrência do crime exige-se uma queda significativa de material, não se configurando o delito diante de materiais isolados. É necessário perigo considerável para a vida, a integridade física ou o patrimônio de um número indeterminado de pessoas (perigo concreto, devendo ser comprovado). Se houver emprego de explosivo, o crime do art. 251 absorve o do art. 256. O tipo subjetivo é o dolo. Não há forma culposa. Consuma-se o crime com a ocorrência do desmoronamento ou desabamento, desde que haja perigo comum. Admite-se a tentativa. A ação penal é pública incondicionada.

Subtração, ocultação ou inutilização de material de salvamento

Conforme o art. 257, o crime é *subtrair, ocultar ou inutilizar, por ocasião de incêndio, inundação, naufrágio, ou outro desastre ou calamidade, aparelho, material ou qualquer meio destinado a serviço de combate ao perigo, de socorro ou salvamento; ou impedir ou dificultar serviço de tal natureza.* A pena é de reclusão, de 2 a 5 anos, e multa. O objeto jurídico é a incolumidade pública. O objeto material é qualquer coisa destinada ao salvamento de pessoas. O sujeito ativo é qualquer pessoa. O sujeito passivo é a coletividade (crime vago), assim como, secundariamente, as pessoas afetadas. O tipo é misto alternativo, incriminando condutas praticadas por ocasião de incêndio, inundação, naufrágio, ou outro desastre ou calamidade (analogia *intra legem*, admitindo-se qualquer situação de perigo coletivo), no sentido de:

a. subtrair (retirar), ocultar (colocar em lugar desconhecido ou inacessível) ou inutilizar (tornar sem eficácia), qualquer meio destinado a serviço de combate ao perigo, de socorro ou salvamento, como armamentos, botes ou coletes salva-vidas, extintores de incêndio etc.;
b. impedir (obstar, evitar) ou dificultar (criar embaraços, opor obstáculo) o socorro ou salvamento.

O tipo subjetivo é o dolo de causar perigo. Havendo dolo, direto ou eventual, de causar morte ou lesão, o agente responderá por tais crimes em concurso. Não há forma culposa. Consuma-se o crime com prática da conduta típica, independentemente de comprovação do perigo (perigo abstrato). Admite-se a tentativa. A ação penal é pública incondicionada.

17.3 CRIMES CONTRA A SEGURANÇA DOS MEIOS DE COMUNICAÇÃO E TRANSPORTE E OUTROS SERVIÇOS PÚBLICOS

Perigo de desastre ferroviário e desastre ferroviário

Consoante o art. 260, consiste o crime em *impedir ou perturbar serviço de estrada de ferro: I – destruindo, danificando ou desarranjando, total ou parcialmente, linha férrea, material rodante ou de tração, obra de arte ou instalação; II – colocando obstáculo na linha; III – transmitindo falso aviso acerca do movimento dos veículos ou interrompendo ou embaraçando o funcionamento de telégrafo, telefone ou radiotelegrafia; IV – praticando outro ato de que possa resultar desastre*. A pena é de reclusão, de 2 a 5 anos, e multa, mas caso o desastre se efetive, deve-se observar se o crime é doloso ou culposo. No caso de dolo, a pena é de reclusão, de 4 a 12 anos, e multa (§ 1º). No caso de culpa, detenção, de 6 meses a 2 anos (§ 2º). Segundo o art. 263, aplicam-se as majorantes do art. 258 em caso de lesão grave ou morte. A objetividade jurídica é a incolumidade pública. O objeto material é a estrada de ferro ou material ferroviário, obra de arte, instalação, obstáculo ou linha de telefone etc. O sujeito ativo é qualquer pessoa e o sujeito passivo a coletividade (crime vago), bem como eventuais pessoas afetadas. O tipo penal incrimina as condutas de impedir (obstar, evitar) ou perturbar (causar embaraços e dificuldades) o serviço, mediante as condutas mencionadas nos incisos. As alíneas I a III são vinculadas, devendo ocorrer da forma mencionada, e a IV é aberta, configurando-se de qualquer maneira. O crime comporta ação ou omissão, como no caso de deixar o funcionário encarregado de operar a chave de desvio, gerando perigo de colisão entre trens que passam pelo mesmo local. É dispensável que o veículo esteja em movimento, bastando que a conduta gere algum perigo concreto de desastre. O § 3º equipara à estrada de ferro qualquer via de comunicação em que circulem veículos de tração mecânica, em trilhos ou por meio de cabo aéreo (como os famosos "bondinhos" do Pão de Açúcar, por exemplo). É crime de perigo concreto, devendo ser comprovado. Não configura o crime a prática de "surf ferroviário", isto é, o fato de alguém se equilibrar sobre o trem em movimento, já que, nesse caso, a pessoa coloca em perigo a própria vida e não a de terceiros. O crime é doloso (dolo de perigo) e a forma culposa só é punível se ocorre o efetivo desastre, nos termos do § 2º (crime condicionado). A consumação ocorre com a efetiva criação do perigo concreto. Admite-se a tentativa. A ação penal é pública incondicionada.

Atentado contra a segurança de transporte marítimo, fluvial ou aéreo

O art. 261 incrimina a conduta de *expor a perigo embarcação ou aeronave, própria ou alheia, ou praticar qualquer ato tendente a impedir ou dificultar navegação marítima, fluvial ou aérea*. A pena é de 2 a 5 anos de reclusão. O crime é doloso e a forma culposa só é punível se ocorre o efetivo sinistro. Caso a conduta perigosa resulte em efetivo sinistro, isto é, naufrágio, submersão ou encalhe de embarcação ou a queda ou destruição de aeronave (§ 1º), a pena é de reclusão, de 4 a 12 anos, em caso de dolo, e 6 meses a 2 anos de detenção em caso de culpa (§ 3º). Aplica-se, também, a pena de multa, se o agente pratica o crime com intuito de obter vantagem econômica, para si ou para outrem. Além disso, aplicam-se as majorantes do art. 258 em caso de lesão grave ou morte (art. 263). A objetividade jurídica é a incolumidade pública. O objeto material é a embarcação ou aeronave. O sujeito ativo é qualquer pessoa e o sujeito passivo a coletividade (crime vago), bem como eventuais pessoas afetadas. O tipo penal incrimina a conduta de expor a perigo embarcação (veículo aquático) ou aeronave (veículo aéreo) ou praticar qualquer ato tendente a impedir (evitar, obstar) ou dificultar (criar embaraços) navegação marítima (por mar), fluvial (por rio) ou aérea (realizada por aeronaves no espaço aéreo). Não menciona a lei navegação lacustre, a qual, em nosso entendimento, não está fora da incriminação, enquadrando-se na fórmula genérica adotada pelo tipo: expor a perigo. É indispensável que se trate de embarcação ou aeronave destinada ao transporte coletivo. Não se confunde esse crime com o "sequestro de aeronave, embarcação ou veículo de transporte coletivo", previsto no art. 19 da Lei n. 7.170, que define os crimes contra a segurança nacional. Também não se pode confundir com o crime previsto no art. 39 da Lei n. 11.343, que pune a condução de embarcação ou aeronave após o consumo de drogas. O tipo penal é doloso (dolo de perigo), admitindo a forma culposa em caso de sinistro, isto é, o evento danoso gerado pelo perigo. Consuma-se o crime com a criação do perigo concreto, seja pela simples realização de um ato perigoso genérico, seja pelo ato impeditivo ou criador de dificuldade para a navegação. Admite-se a tentativa. A ação penal é pública incondicionada.

Atentado contra a segurança de outro meio de transporte

O art. 262 tipifica o crime de *expor a perigo outro meio de transporte público, impedir-lhe ou dificultar-lhe o funcionamento*. A pena é de detenção, de 1 a 2 anos (infração de menor potencial ofensivo). Se do fato resulta desastre, a pena é de reclusão, de 2 a 5 anos; se o desastre decorre de conduta culposa, a pena é de detenção, de 3 meses a 1 ano. Em caso de lesão grave ou morte, aplicam-se as majorantes do art. 258 do Código Penal (art. 263). A objetividade jurídica é a incolumidade pública. O objeto material é o meio de transporte público. O sujeito ativo é qualquer pessoa e o sujeito passivo a coletividade (crime vago), bem como eventuais pessoas afetadas. O tipo penal é semelhante ao anterior, referindo-se, porém, a todos os meios de transporte não versados nos artigos anteriores, como ônibus, táxi, uber etc. Trata-se de crime de perigo abstrato, que exige comprovação. Se o fato configurar sabotagem de via de transporte, nos termos do art. 15 da Lei n. 7.170, configura-se crime contra a segurança nacional. Além disso, se o agente pratica o crime por meio de incêndio ou explosão, configura-se o art. 250 ou 251, conforme o caso, restando absorvido o art. 262. O tipo subjetivo é o dolo de perigo. A forma culposa só é punível se ocorre o efetivo desastre. Caso o agente pretenda matar alguém, responderá pelos dois crimes (arts. 121, § 2º, III, e 262) em concurso formal (art. 70 do CP). Consuma-se o crime com o perigo efetivo a um número indeterminado de pessoas. Admite-se a tentativa. A ação penal é pública incondicionada.

Arremesso de projétil

Nos termos do art. 264, consiste *em arremessar projétil contra veículo, em movimento, destinado ao transporte público por terra, por água ou pelo ar.* A pena é de detenção, de 1 a 6 meses (infração de menor potencial ofensivo). Se do fato resulta lesão corporal, a pena é de detenção, de 6 meses a 2 anos; se resulta morte, a pena é a do art. 121, § 3º, aumentada de 1/3 (parágrafo único). Atenção, portanto, pois a este crime não se aplica a majorante genérica (arts. 258 e 263). A objetividade jurídica é a incolumidade pública. O objeto material é o meio de transporte público. O sujeito ativo é qualquer pessoa e o sujeito passivo a coletividade (crime vago), bem como eventuais pessoas afetadas. A conduta típica é arremessar (lançar contra, atirar, alvejar) veículo em movimento, destinado a transporte público por terra, por água ou pelo ar. Trata-se de qualquer meio de transporte referido nos arts. 260 a 262, devendo, além de público, estar em movimento. Projétil é qualquer objeto apto a danificar, lesionar ou matar quem esteja dentro ou fora do meio de transporte, seja por atuação direta, seja por fazer o veículo desviar, tombando ou ferindo pessoas. Trata-se de crime de perigo abstrato, segundo a orientação majoritária, bastando a idoneidade do projétil para se presumir que a conduta é perigosa. O tipo subjetivo é o dolo. Não existe a forma culposa. Consuma-se o crime com o arremesso, ainda que não atinja o veículo. Embora discutível a possibilidade de tentativa, entendemos possível, bastando imaginar que o agente pode ser contido por um policial, por exemplo, no momento em que vai arremessar uma pedra contra um ônibus. A ação penal é pública incondicionada.

Atentado contra a segurança de serviço de utilidade pública

O art. 265 trata do ato de sabotagem, que diz respeito a *atentar contra a segurança ou o funcionamento de serviço de água, luz, força ou calor, ou qualquer outro de utilidade pública*. A pena é de reclusão, de 1 a 5 anos, e multa. Nos termos do parágrafo único, aumentar-se-á a pena de 1/3 até a metade, se o dano ocorrer em virtude de subtração de material essencial ao funcionamento dos serviços. A objetividade jurídica é a incolumidade pública. O objeto material é o serviço público visado pelo agente. O sujeito ativo é qualquer pessoa e o sujeito passivo a coletividade (crime vago), bem como eventuais pessoas afetadas. A conduta típica é atentar (tentar danificar) o funcionamento de serviço de água, luz, força ou calor, ou qualquer outro de utilidade pública (fórmula analógica genérica). Trata-se de crime de perigo abstrato, dispensando-se a prova de perigo real. Note-se, contudo, que a majorante prevista no parágrafo único tem natureza de crime material, verificando-se apenas quando há dano efetivo, e não mero perigo, diante da redação do dispositivo. Nesse caso, em que há dano decorrente de subtração de material essencial ao serviço de utilidade pública, além do art. 265, parágrafo único, responderá o agente também pelo crime de furto (art. 155). Se o crime for praticado contra instalações militares, meios de comunicações, meios e vias de transporte, estaleiros, portos, aeroportos, fábricas, usinas, barragem, depósitos e outras instalações congêneres, poderá se configurar, a depender da motivação do agente, o crime contra a segurança nacional previsto no art. 15

da Lei n. 7.170. Se o agente pratica o crime por meio de incêndio ou explosão, configura-se o art. 250 ou 251, conforme o caso, restando absorvido o art. 265. O tipo subjetivo é o dolo. Não há previsão de culpa. Consuma-se o crime com qualquer ato que atente contra os serviços de utilidade pública, não admitindo tentativa, por ser tratar de crime de atentado, em que o início de execução consuma o crime, sem a possibilidade de aplicação do art. 14, II, do CP. A ação penal é pública incondicionada.

Interrupção ou perturbação de serviço telegráfico, telefônico, informático, telemático ou de informação de utilidade pública

Configura o crime, previsto no art. 266, a conduta de *interromper ou perturbar serviço telegráfico, radiotelegráfico ou telefônico, impedir ou dificultar-lhe o restabelecimento*. Também incorre neste artigo quem *interrompe serviço telemático ou de informação de utilidade pública, ou impede ou dificulta-lhe o restabelecimento* (§ 1º). A pena é de detenção, de 1 a 3 anos, e multa, aplicando-se em dobro se o crime é cometido por ocasião de calamidade pública. A objetividade jurídica é a incolumidade pública. O objeto material é o serviço de comunicação visado. O sujeito ativo é qualquer pessoa e o sujeito passivo a coletividade (crime vago), bem como eventuais pessoas afetadas. O tipo é misto alternativo, prevendo condutas de duas ordens:

a. interromper ou perturbar o serviço: nesse caso, o agente é responsável pela sabotagem;
b. impedir ou dificultar o restabelecimento do serviço: neste caso, o agente não é o responsável pela sabotagem, mas, sim, pela sua perpetuação.

O objeto material diz respeito aos serviços de comunicação em geral: telefonia, radiodifusão, telemático, telegráfico (em desuso) etc. O crime é de perigo abstrato, que dispensa comprovação. Para incidência da majorante, é mister situação de calamidade pública reconhecida pelo órgão competente municipal, estadual ou federal. A depender da motivação do agente, poderá se configurar o crime contra a segurança nacional previsto no art. 15 da Lei n. 7.170. O tipo subjetivo é o dolo. Não há previsão de modalidade culposa. Consuma-se o crime com a prática de qualquer das condutas previstas. Admite-se a tentativa. A ação penal é pública incondicionada.

17.4 CRIMES CONTRA A SAÚDE PÚBLICA

Aspectos gerais

Neste capítulo estão previstos vários crimes que geram perigo à saúde da população. Em caso de morte ou lesão grave, aplica-se aos crimes contra a saúde pública a majorante prevista no art. 258 do Código Penal, por força do art. 285, o qual ressalva, contudo, a epidemia (art. 267), pois esta prevê majorantes apenas em caso de morte. O crime de *corrupção ou poluição de água potável*, originalmente previsto no art. 271, foi revogado pela Lei n. 9.605, art. 54, que prevê o crime de poluição ambiental. A mesma lei derrogou o art. 270. O art. 279 (substância avariada) foi revogado pela Lei n. 8.137.

Epidemia

O art. 267 do Código Penal prevê o crime de epidemia, assim tipificado: *causar epidemia, mediante a propagação de germes patogênicos*. No caso de crime doloso, a pena é de reclusão, de 10 a 15 anos, devendo ser aplicada em dobro se houver morte. Além disso, a epidemia dolosa, com resultado de morte, é crime hediondo, por disposição expressa do art. 1º, VII, da Lei n. 8.072. No caso de culpa, a pena é de detenção, de 1 a 2 anos, ou, se resulta morte, de 2 a 4 anos. A objetividade jurídica é a incolumidade pública. O objeto material é o germe patogênico. O sujeito ativo é qualquer pessoa e o sujeito passivo a coletividade (crime vago), bem como eventuais pessoas afetadas. A conduta típica é causar (provocar, produzir, facilitar de qualquer modo) epidemia (surto de doença), mediante a propagação (disseminação, ato de espalhar, multiplicação em massa) de germes patogênicos, ou seja, organismos virais ou bacterianos, capazes de produzir infecção, ainda que desconhecidos. A expressão epidemia admite interpretação extensiva, abrangendo também situação de pandemia. Para a configuração do crime, exige-se que haja uma doença capaz de se difundir rapidamente, atingindo grande número de pessoas, não bastando a simples transmissão de agentes infecciosos. A conduta é livre, podendo ocorrer por qualquer meio, por ação ou omissão. O crime se configura apenas diante da doença humana, já que em se tratando de doença que atinja a fauna ou a flora, estaremos diante do art. 61 da Lei n. 9.605, que trata dos crimes ambientais. Trata-se de crime de perigo abstrato. O tipo subjetivo é o dolo. A lei prevê a forma culposa. Consuma-se o crime com a disseminação dos germes patogênicos, ainda que não ocorra a infecção. Admite-se a tentativa. A ação penal é pública incondicionada.

Infração de medida sanitária preventiva

O crime consiste em *infringir determinação do poder público, destinada a impedir introdução ou propagação de doença contagiosa*. A pena é de detenção, de 1 mês a 1 ano, e multa, mas aumentada de 1/3, se o agente é funcionário da saúde pública ou exerce a profissão de médico, farmacêutico, dentista ou enfermeiro (art. 268). Tutela-se a incolumidade pública. O sujeito ativo é qualquer pessoa e o sujeito passivo a coletividade (crime vago), bem como eventuais pessoas afetadas. A conduta típica é infringir (desobedecer) determinação do poder público destinada a impedir introdução (entrada no território nacional) ou propagação (multiplicação, disseminação) de doença contagiosa (apenas doença humana). Trata-se, outrossim, de norma penal em branco, pois o tipo penal depende de norma complementar emanada do poder público, consumando-se o crime no momento da violação da determinação, independentemente de prova do perigo, por se tratar de crime de perigo abstrato. Exemplos desse crime se observaram durante a pandemia de covid-19, como a recusa em usar máscara de proteção ou participar de aglomerações proibidas pelas autoridades sanitárias. Trata-se de perigo abstrato, dispensando comprovação. O tipo subjetivo é o dolo. Não há previsão de forma culposa. Consuma-se o crime simples infração à determinação do poder público (crime de mera conduta). Admite-se a tentativa. A ação penal é pública incondicionada.

Omissão de notificação de doença

Nos termos do art. 269, consiste em *deixar o médico de denunciar à autoridade pública doença cuja notificação é compulsória*. A pena é de detenção, de 6 meses a 2 anos, e multa (infração de menor potencial ofensivo). A objetividade jurídica é a incolumidade pública. O objeto material é a notificação obrigatória. O sujeito ativo é o médico (crime próprio), admitindo, porém, coautoria e participação de quem não tem essa condição. O sujeito passivo a coletividade (crime vago). O tipo penal é omissivo próprio ou puro. Trata-se de norma penal em branco heterogênea, na medida em que doença de notificação compulsória é a que consta em portaria do Ministério da Saúde. O tipo subjetivo é o dolo. Não há previsão da modalidade culposa. Consuma-se o crime no momento da violação da determinação, independentemente de prova do perigo, por se tratar de crime de perigo abstrato. Não se admite tentativa, em razão de ser crime omissivo. A ação penal é pública incondicionada.

Envenenamento de água potável ou de substância alimentícia ou medicinal

Embora a redação do art. 270 seja *envenenar água potável, de uso comum ou particular, ou substância alimentícia ou medicinal destinada a consumo*, a primeira parte deste dispositivo foi derrogada pelo art. 54 da Lei n. 9.605, que prevê o crime de poluição. Por outro lado, a figura equiparada do § 1º também foi revogada pela Lei n. 9.605, art. 56. Apesar do *nomen juris*, o crime do art. 270 consiste em *envenenar substância alimentícia ou medicinal destinada a consumo*. A pena é de reclusão, de 10 a 15 anos. Na modalidade culposa, a pena é de detenção, de 6 meses a 2 anos. A objetividade jurídica é a incolumidade pública. O objeto material é a água potável. O sujeito ativo é qualquer pessoa e o sujeito passivo a coletividade (crime vago), bem como eventuais pessoas afetadas. A conduta típica é envenenar (introduzir substância venenosa, capaz de lesionar ou matar) substância alimentícia, podendo ser sólida, líquida, parenteral etc., desde que destinada à nutrição humana, ou medicinal, isto é, destinada à cura ou prevenção de doenças. O crime é de perigo concreto, devendo ser comprovado o risco à população. O elemento subjetivo é o dolo. A lei prevê forma culposa. Consuma-se o crime com a adição do veneno à substância. Admite-se a tentativa. A ação penal é pública incondicionada.

Falsificação, corrupção, adulteração ou alteração de substância ou produtos alimentícios

Consoante o art. 272, o crime consiste em *corromper, adulterar, falsificar ou alterar substância ou produto alimentício destinado a consumo, tornando-o nocivo* à saúde ou reduzindo-lhe o valor nutritivo. Também pratica o crime quem *fabrica, vende, expõe à venda, importa, tem em depósito para vender ou, de qualquer forma, distribui ou entrega a consumo a substância alimentícia ou o produto falsificado, corrompido ou adulterado* (§ 1º-A). O crime se aplica às bebidas, com ou sem teor alcoólico (§ 1º). A pena é de reclusão, de 4 a 8 anos, e multa. Admite-se a modalidade culposa, caso em que a pena será de detenção, de 1 a 2 anos, e multa. A objetividade jurídica é a incolumidade pública. O objeto material é o produto falsificado, corrompido, adulterado ou alterado. O sujeito ativo é qualquer pessoa e o sujeito passivo a coletividade (crime vago), bem como eventuais pessoas afetadas. O tipo é misto alternativo, prevendo as condutas de corromper (estragar, deteriorar), adulterar (misturar com outra substância), falsificar (imitar), alterar (modificar) substância ou produto alimentício, ou seja, qualquer insumo ou produto destinado à nutrição humana (incluindo bebidas alcoólicas ou não alcoólicas), tornando-o nocivo à saúde ou reduzindo-lhe o valor nutritivo. A nocividade ou a redução do valor nutritivo deve ser comprovada por perícia, pois se trata de perigo concreto. O crime pode ser praticado por ação ou omissão. O elemento subjetivo é o dolo, mas há previsão de modalidade culposa, que não se aplica, contudo, às condutas de falsificar e fabricar, pois estas só são compatíveis com o agir doloso. Consuma-se o crime com a realização das condutas tipificadas, independentemente de qualquer dano, por se tratar de crime de perigo. Admite-se a tentativa. A ação penal é pública incondicionada.

Falsificação, corrupção, adulteração ou alteração de produto destinado a fins terapêuticos ou medicinais

Este crime está descrito pelo art. 273 *falsificar, corromper, adulterar ou alterar produto destinado a fins terapêuticos ou medicinais*. A pena é de reclusão de 10 a 15 anos. Na modalidade culposa, A pena é de detenção de 1 a 3 anos, e multa. Nas mesmas penas incorre quem importa, vende, expõe à venda, tem em depósito para vender ou, de qualquer forma, distribui ou entrega a consumo o produto falsificado, corrompido, adulterado ou alterado (§ 1º). Nos termos do art. 285, aplica-se a este crime a majorante prevista no art. 258 em caso de lesão grave ou morte. A objetividade jurídica é a incolumidade pública. O objeto material é o produto falsificado, corrompido, adulterado ou alterado. O sujeito ativo é qualquer pessoa e o sujeito passivo a coletividade (crime vago), bem como eventuais pessoas afetadas. O tipo é misto alternativo, prevendo as condutas de falsificar (imitar), corromper (estragar, deteriorar), adulterar (misturar com outra substância), alterar (modificar) substância ou produto destinado a fins terapêuticos ou medicinais, assim entendidos os medicamentos, as matérias-primas, os insumos farmacêuticos, os cosméticos, os saneantes e os de uso em diagnóstico (§ 1º-A), bem como os produtos sem registro, quando exigível, no órgão de vigilância sanitária competente, em desacordo com a fórmula constante do registro previsto no inciso anterior, sem as características de identidade e qualidade admitidas para a sua comercialização, com redução de seu valor terapêutico ou de sua atividade, de procedência ignorada ou adquiridos de estabelecimento sem licença da autoridade sanitária competente (§ 1º-B). Trata-se de crime de perigo abstrato, que independe de comprovação. É considerado hediondo, nos termos do art. 1º, VII-B, da Lei n. 8.072. Discussão existe quanto à constitucionalidade da hediondez. Destoamos da posição de Rogério Grecco[3], com suporte em Alberto Silva Franco, ao sustentar a ofensa aos princípios da proporcionalidade ou ofensividade. Ora, um produto medicinal falsificado, corrompido, adulterado, além de ter elevado potencial lesivo, podendo matar ou lesionar

---

3. GRECO, Rogério. *Curso de Direito Penal:* parte especial, volume IV. 8. ed. Niterói: Impetus, 2012. p. 147.

gravemente uma pessoa, atenta contra a confiabilidade de tais produtos junto à população, merecendo sanção elevada quem pratica as condutas narradas, por ganância ou outro motivo. A falsificação de um batom, conforme referido pelo emérito doutrinador, poderia ser pontualmente objeto de atipicidade por insignificância, sem, contudo, desprestigiar-se a importância do tipo penal em comento. No RE 979.962, o STF declarou inconstitucional, com base na desproporcionalidade, a pena
prevista para o delito do art. 273, § 1º-B, do CP, ficando "repristinado o preceito secundário do art. 273, na sua redação originária" (1 a 3 anos), tese que já havia sido admitida pelo STJ.[4] O elemento subjetivo é o dolo. A lei prevê a modalidade culposa, a qual não é crime hediondo. A culpa é incompatível com a conduta de falsificar. Consuma-se o crime com a prática das condutas nucleares. Admite-se a tentativa. A ação penal é pública incondicionada.

Emprego de processo proibido ou de substância não permitida

Consiste em *empregar, no fabrico de produto destinado a consumo, revestimento, gaseificação artificial, matéria corante, substância aromática, antisséptica, conservadora ou qualquer outra não expressamente permitida pela legislação sanitária* (art. 274). A pena é de reclusão, de 1 a 5 anos, e multa. A objetividade jurídica é a incolumidade pública. O objeto material é a substância proibida. O sujeito ativo é qualquer pessoa e o sujeito passivo a coletividade (crime vago), bem como eventuais pessoas afetadas. O tipo penal prevê a conduta de empregar (utilizar) revestimento (material usado para cobrir objetos), gaseificação artificial (usada em refrigerantes e outras substâncias), corantes (destinados a dar cor), aromatizante (destinados a dar aroma e sabor), substância antisséptica (destinada a eliminar germes nocivos), conservante (destinado a conservar produtos, medicamentos, alimentos etc.), ou qualquer outra substância que não esteja expressamente permitida pela legislação sanitária na fabricação de produto destinado ao consumo, abrangendo todo

---

4. REsp 915.442/SC, Rel. Min. Maria Thereza de Assis Moura, Sexta Turma, julgado em 14/12/2010, DJe 01/02/2011.

tipo de bem de consumo, desde produtos alimentícios, vestuário, brinquedos e outros objetos, inclusive destinados a animais. O tipo subjetivo é o dolo. Consuma-se o crime com a realização da conduta, independentemente de qualquer resultado, pois se trata de crime de perigo abstrato. Admite-se a tentativa. A ação penal é pública incondicionada.

Invólucro ou recipiente com falsa indicação

Constitui crime *inculcar, isto é, fazer constar, em invólucro ou recipiente de produtos alimentícios, terapêuticos ou medicinais, a existência de substância que não se encontra em seu conteúdo ou que nele existe em quantidade menor que a mencionada* (art. 275). A pena é de reclusão, de 1 a 5 anos, e multa. A objetividade jurídica é a incolumidade pública. O objeto material é o recipiente ou invólucro. O sujeito ativo é qualquer pessoa e o sujeito passivo a coletividade (crime vago), bem como eventuais pessoas afetadas. O tipo penal prevê a conduta de inculcar, isto é, fazer constar, em invólucro (caixa, rótulo, bula etc.) ou recipiente (pote, frasco, lata, garrafa etc.) de produtos alimentícios, terapêuticos ou medicinais que não se encontra em seu conteúdo ou que nele existe em quantidade menor que a mencionada. O objeto material abrange tão somente o invólucro e o recipiente, não se estendendo a panfletos, catálogos, propagandas etc., caso em que poderá se verificar o crime de fraude no comércio (CP, art. 175) ou contra as relações de consumo (arts. 66 e 67 da Lei n. 8.078). O tipo subjetivo é o dolo. Consuma-se o crime com a falsa indicação, independentemente de qualquer resultado, por se tratar de perigo abstrato. Admite-se a tentativa. A ação penal é pública incondicionada.

Produto ou substância nas condições dos arts. 274 e 275

Também constitui crime, segundo o art. 276, *vender, expor à venda, ter em depósito para vender ou, de qualquer forma, entregar a consumo produto nas condições dos arts. 274 e 275*. A pena é de reclusão, de 1 a 5 anos, e multa. A objetividade jurídica é a incolumidade pública. O objeto material é o produto ou a substância com qualquer dos vícios tipificados anteriormente. O sujeito ativo é qualquer pessoa e o sujeito passivo a coletividade (crime vago), bem como eventuais pessoas afetadas. O tipo penal prevê a conduta de vender, expor a venda, ter em depósito para vender ou, de qualquer forma, entregar a consumo produto fabricado com substância não autorizada (art. 274) ou cujo invólucro ou recipiente contenha informação falsa (art. 275). O tipo subjetivo é o dolo. Consuma-se o crime com qualquer das condutas descritas, exigindo-se, na modalidade de ter em depósito, a finalidade específica de vender. É crime de perigo abstrato. Admite-se a tentativa, exceto na forma de ter em depósito, pois a simples posse para venda configura o crime e, caso não haja tal finalidade, o fato é atípico. A ação penal é pública incondicionada.

Substância destinada à falsificação e outras substâncias nocivas à saúde pública

Constitui o crime previsto no art. 277 *vender, expor à venda, ter em depósito ou ceder substância destinada à falsificação de produtos alimentícios, terapêuticos ou medicinais*. A pena é de reclusão, de 1 a 5 anos, e multa. A objetividade jurídica é a incolumidade pública. O objeto material é a substância destinada à falsificação. O sujeito ativo é qualquer pessoa e o sujeito passivo a coletividade (crime vago), bem como eventuais pessoas afetadas. O tipo penal prevê a conduta de vender, expor a venda, ter em depósito ou ceder substância destinada à falsificação de produtos alimentícios, terapêuticos ou medicinais. A expressão falsificação permite interpretação extensiva, abrangendo a adulteração e a corrupção da substância, bem como sua alteração, se nociva. O objeto material refere-se apenas à substância, não se aplicando a equipamentos para falsificação. O elemento subjetivo é o dolo, devendo ainda haver a finalidade de utilizar a substância para falsificar. Consuma-se o crime com qualquer das condutas descritas. É crime de perigo abstrato. Admite-se a tentativa, exceto na forma de ter em depósito, pois a simples posse configura o crime. A ação penal é pública incondicionada.

Outras substâncias nocivas à saúde pública

A lei também incrimina a conduta *fabricar, vender, expor à venda, ter em depósito para vender ou, de qualquer forma, entregar a consumo coisa ou substância nociva à saúde, ainda que não destinada à alimentação ou a fim medicinal*, nos termos do art. 278. A pena é de detenção, de 1 a 3 anos, além de multa. Na modalidade culposa, a pena é de detenção de 2 meses a 1 ano (infração de menor potencial ofensivo). A objetividade jurídica é a incolumidade pública. O objeto material é a substância nociva. O sujeito ativo é qualquer pessoa e o sujeito passivo a coletividade (crime vago), bem como eventuais pessoas afetadas. O tipo penal é misto alternativo, prevendo as condutas de vender, expor a venda, ter em depósito para vender ou, de qualquer forma, entregar a consumo coisa ou substância nociva à saúde, ainda que não destinada à alimentação ou fim medicinal. Substância nociva é a que causa danos à saúde, não se confundindo com a substância imprópria para consumo. A nocividade da coisa ou substância deve ser inerente a ela própria e não de seu uso indevido. Além disso, deve se destinar a um número indeterminado de pessoas, pois se trata de crime de perigo comum. O elemento subjetivo é o dolo. Na forma de ter em depósito, exige-se a finalidade específica de vender a coisa ou produto. A lei prevê também a forma culposa. Consuma-se o crime com qualquer das condutas descritas, independentemente de qualquer dano. É crime de perigo abstrato, sendo dispensada a prova do perigo. Admite-se a tentativa, exceto na forma de ter em depósito para vender, pois a simples posse configura o crime. A ação penal é pública incondicionada.

Medicamento em desacordo com receita médica

O art. 280 prevê o crime de *fornecer substância medicinal em desacordo com receita médica*. A pena é de detenção, de 1 a 3 anos, ou multa. Se o crime é culposo, a pena é de detenção de 2 meses a 1 ano (infração de menor potencial ofensivo). A objetividade jurídica é a incolumidade pública. O objeto material é o medicamento em desacordo com a receita. O sujeito ativo é qualquer pessoa e o sujeito passivo a coletividade (crime vago), bem como eventuais pessoas afetadas. Embora se trate de crime comum, só cometerá o crime quem tiver a obrigação de fornecer o medicamento de acordo com a receita, uma vez que o objetivo da norma penal incriminadora é preservar a saúde pública pelo viés da confiança em quem exerce atividades relacionadas à prestação de serviços de saúde. Imagine-se, por exemplo, que a vítima pergunte ao vizinho se tem o medicamento e este responde que tem um que produz o mesmo efeito. Evidentemente, o vizinho não tem obrigação de observar a receita, razão pela qual não incorrerá nesse crime, podendo, porém, configurar-se o delito de curandeirismo, desde que feito de maneira habitual. O tipo penal consiste em fornecer (entregar, ainda que gratuitamente) substância medicinal (destinado à prevenção ou cura de enfermidades). O crime pressupõe a existência de receita médica, que é o documento do profissional habilitado a prescrever medicamentos. Em caso de medicamento manipulado, é necessário perícia para verificar sua discordância com a receita. O tipo subjetivo é o dolo. O crime admite a forma culposa, como quando o atendente da farmácia se equivoca e, por negligência, fornece o medicamento errado. É dispensada a comprovação do perigo (crime de perigo abstrato). A consumação ocorre com a entrega do medicamento em desacordo com a receita. Admite-se a tentativa. A ação penal é pública incondicionada.

Exercício ilegal da medicina, arte dentária ou farmacêutica (art. 282), charlatanismo (art. 283) e curandeirismo (art. 284)

Exercício ilegal da medicina, arte dentária ou farmacêutica

O art. 282 incrimina a conduta de *exercer, ainda que a título gratuito, a profissão de médico, dentista ou farmacêutico, sem autorização legal ou excedendo-lhe os limites*. A pena de detenção, de 6 meses a 2 anos, além de multa (infração de menor potencial). Se houver fim de lucro, aplica-se também multa. A objetividade jurídica é a incolumidade pública. O objeto material é a profissão. O sujeito ativo é qualquer pessoa; no caso de exceder limites, o crime é próprio, só podendo ser cometido por médico, dentista ou farmacêutico. Não integram o polo ativo outras profissões, como médico veterinário ou protético, ainda que autorizadas como terapêuticas (exemplo: hipnoterapia, reiki etc.). Tratando-se de profissão diversa da mencionada no dispositivo, terá lugar a contravenção prevista no art. 47 do Decreto-lei n. 3.688. O sujeito passivo é a coletividade (crime vago), bem como eventuais pessoas afetadas. O tipo penal emprega o verbo exercer, que significa praticar, realizar, sem autorização, isto é, sem a devida licença junto aos órgãos de fiscalização profissionais respectivos, preenchidos os requisitos legais de formação, ou, quando licenciados, extrapolar os limites da licença concedida. Na primeira hipótese, o sujeito não tem habilitação legal; na segunda, a habilitação existe, mas o sujeito atua fora dos limites, como por exemplo, o dentista legalmente habilitado que, tendo licença para exercer a odontologia, com especialização em cirurgia maxilo-facial, realiza cirurgia estética abdominal, exercendo os limites de sua licença profissional. O verbo exercer denota reiteração de atos, exigindo-se habitualidade (crime habitual). O profissional mencionado que continua a exercer sua atividade após ter sido suspenso por decisão judicial dever responder pelo art. 359 do CP. O elemento subjetivo é o dolo. A lei não prevê forma culposa. Consuma-se o crime com a prática reiterada de atos exclusivos dos profissionais mencionados. Crime habitual, não admite tentativa. A ação penal é pública incondicionada.

Charlatanismo

O art. 283 descreve o charlatanismo como *inculcar ou anunciar cura por meio secreto ou infalível*. A pena é de detenção, de 3 meses a 1 ano, e multa (infração de menor potencial ofensivo). A objetividade jurídica é a incolumidade pública. O objeto material é o meio de cura anunciado. O sujeito ativo é qualquer pessoa e o sujeito passivo a coletividade (crime vago), bem como eventuais pessoas afetadas. O tipo penal é inculcar (manifestar, dizer) ou anunciar (apregoar, propagandear, promover) cura por meio secreto (desconhecido ou não aprovado pela ciência) ou infalível (absolutamente eficaz). O charlatanismo configura-se pelo exagero ou pela mentira, equiparando-se a verdadeiro estelionato, crime com o qual, via de regra, opera-se concurso material. Não se ignora a existência de curas sem explicação científica, muitas delas consideradas verdadeiros "milagres" pelos próprios médicos, mas compete ao Direito Penal evitar que se utilize a crença em fatos isolados e inexplicáveis para explorar a boa-fé das pessoas e comprometer ainda mais a saúde destas, já que muitas deixam de procurar auxílio médico em razão das promessas de cura feitas por charlatães. O tipo subjetivo é o dolo, devendo haver ciência da ineficácia do meio de cura inculcado ou anunciado. Charlatão é a pessoa que faz promessas falsas, sabendo dessa falsidade. Se o sujeito acredita na eficácia de suas práticas, ainda que por negligência, o crime não se configura. Não há modalidade culposa. Consuma-se o crime quando o sujeito ativo inculca ou anuncia, não se exigindo habitualidade. É crime de perigo abstrato. Admite a tentativa, como no anúncio por meio de panfletos que são apreendidos pela polícia antes de circularem. A ação penal é pública incondicionada.

Curandeirismo

Consiste o crime, previsto no art. 284, em: *exercer o curandeirismo: I – prescrevendo, ministrando ou aplicando, habitualmente, qualquer substância; II – usando gestos, palavras ou qualquer outro meio; III – fazendo diagnósticos.* A pena é de detenção, de 6 meses a 2 anos, ficando sujeito também a multa se for praticado mediante remuneração (infração de menor potencial ofensivo). A objetividade jurídica é a incolumidade pública. O objeto material é o gesto, a substância, a palavra ou o diagnóstico. O sujeito ativo é qualquer pessoa e o sujeito passivo a coletividade (crime vago), bem como eventuais pessoas afetadas. O tipo penal é de conduta vinculada, pois prevê formas específicas de conduta:

I. prescrever (receitar), ministrar (entregar, fornecer) ou aplicar (empregar, injetar, colocar, introduzir corporalmente) habitualmente (de forma reiterada) qualquer substância (medicinal ou não);
II. usando gestos, palavras ou qualquer outro meio: benzeduras, rezas, rituais, exercícios, técnicas, exorcismo, cirurgia astral etc.;
III. fazendo diagnósticos, isto é, estabelecendo causas e tratamentos de sintomas.

A configuração do crime independe de qualquer remuneração, mas, havendo esta, aplica-se também a pena de multa. O curandeirismo é distinto do exercício ilegal da medicina e do charlatanismo, uma vez que é praticado por indivíduo que não detém conhecimentos médicos e, além disso, não está eivado de má-fé ou mentira, e sim de ignorância quanto à eficácia de seus métodos de cura. Ou seja, o curandeiro acredita que sua atividade é adequada à cura. Mesmo havendo boa-fé da pessoa curandeira, o Direito evita que se dissemine uma prática apta a levar pessoas a serem exploradas em sua credulidade e religiosidade. A cura deve ser exercida por profissionais habilitados, como forma de se preservar a segurança da população. Não se aplica esse artigo aos praticantes de terapias alternativas, devidamente habilitados, que atualmente recebem a chancela de boa parte da comunidade científica e, inclusive, das próprias autoridades de saúde. O tipo subjetivo é o dolo. Não há forma culposa. Consuma-se o crime com a habitualidade, razão pela qual não se admite o *conatus*. A ação penal é pública incondicionada.

17.5 CRIMES CONTRA A PAZ PÚBLICA

Incitação ao crime (art. 286) e apologia de crime ou criminoso (art. 287)

Incitação ao crime

Consiste em *incitar, publicamente, a prática de crime* (art. 286). A pena é de detenção, de 3 a 6 meses, ou multa (infração de menor potencial ofensivo). A objetividade jurídica é a paz pública, assim como o objeto material. O sujeito ativo é qualquer pessoa. O sujeito passivo é a coletividade (crime vago). O tipo penal prevê a conduta de incitar (estimular, encorajar), publicamente, a prática de crime, não se aplicando a fatos imorais, contravenções e outros ilícitos. A incitação não pode ocorrer de forma privada e direcionada, mas sim, de forma pública, atingindo número indeterminado de pessoas, por qualquer meio (verbal, escrito, digital etc.). A incitação deve incidir sobre um crime específico, por exemplo, fazer justiça com as próprias mãos, que configura o crime de exercício arbitrário das próprias razões (CP, art. 345). Não há crime na mera apresentação de tese quanto à descriminalização de uma conduta, como por exemplo, a manifestação popular que ficou conhecida como "marcha da maconha". Note que se a incitação for ao genocídio (art. 3º da Lei n. 2.889) ou ao preconceito (art. 20 da Lei n. 7.716), estarão configuradas condutas previstas em lei especial. Nos termos do parágrafo único, inserido pela Lei n. 14.191/2021, incorre na mesma pena quem incita, publicamente, animosidade entre as Forças Armadas contra os poderes constitucionais, as instituições civis ou a sociedade. O tipo subjetivo é o dolo, não havendo forma culposa. Consuma-se o crime com a incitação dirigida a número indeterminado de pessoas, independentemente da prática do crime incitado (perigo abstrato). Admite-se a tentativa, se a incitação não for oral, por ser, indivisível o *iter criminis* (crime unissubsistente). A ação penal é pública incondicionada.

Apologia de crime ou criminoso

Consiste em *fazer, publicamente, apologia de fato criminoso ou de autor de crime*. A pena é de detenção, de 3 a 6 meses, ou multa. A objetividade jurídica é a paz pública, assim como o objeto material. O sujeito ativo é qualquer pessoa. O sujeito passivo é a coletividade (crime vago). O tipo penal prevê a conduta de fazer apologia (elogiar, enaltecer, exaltar, aprovar) fato criminoso ou autor de crime, o que exclui fatos considerados imorais, contravenções e outros ilícitos. A apologia não pode ocorrer de forma privada, mas sim, de forma pública, atingindo número indeterminado de pessoas, por qualquer meio (verbal, escrito, digital etc.). Outrossim, deve incidir sobre um crime específico, por exemplo, fazer justiça com as próprias mãos, que configura o crime de exercício arbitrário das próprias razões (CP, art. 345), ou sobre seu autor. A apologia ao autor deve ter relação com delito cometido e não com características pessoais, como coragem, determinação, força etc. Não há necessidade, em nosso sentir, de que haja condenação com trânsito em julgado do autor do crime para que se configure a apologia, pois esta pode ocorrer independentemente, inclusive, de processo criminal contra o autor do fato. O tema, porém, não é pacífico. O elemento subjetivo é o dolo. Consuma-se o crime com a simples apologia dirigida a número indeterminado de pessoas, independentemente de qualquer abalo à ordem pública (perigo abstrato). Admite-se a tentativa, se a incitação não for oral, por ser indivisível o *iter criminis* (crime unissubsistente). A ação penal é pública incondicionada.

Associação criminosa

Segundo o art. 288, constitui crime *associarem-se 3 (três) ou mais pessoas, para o fim específico de cometer crimes*. A pena é de reclusão, de 1 a 3 anos, aumentando-se até a metade se a associação é armada ou se houver a participação de criança ou adolescente. A objetividade jurídica é a paz pública, assim como o objeto material. O sujeito ativo é qualquer pessoa (crime comum), mas é um crime de concurso necessário, uma vez que apenas se configura mediante a associação de agentes. O sujeito passivo é a coletividade (crime vago). O tipo penal tipifica a conduta de associar-se, que significa cooperação, ajuda mútua, divisão de tarefas. Trata-se de crime autônomo, que independe da prática efetiva de outras infrações penais. Além disso, trata-se de crime permanente, cuja consumação se prolonga no tempo, enquanto mantida a associação. A saída de um dos integrantes, restando menos de 3 integrantes, faz cessar a permanência, mas não afasta o crime já consumado. O agente que ingressa após a formação original também pratica o crime, desde que haja o número mínimo previsto em lei. Não há *bis in idem* na condenação por associação armada cumulada com roubo também majorado por emprego de arma (art. 157, § 2º-A, I). Não se deve confundir *associação criminosa* com os crimes de *organização criminosa* e *associação para o tráfico*. Todos são considerados "crimes associativos", mas com diferenças. A *organização criminosa*, prevista na Lei n. 12.850, exige no mínimo 4 integrantes atuando de forma estruturalmente ordenada e caracterizada pela divisão de tarefas (na associação, o número mínimo é 3), ainda que informalmente, com objetivo de obter, direta ou indiretamente, vantagem de qualquer natureza (na associação, a finalidade é "praticar crimes"), mediante a prática de infrações penais cujas penas máximas sejam superiores a 4 anos, ou que sejam de caráter transnacional (art. 1º, § 1º). A *associação para o tráfico* (art. 35 da Lei n. 11.343) distingue-se da organização criminosa por se constituir com o mínimo de 2 integrantes para praticar *especificamente o crime de tráfico de drogas*. Assim, havendo uma organização destinada a praticar outros crimes e com um número mínimo de 4 pessoas, o crime passa a ser o da Lei n. 12.850, art. 2º. Fora desses casos, estará configurada a *associação criminosa* (art. 288 do CP) que é norma geral, já que se refere a qualquer crime, independente da quantidade de pena, com pelo menos 3 integrantes. Assim, pelo princípio da especialidade, o crime de *associação criminosa* (CP, art. 288) é afastado pelos crimes de *associação para o tráfico* e *organização criminosa*. Pela especialidade, também, deverá ser aplicado o crime de associação para o tráfico (art. 35 da Lei n. 11.343) quando o grupo for direcionado exclusivamente à prática de narcotráfico. Todavia, havendo finalidade de praticar outros delitos com pena máxima superior a 4 anos, ainda que entre eles esteja também o narcotráfico, deverá ser aplicada a norma geral da Lei n. 12.850. Não há que se falar em subsidiariedade, pois nenhum dos crimes em questão é parte integrante do outro, havendo, isto sim, relação de gênero a espécie entre eles (princípio da especialidade). Dessa forma, o *quantum* da pena não deve ser levado em consideração na aplicação de uma ou outra norma, pois é a especialidade que impera. Em tese, não há óbice de cumulação entre os crimes de associação para o tráfico e organização criminosa, uma vez que o art. 35 da Lei n. 11.343 incrimina grupos voltados especificamente aos crimes previstos nos arts 33, *caput*, § 1º, e 34 da Lei n. 11.343, enquanto no art. 2º da Lei n. 12.850 o escopo é a prática de crimes diversos.[5] O tipo subjetivo é o dolo, exigindo-se finalidade específica de praticar crimes. O fim de praticar crimes não impede que a associação tenha outras atividades, contanto que, dentre elas, esteja especificamente praticar crimes, pois "finalidade específica" não significa "finalidade exclusiva". Consuma-se o crime com a associação de 3 ou mais pessoas com a finalidade de praticar crimes, sendo crime de perigo abstrato. Não se admite a tentativa, pois qualquer ato associativo consuma o crime.

Crimes associativos		
Associação criminosa (CP, art. 288)	**Associação para o narcotráfico (art. 35 da Lei n. 11.343)**	**Organização criminosa (art. 2º da Lei n. 12.850)**
Refere-se a qualquer crime e se forma com um mínimo de 3 pessoas.	Refere-se apenas aos crimes da Lei de Drogas e se forma com o mínimo de 2 pessoas.	Refere-se a crimes com pena máxima superior a 4 anos e se forma com o mínimo de 4 pessoas.

---

5. Nesse sentido: Apelação Criminal n. 70083784439, Tribunal de Justiça do Rio Grande do Sul.

Constituição de milícia privada

Nos termos do *art. 288-A*, inserido pela Lei n. 12.720: *constituir, organizar, integrar, manter ou custear organização paramilitar, milícia particular, grupo ou esquadrão com a finalidade de praticar qualquer dos crimes previstos no Código Penal*. A pena é de reclusão, de 4 a 8 anos. A objetividade jurídica é a paz pública, assim como o objeto material. O sujeito ativo é qualquer pessoa (crime comum), mas é um crime de concurso necessário (plurissubjetivo), uma vez que apenas se configura mediante a associação de agentes. Entende-se que o número mínimo de agentes é 3, pois quando o legislador se contenta com apenas 2, faz alusão expressa, como no furto e roubo majorados, por exemplo. O sujeito passivo é a coletividade (crime vago). O tipo penal tipifica as condutas de constituir (formar, criar, fundar), organizar (planejar, dirigir, administrar), integrar (fazer parte), manter (promover meios de subsistência), custear (financiar economicamente), organização paramilitar (estrutura militar não oficial, como os guerrilheiros das FARC), milícia particular (grupo hierarquizado e armado não estatal), grupo (reunião de pessoas armadas sem características militares), esquadrão (formação de pessoas com o propósito de aplicar punições extrajudiciais, que incluem a "pena" de morte). O tipo subjetivo é o dolo, além da finalidade específica de praticar crimes previstos no Código Penal. Assim, por exemplo, se o fim da milícia for praticar genocídio, poderá se configurar associação criminosa ou organização criminosa, mas não o delito em comento. Não há previsão de culpa. O crime se consuma com a realização de qualquer dos atos previstos no tipo, ainda que nenhum crime seja praticado (crime formal). O crime é de perigo abstrato. Admite-se a tentativa. A ação penal é pública incondicionada.

RESUMO

Crimes de perigo comum

Aspectos gerais: perigo comum é o perigo para a coletividade e não para indivíduos determinados. A lei prevê situações de perigo causadas a título de dolo, isto é, com representação e vontade direcionadas ao perigo, ou formas culposas, em que o perigo é causado por imprudência, negligência, ou imperícia. Dolo de perigo significa que a finalidade do agente se volta para o perigo e não para o dano efetivo já que, se o agente pretender causar dano efetivo, responderá pelo crime respectivo. Exemplo: se o agente, ao causar incêndio, assume o risco de matar, deve responder por homicídio qualificado pelo emprego de fogo. O art. 259 foi revogado pelo art. 61 da Lei n. 9.605. Aplica-se a todos os crimes contra a incolumidade pública a majorante prevista no art. 258 (crime de perigo qualificado pelo resultado de morte ou lesão grave).

Incêndio (art. 250): consiste em *causar incêndio, expondo a perigo a vida, a integridade física ou o patrimônio de outrem* (art. 250). A pena é de reclusão, de 3 a 6 anos, e multa, podendo ser aumentada de 1/3 nas hipóteses do § 1º. Admite-se a forma culposa, cuja pena é de detenção, de 6 meses a 2 anos. Crime de perigo concreto. O incêndio em casa isolada e desabitada configura, tão somente, dano qualificado. O elemento subjetivo é o dolo, que deve ser de perigo, pois, havendo dolo de dano, aplica-se a pena deste. Assim, caso o agente assuma o risco de matar pessoas, o crime será de homicídio qualificado pelo emprego de fogo (art. 121, § 2º, III). Admite-se a forma culposa, prevista no § 2º, apenada com detenção de 6 meses a 2 anos (infração de menor potencial ofensivo), no caso de crime provocado por negligência, imprudência ou imperícia do agente (CP, art. 18, II). *Aumento de pena:* além da majorante genérica prevista no art. 258, o § 1º prevê as causas de aumento de pena previstas para o crime de incêndio: I – Crime cometido com fim de vantagem pecuniária em proveito próprio ou alheio; II – Crime cometido em circunstâncias de maior perigo pela facilidade de propagação ou dificuldade de extinção mencionadas no dispositivo. Em caso de incêndio em mata ou floresta de preservação permanente, haverá concurso com o crime ambiental previsto no art. 38 da Lei n. 9.605.

Explosão (art. 251): consiste em causar explosão; arremessar engenho de dinamite ou de substância análoga; colocar engenho de dinamite ou substância análoga. O engenho mencionado é qualquer artefato ou substância explosiva, como bomba, granada, nitroglicerina, artefato caseiro etc. Todavia, se a substância não for dinamite ou explosivo análogo, ocorre a figura privilegiada prevista no § 1º, a qual depende de exame pericial para determinar o tipo de substância empregada. É crime de perigo concreto. A explosão é crime de atentado, consumando-se com os atos executórios, independentemente de haver efetiva explosão, bastando que o agente arremesse ou coloque artefato explosivo, contanto que exponha a perigo a vida, a integridade física ou o patrimônio de outrem. Portanto, não se admite tentativa, já que o simples ato executório consuma o crime. Caso o agente instale artefato explosivo sem causar perigo, ocorrerá crime impossível. Independentemente de haver perigo comum, poderá se configurar o art. 16, parágrafo único, III, do Estatuto do Desarmamento (Lei n. 10.826). Não admite tentativa.

Uso de gás tóxico ou asfixiante (art. 252): parcialmente revogado pelo art. 54 da Lei n. 9.605, que trata da poluição de qualquer natureza em níveis que possam causar danos à saúde humana. O art. 252, portanto, só será aplicado no caso de perigo ao patrimônio. Perigo concreto. Admite-se a tentativa, exceto na modalidade culposa. Não se pune por culpa.

Fabrico, fornecimento, aquisição, posse ou transporte de explosivos, gás tóxico ou asfixiante (art. 253): este delito foi parcialmente revogado pelo art. 16, parágrafo único, III, do Estatuto do Desarmamento (Lei n. 10.826), que comina pena de reclusão, de 3 a 6 anos, para quem possuir, detiver, fabricar ou empregar artefato explosivo ou incendiário, sem autorização ou em desacordo com determinação legal ou regulamentar. Tutela-se a incolumidade pública. Prevalece o entendimento doutrinário de que se trata de perigo abstrato, com o que não concordamos, uma vez que o uso (art. 252) é perigo concreto.

Inundação (art. 254): o tipo penal prevê a conduta de causar (produzir, criar) inundação (grande afluência de água fora do local adequado). Trata-se de perigo concreto, devendo comprovadamente expor a perigo a vida, a integridade física ou o patrimônio de pessoas indeterminadas. Não havendo grande intensidade de água, poderá se configurar mera usurpação de águas (art. 161, § 1º, I) ou dano (art. 163). Admite-se a tentativa, exceto na modalidade culposa.

Perigo de inundação (art. 255): consuma-se o crime com a produção do perigo concreto. Ocorrendo também a inundação, sem que o agente tenha querido ou assumido o risco, incorrerá também no art. 254, na modalidade culposa (concurso formal). Caso tenha desejado a inundação, responderá apenas pela forma dolosa desta, ficando absorvido o art. 255, por ser meio executório (antefato impunível). Não há previsão de culpa. Admite-se a tentativa.

Desabamento ou desmoronamento (art. 256): para a ocorrência do crime exige-se uma queda significativa de material, não se configurando o delito diante de materiais isolados. Se houver emprego de explosivo, o crime do art. 251 absorve o do art. 256. Perigo concreto.

Subtração, ocultação ou inutilização de material de salvamento (art. 257): consuma-se o crime com prática da conduta típica, independentemente de comprovação do perigo (perigo abstrato). Não há previsão de culpa. Admite-se a tentativa.

Crimes contra a segurança dos meios de comunicação e transporte e outros serviços públicos

Perigo de desastre ferroviário e desastre ferroviário (art. 260): é dispensável que o veículo esteja em movimento, bastando que a conduta gere algum perigo concreto de desastre. O § 3º equipara a estrada de ferro a qualquer via de comunicação em que circulem veículos de tração mecânica, em trilhos ou por meio de cabo aéreo (como os famosos "bondinhos" do Pão de Açúcar, por exemplo). O perigo deve ser comprovado (perigo concreto). Não configura o crime a prática de "surf ferroviário". A culpa só é punível em caso de desastre. Admite-se a tentativa.

Atentado contra a segurança de transporte marítimo, fluvial ou aéreo (art. 261): aplicam-se as majorantes do art. 258 em caso de lesão grave ou morte (art. 263). É indispensável que se trate de embarcação ou aeronave destinada ao transporte coletivo. Não se confunde esse crime com o do art. 19 da Lei n.

7.170 e do art. 39 da Lei n. 11.343. A culpa só é punível em caso de sinistro. Admite-se a tentativa.

Atentado contra a segurança de outro meio de transporte (art. 262): aplicam-se as majorantes do art. 258 do Código Penal (art. 263). O tipo penal é semelhante ao anterior, referindo-se, porém, a todos os meios de transporte não versados nos artigos anteriores, como ônibus, táxi, uber etc. Trata-se de crime de perigo abstrato. Caso o agente pretenda matar alguém, responderá pelos dois crimes (arts. 121, § 2º, III, e 262) em concurso formal (art. 70 do CP). A culpa só é punível em caso de desastre. Admite-se a tentativa.

Arremesso de projétil (art. 264): projétil é qualquer objeto apto a danificar, lesionar ou matar quem esteja dentro ou fora do meio de transporte, seja por atuação direta, seja por fazer o veículo desviar, tombando ou ferindo pessoas. Trata-se de crime de perigo abstrato. Embora discutível a possibilidade de tentativa, entendemos que seja possível, bastando imaginar que o agente pode ser contido por um policial, por exemplo, no momento em que vai arremessar uma pedra contra um ônibus. Não há forma culposa. Admite-se a tentativa (não é pacífico).

Atentado contra a segurança de serviço de utilidade pública (art. 265): trata-se de crime de perigo abstrato, mas a majorante prevista no parágrafo único tem natureza de crime material. Nesse caso, em que há dano decorrente de subtração de material essencial ao serviço de utilidade pública, além do art. 265, parágrafo único, responderá o agente também pelo crime de furto (art. 155). Se o crime for praticado contra instalações militares, meios de comunicações, meios e vias de transporte, estaleiros, portos, aeroportos, fábricas, usinas, barragem, depósitos e outras instalações congêneres, poderá se configurar, a depender da motivação do agente, o crime contra a segurança nacional (art. 15 da Lei n. 7.170). Se o agente pratica o crime por meio de incêndio ou explosão, configura-se o art. 250 ou 251, conforme o caso, restando absorvido o art. 265. Não há previsão de culpa. Consuma-se o crime com qualquer ato que atente contra os serviços de utilidade pública, não admitindo tentativa, por se tratar de crime de atentado, em que o início de execução consuma o crime, sem a possibilidade de aplicação do art. 14, II, do CP.

Interrupção ou perturbação de serviço telegráfico, telefônico, informático, telemático ou de informação de utilidade pública (art. 266): o tipo é misto alternativo, prevendo condutas de duas ordens: a) interromper ou perturbar o serviço: neste caso, o agente é responsável pela sabotagem; b) impedir ou dificultar o restabelecimento do serviço: neste caso, o agente não é o responsável pela sabotagem, mas, sim, pela sua perpetuação. A depender da motivação do agente, poderá se configurar o crime contra a segurança nacional previsto no art. 15 da Lei n. 7.170. Não há previsão de culpa. Admite-se a tentativa.

Crimes contra a saúde pública

Epidemia (art. 267): a expressão epidemia admite interpretação extensiva, abrangendo também situação de pandemia. Para a configuração do crime, exige-se que haja uma doença capaz de se difundir rapidamente, atingindo grande número de pessoas, não bastando a simples transmissão de agentes infecciosos. Crime de perigo abstrato. Admite-se a tentativa, exceto na forma culposa.

Infração de medida sanitária preventiva (art. 268): a conduta típica é infringir (desobedecer) determinação do poder público destinada a impedir introdução (entrada no território nacional) ou propagação (multiplicação, disseminação) de doença contagiosa (apenas doença humana). Exemplo: aglomeração durante o decreto de distanciamento social. Trata-se de perigo abstrato. Não há previsão de culpa. Admite-se a tentativa.

Omissão de notificação de doença (art. 269): trata-se de norma penal em branco heterogênea, na medida em que doença de notificação compulsória é a que consta em portaria do Ministério da Saúde. Crime de perigo abstrato. Não se admite tentativa, em razão de ser crime omissivo. Não há previsão de culpa. Não admite tentativa (crime omissivo próprio).

Envenenamento de água potável ou de substância alimentícia ou medicinal (art. 270): o crime do art. 270 consiste em *envenenar substância alimentícia ou medicinal destinada a consumo*, pois a primeira parte deste dispositivo foi derrogada pelo art. 54 da Lei n. 9.605. A figura equiparada do § 1º também foi revogada pela Lei n. 9.605, art. 56. O crime é de perigo concreto. Admite tentativa, exceto na forma culposa.

Falsificação, corrupção, adulteração ou alteração de substância ou produtos alimentícios (art. 272): o crime se aplica a qualquer produto alimentício, incluindo bebidas, com ou sem teor alcoólico. A nocividade ou a redução do valor nutritivo deve ser comprovada por perícia, pois se trata de perigo concreto. A forma culposa não se aplica, contudo, às condutas de falsificar e fabricar, previstas no § 1º-A. Admite-se a tentativa.

Falsificação, corrupção, adulteração ou alteração de produto destinado a fins terapêuticos ou medicinais (273): o perigo independe de comprovação (perigo abstrato). É considerado hediondo, nos termos do art. 1º, VII-B, da Lei n. 8.072. A lei prevê a modalidade culposa, a qual não é crime hediondo. A culpa é incompatível com a conduta de falsificar. Consuma-se o crime com a prática das condutas nucleares. Admite-se a tentativa.

Emprego de processo proibido ou de substância não permitida (art. 274): o tipo penal prevê a conduta de empregar (utilizar) revestimento (material usado para cobrir objetos), gaseificação artificial (usada em refrigerantes e outras substâncias), corantes (destinados a dar cor), aromatizante (destinados a dar aroma e sabor), substância antisséptica (destinada a eliminar germes nocivos), conservante (destinado a conservar produtos, medicamentos, alimentos etc.), ou qualquer outra substância que não esteja expressamente permitida pela legislação sanitária na fabricação de produto destinado ao consumo, abrangendo todo tipo de bem de consumo, desde produtos alimentícios, vestuários, brinquedos e outros objetos, inclusive destinados a animais. Crime de perigo abstrato. A lei não prevê culpa. Admite-se a tentativa.

Invólucro ou recipiente com falsa indicação (art. 275): o objeto material abrange tão somente o invólucro e o recipiente, não se estendendo a panfletos, catálogos, propagandas etc., caso em que poderá se verificar o crime de fraude no comércio (CP, art. 175) ou contra as relações de consumo (arts. 66 e 67 da Lei n. 8.078). O tipo subjetivo é o dolo. Não há previsão de culpa. Admite-se a tentativa.

Produto ou substância nas condições dos dois artigos anteriores (art. 276): consuma-se o crime com qualquer das condutas descritas, exigindo-se, na modalidade de ter em depósito, a finalidade específica de vender. É crime de perigo abstrato. Admite-se a tentativa, exceto na forma de ter em depósito, pois a simples posse para venda configura o crime e, caso não haja tal finalidade, o fato é atípico. Não há previsão de culpa.

Substância destinada à falsificação e outras substâncias nocivas à saúde pública (art. 277): a expressão falsificação permite interpretação extensiva, abrangendo a adulteração e a corrupção da substância, bem como sua alteração, se nociva. O objeto material refere-se apenas à substância, não se aplicando a equipamentos para falsificação. É crime de perigo abstrato. Não há previsão de culpa. Admite-se a tentativa, exceto na forma de ter em depósito, pois a simples posse configura o crime. A ação penal é pública incondicionada.

Outras substâncias nocivas à saúde pública (art. 278): a nocividade da coisa ou substância deve ser inerente a ela própria e não de seu uso indevido. Na forma de ter em depósito, exige-se a finalidade específica de vender a coisa ou produto. A lei prevê também a forma culposa. É crime de perigo abstrato. Admite-se a tentativa, exceto na forma de ter em depósito para vender, pois a simples posse configura o crime.

Medicamento em desacordo com receita médica (art. 280): embora se trate de crime comum, só cometerá o crime quem tiver a obrigação de fornecer o medicamento de acordo com a receita. Crime de perigo abstrato. Admite-se a tentativa, exceto na forma culposa.

Exercício ilegal da medicina, arte dentária ou farmacêutica (art. 282): não integram o polo ativo outras profissões, como médico veterinário ou protético, ainda que autorizadas como terapêuticas (exemplo: hipnoterapia, reiki etc). Tratando-se de profissão diversa da mencionada no dispositivo, terá lugar a contravenção prevista no art. 47 do Decreto-lei n. 3.688. O profissional mencionado que continua a exercer sua atividade após ter sido suspenso por decisão judicial dever responder pelo art. 359 do CP. O elemento subjetivo é o dolo. A lei não prevê forma culposa. Crime habitual, não admite tentativa.

Charlatanismo (art. 283): o tipo penal é inculcar (manifestar, dizer) ou anunciar (apregoar, propagandear, promover) cura por meio secreto (desconhecido ou não aprovado pela ciência) ou infalível (absolutamente eficaz). O charlatanismo configura-se pelo exagero ou pela mentira, equiparando-se a verdadeiro estelionato, crime com o qual, via de regra, opera-se concurso material. Se o sujeito acredita na eficácia de suas práticas, ainda que por negligência, o crime não se configura. Não há previsão de culpa. Admite a tentativa.

Curandeirismo (art. 284): o tipo penal é de conduta vinculada, pois prevê formas específicas de conduta. A configuração do crime independe de qualquer remuneração, mas, havendo esta, aplica-se também a pena de multa. O curandeirismo é distinto do exercício ilegal da medicina e do charlatanismo, uma vez que é praticado por indivíduo que não detém conhecimentos médicos e, além disso, não está eivado de má-fé ou mentira, e sim, de ignorância quanto à eficácia de seus métodos de cura. Ou seja, o curandeiro acredita que sua atividade é adequada à cura. Não se aplica esse artigo aos praticantes de terapias alternativas. Crime habitual, não admitindo tentativa.

Majorante genérica: em caso de morte ou lesão grave, aplica-se aos crimes contra a saúde pública a majorante prevista no art. 258 do Código Penal, por força do art. 285, o qual ressalva, contudo, a epidemia (art. 267), pois esta prevê majorantes apenas em caso de morte.

Crimes contra a paz pública

Incitação ao crime (art. 286): o tipo penal prevê a conduta de incitar (estimular, encorajar), publicamente, a prática de crime, não se aplicando a fatos imorais, contravenções e outros ilícitos. A incitação deve ser dirigida a um número indeterminado de pessoas e versar sobre um crime específico. Não há crime na mera apresentação de tese quanto à descriminalização de uma conduta. Se a incitação for ao genocídio (art. 3º da Lei n. 2.889) ou ao preconceito (art. 20 da Lei n. 7.716), estarão configuradas condutas previstas em lei especial. O tipo subjetivo é o dolo, não havendo forma culposa. Admite-se a tentativa, se a incitação não for oral, por ser, indivisível o *iter criminis* (crime unissubsistente).

Apologia de crime ou criminoso (art. 287): a apologia deve se dirigir a um número indeterminado de pessoas e deve versar sobre um crime específico ou seu autor. A apologia ao autor deve ter relação com delito cometido e não com características pessoais. O elemento subjetivo é o dolo. Não há previsão de culpa. Crime de perigo abstrato. Admite-se a tentativa, se a incitação não for oral, por ser, indivisível o *iter criminis* (crime unissubsistente).

Associação criminosa (art. 288): crime plurissubjetivo. Independe da prática efetiva de outras infrações penais (crime formal). Além disso, trata-se de crime permanente, cuja consumação se prolonga no tempo, enquanto mantida a associação. Não há *bis in idem* na condenação por associação armada cumulada com roubo também majorado por emprego de arma (art. 157, § 2º-A, I). Não se deve confundir *associação criminosa* com os crimes de *organização criminosa* (Lei n. 12.850) e *associação para o tráfico* (art. 35 da Lei n. 11.343). O tipo subjetivo é o dolo, exigindo-se finalidade específica de praticar crimes. "Finalidade específica" não significa "finalidade exclusiva". Não há forma culposa. Crime de perigo abstrato. Não se admite a tentativa, pois qualquer ato associativo consuma o crime.

Constituição de milícia privada (art. 288-A): crime plurissubjetivo. Entende-se que o número mínimo de agentes é 3. O tipo subjetivo é o dolo, além da finalidade específica de praticar crimes previstos no Código Penal. Assim, por exemplo, se o fim da milícia for praticar genocídio, poderá se configurar associação criminosa ou organização criminosa, mas não o delito em comento. Não há previsão de culpa. Perigo abstrato. Admite-se a tentativa.

JURISPRUDÊNCIA

Falsificação, corrupção, adulteração ou alteração de substância ou produtos alimentícios

1. A conduta punível prevista no art. 272 do CP é de corromper (deteriorar, modificar para pior), adulterar (deturpar, deformar), falsificar (reproduzir por meio de imitação) ou alterar (transformar ou modificar) substância ou produto alimentício destinado a consumo, tornando-o nocivo, ou seja, capaz de causar efetivo dano ao organismo, seja pela prejudicialidade à saúde ou pela redução do valor nutritivo.

2. No presente caso, trata-se de adulteração de produto alimentício destinado a consumo, no caso, óleo de soja degomado que foi alterado na mistura de outros elementos, cujas empresas destinatárias do produto eram atuantes no ramo alimentício e na produção de óleo de cozinha. 3. A partir da moldura fática apresentada pelo Tribunal *a quo*, não ficou demonstrada que a adulteração em questão tornou o produto nocivo à saúde ou reduziu-lhe o valor nutritivo, ou seja, pela leitura do Laudo de Exame de Perícia Criminal de Identificação de Substância, considerado pela origem, não há qualquer afirmação acerca da comprovação de nocividade ao organismo ou da redução do valor nutritivo na deformação do óleo de soja degomado utilizado para a produção de alimentos. Dessa forma, não estando comprovados todos os elementos do tipo penal, a condenação pelo crime do art. 272 do CP deve ser afastada. (STJ, AgRg no AREsp 1361693/GO, Rel. Ministro Reynaldo Soares da Fonseca, Quinta Turma, julgado em 02/04/2019, DJe 23/04/2019)

Falsificação, corrupção, adulteração ou alteração de produto destinado a fins terapêuticos ou medicinais

1. "É inadmissível o recurso especial, quando o acórdão recorrido assenta em fundamentos constitucional e infraconstitucional, qualquer deles suficiente, por si só, para mantê-lo, e a parte vencida não manifesta recurso extraordinário". Inteligência do enunciado 126 da Súmula desta Corte.
2. A Lei n. 9.677/98, ao alterar a pena prevista para os delitos descritos no artigo 273 do Código Penal, mostrou-se excessivamente desproporcional, cabendo, portanto, ao Judiciário promover o ajuste principiológico da norma.
3. Tratando-se de crime hediondo, de perigo abstrato, que tem como bem jurídico tutelado a saúde pública, mostra-se razoável a aplicação do preceito secundário do delito de tráfico de drogas ao crime de falsificação, corrupção, adulteração ou alteração de produto destinado a fins terapêuticos ou medicinais.
4. O Superior Tribunal de Justiça, por diversas vezes, já assentou a possibilidade de início do cumprimento da pena em regime aberto, bem como de substituição da pena privativa de liberdade por restritiva de direitos, àqueles que tenham praticado crime de tráfico ilícito de entorpecentes ou outro crime hediondo, antes da entrada em vigor das Leis 11.343/06 e 11.464/07.
5. Recurso Especial do Ministério Público não conhecido, dando-se provimento ao Apelo adesivo de Vilma Maria Segalin, para determinar ao Juízo da Vara das Execuções a substituição da pena privativa de liberdade por restritiva de direitos, concedendo-se, de ofício, o regime aberto para cumprimento da pena. (STJ, REsp 915.442/SC, Rel. Ministra Maria Thereza de Assis Moura, Sexta Turma, julgado em 14/12/2010, DJe 01/02/2011.)

Associação criminosa e porte de arma

A prática dos delitos de quadrilha ou bando armado e de porte ilegal de armas faz instaurar típica hipótese caracterizadora de concurso material de crimes, eis que as infrações penais tipificadas no parágrafo único do art. 288 do Código Penal e no art. 10, § 2º, da Lei n. 9.437/97, por se revestirem de autonomia jurídica e por tutelarem bens jurídicos diversos (a paz pública, de um lado, e a incolumidade pública, de outro), impedem a aplicação, a tais ilícitos, do princípio da consunção (*"major absorbet minorem"*). (STF, RHC 83447, Relator(a): Celso de Mello, Segunda Turma, julgado em 17/02/2004, DJ 26-11-2004 PP-00030 EMENT VOL-02174-02 PP-00310 LEXSTF v. 27, n. 314, 2005, p. 321-336 RTJ VOL-00193-03 PP-01006.)

Para a configuração do crime de associação criminosa do art. 288 do Código Penal brasileiro, exige-se a associação de mais de três pessoas "para a prática de crimes", não sendo suficiente o vínculo para a prática de um único ato criminoso. É o que distingue, principalmente, o tipo de associação criminosa da figura delitiva assemelhada do crime de *conspiracy* do Direito anglo-saxão que se satisfaz com o planejamento da prática de um único crime. Se, dos fatos tidos como provados pelas instâncias ordinárias, não se depreende elemento que autorize conclusão de que os acusados pretenderam formar ou se vincular a uma associação criminosa para a prática de mais de um crime, é possível o emprego do *habeas corpus* para invalidar a condenação por esse delito, sem prejuízo dos demais. *Habeas corpus* concedido e estendido de ofício aos coacusados em idêntica situação. (HC 103412, Relator(a): Rosa Weber, Primeira Turma, julgado em 19/06/2012, Acórdão Eletrônico DJe-166 Divulg 22/08/2012 PUBLIC 23/08/2012 RB v. 24, n. 589, 2012, p. 53-56.)

Associação criminosa – Integrantes – Identificação – Prescindibilidade. A caracterização do crime de associação criminosa prescinde de identificação dos agentes, bastando comprovação do vínculo associativo de três ou mais pessoas. (RHC 176370, Relator(a): Marco Aurélio, Primeira Turma, julgado em 13/10/2020, Processo Eletrônico DJe-258 DIVULG 26/10/2020 Public 27/10/2020.)

Milícia privada

1. A prisão provisória é medida odiosa, reservada para os casos de absoluta imprescindibilidade, demonstrados os pressupostos e requisitos de cautelaridade.

2. Não é ilegal o encarceramento provisório que se funda em dados concretos a indicar a necessidade da medida cautelar, especialmente na participação do recorrente em grupo de "justiceiros" associados em milícia para a prática de crimes naquela Comarca, bem como na fuga do acusado do local do fato delitivo, tudo a evidenciar a necessidade de resguardo à ordem pública.
3. Recurso a que se nega provimento.

(RHC 81.111/MA, Rel. Ministra Maria Thereza de Assis Moura, Sexta Turma, julgado em 16/03/2017, DJe 23/03/2017.)

18

Crimes contra a fé pública

18.1 INTRODUÇÃO

O Título X do Código Penal trata dos crimes contra a fé pública, isto é, o sentimento público de confiança na moeda circulante e nos documentos em geral, sejam públicos ou privados. A fé pública é o bem precipuamente protegido nesses crimes, mas, eventualmente, outros têm proteção secundária, como a moeda falsa, que protege também o patrimônio. Falsificar, segundo os tipos penais seguintes, é *fabricar*, isto é, produzir o material totalmente falso, ou *alterar*, isto é, modificar o material produzido genuinamente. A conduta deve ser potencialmente lesiva, pois uma falsificação grosseira não irá configurar o crime pela impossibilidade de iludir. Portanto, a falsidade deve ter relevância jurídica. Além disso, a falsidade poderá ser o meio de realização de outro crime, podendo haver crime único, caso a falsificação se esgote no crime fim, como prevê a Súmula 17 do STJ.

O esgotamento do falso no crime-fim, como no estelionato previsto na súmula, é quando o documento falso só pode ser utilizado no crime-fim e nesse caso ocorre absorção do crime-meio (antefato impunível). Caso o documento falsificado possa ser utilizado em vários crimes, não há exaurimento, configurando-se concurso de infrações penais entre a falsidade e o crime-fim.

Divide-se este título nos seguintes capítulos:

I. moeda falsa;
II. falsidade de títulos e outros papéis públicos;
III. falsidade documental;
IV. de outras falsidades;
V. fraudes em certames de interesse público.

18.2 CRIMES DE MOEDA FALSA

Moeda falsa

O art. 289 prevê diversas formas de realização da conduta típica, a saber:

a. falsificação propriamente dita, mediante fabricação ou alteração (*caput*);
b. circulação de moeda falsa (§ 1º e 2º);
c. fabricação, emissão ou autorização para emitir moeda autêntica em desacordo com a lei (§ 3º);
d. circulação antecipada de moeda autêntica (§ 4º);

Falsificação propriamente dita

Consiste em *falsificar, fabricando-a ou alterando-a, moeda metálica ou papel-moeda de curso legal no país ou no estrangeiro* (art. 289, *caput*). A pena é de reclusão, de 3 a 12 anos, e multa. O objeto jurídico é a fé pública. O objeto material é a moeda metálica ou o papel moeda falsificados. O sujeito ativo é qualquer pessoa. O sujeito passivo é o Estado e, eventualmente, a pessoa física ou jurídica prejudicada.

O tipo penal prevê as condutas de falsificar moeda metálica ou papel-moeda nacional ou estrangeira:

a. fabricando: o agente literalmente imprime dinheiro ou cunha moedas;
b. alterando: o agente modifica a moeda ou a cédula verdadeira.

A alteração que não aumenta ou diminui o valor, não configura o crime.

A moeda deve ter circulação atual. Pouco importa tratar-se de pouco valor, pois, segundo o STJ, não é aplicável o princípio da insignificância.[1] Outrossim, consoante a Súmula 73 do STJ, a utilização de papel-moeda grosseiramente falsificado configura, em tese, o crime de estelionato, de competência da Justiça Estadual. Por falsificação grosseira deve-se entender aquela que pode ser facilmente percebida, sem auxílio de equipamentos especiais ou conhecimentos especializados.

Circulação de moeda falsa

O Código Penal não incrimina apenas a falsificação propriamente dita, mas também a circulação do dinheiro falsificado. Consoante o § 1º, *nas mesmas penas incorre quem, por conta própria ou alheia, importa ou exporta, adquire, vende, troca, cede, empresta, guarda ou introduz na circulação moeda falsa.* Tais condutas dizem respeito à guarda e à utilização da moeda falsa, sendo imputáveis apenas a quem não foi o autor da fabricação ou alteração, uma vez que, quanto a este, tais condutas são mero exaurimento da falsificação, isto é, pós-fato impunível. O § 2º prevê forma privilegiada: quem tendo recebido de boa-fé, como verdadeira, moeda falsa ou alterada, a restitui à circulação, depois de conhecer a falsidade, é punido com detenção, de 6 meses a 2 anos, e multa. O § 4º estabelece qualificadora para quem promove a circulação antecipada de moeda autêntica.

Forma qualificada

O § 3º do art. 289 prevê forma qualificada, punida com pena de reclusão, de 3 a 15 anos, e multa, para o funcionário público ou diretor, gerente, ou fiscal de banco de emissão que fabrica, emite ou autoriza a fabricação ou emissão de moeda com título ou peso inferior ao determinado em lei ou de papel-moeda em quantidade superior à autorizada. Trata-se de crime próprio, que só pode ser cometido pelo diretor, gerente, fiscal de banco responsável pela emissão da moeda.

---

1. HC n. 439.958, Rel. Min. Ribeiro Dantas, Quinta Turma, DJe de 01/08/2018.

A qualificadora compreende a fabricação, emissão ou simples autorização para fabricar ou emitir, de dinheiro de forma ilegal, que pode compreender: a) moeda metálica com título ou peso inferior ao determinado em lei; b) papel-moeda em quantidade superior à autorizada (a lei deixou uma lacuna incompreensível, referindo-se apenas a papel-moeda e não à moeda metálica). A quantidade inferior não constitui crime. O § 4º estabelece a mesma punição para quem desvia e faz circular moeda cuja circulação não estava autorizada (circulação antecipada de moeda autêntica).

Elemento subjetivo

O tipo penal é doloso. No caso do § 2º (forma privilegiada), exige-se que o agente tenha recebido de boa-fé, isto é, sem conhecer ou suspeitar da falsidade. Não constitui crime a falsidade praticada com finalidade artística ou como demonstração de habilidade, sem o intuito de colocar a moeda em circulação e obter vantagem com isso.

Consumação e tentativa

No caso do *caput*, consuma-se o crime com a fabricação ou alteração, ainda que de uma única moeda ou cédula, admitindo-se a tentativa. No caso dos § 1º e 2º, a consumação ocorre com a realização dos comportamentos descritos, admitindo-se a tentativa. O § 3º consuma-se com a fabricação (produção), emissão (fazer circular) ou simples autorização (dar a ordem, permitir), admitindo-se tentativa. O agente que adquire mercadorias com a moeda falsa e, posteriormente, ressarce o prejuízo, não se beneficia do art. 16 (arrependimento posterior), conforme orientação do STJ, pois a vítima é a coletividade.[2]

Ação penal

A ação penal é pública incondicionada.

---

2. REsp n. 1.242.294/PR, Rel. Min. Sebastião Reis Júnior, Rel. p. Acórdão Min. Rogerio Schietti Cruz, Sexta Turma, DJe de 03/02/2015.

Crimes assimilados a moeda falsa

O art. 290 tipifica o seguinte: *formar cédula, nota ou bilhete representativo de moeda com fragmentos de cédulas, notas ou bilhetes verdadeiros; suprimir, em nota, cédula ou bilhete recolhidos, para o fim de restituí-los à circulação, sinal indicativo de sua inutilização; restituir à circulação cédula, nota ou bilhete em tais condições, ou já recolhidos para o fim de inutilização.* A pena é de reclusão, de 2 a 8 anos, e multa, podendo a pena máxima ser elevada a 12 anos, e multa, se o crime é cometido por funcionário que trabalha na repartição onde o dinheiro se achava recolhido, ou nela tem fácil ingresso, em razão do cargo. Note que, embora a lei fale em assimilação a moeda falsa, as penas dos arts. 289 e 290 não são necessariamente as mesmas. O objeto material é a cédula ou bilhete. O crime é comum, podendo ser praticado por qualquer pessoa. Tratando-se de funcionário da repartição onde o dinheiro se achava recolhido, o crime é qualificado, bastando, nesse caso, que o sujeito tenha acesso fácil em razão do cargo, não se exigindo que seja funcionário específico da repartição. O sujeito passivo é o Estado e, secundariamente, o terceiro prejudicado pela falsidade. O tipo compreende as seguintes condutas:

a. formação de cédula, nota ou bilhete representativo de moeda usando fragmentos verdadeiros;
b. suprimir sinal indicativo da inutilização da nota, cédula ou bilhete;
c. restituir à circulação cédula, nota ou bilhete já recolhido para fins de inutilização.

Exige-se potencialidade lesiva do comportamento. Assim, não comete crime o sujeito que reúne vários fragmentos sem formar uma nota falsa capaz de enganar. O tipo subjetivo é o dolo. No caso de supressão de sinal indicativo de inutilização, elemento a finalidade de restituir à circulação nota já inutilizada e recolhida. O crime se consuma com a simples formação de cédula a partir de fragmentos ou supressão de sinal, independente de sua circulação. No caso de restituição de bilhete já recolhido, o crime se consuma com sua recolocação em circulação. A ação penal é pública incondicionada.

Petrechos para falsificação de moeda

O art. 291 tipifica *petrechos para falsificação de moeda*, que consistem em fabricar, adquirir, fornecer, a título oneroso ou gratuito, possuir ou guardar maquinismo, aparelho, instrumento ou qualquer objeto especialmente destinado à falsificação de moeda. A pena é de reclusão, de 2 a 6 anos, e multa. Neste caso, o legislador, de modo excepcional, tipifica o ato preparatório da falsificação de moeda, transformando-o em crime autônomo, como forma de melhor tutelar o bem jurídico. O objeto material é o petrecho destinado a falsificar moeda. O sujeito ativo é qualquer pessoa (crime comum). O sujeito passivo é o Estado. O tipo penal é de conteúdo variado, prevendo as condutas de fabricar (produzir), adquirir (obter), fornecer (entregar), a título oneroso ou gratuito (com ou sem contrapartida pelo fornecimento), possuir (ter posse, direta ou indireta) ou guardar (ter sob seus cuidados, estar em poder) maquinismo, aparelho, instrumento ou qualquer objeto que deva ser usado na falsificação, tais como impressoras, moldes, tinta, papel etc. Embora a lei fale de qualquer objeto, a interpretação é restritiva, devendo haver destinação específica. Não se deve, porém, confundir uso específico com uso exclusivo. O maquinismo, aparelho, instrumento ou objeto deve servir especificamente à falsificação, embora possa também ser utilizado para outros fins. Assim, um indivíduo que possui uma impressora apta a imprimir cédulas de moeda de curso legal, destinada a máquina a esta finalidade, incorre no crime ainda que também a use para outros fins.[3] O elemento subjetivo é o dolo, além da finalidade de usar os "petrechos" especificamente para falsificar moeda. Consuma-se o crime com a realização de qualquer dos verbos do tipo. As modalidades *possuir* e *guardar* são permanentes. Admite-se a tentativa, exceto no caso de fornecer, pois neste caso o agente já consumou o crime na modalidade de *fabricar* ou de *adquirir*. A ação penal é pública incondicionada.

Emissão de título ao portador sem permissão legal

O crime previsto no art. 292 consiste em *emitir, sem permissão legal, nota, bilhete, ficha, vale ou título que contenha promessa de pagamento em dinheiro*

---

3. Nesse sentido: STJ, REsp n. 1.758.958, Rel. Min. Sebastião Reis Júnior, DJe de 25/09/2018.

ao portador ou a que falte indicação do nome da pessoa a quem deva ser pago. A pena é de detenção, de 1 a 6 meses, ou multa, sendo punido com detenção, de 15 dias a 3 meses, ou multa, quem recebe ou utiliza como dinheiro qualquer dos documentos referidos nesse artigo (infração de menor potencial ofensivo). O objeto material é o título emitido. O sujeito ativo é qualquer pessoa (crime comum) e o sujeito passivo é o Estado e, secundariamente, a pessoa prejudicada. O tipo penal prevê a conduta de emitir, isto é, lançar em circulação nota, bilhete, ficha, vale ou título ao portador. Trata-se de lançar um título de crédito não previsto em lei ou que falte a indicação da pessoa a quem deva ser pago. A norma se refere aos títulos que devam ser pagos em dinheiro, ficando de fora títulos que representam mercadorias ou serviços, como os *warrants*, vales particulares, passagens, além de papéis que não tenham função de crédito, como os "vales de caixa" ou "vales íntimos". O tipo contém o elemento normativo "sem permissão legal", que pode ser uma previsão legal genérica ou específica. O elemento subjetivo é o dolo, exigindo-se a consciência da falta de previsão legal. Consuma-se o crime com a emissão, isto é, entrega do título a terceiro, independentemente de sua utilização ou produção de qualquer vantagem ou prejuízo (crime formal). Admite-se a tentativa. Constitui forma privilegiada de crime a utilização ou recebimento dos títulos mencionados como dinheiro, caso em que a consumação ocorre com sua entrega ou com seu recebimento como pagamento ou troca, como se dinheiro fosse, conhecendo a ausência de permissão legal para tanto. A ação penal é pública incondicionada.

18.3 FALSIDADE DE TÍTULOS E OUTROS PAPÉIS PÚBLICOS

Falsidade de papéis públicos

Segundo o art. 293, constitui crime, punido com pena de reclusão, de 2 a 8 anos, e multa, a falsificação de papéis públicos. O objeto material é qualquer papel público. O sujeito ativo é qualquer pessoa e o sujeito passivo é o Estado. O tipo penal especifica as condutas de fabricar (produzir, criar um papel falso) ou alterar (modificar papel autêntico) os seguintes documentos:

a. selo destinado a controle tributário, papel selado ou qualquer papel de emissão legal destinado à arrecadação de tributo;
b. papel de crédito público que não seja moeda de curso legal;
c. vale postal;
d. cautela de penhor, caderneta de depósito de caixa econômica ou de outro estabelecimento mantido por entidade de direito público;
e. talão, recibo, guia, alvará ou qualquer outro documento relativo a arrecadação de rendas públicas ou a depósito ou caução por que o poder público seja responsável;
f. bilhete, passe ou conhecimento de empresa de transporte administrada pela União, por Estado ou por Município.

Figuras equiparadas

Também pratica o crime quem usa, guarda, possui ou detém qualquer dos papéis falsificados referidos anteriormente, ou quem importa, exporta, adquire, vende, troca, cede, empresta, guarda, fornece ou restitui à circulação selo falsificado destinado a controle tributário, bem como importa, exporta, adquire, vende, expõe à venda, mantém em depósito, guarda, troca, cede, empresta, fornece, porta ou, de qualquer forma, utiliza em proveito próprio ou alheio, no exercício de atividade comercial ou industrial, produto ou mercadoria em que tenha sido aplicado selo que se destine a controle tributário, falsificado, ou sem selo oficial, nos casos em que a legislação tributária determina a obrigatoriedade de sua aplicação (§ 1º). A lei considera atividade comercial, para fim desse crime, qualquer forma de comércio irregular ou clandestino, inclusive o exercido em vias, praças ou outros logradouros públicos e em residências (§ 5º), o que se aplica, portanto, aos ambulantes que exercem comércio informal. Note que se o agente recebeu de boa-fé o papel, cuja falsidade apenas descobriu posteriormente, irá se configurar o crime do § 4º.

Supressão de carimbo ou sinal indicativo de inutilização

Além disso, constitui crime suprimir, em qualquer desses papéis, quando legítimos, com o fim de torná-los novamente utilizáveis, carimbo ou sinal indicativo de sua inutilização (§ 2º), bem como usar qualquer desses papéis, quando alterados (§ 3º). A pena para essas condutas é de 1 a 4 anos, e multa. Note que a pena da utilização só será aplicada para quem não falsificou o papel, pois se o autor da supressão do sinal utiliza o papel posteriormente, sua conduta é mero exaurimento (pós-fato impunível) da falsificação, devendo ser responsabilizado apenas por esta.

Uso de boa-fé

Nos termos do § 4º, quem usa ou restitui à circulação, embora recebido de boa-fé, qualquer desses papéis falsificados, depois de conhecer a falsidade ou alteração, fica sujeito a pena de detenção, de 6 meses a 2 anos, ou multa. Para configuração deste crime exige-se boa-fé do agente ao receber o papel, isto é, desconhecimento da falsidade, a qual veio a perceber somente após o recebimento. Não havendo boa-fé, o crime é do § 1º.

Elemento subjetivo

O art. 293 não admite forma culposa, sendo doloso em todas as suas modalidades. No caso do § 2º, além do dolo, exige-se que a supressão do sinal indicativo de inutilização seja feita com o fim especial de torná-lo novamente utilizável. No caso do § 4º, a configuração dessa modalidade é a existência de boa-fé no recebimento do papel.

Consumação e tentativa

O crime se consuma com a realização da falsificação, independentemente de uso efetivo do papel ou obtenção de qualquer vantagem pelo falsificador (crime formal). Na hipótese do § 1º, consuma-se o crime com a realização de qualquer das condutas descritas, sendo que as formas *expor à venda*, *ter em depósito* e *guardar* são permanentes, de modo que a consumação se prolonga no tempo. No caso do § 2º, consuma-se o crime com a supressão do sinal, independentemente de sua utilização ou vantagem, ao passo que o § 2º se consuma com a utilização do papel em que se operou a supressão. O § 4º se consuma quando o agente coloca o papel em circulação. A tentativa é admitida em todas as formas.

Petrechos para falsificação

O art. 295 prevê o crime de petrechos de falsificação, que consiste em fabricar, adquirir, fornecer, possuir ou guardar objeto especialmente destinado à falsificação de qualquer dos papéis referidos no artigo anterior. Trata-se, novamente, de incriminação de atos preparatórios à falsificação, a fim de melhor proteger o bem jurídico, abrindo-se exceção à teoria monista. A pena é de reclusão, de 1 a 3 anos, e multa, podendo ser aumentada de sexta parte se o agente é funcionário público e comete o crime prevalecendo-se do cargo. O objeto jurídico é a fé pública. O objeto material é o petrecho para falsificação. O sujeito ativo é qualquer pessoa (crime comum). Em se tratando de funcionário público, o crime é majorado, desde que o agente tenha se valido do cargo público para a prática do crime. O sujeito passivo é o Estado. O tipo penal é de conteúdo variado, prevendo as condutas de fabricar (produzir), possuir (ter sob a posse direta ou indireta) ou guardar (ter sob seus cuidados, estar em poder) qualquer objeto que deva ser usado na falsificação, tais como impressoras, moldes, tinta, papel etc. Embora a lei fale de qualquer objeto, a interpretação é restritiva, devendo haver destinação específica. Não se deve, porém, confundir uso específico com uso exclusivo. O objeto deve servir especificamente à falsificação, embora possa também ser utilizado para outros fins. O elemento subjetivo é o dolo, além da finalidade de usar os "petrechos" especificamente para falsificar os papéis referidos no art. 293. Consuma-se o crime com a realização de qualquer dos verbos do tipo. As modalidades *possuir* e *guardar* são permanentes, de modo que a consumação se prolonga no tempo. A ação penal é pública incondicionada.

18.4 FALSIDADE DOCUMENTAL

Distinção entre falsidade material e ideológica

No Capítulo III do Título X, o CP não trata apenas das condutas que configuram *falsidade material*, isto é, a modificação da substância de um documento verdadeiro ou a criação de um documento falsificado, mas também da *falsidade ideológica*, ou seja, a inserção de conteúdo inverídico em documento verdadeiro. Incrimina-se, também, o uso desses documentos.

Falsidade material	Falsidade ideológica
É a fabricação ou alteração física de um documento. Exemplo: pessoa que coloca sua foto no documento de identidade de outra.	É a informação falsa consignada em um documento. Exemplo: funcionário público encarregado da emissão de documento de identidade e que faz constar uma data de nascimento diversa da verdadeira.

Falsificação do selo ou sinal público

Consoante o art. 296, *consiste em falsificar, fabricando-os ou alterando-os, selo público destinado a autenticar atos oficiais da União, de Estado ou de Município, selo ou sinal atribuído por lei a entidade de direito público, ou a autoridade, ou sinal público de tabelião.* A pena para esse crime é de reclusão, de 2 a 6 anos, e multa, mas, se o agente é funcionário público, e comete o crime prevalecendo-se do cargo, aumenta-se a pena de sexta parte (§ 2º). O objeto jurídico é a fé pública. O objeto material é o selo ou sinal público. O sujeito ativo é qualquer pessoa. Tratando-se de funcionário público que se utiliza do cargo para cometer o crime, a pena é majorada. O sujeito passivo é o Estado.

O tipo penal especifica as condutas de fabricar (produzir, criar um papel falso) ou alterar (modificar papel autêntico), os seguintes documentos:

a. selo público destinado a autenticar atos oficiais da União, de Estado ou de Município;
b. selo ou sinal atribuído por lei a entidade de direito público, ou a autoridade, ou sinal público de tabelião.

O crime pretende preservar a credibilidade dos emblemas que, por lei, caracterizam as instituições públicas.

Figuras equiparadas

O § 1º equipara a falsificação às seguintes situações:

a. *Utilização de selo ou sinal falsificado:* a simples detenção não configura o crime. Note que a utilização só é punível se o agente não for o próprio falsificador, pois, quanto a este, a utilização do documento falso é mero exaurimento (pós-fato impunível) da falsificação.

b. *Utilização indevida de selo ou sinal verdadeiro*: neste caso não há falsificação, mas utilização indevida de selo ou sinal verdadeiro, não sendo suficiente o dolo, mas também a finalidade de causar prejuízo ou obter proveito para si ou para outrem.

c. *Falsificação ou alteração de marcas, logotipos, siglas ou quaisquer outros símbolos utilizados ou identificadores de órgãos ou entidades da Administração Pública*: neste caso, o agente realiza a falsificação ou a alteração. Note que a utilização da falsidade não está abrangida na descrição, embora possa configurar a hipótese seguinte.

d. *Utilização indevida de marcas, logotipos, siglas ou quaisquer outros símbolos utilizados ou identificadores de órgãos ou entidades da Administração Pública*: a utilização indevida se configura quando o agente utiliza uma falsidade ou quando utiliza um material verdadeiro de forma ilícita, por exemplo, quando uma autoridade pública coloca o selo de sua repartição em uma correspondência particular.

Elemento subjetivo

O elemento subjetivo é o dolo, exigindo-se, no caso do § 1º, II, a finalidade de causar prejuízo ou obter proveito para si ou para terceira pessoa.

Consumação e tentativa

Consuma-se o crime com a falsificação, no caso do *caput*, ou com a utilização do selo ou sinal, no caso do § 1º. Embora o inciso II deste parágrafo mencione prejuízo ou vantagem, a consumação independe desse resultado material, pois trata-se de crime formal, bastando que a conduta seja praticada com esse fim. Admite-se a tentativa.

Majorante e ação penal

Para incidência da majorante não é suficiente tratar-se de funcionário público. É preciso que este se utilize do cargo para praticar o crime. A ação penal é pública incondicionada.

Falsificação de documento público

Conforme o art. 297, o crime consiste em *falsificar, no todo ou em parte, documento público, ou alterar documento público verdadeiro*. A pena é de reclusão, de 2 a 6 anos, e multa, mas se o agente é funcionário público e comete o crime prevalecendo-se do cargo, aumenta-se a pena de sexta parte (§ 1º). O objeto jurídico é a fé pública. O objeto material é o documento público. O sujeito ativo é qualquer pessoa. Tratando-se de funcionário público que se utiliza do cargo para cometer o crime, a pena é majorada. O sujeito passivo é o Estado. O tipo penal tipifica as condutas de falsificar documento público, no sentido de criar, produzir um documento falso, ou alterar documento público verdadeiro, isto é, modificar o conteúdo de um documento autêntico, emanado do Poder Público. A falsificação deve ser idônea, isto é, ser capaz de enganar. A falsificação grosseira, isto é, detectável *ictu oculi*, não configura o crime. Documento público é qualquer documento emanado de funcionário, órgão, instituição ou autoridade pública, dividindo-se em:

a. Formal e substancialmente público: elaborado por funcionário público, no interesse público. Exemplo: portaria de instauração de inquérito policial.
b. Apenas formalmente público: elaborado por funcionário público, no interesse de particular. Exemplo: certidão judicial de comparecimento de testemunha, para justificar falta ao trabalho.

Note que, para os efeitos penais, a lei equipara a documento público o emanado de entidade paraestatal, o título ao portador ou transmissível por endosso, as ações de sociedade comercial, os livros mercantis e o testamento particular (§ 2º).

Falsificação e estelionato

No caso de utilização de documento falso como meio para a prática de estelionato, poderá haver duas situações. Caso o documento falso possa ser utilizado em outras infrações, haverá concurso de crimes. É o caso de quem falsifica um documento de identidade e, com ele, realiza diversas fraudes. Todavia, se o falso se exaurir no estelionato, sem mais potencialidade lesiva, ocorrerá absorção da falsidade, por se tratar de antefato impunível, nos termos da Súmula 17 do STJ. É o que acontece quando alguém, por exemplo, falsifica a assinatura em um cheque, com o qual obtém uma única vantagem ilícita.

Figuras equiparadas

Nos termos do § 3º, incorre na mesma pena quem insere (diretamente) ou faz inserir (por interposta pessoa) dados falsos em documentos que, embora particulares, têm relevância pública, a saber:

I. na folha de pagamento ou em documento de informações que seja destinado a fazer prova perante a previdência social, pessoa que não possua a qualidade de segurado obrigatório;
II. na Carteira de Trabalho e Previdência Social do empregado ou em documento que deva produzir efeito perante a previdência social, declaração falsa ou diversa da que deveria ter sido escrita;
III. em documento contábil ou em qualquer outro documento relacionado às obrigações da empresa perante a previdência social, declaração falsa ou diversa da que deveria ter constado.

Consoante o § 4º, também incorre nas mesmas penas do *caput*, quem omite, nesses documentos, nome do segurado e seus dados pessoais, a remuneração, a vigência do contrato de trabalho ou de prestação de serviços.

Distingue-se este crime do art. 337-A, pois neste há finalidade específica de sonegar contribuições previdenciárias.

Elemento subjetivo

O crime é doloso em todas as suas modalidades, não admitindo forma culposa.

Consumação e tentativa

Consuma-se o crime com a falsificação ou alteração. Admite-se a tentativa, exceto no § 4º, que trata de omissão própria.

Majorante e ação penal

Para incidência da majorante não é suficiente tratar-se de funcionário público. É preciso que este se utilize do cargo para praticar o crime. A ação penal é pública incondicionada.

Falsificação de documento particular

O art. 298 prevê o crime de *falsificação de documento particular*, que consiste em *falsificar, no todo ou em parte, documento particular ou alterar documento particular verdadeiro*. A pena é de reclusão, de 1 a 5 anos, e multa. O objeto jurídico é a fé pública. O objeto material é o documento particular. O sujeito ativo é qualquer pessoa e o sujeito passivo é o Estado, bem como, secundariamente, a pessoa prejudicada pela falsidade. O tipo penal tipifica as condutas de falsificar documento particular, no sentido de criar, produzir um documento falso, ou alterar documento particular verdadeiro, isto é, modificar o conteúdo de um documento autêntico, emanado de pessoa física ou jurídica privada. A falsificação deve ser idônea, isto é, ser capaz de enganar. A falsificação grosseira, isto é, detectável *ictu oculi*, não configura o crime. Documento particular é, por exclusão, todo aquele que não é público ou equiparado. Por expressa disposição legal, considera-se documento particular o cartão de crédito ou débito (art. 298, parágrafo único). No caso de utilização de documento falso como meio para a prática de estelionato, poderá haver duas situações: 1ª) caso o documento falso possa ser utilizado em outras infrações, haverá concurso de crimes (é o caso de quem falsifica um documento de identidade e, com ele, realiza diversas fraudes); 2ª) se o falso se exaurir no estelionato, sem mais potencialidade lesiva, ocorrerá absorção da falsidade, por se tratar de antefato impunível, nos termos da Súmula 17 do STJ (é o que acontece quando alguém, por exemplo, falsifica a assinatura em um cheque, com o qual obtém uma única vantagem ilícita). O tipo subjetivo é o dolo. Consuma-se o crime com a falsificação, independentemente de qualquer vantagem do agente ou prejuízo a alguém (crime formal). Admite-se a tentativa. A ação penal é pública incondicionada.

Falsidade ideológica

Consiste em *omitir, em documento público ou particular, declaração que dele devia constar, ou nele inserir ou fazer inserir declaração falsa ou diversa da que devia ser escrita, com o fim de prejudicar direito, criar obrigação ou alterar a verdade sobre fato juridicamente relevante* (art. 299). A pena é de reclusão, de 1 a 5 anos, e multa, se o documento é público, e reclusão de 1 a 3 anos, e multa, de 500 mil réis a 5 contos de réis, se o documento é particular, mas se o agente é funcionário público, e comete o crime prevalecendo-se do cargo, ou se a falsificação ou alteração é de assentamento de registro civil, aplica-se a majorante prevista no parágrafo único, aumentando-se a pena de sexta parte.

O objeto jurídico é a fé pública. O objeto material é o conteúdo do documento público ou particular. O sujeito ativo é qualquer pessoa e o sujeito passivo é o Estado, bem como, secundariamente, a pessoa prejudicada pela falsidade. O tipo objetivo prevê duas formas de conduta:

a. *omitir declaração que devia constar em documento público ou particular*: trata-se de norma penal em branco, devendo-se observar as definições de documento público e particular trazidas no próprio Código Penal (arts. 297 e 298), sendo que a conduta é omissiva, no sentido de deixar de fazer constar declaração relevante;
b. *inserir ou fazer inserir declaração falsa ou diversa da que devia ser escrita em documento público ou particular:* o agente nesse caso insere (diretamente) ou faz inserir (por interposta pessoa) declaração falsa (que não corresponde à verdade) ou diversa da que deveria constar (informação indevida, ainda que verdadeira) em documento público ou particular.

O chamado "abuso de folha em branco", em que o agente preenche um papel assinado, configura falsidade ideológica se a folha assinada em branco, confiada ao agente para preenchimento de acordo com a orientação do signatário, é preenchida com declarações diversas da que devia constar. Todavia, há falsidade material (arts. 297 ou 298), se a folha foi entregue apenas para ser guardada, se foi obtida ilicitamente ou se houve revogação do mandato ou extinção da obrigação ou faculdade de preencher a folha.

Embora não seja tema pacífico, a simulação pode configurar falsidade ideológica. Exemplo: num processo de separação, um dos cônjuges, a fim de prejudicar o outro, simula a existência de dívidas, apresentando notas promissórias.

A falsificação deve ser idônea, isto é, ser capaz de enganar, pois a falsificação grosseira, isto é, detectável *ictu oculi*, não configura o crime. Deve, ainda, incidir sobre fato juridicamente relevante (elemento normativo do tipo).

O tipo subjetivo é o dolo, além da finalidade específica de prejudicar direito, criar obrigação ou alterar a verdade sobre fato juridicamente relevante. Consuma-se o crime com a omissão ou inserção da declaração, dispensando qualquer prejuízo a terceiro (crime formal). Admite-se a tentativa apenas nas formas de inserir ou fazer inserir, já que a forma omissiva é incompatível com o crime tentado.

O parágrafo único prevê duas majorantes, aumentando-se a pena de sexta parte, nos seguintes casos:

a. *se o agente é funcionário público, e comete o crime prevalecendo-se do cargo:* não basta tratar-se de funcionário público, devendo se valer do cargo para praticar o crime;
b. *se a falsificação ou alteração é de assentamento de registro civil:* não se confunde a majorante com os crimes de inscrição de nascimento inexistente (art. 241) e registro de filho alheio como próprio (art. 242), devendo ainda se observar a regra especial de prescrição prevista no art. 111, IV, do CP, começando a correr da data em que o fato se tornou conhecido da autoridade pública ou em que se tornou notoriamente divulgado.

A ação penal é pública incondicionada.

Falso reconhecimento de firma ou letra

Este crime *consiste em reconhecer, como verdadeira, no exercício de função pública, firma ou letra que o não seja (art. 300)*. A pena é de reclusão, de 1 a 5 anos, e multa, se o documento é público; e de 1 a 3 anos, e multa, se o documento é particular. O objeto jurídico é a fé pública. O objeto material é o reconhecimento da assinatura ou da letra. Trata-se de crime próprio, uma vez que o sujeito ativo será sempre o funcionário público com poder para realizar reconhecimentos, como o tabelião, o cônsul etc. O sujeito passivo é o Estado, bem como, secundariamente, a pessoa prejudicada pela falsidade. O tipo penal prevê a conduta de reconhecer, que é o ato do funcionário competente e com fé pública de afirmar a veracidade da firma (assinatura) ou letra (manuscrito) de uma pessoa. O elemento subjetivo é o dolo, direto ou eventual. Consuma-se o crime com o reconhecimento falso, independentemente de qualquer resultado (crime formal). Admite-se a tentativa. A ação penal é pública incondicionada.

Falsidade de certidão ou atestado

Aspectos gerais

Este crime contempla duas formas de falsidade. Enquanto o *caput* prevê a falsidade ideológica do atestado ou da certidão, isto é, a falsidade em relação ao conteúdo constante no documento, o § 1º prevê a falsidade material, que consiste na produção de um documento falso ou alteração de um documento verdadeiro. Em qualquer dos casos, não basta a falsidade, já que as figuras típicas tratam da falsidade de *fato ou circunstância que habilite alguém a obter cargo público, isenção de ônus ou de serviço de caráter público, ou qualquer outra vantagem*. A vantagem obtida deve ser de natureza pública, pois trata-se de analogia *intra legem*, devendo ser observada a mesma natureza dos padrões anteriores, que se referem a cargo e serviço público. Assim, caso a vantagem obtida seja de natureza particular, restará configurado o crime de falsificação de documento público (art. 297). Assim, a falsificação de certificado de aprovação escolar para fins de admissão em curso superior configura o art. 297 e não o 301.

Objetividade jurídica e material e sujeitos do delito

Tutela-se a fé pública. O objeto material é o atestado ou a certidão. O sujeito ativo é o funcionário público (crime próprio) e o sujeito passivo é o Estado.

Se o agente falsifica e utiliza a certidão ou atestado, responde apenas pela falsidade, em razão da absorção.

Tipo objetivo

Falsidade ideológica da certidão ou do atestado (art. 301): consiste o crime em *atestar ou certificar falsamente, em razão de função pública, fato ou circunstância que habilite alguém a obter cargo público, isenção de ônus ou de serviço de caráter público, ou qualquer outra vantagem* (art. 301). A pena é de detenção, de 2 meses a 1 ano (infração de menor potencial ofensivo). O tipo objetivo prevê as condutas de atestar (testemunhar, afirmar, declarar um fato ou circunstância) ou certificar (expedir uma certidão sobre um fato ou circunstância) falsamente (mendazmente, sem veracidade), em razão da função pública (o agente deve ter competência para atestar ou certificar, não bastando tratar-se de funcionário público), fato ou circunstância que habilite alguém a obter cargo público, isenção de ônus de caráter público ou qualquer outra vantagem, não bastando, portanto, a falsidade, devendo tratar-se de mentira sobre fato ou circunstância apta a produzir os efeitos jurídicos mencionados.

Falsidade material da certidão ou do atestado (art. 301, § 1º): trata-se de forma qualificada, que está assim descrita: *falsificar, no todo ou em parte, atestado ou certidão, ou alterar o teor de certidão ou de atestado verdadeiro, para prova de fato ou circunstância que habilite alguém a obter cargo público, isenção de ônus ou de serviço de caráter público, ou qualquer outra vantagem*. A pena é de detenção, de 3 meses a 2 anos e, se o crime é praticado com o fim de lucro, aplica-se, além da pena privativa de liberdade, a de multa (infração de menor potencial ofensivo). *Falsificar* é criar, produzir, no todo ou em parte, um documento falso; *alterar* é modificar o teor do documento verdadeiro. De resto, vale o quanto foi dito anteriormente sobre a falsidade ideológica do atestado ou da certidão.

Tipo subjetivo

Trata-se de crime doloso, na modalidade de dolo direto ou eventual. Não se exige finalidade específica do agente, bastando o conhecimento de que o fato ou circunstância objeto do atestado ou certidão pode habilitar alguém a obter cargo público, isenção de ônus ou de serviço de caráter público, ou qualquer outra vantagem.

Consumação e tentativa

Consuma-se o crime com a emissão do atestado ou da certidão falsa, isto é, no momento em que o funcionário público competente entrega o documento ao destinatário para utilização, ainda que o uso não aconteça efetivamente (crime formal). Admite-se a tentativa.

Ação penal

A ação penal é pública incondicionada.

Falsidade de atestado médico

O art. 302 tipifica a conduta de *dar o médico, no exercício da sua profissão, atestado falso*. A pena é de detenção, de 1 mês a 1 ano e, se houver fim de lucro, também multa (infração de menor potencial ofensivo). Tutela-se a fé pública, sendo espécie de falsidade ideológica praticada apenas por médico. O objeto material é o conteúdo do atestado médico. Trata-se de crime próprio, que só pode ser cometido por médico. O sujeito passivo é o Estado, bem como, secundariamente, a pessoa prejudicada pela falsidade. O tipo penal é dar (fornecer, entregar) o médico (profissional legalmente habilitado ao exercício da medicina), no exercício da profissão (deve-se tratar de algo relacionado à atividade médica), atestado falso (afirmação que não corresponde à verdade). O tipo subjetivo é o dolo. Consuma-se o crime com a entrega do atestado contendo a declaração falsa. Admite-se a tentativa, podendo o médico ser preso em flagrante quando entrega o atestado falso, por exemplo. A ação penal é pública incondicionada.

Reprodução ou adulteração de selo ou peça filatélica

O crime tipificado no art. 303 passou a ser regulado pelo art. 39 da Lei n. 6.538, que regula os serviços postais. Consiste em *reproduzir ou alterar selo ou peça filatélica que tenha valor para coleção, salvo quando a reprodução ou a alteração está visivelmente anotada na face ou no verso do selo ou peça*. A pena, prevista na citada lei, é de detenção, até 2 anos, e pagamento de 3 a 10 dias-multa (infração de menor potencial ofensivo). O objeto jurídico é a fé pública. O objeto material é o selo ou a peça filatélica. O sujeito ativo é qualquer pessoa e o sujeito passivo é o Estado, bem como, secundariamente, a pessoa prejudicada pela falsidade. O tipo penal consiste em reproduzir (copiar, produzir uma imitação) selo (adesivo oficial usado em correspondências) ou peça filatélica (blocos de selos, cartões comemorativos, qualquer material com valor filatélico) que tenha valor para coleção (elemento normativo do tipo), pois a filatelia é uma atividade com muitos adeptos e valor econômico considerável, especialmente entre colecionadores. Como sempre, a falsificação deve ser idônea e apta a iludir. A falsificação grosseira não configura o crime. O próprio tipo penal exclui o crime se *a reprodução ou a alteração está visivelmente anotada na face ou no verso do selo ou peça*. O tipo subjetivo é o dolo, que abrange o conhecimento do valor do selo ou peça filatélica para coleção. Nos termos do parágrafo único do art. 39 quem faz uso comercial do selo ou peça alterada. A utilização sem fins lucrativos não constitui crime. Consuma-se o crime com a reprodução ou alteração, assim como sua comercialização, no caso do parágrafo mencionado. Admite-se a tentativa. A ação penal é pública incondicionada.

Uso de documento falso

Configura o crime, segundo o art. 304, *fazer uso de qualquer dos papéis falsificados ou alterados, a que se referem os arts. 297 a 302*. A pena é a mesma cominada à falsificação ou à alteração. O objeto jurídico é a fé pública. O objeto material é o documento público ou particular falsificado. O sujeito ativo é qualquer pessoa, desde que não seja o próprio autor da falsidade, pois em relação a este, o uso constitui exaurimento da falsificação. O sujeito passivo é o Estado, bem como, secundariamente, a pessoa prejudicada. O tipo penal incrimina o uso, que pode ser de qualquer natureza, judicial ou extrajudicial, desde que efetivo. A simples referência, ostentação ou ameaça de utilização não constitui crime. O art. 304 é um tipo penal remetido, uma vez que remete aos artigos 297 a 302. A remissão ocorre tanto no preceito primário (descrição do fato típico), como no preceito secundário (pena cominada).

Trata-se, com efeito, de um tipo penal que se caracteriza como norma penal em branco homogênea e homovitelina, pois a remissão ocorre entre normas da mesma hierarquia e do mesmo diploma legal. É também uma norma penal em branco intensificada ou duplamente remetida. Portanto: norma penal em branco homogênea, homovitelina e intensificada ou duplamente remetida.

O agente que utilizar um documento falso será punido com a pena correspondente à pena da falsificação do documento utilizado. Assim, se utilizar um documento público falso, receberá a pena do art. 297 (reclusão, de 2 a 6 anos, e multa); mas se utilizar documento particular falsificado, a pena será do art. 298 (reclusão, de 1 a 5 anos, e multa). Se usar um atestado médico falso, a pena será do art. 302 (detenção, de 1 mês a 1 ano), e assim por diante. Evidentemente que só será possível essa incriminação se o agente tiver conhecimento da falsidade. Digamos que uma mulher obtenha, do médico, por razões de amizade, um atestado falso, a fim de que seu marido o apresente no trabalho. O marido, tendo recebido do médico um falso diagnóstico, apresenta o documento, pensando tratar-se de atestado genuíno. Nesse caso, não responderá pelo crime do art. 304.

Se o agente usa o documento várias vezes em relação à mesma pessoa ou pessoas distintas, ocorre continuidade delitiva. No caso de utilização de documento falso como meio para a prática de estelionato, poderá haver duas situações: 1ª) caso o documento falso possa ser utilizado em outras infrações, haverá concurso de crimes (é o caso de quem falsifica um documento de identidade e, com ele, realiza diversas fraudes); 2ª) se o falso se exaurir no estelionato, sem mais potencialidade lesiva, ocorrerá absorção da falsidade, por se tratar de antefato impunível, nos termos da Súmula 17 do STJ (é o que acontece quando alguém, por exemplo, falsifica a assinatura em um cheque, com o qual obtém uma única vantagem ilícita). Se o sujeito falsifica o documento e depois o utiliza, responde apenas pela falsificação, pois o uso fica absorvido (pós-fato impunível ou crime exaurido).

O elemento subjetivo é o dolo, que inclui o conhecimento da falsidade. Consuma-se o crime com o simples uso do documento (crime de mera conduta). Não se admite tentativa. A ação penal é pública incondicionada.

Supressão de documento

O art. 305 prevê o crime de *destruir, suprimir ou ocultar, em benefício próprio ou de outrem, ou em prejuízo alheio, documento público ou particular verdadeiro, de que não podia dispor*. A pena é de reclusão, de 2 a 6 anos, e multa, se o documento é público, e reclusão, de 1 a 5 anos, e multa, se o documento é particular. O objeto jurídico é a fé pública, no sentido da segurança dos documentos como meio de prova. O sujeito ativo é qualquer pessoa. O objeto material é o documento público ou particular. O sujeito passivo é o Estado, bem como a pessoa prejudicada pelo crime. O tipo penal incrimina as condutas de destruir (eliminar fisicamente o documento, que deixa de existir), suprimir (retirar do local onde deva ser encontrado o documento) ou ocultar (esconder, podendo ser dentro ou fora da repartição), em benefício próprio ou de outrem (qualquer vantagem patrimonial, moral, sexual etc.) ou em prejuízo alheio (material, econômico, moral etc.), documento público (sentido amplo, art. 297, § 2º, do CP) ou particular (o que não for público) verdadeiro (se o documento for falso não se configura o art. 305, podendo se configurar outro crime) de que não podia dispor, pouco importando como o agente tenha obtido o documento, bastando que seja algo que não possa dispor, ainda que seja o proprietário do mesmo. Este crime não se configura se o documento destruído, suprimido ou ocultado for passível de substituição por outro, como uma certidão ou cópia. Caso a conduta recaia em documentos judiciais poderá se configurar o crime do art. 356. O elemento subjetivo é o dolo, além da finalidade específica de obter vantagem (para si ou para terceiro) ou causar prejuízo, podendo ser uma ou outra finalidade. Consuma-se o crime com a destruição, total ou parcial, supressão ou ocultação, ainda que não haja vantagem ou prejuízo (crime formal). Admite-se a tentativa. A ação penal é pública incondicionada.

Crime contra a ordem tributária

A falsidade poderá constituir um crime contra a ordem tributária, pois, consoante o art. 1º, IV, da Lei n. 8.137, constitui crime contra a ordem tributária, punido com pena de reclusão de 2 a 5 anos, e multa, suprimir ou reduzir tributo, ou contribuição social e qualquer acessório, mediante a conduta de elaborar, distribuir, fornecer, emitir ou utilizar documento que saiba ou deva saber falso ou inexato.

18.5 OUTRAS FALSIDADES

Falsificação do sinal empregado no contraste de metal precioso ou na fiscalização alfandegária, ou para outros fins

Consiste em *"falsificar, fabricando-o ou alterando-o, marca ou sinal empregado pelo poder público no contraste de metal precioso ou na fiscalização alfandegária, ou usar marca ou sinal dessa natureza, falsificado por outrem"* (art. 306). A pena é de reclusão, de 2 a 6 anos, e multa. Se a marca ou sinal falsificado é o que usa a autoridade pública para o fim de fiscalização sanitária, ou para autenticar ou encerrar determinados objetos, ou comprovar o cumprimento de formalidade legal, a pena é de reclusão ou detenção, de 1 a 3 anos, e multa. O objeto jurídico é a fé pública, no que diz respeito às formas de autenticação públicas. O objeto material é a marca ou o sinal empregado pelo poder público. O sujeito ativo é qualquer pessoa e o sujeito passivo é o Estado.

As condutas são as seguintes:

a. falsificar mediante fabricação (criação, imitação) ou alteração (modificação do que já existe), marca ou sinal empregado pelo poder público no contraste de metal precioso ou na fiscalização alfandegária;
b. usar marca ou sinal dessa natureza, falsificado por outrem.

O objeto material é a marca ou sinal, que são elementos utilizados pelo poder público para identificar metais preciosos ou para fins de fiscalização alfandegária de produtos. A marca ou sinal pode estar gravada na própria peça (contraste) ou ser um selo, um adesivo, uma etiqueta, um lacre etc. No caso do parágrafo único, em que a pena é menor, o objeto material é a marca ou o sinal utilizado pelo poder público para fins de fiscalização sanitária, ou para autenticar ou encerrar objetos ou, ainda, para comprovar o cumprimento de formalidade legal. O elemento subjetivo é o dolo. Consuma-se o crime com a fabricação, alteração ou uso da marca ou sinal, independentemente de qualquer prejuízo ou benefício (crime formal). Admite-se a tentativa. A ação penal é pública incondicionada.

Falsa identidade

Falsa identidade propriamente dita

Falsa identidade *(art. 307)* é *atribuir-se ou atribuir a terceiro falsa identidade para obter vantagem, em proveito próprio ou alheio, ou para causar dano a outrem.* A pena é de detenção, de 3 meses a 1 ano, ou multa (infração de menor potencial ofensivo), se o fato não constitui elemento de crime mais grave, como por exemplo, um estelionato (subsidiariedade expressa). O objeto jurídico é a fé pública quanto à identidade das pessoas. O objeto material é a identificação pessoal. O sujeito ativo é qualquer pessoa. O sujeito passivo é o Estado e, secundariamente, o eventual prejudicado. O tipo penal prevê a conduta de *atribuir*, que significa designar, apontar, a si mesmo ou a terceira pessoa, falsa identidade. Identidade tem sentido amplo, abrangendo o nome, a idade, o estado civil e todos os dados concernentes à identificação pessoal.

Uso de identidade alheia

Também constitui falsa identidade o uso de identidade alheia, previsto no art. 308, embora sem *nomem juris* específico no Código Penal. O crime consiste em *usar, como próprio, passaporte, título de eleitor, caderneta de reservista ou qualquer documento de identidade alheia ou ceder a outrem, para que dele se utilize, documento dessa natureza, próprio ou de terceiro.* A pena de detenção, de 4 meses a 2 anos, e multa, se o fato não constitui elemento de crime mais grave. Note que o uso, nesse caso, é de documento verdadeiro de outrem, pois, caso se trate de documento falso, o crime será o previsto no art. 304.

Duas são as formas de conduta:

a. uso de documento alheio: consiste em usar, de qualquer modo, o documento de outrem como se fosse próprio;

b. cessão de documento próprio ou alheio para que outra pessoa faça uso: consiste em ceder o próprio documento ou documento de outra pessoa para alguém.

No caso do art. 307, o crime se configura independentemente do uso de qualquer documento, bastando que o sujeito ativo, ao realizar a identificação própria, apresente dados pessoais falsos, fazendo-se passar por terceira pessoa ou criando pessoa fictícia. No crime do art. 308, porém, o agente deve utilizar documento verdadeiro de outra pessoa, fazendo-se passar por ela, ou ceder o documento verdadeiro próprio ou de terceiro para outra pessoa utilizar, caso em que o usuário também pratica o crime, porém na forma de uso.

Elemento subjetivo

Embora o elemento subjetivo seja o dolo, existe elemento subjetivo especial, que consiste na finalidade de obter vantagem ou causar prejuízo.

Consumação e tentativa

A consumação dos crimes depende da sua modalidade. No caso do art. 307, consuma-se o crime no momento em que o sujeito ativo se identifica falsamente ou identifica terceira pessoa falsamente. No caso do art. 308, o crime se consuma pelo uso do documento de outra pessoa ou pelo simples fato de ceder documento próprio ou de terceiro a outrem. Não depende o crime de qualquer vantagem ou prejuízo (crime formal). Admite-se a tentativa.

Falsa identidade e outros crimes

Se a falsa identidade for destinada à realização de ato privativo de funcionário público, irá se configurar o crime de usurpação de função pública (art. 348). Se não houver realização de nenhum ato, mas simples atribuição da condição de funcionário, aplica-se o art. 45 da Lei das Contravenções Penais. O mero uso de uniforme ou distintivo de função pública configura o art. 46 da mesma Lei. Tratando-se de meio para a prática de estelionato, configura-se apenas este, em razão da subsidiariedade expressa. Se o funcionário público deixa de se identificar ou se identifica falsamente ao preso, por ocasião da prisão, incorre em abuso de autoridade (art. 16 da Lei n. 13.869). Não se deve confundir, outrossim, a falsa identidade com uso de identidade falsa e, tampouco, uso de identidade alheia. A falsa identidade, art. 307, é mera atribuição de falsos dados pessoais, sem uso de qualquer documento. Se o agente usa documento falso pratica o crime do art. 304. Se, porém, o agente usa documento verdadeiro de outra pessoa, comete o crime do art. 308.

Falsa identidade	Uso de documento de identidade falso	Uso de documento verdadeiro de outrem
Art. 307 do CP.	Art. 304 do CP.	Art. 308 do CP.

Falsa identidade e autodefesa
Conforme já decidiu o STF, o princípio constitucional da autodefesa (art. 5º, inciso LXIII, da CF/88) não alcança aquele que atribui falsa identidade perante autoridade policial com o intento de ocultar maus antecedentes, sendo, portanto, típica a conduta praticada pelo agente (art. 307 do CP).[4] É nesse sentido, também, a Súmula 522 do STJ.

Ação penal
A ação penal é pública incondicionada.

Fraude de lei sobre estrangeiros

A fraude de lei sobre estrangeiros pode ocorrer de três maneiras:

a. falsa identidade do estrangeiro;
b. atribuição de falsa qualidade a estrangeiro;
c. falsidade na posse ou propriedade de ação, título ou valor.

---

4. RE 640139 RG/DF, Tribunal Pleno, Repercussão Geral no Recurso Extraordinário. Relator(a): Min. Dias Toffoli, julgado em 22/09/2011.

Falsa identidade do estrangeiro

Consiste em *usar o estrangeiro, para entrar ou permanecer no território nacional, nome que não é o seu* (art. 309, *caput*). A pena é de detenção, de 1 a 3 anos, e multa. O objeto jurídico é a fé pública e o controle de imigração. O objeto material é a identificação do estrangeiro. O sujeito ativo é o estrangeiro (crime próprio). O sujeito passivo é o Estado. O tipo penal incrimina o estrangeiro, isto é, alguém que não é brasileiro nato ou naturalizado, com nome de terceiro, que pode ser real ou fictício, para entrar ou permanecer no território nacional, quer seja real ou ficto, nos termos do art. 5º do CP, que abrange embarcações e aeronaves públicas ou privadas, conforme o caso. O tipo subjetivo é o dolo, exigindo-se finalidade específica, que é entrar no território nacional. Consuma-se o crime com o simples emprego do nome falso, ainda que não consiga entrar ou permanecer no território (crime formal). Admite-se a tentativa. A ação penal é pública incondicionada.

Atribuição de falsa qualidade a estrangeiro

Consiste em *atribuir a estrangeiro falsa qualidade para promover-lhe a entrada em território nacional* (art. 309, parágrafo único). A pena é de reclusão, de 1 a 4 anos, e multa. O objeto jurídico é a fé pública e o controle de imigração. O objeto material é a identificação do estrangeiro. O crime é comum, pode ser praticado por qualquer pessoa. O sujeito passivo é o Estado. O tipo penal incrimina a conduta de atribuir, isto é, designar, creditar, apontar, imputar qualidade falsa (profissão, religião, origem etc.) a estrangeiro (alguém que não é brasileiro nato ou naturalizado) para promover-lhe (induzir, facilitar, possibilitar) a entrada no território nacional, real ou ficto, nos termos do art. 5º do CP, que abrange embarcações e aeronaves públicas ou privadas, conforme o caso. O tipo subjetivo é o dolo, exigindo-se finalidade específica, que é entrar no território nacional. Consuma-se o crime com a simples atribuição de qualidade falsa, ainda que não consiga entrar ou permanecer no território (crime formal). Admite-se a tentativa, na forma plurissubsistente (por escrito, por exemplo). A ação penal é pública incondicionada.

Falsidade na posse ou propriedade de ação, título ou valor

O crime está assim descrito: *"Art. 310 – Prestar-se a figurar como proprietário ou possuidor de ação, título ou valor pertencente a estrangeiro, nos casos em que a este é vedada por lei a propriedade ou a posse de tais bens: Pena – detenção, de 6 meses a 3 anos, e multa".* O objeto jurídico é a fé pública e a segurança nacional em relação à propriedade exclusiva de brasileiros. O objeto material é a ação, título ou valor. O sujeito ativo é qualquer pessoa. O sujeito passivo é o Estado. A conduta consiste em figurar o brasileiro como "laranja", simulando ser proprietário ou possuidor de ação, título ou valor que, na verdade, pertence ao estrangeiro, nos casos em que a este é vedada por lei a propriedade ou a posse de tais bens. Como exemplo dessa vedação, temos a restrição constitucional prevista no art. 222 da CF, que proíbe a participação de estrangeiro em mais de 30% no capital de empresas jornalísticas e de radiodifusão. O tipo subjetivo é o dolo, o qual deve abranger o conhecimento da vedação (dolo normativo). Consuma-se o crime quando o brasileiro assume a condição de proprietário ou possuidor de bens do estrangeiro. Admite-se a tentativa, embora de difícil configuração. A ação penal é pública incondicionada.

Adulteração de sinal identificador de veículo automotor

O crime previsto no art. 311 consiste em *adulterar ou remarcar número de chassi ou qualquer sinal identificador de veículo automotor, de seu componente ou equipamento*. A pena é de reclusão, de 3 a 6 anos, e multa, sendo aumentada de 1/3 se o agente comete o crime no exercício da função pública ou em razão dela (§ 1º). Incorre nas mesmas penas o funcionário público que contribui para o licenciamento ou registro do veículo remarcado ou adulterado, fornecendo indevidamente material ou informação oficial (§ 2º). O objeto jurídico é a fé pública no que diz respeito à segurança na identificação dos veículos. O objeto material é o veículo automotor. O sujeito ativo é qualquer pessoa. O sujeito passivo é o Estado, assim como a pessoa prejudicada pela falsificação. O tipo penal é composto das condutas adulterar (modificar irregularmente, defraudar, corromper) ou remarcar (inserção de nova identificação numérica ou alfabética) número de chassi ou qualquer sinal identificador de veículo automotor, de seu componente ou equipamento. A alteração de placa veicular com fita adesiva, sendo idônea para iludir e até mesmo causar prejuízos ao erário e a terceiros, em caso de multas indevidas, beneficiando o autor da falsificação, deve ser entendida como apta a configurar o crime em comento,[5] a despeito de opiniões em contrário, no sentido de que se trata de mera infração administrativa, por ter caráter transitório e não se destinar a burlar o licenciamento ou o registro. O tipo subjetivo é o dolo, sendo irrelevante qualquer outra finalidade específica do agente. Consuma-se o crime com a remarcação ou adulteração. Admite-se a tentativa. A ação penal é pública incondicionada.

Adulteração e receptação

Caso não se consiga determinar que foi o agente, preso em poder do veículo, o autor da adulteração, deverá responder por receptação (art. 180). Caso o agente tenha recebido veículo subtraído e realizado a adulteração, responderá por ambos os crimes, em concurso material (art. 69). Se o agente, não sendo autor da adulteração, mantém consigo ou conduz o veículo que sabe ser adulterado, deverá responder por receptação, na modalidade de receber ou conduzir bem que é produto de crime, qual seja, a adulteração, figurando o próprio art. 311 como delito antecedente.

Funcionário público

A pena é majorada de 1/3 se o crime é cometido por funcionário público, não sendo suficiente o exercício de cargo público, devendo o crime ser cometido aproveitando-se de facilidades proporcionada pelo cargo, como o fato de trabalhar em depósito de veículos apreendidos, por exemplo (§ 1º).

O § 2º prevê um crime equiparado à adulteração, que consiste na conduta do funcionário público que contribui para o licenciamento ou registro do veículo remarcado ou adulterado, fornecendo indevidamente material ou informação oficial. Nesse caso, o funcionário não participa da adulteração ou

---

[5]. Nesse sentido: STJ, AgRg no AREsp 860.012/MG, Rel. Min. Rogerio Schietti Cruz, Sexta Turma, julgado em 07/02/2017, DJe 16/02/2017.

remarcação, mas contribui para "esquentar" o veículo adulterado, prevalecendo-se do cargo que ocupa junto ao serviço de licenciamento veicular.

18.6 FRAUDES EM CERTAMES DE INTERESSE PÚBLICO

No art. 311-A, o Código Penal incrimina, com o fim de proteger a Administração Pública contra fraudes em vestibulares, concursos públicos e outros processos seletivos, a conduta de *utilizar ou divulgar, indevidamente, com o fim de beneficiar a si ou a outrem, ou de comprometer a credibilidade do certame, conteúdo sigiloso de concurso público, avaliação ou exame públicos, processo seletivo para ingresso no ensino superior ou exame ou processo seletivo previstos em lei*. O crime é punido com reclusão, de 1 a 4 anos, e multa, mas, se resulta dano à Administração Pública, a pena é de reclusão de 2 a 6 anos, e multa (crime qualificado). Em qualquer caso, se o fato é cometido por funcionário público, a pena é aumentada em 1/3. Nas mesmas penas incorre quem permite ou facilita, por qualquer meio, o acesso de pessoas não autorizadas às informações mencionadas no artigo. O objeto jurídico é a fé pública quanto à credibilidade dos certames. O sujeito ativo é qualquer pessoa (crime comum). O sujeito passivo é o Estado. O tipo prevê as condutas de utilizar (fazer uso de qualquer modo) ou divulgar (transmitir, narrar). O objeto material é o conteúdo sigiloso de concurso público (exemplo: questões da prova), avaliação ou exame públicos (exemplo: questões do exame de ordem), processo seletivo para ingresso no ensino superior (vestibulares) e exame ou processo seletivo previstos em lei (exemplo: questões do ENEM). Note que o crime só se configura em situações de processos seletivos previstos em lei, o que afasta a possibilidade de configuração do crime nas seleções feitas por entidades privadas, salvo quando contratadas pelo Poder Público, como terceirizadas, para realização de concursos e outros processos seletivos. Não configura crime a fraude praticada em provas e exames regulares de escolas e faculdades nas situações que integram o tipo. Trata-se de crime exclusivamente doloso, mas a lei exige elemento subjetivo especial, que consiste na finalidade de beneficiar a si ou a outrem, ou de comprometer a credibilidade do certame. Lamentável a inclusão desse elemento subjetivo, pois caso o agente busque apenas agir jocosamente, para comprovar sua capacidade de burlar o sistema, o fato será atípico, a despeito do enorme prejuízo, para o poder público e para as pessoas participantes do certame, em caso de anulação. O crime é formal, consumando-se com a indevida utilização ou divulgação, independentemente de qualquer resultado, mas o dano à Administração Pública configura a qualificadora prevista no § 2º. Por se tratar de crime formal, pratica o crime o candidato que, após obter gabarito sigiloso, faz uso do mesmo, mas não consegue aprovação. Admite-se a tentativa. A ação penal é pública incondicionada.

Figura equiparada

Nos termos do § 2º, incorre nas mesmas penas quem permite ou facilita, por qualquer meio, o acesso de pessoas não autorizadas às informações sigilosas mencionadas neste artigo. Trata-se de dispositivo totalmente desnecessário, uma vez que permitir ou facilitar são formas de participação, o que, por si só, implica responsabilização pelo crime.

Forma qualificada e majorada

O crime é qualificado, punido com pena de 2 a 6 anos, se resulta dano para a Administração Pública. O dano pode ser patrimonial ou moral, configurando-se ainda que não haja anulação do certame, desde que a Administração, por exemplo, tenha que realizar defesa judicial que tenha relação com o crime. Para configuração da qualificadora, o dano deve ter sido objeto do dolo do agente, ao menos na modalidade eventual. Além disso, consoante o § 3º, a pena será aumentada de 1/3 se funcionário público for autor ou partícipe do fato (majorante).

RESUMO

Crimes de moeda falsa

Moeda falsa (art. 289): o art. 289 prevê diversas formas de realização da conduta típica, a saber:

- falsificação propriamente dita, mediante fabricação ou alteração (*caput*);
- circulação de moeda falsa (§ 1º e 2º);
- fabricação, emissão ou autorização para emitir moeda autêntica em desacordo com a lei (§ 3º);
- circulação antecipada de moeda autêntica (§ 4º).

A moeda deve ter circulação atual. Não é aplicável o princípio da insignificância. A utilização de papel-moeda grosseiramente falsificado configura, em tese, o crime de estelionato, de competência da Justiça Estadual (Súmula 73 do STJ).

Crimes assimilados a moeda falsa (art. 290): o tipo compreende as seguintes condutas:

- formação de cédula, nota ou bilhete representativo de moeda usando fragmentos verdadeiros;
- suprimir sinal indicativo da inutilização da nota, cédula ou bilhete;
- restituir à circulação cédula, nota ou bilhete já recolhido para fins de inutilização.

Exige-se potencialidade lesiva do comportamento.

Petrechos para falsificação de moeda (art. 291): o legislador tipifica o ato preparatório da falsificação de moeda, transformando-o em crime autônomo, como forma de melhor tutelar o bem jurídico. Embora a lei fale de qualquer objeto, a interpretação é restritiva, devendo haver destinação específica. Não se deve, porém, confundir uso específico com uso exclusivo.

Emissão de título ao portador sem permissão legal (art. 292): emitir, sem permissão legal, nota, bilhete, ficha, vale ou título que contenha promessa de pagamento em dinheiro ao portador ou a que falte indicação do nome da pessoa a quem deva ser pago. A norma se refere aos títulos que devam ser pagos em dinheiro.

Falsidade de títulos e outros papéis públicos

Falsidade de papéis públicos (art. 293): o tipo penal especifica as condutas de fabricar (produzir, criar um papel falso) ou alterar (modificar papel autêntico), os documentos especificados: selo destinado a controle tributário, papel selado ou qualquer papel de emissão legal destinado à arrecadação de tributo, papel de crédito público que não seja moeda de curso legal etc. Também pratica o crime quem usa, guarda, possui ou detém qualquer dos papéis falsificados referidos anteriormente, ou quem importa, exporta, adquire, vende, troca, cede, empresta, guarda, fornece ou restitui à circulação selo falsificado destinado a controle tributário, bem como importa, exporta, adquire, vende, expõe à venda, mantém em depósito, guarda, troca, cede, empresta, fornece, porta ou, de qualquer forma, utiliza em proveito próprio ou alheio, no exercício de atividade comercial ou industrial, produto ou mercadoria em que tenha sido aplicado selo que se destine a controle tributário, falsificado, ou sem selo oficial, nos casos em que a legislação tributária determina a obrigatoriedade de sua aplicação (§ 1º). A lei considera atividade comercial, para fim desse crime, qualquer forma de comércio irregular ou clandestino, inclusive o exercido em vias, praças ou outros logradouros públicos e em residências (§ 5º), o que se aplica, portanto, aos ambulantes que exercem comércio informal.

Supressão de carimbo ou sinal indicativo de inutilização: constitui crime suprimir, em qualquer desses papéis, quando legítimos, com o fim de torná-los novamente utilizáveis, carimbo ou sinal indicativo de sua inutilização (§ 2º), bem como usar qualquer desses papéis, quando alterados (art. 293, § 3º). A pena para essas condutas é de 1 a 4 anos, e multa. Note que a pena da utilização só será aplicada para quem não falsificou o papel, pois se o autor da supressão do sinal utiliza o papel posteriormente, sua conduta é mero exaurimento (pós-fato impunível) da falsificação, devendo ser responsabilizado apenas por esta.

Uso de boa-fé: quem usa ou restitui à circulação, embora recibo de boa-fé, qualquer desses papéis falsificados, depois de conhecer a falsidade ou alteração, fica sujeito a pena de detenção, de 6 meses a 2 anos, ou multa (§ 4º).

Petrechos para falsificação (art. 294): embora a lei fale de qualquer objeto, a interpretação é restritiva, devendo haver destinação específica. Não se deve, porém, confundir uso específico com uso exclusivo. O objeto deve servir especificamente à falsificação, embora possa também ser utilizado para outros fins.

Falsidade documental

Falsificação do selo ou sinal público (art. 296): consiste em falsificar, fabricando-os ou alterando-os, selo público destinado a autenticar atos oficiais da União, de Estado ou de Município, selo ou sinal atribuído por lei a entidade de direito público, ou a autoridade, ou sinal público de tabelião. Figuras equiparadas estão previstas no § 1º: utilização de selo ou sinal falsificado; utilização indevida de selo ou sinal verdadeiro; falsificação ou alteração de marcas, logotipos, siglas ou quaisquer outros símbolos utilizados ou identificadores de órgãos ou entidades da Administração Pública; utilização indevida de marcas, logotipos, siglas ou quaisquer outros símbolos utilizados ou identificadores de órgãos ou entidades da Administração Pública. Para incidência da majorante do § 2º, não é suficiente tratar-se de funcionário público. É preciso que este se utilize do cargo para praticar o crime.

Falsificação de documento público (art. 297): o crime consiste em falsificar, no todo ou em parte, documento público, ou alterar documento público verdadeiro. A falsificação deve ser idônea, isto é, ser capaz de enganar. A falsificação grosseira, isto é, detectável *ictu oculi*, não configura o crime. Documento público é qualquer documento emanado de funcionário ou autoridade pública. Note que, para os efeitos penais, a lei equipara a documento público o emanado de entidade paraestatal, o título ao portador ou transmissível por endosso, as ações de sociedade comercial, os livros mercantis e o testamento particular (§ 2º). No caso de utilização de documento falso como meio para a prática de estelionato, poderá haver duas situações. Caso o documento falso possa ser utilizado em outras infrações, haverá concurso de crimes. Todavia, se o falso se exaurir no estelionato, sem mais potencialidade lesiva, ocorrerá absorção da falsidade, por se tratar de antefato impunível, nos termos da Súmula 17 do

STJ. O § 3º prevê figuras equiparadas, relacionadas a falsidades em documentos particulares destinados à previdência social, distinguindo-se do art. 337-A, pois neste há finalidade específica de sonegar contribuições previdenciárias.

Falsificação de documento particular (art. 298): consiste em falsificar, no todo ou em parte, documento particular ou alterar documento particular verdadeiro. A falsificação deve ser idônea, isto é, capaz de enganar. A falsificação grosseira, isto é, detectável *ictu oculi*, não configura o crime. Documento particular é, por exclusão, todo aquele que não é público ou equiparado. Por expressa disposição legal, considera-se documento particular o cartão de crédito ou débito (art. 298, parágrafo único). No caso de utilização de documento falso como meio para a prática de estelionato, poderá haver duas situações: 1ª) caso o documento falso possa ser utilizado em outras infrações, haverá concurso de crimes; 2ª) se o falso se exaurir no estelionato, sem mais potencialidade lesiva, ocorrerá absorção da falsidade, por se tratar de antefato impunível, nos termos da Súmula 17 do STJ.

Falsidade ideológica (art. 298): a) omitir declaração que devia constar em documento público ou particular; b) inserir ou fazer inserir declaração falsa ou diversa da que devia ser escrita em documento público ou particular. A falsificação deve ser idônea, isto é, ser capaz de enganar, pois a falsificação grosseira, isto é, detectável *ictu oculi*, não configura o crime. Deve, ainda, incidir sobre fato juridicamente relevante (elemento normativo do tipo). O parágrafo único prevê duas majorantes, aumentando-se a pena de sexta parte, nos seguintes casos: se o agente é funcionário público, e comete o crime prevalecendo-se do cargo (não basta tratar-se de funcionário público, devendo se valer do cargo para praticar o crime); se a falsificação ou alteração é de assentamento de registro civil: não se confunde essa a majorante com os crimes de inscrição de nascimento inexistente (art. 241) e registro de filho alheio como próprio (art. 242), devendo ainda se observar a regra especial de prescrição prevista no art. 111, IV, do CP, começando a correr da data em que o fato se tornou conhecido da autoridade pública ou em que se tornou notoriamente divulgado.

Falso reconhecimento de firma ou letra (art. 300): consiste em reconhecer, como verdadeira, no exercício de função pública, firma ou letra que o não seja.

Falsidade de certidão ou atestado (art. 301): contempla duas formas de falsidade. Enquanto o *caput* prevê a falsidade ideológica do atestado ou da certidão, isto é, a falsidade em relação ao conteúdo constante no documento, o parágrafo 1º prevê a falsidade material, que consiste na produção de um documento falso ou alteração de um documento verdadeiro. Em qualquer dos casos, não basta a falsidade, já que as figuras típicas tratam da falsidade de fato ou circunstância que habilite alguém a obter cargo público, isenção de ônus ou de serviço de caráter público, ou qualquer outra vantagem. A vantagem obtida deve ser de natureza pública, pois se trata de analogia *intra legem*, devendo ser observada a mesma natureza dos padrões anteriores, que se referem a cargo e serviço público. Assim, caso a vantagem obtida seja de natureza particular, restará configurado o crime de falsificação de documento público (art. 297). Assim, a falsificação de certificado de aprovação escolar para fins de admissão em curso superior configura o art. 297 e não o 301.

Falsidade de atestado médico (art. 302): dar o médico, no exercício da sua profissão, atestado falso. A pena é de detenção, de 1 mês a 1 ano e, se houver fim de lucro, também multa (infração de menor potencial ofensivo).

Reprodução ou adulteração de selo ou peça filatélica: o crime tipificado no art. 303 passou a ser regulado pelo art. 39 da Lei n. 6.538, que regula os serviços postais.

Uso de documento falso (art. 304): norma penal em branco homogênea, homovitelina e intensificada ou duplamente remetida. Se o agente usa o documento várias vezes em relação à mesma pessoa ou a pessoas distintas, ocorre continuidade delitiva. No caso de utilização de documento falso como meio para a prática de estelionato, poderá haver duas situações: 1ª) caso o documento falso possa ser utilizado em outras infrações, haverá concurso de crimes (é o caso de quem falsifica um documento de identidade e, com ele, realiza diversas fraudes); 2ª) se o falso se exaurir no estelionato, sem mais potencialidade lesiva, ocorrerá absorção da falsidade, por se tratar de antefato impunível, nos termos da Súmula 17 do STJ (é o que acontece quando alguém, por exemplo, falsifica a assinatura em um cheque, com o qual obtém uma única vantagem ilícita). Se o sujeito falsifica o documento e depois o utiliza, responde apenas pela falsificação, pois o uso fica absorvido (pós-fato impunível ou crime exaurido).

Supressão de documento (art. 305): destruir, suprimir ou ocultar, em benefício próprio ou de outrem, ou em prejuízo alheio, documento público ou particular verdadeiro, de que não podia dispor.

Outras falsidades

Falsificação do sinal empregado no contraste de metal precioso ou na fiscalização alfandegária, ou para outros fins (art. 306): consiste em "falsificar, fabricando-o ou alterando-o, marca ou sinal empregado pelo poder público no contraste de metal precioso ou na fiscalização alfandegária, ou usar marca ou sinal dessa natureza, falsificado por outrem" (art. 306). A marca ou sinal pode estar gravada na própria peça (contraste) ou ser um selo, um adesivo, uma etiqueta, um lacre etc. No caso do parágrafo único, em que a pena é menor, o objeto material é marca ou sinal utilizado pelo poder público para fins de fiscalização sanitária, ou para autenticar ou encerrar objetos ou, ainda, para comprovar o cumprimento de formalidade legal. O elemento subjetivo é o dolo. Consuma-se o crime com a fabricação, alteração ou uso da marca ou sinal, independentemente de qualquer prejuízo ou benefício (crime formal). Admite-se a tentativa. A ação penal é pública incondicionada.

Falsa identidade, uso de documento falso e uso de documento verdadeiro de outrem: a falsa identidade, art. 307, é mera atribuição de falsos dados pessoais, sem uso de qualquer documento. Se o agente usa documento falso pratica o crime do art. 304. Se, porém, o agente usa documento verdadeiro de outra pessoa, comete o crime do art. 308. A conduta de atribuir-se falsa identidade perante a autoridade policial é típica, ainda que em situação de autodefesa (Súmula 522 do STJ).

Fraude de lei sobre estrangeiros: pode ocorrer de três maneiras: a) falsa identidade do estrangeiro (art. 309, *caput*); b) atribuição de falsa qualidade a estrangeiro (art. 309, parágrafo único); c) falsidade na posse ou propriedade de ação, título ou valor (art. 310).

Adulteração de sinal identificador de veículo automotor (art. 311): não só a adulteração permanente, mas também a transitória, como a alteração de placa veicular com fita adesiva, sendo idônea para iludir e até mesmo causar prejuízos ao erário e a terceiros, configura o crime. Caso não se consiga determinar que foi o agente, preso em poder do veículo, o autor da adulteração, deverá responder por receptação (art. 180). Caso o agente tenha recebido veículo subtraído e realizado a adulteração, responderá por ambos os crimes, em concurso material (art. 69). Se o agente, não sendo autor da adulteração, mantém consigo ou conduz o veículo que sabe ser adulterado, deverá responder por receptação, na modalidade de receber ou conduzir bem que é produto de crime, qual seja, a adulteração, figurando o próprio art. 311 como delito antecedente. O § 2º prevê um crime equiparado à adulteração, que consiste na conduta do funcionário público que contribui para o licenciamento ou registro do veículo remarcado ou adulterado, fornecendo indevidamente material ou informação oficial, contribuindo para "esquentar" o veículo adulterado.

Fraudes em certames de interesse público (art. 311-A): o crime só se configura em situações de processos seletivos previstos em lei, o que afasta a possibilidade de configuração do crime nas seleções feitas por entidades privadas, salvo quando contratadas pelo Poder Público, como terceirizadas, para realização de concursos e outros processos seletivos. Não configura crime a fraude praticada em provas e exames regulares de escolas e faculdades, pois nas situações que integram o tipo. Trata-se de crime formal, consumando-se com a indevida utilização ou divulgação, independentemente de qualquer resultado, mas o dano à Administração Pública configura a qualificadora prevista no § 2º. Por se tratar de crime formal, pratica o crime o candidato que, após obter gabarito sigiloso, faz uso do mesmo, mas não consegue aprovação. Figura equiparada: incorre nas mesmas penas quem permite ou facilita, por qualquer meio, o acesso de pessoas não autorizadas às informações sigilosas mencionadas neste artigo (§ 2º).

JURISPRUDÊNCIA

Falsa identidade e autodefesa (STF)

Constitucional. Penal. Crime de falsa identidade. Artigo 307 do Código Penal. Atribuição de falsa identidade perante autoridade policial. Alegação de autodefesa. Artigo 5º, inciso LXIII, da Constituição. Matéria com repercussão geral. Confirmação da jurisprudência da corte no sentido da impossibilidade. Tipicidade da conduta configurada. O princípio constitucional da autodefesa (art. 5º, inciso LXIII, da CF/88) não alcança aquele que atribui falsa identidade perante autoridade policial com o intento de ocultar maus antecedentes, sendo, portanto, típica a conduta praticada pelo agente (art. 307 do CP). O tema possui densidade constitucional e extrapola os limites subjetivos das partes (RE 640139 RG / DF, Tribunal Pleno, Repercussão Geral no Recurso Extraordinário, Relator(a): Min. Dias Toffoli, Julgamento: 22/09/2011).

Falsa identidade e autodefesa (STJ)

Agravo regimental no recurso especial. Delito de falsa identidade. Absolvição em primeira instância. Jurisprudência desta Corte sedimentada no sentido de ser crime a conduta de atribuir-se falsa identidade. Alegação de autodefesa. Súmula n. 522/STJ. Agravo regimental desprovido. 1. A jurisprudência desta Corte sedimentou-se no sentido de ser crime a conduta de atribuir-se falsa identidade, ainda que em situação de alegada autodefesa, perante autoridade policial. Súmula n. 522/STJ.
2. Agravo regimental desprovido. (AgRg no REsp 1727102/SP, Rel. Min. Joel Ilan Paciornik, Quinta Turma, julgado em 20/09/2018, DJe 03/10/2018.)

Adulteração de placa de veículo com fita isolante

1. A jurisprudência deste Superior Tribunal entende que a simples conduta de adulterar a placa de veículo automotor é típica, enquadrando-se no delito descrito no art. 311 do Código Penal. Não se exige que a conduta do agente seja dirigida a uma finalidade específica, basta que modifique qualquer sinal identificador de veículo automotor.
2. A conduta realizada pelo recorrido, que, com o uso de fita isolante, modificou o número da placa da motocicleta, configura o delito tipificado referido dispositivo.
3. Agravo regimental não provido. (AgRg no AREsp 860.012/MG, Rel. Min. Rogerio Schietti Cruz, Sexta Turma, julgado em 07/02/2017, DJe 16/02/2017.)

Não absorção da falsidade pelo estelionato

Agravo regimental no recurso especial. Direito penal. Processo penal. Falsificação de documento público. Estelionato. Consunção.
Impossibilidade. Ausência de exaurimento do potencial ofensivo.
Condenação a reparação de danos. necessidade de pedido prévio e expresso.
Agravo regimental parcialmente provido.

1. "Para que se reconheça o princípio da consunção é preciso que a conduta definida como crime seja fase de preparação ou de execução de outro delito e depende das circunstâncias da situação concreta no caso das falsificações, também importa o exaurimento do potencial lesivo". (AgRg no REsp n. 1.640.607/RO, Rel. Min. Rogerio Schietti Cruz, Sexta Turma, julgado em 28/3/2019, DJe 5/4/2019.)
2. No caso, a prática do estelionato não exauriu o potencial ofensivo do delito de falsificação de documento público, que permitiria a obtenção de outros benefícios de forma irregular, o que impede a aplicação do princípio da consunção conforme visto anteriormente.

3. "Nos termos do entendimento desta Corte Superior a reparação civil dos danos sofridos pela vítima do fato criminoso, prevista no art. 387, IV, do Código de Processo Penal, inclui também os danos de natureza moral, e para que haja a fixação na sentença do valor mínimo devido a título de indenização, é necessário pedido expresso, sob pena de afronta à ampla defesa." (AgRg no AREsp n. 720.055/RJ, Rel. Min. Rogerio Schietti Cruz, Sexta Turma, julgado em 26/6/2018, DJe 2/8/2018.)

4. Agravo parcialmente provido para afastar a condenação a reparação de danos. (AgRg no REsp 1820918/RS, Rel. Min. Antonio Saldanha Palheiro, Sexta Turma, julgado em 27/10/2020, REPDJe 12/11/2020, DJe 03/11/2020.)

SÚMULAS

Súmula 17, STJ
Quando o falso se exaure no estelionato, sem mais potencialidade lesiva, é por este absorvido.

Súmula 522, STJ
A conduta de atribuir-se falsa identidade perante autoridade policial é típica, ainda que em situação de alegada autodefesa.

19

Crimes contra a Administração Pública

19.1 ASPECTOS GERAIS

Conceito de Administração Pública

Segundo o nosso ordenamento jurídico, a Administração Pública abrange exclusivamente os órgãos integrantes da administração direta (conjunto de órgãos que integram as pessoas políticas do Estado: União, estados, Distrito Federal e municípios) e pelas entidades da administração indireta, composta por autarquias, fundações públicas, empresas públicas e sociedades de economia mista (critério formal). Todavia, resta-nos concordar com SOLER no sentido de que a expressão "Administração Pública" não está empregada no sentido técnico corrente próprio do direito administrativo, mas sim com muito maior amplitude, incluindo, por exemplo, crimes contra a administração da justiça.[1] Em sentido amplo, Administração Pública abrange os órgãos de governo, com as respectivas funções políticas, e também os órgãos e pessoas jurídicas que desempenham funções meramente administrativas.[2] Portanto, enquanto o Direito Administrativo restringe a Administração Pública aos órgãos da administração direta e indireta, para o Direito Penal

---

1. SOLER, Sebastián. *Derecho Penal Argentino*. Vol. V. Buenos Aires: Tipográfica Editora Argentina, 1992. p. 121-122.
2. ALEXANDRINO, Marcelo; VICENTE, Paulo. *Direito administrativo descomplicado*. São Paulo: Grupo GEN, 2017. p. 21.

trata-se da totalidade de funções desempenhadas por funcionários e agentes que atuam, direta ou indiretamente, em nome do Estado em todos os poderes, órgãos, entidades e instituições.

Objetividade jurídica e sujeitos

Esses crimes protegem, de modo geral, a efetividade e o prestígio da Administração Pública. Trata-se de crimes em que, invariavelmente, o sujeito passivo é o Estado e, secundariamente, a pessoa lesada, direta ou indiretamente, pelo crime, como ocorre, por exemplo, no crime de concussão. No polo ativo, poderão atuar funcionários públicos, nos chamados crimes funcionais (arts. 312 a 326), ou particulares, em concurso com aqueles ou isoladamente, nos crimes praticados por particulares contra a Administração Pública.

Princípio da insignificância nos crimes contra a Administração Pública

Muito se discute a aplicabilidade do princípio da insignificância nos crimes praticados contra a Administração Pública. O Supremo Tribunal Federal admitiu a incidência do princípio em um crime de peculato-furto (CP, art. 327, § 1º), em que o funcionário subtraiu o farol de milha de uma motocicleta apreendida, avaliado em R$ 13,00.[3] O Superior Tribunal de Justiça, a seu turno, aprovou a Súmula 599, com o seguinte teor: "O princípio da insignificância é inaplicável aos crimes contra a Administração Pública", mas contrariou sua própria súmula ao decidir, no RHC 85.272, o seguinte:

> A despeito do teor do enunciado sumular n. 599, no sentido de que O princípio da insignificância é inaplicável aos crimes contra a Administração Pública, as peculiaridades do caso concreto – réu primário, com 83 anos na época dos fatos e avaria de um cone avaliado em menos de R$ 20,00, ou seja, menos de 3% do salário mínimo vigente à época

---

3. STF, HC 112.388, Rel. Min. Cezar Peluso. Segunda Turma, julgado em 21/08/2012.

dos fatos – justificam a mitigação da referida súmula, haja vista que nenhum interesse social existe na onerosa intervenção estatal diante da inexpressiva lesão jurídica provocada.[4]

Conforme adverte GRECO,[5] não podemos fechar as portas do princípio por estarmos diante de crime dessa natureza, exemplificando com o caso de funcionário público que subtrai uma caixa de *clips* da repartição pública. Além do princípio da insignificância, deve atuar também o *princípio da subsidiariedade*, uma vez que a sanção administrativa será suficiente para punir o funcionário autor do furto.

19.2 CRIMES PRATICADOS POR FUNCIONÁRIO PÚBLICO CONTRA A ADMINISTRAÇÃO EM GERAL

Aspectos gerais
Crimes funcionais: conceito e classificação
O Capítulo I deste título trata dos crimes praticados por funcionários públicos contra a Administração ou *crimes funcionais*, que são aqueles em que a condição de funcionário público é elementar do tipo penal. Convém referir que os crimes funcionais não encontram proibição apenas no Direito Penal, pois todo ilícito penal é também um ilícito administrativo, sendo a ilicitude jurídica uma só. A distinção entre ambos, em nosso sentir, não está na gravidade,[6] mas na consequência jurídico-penal: enquanto o Direito Penal impõe uma sanção criminal, no âmbito administrativo são impostas sanções de natureza extrapenal. A recíproca, porém, não é verdadeira, pois, diante do caráter subsidiário do Direito Penal, há infrações administrativas que não encontram, necessariamente, uma tipificação na lei penal. Conforme o art. 126 da Lei n. 8.112/90, que trata do regime jurídico dos funcionários públicos federais, a responsabilidade administrativa do servidor será afastada

---

4. Rel. Min. Nefi Cordeiro, julgado em 14/08/2018.
5. Op. cit., p. 375.
6. Como pretende BITENCOURT, in Op. cit., p. 39.

no caso de absolvição criminal que negue a existência do fato ou sua autoria. Por outro lado, a condenação criminal por esses crimes implica o efeito da condenação previsto no art. 92, I, do CP (perda do cargo, função ou mandato eletivo).

Classificam-se esses crimes em funcionais *próprios* e *impróprios*.

a. *Funcionais próprios (puros):* são os crimes que, ausente a condição de funcionário público, ocorre atipicidade, desaparecendo por completo o delito. Exemplo: se o funcionário deixa de cumprir um dever de ofício para satisfazer interesse pessoal, pratica prevaricação (art. 319), mas, se um particular realiza uma conduta semelhante em sua atividade privada, não há crime algum.
b. *Funcionais impróprios (impuros):* são os crimes em que a falta da condição de funcionário público do sujeito ativo não gera atipicidade, mas sim o enquadramento em outro crime. Exemplo: se um funcionário público subtrai um bem público, pratica crime de peculato (art. 312, § 1º), mas, se a conduta for cometida por um particular, o crime deixa de ser contra a Administração, tornando-se crime de furto (art. 155).

Nada impede que um particular atue no crime funcional como coautor ou partícipe, desde que conheça essa condição, já que se trata de elementar do tipo, sendo, pois, comunicável, na forma do art. 30 do CP.

Crimes funcionais, "crimes de responsabilidade" e atos de improbidade administrativa

Para que exista autêntico crime funcional, não é suficiente a condição de agente público, sendo necessário observar o seguinte:

a. que o sujeito ativo seja funcionário público;
b. que haja tipificação no Código Penal ou outra lei de natureza criminal;
c. que o fato seja punido com pena criminal.

Devemos ter cuidados com a expressão "crimes de responsabilidade". Os chamados crimes de responsabilidade da Lei n. 1.079/50 são, na verdade, *infrações político-administrativas* praticadas pelo Presidente da República, Ministros de Estado, Ministros do STF e Procurador-Geral da República, os quais ficam sujeitos a *impeachment*, nos termos da referida lei e da Constituição Federal (arts. 85 e 86). Por sua vez, o Decreto-lei 201/67 prevê, este sim, autênticos crimes de responsabilidade, praticados por prefeitos e vereadores, sujeitando-os a sanções criminais e julgamento pelo Poder Judiciário, podendo ser considerados crimes funcionais, uma vez que o sujeito ativo é funcionário público.

Atos de improbidade administrativa, de outra parte, estão previstos na Lei n. 8.429/92 (Lei de Improbidade Administrativa) e consistem em condutas que geram enriquecimento ilícito (art. 9º), prejuízo ao erário (art. 10), concessão ou aplicação indevida de benefício financeiro ou tributário (art. 10-A) ou atentado contra os princípios da Administração Pública (art. 11), sujeitando o autor da improbidade a sanções administrativas: perda de bens, ressarcimento ao erário, perda da função, proibição de contratar com o Poder Público, suspensão dos direitos políticos etc. (art. 12), com julgamento pelo Poder Judiciário, sendo competência não penal.

Crimes funcionais	Crimes de responsabilidade	Atos de improbidade administrativa
Previstos na lei penal e praticados por funcionários públicos, com incidência de sanções penais, dividindo-se em funcionais *próprios* e *impróprios*. Sujeitam-se a processo judicial perante o juiz criminal.	Lei n. 1079/50: embora sejam chamados de "crimes de responsabilidade", sujeitam-se a um julgamento político (*impeachment*). DL 201/67: prevê autênticos crimes de responsabilidade praticados por prefeitos e vereadores, sujeitando-os a julgamento pelo Poder Judiciário e penas criminais.	São condutas previstas na Lei n. 8.429 (enriquecimento ilícito, prejuízo ao erário, violação de princípios etc.), sujeitando os autores a sanções administrativas e processo judicial, perante o juiz cível.

Conceito amplo de funcionário público

O Código Penal adota o conceito amplo de funcionário público, previsto no art. 327, o qual se aplica a toda legislação penal, com a ressalva do art. 84 da Lei n. 8.666/93, que prevê regra específica para os crimes licitatórios.

Nos termos do citado art. 327, para os efeitos penais, considera-se funcionário público quem, embora transitoriamente ou sem remuneração, exerce cargo, emprego ou função pública. Funcionário público por equiparação, nos termos do § 1º do art. 327, é quem exerce cargo, emprego ou função em entidade paraestatal, e quem trabalha para empresa prestadora de serviço contratada ou conveniada para a execução de atividade típica da Administração Pública. Segundo HUNGRIA,[7] esta equiparação só se aplica ao sujeito ativo, não ao sujeito passivo do crime. Assim, por exemplo, se o gerente de uma sociedade de economia mista ou empresa pública subtrai valores da instituição, haverá crime de peculato (art. 312), mas, caso seja vítima de ofensa em razão de sua função, não haverá desacato (art. 331), mas crime de injúria (art. 140). Fica excluída do conceito legal a pessoa física contratada para a realização de atividade que não é típica da Administração, como, por exemplo, a pessoa contratada para atuar na recepção de chefe de governo estrangeiro. Totalmente justificada essa ressalva, afinal, as entidades paraestatais competem normalmente no mercado, em igualdade de condições, e não haveria sentido, por exemplo, em se considerar mais grave a ofensa contra um gerente de banco público do que a dirigida ao gerente de banco privado.

Aumento de pena dos crimes funcionais

Nos termos do § 2º do art. 327, a pena será aumentada da terça parte quando os autores dos crimes funcionais previstos no Código Penal forem ocupantes de cargos em comissão ou de função de direção ou assessoramento de órgão da administração direta, sociedade de economia mista, empresa pública ou fundação instituída pelo poder público. Esse aumento de pena, conforme já

---

7. HUNGRIA, Nélson. *Comentários ao Código Penal*. v. 9. Rio de Janeiro: Forense, 1958. p. 401.

decidido, aplica-se aos ocupantes de cargos eletivos (prefeitos, governadores, Presidente da República etc.).[8]

Efeito da condenação

Nos crimes praticados com abuso de poder ou violação de dever para com a Administração Pública, ou seja, nos crimes funcionais em geral, haverá perda do cargo, função pública ou mandato eletivo, quando aplicada pena privativa de liberdade por tempo igual ou superior a 1 ano, nos termos do art. 92, I. Trata-se de efeito não automático, devendo ser decretado na sentença condenatória (parágrafo único), mas, uma vez decretado, tem caráter permanente, tornando o condenado incapacitado para o exercício de outro cargo, função ou mandato eletivo, só readquirindo sua capacidade por meio de reabilitação criminal (CP, arts. 93 a 95), sendo expressamente vedado o retorno à situação anterior. Convém mencionar que a absolvição, por outro lado, também produz efeito na seara administrativa, pois, conforme o art. 126 da Lei n. 8.112/90, que trata do regime jurídico dos funcionários públicos federais, a responsabilidade administrativa do servidor será afastada no caso de absolvição criminal que negue a existência do fato ou sua autoria.

Ação penal e rito especial

A ação penal dos crimes funcionais é pública incondicionada, devendo-se atentar para o procedimento específico, previsto no Código de Processo Penal, que contempla defesa preliminar (apenas nos crimes afiançáveis, previstos nos arts. 312 a 326 (exceto arts. 316, § 1º, e 318) antes do recebimento da ação pelo juiz (CPP, art. 514) e possibilidade de "rejeição" da inicial com base na inexistência do crime ou improcedência da ação, seguindo-se, no mais, as regras do procedimento comum ordinário ou sumário, dependendo da pena aplicada (CPP, art. 394).

---

8. Supremo Tribunal Federal, Inq. 1769-PA.

Peculato

O termo *peculato* é oriundo do Direito romano: *peculatus* ou *depeculatus*, referindo-se à dilapidação do patrimônio público pelo funcionário. O Código Penal prevê as seguintes formas:

a. peculato próprio: "peculato-apropriação" e "peculato-desvio";
b. peculato impróprio;
c. peculato culposo;
d. peculato mediante erro de outrem.

Peculato próprio

É o tipo fundamental, previsto no *caput* do art. 312. Neste caso, o agente tem a posse do bem e dele se apropria (peculato-apropriação), ou desvia (peculato-desvio). Consiste em *apropriar-se o funcionário público de dinheiro, valor ou qualquer outro bem móvel, público ou particular, de que tem a posse em razão do cargo, ou desviá-lo, em proveito próprio ou alheio*, sendo punido com pena de 2 a 12 anos, e multa. A objetividade jurídica é o patrimônio público ou particular que esteja sob a custódia do Estado. O objeto material é o dinheiro, bem ou valor. O sujeito ativo é o funcionário público, e o sujeito passivo é o Estado, podendo também ser vítima do crime o particular eventualmente lesado, já que a apropriação ou desvio pode ser de bem particular. O tipo penal é apropriar-se (agir como dono, pegar para si) ou desviar (utilizar de forma indevida) dinheiro (moeda corrente nacional ou estrangeira), valor (títulos, documentos, direitos etc.) ou qualquer bem móvel, público ou particular (pode ser, por exemplo, um bem particular apreendido). Não há crime se o desvio ocorre em proveito da própria Administração. O funcionário deve ter a posse do bem, o que deve ser entendido em sentido amplo, como a mera detenção do bem. O tipo subjetivo é o dolo. Trata-se de crime material, consumando-se com qualquer ato inequívoco de apropriação ou desvio, independentemente de tomada ou aprovação de contas pelo órgão competente, não se excluindo o crime pela compensação pelo funcionário público. Admite-se a tentativa.

Peculato impróprio

Está previsto no § 1º do art. 312, sendo punido com a mesma pena. Neste caso, diferentemente do *caput*, o funcionário não tem a posse do bem. Ocorre quando o funcionário público, *embora não tendo a posse do dinheiro, valor ou bem, o subtrai, ou concorre para que seja subtraído, em proveito próprio ou alheio, valendo-se de facilidade que lhe proporciona a qualidade de funcionário*. É também chamado de *peculato-furto*. A objetividade jurídica é o patrimônio público ou particular que esteja sob a custódia do Estado. O objeto material é o dinheiro, bem ou valor. O sujeito ativo é o funcionário público (crime funcional impróprio, pois, ausente essa condição, o agente responde por furto). O sujeito passivo é o Estado, podendo também ser vítima do crime o particular eventualmente lesado, já que a apropriação ou desvio pode ser de bem particular. O tipo penal prevê a conduta de subtrair (pegar, tomar para si, despojar) ou concorrer para que seja subtraído. Veja-se que o crime só se configura se o agente se aproveitar da facilidade inerente ao cargo, pois, do contrário, tratar-se-á de crime comum. Assim, se o agente tem a chave da repartição em que trabalha, a subtração de um computador será peculato; mas, se tiver que arrombar a porta, haverá furto com arrombamento, já que a função pública em nada auxiliou na subtração. O tipo subjetivo é o dolo. Consuma-se o crime com a subtração, admitindo-se a tentativa.

Peculato culposo

O art. 312 prevê, no § 2º, o *peculato culposo*, em que o funcionário, culposamente, concorre para que outra pessoa se aproprie, subtraia ou desvie. A pena cominada é de detenção, de 3 meses a 1 ano (infração de menor potencial ofensivo). A objetividade jurídica é o patrimônio público ou particular que esteja sob a custódia do Estado. O sujeito ativo é o funcionário público e o sujeito passivo é o Estado, podendo também ser vítima do crime o particular eventualmente lesado. O tipo objetivo consiste em concorrer, o funcionário público, para a prática de apropriação, subtração ou desvio de bem público. Esta apropriação, subtração ou desvio pode ser qualquer crime patrimonial, e não necessariamente um peculato. Imagine, por exemplo, o vigia que sai para fumar, deixando aberta a porta, oportunidade em que alguém realiza o furto de um objeto. A tipicidade subjetiva se perfaz com a culpa, isto é, imprudência, negligência ou imperícia do funcionário público encarregado do objeto. Consuma-se o crime com o resultado, isto é, a subtração. Por se tratar de crime culposo, não há tentativa. Havendo a reparação do dano, que pode ser a restituição do bem ou o ressarcimento aos cofres públicos, afiguram-se duas possibilidades: se anterior à sentença irrecorrível, extingue a punibilidade; se lhe é posterior, reduz pela metade a pena imposta.

Peculato mediante erro de outrem

Prevê a lei o peculato mediante erro de outrem (art. 313), que consiste em *apropriar-se de dinheiro ou qualquer utilidade que, no exercício do cargo, recebeu por erro de outrem*. Exemplo: uma pessoa entende que deve pagar no balcão da repartição uma taxa em vez de recolher ao banco, e o funcionário, aproveitando-se de tal erro, recebe o dinheiro e dele se apropria. A pena é de reclusão, de 1 a 4 anos, e multa. A objetividade jurídica é o patrimônio público ou particular que esteja sob a custódia do Estado. O sujeito ativo é o funcionário público e o sujeito passivo é o Estado, podendo também ser vítima do crime o particular eventualmente lesado.

O tipo objetivo é apropriar-se (tomar posse, tornar-se dono) de dinheiro ou qualquer utilidade (moeda corrente, nacional ou estrangeira, documentos, objetos entregues ao depósito etc.), que, no exercício do cargo (deve ser algo recebido em razão da função pública exercida, como custas, depósito, emolumentos, tributos etc.), recebeu por erro de outrem.

O erro pode recair:

a. Sobre a coisa entregue: a vítima entrega uma coisa por outra ou um valor por outro. Exemplo: deveria recolher R$ 100,00 e recolhe R$ 200,00, mas o funcionário recebe assim mesmo, apropriando-se do excedente.

b. Sobre a pessoa que recebe: a coisa deveria ser entregue em repartição ou setor distinto, mas o funcionário assim mesmo recebe, apropriando-se do bem entregue.

c. Sobre a obrigação da qual se origina: a vítima supõe que tem que realizar o pagamento do IPTU do imóvel ao adquiri-lo, entregando tal valor ao funcionário do registro de imóveis, que o recebe.

Além disso, o erro deve ainda ser espontâneo, pois se o funcionário provoca esse erro o crime é de estelionato. Aliás, não concordamos com a denominação de "peculato-estelionato" conferida pela doutrina a este crime, justamente porque, no estelionato, o sujeito ativo é o provocador do erro, o que não ocorre no art. 313. O tipo subjetivo é o dolo. Consuma-se o crime com qualquer ato inequívoco de apropriação do bem recebido. Admite-se a tentativa.

Ação penal
A ação penal em todas as modalidades é pública incondicionada.

Inserção de dados falsos em sistema de informações

O art. 313-A traz o crime de *inserir ou facilitar, o funcionário autorizado, a inserção de dados falsos, alterar ou excluir indevidamente dados corretos nos sistemas informatizados ou bancos de dados da Administração Pública com o fim de obter vantagem indevida para si ou para outrem ou para causar dano*. A pena é de reclusão, de 2 a 12 anos, e multa. A objetividade jurídica é a segurança dos dados constantes nos sistemas informatizados da Administração Pública. O objeto material é o banco de dados da Administração Pública. O sujeito ativo é o funcionário público com acesso aos dados. O sujeito passivo é o Estado e, secundariamente, o particular prejudicado. O tipo é misto alternativo, composto pelos verbos inserir (introduzir), facilitar a inserção (tornar mais fácil, desbloquear), alterar (modificar) ou excluir (apagar) dados (informações) constantes em sistemas informatizados ou bancos de dados da Administração Pública. O tipo prevê o elemento normativo "indevidamente", isto é, de forma injustificada ou contrária ao dever de ofício, de modo que a prática por razões legítimas exclui a própria tipicidade. O tipo subjetivo é o dolo, exigindo-se, ainda, elemento subjetivo especial consistente na finalidade de obter vantagem indevida para si ou para outrem ou para causar dano. O crime é formal, consumando-se com a inserção, facilitação, alteração ou exclusão indevida dos dados, independentemente de efetiva vantagem ou dano. Admite-se a tentativa. A ação penal é pública incondicionada.

Modificação ou alteração não autorizada de sistema de informações

O art. 313-B prevê o crime de *modificar ou alterar, o funcionário, sistema de informações ou programa de informática sem autorização ou solicitação de autoridade competente*. A pena é de detenção, de 3 meses a 2 anos, e multa (infração de menor potencial ofensivo), sendo aumentada de 1/3 até a metade se da modificação ou alteração resulta dano para a Administração Pública ou para o administrado. A objetividade jurídica é a segurança dos sistemas e programas da Administração Pública. O objeto material é o sistema de informações ou programa de informática. O sujeito ativo é o funcionário público com acesso ao sistema ou programa. O sujeito passivo é o Estado e, secundariamente, o particular prejudicado. O tipo penal utiliza os verbos modificar ou alterar, que significam basicamente a mesma coisa, não deixando dúvidas de que qualquer desvirtuamento do sistema ou programa configura o crime. Entendemos tratar-se de tipo misto cumulativo, uma vez que a proteção não se estende à generalidade dos servidores de informática da Administração, mas a cada programa e sistema. Assim, se o agente modifica um programa relacionado à concessão de auxílios financeiros e altera o sistema de informações dos relacionados aos beneficiários desse auxílio, praticará crimes distintos. O tipo prevê ainda os elementos normativos sem autorização ou solicitação de autoridade competente. Assim, se o funcionário público pratica a conduta atendendo superior hierárquico, o fato é atípico. O elemento subjetivo é o dolo. Consuma-se o crime com a modificação ou alteração, independentemente de qualquer vantagem obtida ou prejuízo de causa. Trata-se, em nosso sentir, de crime formal, e não de mera conduta,[9] já

---

9. No sentido de crime de mera conduta, ver: JESUS, Damásio de. *Parte especial:* crimes contra a fé pública e crimes contra a Administração Pública. Atualização: André Estefam – Direito Penal vol. 3. 24. ed. São Paulo: Saraiva Educação, 2020. p. 149.

que a modificação ou alteração constituem em resultados reais. Admite-se a tentativa. A ação penal é pública incondicionada.

Extravio, sonegação ou inutilização de livro ou documento

Segundo o art. 314, constitui crime *extraviar livro oficial ou qualquer documento, de que tem a guarda em razão do cargo; sonegá-lo ou inutilizá-lo, total ou parcialmente*. A pena é de reclusão, de 1 a 4 anos, se o fato não constitui crime mais grave (subsidiariedade expressa). Se for praticado por particular, o crime será o do art. 337, e se a conduta recair sobre autos de processo judiciais, o crime será do art. 356. A objetividade jurídica é a segurança dos livros e documentos oficiais. O objeto material é o livro ou documento extraviado, sonegado ou inutilizado. O sujeito ativo é o funcionário público. Se o delito for praticado por funcionário que exerce a função de fiscal, aplica-se o art. 3º, I, da Lei n. 8.137/90, que define crimes contra a ordem tributária. O sujeito passivo é o Estado e, secundariamente, a pessoa prejudicada. O tipo penal é alternativo, prevendo as condutas de extraviar (perder), sonegar (deixar de apresentar, esconder) ou inutilizar (destruir), total ou parcialmente, livro oficial ou qualquer documento público ou particular em poder da Administração. Tais condutas devem ser realizadas pelo funcionário público encarregado da guarda do livro ou documento em razão do ofício, podendo essa guarda acontecer na própria sede do órgão administrativo ou em outro local destinado para tal fim. O elemento subjetivo é o dolo. Nas modalidades de extraviar e sonegar o crime é permanente, consumando-se enquanto o livro ou documento estiver extraviado ou sonegado. Na inutilização, consuma-se o crime com qualquer ato que destrua, no todo ou em parte, o livro ou documento. Admite-se a tentativa. A ação penal é pública incondicionada.

Emprego irregular de verbas ou rendas públicas

Este crime, previsto no art. 315, trata do *desvio de verbas*, uma vez que na Administração Pública vige o princípio da afetação, em que cada verba deve ser alocada de acordo com a respectiva lei orçamentária, ou seja, verbas destinadas pela lei orçamentária para uma finalidade não podem ser empregadas para fins diversos. Consiste o crime em *dar às verbas ou rendas públicas aplicação diversa da estabelecida em lei.* A pena é de detenção, de 1 a 3 meses, ou multa (infração de menor potencial ofensivo). A objetividade jurídica é a regularidade das contas públicas. O objeto material é a verba utilizada indevidamente. O sujeito ativo é o funcionário competente para ordenar ou executar despesas (crime próprio). O sujeito passivo é o Estado, especialmente o ente político afetado (União, DF, estado federado ou município). O tipo penal é dar (no sentido de utilizar, empregar, destinar) às verbas (valores para serem empregados na execução do orçamento) e rendas públicas (valores recebidos pela Administração Pública) aplicação diversa da prevista em lei. A lei deve ser entendida em sentido estrito, não se aplicando aos casos em que o orçamento seja aprovado por decreto do Poder Executivo. Ao contrário do crime de peculato, a conduta é praticada em prol da própria Administração, mesmo que haja algum benefício indireto ao funcionário público. O elemento subjetivo é o dolo. Consuma-se o crime quando a verba ou renda é empregada para fim diverso. Admite-se a tentativa, caso seja ordenada a despesa, sem que se consiga efetivamente realizá-la contrariamente à lei orçamentária. A ação penal é pública incondicionada.

Concussão e excesso de exação

Concussão

Concussão, segundo o art. 316, consiste em *exigir, para si ou para outrem, direta ou indiretamente, ainda que fora da função ou antes de assumi-la, mas em razão dela, vantagem indevida.* A pena é de reclusão, de 2 a 12 anos, e multa. A objetividade jurídica é a moralidade da Administração e, secundariamente, o patrimônio dos administrados. O sujeito ativo é o funcionário público. O objeto material é a vantagem indevida. O sujeito passivo é o Estado e, secundariamente, a pessoa extorquida. O tipo penal utiliza o verbo nuclear exigir, que tem o sentido de extorquir. A exigência pode ocorrer na forma de ameaça direta e explícita ou velada, sob a forma de pressão ou insinuação, e pode ocorrer tanto no exercício ou fora da função, mas prevalecendo-se do fato de ter algum tipo de acesso, presente ou futuro, aos poderes que o cargo público proporciona. Imagine uma pessoa que, aprovada em concurso para policial, resolva extorquir pessoas do local onde mora, sob o argumento de que será responsável por fazer a segurança do bairro. A concussão é uma forma de extorsão, porém praticada por funcionário público. A vantagem deve ser indevida (elemento normativo do tipo). Há erro de tipo se o agente supõe tratar-se de vantagem devida. O elemento subjetivo é o dolo, exigindo-se finalidade especial de que a vantagem se destine ao próprio funcionário ou a terceiro. Caso a vantagem se destine à própria Administração, haverá excesso de exação (§ 1º). Consuma-se o crime com a mera exigência da vantagem, independentemente de sua obtenção (crime formal). A tentativa é admissível na forma plurissubsistente (exemplo: um bilhete, contendo exigência, interceptado pela polícia). A ação penal é pública incondicionada.

Excesso de exação

A lei prevê uma forma de concussão denominada *excesso de exação*, prevista no § 1º do art. 316, *se o funcionário exige tributo ou contribuição social que sabe ou deveria saber indevido, ou, quando devido, emprega na cobrança meio vexatório ou gravoso, que a lei não autoriza*. A pena é de 3 a 8 anos, e multa. O objeto jurídico é a moralidade administrativa, bem como o patrimônio dos cidadãos administrados. O objeto material é o tributo ou a contribuição social indevida. O sujeito ativo é o funcionário público, não se exigindo que exerça função junto à arrecadação de tributos. O sujeito passivo é o Estado e, secundariamente, o cidadão lesado.

O tipo penal prevê duas formas de conduta:

a. exigir tributo ou contribuição social indevida (sem previsão legal, prescritos, já quitados ou devidos a menor);
b. cobrar tributo ou contribuição social devida mediante meio vexatório (humilhante, causador de vergonha) ou gravoso (que causa dano ou prejuízo), não previsto em lei.

O tipo subjetivo é o dolo, consistente na vontade consciente de exigir tributo ou contribuição social sabidamente indevida ("que sabe") ou, pelo menos, possivelmente indevida ("que deve saber"), ficando claro, portanto, que o dolo pode ser direto ou eventual. A consumação ocorre com a simples exigência indevida, independentemente do pagamento ou quando o funcionário emprega meio vexatório ou gravoso para cobrar tributo ou contribuição social devida, ainda que o pagamento não ocorra (crime formal). Admite-se a tentativa se plurissubsistente. A ação penal é pública incondicionada.

Qualificadora do excesso de exação

Classicamente, no excesso de exação, a conduta extorsiva é praticada em benefício da própria Administração. Todavia, se o funcionário desvia, em proveito próprio ou de outrem, o que recebeu indevidamente para recolher aos cofres públicos, haverá concussão qualificada, punida com reclusão, de 2 a 12 anos e multa (art. 316, § 2º).

Corrupção passiva

Noções preliminares

No Direito Penal, a corrupção tem um sentido distinto da linguagem comum, pois os meios de comunicação, assim como os sociólogos, tratam como atos de corrupção diversas formas de violação de deveres dos agentes públicos perante o Estado. Para o Direito Penal, todavia, corrupção é a obtenção, solicitação ou simples aceitação de uma vantagem perante um particular. A lei penal ainda estabelece crimes distintos para o funcionário corrupto e para o particular que o corrompe, denominando o primeiro de *corrupção passiva* e o segundo de *corrupção ativa*. A corrupção passiva figura entre os crimes cometidos por funcionários públicos, enquanto a corrupção ativa consta no capítulo dos crimes cometidos por particulares. Nesse caso, não há concurso de agentes entre o funcionário corrupto (corrupção passiva) e o corruptor (corrupção ativa), uma vez que o Código Penal adotou uma exceção dualista à teoria unitária, incriminando em tipos distintos esses comportamentos, de modo que a corrupção ativa está prevista no art. 333. A ação penal, em ambos os casos, é pública incondicionada.

Classifica-se a corrupção em:

a. ativa: praticada por particular (art. 333);
b. passiva: praticada por funcionário público (art. 317);

c. própria: a corrupção visa à prática de ato ilícito;
d. imprópria: a corrupção visa à prática de ato lícito;
e. antecedente: a vantagem é entregue antes da atuação funcional;
f. subsequente: primeiro ocorre o ato do funcionário, depois este obtém vantagem.

Entre os crimes funcionais, estudaremos unicamente a corrupção passiva, pois a corrupção ativa será estudada oportunamente.

Objetividade jurídica e material, sujeitos do delito e tipo penal

O crime de corrupção passiva consiste em *solicitar ou receber, para si ou para outrem, direta ou indiretamente, ainda que fora da função ou antes de assumi-la, mas em razão dela, vantagem indevida, ou aceitar promessa de tal vantagem*. A pena é de reclusão, de 2 a 12 anos, e multa. O objeto jurídico é a Administração Pública. O objeto material é a vantagem indevida. O sujeito ativo é o funcionário público. O sujeito passivo é o Estado e, secundariamente, a pessoa eventualmente prejudicada pela corrupção. O corruptor não é sujeito desse crime, figurando como sujeito ativo do art. 333 (exceção dualista). O tipo penal é misto alternativo, contemplando as condutas de solicitar (no sentido de solicitar, demandar ou sugerir, de forma explícita ou implícita), receber (pegar) vantagem indevida, ou aceitar (aquiescer, concordar) promessa de tal vantagem. A vantagem pode ser de qualquer natureza (material, moral, sexual etc.), bastando que seja indevida (elemento normativo do tipo). Se a vantagem for devida, o fato poderá configurar o delito de prevaricação (art. 319). Não se configura o crime diante de benefícios ou presentes sem imporância, dados em forma de reconhecimento ou gratidão pelo dever cumprido, bem como em ocasiões especiais, como festas natalinas, em que a troca de presentes é uma tradição. A solicitação, o recebimento ou a aceitação podem ocorrer de forma direta, pelo próprio funcionário, ou indireta, por interposta pessoa ou meios subreptícios. Pouco importa que o funcionário esteja na função, bastando que seja em razão dela. Pratica o crime, por exemplo, aquele que passou no concurso público e, antes da nomeação, compromete-se a prestar um favor quando estiver no cargo, em troca de benefício, assim como o funcionário que, em férias, aceita promessa de vantagem. O crime se tipifica mesmo quando o ato oficial negociado não tenha ligação direta com as atribuições do funcionário, pois, como já decidiu o STJ, o tipo penal de corrupção passiva não exige a comprovação de que a vantagem indevida solicitada, recebida ou aceita pelo funcionário público esteja causalmente vinculada à prática, omissão ou retardamento de ato de ofício.[10] Pratica o crime, por exemplo, o parlamentar que aceita vantagem indevida em troca de exercer influência na nomeação de cargos na Administração Pública. O elemento subjetivo é o dolo, acrescido da finalidade específica de que a vantagem seja "para si ou para outrem". Não se exige intenção de praticar qualquer ato, devido ou indevido, em troca da vantagem. Trata-se de crime formal, consumando-se com a solicitação, recebimento ou aceitação, independentemente da prática de qualquer ato efetivo por parte do funcionário. Caso este pratique o ato efetivamente, incide a majorante prevista no § 1º. Admite-se a tentativa, em tese, se for por escrito ou outro meio que permita o fracionamento do *iter criminis*. Na forma de recebimento, é impossível tentativa. Se há o recebimento consuma-se o crime e, não havendo, o fato é atípico.

Causa de aumento de pena

Conforme já mencionado, para que haja corrupção, não se exige que o funcionário pratique ou deixe de praticar qualquer ato de seu ofício, pois a simples solicitação, recebimento ou aceitação de promessa consuma o crime. Porém, a pena é aumentada de 1/3, se, em consequência da vantagem ou promessa, o funcionário retarda ou deixa de praticar qualquer ato de ofício ou o pratica infringindo dever funcional (§ 1º).

---

10. REsp 1745410/SP, Rel. Min. Sebastião Reis Júnior, Rel. P. Acórdão Min. Laurita Vaz, Sexta Turma, julgado em 02/10/2018, DJe 23/10/2018.

Corrupção privilegiada

O § 2º prevê forma privilegiada de corrupção, punida com detenção, de 3 meses a 1 ano, ou multa, em que o funcionário não solicita ou recebe vantagem, mas transige com seu dever, uma vez que pratica, deixa de praticar ou retarda ato de ofício, com infração de dever funcional, cedendo a pedido ou influência de outrem.

Concussão	Corrupção passiva
Concussão envolve constrangimento, isto é, exigência de vantagem indevida, mediante ameaça direta ou indireta. Pode-se configurar sob a forma do *excesso de exação*, quando a vantagem exigida é devida ao erário.	Não há exigência nem ameaça. Corrupção passiva: crime do funcionário que solicita ou aceita vantagem (art. 317). Corrupção ativa: crime do particular que oferece ou dá a vantagem (art. 333).

Facilitação de contrabando ou descaminho

Esse crime, previsto no art. 318, *consiste em facilitar, com infração de dever funcional, a prática de contrabando ou descaminho*. O objeto jurídico é a Administração Pública. O objeto material é a coisa ou produto que ingressa no Brasil ilegalmente. O sujeito ativo é sempre o funcionário encarregado da fiscalização (crime próprio). O autor do próprio contrabando ou do descaminho não incorre no mesmo crime, e sim no art. 334 ou 334-A, tendo a lei adotado hipótese de exceção dualista à teoria unitária. O sujeito passivo é o Estado. A conduta é facilitar (promover, criar qualquer facilidade, ajudar) a prática de contrabando ou descaminho. Contrabando é a importação ou exportação de produtos ilegais, enquanto descaminho é a importação, exportação ou consumo de produtos legais, com a sonegação do imposto de importação. Consoante a jurisprudência, não há descaminho quando o valor do tributo é inferior a R$ 20.000,00, pois até esse valor a Fazenda Pública é dispensada de promover a cobrança judicial, nos termos da Lei n. 10.522. Todavia, embora não haja descaminho em razão do valor, o funcionário que facilita o descaminho, ainda assim, incorre no art. 318. O tipo prevê o elemento normativo "com infração de dever funcional", sem o qual a conduta é atípica para o art. 318, podendo configurar o próprio descaminho ou contrabando (art. 334 ou 334-A). O crime é doloso. Consuma-se com qualquer ato que facilite a conduta, podendo ser a simples omissão do agente de fiscalização. Admite-se a tentativa. A pena é de reclusão, de 3 a 8 anos, e multa. A ação penal é pública incondicionada.

Prevaricação, condescendência criminosa e advocacia administrativa

Prevaricação própria

Prevaricar, nos termos do art. 319, significa *retardar ou deixar de praticar, indevidamente, ato de ofício, ou praticá-lo contra disposição expressa de lei, para satisfazer interesse ou sentimento pessoal*. A pena é de detenção, de 3 meses a 1 ano, e multa (infração de menor potencial ofensivo). O objeto jurídico é a Administração Pública. O objeto material é o dever praticado ou omitido. O sujeito ativo é o funcionário público e o sujeito passivo é o Estado; secundariamente, a vítima é também o cidadão prejudicado.

O tipo penal é misto alternativo, composto pelas seguintes condutas:

a. de retardar ato de ofício;
b. deixar de praticar ato de ofício;
c. praticar ato ilegal.

É o descumprimento de dever por parte do funcionário, que se omite, atrasa ou age em desacordo com a lei, sendo essencial que a ação ou omissão se destine a atender um interesse (qualquer vantagem patrimonial ou moral) ou sentimento pessoal (qualquer tipo de afeto). Portanto, se a demora da prestação funcional se deve ao excesso de serviço, não se configura o crime. Mas se o funcionário atrasa a realização de um serviço público porque não gosta do seu superior, pretendendo assim prejudicá-lo, o crime estará configurado. O tipo subjetivo é o dolo, mas se exige elemento subjetivo específico: finalidade de satisfazer interesse ou sentimento pessoal. Consuma-se o crime com a omissão, retardamento ou realização do ato.

Admite-se a tentativa nas formas comissivas. A ação penal é pública incondicionada.

Prevaricação equiparada

Está prevista no art. 319-A: *Deixar o Diretor de Penitenciária e/ou agente público, de cumprir seu dever de vedar ao preso o acesso a aparelho telefônico, de rádio ou similar, que permita a comunicação com outros presos ou com o ambiente externo*. Pena: detenção, de 3 meses a 1 ano (infração de menor potencial ofensivo). Trata-se de crime introduzido pela Lei n. 11.466, a qual também modificou a Lei de Execuções Penais para considerar falta grave do preso a posse de telefone, rádio ou similar. O objeto jurídico é igualmente a Administração Pública, notadamente a regularidade dos serviços penitenciários. O objeto material é o aparelho tolerado de comunicação com infração do dever funcional. O sujeito ativo é o diretor ou servidor penitenciário. O sujeito passivo é o Estado. O tipo penal é de conduta livre. Em que pese a forma omissiva, pode ser praticado por ação, que ocorre quando o próprio funcionário entrega o equipamento ao preso. Configura-se com qualquer comportamento que viole o dever de impedir acesso a aparelho telefônico, rádio ou similar, desde que tais equipamentos sejam aptos a produzir comunicação dentro do estabelecimento, com outros presos, ou com qualquer pessoa fora do estabelecimento. O elemento subjetivo é o dolo, não se exigindo a elementar subjetiva do interesse ou sentimento pessoal, como na prevaricação propriamente dita. Assim, se na revista passa despercebido o objeto, o crime não se configura. Mas se o agente, percebendo o aparelho, faz "vistas grossas", ainda que por razões desconhecidas, o crime estará consumado. Consuma-se o crime com o acesso do preso ao equipamento de comunicação, ainda que não o utilize (crime formal). A tentativa é admitida na forma comissiva. A ação penal é pública incondicionada.

Condescendência criminosa

A condescendência criminosa, prevista no art. 320, consiste em forma especial de descumprimento do dever. Consiste em *deixar o funcionário, por indulgência, de responsabilizar subordinado que cometeu infração no exercício do cargo ou, quando lhe falte competência, não levar o fato ao conhecimento da autoridade competente.* O objeto jurídico é a Administração Pública. O objeto material é o dever praticado ou omitido. O sujeito ativo é o funcionário público. O sujeito passivo é o Estado. O crime se configura em duas hipóteses: na primeira, o superior hierárquico, encarregado da punição do subordinado, deixa de fazê-lo por indulgência, isto é, piedade; na segunda, o colega, sem competência para o procedimento punitivo, deixa de comunicar o fato aos superiores. Veja que a omissão não precisa se referir a uma infração penal, podendo o ato indulgente abranger qualquer infração, penal ou administrativa. É essencial que a omissão ocorra em razão de indulgência. Assim, se o funcionário deixa de tomar as providências por medo de represálias, o crime não se configura. Elemento subjetivo é o dolo. Note que o tipo penal prevê o elemento subjetivo especial indulgência, isto é, clemência ou misericórdia. Caso haja outra motivação, como recebimento de vantagem, poderá se configurar outro crime. Consuma-se o crime com a omissão (crime omissivo próprio), não admitindo tentativa. A pena da condescendência é detenção, de 15 dias a 1 mês, ou multa. A ação penal é pública incondicionada.

Advocacia administrativa

Advocacia administrativa consiste em *patrocinar, direta ou indiretamente, interesse privado perante a Administração Pública, valendo-se da qualidade de funcionário* (art. 321). O objeto jurídico é a Administração Pública. O objeto material é o ato administrativo obtido com auxílio do funcionário. O sujeito ativo é o funcionário público. Entendemos que a pessoa que recebe auxílio é partícipe do crime. O sujeito passivo é o Estado. Patrocinar significa defender, proteger, resguardar. O sujeito ativo é o funcionário público, de forma direta ou por interposta pessoa ("testa-de-ferro"). Neste caso, o funcionário abusa de sua condição para ajudar pessoa indevidamente, seja obtendo uma prestação indevida, seja obtendo uma prestação devida, porém com tratamento privilegiado. O tipo penal pretende preservar a impessoalidade e a igualdade, no sentido de que a pessoa interessada receba o mesmo tratamento de qualquer outra, submetendo-se aos trâmites e protocolos regulares da atividade administrativa, sem obter qualquer tipo de benesse do funcionário.

A propósito, a Lei n. 8.112 proíbe qualquer funcionário de atuar, como procurador ou intermediário, nas repartições públicas, salvo em caso de benefícios previdenciários ou assistenciais de parentes até o segundo grau e de cônjuge ou companheiro (art. 117, XI). O tipo subjetivo é o dolo. Consuma-se o crime com qualquer ato destinado a beneficiar o interesse particular. Admite-se a tentativa. A pena é de detenção, de 1 a 3 meses, ou multa, mas, se o interesse é ilegítimo, o crime é qualificado, com pena de 3 meses a 1 ano de detenção, além da multa. A ação penal é pública incondicionada.

Violência arbitrária

Segundo corrente majoritária, com a qual comungamos, o crime do art. 322 "Praticar violência, no exercício de função ou a pretexto de exercê-la" foi tacitamente revogado pela Lei n. 4.898, a qual, por sua vez, foi revogada pela Lei n. 13.869 (Lei de Abuso de Autoridade).

Abandono de função

Consiste o crime de abandono de função em *abandonar cargo público, fora dos casos permitidos em lei (art. 323)*. A pena é de detenção, de 15 dias a 1 mês, ou multa. Formas qualificadas: se resulta prejuízo público, a pena é de detenção, de 3 meses a 1 ano, e multa (§ 1º). Se o fato ocorre em lugar compreendido na faixa de fronteira, pune-se o crime com detenção, de 1 a 3 anos, e multa (§ 2º). Compreende-se como área de fronteira, indispensável à Segurança Nacional, a faixa interna de 150 km de largura, paralela à linha divisória terrestre do território nacional, demarcando a região de divisa com outros países (art. 1º da Lei n. 6.634/79). Apenas o § 2º não constitui infração de menor potencial ofensivo, embora admita suspensão condicional do processo (art. 88 da Lei n. 9.099). O objeto jurídico é a regularidade da Administração Pública. O objeto material é o cargo público abandonado. O sujeito ativo é o funcionário público e o sujeito passivo é o Estado. O tipo penal prevê a conduta de abandonar, que consiste em afastamento permanente e global das funções, por tempo razoável e relevante, fora dos casos permitidos em lei, tratando-se de elemento normativo do tipo que remete a uma norma administrativa (norma penal em branco). O afastamento também pode ocorrer por caso fortuito ou força maior (casos de atipicidade) ou ser justificado por estado de necessidade (exclusão da ilicitude). Se o funcionário pede demissão, deve aguardar o deferimento do pedido para se afastar. O crime ocorre quando o funcionário deixa o cargo ao desamparo, não se configurando quando o substituto presta o serviço ou quando o funcionário dá atendimento remoto de forma efetiva, casos em que, não havendo justa causa, haverá apenas falta disciplinar. O tipo subjetivo é o dolo. Consuma-se o crime com o simples abandono, sendo crime omissivo próprio, que não admite tentativa, pois a mera omissão consuma o crime (crime de mera conduta). A ação penal é pública incondicionada.

Exercício funcional ilegalmente antecipado ou prolongado

O crime é o seguinte: *entrar no exercício de função pública antes de satisfeitas as exigências legais, ou continuar a exercê-la, sem autorização, depois de saber oficialmente que foi exonerado, removido, substituído ou suspenso* (art. 324). A pena é de detenção, de 15 dias a 1 mês, ou multa (infração penal de menor potencial ofensivo). O objeto jurídico é a regularidade da Administração Pública. O objeto material é o cargo público prolongado ou exercido. O sujeito ativo é o funcionário público e o sujeito passivo é o Estado (note que, depois da exoneração, o sujeito ativo passa a ser particular e não mais funcionário público).

O tipo prevê duas formas de conduta:

a. Entrar no exercício da função pública antes de satisfeitas as exigências legais: neste caso, exige-se que o agente já tenha sido nomeado para o cargo.
b. Continuar a exercer a função pública depois de saber oficialmente que foi exonerado, removido, substituído ou suspenso: esta é uma forma de usurpação de função pública, em que o agente pratica atos de ofício quando a função já não lhe diz respeito. Não se aplica em caso de licença ou férias, pois o tipo trata de exoneração, remoção, substituição ou suspensão. Em caso de aposentadoria compulsória aos 70 anos, esta equivale a uma exoneração, tendo porém efeito au-

tomático, devendo o agente se afastar das funções automaticamente, independentemente de qualquer ordem ou decreto, sob pena de incorrer no crime. É preciso que a continuidade no exercício das funções ocorra, ainda, "sem autorização" (elemento normativo do tipo).

O elemento subjetivo é o dolo. Na forma de continuidade, deve o agente ainda "saber oficialmente" que foi exonerado, removido, substituído ou suspenso. Consuma-se o crime com a prática indevida de qualquer ato oficial. Admite-se a tentativa. A ação penal é pública incondicionada.

Violação de sigilo funcional

A violação de sigilo funcional consiste em *revelar fato de que tem ciência em razão do cargo e que deva permanecer em segredo, ou facilitar-lhe a revelação* (art. 325). A pena é de detenção, de 6 meses a 2 anos, ou multa, se o fato não constitui crime mais grave. O objeto jurídico é o sigilo legal de certos atos da Administração Pública. O objeto material é a informação revelada. O sujeito ativo é o funcionário público e o sujeito passivo é o Estado, podendo, secundariamente, figurar a pessoa prejudicada com a revelação.

O tipo penal prevê duas formas de conduta:

a. revelar, que consiste na divulgação direta (divulgar, contar, narrar, expor);
b. facilitar a revelação: trata-se de revelação indireta, em que o funcionário cria as condições para que outrem faça a revelação, como deixar aberta a gaveta com documentos sigilosos.

O objeto material do crime é o fato de que o funcionário tem ciência em razão do cargo que ocupa, não se configurando o crime quando o agente não é responsável pela guarda do segredo, por exemplo, quando toma conhecimento de fato sigiloso de outra repartição. Deve, ainda, ser segredo de interesse público, pois, do contrário, o crime é do art. 154. O tipo é doloso, exigindo ainda a ciência do segredo em razão do cargo (elemento subjetivo especial). Consuma-se o crime com o ato de revelação ou sua facilitação, bastando que chegue ao conhecimento de terceiro, independentemente da produção de qualquer dano (crime formal).

Admite-se a tentativa.

O § 1º prevê figuras equiparadas, impondo as mesmas penas a quem:

a. permite ou facilita, mediante atribuição, fornecimento e empréstimo de senha ou qualquer outra forma, o acesso de pessoas não autorizadas a sistemas de informações ou banco de dados da Administração Pública;
b. utiliza-se, indevidamente, do acesso restrito.

O § 2º prevê forma qualificada, com pena de reclusão, de 2 a 6 anos, e multa, se resulta dano à Administração Pública ou a qualquer pessoa.

Nos termos do art. 3º, §§ 2º e 5º, da Lei n. 11.671, os estabelecimentos penais federais de segurança máxima deverão dispor de monitoramento de áudio e vídeo no parlatório e nas áreas comuns, para fins de preservação da ordem interna e da segurança pública, vedado seu uso nas celas e no atendimento advocatício, salvo expressa autorização judicial em contrário, sendo que a violação dessa norma tipifica o crime do art. 315.

A ação penal é pública incondicionada.

19.3 CRIMES PRATICADOS POR PARTICULAR CONTRA A ADMINISTRAÇÃO EM GERAL

Usurpação de função pública

O crime do art. 328 consiste em *usurpar o exercício de função pública*. A pena é de detenção, de 3 meses a 2 anos, e multa (infração de menor potencial ofensivo). O objeto jurídico é a Administração Pública, no aspecto da regularidade dos serviços. O objeto material é a função pública exercida. O sujeito ativo é qualquer pessoa e o sujeito passivo é o Estado. O tipo penal prevê a conduta de usurpar, isto é, exercer sem amparo legal, qualquer atividade pública de natureza civil ou militar. Quem se apresenta como funcionário público, sem realizar ato de ofício, não pratica o crime, incorrendo no art. 45 da LCP ou no art. 171 do CP, conforme o caso. O crime é doloso. Consuma-se com a prática de qualquer ato da competência de funcionário público. Admite-se a tentativa, se o agente dá início à prática de uma função pública, sem conseguir realizá-la. *Forma qualificada*: se do fato o agente aufere vantagem, a pena é de reclusão, de 2 a 5 anos, e multa. A ação penal é pública incondicionada.

Resistência

Resistência (art. 329) é *opor-se à execução de ato legal, mediante violência ou ameaça a funcionário competente para executá-lo ou a quem lhe esteja prestando auxílio*. A pena é de detenção, de 2 meses a 2 anos (infração de menor potencial ofensivo). O objeto jurídico é a Administração Pública, nos aspectos moral e patrimonial. O objeto material é o funcionário agredido ou ameaçado. O sujeito ativo é qualquer pessoa, sendo que a resistência pode ser exercida por quem não é podendo ser praticada por quem não é o alvo do ato legal, como o pai que tenta proteger o filho de uma prisão, empregando violência ou ameaça. O sujeito passivo é o Estado e, secundariamente, o funcionário atingido ou quem estiver prestando auxílio a este. O tipo penal prevê a conduta de opor-se, isto é, contrariar, embaraçar, impedir, à execução de ato legal, ou seja, ato previsto em lei, tanto no aspecto material quanto no aspecto formal. Exemplo: opor-se à execução de mandado de prisão, agredindo o policial. Exige-se uma conduta positiva, isto é, violência ou ameaça, não se configurando diante de xingamentos ou recusa em colaborar, pois tais casos configuram desacato (art. 331) e desobediência (art. 330) ou contravenção penal (art. 68 da LCP). Além disso, os atos de resistência devem ser usados para impedir a prática do ato funcional, pois, se o propósito for outro ou ocorrer antes ou após o ato, haverá outro crime. É necessário, ainda, que o ato a que se resiste seja legal, isto é, formalmente amparado em lei, ainda que seja injusto. O tipo subjetivo é o dolo. Consuma-se o crime com qualquer ato violento ou ameaçador contra o funcionário para impedir a realização do ato legal. A tentativa é admitida. Forma qualificada: se o ato, em razão da resistência, não se executa, a pena é de reclusão, de 1 a 3 anos. Segundo o § 2º, haverá concurso de crimes com eventual crime de lesão corporal ou homicídio.

A ação penal é pública incondicionada.

Desobediência

Desobedecer a ordem legal de funcionário público (art. 330) é crime punido com detenção, de 15 dias a 6 meses, e multa (infração de menor potencial ofensivo). O objeto jurídico é a Administração Pública, nos aspectos moral e patrimonial. O objeto material é a ordem desobedecida. O sujeito ativo é qualquer pessoa que desobedece a uma ordem legal. Admite-se que o sujeito ativo seja funcionário público quando o ato ordenado não está no âmbito de suas funções, pois, se estiver, ocorrerá prevaricação. O sujeito passivo é o Estado. A desobediência pode ser praticada mediante omissão, quando o agente deixa de fazer o que foi ordenado, ou por ação, quando o agente pratica a conduta proibida. O tipo subjetivo é doloso. Consuma-se com a simples desobediência, independentemente de eventual dano, que é mero exaurimento, pois se trata de crime formal. Se há prazo para o cumprimento da ordem, o crime se consuma quando se expira o prazo. A tentativa só é admitida na forma comissiva.

Atenção: o crime de desobediência é subsidiário e somente se caracteriza nos casos em que o descumprimento da ordem emitida pela autoridade não é objeto de sanção administrativa, civil ou processual. De acordo com a jurisprudência do Superior Tribunal de Justiça, o crime de desobediência apenas se configura quando, desrespeitada ordem judicial, não existir previsão de outra sanção em lei específica, ressalvada a previsão expressa de cumulação.[11]

Exemplo de sanção cumulativa: o art. 403 do CPC expressamente prevê o crime de desobediência no caso de recusa à exibição de documento ou coisa ordenada judicialmente. Exemplo de sanção não cumulativa: recusa injustificada ao serviço do júri, pois o art. 436, § 2º, do CPP, determina a imposição de multa, sem especificar o crime de desobediência.

---

11. AgRg no Recurso Especial n. 1.651.550 – DF (2017/0021881-5). Rel. Min. Jorge Mussi, julgado em 05/05/2017.

Desacato

Segundo o art. 331, constitui crime *desacatar funcionário público no exercício da função ou em razão dela*. A pena é de detenção, de 6 meses a 2 anos, ou multa (infração de menor potencial ofensivo). O objeto jurídico é a Administração Pública. O objeto material é a honra do funcionário público. O sujeito ativo é qualquer pessoa, podendo, inclusive, tratar-se de funcionário público. Segundo Nélson Hungria, apenas o particular pode praticar desacato. O sujeito passivo é o Estado e, secundariamente, o próprio funcionário ofendido. O tipo objetivo prevê a conduta de desacatar, que consiste em qualquer insulto, podendo ocorrer por ação, como um xingamento, ou omissão, como deixar de cumprimentar. A ofensa deve ser no exercício da função ou, caso o funcionário não esteja exercendo no momento, em razão dela. Exemplo: alguém encontra um policial no supermercado e o ofende chamando-o de "policial corrupto". Para haver desacato, o insulto deve ocorrer diretamente ao funcionário, seja na sua presença, seja de forma que ele possa ouvir. Do contrário, haverá apenas crime contra a honra. O tipo subjetivo é o dolo, não se exigindo elemento subjetivo especial. Conforme já decidiu o STJ, "o delito de desacato pressupõe o dolo de ultrajar, faltar com o respeito ou menosprezar funcionário público, sendo fundamental a demonstração da vontade livre do agente. Entrementes, a teor do art. 28, II, do CP, a emoção e a paixão não excluem a imputabilidade penal. Decerto, a perda momentânea do autocontrole, ainda que motivada por sentimento de indignação ou cólera impelidas por injusta provação da vítima, não elidem a culpabilidade, podendo, ao máximo, justificar a redução da pena com fulcro no art. 65, III, *c*, do mesmo diploma legal".[12] Consuma-se o crime quando o funcionário toma conhecimento da ofensa. Discute-se a compatibilidade do crime de desacato com o art. 13 da Convenção Americana de Direitos Humanos.[13] No julgamento da ADPF 496, apresentada pelo Conselho Federal da OAB, o STF considerou que o desacato foi recepcionado pela Constituição Federal. O desacato absorve as infrações menores que a acompanham, como vias de fato e lesões corporais

---

12. RHC 81.292/DF, Rel. Min. Ribeiro Dantas, Quinta Turma, julgado em 05/10/2017, DJe 11/10/2017.
13. Sobre o tema: STJ, REsp. 1.640.084,. Min. Ribeiro Dantas, Quinta Turma; STJ, HC 379.269, Rel. Min. Reynaldo Sores, 3ª Seção.

leves, bem como difamação e injúria. Se o desacato concorrer com crime mais grave, há concurso formal. A ação penal é pública incondicionada. O tipo subjetivo é o dolo. Consuma-se o crime com qualquer ato ofensivo, não se admitindo tentativa, por se tratar de crime unissubsistente.

A ação penal é pública incondicionada.

> **Resistência e desacato no mesmo contexto**
>
> É comum haver, num mesmo contexto, especialmente em situações de prisão em flagrante, a prática de resistência à prisão e desacato aos policiais. Embora possa, em tese, haver absorção de um crime pelo outro, no *habeas corpus* 380.029/RS (julgado em 22/05/2018), a Quinta Turma do STJ afastou a consunção entre esses crimes, embora não tenha negado essa possibilidade, dependendo das circunstâncias do caso concreto.

Tráfico de influência

O tráfico de influência consiste em *solicitar, exigir, cobrar ou obter, para si ou para outrem, vantagem ou promessa de vantagem, a pretexto de influir em ato praticado por funcionário público no exercício da função* (art. 332). Exemplo desse crime ocorre quando alguém solicita uma vantagem a um particular em troca de ajudá-lo a obter, junto à Prefeitura, a liberação de um alvará, alegando ter algum tipo de influência sobre o funcionário responsável. O objeto jurídico é a Administração Pública, nos aspectos moral e patrimonial. O objeto material é a vantagem. Trata-se de crime comum, pois pode ser praticado por qualquer pessoa no polo ativo, tendo como sujeito passivo a Administração Pública e, subsidiariamente, a pessoa a quem se promete ajuda perante o órgão administrativo. Tutela-se a Administração Pública. A conduta ocorre de várias maneiras (solicitar, exigir, cobrar ou obter vantagem), exigindo-se que o agente simule ter poder de influenciar um funcionário público, pois caso essa influência seja real poderá ocorrer crime de corrupção. O tipo subjetivo é o dolo, além do elemento subjetivo para si ou para outrem. A consumação independe da obtenção de qualquer vantagem (crime formal), exceto na modalidade de obter, em que ocorre a consumação quando o agente obtém a vantagem. Admite-se a tentativa, embora seja de difícil configuração. Não configura crime a atividade conhecida como "lobismo", isto é, a prática de buscar influenciar os legisladores em prol de interesses legítimos de grupos, entidades ou segmentos da economia, pois essa é uma prática já institucionalizada, em que pessoas que detêm conhecimento sobre o funcionamento dos embates políticos prestam serviços a fim de obter leis que favoreçam determinados setores da sociedade. A pena é de reclusão, de 2 a 5 anos, e multa, sendo aumentada da metade, se o agente alega ou insinua que a vantagem é também destinada ao funcionário. A ação penal é pública incondicionada.

Corrupção ativa

O crime consiste em *oferecer ou prometer vantagem indevida a funcionário público, para determiná-lo a praticar, omitir ou retardar ato de ofício* (art. 333). O objeto jurídico é a Administração Pública, nos aspectos moral e patrimonial. O objeto material é a vantagem. Cuida-se de crime comum, praticado por qualquer pessoa. O sujeito passivo é o Estado. Note que a corrupção passiva é um crime distinto da corrupção passiva, praticada pelo funcionário público que solicita ou recebe a vantagem (art. 317), ocorrendo uma hipótese de exceção pluralista, já que a lei, em vez de prever uma situação de coautoria entre o corrupto e o corruptor, separa as condutas em crimes distintos. Assim, enquanto o funcionário corrupto incorre no art. 317, o corruptor incorre no art. 333. Se o crime é praticado por meio de intermediário, este incorre no art. 333, isto é, na corrupção ativa. A corrupção ativa pode existir independentemente da corrupção passiva, e vice-versa, uma vez que são crimes independentes, podendo ocorrer unilateralmente. O tipo penal é de conduta múltipla, consistente em oferecer (disponibilizar, sugerir) ou prometer (pactuar, garantir, comprometer-se a entregar) vantagem (podendo ser de ordem material, moral, sexual etc.), desde que haja a finalidade de determinar o funcionário a praticar, omitir ou retardar um ato de ofício, isto é, um ato pertencente às suas funções. Pratica o crime, por exemplo, o motorista que oferece dinheiro ao agente de trânsito para evitar a multa ou o preso que oferece drogas a um funcionário prisional para que este lhe empreste o celular. O crime, porém, só se verifica se a oferta ou promessa for anterior ao ato de ofício, haja vista a finalidade de "determiná-lo a praticar", o que se refere a um ato futuro. Assim, se o particular oferece a vantagem em agradecimento a um ato já realizado, não haverá corrupção. Também não há corrupção ativa se o agente entrega uma vantagem solicitada pelo funcionário, pois, nesse caso, o particular é a vítima secundária da corrupção passiva praticada pelo funcionário. Não há crime quando se trata de vantagem devida, como, por exemplo, promessa de uma promoção a que tem direito o funcionário. A corrupção é própria quando visa a uma ação ilícita do funcionário e imprópria quando visa a uma ação lícita. O tipo subjetivo é o dolo, acrescido da finalidade específica de determinar a prática, omissão ou retardamento de ato de ofício. Consuma-se o crime quando o funcionário toma conhecimento da oferta ou promessa de vantagem, ainda que haja recusa (crime formal, que independe da aceitação ou obtenção da vantagem pelo funcionário). Admite-se a tentativa na forma escrita ou outro meio plurissubsistente.

A pena é de reclusão, de 2 a 12 anos, e multa, com aumento de 1/3, se, em razão da vantagem ou promessa, o funcionário retarda ou omite ato de ofício, ou o pratica infringindo dever funcional (parágrafo único).

A ação penal é pública incondicionada.

Corrupção passiva	Corrupção ativa
Particular oferece ou promete vantagem ao funcionário público (art. 333).	Funcionário público solicita ou recebe vantagem do particular (art. 317).

Descaminho e contrabando
Noções gerais

Descaminho e contrabando são formas de burlar a fiscalização e sonegar tributos no comércio de bens oriundos do exterior. Enquanto o descaminho se refere a mercadorias permitidas no Território Nacional, o contrabando se refere a mercadorias proibidas. Com relação à aplicação do princípio da insignificância, os tribunais superiores admitem apenas ao descaminho, nos casos em que a sonegação não excede o valor previsto nas Portarias 75/12 e 130/12 do Ministério da Fazenda, isto é, R$ 20.000,00. O STF afasta a aplicação do princípio da insignificância aos crimes de contrabando, independentemente do valor do bem. Ambos os crimes têm como objetividade jurídica a

Administração Pública, podendo ser praticado por qualquer pessoa (crime comum). O elemento subjetivo é o dolo. A consumação dos crimes ocorre quando se realiza a conduta descrita, notadamente, no caso dos arts. 334 e 334-A, quando a mercadoria atravessa a fronteira. Admite-se a tentativa. A ação penal é pública incondicionada.

Descaminho

Nos termos do art. 334, consiste em *iludir, no todo ou em parte, o pagamento de direito ou imposto devido pela entrada, pela saída ou pelo consumo de mercadoria.* A pena é de reclusão, de 1 a 4 anos. A pena aplica-se em dobro se o crime de descaminho é praticado em transporte aéreo, marítimo ou fluvial (§ 3º).

A objetividade jurídica é a Administração Pública, incriminando-se a sonegação dos impostos devidos em caso de importação ou exportação. O objeto material é a mercadoria e o tributo devido. O sujeito ativo é qualquer pessoa. O sujeito passivo é o Estado. Se um funcionário público participa do crime, facilitando-o, incorre no art. 318. O tipo consiste em iludir (sonegar, burlar, deixar de recolher), no todo ou em parte, o pagamento de direito ou imposto devido pela entrada (importação) ou saída (exportação) de mercadoria (qualquer bem material). Não existe mais o chamado imposto de consumo. Note que não se trata apenas dos impostos próprios da importação ou exportação. Assim, no caso de entrada de mercadorias, incide também o Imposto sobre Produtos Industrializados, havendo crime em caso de sua sonegação. Trata-se de tipo penal em branco, uma vez que o valor do imposto devido é definido na legislação tributária e atos administrativos complementares. O elemento subjetivo é o dolo. Consuma-se o crime com qualquer ato capaz de iludir o pagamento. Admite-se a tentativa.

As figuras equiparadas estão previstas no § 1º, incorrendo na mesma pena quem: I – pratica navegação de cabotagem, fora dos casos permitidos em lei (navegação de cabotagem é a navegação costeira ou entre portos do mesmo país); II – pratica fato assimilado, em lei especial, a descaminho (exemplo: saída de produtos da Zona Franca de Manaus, sem autorização legal); III – vende, expõe à venda, mantém em depósito ou, de qualquer forma, utiliza em proveito próprio ou alheio, no exercício de atividade comercial ou industrial, mercadoria de procedência estrangeira que introduziu clandestinamente no país ou importou fraudulentamente ou que sabe ser produto de introdução clandestina no território nacional ou de importação fraudulenta por parte de outrem; IV – adquire, recebe ou oculta, em proveito próprio ou alheio, no exercício de atividade comercial ou industrial, mercadoria de procedência estrangeira, desacompanhada de documentação legal ou acompanhada de documentos que sabe serem falsos. Note que os incisos III e IV tipificam figuras que também se ajustam ao crime de receptação, o qual fica excluído em razão do princípio da especialidade. As condutas se desenvolvem no exercício de atividade comercial ou industrial, exigindo-se, portanto, habitualidade, não sendo suficiente uma ação isolada. Nos termos do § 2º, também se considera atividade comercial qualquer forma de comércio irregular ou clandestino de mercadorias estrangeiras, inclusive o exercido em residências.

A Súmula Vinculante 24 do STF estabelece o seguinte: "Não se tipifica crime material contra a ordem tributária, previsto no art. 1º, incisos I a IV, da Lei n. 8.137/90, antes do lançamento do tributo". Essa súmula deve ser aplicada também ao descaminho, embora previsto no Código Penal, dada a natureza tributária desse delito. Entendemos, todavia, que, embora a súmula mencione que não há tipificação antes do lançamento do tributo, trata-se de redação equivocada, uma vez que o lançamento, sendo fato posterior à conduta e ao resultado de dano ao erário, constitui, na verdade, uma condição objetiva de punibilidade. Assim, consuma-se o crime com a conduta do agente, embora a punibilidade só surja a partir do incremento da condição.

O pagamento do tributo antes de iniciada a ação penal extingue a punibilidade, por aplicação analógica da Lei n. 9.249 (art. 34), da Lei n. 10.684 (art. 9º, § 2º) e da Lei n. 9.430 (art. 83, § 4º).

A ação penal é pública incondicionada.

Contrabando

Contrabando, embora se assemelhe ao descaminho, consiste em *importar ou exportar mercadoria proibida* (art. 334-A). O crime é punido com pena de reclusão, de 2 a 5 anos. A pena aplica-se em dobro se o crime é praticado em transporte aéreo, marítimo ou fluvial (§ 3º). O objeto jurídico é a Administração Pública, punindo-se a entrada de produtos proibidos no Brasil. O objeto material é a mercadoria proibida. O sujeito ativo é qualquer pessoa. O sujeito passivo é o Estado. Se um funcionário público participa do crime, facilitando-o, incorre no art. 318. O tipo objetivo prevê as condutas de importar (introduzir no Território Nacional) ou exportar (retirar do Território Nacional) mercadoria (qualquer bem material) proibida (elemento normativo do tipo). O tipo subjetivo é o dolo. Consuma-se o crime com a entrada ou com a saída do produto, ultrapassando a linha de fronteira ou a área de fiscalização alfandegária, admitindo-se a tentativa.

O § 1º prevê formas equiparadas, incorrendo na mesma pena quem: I – pratica fato assimilado, em lei especial, a contrabando; II – importa ou exporta clandestinamente mercadoria que dependa de registro, análise ou autorização de órgão público competente; III – reinsere no território nacional mercadoria brasileira destinada à exportação; IV – vende, expõe à venda, mantém em depósito ou, de qualquer forma, utiliza em proveito próprio ou alheio, no exercício de atividade comercial ou industrial, mercadoria proibida pela lei brasileira; V – adquire, recebe ou oculta, em proveito próprio ou alheio, no exercício de atividade comercial ou industrial, mercadoria proibida pela lei brasileira. Note que os incisos IV e V tipificam figuras que também se ajustam ao crime de receptação, o qual fica excluído em razão do princípio da especialidade. As condutas se desenvolvem no exercício de atividade comercial ou industrial, exigindo-se, portanto, habitualidade, não sendo suficiente uma ação isolada. Nos termos do § 2º, também se considera atividade comercial qualquer forma de comércio irregular ou clandestino de mercadorias estrangeiras, inclusive o exercido em residências.

A ação penal é pública incondicionada.

Descaminho – art. 334	Contrabando – art. 334-A
Entrada irregular de produtos permitidos no Brasil.	Entrada irregular de produtos proibidos no Brasil.
Aplica-se o princípio da insignificância para sonegação até R$ 20.000,00.	STF não admite aplicação do princípio da insignificância.

Inutilização de edital ou de sinal

O crime consiste em *rasgar ou, de qualquer forma, inutilizar ou conspurcar edital afixado por ordem de funcionário público; violar ou inutilizar selo ou sinal empregado, por determinação legal ou por ordem de funcionário público, para identificar ou cerrar qualquer objeto* (art. 336). A pena é de detenção, de 1 mês a 1 ano, ou multa. O objeto jurídico é a Administração Pública. O objeto material é o edital, selo ou sinal. O sujeito ativo é qualquer pessoa e o sujeito passivo é o Estado, bem como, secundariamente, a pessoa prejudicada.

O tipo penal prevê duas figuras:

a. *inutilização de edital:* rasgar (cortar, fazer em pedaços, lacerar), inutilizar (tornar sem utilidade) ou conspurcar (manchar, sujar) de qualquer forma, edital (documento oficial de comunicação) afixado por ordem de funcionário público, podendo ser de qualquer órgão do Poder Executivo, Legislativo ou Judiciário, só se configurando o crime se o ato for durante o prazo de validade do edital;
b. *inutilização de selo ou sinal:* violar (devassar, romper) ou inutilizar (tornar sem valor ou utilidade) selo ou sinal, que pode se referir a uma tira de papel ou pano, chapa de chumbo ou outro material que contenha uma autenticação do poder público, podendo ser uma assinatura, um sinete, carimbo etc., que se fixa por meio de cola, tachas, cosedura, lacre, arame etc. em fechaduras, gavetas, portas, janelas, bocas de vasos, frascos, sacos ou caixas ou qualquer abertura de continente para se evitar o acesso ao conteúdo, não havendo crime se os materiais estiverem já inutilizados quando da violação.

O tipo subjetivo é doloso e se consuma com a efetiva inutilização, por qualquer forma, admitindo-se a forma tentada. A ação penal é pública incondicionada.

Subtração ou inutilização de livro ou documento

Dado que os atos e decisões administrativas constam de documentos, o crime em questão consiste em *subtrair, ou inutilizar, total ou parcialmente, livro oficial, processo ou documento confiado à custódia de funcionário, em razão de ofício, ou de particular em serviço público.* A pena é de reclusão, de 2 a 5 anos, se o fato não constitui crime mais grave (art. 337). O objeto jurídico é a Administração Pública. O objeto material é o livro oficial, processo ou documento. O sujeito ativo: note que, nesse crime, quem pratica a subtração ou a inutilização não é responsável pelo livro, processo ou documento, diferentemente do crime do art. 314, em que o autor da conduta é o próprio funcionário encarregado de guardar o material. Se o crime for praticado por advogado ou procurador e se tratar de processo judicial ou objeto de valor probatório, o crime será o do art. 356. O sujeito passivo é o Estado. O crime é doloso e admite-se a tentativa, divergindo a doutrina quanto ao momento consumativo: 1ª corrente: basta a subtração ou a inutilização; 2ª corrente: deve haver lesão à atividade administrativa. Para a segunda corrente, a restituição afasta o crime, enquanto que a primeira entende que a restituição apenas reduz a pena. A ação penal é pública incondicionada.

Sonegação de contribuição previdenciária

A fim de preservar a fonte de custeio da previdência social, a Lei n. 9.983, de 2000, incluiu o presente crime no art. 337-A, prevendo pena de reclusão, de 2 a 5 anos, e multa, para quem:

> [...] suprimir ou reduzir contribuição social previdenciária e qualquer acessório, mediante as seguintes condutas:
> I – omitir de folha de pagamento da empresa ou de documento de informações previsto pela legislação previdenciária segurados empregado, empresário, trabalhador avulso ou trabalhador autônomo ou a este equiparado que lhe prestem serviços;
> II – deixar de lançar mensalmente nos títulos próprios da contabilidade da empresa as quantias descontadas dos segurados ou as devidas pelo empregador ou pelo tomador de serviços;
> III – omitir, total ou parcialmente, receitas ou lucros auferidos, remunerações pagas ou creditadas e demais fatos geradores de contribuições sociais previdenciárias.

O objeto jurídico é a Administração Pública, no aspecto da proteção da seguridade social. O objeto material é a folha de pagamento e respectiva contribuição previdenciária devida. O sujeito ativo é a pessoa encarregada do recolhimento previdenciário. O sujeito passivo é o Estado e, secundariamente, o trabalhador. O § 1º prevê a extinção da punibilidade se o agente, espontaneamente, declara e confessa as contribuições, importâncias ou valores e presta as informações devidas à previdência social, na forma definida em lei ou regulamento, antes do início da ação fiscal. Note que não se exige o pagamento efetivo do tributo, ao contrário do que se verifica no art. 168-A, que prevê o crime de apropriação indébita previdenciária. Se o agente for primário e de bons antecedentes, poderá haver o perdão judicial ou aplicação da pena de multa, desde que o valor das contribuições devidas, inclusive acessórios, seja igual ou inferior àquele estabelecido pela previdência social, administrativamente, como sendo o mínimo para o ajuizamento de suas execuções fiscais (§ 2º). Além disso, tratando-se de firma individual, em que o empregador não é pessoa jurídica, o juiz poderá reduzir a pena de 1/3 até a metade ou aplicar apenas a de multa se sua folha de pagamento mensal não ultrapassa R$ 1.510,00 (§ 3º), valor que será reajustado nas mesmas datas e nos mesmos índices do reajuste dos benefícios da previdência social (§ 4º). O crime é doloso e, segundo Cezar Roberto Bitencourt, é indispensável o fim especial de fraudar a previdência social.[14] Crime formal consuma-se com a realização da conduta incriminada, dispensando efetivo prejuízo à previdência social. Admite-se a tentativa. A ação penal é pública incondicionada.

19.4 CRIMES PRATICADOS POR PARTICULAR CONTRA A ADMINISTRAÇÃO PÚBLICA ESTRANGEIRA

O Capítulo II-A deste título trata dos crimes praticados por particular contra a Administração Pública estrangeira. No polo passivo, invariavelmente, está o país estrangeiro ofendido, representado por seu funcionário. Nos termos do art. 337-D, considera-se funcionário público estrangeiro, para os

---

14. BITENCOURT, Cezar Roberto. *Tratado de Direito Penal*. vol. 5. São Paulo: Saraiva. p. 249.

efeitos penais, quem, ainda que transitoriamente ou sem remuneração, exerce cargo, emprego ou função pública em entidades estatais ou em representações diplomáticas de país estrangeiro. Equipara-se a funcionário público estrangeiro quem exerce cargo, emprego ou função em empresas controladas, diretamente ou indiretamente, pelo Poder Público de país estrangeiro ou em organizações públicas internacionais. Secundariamente, o particular lesado pelas condutas.

Corrupção ativa em transação comercial internacional

É crime semelhante ao delito de corrupção ativa e consiste em *prometer, oferecer ou dar, direta ou indiretamente, vantagem indevida a funcionário público estrangeiro, ou a terceira pessoa, para determiná-lo a praticar, omitir ou retardar ato de ofício relacionado à transação comercial internacional* (art. 337-B). A pena é de 1 a 8 anos de reclusão e multa, podendo ser aumentada de 1/3 se, em razão da vantagem ou promessa, o funcionário público estrangeiro retarda ou omite o ato de ofício, ou o pratica infringindo dever funcional. A objetividade jurídica tutela as relações comerciais internacionais. O objeto material é a vantagem prometida, oferecida ou dada. O sujeito ativo é qualquer pessoa, brasileiro ou estrangeiro. O sujeito passivo é o Estado estrangeiro e, secundariamente, a pessoa eventualmente prejudicada pela corrupção. Não existe, neste caso, a incriminação autônoma do funcionário corrupto, já que este deve ser punido de acordo com a lei de seu país de origem. O tipo penal é de conduta múltipla, consistente em prometer (pactuar, garantir, comprometer-se a entregar), oferecer (disponibilizar, sugerir) ou dar (entregar), direta ou indiretamente (por interposta pessoa), vantagem indevida (podendo ser de ordem material, moral, sexual etc.), desde que haja a finalidade de determinar o funcionário a praticar, omitir ou retardar um ato de ofício, isto é, um ato pertencente às suas funções. Em se tratando de vantagem devida, como por exemplo, promessa de uma promoção a que tem direito o funcionário, não há crime. O crime, porém, só se verifica se a oferta ou promessa for anterior ao ato de ofício, haja vista a finalidade de "determiná-lo a praticar", o que se refere a um ato futuro. Assim, se o particular oferece a vantagem em agradecimento a um ato já realizado, não haverá corrupção. O crime ocorre ainda que a vantagem indevida tenha sido solicitada pelo funcionário, como condição para a realização do ato, já que o tipo objetivo prevê a conduta "dar". A corrupção é *própria* quando visa a uma ação ilícita do funcionário e *imprópria* quando visa a uma ação lícita. O tipo subjetivo é o dolo, acrescido da finalidade específica de determinar a prática, omissão ou retardamento de ato de ofício. Consuma-se o crime quando o funcionário toma conhecimento da oferta ou promessa de vantagem, ainda que haja recusa (crime formal, que independe da aceitação ou obtenção da vantagem pelo funcionário), ou quando recebe efetivamente a vantagem. Admite-se a tentativa. A ação penal é pública incondicionada.

Tráfico de influência em transação comercial internacional

Consiste em *solicitar, exigir, cobrar ou obter, para si ou para outrem, direta ou indiretamente, vantagem ou promessa de vantagem a pretexto de influir em ato praticado por funcionário público estrangeiro no exercício de suas funções, relacionado a transação comercial internacional* (art. 337-B). A pena é de reclusão, de 2 a 5 anos, e multa. A pena é aumentada da metade, se o agente alega ou insinua que a vantagem é também destinada a funcionário estrangeiro. A objetividade jurídica tutela as relações comerciais internacionais. O objeto material é a vantagem. O sujeito ativo é qualquer pessoa, brasileiro ou estrangeiro. O sujeito passivo é o Estado estrangeiro e, secundariamente, a pessoa eventualmente prejudicada pela corrupção.

O tipo penal é misto alternativo, tendo correspondência com o art. 332, exceto quanto aos seguintes elementos especializantes:

a. influência sobre funcionário público estrangeiro, isto é, qualquer das pessoas elencadas no art. 337-D;
b. a influência tem por objetivo transação comercial internacional, como, por exemplo, acordos de importação e exportação, financiamentos internacionais etc.

De resto, vale o que foi assentado sobre o tráfico de influência comum (art. 332). A ação penal é pública incondicionada.

19.5 CRIMES EM LICITAÇÕES E CONTRATOS ADMINISTRATIVOS

Introdução

Este capítulo foi inserido no Código Penal pela nova lei de licitações (Lei n. 14.133/2021). Licitação é um procedimento formal pelo qual a Administração Pública seleciona e realiza os melhores fornecedores de bens e serviços, garantindo o melhor preço de acordo com as especificações técnicas da contratação, observando os princípios da legalidade, moralidade, impessoalidade, publicidade etc.

Os crimes se referem ao processo licitatório em sentido amplo, que abrange as seguintes modalidades.

a. *pregão:* modalidade obrigatória para contratação de bens e serviços comuns, exceto de engenharia;
b. *concorrência:* contratação de bens e serviços especiais e obras e serviços comuns ou especiais de engenharia;
c. *concurso:* contratação de serviço técnico, científico ou artístico;
d. *leilão:* destina-se à alienação de bens móveis e imóveis;
e. *diálogo competitivo:* destina-se a situações que envolvam inovações técnicas ou tecnológicas, assim como soluções alternativas e customizadas, além de especificações técnicas que não podem ser definidas de forma suficiente pela Administração, a qual irá realizar diálogos com licitantes previamente selecionados mediante critérios objetivos com o intuito de desenvolver uma ou mais alternativas capazes de atender suas necessidades.

Uma peculiaridade desses crimes é que a pena de multa, embora deva ser calculada de acordo com o art. 49 do CP, não poderá ser inferior a 2% do valor do contrato licitado ou celebrado com contratação direta, nos termos do art. 337-P.

No caso de licitações internacionais, devem ser obedecidas as regras previstas na legislação brasileira, podendo se configurar um dos crimes tipificados, ainda que praticado em território estrangeiro, dando azo à hipótese de extraterritorialidade prevista no art. 7º, I, c.

Nos crimes licitatórios funcionais, isto é, praticados por funcionário público, estão abrangidos:

a. *agente público*: indivíduo que, em virtude de eleição, nomeação, designação, contratação ou qualquer outra forma de investidura ou vínculo, exerce mandato, cargo, emprego ou função em pessoa jurídica integrante da Administração Pública;
b. *autoridade*: agente público dotado de poder de decisão;
c. *agente de contratação*: pessoa designada pela autoridade competente, entre servidores efetivos ou empregados públicos dos quadros permanentes da Administração Pública, para tomar decisões, acompanhar o trâmite da licitação, dar impulso ao procedimento licitatório e executar quaisquer outras atividades necessárias ao bom andamento da licitação.

Quanto à aplicação da lei no tempo, todos os tipos penais, à exceção do art. 337-N, representam *lex gravior*, com apenamento maior, não podendo, portanto, aplicar-se aos fatos anteriores e processos em andamento. Todavia, o art. 337-N (impedimento indevido) manteve a mesma pena prevista na Lei n. 8.666, tendo havido simples migração, sem descontinuidade normativo-típica. Houve *novatio legis* incriminadora, já que o crime previsto no art. 337-O (omissão grave de dado ou de informação por projetista) inexistia no anterior estatuto, também não podendo, pois, retroagir.

Contratação direta ilegal

Consiste o crime, previsto no art. 337-E, de *admitir, possibilitar ou dar causa à contratação direta fora das hipóteses previstas em lei*. A pena é de reclusão, de 4 a 8 anos, e multa. O objeto jurídico é a Administração Pública. O objeto material é a licitação. O sujeito ativo é o funcionário responsável pela realização do contrato administrativo (crime próprio). O sujeito passivo é o Estado; secundariamente, a pessoa física ou jurídica prejudicada pela contratação indevida. O tipo penal é misto alternativo e prevê as condutas de admitir (aceitar, permitir), possibilitar (tornar possível) ou dar causa (de qualquer modo), a contratação direta fora das hipóteses previstas em lei, isto é, inobservando as regras de dispensa e inexigibilidade da licitação previstas legalmente (norma penal em branco). O crime pode ser praticado por ação ou omissão. O tipo subjetivo é o dolo. Exige-se o dolo específico de fraudar. Consuma-se o crime com a celebração do contrato sem licitação. Admite-se a tentativa. A ação penal é pública incondicionada.

Frustração do caráter competitivo de licitação

O crime do art. 337-F consiste em *frustrar ou fraudar, com o intuito de obter para si ou para outrem vantagem decorrente da adjudicação do objeto da licitação, o caráter competitivo do processo licitatório*. A pena é de reclusão, de 4 a 8 anos, e multa. O objeto jurídico é a Administração Pública. O objeto material é a licitação. O sujeito ativo é qualquer pessoa, não precisando, necessariamente, ser participante do processo licitatório. O sujeito passivo é o Estado; secundariamente, a pessoa física ou jurídica prejudicada no processo licitatório. O tipo penal prevê as condutas de frustrar (impedir, obstar) ou fraudar (corromper, enganar) o caráter competitivo do processo licitatório, isto é, comprometer o equilíbrio e a livre concorrência, criando situação de vantagem ou favorecimento indevido para um dos licitantes em qualquer modalidade de processo licitatório. Esta norma, portanto, preserva o caráter competitivo, que garante a impessoalidade e a igualdade entre os licitantes, contra diversos procedimentos ilícitos, como sobrepreço (fixação de preços superiores aos de mercado), direcionamento da licitação (exigência de qualificações técnicas específicas e favoráveis a um dos concorrentes), cobertura ou rodízio (espécie de ajuste entre concorrentes para vencerem alternadamente), falsa competição (participação apenas de empresas do mesmo grupo econômico ou familiar), julgamento de propostas em desconformidade com a convocação, participação de "empresas-fantasma", convocação de empresas de ramo diverso do objeto da licitação ou empresas incapazes de executar o objeto da licitação, além de outros expedientes espúrios. O tipo subjetivo é o dolo, exigindo-se a finalidade específica de obter vantagem para si ou terceira pessoa decorrente da adjudicação do objeto da licitação, isto é, vencer o certame e obter vantagem em razão da conduta criminosa de frustrar a igualdade. Consuma-se o crime com qualquer ato tendente a frustrar ou fraudar a igualdade entre os licitantes, ainda que o agente não obtenha a vantagem visada (crime formal). Admite-se a tentativa. A ação penal é pública incondicionada.

Patrocínio de contratação indevida

O art. 337-G tipifica o seguinte crime: *patrocinar, direta ou indiretamente, interesse privado perante a Administração Pública, dando causa à instauração de licitação ou à celebração de contrato cuja invalidação vier a ser decretada pelo Poder Judiciário.* A pena é de reclusão, de 6 meses a 3 anos, e multa. O objeto jurídico é a Administração Pública. O objeto material é a licitação. O sujeito ativo é o servidor público. O sujeito passivo é o Estado; secundariamente, a pessoa física ou jurídica prejudicada no processo licitatório. Patrocinar significa defender, proteger, resguardar, de forma direta ou por interposta pessoa ("testa-de-ferro"). Neste caso, o funcionário abusa de sua condição para ajudar pessoa indevidamente. Este crime se distingue do art. 321 (advocacia administrativa) pelo objeto do patrocínio, pois se trata de dar causa à instauração de licitação ou à celebração de contrato. Trata-se, porém, de crime condicionado, uma vez que sua configuração depende de invalidação da licitação ou do contrato celebrado. O tipo penal pretende preservar a impessoalidade e a igualdade, no sentido de que a pessoa interessada receba o mesmo tratamento de qualquer outra, submetendo-se aos trâmites e protocolos regulares da atividade administrativa, sem obter qualquer tipo de benesse do funcionário. A propósito, a Lei n. 8.112 proíbe qualquer funcionário de atuar, como procurador ou intermediário, nas repartições públicas, salvo em caso de benefícios previdenciários ou assistenciais de parentes até o segundo grau e de cônjuge ou companheiro (art. 117, XI). Consuma-se o crime com instauração do processo licitatório ou com a celebração do contrato administrativo, mas a punibilidade depende de sentença judicial invalidando este ou aquele (condição objetiva de punibilidade), não sendo admitida a tentativa, pois deve haver o resultado, com posterior anulação pelo Poder Judiciário. A ação penal é pública incondicionada.

Modificação ou pagamento irregular em contrato administrativo

Este crime, previsto no 337-H, consiste em *admitir, possibilitar ou dar causa a qualquer modificação ou vantagem, inclusive prorrogação contratual, em favor do contratado, durante a execução dos contratos celebrados com a Administração Pública, sem autorização em lei, no edital da licitação ou nos respectivos instrumentos contratuais, ou, ainda, pagar fatura com preterição da ordem cronológica de sua exigibilidade.* A pena é de reclusão, de 4 a 8 anos, e multa. O objeto jurídico é a Administração Pública. O objeto material é a licitação. O sujeito ativo é o funcionário público. O sujeito passivo é o Estado. O tipo penal tipifica as seguintes condutas de duas ordens: a) admitir (permitir, autorizar), possibilitar (tornar possível, viabilizar) ou dar causa (de qualquer modo) a qualquer modificação ou vantagem, inclusive prorrogação contratual, em favor do contratado; b) pagar fatura com preterição da ordem cronológica de sua exigibilidade, isto é, antecipar o pagamento em benefício do contratado, prejudicando a Administração Pública. Trata-se de tipo misto alternativo, em que há homogeneidade e fungibilidade entre as formas de atuação, pois todas têm como escopo favorecer o contratado perante a Administração Pública e implicam alguma forma de alteração na execução do contrato, de modo que se o agente, por exemplo, prorroga o prazo para entrega das mercadorias e antecipa o pagamento da fatura, incorre em crime único. O tipo penal ainda contempla elementos normativos *sem autorização em lei, no edital da licitação ou nos respectivos instrumentos contratuais.* Note que, se o contrato respaldar a conduta do agente, não haverá crime, ainda que o contrato esteja em desacordo com a lei ou o edital. O tipo subjetivo é o dolo, exigindo-se a finalidade específica de favorecer o contratado. Consuma-se o crime com a simples conduta de admitir, dar causa, promover ou pagamento de fatura com preterição de ordem, independentemente de qualquer vantagem efetiva ou prejuízo (crime formal). Admite-se a tentativa. A ação penal é pública incondicionada.

Perturbação de processo licitatório

Revogado o art. 335 do Código Penal, subsiste o art. 337-I, que consiste em *impedir, perturbar ou fraudar a realização de qualquer ato de processo licitatório*. A pena é de detenção, de 6 meses a 3 anos, e multa. O objeto jurídico é a Administração Pública. O objeto material é a licitação. O sujeito ativo é qualquer pessoa. O sujeito passivo é o Estado; secundariamente, a pessoa física ou jurídica prejudicada no processo licitatório. O tipo penal é misto alternativo e prevê as condutas de impedir (evitar a realização), perturbar (atrapalhar, tumultuar) ou fraudar (simular, falsear, enganar) a realização de qualquer ato, isto é, desde a abertura do processo administrativo até os atos finais de adjudicação. O tipo subjetivo é o dolo. A consumação do crime ocorre quando o agente impede, perturba ou frauda. Admite-se a tentativa. A ação penal é pública incondicionada.

Violação de sigilo em licitação

Nos termos do art. 337-J, o crime consiste em *devassar o sigilo de proposta apresentada em processo licitatório ou proporcionar a terceiro o ensejo de devassá-lo*. A pena é de detenção, de 2 a 3 anos, e multa. O objeto jurídico é a Administração Pública. O objeto material é a licitação. O sujeito ativo é qualquer pessoa. O sujeito passivo é o Estado; secundariamente, a pessoa física ou jurídica prejudicada no processo licitatório. O tipo penal é misto alternativo e prevê as condutas de devassar (violar, espionar, quebrar) ou proporcionar (possibilitar, facilitar), por ação ou omissão, a quebra de sigilo de proposta apresentada por um dos licitantes, o que representa uma quebra da igualdade, permitindo que o interessado possa apresentar proposta apta a vencer o processo. Nos termos da descrição, comete o crime aquele que diretamente devassa o sigilo ou que auxilia ou permite a outrem fazê-lo. O tipo subjetivo é o dolo. A consumação do crime ocorre quando o agente ou terceira pessoa passa a ter conhecimento da proposta sigilosa. Admite-se a tentativa. A ação penal é pública incondicionada.

Afastamento de licitante

Nos termos do art. 337-K, o crime consiste em *afastar ou tentar afastar licitante por meio de violência, grave ameaça, fraude ou oferecimento de vanta-*

gem de qualquer tipo. A pena é de reclusão, de 3 a 5 anos, e multa, além da pena correspondente à violência. Incorre na mesma pena quem se abstém ou desiste de licitar em razão de vantagem oferecida. O objeto jurídico é a Administração Pública. O objeto material é a licitação. O sujeito ativo é qualquer pessoa. O sujeito passivo é o Estado; secundariamente, a pessoa física ou jurídica prejudicada no processo licitatório. Ocorre uma exceção pluralista à teoria monista, na medida em que o tipo penal prevê que o desistente ou abstêmio não incide no *caput*, mas em norma autônoma, prevista no parágrafo. O tipo é de atentado e consiste em afastar ou tentar afastar (deixar de fora, repelir, impedir a entrada) licitante (qualquer pessoa apta a participar da licitação) por meio de violência (lesões corporais ou vias de fato), grave ameaça (ameaça de mal injusto e grave), fraude (enganação, mentira, falsidade) ou oferecimento de qualquer vantagem (econômica, moral, sexual etc.). Também são típicas as condutas de aster-se (não tomar parte) ou desistir (tomar parte e sair) da licitação em razão da vantagem oferecida. O elemento subjetivo é o dolo, exigindo-se, no caso do parágrafo único, que a abstenção ou desistência seja em razão da vantagem oferecida. Consuma-se o crime com as condutas do tipo. A simples tentativa de afastar licitante consuma o crime, não sendo possível a forma tentada (crime de atentado), independentemente de qualquer vantagem ou prejuízo (crime formal). No caso do parágrafo único, a tentativa não é possível porque abstenção e desistência são condutas omissivas próprias.

A ação penal é pública incondicionada.

Fraude em licitação ou contrato

Consiste o crime do art. 337-L em *fraudar, em prejuízo da Administração Pública, licitação ou contrato dela decorrente, mediante: I – entrega de mercadoria ou prestação de serviços com qualidade ou em quantidade diversas das previstas no edital ou nos instrumentos contratuais; II – fornecimento, como verdadeira ou perfeita, de mercadoria falsificada, deteriorada, inservível para consumo ou com prazo de validade vencido; III – entrega de uma mercadoria por outra; IV – alteração da substância, qualidade ou quantidade da mercadoria ou do serviço fornecido; V - qualquer meio fraudulento que torne injustamente mais onerosa para a Administração Pública a proposta ou a execução do contrato.* A pena é de reclusão, de 4 a 8 anos, e multa. Tutela-se a Administração Pública. O objeto jurídico é a Administração Pública. O objeto material é a licitação. O sujeito ativo é qualquer pessoa. O sujeito passivo é o Estado. O tipo penal tipifica a conduta de fraudar (falsear, enganar), licitação ou contrato, em prejuízo da Administração Pública, mediante as seguintes formas de comportamento criminoso:

I. Entrega de mercadoria ou prestação de serviços com qualidade ou em quantidade diversas das previstas no edital ou nos instrumentos contratuais: neste caso, o agente engana a Administração Pública, entregando produtos ou serviços em qualidade ou quantidade inferior ao contratado.

II. Fornecimento, como verdadeira ou perfeita, de mercadoria falsificada, deteriorada, inservível para consumo ou com prazo de validade vencido: o agente engana a Administração Pública e entrega mercadoria falsificada (imitação da original), deteriorada (desvalorizada), inservível para consumo (inócua ou prejudicial) ou com prazo de validade vencido. Na hipótese desse inciso, o agente responderá, em concurso, pelo crime previsto no art. 272.

III. Entrega de uma mercadoria por outra: o agente engana a Administração entregando mercadoria diversa da que foi contratada.

IV. Alteração da substância, qualidade ou quantidade da mercadoria ou do serviço fornecido: neste caso, o agente engana a Administração Pública alterando a substância em si, qualidade ou quantidade da mercadoria ou do serviço fornecido como, por exemplo, misturar leite em pó de boa qualidade com leite de qualidade inferior.

V. Qualquer meio fraudulento que torne injustamente mais onerosa para a Administração Pública a proposta ou a execução do contrato: fórmula aberta, em que se aplica interpretação analógica, de modo que qualquer situação similar às anteriores configura o crime.

Note que, embora o tipo penal fale em licitação ou contrato, a verdade é que todas as condutas descritas se referem à fraude empregada na execução do contrato, isto é, depois de vencida a licitação pela empresa prestadora, que vem a empregar o meio fraudulento.

O tipo subjetivo é doloso. Consuma-se o crime com a simples entrega de mercadoria ou prestação de serviços nas condições descritas, independentemente de qualquer resultado (crime formal). Admite-se a tentativa.

A ação penal é pública incondicionada.

Contratação inidônea

O crime de contratação inidônea está previsto no art. 337-M. Consiste em *admitir à licitação empresa ou profissional declarado inidôneo*. A pena é de reclusão, de 1 a 3 anos, e multa. A forma qualificada está prevista no § 1º: *celebrar contrato com empresa ou profissional declarado inidôneo*. A pena é 3 a 6 anos, e multa. Nos termos do § 2º, incide na mesma pena do *caput* deste artigo aquele que, declarado inidôneo, venha a participar de licitação e, na mesma pena do § 1º deste artigo, aquele que, declarado inidôneo, venha a contratar com a Administração Pública. O objeto jurídico é a Administração Pública. O objeto material é a licitação. O sujeito ativo é o funcionário responsável pela admissão ou contratação ou pela empresa declarada inidônea (crime próprio). O sujeito passivo é o Estado; secundariamente, a pessoa física ou jurídica prejudicada no processo licitatório.

São diversas as condutas incriminadas, a saber:

a. *Admitir licitante inidôneo:* está prevista no *caput*. O sujeito ativo é o funcionário público encarregado da licitação. O sujeito passivo é o Estado; secundariamente, a pessoa física ou jurídica prejudicada no processo licitatório pela admissão de processo inidôneo. A conduta é admitir, isto é, permitir a participação de empresa ou profissional que sofreu, em processo administrativo, declaração de inidoneidade.

b. *Celebrar contrato com empresa ou profissional inidôneo:* trata-se de forma qualificada, punida com pena de 3 a 6 anos de reclusão, prevista no § 1º. A conduta punível não é a simples admissão, como no *caput*, mas a celebração do contrato com empresa ou profissional que sofreu, em processo administrativo, a sanção de declaração de idoneidade.

c. *Participar de licitação depois de ser declarado inidôneo:* nos termos do § 2º, constitui crime participar de licitação depois de ser declarado inidôneo. Neste caso, trata-se de crime próprio, que só pode ser praticado por quem tenha recebido, em processo administrativo, a declaração de inidoneidade. A pena é de 1 a 3 anos de reclusão, e multa.

d. *Celebrar contrato depois de ser declarado inidôneo:* trata-se de forma qualificada, punida com pena de 3 a 6 anos de reclusão, prevista no § 1º. A conduta punível não é a simples admissão, como no *caput*, mas a celebração do contrato com empresa ou profissional que sofreu, em processo administrativo, a sanção de declaração de idoneidade.

Conforme já decidiu o STJ, a sanção de declaração de inidoneidade é aplicada em razão de fatos graves demonstradores da falta de idoneidade da empresa para licitar ou contratar com o Poder Público em geral, em razão dos princípios da moralidade e da razoabilidade.[15] Trata-se de elemento normativo do tipo. O tipo subjetivo é o dolo, que abrange o conhecimento da declaração de inidoneidade. Havendo dúvida, configura-se o dolo eventual. Consuma-se o crime com as condutas de admitir, celebrar ou participar, independentemente de qualquer prejuízo à Administração Pública (crime formal). Admite-se a tentativa. A ação penal é pública incondicionada.

Impedimento indevido

O crime previsto no art. 337-N consiste em *obstar, impedir ou dificultar injustamente a inscrição de qualquer interessado nos registros cadastrais ou promover indevidamente a alteração, a suspensão ou o cancelamento de registro do inscrito.* A pena é de reclusão, de 6 meses a 2 anos, e multa (infração de menor potencial ofensivo). O objeto jurídico é a Administração Pública. O objeto material é a licitação. O sujeito ativo é o funcionário público encarregado da inscrição no

---

15. REsp 520.553/RJ, Rel. Ministro Herman Benjamin, Segunda Turma, julgado em 03/11/2009, DJe 10/02/2011.

processo licitatório. O sujeito passivo é o Estado; secundariamente, a pessoa física ou jurídica prejudicada. O tipo penal é misto alternativo, cujas condutas são: obstar (criar obstáculo), impedir (deixar de fora), dificultar (criar qualquer embaraço) a inscrição de qualquer interessado nos registros cadastrais; promover (dar causa, de qualquer modo) a alteração, suspensão ou o cancelamento de registro do inscrito. O tipo penal prevê ainda os elementos normativos injusta e indevidamente, isto é, fora das hipóteses normativas ou com infração de dever funcional. O elemento subjetivo é o dolo. A consumação ocorre com qualquer das condutas enumeradas, independentemente de qualquer prejuízo (crime formal). Admite-se a tentativa.

A ação penal é pública incondicionada.

Omissão grave de dado ou de informação por projetista

Consiste o crime do art. 337-O em *omitir, modificar ou entregar à Administração Pública levantamento cadastral ou condição de contorno em relevante dissonância com a realidade, em frustração ao caráter competitivo da licitação ou em detrimento da seleção da proposta mais vantajosa para a Administração Pública, em contratação para a elaboração de projeto básico, projeto executivo ou anteprojeto, em diálogo competitivo ou em procedimento de manifestação de interesse*. A pena é de reclusão, de 6 meses a 3 anos, e multa, a qual é aplicada em dobro se o crime é praticado com o fim de obter benefício, direto ou indireto, próprio ou de outrem (§ 2º). O objeto jurídico é a Administração Pública. O objeto material é a licitação. O sujeito ativo é o projetista, isto é, a pessoa responsável pelo projeto entregue à administração. O sujeito passivo é o Estado. O tipo penal é misto alternativo. Trata-se de falsidade cometida em detrimento da Administração Pública, mediante as condutas de omitir (deixar de registrar ou declarar), modificar (alterar) ou entregar (disponibilizar, protocolizar, encaminhar) levantamento cadastral ou condição de contorno em relevante dissonância com a realidade. *Levantamento cadastral* diz respeito aos dados que devam constar no cadastro para fins de habilitação no processo licitatório, enquanto *condição de contorno* é o conjunto de informações e os levantamentos destinados à definição da solução de projeto e dos respectivos preços pelo licitante, incluindo sondagens, topografia, estudos de demanda, condições ambientais e demais elementos ambientais impactantes, considerados requisitos mínimos ou obrigatórios em normas técnicas que orientam a elaboração de projetos (§ 1º). O crime apenas se configura se, entre os dados informados e a realidade, houver "relevante dissonância", ou seja, não devem ser consideradas questões formais de menor importância. Além disso, esse crime só ocorre quando a conduta é praticada em *contratação para a elaboração de projeto básico, projeto executivo ou anteprojeto, em diálogo competitivo ou procedimento de manifestação de interesse.*

Contratação para a elaboração de projeto: para bem executar uma obra ou serviço, a Administração Pública receberá um anteprojeto, que servirá ao projeto básico, o qual, por conseguinte, servirá ao projeto executivo. *Anteprojeto* é peça técnica com todos os subsídios necessários à elaboração do projeto básico; *projeto básico* é o conjunto de elementos necessários e suficientes, com nível de precisão adequado para definir e dimensionar perfeitamente a obra ou o serviço, ou o complexo de obras ou de serviços objeto da licitação, elaborado com base nas indicações dos estudos técnicos preliminares, que assegure a viabilidade técnica e o adequado tratamento do impacto ambiental do empreendimento e que possibilite a avaliação do custo da obra e a definição dos métodos e do prazo de execução, com os requisitos previstos em lei; *projeto executivo* é o conjunto de elementos necessários e suficientes à execução completa da obra, com o detalhamento das soluções previstas no projeto básico, a identificação de serviços, de materiais e de equipamentos a serem incorporados à obra, bem como suas especificações técnicas, de acordo com as normas técnicas pertinentes.

Diálogo competitivo: modalidade de licitação para contratação de obras, serviços e compras em que a Administração Pública realiza diálogos com licitantes previamente selecionados mediante critérios objetivos, com o intuito de desenvolver uma ou mais alternativas capazes de atender às suas necessidades, devendo os licitantes apresentar proposta final após o encerramento dos diálogos.

Procedimento de manifestação de interesse: conforme a lei de licitações, a Administração poderá solicitar à iniciativa privada, mediante procedimento aberto de manifestação de interesse a ser iniciado com a publicação de edital de chamamento público, a propositura e a realização de estudos, investigações, levantamentos e projetos de soluções inovadoras que contribuam com questões de relevância pública, na forma de regulamento (art. 80).

O tipo subjetivo é o dolo, não se admitindo a culpa, de modo que o mero equívoco não configura o crime. Consuma-se o crime com o efetivo prejuízo ao caráter competitivo da licitação ou à contratação mais vantajosa para a Administração (crime material). A tentativa afigura-se possível quando, realizada a conduta, o agente não logra frustrar o caráter competitivo da licitação ou a seleção da proposta mais vantajosa. A ação penal é pública incondicionada.

19.6 CRIMES CONTRA A ADMINISTRAÇÃO DA JUSTIÇA

Reingresso de estrangeiro expulso

Consoante o tipo penal do art. 338 do CP, o crime consiste em *reingressar no território nacional o estrangeiro que dele foi expulso*. A pena é de reclusão, de 1 a 4 anos, sem prejuízo de nova expulsão após o cumprimento da pena. Este crime, embora esteja incluído entre os crimes contra a administração da justiça, destina-se a garantir o ato administrativo de expulsão, que ocorre nos casos previstos no art. 65 do Estatuto do Estrangeiro (Lei n. 6.815/80). O objeto jurídico é a administração da justiça. O objeto material é o ato oficial de expulsão. Trata-se de crime próprio, em que o sujeito ativo é o estrangeiro, mas pode haver participação ou coautoria de nacional que presta auxílio ao reingresso. O sujeito passivo é o Estado. A conduta é reingressar, isto é, entrar após ser expulso, no território nacional, isto é, no sentido real ou ficto (CP, art. 5º). O tipo se aplica ao não nacional regularmente expulso, aplicando-se apenas às hipóteses de expulsão prevista no art. 54 da Lei n. 13.445, não abrangendo a deportação, nem a extradição. Não configura o crime a recusa do estrangeiro em deixar o país, sendo indispensável que o estrangeiro tenha saído após a publicação do decreto de expulsão e retornado em seguida. Consuma-se o crime com a entrada do estrangeiro, transpondo a fronteira terrestre, o mar territorial ou o espaço aéreo correspondente. Além disso, é crime permanente, consumando-se enquanto o estrangeiro permanece no território.

A ação penal é pública incondicionada.

Denunciação caluniosa

Denunciação caluniosa é a mobilização indevida do aparato repressivo estatal, mediante uma acusação falsa de que um particular faz contra alguém perante algum órgão público, como a Polícia ou Ministério Público. O tipo penal descreve o crime como *dar causa à instauração de inquérito policial, de procedimento investigatório criminal, de processo judicial, de processo administrativo disciplinar, de inquérito civil ou de ação de improbidade administrativa contra alguém, imputando-lhe crime, infração ético-disciplinar ou ato ímprobo de que o sabe inocente* (art. 339). Esta redação, trazida pela Lei n. 14.110/2020, revoga o art. 19 da 8.429/92 (Lei de Improbidade Administrativa).

Este crime não se confunde com a calúnia (CP, art. 138), em que não há instauração de nenhum ato oficial contra a pessoa acusada, mas simples atribuição de fato criminoso, atingindo a honra objetiva da vítima. Na denunciação caluniosa, porém, ocorre um ato oficial de investigação ou processo, podendo ser no âmbito administrativo ou judicial.

Objeto jurídico é a administração da justiça. O objeto material é o inquérito, processo ou procedimento. O sujeito ativo é qualquer pessoa e o sujeito passivo é o Estado, bem como, secundariamente, a pessoa prejudicada. A conduta típica é dar causa, no sentido de provocar a instauração, isto é, a formalização pela autoridade pública, de um expediente descrito no tipo, podendo se tratar de:

a. inquérito policial: é a investigação instaurada pelo Delegado de Polícia para investigar uma notícia de crime, nos termos do disposto no Código de Processo Penal;
b. procedimento investigatório criminal (PIC): é a investigação instaurada pelo Ministério Público para investigar uma notícia crime, estando ela regulamentada pelo Código do Processo Penal e resoluções do Conselho Nacional do Ministério Público;

c. processo judicial: é o processo que tramita perante o Poder Judiciário, após haver uma acusação criminal formalizada e admitida em juízo a fim de que a pessoa acusada seja processada e julgada pela prática de um crime;

d. processo administrativo disciplinar: é o processo perante a autoridade pública a fim de apurar e punir a falta funcional de um funcionário público, abrangendo a sindicância e o processo disciplinar propriamente dito, nos termos da Lei n. 8.112;

e. inquérito civil: é o procedimento previsto na Constituição Federal (art. 129, III) Lei da Ação Civil Pública (Lei n. 7.347), por meio do qual o Ministério Público investiga a prática de danos a interesses difusos, coletivos e individuais homogêneos (danos ao meio ambiente, ao patrimônio público, aos consumidores, às crianças e adolescentes, às pessoas com vulnerabilidade, à ordem urbanística etc.);

f. ação de improbidade administrativa: é o processo, perante o Poder Judiciário, para aplicar sanções não criminais aos agentes públicos autores de atos de improbidade administrativa, ou seja, atos que impliquem enriquecimento ilícito, atos que causem dano ao erário e atos violadores dos princípios que regem a atividade pública, como o desvio de finalidade, por exemplo, nos termos da Lei n. 8.429 (Lei de Improbidade Administrativa).

O crime é de conduta vinculada, uma vez que deve ser praticado mediante uma imputação falsa de crime (fato descrito em lei como crime), infração ético-disciplinar (qualquer falta funcional de servidor público) ou ato ímprobo (ato de improbidade administrativa descrito nos artigos 9º a 11 da Lei n. 8.420).

Segundo NUCCI, não pratica o crime o réu que, num processo criminal, imputa um crime a outra pessoa a fim de exercer seu direito de defesa em processo judicial.[16] Discordamos dessa orientação por entender que gera um

---

16. NUCCI, Guilherme de Souza. *Manual de Direito Penal*. 15. ed. Rio de Janeiro: Forense, 2019. p. 1173.

abuso de direito, já que a Constituição Federal, no art. 5º, LXIII, assegura apenas o direito ao silêncio, como decorrência da proibição de autoincriminação (*nemo tenetur se detegere*) consagrada na Convenção Americana de Direitos Humanos (Pacto de San José da Costa Rica), no sentido de que "toda pessoa acusada de um delito tem direito de não ser obrigada a depor contra si mesma, nem a confessar-se culpada" (art. 8º, g). Por força desse direito, não se pune o acusado que mente perante o juiz, o que já configura um benefício em relação ao direito ao silêncio. Daí a trazer implicações judiciais a terceira pessoa parece-nos uma total desproporcionalidade, configurando-se excesso punível no exercício do direito, de acordo com o que preceitua o parágrafo único do art. 23 do CP.

O tipo subjetivo é o dolo, admitindo apenas o dolo direto, diante da expressão "que o sabe inocente". Se o agente tem dúvidas a respeito da inocência, assumindo o risco que assim seja, o crime não se configura.

A pena é de reclusão, de 2 a 8 anos, e multa, podendo ser aumentada de sexta parte, se o agente se serve de anonimato ou de nome suposto (§ 1º) ou diminuída de metade, se a imputação é de prática de contravenção penal (§ 2º).

A ação penal é pública incondicionada.

Calúnia	Denunciação caluniosa
O agente simplesmente imputa um crime falsamente, ofendendo a honra da vítima.	O agente imputa crime, infração administrativa ou ato de improbidade administrativa, causando a instauração de um procedimento administrativo ou judicial. O agente ofende o Estado.

Comunicação falsa de crime ou de contravenção

Conforme o art. 340, o crime consiste em *provocar a ação de autoridade, comunicando-lhe a ocorrência de crime ou de contravenção que sabe não se ter verificado*. O objeto jurídico é a administração da justiça. O objeto material é a ação da autoridade. O sujeito ativo é qualquer pessoa e a vítima é o Estado. O tipo penal descreve a conduta de provocar (dar causa) qualquer providência de autoridade judicial, policial, administrativa, do Ministério Público etc., mediante uma comunicação falsa de crime ou contravenção. A falsidade incide na existência da infração penal. Se incidir sobre a autoria, atribuindo a pessoa determinada, ocorrerá denunciação caluniosa (art. 339). Trata-se de comunicar um crime ou uma contravenção que não aconteceu, provocando algum tipo de ato oficial destinado à apuração. O tipo subjetivo é o dolo. Consuma-se o crime com a prática de qualquer ato da autoridade destinado a esclarecer a notícia. Admite-se a tentativa. A pena é de detenção, de 1 a 6 meses, ou multa (infração de menor potencial ofensivo).

A ação penal é pública incondicionada.

Autoacusação falsa

Segundo o art. 341, o crime consiste em *acusar-se, perante a autoridade, de crime inexistente ou praticado por outrem*. O objeto jurídico é a administração da justiça. O objeto material é a declaração falsa. O sujeito ativo é qualquer pessoa e a vítima é o Estado. Neste crime, uma pessoa comparece perante a autoridade policial para assumir um crime que não cometeu, podendo fazê-lo, por exemplo, para proteger uma pessoa de suas relações, a fim de que não seja descoberta. O tipo subjetivo é o dolo. Consuma-se o crime quando a autoridade toma conhecimento da autoacusação. Admite-se a tentativa na forma plurissubsistente (por escrito, por exemplo). A retratação não extingue a punibilidade. A pena é de detenção, de 3 meses a 2 anos, ou multa (infração de menor potencial ofensivo).

A ação penal é pública incondicionada.

Falso testemunho ou falsa perícia
Nemo tenetur se detegere

Em termos processuais, entre as garantias dos acusados, figura o princípio da proibição de autoincriminação (*nemo tenetur se detegere*), previsto na Constituição Federal como direito ao silêncio (art. 5º, LXIII) e que é interpretado como o direito de não produzir provas contra si. O Brasil confere amplitude ao instituto, podendo o réu apresentar versão mentirosa, desde que não cometa denunciação caluniosa. Inclusive, é direito do acusado não ser conduzido coercitivamente para interrogatório, conforme já decidiu o

STF.[17] Todavia, com relação a testemunhas, peritos e outros auxiliares que devam prestar depoimento ou informação, estes não só têm o dever de colaborar com a justiça, como o dever de expressar a verdade em seus depoimentos e informações. Qualquer afirmação falsa ou omissão sobre fato relevante, perante o juiz ou autoridade administrativa, configura o crime previsto no art. 342.

Tipo penal e objetividade jurídica

Segundo o art. 342, o crime consiste em *fazer afirmação falsa, ou negar ou calar a verdade como testemunha, perito, contador, tradutor ou intérprete em processo judicial, ou administrativo, inquérito policial, ou em juízo arbitral*. O objeto jurídico é a administração da justiça. O objeto material é o depoimento, o laudo ou a tradução. O tipo objetivo é misto alternativo, prevendo as condutas:

a. fazer afirmação falsa: atesta-se algo que não ocorreu;
b. negar a verdade: atesta-se que algo não ocorreu;
c. calar a verdade: oculta-se algo.

Nos três casos, ocorre uma falsidade. Há duas teorias quanto a falsidade:

a. objetiva: falsidade é a divergência entre a declaração e a realidade;
b. subjetiva: falsidade é a divergência entre a declaração e o que a pessoa declarante tem conhecimento.

Prevalece a teoria subjetiva, de modo que só há falsidade se houver contradição entre o que o agente tem conhecimento e as informações que presta, ou seja, o agente transmite ao juiz algo diferente do que sabe.

A conduta deve ser realizada dentro de processo judicial, administrativo, inquérito policial ou juízo arbitral. O elemento subjetivo do tipo é o dolo.

A consumação do crime independe de qualquer dano, uma vez que se trata de delito formal. Assim, é irrelevante que o falso testemunho tenha

---

17. Nesse sentido: ADPF 395 e ADPF 444, Rel. Min. Gilmar Mendes.

influído na decisão da causa. O falso testemunho não é crime condicionado, sendo irrelevante que tenha influído na decisão da causa ou que seja extinta a punibilidade do autor do crime em cujo processo o falso testemunho se verificou. Todavia, em caso de anulação do processo, deve-se observar que haverá possibilidade de retratação em outro processo válido, de modo que, nesse caso, não subsiste o crime, justamente por não subsistir o depoimento. Se o depoimento ocorre sucessivas vezes no mesmo processo, há crime único. No caso de falsa perícia, consuma-se o crime com a entrega do laudo eivado de falsidade ou com a entrega dos cálculos, no caso de crime cometido por contador. Em se tratando de tradutor ou intérprete, a consumação ocorre com a tradução ou interpretação falsa.

Sujeitos do crime, coautoria e participação

O sujeito ativo é a pessoa que reúne a condição especial prevista no tipo: testemunha (pessoa que informa fatos), perito (profissional que informa dados técnicos), contador (profissional que faz cálculos), tradutor (profissional que realiza tradução de idioma estrangeiro para a língua portuguesa ou vice-versa) ou intérprete (pessoa que fala em nome de alguém incapaz de se expressar, compreender ou de se fazer entender, como uma pessoa muda, por exemplo).

Trata-se de crime de mão própria, isto é, de conduta infungível, que não pode ser praticado por interposta pessoa. Tradicionalmente, os crimes de mão própria não admitem coautoria, admitindo apenas participação, uma vez que só a pessoa especialmente designada no tipo é capaz de realizar a conduta diretamente. Conforme orientação da jurisprudência, *o delito previsto no art. 342 do C. Penal é, sem dúvida, daqueles denominados de mão própria ("eigenhändigen Verbrechen"), de execução pessoal, intransferível. É o caso, também, v.g., dos crimes de adultério, sedução, deserção, abandono de função, reingresso ilegal de estrangeiro expulso (cfe. Assis Toledo in "Princípios Básicos de Direito Penal"; Nilo Batista in "Concurso de Agentes" e Heleno C. Fragoso in "Lições de Direito Penal"). O fato de que, por definição, os delitos de mão própria só possam ser executados, cometidos por ação direta, pelo agente indicado no modelo de conduta proibida não impede, via de regra (como característica geral), a possibilidade de participação (induzimento ou instigação). Na verdade, há quase consenso de que tais infrações não permitem – vale destacar – a autoria mediata. Todavia, a impossibilidade de participação não é característica dos crimes de execução pessoal (v. Nilo Batista, op. cit., H. C. Fragoso, op. cit., Assis Toledo, op. cit. Rogério Greco in "Concurso de Pessoas", p. 43, Mand. Livraria & Editora). Nada obsta, pois, assim, que no delito de falso testemunho (art. 342 do C. P.) possa ocorrer a participação via induzimento ou instigação.*[18] Não obstante, o próprio STJ[19] e o STF[20] já contrariaram essa orientação, admitindo a coautoria do advogado no crime de falsidade testemunhal praticado pela testemunha. O tema é realmente polêmico, especialmente se considerarmos que a falsa perícia admite a coautoria, basta que dois peritos assinem falsamente o mesmo laudo, um na condição de relator e outro de revisor.

Entendemos que as testemunhas não compromissadas (informantes), em razão de parentesco, na forma do art. 208 do Código de Processo Penal, podem ser sujeitos do crime de falso testemunho, pois a lei não confere a essas pessoas o direito de mentir, mas, tão somente, o direito de se recusar a depor, o que já constitui, por si só, uma prerrogativa. Admitir que tais pessoas tenham, ainda, o direito de prestar falso testemunho implica desprestigiar a objetividade jurídica do crime de falso testemunho. Ademais, o compromisso de dizer a verdade, aplicável apenas às testemunhas obrigadas a depor, não pode ser convertido em condição de punibilidade, devendo cumprir apenas a função processual de dar maior ou menor credibilidade à prova e solenidade à tomada de depoimento. Essa orientação, porém, é minoritária, prevalecendo o entendimento de que a pessoa meramente informante não pratica o crime de falso testemunho.[21]

---

18. HC 36.287-SP, Rel. Min. Félix Fisher, julgado em 17/05/2005.
19. HC 40.2783-SP, Rel. Min. José Arnaldo da Fonseca, julgado em 09/09/2003.
20. RHC 81.327-SP, Rel. Min. Ellen Gracie, , julgado em 11/12/2001.
21. Nesse sentido: STJ, HC 92.836, Rel. Min. Maria Thereza de Assis Moura, Sexta Turna, DJe de 17/05/2010.

Pena e ação penal
A pena é de reclusão, de 2 a 4 anos, e multa, aumentando-se de 1/6 a 1/3, se o crime é praticado mediante suborno ou se cometido com o fim de obter prova destinada a produzir efeito em processo penal, ou em processo civil em que for parte entidade da Administração Pública direta ou indireta (§ 1º).

A ação penal é pública incondicionada e, segundo orientação dominante nos tribunais superiores, pode ser proposta antes de ser proferida sentença no processo em que o falso testemunho foi praticado.

Retratação
A retratação constitui causa extintiva da punibilidade, diante do disposto no § 2º: o fato deixa de ser punível se, antes da sentença no processo em que ocorreu o ilícito, o agente se retrata ou declara a verdade. Em que pese o dispositivo mencione que a retratação deve ocorrer antes da sentença, a orientação dominante é no sentido de que pode ser considerada a retratação feita a qualquer tempo antes do trânsito em julgado.

Corrupção de testemunha

O art. 343 também prevê o crime de corrupção de testemunha ou suborno (embora sem esse *nomem juris* na lei), cujo tipo penal é *dar, oferecer ou prometer dinheiro ou qualquer outra vantagem a testemunha, perito, contador, tradutor ou intérprete, para fazer afirmação falsa, negar ou calar a verdade em depoimento, perícia, cálculos, tradução ou interpretação.* A pena é de reclusão, de 3 a 4 anos, e multa, podendo sofrer aumento de 1/6 a 1/3, se o crime é cometido com o fim de obter prova destinada a produzir efeito em processo penal ou em processo civil em que for parte entidade da Administração Pública direta ou indireta. O objeto jurídico é a administração da justiça. O objeto material é a vantagem, assim como a testemunha, o perito, o contador, o tradutor ou o intérprete. O sujeito ativo é qualquer pessoa e o sujeito passivo é o Estado. O tipo penal prevê os verbos dar (entregar), oferecer (disponibilizar-se a entregar) ou prometer (comprometer-se a entregar) dinheiro ou qualquer outra vantagem, podendo ser material, moral, sexual etc., para testemunha (pessoa que informa fatos), perito (profissional que informa dados técnicos), contador (profissional que faz cálculos), tradutor (profissional que realiza tradução de idioma estrangeiro para a língua portuguesa ou vice-versa) ou intérprete (pessoa que fala em nome de alguém incapaz de se expressar, compreender ou de se fazer entender, como uma pessoa muda, por exemplo), a fim de que pratique falsidade em depoimento, perícia, cálculo, tradução ou interpretação. Caso seja praticada a falsidade, não haverá concurso de agentes, pois se trata de exceção à teoria monista, com previsão de crime autônomo para o corruptor. O tipo subjetivo é o dolo, além do fim específico de que a pessoa falseie a verdade. Trata-se de crime formal, uma vez que se consuma independentemente de acontecer o falso testemunho, bastando a conduta de subornar a testemunha para que o faça. Admite-se a tentativa na forma plurissubsistente (exemplo: oferta por escrito). A ação penal é pública incondicionada.

Coação no curso do processo

O art. 344 incrimina a conduta de *usar de violência ou grave ameaça, com o fim de favorecer interesse próprio ou alheio, contra autoridade, parte, ou qualquer outra pessoa que funciona ou é chamada a intervir em processo judicial, policial ou administrativo, ou em juízo arbitral*. A pena é de reclusão, de 1 a 4 anos, e multa, além da pena correspondente à violência. A objetividade jurídica é a administração da justiça e, secundariamente, a integridade física de pessoas que atuam no processo. O objeto material é a pessoa que sofre a coação. Exemplo típico desse crime é o membro de facção criminosa que intimida testemunhas para obrigá-la a mentir em juízo. O sujeito ativo é qualquer pessoa. O sujeito passivo é o Estado e, secundariamente, a pessoa coagida. O tipo penal prevê qualquer forma de coação – física (violência) ou moral (a ameaça deve ser grave, capaz de causar medo a uma pessoa normal) – contra autoridade (juiz, promotor ou policial), parte (réu, querelante etc.) ou qualquer pessoa que tenha função ou que é chamada a intervir em processo (testemunhas, servidores da justiça etc.) judicial, administrativo, inquérito policial ou juízo arbitral. A reiteração de ameaças ou atos de violência dentro do mesmo contexto fático é considerada um crime único, devendo ser considerada pelo juíz na aplicação da pena. Para configuração do crime é indispensável que exista procedimento policial ou administrativo ou processo judicial. Consuma-se o crime com a violência ou grave ameaça, ainda que não haja nenhum dano ao processo (crime formal). Admite-se a tentativa, na forma plurissubsistente (ameaça por escrito, por exemplo). A ação penal é pública incondicionada.

Exercício arbitrário das próprias razões

A fim de evitar os atos de vingança, o Estado disponibiliza um aparato composto de policiais, promotores, juízes e seus auxiliares, os quais são encarregados de resolver as disputas entre particulares, exercendo assim o monopólio da justiça, de modo que um ato de justiça privada será, em regra, um crime, nos termos do tipo penal previsto no art. 345 do Código Penal, que assim dispõe: *fazer justiça pelas próprias mãos, para satisfazer pretensão, embora legítima, salvo quando a lei o permite*. O tipo expressamente ressalva os atos em que a justiça privada é permitida, como no caso de legítima defesa e exercício regular do direito. Por outro lado, o crime só se configura se a finalidade for satisfazer pretensão, seja ela justa ou injusta. A pena é de detenção, de 15 dias a 1 mês, ou multa, mas se houver violência, haverá concurso de crimes, pois a lei usa a expressão "além da pena correspondente à violência". O objeto jurídico é a administração da justiça. O objeto material é a coisa ou pessoa que sofre a conduta. O sujeito ativo é qualquer pessoa e o sujeito passivo é o Estado, bem como, secundariamente, a pessoa que sofre a vingança.

A ação penal, consoante o parágrafo único do art. 345, se não há emprego de violência, é de natureza privada. Em casos de violência, há duas posições: 1ª) haverá ação pública em qualquer caso de violência, seja contra pessoa, seja contra coisa; 2ª) somente haverá ação pública em casos de violência exercida contra a pessoa, pois nos demais casos a ação penal é privada. Somos partidários da segunda corrente, pois não teria sentido o legislador transferir ao Ministério Público a titularidade da ação penal quando há violência à coisa, se não o faz quando se trata de grave ameaça à pessoa. Além disso, nos termos do art. 167 do Código Penal, o crime de dano é de ação privada mesmo quando há prejuízo considerável para a vítima.

O art. 346 prevê uma espécie qualificada de exercício arbitrário das próprias razões, consistente em *tirar, suprimir, destruir ou danificar coisa própria, que se acha em poder de terceiro por determinação judicial ou convenção*. Nesse caso, a pena é de detenção, de 6 meses a 2 anos, e multa. Nesse crime, a coisa subtraída deve ser do próprio agente e estar em poder de terceiro por determinação judicial ou por acordo. Trata-se de crime próprio, na medida em que só pode ser realizado pelo proprietário da coisa. A vítima é o Estado e, secundariamente, a pessoa que teve a coisa subtraída. Como se trata de espécie de exercício arbitrário das próprias razões, parte da doutrina entende que é necessário haver, além do dolo, o fim especial de satisfazer pretensão. Se a finalidade do agente for fraudar a execução, haverá o crime do art. 179.

Os arts. 345 e 346 são crimes materiais, admitindo a tentativa.

Fraude processual

Fraude processual é a alteração de uma situação feita com o fim de iludir o juiz ou a perícia. Segundo o tipo penal do art. 347, fraude processual consiste em *inovar artificiosamente, na pendência de processo civil ou administrativo, o estado de lugar, de coisa ou de pessoa, com o fim de induzir a erro o juiz ou o perito*. A pena é de detenção, de 3 meses a 2 anos, e multa, aplicando-se em dobro se a inovação se destina a produzir efeito em processo penal, ainda que não iniciado, as penas aplicam-se em dobro.

O objeto jurídico é a administração da justiça. O objeto material é a coisa, pessoa ou lugar que sofre a conduta. O sujeito ativo é qualquer pessoa e o sujeito passivo é o Estado, bem como, secundariamente, a pessoa prejudicada. O tipo penal pressupõe a existência de processo em andamento, não se configurando o delito se o processo ainda não foi instaurado. Trata-se de crime formal, não se exigindo que o juiz ou o perito seja efetivamente enganado, bastando a conduta idônea para iludir. Pratica esse crime, por exemplo, quem modifica a posição de uma porta de acesso ao local do crime a fim de desmentir ou confirmar a versão apresentada no processo. A ação penal é pública incondicionada.

Favorecimento pessoal e favorecimento real

Enquanto auxiliar um criminoso a fugir constitui crime de *favorecimento pessoal*, auxiliar a tirar proveito do crime é favorecimento real. O art. 348 trata do favorecimento pessoal, que consiste em *auxiliar a subtrair-se à ação de autoridade pública autor de crime a que é cominada pena de reclusão*. O objeto jurídico é a administração da justiça. O objeto material é a autoridade enganada. O sujeito ativo é qualquer pessoa, inclusive a própria vítima do crime, caso preste auxílio ao criminoso. O sujeito passivo é o Estado. O tipo objetivo é prestar auxílio, podendo ocorrer de qualquer maneira, devendo haver auxílio concreto. Assim, não pratica o crime o advogado que deixa de informar à polícia o paradeiro de seu cliente. Se o fato não anterior não constitui crime, em razão de alguma excludente ou causa extintiva da punibilidade, favorecimento pessoal não se configura. Caso o autor do crime seja absolvido, a pessoa que o favoreceu também não poderá ser responsabilizada. O crime é doloso, admitindo o dolo eventual, no caso de o agente suspeitar que o fugitivo praticou um crime. Trata-se de crime formal, consumando-se com o auxílio, ainda que não seja possível a fuga. Admite-se a tentativa. Caso o auxílio seja prestado ao autor de crime punido com reclusão, a pena é de detenção, de 1 a 6 meses, e multa. Se ao crime não é cominada pena de reclusão, a pena é de detenção, de 15 dias a 3 meses, e multa. O § 2º prevê hipótese de escusa absolutória, determinando isenção de pena no caso em que o prestador do auxílio é ascendente, descendente, cônjuge ou irmão do criminoso. Nesse caso, não há exclusão do crime, mas isenção de pena, pois o Direito tolera o auxílio prestado aos entes queridos a fim de que não sejam presos ou condenados.

Constitui *favorecimento real*, nos termos do art. 349, *prestar a criminoso, fora dos casos de coautoria ou de receptação, auxílio destinado a tornar seguro o proveito do crime*. O sujeito ativo é qualquer pessoa e o sujeito passivo, o Estado. O tipo objetivo consiste em auxiliar a tirar proveito do crime cometido, desde que não se trate de receptação, coautoria ou participação no crime anterior. Ao contrário do favorecimento pessoal, para a configuração do favorecimento real, basta a certeza do crime anterior, ainda que seu autor seja absolvido. O tipo subjetivo é o dolo, ainda que eventual. Consuma-se o crime com o auxílio, ainda que não haja efetivo proveito. Admite-se a tentativa. Não há previsão de escusa absolutória e a pena é de detenção, de 1 a 6 meses, e multa.

A ação penal é pública incondicionada em ambos os casos.

Promover a entrada de celular em presídio

O art. 349-A prevê o crime de promover a entrada de celular ou equipamento similar em presídios, nos seguintes termos: *ingressar, promover, intermediar, auxiliar ou facilitar a entrada de aparelho telefônico de comunicação móvel, de rádio ou similar, sem autorização legal, em estabelecimento prisional.* A pena é de detenção, de 3 meses a 1 ano (infração de menor potencial ofensivo). O objeto jurídico é a administração da justiça. O objeto material é o telefone, rádio ou similar. Trata-se de crime comum, praticado por qualquer pessoa. Por isso, não se confunde com o crime previsto no art. 319-A do CP, em que o sujeito passivo é o agente público que permite a entrada do aparelho de comunicação. Além disso, quando praticado pelo próprio preso, poderá configurar falta grave, prevista no art. 59, VII, da Lei de Execução Penal. O tipo objetivo é a realização de qualquer uma das condutas descritas (tipo misto alternativo) e o tipo subjetivo é o dolo. Consuma-se com qualquer ato descrito (crime de mera conduta), não admitindo tentativa. A ação penal é pública incondicionada.

Fuga de pessoa presa ou submetida a medida de segurança

O art. 351 considera crime *promover ou facilitar a fuga de pessoa legalmente presa ou submetida a medida de segurança detentiva.* O objeto jurídico é a administração da justiça. O objeto material é a pessoa presa ou submetida a medida de segurança. O sujeito ativo é qualquer pessoa, não havendo necessidade de ser funcionário público. O sujeito passivo é o Estado. O tipo penal consiste em promover (ter a iniciativa) ou facilitar (tornar mais fácil a iniciativa de outrem) a fuga de pessoa legalmente presa, podendo ocorrer tanto em relação à prisão em flagrante ou preventiva, como em relação à fuga de pessoa condenada e cumprindo pena. Caso o particular realize a prisão em flagrante, não haverá crime se ele resolver libertar o autor, já que não tem o particular o dever de realizar a prisão. Também há crime quando a fuga é de pessoa internada em manicômio judiciário para cumprimento de medida de segurança. Também se aplica o crime em caso de adolescente privado da liberdade, uma vez que o tipo penal menciona pessoa, sem estabelecer distinção entre maiores e menores. A pena é de detenção, de 6 meses a 2 anos (infração de menor potencial ofensivo). A conduta pode ser praticada por pessoa de dentro ou de fora do estabelecimento. A consumação ocorre com a efetiva evasão, ainda que por breve período, admitindo-se a tentativa. Se há emprego de violência contra pessoa, aplica-se também a pena correspondente à violência, conforme disposição do § 2º, que prevê expressamente o concurso de crimes. A ação penal é pública incondicionada.

Formas qualificadas
Os §§ 1º e 3º preveem as formas qualificadas, com pena de reclusão, de 2 a 6 anos, se o crime é praticado a mão armada, ou por mais de uma pessoa, ou mediante arrombamento, e de 1 a 4 anos, se o crime é praticado por pessoa sob cuja custódia ou guarda está o preso ou o internado.

Forma culposa
No caso de culpa do funcionário incumbido da custódia ou guarda, aplica-se a pena de detenção, de 3 meses a 1 ano, ou multa (§ 4º).

Evasão mediante violência contra a pessoa
O crime em questão, previsto no art. 352, consiste em *evadir-se ou tentar evadir-se o preso ou o indivíduo submetido a medida de segurança detentiva, usando de violência contra a pessoa*. O objeto jurídico é a administração da justiça. O objeto material é a pessoa agredida. O sujeito ativo é a pessoa presa ou submetida a medida de segurança detentiva, não se configurando o crime se a medida de segurança é tratamento ambulatorial. O sujeito passivo é o Estado e, secundariamente, a pessoa que sofre a violência. O tipo objetivo é a evasão mediante violência, não se configurando se, ao fugir, o agente emprega grave ameaça. Trata-se de interpretação restritiva, já que, quando pre-

tende punir também a grave ameaça, o legislador faz expressamente, como ocorre, por exemplo, no roubo. A fuga mediante grave ameaça, portanto, é fato atípico, podendo configurar apenas falta grave por parte do preso, com consequências disciplinares na execução penal, nos termos do art. 50, II, da LEP. O tipo subjetivo é o dolo. A pena é de detenção, de 3 meses a 1 ano (infração de menor potencial ofensivo), além da pena correspondente à violência. Trata-se de crime de atentado, em que a simples tentativa já realiza o tipo penal (fugir ou tentar fugir), não se admitindo a incidência do art. 14, II, do CP. A ação penal é pública incondicionada.

Arrebatamento de preso

Segundo o art. 353, *arrebatar preso, a fim de maltratá-lo, do poder de quem o tenha sob custódia ou guarda*, é crime punido com pena de reclusão, de 1 a 4 anos, além da pena correspondente à violência. O objeto jurídico é a administração da justiça. O objeto material é o preso arrebatado. Trata-se de crime comum, pois o sujeito ativo é qualquer pessoa. O sujeito passivo é o Estado e, secundariamente, o preso maltratado. A conduta é arrebatar preso, isto é, retirar empregando violência, grave ameaça ou ardil, bastando que seja feita contra a vontade livre de quem é encarregado da custódia. Assim, pratica o crime tanto quem intercepta a viatura de transporte e usa armamento pesado para subtrair o preso, quanto quem, disfarçando-se de oficial da escolta, consegue levar o preso, sem qualquer resistência, a fim de maltratá-lo. O tipo penal menciona o preso, apenas. Caso haja arrebatamento de pessoa submetida a medida de segurança, o fato será atípico, respondendo o agente apenas pelos crimes posteriores, caso constituam crime. O tipo subjetivo é o dolo, exigindo-se também o fim especial de maltratar o preso. Consuma-se o crime com o arrebatamento, ainda que o agente não realize os maus-tratos desejados (crime formal). Admite-se a tentativa. A ação penal é pública incondicionada.

Motim de presos

Constitui motim de presos, previsto no art. 354, *amotinarem-se presos, perturbando a ordem ou disciplina da prisão*. A pena é de detenção, de 6 meses a 2 anos (infração de menor potencial ofensivo), além da pena correspondente à violência (concurso de crimes, salvo no caso de vias de fato, que é absorvida). O sujeito ativo é o preso que participa do motim. O sujeito passivo é o Estado e, secundariamente, eventual vítima de violência. O tipo é plurissubjetivo, não definindo a lei quantos presos são necessários, mas sem dúvida deve haver mais do que dois. Além disso, deve haver perturbação da ordem ou disciplina, de modo que protestos pacíficos, como a greve de fome, ou participação em movimentos de funcionários não configuram o crime. O tipo subjetivo é o dolo, dispensando finalidade específica de perturbar a ordem ou a disciplina, pois o fim pode ser uma simples reivindicação. A consumação ocorre com a efetiva perturbação da ordem ou disciplina (crime material), admitindo-se a forma tentada. A ação penal é pública incondicionada.

Patrocínio infiel e patrocínio simultâneo ou tergiversação

O art. 335 prevê dois crimes: patrocínio infiel (*caput*) e patrocínio simultâneo ou tergiversação (parágrafo único). Ambos têm pena de detenção, de 6 meses a 3 anos, e multa.

Patrocínio infiel consiste em *trair, na qualidade de advogado ou procurador, o dever profissional, prejudicando interesse, cujo patrocínio, em juízo, lhe é confiado*. O objeto jurídico é a administração da justiça. O objeto material é o dever profissional violado. Trata-se de crime biprópio: o sujeito ativo é o advogado ou procurador e o sujeito passivo é a pessoa outorgante da procuração, isto é, o cliente, além do próprio Estado, já que o crime tutela a administração da justiça. A conduta pode ser praticada por ação (exemplo: fazer um acordo prejudicial) ou por omissão (exemplo: deixar de recorrer). O crime é doloso. Portanto, se o advogado perde o prazo por esquecimento, configurando-se culpa, não há crime. O abandono da causa não configura o crime, ante a sanção processual prevista no art. 265. Prevalece o entendimento de que a cobrança de honorários por defensor dativo não configura o crime. Se for membro da Defensoria Pública, a cobrança de honorários configura corrupção. Para a configuração do crime, a conduta deve ocorrer em processo judicial de qualquer matéria (civil, penal, trabalhista etc.), não se configurando se for extrajudicial, como inquérito policial, recurso em multas de trânsito, sindicâncias administrativas ou qualquer outro expediente. O crime se consuma com o efetivo prejuízo à vítima e a tentativa é possível na forma comissiva.

O crime de *patrocínio simultâneo ou tergiversação* consiste em defender os interesses de partes adversas. Não é necessário que o patrocínio ocorra no mesmo processo, podendo ser em processos distintos, derivados do mesmo problema. Não se perquire prejuízo à vítima, sendo, pois, crime formal. Consuma-se esta modalidade quando o advogado realiza atos processuais em favor de partes adversas, admitindo-se a forma tentada. Exemplo: cliente descobre a tergiversação e revoga a procuração outorgada antes da prática de qualquer ato processual.

A ação penal é pública incondicionada.

Sonegação de papel ou objeto de valor probatório

Conforme o art. 356, o crime consiste em *inutilizar, total ou parcialmente, ou deixar de restituir autos, documento ou objeto de valor probatório, que recebeu na qualidade de advogado ou procurador*. Pena – detenção, de 6 meses a 3 anos, e multa. O objeto jurídico é a administração da justiça. O objeto material são os autos, documento ou objeto de valor probatório. Trata-se de crime próprio, que só pode ser cometido por advogado ou procurador. O sujeito passivo é o Estado e, secundariamente, a parte prejudicada. A conduta é omissiva na forma de deixar de restituir, e comissiva na forma de inutilizar. A inutilização parcial configura o crime, desde que haja parte relevante dos autos, documento ou da prova. A conduta pode ser em relação a atos judiciais ou extrajudiciais. Para que se configure o crime, os autos, documentos ou provas devem ter sido entregues ao agente. O tipo subjetivo é o dolo. Consuma-se o crime quando o agente, intimado, deixa de restituir os autos, ou quando realiza o ato de inutilização. Admite-se a tentativa apenas na forma comissiva (inutilizar). A ação penal é pública incondicionada.

Exploração de prestígio

O crime de exploração de prestígio, previsto no art. 357, consiste em *solicitar ou receber dinheiro ou qualquer outra utilidade, a pretexto de influir em juiz, jurado, órgão do Ministério Público, funcionário de justiça, perito, tradutor, intérprete ou testemunha*. A pena é de reclusão, de 1 a 5 anos, e multa, com aumento de 1/3 se o agente alega ou insinua que o dinheiro ou utilidade também se destina a qualquer das pessoas referidas no artigo. O objeto jurídico é a administração da justiça. O objeto material é o dinheiro ou a utilidade recebida ou solicitada. O sujeito ativo é qualquer pessoa. O sujeito passivo é o Estado e, secundariamente, as pessoas prejudicadas, seja o servidor apontado como corrupto ou a vítima enganada pela promessa de influência. O tipo penal prevê as condutas de solicitar (pedir, insinuar) ou receber (pegar, apoderar-se) dinheiro ou qualquer outra utilidade (patrimonial ou não), a pretexto de exercer influência sobre qualquer dos funcionários e autoridades constantes no tipo. Nesse crime, o agente engana a vítima, dizendo-se capaz de influenciar uma das pessoas mencionadas, recebendo dinheiro ou qualquer outro bem em contrapartida. O que distingue esse crime do tráfico de influência (art. 332) é que o agente promete influenciar pessoas específicas: *juiz, jurado, órgão do Ministério Público, funcionário de justiça, perito, tradutor, intérprete ou testemunha*, enquanto o art. 332 refere-se a qualquer funcionário. O tipo subjetivo é o dolo. A consumação ocorre pela solicitação ou pelo recebimento. Admite-se a tentativa, exceto se na solicitação verbal, por ser unissubsistente. A ação penal é pública incondicionada.

Violência ou fraude em arrematação judicial

Esse crime consiste em *impedir, perturbar ou fraudar arrematação judicial; afastar ou procurar afastar concorrente ou licitante, por meio de violência, grave ameaça, fraude ou oferecimento de vantagem* (art. 358). A pena é de detenção, de 2 meses a 1 ano, ou multa, além da pena correspondente à violência. O objeto jurídico é a administração da justiça. O objeto material é a arrematação judicial. O sujeito ativo é qualquer pessoa. O sujeito passivo é o Estado e, secundariamente, a pessoa eventualmente prejudicada. O tipo objetivo prevê duas ações nucleares:

a. impedir (frustrar, evitar), perturbar (dificultar, tumultuar, criar obstáculo) ou fraudar (manipular, enganar, falsificar) arrematação judicial (compra de bens penhorados);

b. afastar ou procurar afastar concorrente ou licitante, por meio de violência, grave ameaça, fraude ou oferecimento de vantagem. Nesse caso, o crime é de atentado, pois a simples tentativa de afastar mediante as condutas mencionadas já realiza o tipo.

Para a configuração do crime, a arrematação judicial deve ser promovida por particular, pois, se for promovida pelo Poder Público, a conduta do agente será tipificada no art. 335 do CP. A ação penal é pública incondicionada.

Desobediência a decisão judicial sobre perda ou suspensão de direito

O crime, previsto no art. 359, consiste em *exercer função, atividade, direito, autoridade ou múnus, de que foi suspenso ou privado por decisão judicial*. A pena é de detenção, de 3 meses a 2 anos, ou multa (infração de menor potencial ofensivo). O objeto jurídico é a administração da justiça. O objeto material é a função, atividade, direito, autoridade ou múnus. O sujeito ativo é a pessoa privada judicialmente de exercer função, atividade, direito, autoridade ou múnus (crime próprio). O sujeito passivo é o Estado e, secundariamente, pessoa prejudicada pela desobediência. A conduta objetiva é exercer função, atividade, direito, autoridade ou múnus contrariando uma decisão judicial. O crime tem natureza subsidiária, só se configurando se não houver outra sanção prevista em lei, de natureza civil, administrativa ou processual. Além disso, consoante o STF, o crime definido no art. 359 do Código Penal pressupõe decisão judiciária de natureza penal, e não civil.[22] O tipo subjetivo é o dolo. Consuma-se o crime no momento em que o agente contraria a conduta interditada. Admite-se a tentativa. A ação penal é pública incondicionada.

---

22. HC 88572, Rel. Min. Cezar Peluso, Segunda Turma, julgado em 08/08/2006.

19.7 CRIMES CONTRA AS FINANÇAS PÚBLICAS

O Capítulo IV do Código Penal, introduzido pela Lei n. 10.028/2000, tipifica os crimes contra as finanças públicas, destinados a proteger a Administração Pública no aspecto financeiro, assegurando o correto emprego das verbas públicas e dando efetividade aos demais diplomas de proteção ao patrimônio público, especialmente a Lei Complementar n. 101/2000 (Lei de Responsabilidade Fiscal). A condenação criminal não impede a condenação por ato de improbidade administrativa, nos termos da Lei n. 8.429/92 (Lei de Improbidade Administrativa).

Contratação de operação de crédito

O art. 359-A prevê: *ordenar, autorizar ou realizar operação de crédito, interno ou externo, sem prévia autorização legislativa. Pena – reclusão, de 1 (um) a 2 (dois) anos.* O bem jurídico tutelado é a probidade administrativa. O objeto jurídico é a regularidade das finanças públicas. O objeto material é a operação de crédito. O sujeito ativo é o agente público com atribuição legal para ordenar, autorizar ou realizar operação de crédito. O sujeito passivo é a União, o Estado, o Distrito Federal ou o Município cujo erário foi lesado, bem como a coletividade atingida. O tipo objetivo é ordenar (dar ordem), autorizar (permitir) ou realizar (executar ou celebrar) operação de crédito, desde que não exista autorização do Poder Legislativo para tanto. Operação de crédito é definida pelo art. 29, III, da Lei Complementar n. 101/2000, como "compromisso financeiro assumido em razão de mútuo, abertura de crédito, emissão e aceite de título, aquisição financiada de bens, recebimento antecipado de valores provenientes da venda a termo de bens e serviços, arrendamento mercantil e outras operações assemelhadas, inclusive com o uso de derivativos financeiros". Trata-se, pois, de norma penal em branco. O tipo subjetivo é o dolo. Consuma-se o crime com a ordem, a autorização de abertura de crédito ou a realização efetiva da operação. As modalidades ordenar e autorizar são formais, enquanto realizar é crime material. Admite-se a tentativa.

Nos termos do parágrafo único, incide na mesma pena quem ordena, autoriza ou realiza operação de crédito, interno ou externo:

I. com inobservância de limite, condição ou montante estabelecido em lei ou em resolução do Senado Federal;
II. quando o montante da dívida consolidada ultrapassa o limite máximo autorizado por lei.

No caso do inciso I, existe a autorização legislativa, mas a operação não observa os critérios estabelecidos na autorização; no inciso II, o limite autorizado é inferior ao valor da dívida consolidada, isto é, a soma das obrigações financeiras de um ente federado para amortização em prazo superior a 12 meses, segundo a definição do art. 29, I, da LC 101/2000. Uma vez que se trata de norma penal em branco e a LC 101 menciona "ente da federação", não pode o Prefeito Municipal ser sujeito ativo desse crime, havendo, quanto a este, disposição especial no Decreto-lei n. 201/67.

A ação penal é pública incondicionada.

Inscrição de despesas não empenhadas em restos a pagar

O crime é assim descrito: *art. 359-B. Ordenar ou autorizar a inscrição em restos a pagar, de despesa que não tenha sido previamente empenhada ou que exceda limite estabelecido em lei. Pena – detenção, de 6 meses a 2 anos* (infração penal de menor potencial ofensivo). A objetividade jurídica é a regularidade das finanças públicas e o controle do orçamento. O objeto material é a despesa inscrita em restos a pagar. O sujeito ativo é o funcionário com atribuição para ordenar ou autorizar a inscrição de despesas públicas em restos a pagar (crime próprio). O sujeito ativo é a União, Estado, Distrito Federal ou Município atingido. As condutas típicas são: a) ordenar ou autorizar a inscrição de restos a pagar de despesa que exceda o limite legal. Restos a pagar é o conjunto de despesas que não foram pagas no exercício financeiro esgotado até 31 de dezembro e que deve ser registrada em rubrica própria. Empenho é o instrumento contábil pelo qual a Administração documenta uma despesa. Assim, o crime se configura sempre que o gestor ordenar ou autorizar que uma despesa não empenhada ou acima do limite legal seja inscrita na rubrica própria de restos a pagar. Pune-se a inobservância de formalidade (empenho prévio) ou do limite legal estabelecido para a despesa, independentemente da existência ou não de recursos para efetuar o pagamento. O tipo subjetivo é o dolo. O momento consumativo é controvertido. Temos que a autorização ou ordem para inscrição consuma o crime, independentemente de sua efetiva execução (crime formal), embora haja entendimento de que o crime só se consuma com a inscrição, por questão de tipicidade estrita.[23] Admite-se a tentativa, embora de difícil comprovação. A ação penal é pública incondicionada.

Assunção de obrigação no último ano do mandato ou legislatura

A conduta típica prevista no art. 359-C é *ordenar ou autorizar a assunção de obrigação, nos dois últimos quadrimestres do último ano do mandato ou legislatura, cuja despesa não possa ser paga no mesmo exercício financeiro ou, caso reste parcela a ser paga no exercício seguinte, que não tenha contrapartida suficiente de disponibilidade de caixa*. Pena – reclusão, de 1 a 4 anos. A objetividade jurídica é a regularidade das finanças públicas e o controle do orçamento. O objeto material é a obrigação assumida indevidamente. O sujeito ativo é o funcionário público competente para ordenar ou autorizar a assunção da obrigação, abrangendo tanto o chefe de poder com cargo eletivo, quanto o ocupante de cargo administrativo. O sujeito passivo é o Estado. O objeto jurídico é a regularidade das finanças públicas e a probidade administrativa. Trata-se de conduta de ordenar ou autorizar a assunção de obrigação nos dois últimos quadrimestres do último ano do mandato ou legislatura, ou seja, a partir de 1º de maio do último ano, transferindo-se a obrigação para o próximo mandato ou legislatura, por não poder pagar no exercício financeiro em que a obrigação foi contraída. Com isso, evita-se que, no apagar das luzes

---

23. BITENCOURT, Cezar Roberto. *Tratado de direito penal.* 14. ed. São Paulo: Saraiva Educação, 2020. v. 5. p. 496.

de determinada gestão, com propósitos às vezes escusos, sejam contraídas obrigações que serão pagas pelo próximo titular do cargo. Obviamente, situações de calamidade pública podem excluir o crime, por estado de necessidade. O tipo subjetivo é doloso. Trata-se de crime formal, consumando-se o crime unicamente por ordenar ou autorizar, ainda que a obrigação não seja efetivamente assumida. Admite-se a tentativa. A ação penal é pública incondicionada.

Ordenação de despesa não autorizada

O art. 359-D tipifica a conduta de *ordenar despesa não autorizada por lei*, cuja pena é de reclusão, de 1 a 4 anos. A objetividade jurídica é a regularidade das finanças públicas e o controle do orçamento. O objeto material é a despesa não autorizada. O sujeito ativo é o funcionário com poder para ordenar despesa (crime próprio). O sujeito passivo é a União, Estado, Distrito Federal ou Município afetado. A conduta é "ordenar", isto é, determinar a realização, mandar realizar, despesa não autorizada na lei orçamentária. O tipo subjetivo é o dolo. Consuma-se com a ordem de despesa, ainda que não ocorra o efetivo prejuízo aos cofres públicos. A tentativa é discutível. Entendemos que se trata de crime de mera conduta, não admitindo o *conatus*. A ação penal é pública incondicionada.

Prestação de garantia graciosa

O crime do art. 359-E consiste em: *prestar garantia em operação de crédito sem que tenha sido constituída contragarantia em valor igual ou superior ao valor da garantia prestada, na forma da lei: Pena – detenção, de 3 (três) meses a 1 (um) ano* (infração de menor potencial ofensivo).

O crime em questão pune a conduta do gestor que descumpre o disposto no art. 40 da Lei Complementar n. 101/2000 (Lei de Responsabilidade Fiscal), deixando de exigir contragarantia em operação de crédito, pois, segundo essa legislação, sempre que o gestor realiza uma operação de crédito em que é exigida uma garantia do Poder Público, também o beneficiário deve prestar contragarantia, a fim de resguardar o patrimônio público. Tal contragarantia deve ter valor igual ou superior à garantia e ser passível de execução. A objetividade jurídica é a regularidade das finanças públicas e o controle do orçamento. O objeto material é a garantia prestada. O sujeito ativo é o gestor com competência para prestar garantia em operação de crédito. O sujeito passivo é a União, Estado, Distrito Federal ou Município afetado. A conduta é prestar a garantia sem que tenha sido constituída contragarantia. O tipo subjetivo é o dolo. Consuma-se com prestação da garantia sem exigência de contragarantia, gerando perigo concreto de lesão ao erário, ainda que não ocorra o efetivo prejuízo aos cofres públicos. A tentativa, embora discutível, é possível, quando, prestada a garantia sem contragarantia, não se verifica perigo concreto ao patrimônio público por uma circunstância alheia à vontade do agente. A ação penal é pública incondicionada.

Não cancelamento de restos a pagar

Consoante o art. 359-F, constitui crime: *deixar de ordenar, de autorizar ou de promover o cancelamento do montante de restos a pagar inscrito em valor superior ao permitido em lei: Pena – detenção, de 6 meses a 2 anos* (infração de menor potencial ofensivo).

Restos a pagar são despesas empenhadas pela Administração num exercício financeiro e não pagas até 31 de dezembro do mesmo exercício. Conforme o art. 42 da LRF, é vedado ao titular de Poder ou órgão referido no art. 20, nos últimos dois quadrimestres do seu mandato, contrair obrigação de despesa que não possa ser cumprida integralmente dentro dele, ou que tenha parcelas a serem pagas no exercício seguinte sem que haja suficiente disponibilidade de caixa para este efeito.

A objetividade jurídica é a regularidade das finanças públicas e o controle do orçamento. O objeto material é a despesa inscrita em restos a pagar. O sujeito ativo é quem tem atribuição legal para ordenar, autorizar ou promover o cancelamento dos restos a pagar. O sujeito passivo é a União, Estado, Distrito Federal ou Município afetado.

Conforme esclarece BITENCOURT, o sujeito ativo deste crime não poderá responder pelo crime do art. 359-B (inscrição de despesas não empenhadas em restos a pagar), pois o agente não pode ser punido por "não fazer" e "fazer". Quem pratica a conduta comissiva responde pelo art. 359-B; quem pratica a conduta omissiva, responde pelo art. 359-F.[24]

A conduta é omissiva (crime omissivo próprio), mediante três formas de conduta: deixar e ordenar, deixar de autorizar ou deixar de promover o cancelamento. O tipo subjetivo é o dolo. Consuma-se o crime no momento em que se exaure o prazo de cancelamento dos restos a pagar. Não se admite a tentativa.

A ação penal é pública incondicionada.

Aumento de despesa total com pessoal no último ano do mandato ou legislatura

O crime é o seguinte:

> Art. 359-G. Ordenar, autorizar ou executar ato que acarrete aumento de despesa total com pessoal, nos 180 dias anteriores ao final do mandato ou da legislatura: Pena – reclusão, de 1 a 4 anos.

A objetividade jurídica é o equilíbrio e o controle das contas públicas, prevenindo os excessos de final de mandato.[25] O objeto material é o aumento da despesa com pessoal. O sujeito ativo é o gestor público (crime próprio). O sujeito passivo é a União, Estado, Distrito Federal ou Município afetado. A conduta é múltipla: ordenar, autorizar ou executar ato que acarrete aumento de despesa de pessoal, podendo se configurar pelo aumento remuneratório, novas contratações etc. O tipo subjetivo é o dolo. A consumação ocorre com o ato de ordenar, autorizar ou executar (crime formal), em que pese entendimento contrário, atento ao princípio da lesividade, exigindo que seja cumprida a ordem ou autorização.[26] A tentativa é admitida.

A ação penal é pública incondicionada.

---

24. BITENCOURT, Cezar Roberto. *Tratado de direito penal.* 14. ed. São Paulo: Saraiva Educação, 2020. v. 5. p. 525.
25. Op. cit., p. 500.
26. Op. cit., p. 505.

Oferta pública ou colocação de títulos no mercado

O último crime do Código Penal é a oferta pública ou colocação de títulos no mercado financeiro, assim tipificado:

Art. 359-H. Ordenar, autorizar ou promover a oferta pública ou a colocação no mercado financeiro de títulos da dívida pública sem que tenham sido criados por lei ou sem que estejam registrados em sistema centralizado de liquidação e de custódia:

Pena – reclusão, de 1 a 4 anos.

O objeto jurídico é o controle das finanças públicas em relação à emissão de títulos. O objeto material são os títulos da dívida pública. O sujeito ativo é quem tenha atribuição para ordenar, autorizar ou promover a introdução de títulos no mercado financeiro (crime próprio). O sujeito passivo é a União, Estado, Distrito Federal ou Município afetado, bem como eventual investidor prejudicado ao adquirir um título ilegal. A conduta é múltipla: ordenar, autorizar ou promover a oferta de títulos da dívida pública sem amparo legal ou sem que estejam registrados no Sistema Centralizado de Liquidação e de Custódia (Selic). Esses títulos são emitidos pela União, Estados e Municípios, nos termos do art. 29 da LC n. 101. O crime pode ser realizado pela emissão de títulos sem prévia autorização legislativa ou sem registro no Selic. O tipo subjetivo é doloso. Consuma-se o crime com as condutas de ordenar, autorizar ou promover, independentemente da introdução do título no mercado financeiro (crime formal), em que pese a posição contrária, amparada no princípio da lesividade, no sentido de que a consumação ocorre com o cumprimento da ordem ou da autorização.[27] No sentido de promover é crime material, exigindo-se a introdução do título no mercado financeiro. Admite-se a tentativa. A ação penal é pública incondicionada.

---

27. Nesse sentido: BITENCOURT, Cezar Roberto. Op. cit., p. 535-536.

RESUMO

Crimes praticados por funcionários públicos contra a Administração

Crimes funcionais: são crimes em que o sujeito ativo é funcionário público. O *crime funcional próprio* (puro) ocorre quando a qualidade de funcionário público é essencial à realização do crime, tornando-se atípico se for praticado por um particular. Exemplo: prevaricação. No *crime funcional impróprio* (impuro), ausente a condição de funcionário público, subsiste a tipicidade, mas em outro tipo, operando-se a desclassificação. Exemplo: peculato, sem a condição funcional, desclassifica-se para furto ou apropriação indébita, conforme o caso. Nada impede que um particular atue no crime funcional como coautor ou partícipe, desde que conheça essa condição, já que se trata de elementar do tipo, sendo, pois, comunicável, na forma do art. 30 do CP. Distinguem-se dos "crimes de responsabilidade" infrações político-administrativas previstas na Lei n. 1.079 (*impeachment*) e com atos de improbidade administrativa previstos na Lei n. 8.429 (julgamento pelo juiz cível). Os crimes de responsabilidade de prefeitos e vereadores, previstos no DL 201, são autênticos crimes funcionais. O CP adota um conceito amplo de funcionário público (art. 327).

Peculato próprio: é o tipo fundamental, previsto no *caput* do art. 312. Neste caso, o agente tem a posse do bem e dele se apropria (peculato-apropriação) ou desvia (peculato-desvio). O funcionário deve ter a posse do bem, o que deve ser entendido em sentido amplo como a mera detenção do bem.

Peculato impróprio ("peculato-furto"): está previsto no § 1º do art. 312, sendo punido com a mesma pena. Neste caso, diferentemente do *caput*, o funcionário não tem a posse do bem ("peculato-furto").

Peculato culposo: o art. 312 prevê, no § 2º, o *peculato culposo*, em que o funcionário, culposamente, concorre para que outra pessoa se aproprie, subtraia ou desvie. Havendo a reparação do dano, que pode ser a restituição do bem ou o ressarcimento aos cofres públicos, afiguram-se duas possibilidades: se anterior à sentença irrecorrível, extingue a punibilidade; se lhe é posterior, reduz de metade a pena imposta.

Peculato mediante erro de outrem (art. 313): o erro pode recair: a) sobre a coisa entregue; b) sobre a pessoa que recebe; c) sobre a obrigação da qual se origina; além disso, o erro deve ainda ser espontâneo, pois se o funcionário provoca esse erro o crime é estelionato. Aliás, não concordamos com a denominação de "peculato-estelionato" conferida pela doutrina a este crime, justamente porque, no estelionato, o sujeito ativo é o provocador do erro, o que não ocorre no art. 313.

Inserção de dados falsos em sistema de informações: o art. 313-A traz o crime de inserir ou facilitar, o funcionário autorizado, a inserção de dados falsos, alterar ou excluir indevidamente dados corretos nos sistemas informatizados ou bancos de dados da Administração Pública com o fim de obter vantagem indevida para si ou para outrem ou para causar dano. O tipo prevê o elemento normativo "indevidamente", isto é, de forma injustificada ou contrária ao dever de ofício, de modo que a prática por razões legítimas exclui a própria tipicidade. O tipo subjetivo é o dolo, exigindo-se, ainda, elemento subjetivo especial consistente na finalidade de obter vantagem indevida para si ou para outrem ou para causar dano.

Modificação ou alteração não autorizada de sistema de informações: o art. 313-B prevê o crime de *modificar ou alterar, o funcionário, sistema de informações ou programa de informática sem autorização ou solicitação de autoridade competente.* Entendemos tratar-se de tipo misto cumulativo, uma vez que a proteção não se estende à generalidade dos servidores de informática da Administração, mas a cada programa e sistema. Trata-se, em nosso sentir, de crime formal, e não de mera conduta.

Extravio, sonegação ou inutilização de livro ou documento: segundo o art. 314, constitui crime *extraviar livro oficial ou qualquer documento, de que tem a guar-*

da em razão do cargo; sonegá-lo ou inutilizá-lo, total ou parcialmente. A pena é de reclusão, de 1 a 4 anos, se o fato não constitui crime mais grave (subsidiariedade expressa). Se for praticado por particular, o crime será o do art. 337, e se a conduta recair sobre autos de processos judiciais, o crime será do art. 356.

Emprego irregular de verbas ou rendas públicas: este crime, previsto no art. 315, trata do *desvio de verbas*, uma vez que na Administração Pública vige o princípio da afetação, em que cada verba deve ser alocada de acordo com a respectiva lei orçamentária, ou seja, verbas destinadas pela lei orçamentária para uma finalidade não podem ser empregadas para fins diversos. Consiste o crime em *dar às verbas ou rendas públicas aplicação diversa da estabelecida em lei.* A pena é de detenção, de 1 a 3 meses, ou multa (infração de menor potencial ofensivo).

Concussão e excesso de exação: segundo o art. 316, concussão é *exigir, para si ou para outrem, direta ou indiretamente, ainda que fora da função ou antes de assumi-la, mas em razão dela, vantagem indevida.* A pena é de reclusão, de 2 a 12 anos, e multa. A concussão é uma forma de extorsão, porém praticada por funcionário público. Caso a vantagem se destine à própria Administração, haverá *excesso de exação* (§ 1º), prevista no § 1º do art. 316: *se o funcionário exige tributo ou contribuição social que sabe ou deveria saber indevido, ou, quando devido, emprega na cobrança meio vexatório ou gravoso, que a lei não autoriza.* A pena é de 3 a 8 anos, e multa. Se o funcionário desvia, em proveito próprio ou de outrem, o que recebeu indevidamente para recolher aos cofres públicos, haverá concussão qualificada, punida com reclusão, de 2 a 12 anos, e multa (art. 316, § 2º).

Corrupção passiva (art. 317): consiste em *solicitar ou receber, para si ou para outrem, direta ou indiretamente, ainda que fora da função ou antes de assumi-la, mas em razão dela, vantagem indevida, ou aceitar promessa de tal vantagem.* A pena é de reclusão, de 2 a 12 anos, e multa. A vantagem pode ser de ordem material ou moral, bastando que seja indevida (elemento normativo do tipo). Se a vantagem for devida, o fato poderá configurar o delito de prevaricação (art. 319). Não se configura o crime diante de benefícios ou presentes sem importância, dados em forma de reconhecimento ou gratidão pelo dever cumprido, bem como em ocasiões especiais, como festas natalinas, em que a troca de presentes é uma tradição. A pena é aumentada de 1/3 se, em consequência da vantagem ou promessa, o funcionário retarda ou deixa de praticar qualquer ato de ofício ou o pratica infringindo dever funcional (§ 1º). O § 2º prevê forma privilegiada de corrupção, punida com detenção, de 3 meses a 1 ano, ou multa, em que o funcionário não solicita ou recebe vantagem, mas transige com seu dever, uma vez que pratica, deixa de praticar ou retarda ato de ofício, com infração de dever funcional, cedendo a pedido ou influência de outrem.

Facilitação de contrabando ou descaminho (art. 318): consiste em *facilitar, com infração de dever funcional, a prática de contrabando ou descaminho*. A pena é de reclusão, de 3 a 8 anos, e multa. A ação penal é pública incondicionada.

Prevaricação própria: prevaricar, nos termos do art. 319, significa *retardar ou deixar de praticar, indevidamente, ato de ofício, ou praticá-lo contra disposição expressa de lei, para satisfazer interesse ou sentimento pessoal*. A pena é de detenção, de 3 meses a 1 ano, e multa (infração de menor potencial ofensivo).

Prevaricação equiparada (319-A): *deixar o Diretor de Penitenciária e/ou agente público de cumprir seu dever de vedar ao preso o acesso a aparelho telefônico, de rádio ou similar, que permita a comunicação com outros presos ou com o ambiente externo. Pena: detenção, de 3 meses a 1 ano* (infração de menor potencial ofensivo).

Condescendência criminosa: a condescendência criminosa, prevista no art. 320, consiste em forma especial de descumprimento do dever. Consiste em *deixar o funcionário, por indulgência, de responsabilizar subordinado que cometeu infração no exercício do cargo ou, quando lhe falte competência, não levar o fato ao conhecimento da autoridade competente*. A pena da condescendência é de detenção, de 15 dias a 1 mês, ou multa.

Advocacia administrativa: consiste em *patrocinar, direta ou indiretamente, interesse privado perante a Administração Pública, valendo-se da qualidade de funcionário* (art. 321). A pena é de detenção, de 1 a 3 meses, ou multa, mas, se o interesse é ilegítimo, o crime é qualificado, com pena de 3 meses a 1 ano de detenção, além da multa.

Abandono de função e exercício funcional ilegalmente antecipado ou prolongado: consiste o crime de abandono de função em *abandonar cargo público, fora dos casos permitidos em lei* (art. 323). A pena é de detenção, de 15 dias a 1 mês, ou multa.

Exercício funcional ilegalmente antecipado ou prolongado: o crime é o seguinte: *entrar no exercício de função pública antes de satisfeitas as exigências legais, ou continuar a exercê-la, sem autorização, depois de saber oficialmente que foi exonerado, removido, substituído ou suspenso* (art. 324). A pena é de detenção, de 15 dias a 1 mês, ou multa (infração penal de menor potencial ofensivo).

Violação de sigilo funcional: consiste em *revelar fato de que tem ciência em razão do cargo e que deva permanecer em segredo, ou facilitar-lhe a revelação* (art. 325). A pena é de detenção, de 6 meses a 2 anos, ou multa, se o fato não constituir crime mais grave. O § 2º prevê forma qualificada, com pena de reclusão, de 2 a 6 anos, e multa, se resulta dano à Administração Pública ou a qualquer pessoa.

Crimes praticados por particular contra a Administração em geral

Usurpação de função pública (art. 328): *usurpar o exercício de função pública.* A pena é de detenção, de 3 meses a 2 anos, e multa (infração de menor potencial ofensivo). *Forma qualificada*: se do fato o agente aufere vantagem, a pena é de reclusão, de 2 a 5 anos, e multa. A ação penal é pública incondicionada.

Resistência (art. 329): *opor-se à execução de ato legal, mediante violência ou ameaça a funcionário competente para executá-lo ou a quem lhe esteja prestando auxílio*. A pena é de detenção, de 2 meses a 2 anos (infração de menor potencial ofensivo). *Forma qualificada:* se o ato, em razão da resistência, não se executa, a pena é de reclusão, de 1 a 3 anos. Segundo o § 2º, haverá concurso de crimes com eventual crime de lesão corporal ou homicídio. A ação penal é pública incondicionada.

Desobediência (art. 330): *desobedecer a ordem legal de funcionário público* (art. 330). Pena: detenção de 15 dias a 6 meses, e multa (infração de menor potencial ofensivo). *Atenção:* o crime de desobediência é subsidiário e somente se caracteriza nos casos em que o descumprimento da ordem emitida pela autoridade não é objeto de sanção administrativa, civil ou processual.

Desacato (art. 331): *desacatar funcionário público no exercício da função ou em razão dela*. A pena é de detenção, de 6 meses a 2 anos, ou multa (infração de menor potencial ofensivo). No julgamento da ADPF 496, apresentada pelo Conselho Federal da OAB, o STF considerou que o desacato foi recepcionado pela Constituição Federal. Embora possa, em tese, haver absorção de um crime pelo outro, no *habeas corpus* 380.029/RS (julgado em 22/05/2018), a Quinta Turma do STJ afastou a consunção entre esses crimes, embora não tenha negado essa possibilidade, dependendo das circunstâncias do caso concreto.

Tráfico de influência: consiste em *solicitar, exigir, cobrar ou obter, para si ou para outrem, vantagem ou promessa de vantagem, a pretexto de influir em ato praticado por funcionário público no exercício da função* (art. 332). A pena é de reclusão, de 2 a 5 anos, e multa, sendo aumentada da metade, se o agente alega ou insinua que a vantagem é também destinada ao funcionário.

Corrupção ativa: consiste em *oferecer ou prometer vantagem indevida a funcionário público, para determiná-lo a praticar, omitir ou retardar ato de ofício* (art. 333). É um crime distinto da corrupção passiva, praticada pelo funcionário público que solicita ou recebe a vantagem (art. 317), ocorrendo uma hipótese de exceção pluralista. A pena é de reclusão, de 2 a 12 anos, e multa, com aumento de 1/3 se, em razão da vantagem ou promessa, o funcionário retarda ou omite ato de ofício, ou o pratica infringindo dever funcional (parágrafo único).

Descaminho (art. 334): *iludir, no todo ou em parte, o pagamento de direito ou imposto devido pela entrada, pela saída ou pelo consumo de mercadoria.* A pena é de reclusão, de 1 a 4 anos. A pena aplica-se em dobro se o crime de descaminho é praticado em transporte aéreo, marítimo ou fluvial (§ 3º). Admite-se o princípio da insignificância até R$ 20.000,00. As figuras equiparadas estão previstas no § 1º. Aplica-se a Súmula Vinculante 24 do STF. O pagamento do tributo antes de iniciada a ação penal extingue a punibilidade, por aplicação analógica das Lei n. 9.249 (art. 34), Lei n. 10.684 (art. 9º, § 2º) e Lei n. 9.430 (art. 83, § 4º).

Contrabando: embora se assemelhe a descaminho, consiste em *importar ou exportar mercadoria proibida* (art. 334-A). O crime é punido com pena de reclusão, de 2 a 5 anos. A pena aplica-se em dobro se o crime é praticado em transporte aéreo, marítimo ou fluvial (§ 3º). O § 1º prevê formas equiparadas.

Inutilização de edital ou de sinal: rasgar ou, de qualquer forma, inutilizar ou conspurcar edital afixado por ordem de funcionário público; violar ou inutilizar selo ou sinal empregado, por determinação legal ou por ordem de funcionário público, para identificar ou cerrar qualquer objeto (art. 336). A pena é de detenção, de 1 mês a 1 ano, ou multa.

Subtração ou inutilização de livro ou documento (art. 337): dado que os atos e decisões administrativas constam de documentos, o crime em questão consiste em *subtrair, ou inutilizar, total ou parcialmente, livro oficial, processo ou documento confiado à custódia de funcionário, em razão de ofício, ou de particular em serviço público.* A pena é de reclusão, de 2 a 5 anos, se o fato não constitui crime mais grave.

Sonegação de contribuição previdenciária: a fim de preservar a fonte de custeio da previdência social, a Lei n. 9.983, de 2000, incluiu o presente crime no art. 337-A, prevendo pena de reclusão, de 2 a 5 anos. O § 1º prevê a extinção da punibilidade se o agente, espontaneamente, declara e confessa as contribuições, importâncias ou valores e presta as informações devidas à previdência social, na forma definida em lei ou regulamento, antes do início da ação fiscal.

Crimes praticados por particular contra a Administração Pública estrangeira

Funcionário público estrangeiro (art. 337-D): considera-se funcionário público estrangeiro, para os efeitos penais, quem, ainda que transitoriamente ou sem remuneração, exerce cargo, emprego ou função pública em entidades estatais ou em representações diplomáticas de país estrangeiro. Equipara-se a funcionário público estrangeiro quem exerce cargo, emprego ou função em empresas controladas, diretamente ou indiretamente, pelo Poder Público de país estrangeiro ou em organizações públicas internacionais. Secundariamente, o particular lesado pelas condutas.

Corrupção ativa em transação comercial internacional: crime semelhante ao delito de corrupção ativa, que consiste em *prometer, oferecer ou dar, direta ou indiretamente, vantagem indevida a funcionário público estrangeiro, ou a terceira pessoa, para determiná-lo a praticar, omitir ou retardar ato de ofício relacionado à transação comercial internacional* (art. 337-B). A pena é de 1 a 8 anos de reclusão e multa. Podendo ser aumentada de 1/3 se, em razão da vantagem ou promessa, o funcionário público estrangeiro retarda ou omite o ato de ofício, ou o pratica infringindo dever funcional.

Tráfico de influência em transação comercial internacional (art. 337-B): tem correspondência com o art. 332, exceto quanto aos seguintes elementos especializantes: a) influência sobre funcionário público estrangeiro; a influência tem por objetivo transação comercial internacional.

Crimes praticados contra a administração da justiça

Aspectos gerais: a objetividade jurídica dos crimes deste título é a administração da justiça, tendo como sujeito passivo o Estado e, eventualmente, a pessoa atingida como vítima secundária. Todos os crimes são de ação pública incondicionada, exceto no exercício arbitrário das próprias razões sem violência, em que a ação é privada.

Reingresso de estrangeiro expulso (art. 338): este crime, embora esteja incluído entre os crimes contra a administração da justiça, destina-se a garantir o ato administrativo de expulsão, que ocorre nos casos previstos no art. 65 do Estatuto do Estrangeiro (Lei n. 6.815/80). Não configura o crime a recusa do estrangeiro em deixar o país, sendo indispensável que o estrangeiro tenha saído após a publicação do decreto de expulsão e retornado em seguida.

Denunciação caluniosa (art. 339): este crime não se confunde com a calúnia (CP, art. 138), em que não há instauração de nenhum ato oficial contra a pessoa acusada, mas simples atribuição de fato criminoso, atingindo a honra objetiva da vítima. Na denunciação caluniosa, porém, ocorre um ato oficial de investigação ou processo, podendo ser no âmbito administrativo ou judicial. A conduta típica é dar causa à instauração de: inquérito policial, procedimento investigatório criminal (PIC do MP), processo judicial, processo administrativo disciplinar, inquérito civil (Lei n. 7.347), ação de improbidade administrativa (Lei n. 8.429).

Comunicação falsa de crime ou de contravenção (art. 340): a falsidade incide na existência da infração penal. Se incidir sobre a autoria, atribuindo a pessoa determinada, ocorrerá denunciação caluniosa (art. 339). Trata-se de comunicar um crime ou uma contravenção que não aconteceu, provocando algum tipo de ato oficial destinado à apuração.

Autoacusação falsa (art. 341): neste crime, uma pessoa comparece perante a autoridade policial para assumir um crime que não cometeu, podendo fazê--lo, por exemplo, para proteger uma pessoa de suas relações, a fim de que não seja descoberta. Ao contrário do falso testemunho, a retratação não extingue a punibilidade.

Falso testemunho ou falsa perícia (art. 342): o tipo objetivo é misto alternativo, prevendo as condutas: a) fazer afirmação falsa: atesta-se algo que não ocorreu; b) negar a verdade: atesta-se que algo não ocorreu; c) calar a verdade: oculta-se algo. Nos três casos, ocorre uma falsidade. Prevalece, quanto a esta, a teoria subjetiva, de modo que só há falsidade se houver contradição entre o que o agente tem conhecimento e as informações que presta, ou seja, o agente transmite ao juiz algo diferente do que sabe. A conduta deve ser realizada dentro de processo judicial, administrativo, inquérito policial ou juízo arbitral. Trata-se de crime de mão, admitindo apenas participação. Não obstante, o próprio STJ[28] e o STF[29] já contrariaram essa orientação, admitindo a coautoria do advogado no crime de falsidade testemunhal praticado pela testemunha. Entendemos que as testemunhas não compromissadas (informantes), em razão de parentesco, na forma do art. 208 do Código de Processo Penal, podem ser sujeitos do crime de falso testemunho. A retratação, a qualquer tempo antes do trânsito em julgado, constitui causa extintiva da punibilidade.

Corrupção de testemunha (art. 343): o tipo penal prevê os verbos dar (entregar), oferecer (disponibilizar-se a entregar) ou prometer (comprometer-se a entregar) dinheiro ou qualquer outra vantagem, podendo ser material, moral, sexual etc., para testemunha (pessoa que informa fatos), perito (profissional que informa dados técnicos), contador (profissional que faz cálculos), tradutor (profissional que realiza tradução de idioma estrangeiro para a língua portuguesa ou vice-versa) ou intérprete (pessoa que fala em nome de alguém incapaz de se expressar, compreender ou de se fazer entender, como uma pessoa muda, por exemplo), a fim de que pratique falsidade em depoimento, perícia, cálculo, tradução ou interpretação. Caso seja praticada a falsidade,

---

28. HC 40.2783-SP, Rel. Min. José Arnaldo da Fonseca, julgado em 09/09/2013.
29. RHC 81.327-SP, Rel. Min. Ellen Gracie, julgado em 11/12/2001.

não haverá concurso de agentes, pois se trata de exceção à teoria monista, com previsão de crime autônomo para o corruptor.

Coação no curso do processo (art. 344): incrimina a conduta de *usar de violência ou grave ameaça, com o fim de favorecer interesse próprio ou alheio, contra autoridade, parte, ou qualquer outra pessoa que funciona ou é chamada a intervir em processo judicial, policial ou administrativo, ou em juízo arbitral.* A reiteração de ameaças ou atos de violência dentro do mesmo contexto fático é considerada um crime único, devendo ser considerada pelo juiz na aplicação da pena. Para configuração do crime, é indispensável que exista procedimento policial ou administrativo ou processo judicial.

Exercício arbitrário das próprias razões (art. 345): o tipo expressamente ressalva os atos em que a justiça privada é permitida, como no caso de legítima defesa e exercício regular do direito, e só se configura se a finalidade for satisfazer pretensão, seja ela justa ou injusta. Consoante o parágrafo único do art. 345, se não há emprego de violência, somente se procede mediante queixa. O art. 346 prevê forma qualificada (subtipo de exercício arbitrário das próprias razões).

Fraude processual (art. 347): é a alteração de uma situação feita com o fim de iludir o juiz ou a perícia. Para configuração do crime, pressupõe-se a existência de processo em andamento, não se configurando o delito se o processo ainda não foi instaurado.

Favorecimento pessoal (art. 348): não pratica o crime o advogado que deixa de informar à polícia o paradeiro de seu cliente. Se o fato não anterior não constitui crime, em razão de alguma excludente ou causa extintiva da punibilidade, favorecimento pessoal não se configura. Caso o autor do crime seja absolvido, a pessoa que o favoreceu também não poderá ser responsabilizada. O § 2º prevê hipótese de escusa absolutória, determinando isenção de pena no caso em que o prestador do auxílio é ascendente, descendente, cônjuge ou irmão do criminoso.

Favorecimento real (art. 349): consiste em auxiliar o criminoso a tirar proveito do crime cometido, desde que não se trate de receptação, coautoria ou participação no crime anterior. Ao contrário do favorecimento pessoal, para a configuração do favorecimento real, basta a certeza do crime anterior, ainda que seu autor seja absolvido. O tipo subjetivo é o dolo, ainda que eventual. Consuma-se o crime com o auxílio, ainda que não haja efetivo proveito. Admite-se a tentativa. Não há previsão de escusa absolutória, e a pena é de detenção, de 1 a 6 meses, e multa.

Promover a entrada de celular em presídio (art. 349-A): não se confunde com o crime previsto no art. 319-A do CP, em que o sujeito passivo é o agente público que permite a entrada do aparelho de comunicação. Além disso, quando praticado pelo próprio preso, poderá configurar falta grave, prevista no art. 59, VII, da Lei de Execução Penal.

Fuga de pessoa presa ou submetida a medida de segurança (art. 351): o tipo penal consiste em promover (ter a iniciativa) ou facilitar (tornar mais fácil a iniciativa de outrem) a fuga de pessoa legalmente presa, podendo ocorrer tanto em relação à prisão em flagrante ou preventiva, como em relação à fuga de pessoa condenada e cumprindo pena. Caso o particular realize a prisão em flagrante, não haverá crime se ele resolver libertar o autor, já que não tem o particular o dever de realizar a prisão. Se há emprego de violência contra pessoa, aplica-se também a pena correspondente à violência (§ 2º). Os § 1º e 3º preveem as formas qualificadas, com pena de reclusão, de 2 a 6 anos, se o crime é praticado a mão armada, ou por mais de uma pessoa, ou mediante arrombamento, e de 1 a 4 anos, se o crime é praticado por pessoa sob cuja custódia ou guarda está o preso ou o internado. *Forma culposa:* no caso de culpa do funcionário incumbido da custódia ou guarda, aplica-se a pena de detenção, de 3 meses a 1 ano, ou multa (§ 4º).

Evasão mediante violência contra a pessoa (art. 352): evasão mediante violência, não se configurando se, ao fugir, o agente emprega grave ameaça (interpretação restritiva). Não se admite a forma tentada (crime de atentado).

Arrebatamento de preso (art. 353): a conduta é arrebatar preso, isto é, retirar empregando violência, grave ameaça ou ardil, bastando que seja feita contra a vontade livre de quem é encarregado da custódia. Caso haja arrebatamento de pessoa submetida a medida de segurança, o fato será atípico, respondendo o agente apenas pelos crimes posteriores, caso constituam crime. O tipo subjetivo é o dolo, exigindo-se também o fim especial de maltratar o preso.

Motim de presos (art. 354): deve haver perturbação da ordem ou disciplina, de modo que protestos pacíficos, como a greve de fome, ou participação em movimentos de funcionários, não configuram o crime. O tipo subjetivo é o dolo, dispensando finalidade específica de perturbar a ordem ou a disciplina, pois o fim pode ser uma simples reivindicação.

Patrocínio infiel e patrocínio simultâneo ou tergiversação
O art. 335 prevê dois crimes:

- *Patrocínio infiel* consiste em trair, na qualidade de advogado ou procurador, o dever profissional, prejudicando interesse, cujo patrocínio, em juízo, lhe é confiado. O abandono da causa não configura o crime, ante a sanção processual prevista no art. 265. Prevalece o entendimento de que a cobrança de honorários por defensor dativo não configura o crime. O crime se consuma com o efetivo prejuízo à vítima e a tentativa é possível na forma comissiva.
- *Patrocínio simultâneo ou tergiversação* consiste em defender os interesses de partes adversas. Não é necessário que o patrocínio ocorra no mesmo processo, podendo ser em processos distintos, derivados do mesmo problema. Não se perquire prejuízo à vítima, sendo, pois, crime formal.

Sonegação de papel ou objeto de valor probatório (art. 356): o crime consiste em inutilizar, total ou parcialmente, ou deixar de restituir autos, documento ou objeto de valor probatório, que recebeu na qualidade de advogado ou procurador. Para que se configure o crime, os autos, documentos ou provas devem ter sido entregues ao agente.

Exploração de prestígio (art. 357): consiste em solicitar ou receber dinheiro ou qualquer outra utilidade, a pretexto de influir em juiz, jurado, órgão do Ministério Público, funcionário de justiça, perito, tradutor, intérprete ou testemunha. O que distingue esse crime do tráfico de influência (art. 332) é que o agente promete influenciar pessoas específicas: *juiz, jurado, órgão do Ministério Público, funcionário de justiça, perito, tradutor, intérprete ou testemunha*, enquanto o art. 332 refere-se a qualquer funcionário.

Violência ou fraude em arrematação judicial (art. 358): o tipo objetivo prevê duas ações nucleares: a) impedir (frustrar, evitar), perturbar (dificultar, tumultuar, criar obstáculo) ou fraudar (manipular, enganar, falsificar) arrematação judicial (compra de bens penhorados); b) afastar ou procurar afastar concorrente ou licitante, por meio de violência, grave ameaça, fraude ou oferecimento de vantagem. Neste caso, o crime é de atentado, pois a simples tentativa de afastar mediante as condutas mencionadas já realiza o tipo.

Desobediência a decisão judicial sobre perda ou suspensão de direito (art. 359): o crime só se configura se não houver outra sanção prevista em lei, de natureza civil, administrativa ou processual. Além disso, consoante o STF, o crime definido no art. 359 do Código Penal pressupõe decisão judiciária de natureza penal, e não civil.

Crimes em licitações e contratos administrativos

Aspectos gerais: este capítulo foi inserido no Código Penal pela nova lei de licitações (Lei n. 14.133/2021). Nos crimes licitatórios funcionais, isto é, praticados por funcionário público, estão abrangidos:

- *agente público*: indivíduo que, em virtude de eleição, nomeação, designação, contratação ou qualquer outra forma de investidura ou vínculo, exerce mandato, cargo, emprego ou função em pessoa jurídica integrante da Administração Pública;
- *autoridade*: agente público dotado de poder de decisão.

- *agente de contratação:* pessoa designada pela autoridade competente, entre servidores efetivos ou empregados públicos dos quadros permanentes da Administração Pública, para tomar decisões, acompanhar o trâmite da licitação, dar impulso ao procedimento licitatório e executar quaisquer outras atividades necessárias ao bom andamento da licitação.

Em todos os crimes licitatórios, a ação penal é pública incondicionada.

Contratação direta ilegal (art. 337-E): admitir, possibilitar ou dar causa à contratação direta fora das hipóteses previstas em lei.

Frustração do caráter competitivo de licitação (art. 337-F): frustrar ou fraudar, com o intuito de obter para si ou para outrem vantagem decorrente da adjudicação do objeto da licitação, o caráter competitivo do processo licitatório. A pena é de reclusão, de 4 anos a 8 anos, e multa.

Patrocínio de contratação indevida (art. 337-G): patrocinar, direta ou indiretamente, interesse privado perante a Administração Pública, dando causa à instauração de licitação ou à celebração de contrato cuja invalidação vier a ser decretada pelo Poder Judiciário.

Modificação ou pagamento irregular em contrato administrativo (337-H): admitir, possibilitar ou dar causa a qualquer modificação ou vantagem, inclusive prorrogação contratual, em favor do contratado, durante a execução dos contratos celebrados com a Administração Pública, sem autorização em lei, no edital da licitação ou nos respectivos instrumentos contratuais, ou, ainda, pagar fatura com preterição da ordem cronológica de sua exigibilidade.

Perturbação de processo licitatório (art. 337-I): impedir, perturbar ou fraudar a realização de qualquer ato de processo licitatório.

Violação de sigilo em licitação (art. 337-J): devassar o sigilo de proposta apresentada em processo licitatório ou proporcionar a terceiro o ensejo de devassá-lo.

Afastamento de licitante (art. 337-K): afastar ou tentar afastar licitante por meio de violência, grave ameaça, fraude ou oferecimento de vantagem de qualquer tipo A pena é de reclusão, de 3 a 5 anos, e multa, além da pena correspondente à violência. Incorre na mesma pena quem se abstém ou desiste de licitar em razão de vantagem oferecida.

Fraude em licitação ou contrato (art. 337-L): fraudar, em prejuízo da Administração Pública, licitação ou contrato dela decorrente.

Contratação inidônea (337-M): admitir à licitação empresa ou profissional declarado inidôneo. A pena é de reclusão, de 1 a 3 anos, e multa. Conforme já decidiu o STJ, a sanção de declaração de inidoneidade é aplicada em razão de fatos graves demonstradores da falta de idoneidade da empresa para licitar ou contratar com o Poder Público em geral, em razão dos princípios da moralidade e da razoabilidade.

Impedimento indevido (art. 337-N): obstar, impedir ou dificultar injustamente a inscrição de qualquer interessado nos registros cadastrais ou promover indevidamente a alteração, a suspensão ou o cancelamento de registro do inscrito.

Omissão grave de dado ou de informação por projetista (art. 337-O): omitir, modificar ou entregar à Administração Pública levantamento cadastral ou condição de contorno em relevante dissonância com a realidade, em frustração ao caráter competitivo da licitação ou em detrimento da seleção da proposta mais vantajosa para a Administração Pública, em contratação para a elaboração de projeto básico, projeto executivo ou anteprojeto, em diálogo competitivo ou em procedimento de manifestação de interesse.

Crimes contra as finanças públicas

O Capítulo IV do Código Penal, introduzido pela Lei n. 10.028/2000, tipifica os crimes contra as finanças públicas, destinados a proteger a Administração Pública no aspecto financeiro, assegurando o correto emprego das verbas públicas e dando efetividade aos demais diplomas de proteção ao patrimônio público, especialmente a Lei Complementar n. 101/2000 (Lei de Responsabilidade Fiscal). A condenação criminal não impede a condenação por ato de improbidade administrativa, nos termos da Lei n. 8.429/92 (Lei de Improbidade Administrativa).

JURISPRUDÊNCIA

Desobediência a decisão judicial sobre perda ou suspensão de direito

1. Ação penal. Crime de desobediência a decisão judicial sobre perda ou suspensão de direito. Atipicidade. Caracterização. Suposta desobediência a decisão de natureza civil. Proibição de atuar em nome de sociedade. Delito preordenado a reprimir efeitos extrapenais. Inteligência do art. 359 do Código Penal. Precedente. O crime definido no art. 359 do Código Penal pressupõe decisão judiciária de natureza penal, e não civil. 2. Ação penal. Crime de desobediência. Atipicidade. Caracterização. Desatendimento a ordem judicial expedida com a cominação expressa de pena de multa. Proibição de atuar em nome de sociedade. Descumprimento do preceito. Irrelevância penal. Falta de justa causa. Trancamento da ação penal. HC concedido para esse fim. Inteligência do art. 330 do Código Penal. Precedentes. Não configura crime de desobediência o comportamento da pessoa que, suposto desatenda a ordem judicial que lhe é dirigida, se sujeita, com isso, ao pagamento de multa cominada com a finalidade de a compelir ao cumprimento do preceito. (HC 88572, Segunda Turma, Rel. Min. Cezar Peluso, julgado em 08/08/2006.)

Falsa identidade e vedação de autoincriminação

Oportunidade em que se reafirmou que o princípio constitucional da vedação à autoincriminação não alcança aquele que atribui falsa identidade perante autoridade policial com o intuito de ocultar maus antecedentes, o que torna típica, sem qualquer traço de ofensa ao disposto no art. 5º, LXIII, da CF, a conduta prevista no art. 307 do CP; d) o paradigmático julgamento do RE 640139 adotou a premissa de que a garantia contra a autoincriminação não pode ser interpretada de forma absoluta, admitindo, em consideração a sua natureza principiológica de direito fundamental, a possibilidade de relativização justamente para viabilizar um juízo de harmonização que permita a efetivação, em alguma medida, de outros direitos fundamentais que em face daquela eventualmente colidam. 9. A persecução penal, pela sua natureza, admite a relativização de direitos nas hipóteses de justificável tensão (e aparente colisão) entre o dever do Poder Público de promover uma repressão eficaz às condutas puníveis e as esferas de liberdade e/ou intimidade daquele que se encontre na posição de suspeito ou acusado. É o que ocorre com a garantia do *nemo tenetur se detegere*, que pode ser eventualmente relativizada pelo legislador. 10. A garantia do *nemo tenetur se detegere* no contexto da teoria geral dos direitos fundamentais implica a valoração do princípio da proporcionalidade e seus desdobramentos como critério balizador do juízo de ponderação, inclusive no que condiz aos postulados da proibição de excesso e de vedação à proteção insuficiente. 11. A garantia do *nemo tenetur se detegere* se insere no mesmo conjunto de direitos subjetivos e garantias do cidadão brasileiro de que são exemplos os direitos à intimidade, privacidade e honra, o que implica dizer que a relativização da garantia é admissível, embora mediante a observância dos parâmetros constitucionais pertinentes à harmonização de princípios eventualmente colidentes. Diante desse quadro, o direito à não autoincriminação não pode ser interpretado como o direito do suspeito, acusado ou réu a não participar da produção de medidas probatórias (FISCHER, Douglas; OLIVEIRA, Eugênio Pacelli de. Comentários ao Código de Processo Penal e sua Jurisprudência. 9.ed. São Paulo: Atlas, 2017, p. 410/411). (RE 971959, Rel. Min. Luiz Fux, Tribunal Pleno, julgado em 14/11/2018.)

Princípio da insignificância e descaminho

I – Nos termos da jurisprudência deste Tribunal, o princípio da insignificância deve ser aplicado ao delito de descaminho quando o valor sonegado for inferior ao estabelecido no art. 20 da Lei n. 10.522/2002, com as atualizações feitas pelas Portarias 75 e 130, ambas do Ministério da Fazenda. Precedentes. II – Mesmo que o suposto delito tenha sido praticado antes das referidas Portarias, conforme assenta a doutrina e jurisprudência, norma posterior mais benéfica retroage em favor do acusado. III – Ordem concedida para trancar a ação penal (STF, HC 139.393, Segunda Turma, Min. Ricardo Lewandowski, julgado em 18/04/2017).

Princípio da insignificância e peculato

Delito de peculato-furto. Apropriação, por carcereiro, de farol de milha que guarnecia motocicleta apreendida. Coisa estimada em 13 reais. Res furtiva de valor insignificante. Periculosidade não considerável do agente. Circunstâncias relevantes. Crime de bagatela. Caracterização. Dano à probidade da administração. Irrelevância no caso. Aplicação do princípio da insignificância. Atipicidade reconhecida. Absolvição decretada. HC concedido para esse fim. Voto vencido. Verificada a objetiva insignificância jurídica do ato tido por delituoso, à luz das suas circunstâncias, deve o réu, em recurso ou *habeas corpus*, ser absolvido por atipicidade do comportamento (STF, HC 112388, Rel. Min. Ricardo Lewandowski, julgado em 21/08/2012).

Constitucionalidade do crime de desacato

(...)
6. Em relação ao delito do art. 331 do CP, a Terceira Seção desta Corte reconheceu, por maioria de votos, "a incolumidade do crime de desacato pelo ordenamento jurídico pátrio" (HC 379.269/MS, Rel. Ministro Reynaldo Soares da Fonseca, Rel. p/ Acórdão Min. Antonio Saldanha Palheiro, Terceira Seção, julgado em 24/5/2017, DJe 30/6/2017).
7. Trata-se de crime de forma livre, porquanto admite qualquer meio de execução, podendo ser cometido através de palavras, gestos, símbolos, ameaças, vias de fato ou lesão corporal. Mais: se a ofensa foi perpetrada na presença de funcionário público, no exercício de suas funções ou em razão delas, ainda que se trate de comportamento que importe em afronta à sua honra subjetiva, deve ser reconhecida a subsunção do fato ao tipo penal do art. 331 do CP.
8. O delito de desacato pressupõe o dolo de ultrajar, faltar com o respeito ou menosprezar funcionário público, sendo fundamental a demonstração da vontade livre do agente. Entrementes, a teor do art. 28, II, do CP, a emoção e a paixão não excluem a imputabilidade penal. Decerto, a perda momentânea do autocontrole, ainda que motivada por sentimento de indignação ou

cólera impelidas por injusta provação da vítima, não elidem a culpabilidade, podendo, ao máximo, justificar a redução da pena com fulcro no art. 65, III, "c", do mesmo diploma legal.

9. Malgrado a defesa sustente que o réu teria proferido as ofensas contra policial e delegado de polícia por ter sido preso em "cela imunda", o que demonstraria a ausência de *animus* calmo e refletido, circunstância reputadamente essencial para a configuração do crime de desacato, não se depreende dos autos, de forma inconteste, a presença de causa exclusão da culpabilidade, até mesmo porque tais delitos são motivados, via de regra, por uma alteração psicológica do agente, ainda que momentânea, devendo ser mantida a instrução criminal para que o julgador possa concluir pela condenação ou, ainda, pela absolvição do acusado por tais fatos.

10. A inviolabilidade do advogado, estabelecida no art. 133 da Constituição Federal e regulamentada pelo art. 7º do Estatuto da OAB, não pode ser tida por absoluta, devendo ser limitada ao exercício regular de sua atividade profissional, não sendo admissível que sirva de salvaguarda para realização de condutas abusivas ou atentatórias à lei e à moralidade que deve conduzir a prática da advocacia.

11. O Pleno do Supremo Tribunal Federal, em 17/5/2006, no julgamento da ADI 1.127/DF, declarou a inconstitucionalidade da expressão "ou desacato" prevista no art. 7º, § 2º, da Lei n. 8.906/1994, devendo, portanto, ser reconhecido que a inviolabilidade do advogado tão somente diz respeito aos delitos contra honra, não podendo ser estendida a crimes que vitimam, de forma imediata, a Administração Pública.

(...)

Recurso provido. (RHC 81.292/DF, Rel. Ministro Ribeiro Dantas, Quinta Turma, julgado em 05/10/2017, DJe 11/10/2017.)

SÚMULAS

Súmula Vinculante 24 do STF

Não se tipifica crime material contra a ordem tributária, previsto no art. 1º, incisos I a IV, da Lei n. 8.137/90, antes do lançamento do tributo.

Súmula 599 do STJ

O princípio da insignificância é inaplicável aos crimes contra a Administração Pública.

20

Crimes contra o Estado Democrático de Direito

20.1 INTRODUÇÃO

A Lei n. 14.197/2021 revogou expressamente a Lei de Segurança Nacional (Lei n. 7.170/83) e o art. 39 da LCP, incluindo o Título XII na Parte Especial do Código Penal. Todos os crimes deste título são de ação pública incondicionada e têm como objetividade jurídica a democracia. Nesses crimes, deve prevalecer o entendimento já consagrado pelo Supremo Tribunal Federal quanto à lei revogada, no sentido de que deve haver um elemento subjetivo especial consistente na motivação política do agente. Com efeito, *mutatis mutandis*, entendemos que não haverá crime se estiver ausente a finalidade de atentar contra o Estado Democrático de Direito. Ademais, o art. 359-T prevê uma causa especial de exclusão da ilicitude baseada no exercício regular da liberdade de expressão, ao dispor que *não constitui crime contra a manifestação crítica aos poderes constitucionais nem a atividade jornalística ou a reivindicação de direitos e garantias constitucionais por meio de passeatas, de reuniões, de greves, de aglomerações ou de qualquer outra forma de manifestação política com propósitos sociais*. A ação penal será sempre pública incondicionada.

20.2 CRIMES CONTRA A SOBERANIA NACIONAL

Atentado à soberania

O crime previsto no art. 359-I, punido com pena de 3 a 8 anos de reclusão, tem como objeto jurídico a democracia. O objeto material é a negociação com governo ou grupo estrangeiro. O sujeito ativo é qualquer pessoa e o sujeito passivo, o Estado. A conduta é *negociar com governo ou grupo estrangeiro, ou seus agentes, com o fim de provocar atos típicos de guerra contra o país ou invadi-lo*. A lei incrimina ato preparatório, pois o verbo *negociar* abrange as meras tratativas com governo estrangeiro ou seus agentes. O tipo subjetivo é o dolo, exigindo-se finalidade específica de provocar guerra ou de invasão contra o país, isto é, contra o Brasil. Incitar publicamente é fazer provocações em eventos, redes sociais e meios de comunicação, de modo verbal ou por escrito. Nos termos do § 1º, se a negociação gerar a declaração de guerra haverá aumento da pena de metade até o dobro. O § 2º prevê a forma qualificada, com pena de 4 a 12 anos de reclusão, se o agente participa de operação bélica, isto é, ato de guerra armado, com o fim de submeter o Brasil ou parte de seu território ao domínio ou soberania de outro país. Trata-se de crime formal, admitindo, em tese, a tentativa, na forma plurissubsistente, como ocorre, por exemplo, nas negociações por escrito. Na forma qualificada, a consumação ocorre com a mera participação na operação bélica, não admitindo tentativa, por se tratar de crime de mera conduta. A ação penal é pública incondicionada.

Atentado à integridade nacional

O art. 359-J incrimina movimentos separatistas, como os que já ocorreram no Brasil em outros momentos históricos. O objeto jurídico é a democracia. O objeto material é a violência ou grave ameaça. O sujeito ativo é qualquer pessoa e o sujeito passivo é o Estado. A conduta é *praticar violência ou grave ameaça com a finalidade de desmembrar parte do território nacional para constituir país independente*. Trata-se de crime doloso, exigindo a finalidade específica no sentido de formação de país independente. Pratica o crime, por exemplo, quem mobiliza os cidadãos para separar um Estado-membro do restante do país. Crime formal, consuma-se com qualquer ato agressivo ou ameaçador tendente à separação política de uma parte do território. Trata-se de crime formal, consumando-se com violência ou grave ameaça. A tentativa é admitida. A pena é de reclusão, de 2 a 6 anos, sem prejuízo de punir-se o agente também pelos atos de violência realizados. A ação penal é pública incondicionada.

Espionagem

O art. 359-K prevê o crime de espionagem, punido com pena de 3 a 12 anos de reclusão. O objeto jurídico é a democracia. O objeto material é o documento ou informação sigilosa. O sujeito ativo é qualquer pessoa (crime comum), mas na forma qualificada é crime próprio, exigindo que o agente tenha dever de sigilo (§ 2º). Na forma culposa, exige-se que se trate de funcionário público (§ 3º). O sujeito passivo é o Estado. A conduta é *entregar a governo estrangeiro, a seus agentes, ou a organização criminosa estrangeira, em desacordo com determinação legal ou regulamentar, documento ou informação classificados como secretos ou ultrassecretos nos termos da lei, cuja revelação possa colocar em perigo a preservação da ordem constitucional ou a soberania nacional.* O tipo subjetivo é o dolo, exigindo-se a finalidade especial de revelar ao governo estrangeiro ou seus agentes informações brasileiras secretas ou ultrassecretas. Admite-se a forma culposa apenas no caso de funcionário público que facilita a espionagem, caso em que a pena é de 1 a 4 anos de detenção (§ 3º). O crime é qualificado, com pena de reclusão de 6 a 15 anos, se o documento dado ou a informação for transmitida ou revelada com violação do dever de sigilo. Nos termos do § 4º, não constitui crime a comunicação, a entrega ou a publicação de informações ou de documentos com o fim de expor a prática de crime ou a violação de direitos humanos (excludente especial da ilicitude). A consumação ocorre com a transferência da informação sigilosa, independentemente de qualquer resultado (crime formal). Admite-se a tentativa. A ação penal é pública incondicionada.

20.3 CRIMES CONTRA AS INSTITUIÇÕES DEMOCRÁTICAS

Abolição violenta do Estado Democrático de Direito

O crime do art. 359-L tem como sujeito ativo qualquer pessoa e como sujeito passivo o Estado. O objeto jurídico é a democracia. O objeto material é a violência ou a grave ameaça, assim como os poderes da República. Secundariamente, a vítima é a pessoa que sofre a violência ou grave ameaça. A conduta é *tentar, com emprego de violência ou grave ameaça, abolir o Estado Democrático de Direito, impedindo ou restringindo o exercício dos poderes constitucionais*. Poder constitucional é qualquer dos poderes da República, podendo a violência ou grave ameaça dirigir-se ao titular do cargo ou seus representantes ou funcionários. O crime é doloso. Consuma-se com qualquer ato apto a impedir ou dificultar, não se admitindo tentativa, por se tratar de crime de atentado. A pena é de reclusão, de 4 a 8 anos, além da pena correspondente à violência. A ação penal é pública incondicionada.

Golpe de Estado

O art. 359-M prevê o crime de golpe de estado, cujo sujeito ativo é qualquer pessoa. O sujeito passivo é o Estado e, secundariamente, a pessoa vítima de violência. O objeto jurídico é a democracia. O objeto material é a violência ou a grave ameaça, assim como o governo constituído legalmente. A conduta é *tentar depor, por meio de violência ou grave ameaça, o governo legitimamente constituído*. Tentar depor é buscar retirar do poder a pessoa que nele foi investida. O tipo subjetivo é o dolo, não se admitindo forma culposa. Crime formal, consuma-se com a prática de qualquer ato destinado a depor o governo eleito pelo voto. Não se admite a tentativa (crime de atentado). A pena é de reclusão, de 4 a 12 anos. A ação penal é pública incondicionada.

20.4 CRIMES CONTRA O FUNCIONAMENTO DAS INSTITUIÇÕES DEMOCRÁTICAS

Interrupção do processo eleitoral

O art. 359-N prevê a interrupção do processo eleitoral. O sujeito ativo é qualquer pessoa e o sujeito passivo é o Estado. O objeto jurídico é a democracia. O objeto material são os mecanismos eletrônicos de votação. A conduta é *impedir ou perturbar a eleição ou a aferição de seu resultado, mediante violação indevida de mecanismos de segurança do sistema eletrônico de votação estabelecido pela Justiça Eleitoral*. Trata-se de qualquer embaraço, total ou parcial, do processo de votação ou de apuração, mediante a violação do sistema eletrônico. Assim, a conduta violadora pode ocorrer por meios físicos (por exemplo, destruindo-se as urnas eletrônicas) ou virtuais (invasão de hackers). O tipo subjetivo é o dolo. Consuma-se o crime com o dano à votação ou à apuração (crime material), admitindo-se a tentativa. A pena é de reclusão, de 3 a 6 anos, e multa. A ação penal é pública incondicionada.

Violência política

O art. 359-P estabelece o crime de violência política. O sujeito ativo é qualquer pessoa e o sujeito passivo é a pessoa impedida ou cerceada em seus direitos políticos, bem como o Estado. O objeto jurídico é a democracia. O objeto material é a pessoa que sofre violência. A conduta é *restringir, impedir ou dificultar, com emprego de violência física, sexual ou psicológica, o exercício de direitos políticos a qualquer pessoa em razão de seu sexo, raça, cor, etnia, religião ou procedência nacional*. Trata-se de forma especial de preconceito. O objeto material não é apenas o direito de voto, mas qualquer direito político, tais como o alistamento eleitoral, a filiação partidária etc. O tipo subjetivo é o dolo. Consuma-se o crime com qualquer ato impeditivo, restritivo ou embaraçoso ao exercício dos direitos políticos. Admite-se a tentativa. A pena é de reclusão, de 3 a 6 anos, e multa, além da pena correspondente à violência. A ação penal é pública incondicionada.

20.5 CRIMES CONTRA O FUNCIONAMENTO DOS SERVIÇOS ESSENCIAIS

Sabotagem

O crime de sabotagem (art. 359-R) tem como objetividade jurídica a democracia e como objeto material os meios de comunicação, estabelecimentos, instalações e serviços destinados à defesa nacional. O sujeito ativo é qualquer pessoa e o sujeito passivo é o Estado. A conduta é *destruir ou inutilizar meios de comunicação ao público, estabelecimentos, instalações ou serviços destinados à defesa nacional, com o fim de abolir o Estado Democrático de Direito*. O tipo subjetivo é o dolo, acrescido do fim especial de abolir o Estado Democrático de Direito. Não se confunde, portanto, com o crime previsto no art. 202. O crime é de dano, consumando-se com a destruição ou inutilização total ou parcial. A tentativa é admitida. A pena é de reclusão, de 2 a 8 anos. A ação penal é pública incondicionada.

RESUMO

A Lei n. 14.197/2021 revogou expressamente a Lei de Segurança Nacional (Lei n. 7.170/83) e o art. 39 da LCP, incluindo o Título XII na Parte Especial do Código Penal. Todos os crimes deste título são de ação pública incondicionada e têm como objetividade jurídica a democracia. O art. 359-T prevê uma causa especial de exclusão da ilicitude.

Dos crimes contra a soberania nacional
- Atentado à soberania;
- atentado à integridade nacional;
- espionagem.

Crimes contra as instituições democráticas
- Abolição violenta do Estado Democrático de Direito;
- golpe de Estado.

Crimes contra o funcionamento das instituições democráticas
- Interrupção do processo eleitoral;
- violência política (forma especial de racismo).

Crimes contra o funcionamento dos serviços essenciais
- Sabotagem.

JURISPRUDÊNCIA

Elemento subjetivo: dolo específico de atentar contra a democracia

Ementa: "*Habeas corpus*". Crime contra a segurança nacional. Armamento militar fabricado para exportação com autorização da autoridade federal competente: extravio que não caracteriza crime contra a segurança nacional por inexistência do elemento subjetivo consubstanciado na motivação política. Crime político: configura-se somente quando presentes os pressupostos cristalizados no art. 2º da Lei n. 7.170/83: a motivação política e a lesão real ou potencial aos bens juridicamente tutelados. falsidade ideológica: falta de consistência; crime-meio: absorção pelo crime-fim não político. Incompetência da justiça federal porquanto não tipificado o crime político. Trancamento da ação penal por inépcia da denúncia. 1.Subsume-se inconcebível a configuração de crime contra a segurança nacional e a ordem política e social quando ausente o elemento subjetivo que se traduz no dolo específico: motivação política e objetivos do agente. 2. É de repelir-se, no caso concreto, a existência de crime político, dado que não demonstrada a destinação de atentar, efetiva ou potencialmente, contra a soberania nacional e a estrutura política brasileira. 3. O disposto no parágrafo único do art. 12 da Lei n. 7.170/83 só pode ser compreendido com o elastério que lhe dá o art. 1º, complementado pelo art. 2º da mesma Lei. 4. Não se vislumbrando qualificação de crime de natureza política, ante os fatos pelos quais os pacientes foram acusados e que se resumem no extravio de material bélico fabricado exclusivamente para exportação, denota-se implicitamente contrariedade ao art. 109, IV, da Constituição Federal. 5. Ainda que admitido o crime de falsidade ideológica pelo pedido, à autoridade competente, para exportar material bélico a país diverso do real destinatário, seria o caso de absorção do crime-meio pelo crime-fim, que não é de natureza política. 6. "*Habeas corpus*" deferido. (HC 73451, Relator(a): Maurício Corrêa, Segunda Turma, julgado em 08/04/1997, DJ 06-06-1997 PP-24868 EMENT VOL-01872-04 PP-00673.)

21

Leis penais especiais

21.1 CRIMES HEDIONDOS

Definição de crimes hediondos

Os crimes hediondos são espécies delitivas que recebem do Estado um tratamento mais rigoroso em razão de sua gravidade. Há três sistemas para a definição do crime hediondo:

a. legal – são considerados como hediondos os delitos catalogados pelo legislador em rol taxativo;
b. judicial – compete ao magistrado, diante de um caso concreto, analisar a gravidade da conduta delituosa e deliberar pela hediondez do crime;
c. misto – o legislador apresenta um rol exemplificativo de crimes hediondos, podendo o magistrado, ao analisar as peculiaridades do caso concreto, apontar outros delitos como hediondos.

O Brasil adotou o sistema legal, em consonância com o previsto no art. 5º, inciso XLIII, da CF: "A lei considerará crimes inafiançáveis e insuscetíveis de graça ou anistia a prática da tortura, o tráfico ilícito de entorpecentes e drogas afins, o terrorismo e os definidos como crimes hediondos, por eles respondendo os mandantes, os executores e os que, podendo evitá-

-los, se omitirem". Note que a Constituição Federal cria dois segmentos ao falar de tortura, tráfico ilícito de entorpecentes e drogas afins, terrorismo e os hediondos, ou seja, existem os crimes hediondos propriamente ditos e os que, não sendo hediondos, recebem um tratamento equivalente.

Rol dos crimes hediondos e equiparados

Os crimes hediondos estão previstos na Lei n. 8.072/90 que também traz os crimes assemelhados a hediondos: tortura, terrorismo e tráfico ilícito de drogas. Segundo entendimento do STF, tráfico privilegiado (art. 33, § 4º, da Lei n. 11.343/2006) não é equiparado a hediondo, orientação corroborada pela Lei n. 13.964/2019, que alterou o art. 112, § 5º, da Lei n. 7.210 (LEP). Nos incisos do art. 1º da Lei n. 8.072/90 estão os crimes hediondos descritos e no parágrafo único do referido dispositivo legal concentram-se os crimes hediondos previstos fora do Código Penal.

I. homicídio, quando praticado em atividade típica de grupo de extermínio, ainda que cometido por um só agente, e homicídio qualificado; A – lesão corporal dolosa de natureza gravíssima (art. 129, § 2º) e lesão corporal seguida de morte (art. 129, § 3º), quando praticadas contra autoridade ou agente descrito nos arts. 142 e 144 da Constituição Federal, integrantes do sistema prisional e da Força Nacional de Segurança Pública, no exercício da função ou em decorrência dela, ou contra seu cônjuge, companheiro ou parente consanguíneo até terceiro grau, em razão dessa condição;

II. roubo: a) circunstanciado pela restrição de liberdade da vítima (art. 157, § 2º, inciso V); b) circunstanciado pelo emprego de arma de fogo (art. 157, § 2º-A, inciso I) ou pelo emprego de arma de fogo de uso proibido ou restrito (art. 157, § 2º-B); c) qualificado pelo resultado lesão corporal grave ou morte (art. 157, § 3º);

III. extorsão qualificada pela restrição da liberdade da vítima, ocorrência de lesão corporal ou morte (art. 158, § 3º);

IV. extorsão mediante sequestro e na forma qualificada;

V. estupro;

VI. estupro de vulnerável;
VII. epidemia com resultado morte;
  VII-B – falsificação, corrupção, adulteração ou alteração de produto destinado a fins terapêuticos ou medicinais;
VIII. furto qualificado pelo emprego de explosivo ou artefato análogo que possa resultar perigo comum (art. 155, § 4º-A, do CP).

Segundo o art. 1º, parágrafo único, da Lei n. 8.072/90, alterado pela Lei n. 13.964/2019, são também hediondos:

I. genocídio previsto nos arts. 1º, 2º e 3º da Lei n. 2.889, de 1º de outubro de 1956;
II. posse ou porte ilegal de arma de fogo de uso proibido, previsto no art. 16 da Lei n. 10.826, de 22 de dezembro de 2003;
III. comércio ilegal de arma de fogo (art. 17 da Lei n. 10.826/2003);
IV. tráfico internacional de armas de fogo, acessório ou munição (art. 18 da Lei n. 10.826/2003);
V. organização criminosa, quando direcionada à prática de crime hediondo ou equiparado, todos tentados ou consumados.

Medidas aplicáveis aos autores de crimes hediondos e equiparados

Os crimes hediondos e equiparados sujeitam-se a medidas penais e processuais mais graves, a saber:

a. Os crimes hediondos são insuscetíveis de anistia, graça e indulto e fiança (art. 2º, incisos I e II, da Lei n. 8072/90). Todavia, o juiz, diante do caso concreto, pode conceder liberdade provisória sem fiança. O regime inicial de cumprimento da pena é o fechado. Aos crimes hediondos ou assemelhados cometidos após a vigência da Lei n. 11.464/2007, a progressão de regime será feita da seguinte forma: após o cumprimento de 2/5 da pena, se o apenado for primário, e de 3/5, se reincidente, caso em que o STJ entende tratar-se de reincidência específica,[1] pois, do contrário, a regra é de 3/5. Para efeito de progressão de regime no cumprimento de pena por crime hediondo, ou equiparado, o juízo da execução observará a inconstitucionalidade do art. 2º da Lei n. 8.072, sem prejuízo de avaliar se o condenado preenche, ou não, os requisitos objetivos e subjetivos do benefício, podendo determinar, para tal fim, de modo fundamentado, a realização de exame criminológico, nos termos da Súmula Vinculante 26.

b. O livramento condicional após o cumprimento de 2/3 da penal (CP, art. 83, V).

c. A prisão temporária (medida processual destinada à investigação, prevista na Lei n. 7.960/89) nos crimes hediondos e equiparados terá o prazo de 30 dias, prorrogável por igual período em caso de extrema e comprovada.

Inconstitucionalidade do regime integral fechado

O art. 2º, § 1º, da Lei n. 8072/90, em sua redação original, previa que o cumprimento de pena ocorreria em regime integralmente fechado, porém esse dispositivo legal foi declarado inconstitucional pelo STF (HC 82.959/SP) por violar o princípio da individualização da pena. Em seguida, a Lei n. 11.464/2007 determinou que a pena, no caso de crime hediondo, seria cumprida em regime inicialmente fechado. Ocorre que essa norma também foi declarada inconstitucional pelo STF por violar o princípio da individualização da pena (HC 111840). Atualmente é possível iniciar o cumprimento da pena pela prática de um crime hediondo ou equiparado em regime diverso do fechado, se preenchidos os requisitos do art. 33 do CP.

Acreditamos que a orientação da Suprema Corte longe está de cumprir o princípio da individualização da pena, pois, quando impede o cumprimento da pena em regime integralmente fechado, está, na verdade, negando o princípio. Tão equivocado quanto tornar obrigatório o regime integral fechado, é proibir o juiz ou tribunal que, diante de um crime em concreto, observadas as peculiaridades do caso, possa determinar, de forma fundamenta-

---

1. HC 616.267; HC 613.268.

da, que a pena seja integralmente cumprida em regime fechado. A proibição incondicional do regime integral fechado é tão prejudicial à individualização da pena quanto a obrigatoriedade.

Causas de diminuição de pena: "delação eficaz" e "traição benéfica"

Se o crime de extorsão mediante sequestro é cometido em concurso, o concorrente que o denunciar à autoridade, facilitando a libertação do sequestrado, terá sua pena reduzida de 1/3 a 2/3 (delação eficaz). Também é uma causa de diminuição de pena, cabível quando o partícipe ou seu associado denunciar à autoridade a associação criminosa qualificada (aquela constituída para cometer os crimes de que trata a Lei n. 8.072/90), possibilitando, obrigatoriamente, o seu desmantelamento, o que é chamado de traição benéfica.

21.2 ORGANIZAÇÕES CRIMINOSAS

Caracterização da organização criminosa

Existem quatro tipos de organizações criminosas: *tradicional* ou *clássica* (máfias), *rede* (aproveitam-se de ligações interpessoais aleatórias em condições propícias para a prática de crimes, sem necessária hierarquia ou organização), *empresarial* (empresas que se formam para praticar crimes) e *endógena* (age dentro do Estado).

O Brasil é signatário da Convenção das Nações Unidas sobre o Crime Organizado (Convenção de Palermo), recepcionada por meio do Decreto n. 5.015/2004, obrigando-se a combater as atividades criminosas praticadas por organizações nacionais e transnacionais. No dia 19 de setembro de 2013, entrou em vigor a Lei n. 12.850/2013, que revogou a Lei n. 9.034/95 e disciplinou a matéria relacionada ao combate do crime organizado, alterando o Código Penal quanto aos crimes de quadrilha ou bando (art. 288), que passou a ser chamado de associação criminosa, além de aumentar a pena do falso testemunho e trazer novas figuras penais. Assim, a par do crime de associação criminosa previsto no art. 288 do CP, existe o crime de organização criminosa, previsto na Lei n. 12.850/2013. Enquanto a associação criminosa é composta por 3 ou mais pessoas com o fim específico de cometer crime, a organização criminosa é definida de forma mais abrangente, pois, nos termos do art. 1º, § 1º, da citada lei *considera-se organização criminosa a associação de 4 ou mais pessoas estruturalmente ordenada e caracterizada pela divisão de tarefas, ainda que informalmente, com objetivo de obter, direta ou indiretamente, vantagem de qualquer natureza, mediante a prática de infrações penais cujas penas máximas sejam superiores a 4 anos, ou que sejam de caráter transnacional.* A Lei n. 12.850/2013 também se aplica às infrações penais previstas em tratado ou convenção internacional quando, iniciada a execução no país, o resultado tenha ou devesse ter ocorrido no estrangeiro ou reciprocamente, e às organizações terroristas, entendidas como aquelas voltadas para a prática dos atos de terrorismo legalmente definidos, nos termos dos incisos I e II do § 2º.

Uma vez configurada uma organização criminosa, há medidas específicas de investigação, processo e julgamento, como a infiltração de agentes, a ação controlada, a colaboração premiada e o acesso das autoridades a registros, cadastros, documentos e informações da Justiça Eleitoral, instituições financeiras, provedores de internet e administradoras de cartão de crédito, com destaque para a colaboração premiada, instituto distinto da delação premiada. São requisitos para a configuração de uma organização criminosa os seguintes:

I. Composição de quatro ou mais pessoas

Trata-se de crime de concurso necessário, só se constituindo se estiver formada, no mínimo, por quatro integrantes. Não havendo esse número, poderá se configurar o crime de associação criminosa (CP, art. 288) ou simples concurso eventual (CP, art. 29). Não é necessária, porém, a identificação de todos os integrantes da organização.

II. Caráter de permanência ou estabilidade

A organização criminosa deve ser marcada por vínculos fortes no sentido de que se trata de uma formação destinada a se prolongar no tempo para praticar delitos. Exemplo típico, no Brasil, é o PCC. Ausente a característica da permanência e estabilidade, configura-se concurso eventual de pessoas (CP, art. 29).

III. Estruturação e divisão de tarefas

Para ser uma organização criminosa, o grupo deve ter atividades coordenadas, com hierarquia definida e divisão de tarefas entre os participantes. O agrupamento desorientado, como um conjunto de pessoas que se aproveitem sistematicamente de acidentes na rodovia para saquear, sem uma liderança e uma divisão de tarefas definida, não constituirá jamais uma organização criminosa. Normalmente, essa estruturação se identifica com a presença de um "esquema" ou *modus operandi* definido e coordenado.

IV. Fim de obter vantagem econômica ou moral

Para que se configure uma organização criminosa, deve haver uma finalidade de obter vantagem, seja ela econômica, como o que ocorre no tráfico de drogas, seja moral, como se verifica, por exemplo, num esquema de compra de votos de parlamentares para aprovação de projetos de lei. Se a finalidade for outra, por exemplo, burlar o sistema de saúde para obter atendimento médico preferencial para um grupo vulnerável, sem que isso represente qualquer vantagem para o grupo, não se poderá falar em organização criminosa. Tal vantagem deve ser ilícita.

Impõe-se distinguir *crime organizado por natureza*, que é o próprio crime de organização criminosa, tal como previsto no art. 2º, do *crime organizado por extensão*, que é a infração penal cometida pela organização, por exemplo, a corrupção praticada em prol do grupo criminoso.

Condutas típicas e penas

A conduta tipificada consiste, segundo o art. 2º, em promover, constituir, financiar ou integrar, pessoalmente ou por interposta pessoa, organização criminosa. A pena é de reclusão, de 3 a 8 anos, e multa, sem prejuízo das penas correspondentes às demais infrações penais praticadas. Incorre nas mesmas penas quem impede ou, de qualquer forma, embaraça a investigação de infração penal que envolva organização criminosa (§ 1º). Trata-se de crime doloso, que admite a tentativa, inclusive na forma de impedir ou embaraçar, consoante entendimento do STJ.[2]

A lei prevê as seguintes majorantes:

a. aumento da pena até a metade se na atuação da organização criminosa houver emprego de arma de fogo (§ 2º);
b. a pena é aumentada de 1/6 a 2/3 se há participação de criança ou adolescente; se há concurso de funcionário público, valendo-se a organização criminosa dessa condição para a prática de infração penal; se o produto ou proveito da infração penal destinar-se, no todo ou em parte, ao exterior; se a organização criminosa mantém conexão com outras organizações criminosas independentes; se as circunstâncias do fato evidenciarem a transnacionalidade da organização (§ 4º).

Além das majorantes, quem exerce o comando, individual ou coletivo, da organização criminosa, ainda que não pratique pessoalmente atos de execução, deve ter a pena agravada, nos termos do § 3º do art. 2º.

Colaboração premiada

Por expressa definição legal, "o acordo de colaboração premiada é negócio jurídico processual e meio de obtenção de prova, que pressupõe utilidade e interesse públicos (art. 3ª-A)", havendo uma série de formalidades a serem cumpridas para sua perfectibilização. Trata-se de instituto inspirado no *plea bargaining* do direito norte-americano, em que se concede um "prêmio", isto é, um benefício penal ao investigado ou acusado que colabora com a justiça. Havendo colaboração, o juiz poderá, a requerimento das partes, conceder o perdão judicial, reduzir em até 2/3 a pena privativa de liberdade ou substituí-la por restritiva de direitos daquele que tenha colaborado efetiva e voluntariamente com a investigação e com o processo criminal, desde que dessa colaboração advenha um ou mais dos resultados previstos no art. 4º, a saber: I – a identificação dos demais coautores e partícipes da organização

---

2. REsp 1.817.416-SC, Rel. Mini. Joel Ilan Paciornik, Quinta Turma, julgado em 03/08/2021.

criminosa e das infrações penais por eles praticadas; II – a revelação da estrutura hierárquica e da divisão de tarefas da organização criminosa; III – a prevenção de infrações penais decorrentes das atividades da organização criminosa; IV – a recuperação total ou parcial do produto ou do proveito das infrações penais praticadas pela organização criminosa; V – a localização de eventual vítima com a sua integridade física preservada. Há controvérsias acerca da possibilidade de fixação de sanções premiais não previstas na Lei n. 12.850/2013.

Direito subjetivo ao acordo

No Mandado de Segurança n. 35.693, que teve como Relator o Ministro Edson Fachin, o STF decidiu que não há direito subjetivo do réu ao acordo de colaboração premiada, motivo pelo qual não há como compelir o Ministério Público a celebrar a avença, tendo em vista as características do acordo de colaboração premiada e a necessidade de haver distanciamento por parte do Estado-juiz no cenário investigativo. Quanto a isso, o STF, nos termos do voto do Ministro Gilmar Mendes, estabeleceu as seguintes opções: 1) a negativa de celebração do acordo pelo Ministério Público deve ser devidamente motivada e orientada pelos critérios legais; 2) tal recusa pode ser objeto de controle pelo órgão superior do Ministério Público, por aplicação analógica do art. 28 do CPP; 3) as informações trazidas por investigados em negociações de acordo de colaboração premiada não concretizado não podem ser utilizadas na persecução penal; 4) na sentença, o juiz pode conceder benefício ao investigado mesmo sem ter havido a prévia homologação do acordo de colaboração premiada.[3]

Controle judicial da colaboração

O magistrado exerce o controle judicial sobre o acordo, o qual ocorre em dois momentos distintos:

---

3. SUPREMO TRIBUNAL FEDERAL. *Notícias STF*. Data de publicação: 28 de maio de 2019. Disponível em: <http://www.stf.jus.br/portal/cms/verNoticiaDetalhe.asp?idConteudo=412407>. Acesso em: 12 de janeiro de 2020.

1. na homologação, na qual o juiz realiza tão somente o controle quanto aos aspectos indicados nos incisos do § 7º do art. 4º da Lei n. 12.850/2013;
2. na sentença, na qual há a fixação efetiva dos benefícios com base na eficácia da colaboração e, ainda, nos demais quesitos indicados no § 1º do mesmo dispositivo legal (personalidade do colaborador, natureza, circunstâncias, gravidade e repercussão social do fato criminoso).[4]

Segundo CORDEIRO, o juiz deve "premiar" proporcionalmente ao resultado exigido – pela lei ou negociação –, e não em razão da boa intenção do colaborador. Assim, se não for obtido o resultado prometido pelo colaborador, não haverá, igualmente, o favor de pena negociado, sendo irrelevante se o insucesso se deve à falha sua ou do aparelhamento estatal – a carga probatória não restou satisfeita.[5] DE-LORENZI, entretanto, sustenta que "o colaborador que cumpre sua parte no acordo tem direito subjetivo aos prêmios negociados, estando o juiz vinculado ao acordo homologado".[6] O entendimento dominante no STF é no sentido de que, uma vez homologado o acordo, o colaborador tem direito às sanções premiais acordadas, mas com a ressalva de que ele deve ter cumprido as suas obrigações e, ainda, com a relativização da vinculação do magistrado aos termos do pacto homologado.

---

4. BRASIL. *Lei n. 12.850, de 02 de agosto de 2013.* Define organização criminosa e dispõe sobre a investigação criminal, os meios de obtenção da prova, infrações penais correlatas e o procedimento criminal; altera o Decreto-lei n. 2.848, de 7 de dezembro de 1940 (Código Penal); Revoga a Lei n. 9.034, de 3 de maio de 1995; e dá outras providências. Disponível em: <http://www.planalto.gov.br/ccivil_03/_ato2011-2014/2013/lei/l12850.htm>. Acesso em: 21 de janeiro de 2020.

5. CORDEIRO, Nefi. *Colaboração Premiada:* caracteres, limites e controles. Rio de Janeiro: Forense, 2019, Cap. 1.2.3. *E-book.* Disponível em: <https://integrada.minhabiblioteca.com.br/#/books/9788530988012/cfi/6/20!/4/214/2/2@0:24.1>. Acesso em: 16 de setembro de 2020.

6. DE-LORENZI, Felipe da Costa. *A determinação da pena na colaboração premiada:* análise da fixação dos benefícios conforme a Lei n. 12.850/2013 e o Supremo Tribunal Federal. Revista Brasileira de Ciências Criminais. v.155, p. 293-337, maio 2019. Disponível em: <https://www.revistadostribunais.com.br/maf/app/resultList/document?&src=rl&srguid=i0ad6adc50000016f-cd4e4f4265358bdb&docguid=I9c3bee305cda11e98d21010000000000&hitguid=I9c3bee305cda11e98d21010000000000&spos=2&epos=2&td=247&context=35&crumb-action=append&crumb-label=Documento&isDocFG=false&isFromMultiSumm=&startChunk=1&endChunk=1>. Acesso em: 22 de janeiro de 2020.

Natureza jurídica da colaboração

No julgamento do *habeas corpus* n. 127.483, o STF entendeu que a colaboração premiada é um negócio jurídico processual, uma vez que, além de ser qualificada expressamente pela lei como 'meio de obtenção de prova', seu objeto é a cooperação do imputado para a investigação e para o processo criminal, atividade de natureza processual, ainda que se agregue a esse negócio jurídico o efeito substancial (de direito material) concernente à sanção premiada a ser atribuída a essa colaboração consoante se verifica.[7] Malgrado o respeitável entendimento da Corte Suprema, entendemos que o instituto tem natureza distinta, uma vez que está diretamente relacionado ao exercício da ação penal, à pena e à punibilidade. Portanto, trata-se indiscutivelmente de instituto de direito material.

Execução da pena

As lideranças de organizações criminosas armadas ou que tenham armas à disposição deverão iniciar o cumprimento da pena em estabelecimentos penais de segurança máxima (§ 8º). Além disso, conforme alteração trazida pela Lei n. 13.964/2019, o condenado expressamente em sentença por integrar organização criminosa ou por crime praticado por meio de organização criminosa não poderá progredir de regime de cumprimento de pena ou obter livramento condicional ou outros benefícios prisionais se houver elementos probatórios que indiquem a manutenção do vínculo associativo (§ 9º).

Funcionário público que integra organização criminosa

Havendo indícios suficientes de que o funcionário público integra organização criminosa, poderá o juiz determinar seu afastamento cautelar do cargo, emprego ou função, sem prejuízo da remuneração, quando a medida se fizer necessária à investigação ou instrução processual (§ 5º). A condenação com trânsito em julgado acarretará ao funcionário público a perda do cargo, função, emprego ou mandato eletivo e a interdição para o exercício de função ou

---

[7]. BRASIL. Supremo Tribunal Federal. *Habeas corpus* n. 127.483/PR. Relator Min. Dias Tóffoli, julgado em 27/08/2015. Disponível em: <http://portal.stf.jus.br/processos/downloadPeca.asp?id=308597935&ext=.pdf>. Acesso em: 23 de janeiro de 2020, p. 2.

cargo público pelo prazo de 8 anos subsequentes ao cumprimento da pena. Se houver indícios de participação de policial nos crimes de que trata esta Lei, a Corregedoria de Polícia instaurará inquérito policial e comunicará ao Ministério Público, que designará membro para acompanhar o feito até a sua conclusão (§ 7º).

Distinção entre institutos

Embora semelhante, a colaboração premiada não se confunde com a delação eficaz, nem com a traição benéfica previstas na Lei n. 8.072/90.

Colaboração premiada	Delação eficaz	Traição benéfica
Arts. 3º e 4º da Lei n. 12.850/2013.	Art. 7º da Lei n. 8.072/90, modificando o art. 159 do CP.	Art. 8º da Lei n. 8.072/90.
Aplica-se à organização criminosa.	Aplica-se à associação criminosa que pratica extorsão mediante sequestro.	Aplica-se a qualquer situação de associação criminosa (art. 288 do CP).
Deve produzir um ou mais benefícios previstos no art. 4º.	Deve facilitar a liberação da pessoa sequestrada.	Deve possibilitar o desmantelamento da associação.
Pode haver perdão judicial, redução ou substituição da pena de prisão por restritiva de direitos.	Causa de diminuição de pena (1 a 2/3).	Causa de diminuição de pena (1 a 2/3).

21.3 CRIMES DE DROGAS

Lei de Drogas

A Lei n. 11.343/2006, conhecida como Lei de Drogas, é um estatuto que disciplina medidas de prevenção, tratamento e repressão ao uso e ao tráfico de drogas, dividindo-se em seis títulos:

I. Disposições preliminares.

II. Do sistema nacional de políticas públicas sobre drogas.
III. Das atividades de prevenção ao uso indevido, atenção e reinserção social de usuários dependentes de drogas.
IV. Da repressão à produção não autorizada e ao tráfico ilícito de drogas.
V. Da cooperação internacional.
VI. Das disposições finais e transitórias.

Interessa-nos, especialmente, o título relacionado à repressão, em que estão previstos os crimes e as penas, além de outras disposições penais e processuais penais.

Conceito de drogas

O conceito de drogas consta no parágrafo único do art. 1º da referida lei: *para fins desta Lei, consideram-se como drogas as substâncias ou os produtos capazes de causar dependência, assim especificados em lei ou relacionados em listas atualizadas periodicamente pelo Poder Executivo da União.*

A lei criou tipos penais em branco, na medida em que a expressão "droga" depende de regulamentação extrapenal constante em listas expedidas pela autoridade sanitária. Atualmente, essa regulamentação consta na Portaria 344/98 da ANVISA. Assim, se a conduta for relacionada a alguma substância não prevista nessa portaria, o fato não constituirá crime.

Crime de posse para uso pessoal

Pratica o crime quem *adquirir, guardar, tiver em depósito, transportar ou trouxer consigo, para consumo pessoal, drogas sem autorização ou em desacordo com determinação legal* (art. 28). Note que não constitui crime "usar", "consumir", "fumar" etc., embora haja julgados entendendo que "quem está a fumar um cigarro de maconha está, por consequência lógica, a trazer consigo".[8] Portanto, o uso pretérito, com a droga já consumida, não constitui crime, mas o uso atual, com apreensão da droga que esteja sendo usada, configura a infração penal. Também pratica o crime quem, para seu consumo pessoal, semeia,

---

8. TJMG – JM, 145/293.

cultiva ou colhe plantas destinadas à preparação de pequena quantidade de substância ou produto capaz de causar dependência física ou psíquica (§ 1º).

A conduta é mista (tipo misto alternativo ou de conteúdo variado), de modo que a prática de uma ou mais de uma das ações previstas no tipo constitui crime único. O tipo penal consagra o elemento normativo "sem autorização ou em desacordo com determinação legal ou regulamentar", de modo que se a posse for autorizada não se configurará o crime. Exemplo: transporte da droga para fins científicos com autorização judicial. Consuma-se o crime com a prática de qualquer das condutas descritas. A tentativa, embora de difícil configuração, admite-se na modalidade de adquirir.

O tipo subjetivo é o dolo, exigindo-se, ainda, o elemento subjetivo especial "para consumo pessoal". Para determinar se a droga destinava-se a consumo pessoal, o juiz atenderá à natureza e à quantidade da substância apreendida, ao local e às condições em que se desenvolveu a ação, às circunstâncias sociais e pessoais, bem como à conduta e aos antecedentes do agente (art. 28, § 2º).

A objetividade jurídica é a saúde pública e o objeto material é a droga, isto é, a substância elencada na Portaria 344/98 da ANVISA (norma penal em branco). O sujeito ativo é qualquer pessoa (crime comum) e o sujeito passivo é o Estado. Admite-se a coautoria, em caso de uso conjunto e compartilhamento da droga, pouco importa se cada um dos usuários traz consigo uma parte da droga ou se toda ela se encontra nas mãos de apenas um deles.[9]

Trata-se de crime de perigo abstrato ou presumido, em que se ofende a saúde pública, não sendo possível aplicação do princípio da insignificância.[10] Assim, a quantidade ínfima de droga não descaracteriza o crime, desde que presente o princípio ativo.

O legislador aboliu a possibilidade de aplicação de pena privativa de liberdade para usuários de drogas, prevendo, em vez disso, as seguintes sanções penais:

---

9. TJMG – JM, 134/329.
10. STJ – AgRg no REsp 1.581.573/RS. Rel. Min. Ribeiro Dantas, Quinta Turma, Dje 09/11/2016.

I. *advertência sobre os efeitos das drogas:* deve ser aplicada pelo juiz em audiência preliminar, no caso de transação penal em sede de condenação, caso em que poderá gerar reincidência, por se tratar de pena não privativa de liberdade;

II. *prestação de serviços à comunidade:* não se trata de pena alternativa, pois a Lei de Drogas a considera pena principal, devendo ser aplicada pelo prazo máximo de 5 meses (art. 28, § 3º), ou até 10 meses, em caso de reincidência (§ 4º). A prestação de serviços à comunidade será cumprida em programas comunitários, entidades educacionais ou assistenciais, hospitais, estabelecimentos congêneres, públicos ou privados sem fins lucrativos, que se ocupem, preferencialmente, da prevenção do consumo ou da recuperação de usuários e dependentes de drogas (§ 5º);

III. *comparecimento a programa ou curso educativo:* trata-se de medida educativa aplicável pelo prazo máximo de 5 meses (art. 28, § 3º) ou até 10 meses para os reincidentes (§ 4º).

Apesar de não caber prisão, entende-se que não houve descriminalização da posse para uso pessoal, mas simples abrandamento do rigor punitivo, conforme entendimento do Supremo Tribunal Federal.[11] Tais medidas, ademais, quando impostas em condenação criminal, têm natureza de pena e geram reincidência.

O descumprimento das penas de prestação de serviços à comunidade e o comparecimento a programa ou curso educativo sujeitam o infrator a admoestação em audiência especialmente designada e, sucessivamente, a multa, que será imposta pelo juiz, o qual, atendendo à reprovabilidade da conduta, fixará o número de dias-multa, em quantidade nunca inferior a 40 nem superior a 100, atribuindo depois a cada um, segundo a capacidade econômica do agente, o valor de 1/30 avos até 3 vezes o valor do maior salário mínimo (art. 29), destinado ao Fundo Nacional Antidrogas (parágrafo único).

---

11. STF, RE 430105, Rel. Min. Sepúlveda Pertence, julgado em 13/12/2007. Informativo 456.

A prescrição do crime de posse para uso pessoal tem regra específica, operando-se em 2 anos, observadas as regras de interrupção previstas no art. 107 e seguintes do Código Penal (art. 30).

Tráfico de drogas
Crime violento sem violência?
O tráfico de drogas é, antes de mais nada, uma atividade econômica. Todavia, no aspecto eminentemente jurídico-penal está consubstanciado num amplo espectro de condutas relacionadas ao fornecimento de drogas, não exigindo, necessariamente, o lucro.

Por outro lado, o tráfico é uma das atividades mais violentas da atualidade, sendo responsável por uma infinidade de homicídios e crimes patrimoniais com violência ou grave ameaça à pessoa (roubos, extorsões, extorsões mediante sequestro), além de movimentar um gigantesco mercado clandestino de armas e munições. Obviamente, no aspecto eminentemente do tipo penal, não se trata de crime com violência, pois seria estranho, tecnicamente, o legislador condicionar o crime à existência de violência no tipo penal. Todavia, o *iter criminis* do tráfico, notadamente os atos preparatórios, são atos de extrema violência.

O narcotráfico e crimes equiparados
O crime de tráfico de drogas propriamente dito está previsto no art. 33 da Lei n. 11.343/2006. Consiste em *importar, exportar, remeter, preparar, produzir, fabricar, adquirir, vender, expor à venda, oferecer, ter em depósito, transportar, trazer consigo, guardar, prescrever, ministrar, entregar a consumo ou fornecer drogas, ainda que gratuitamente, sem autorização ou em desacordo com determinação legal ou regulamentar.* O § 1º prevê figuras equiparadas, pois também pratica o crime quem: I – importa, exporta, remete, produz, fabrica, adquire, vende, expõe à venda, oferece, fornece, tem em depósito, transporta, traz consigo ou guarda, ainda que gratuitamente, sem autorização ou em desacordo com determinação legal ou regulamentar, matéria-prima, insumo ou produto químico destinado à preparação de drogas; II – semeia, cultiva ou faz a colheita, sem autorização ou em desacordo com determinação legal ou regulamentar,

de plantas que se constituam em matéria-prima para a preparação de drogas; III – utiliza local ou bem de qualquer natureza de que tem a propriedade, posse, administração, guarda ou vigilância, ou consente que outrem dele se utilize, ainda que gratuitamente, sem autorização ou em desacordo com determinação legal ou regulamentar, para o tráfico ilícito de drogas; IV – vende ou entrega drogas ou matéria-prima, insumo ou produto químico destinado à preparação de drogas, sem autorização ou em desacordo com a determinação legal ou regulamentar, a agente policial disfarçado, quando presentes elementos probatórios razoáveis de conduta criminal preexistente.

A conduta é mista (tipo misto alternativo ou de conteúdo variado), de modo que a prática de uma ou mais de uma das ações previstas no tipo constitui crime único. O tipo penal consagra o elemento normativo "sem autorização ou em desacordo com determinação legal ou regulamentar", de modo que se a posse for autorizada não se configurará o crime. Exemplo: transporte da droga para fins científicos com autorização judicial. Consuma-se o crime com a prática de qualquer das condutas descritas. A tentativa, embora de difícil configuração, admite-se na modalidade de adquirir.

O tipo subjetivo é o dolo, no sentido de realizar uma ou mais condutas descritas no tipo. Embora não haja elemento subjetivo especial, deve ficar claro que a droga não se destina a consumo pessoal. A objetividade jurídica é a saúde pública e o objeto material é a droga, isto é, a substância elencada na Portaria 344/98 da ANVISA (norma penal em branco). O sujeito ativo é qualquer pessoa (crime comum) e o sujeito passivo é o Estado e, secundariamente, o consumidor da droga. Admite-se a coautoria, em caso de uso conjunto e compartilhamento da droga, pouco importa se cada um dos usuários traz consigo uma parte da droga ou se toda ela se encontra nas mãos de apenas um deles. [12]

Trata-se de crime de perigo abstrato ou presumido, em que se ofende a saúde pública, não sendo possível, assim como no crime de posse para uso

---

12. TJMG – JM, 134/329.

pessoal, a aplicação do princípio da insignificância.[13] A quantidade ínfima de droga não descaracteriza o crime, desde que presente o princípio ativo.

Pena e privilégio
A pena do tráfico e das figuras equiparadas é de reclusão, de 5 a 15 anos, e pagamento de 500 a 1.500 dias-multa. Há crime de tráfico privilegiado e as penas poderão ser reduzidas de 1/6 a 2/3, desde que o agente seja primário, de bons antecedentes, não se dedique às atividades criminosas nem integre organização criminosa (§ 4º). O STJ entende que deve ser levada em conta, também, a quantidade de droga apreendida, afastando-se o privilégio se houver grande quantidade.[14]

Continuidade delitiva
Admite-se a continuidade delitiva nos crimes de tráfico de drogas, conforme entendimento pacífico do STJ.

Instigação, induzimento e auxílio ao uso indevido de droga

Segundo o § 2º do art. 33, constitui crime, punido com detenção, de 1 a 3 anos, e multa de 100 a 300 dias-multa, induzir, instigar ou auxiliar alguém ao uso indevido de droga. O crime se consuma com o simples auxílio moral (induzir ou instigar) ou material, sem que haja necessidade de efetivo uso da droga pela vítima. Induzir é criar a intenção, instigar é reforçar uma intenção preexistente. Auxiliar é fornecer os meios, como o cachimbo, o fogo etc. Quanto ao fornecimento de local, se for para uso, configura o mero auxílio em questão, mas, se o local se destinar ao tráfico, estará configurado o crime do art. 33, § 1º, III, equiparando-se ao tráfico.

Não configura o crime em questão a participação ou organização da chamada "Marcha da Maconha", pois o STF, no julgamento da ADI, julgou procedente a ação direta para dar ao § 2º do art. 33 da Lei n. 11.343/2006 interpretação conforme à Constituição, para dele excluir qualquer signifi-

---
13. STJ – AgRg no REsp 1.581.573/RS. Rel. Min. Ribeiro Dantas, Quinta Turma, Dje 09/11/2016.
14. STJ, HC 150759/SP, Rel. Ministro Félix Fisher, Sexta Turma, Dje 10/05/2010; HC 401.240/SP. Rel. Min. Reynaldo Soares da Fonseca, Dje 01/08/2017.

cado que enseje a proibição de manifestações e debates públicos acerca da descriminalização ou legalização do uso de drogas ou de qualquer substância que leve o ser humano ao entorpecimento episódico, ou então viciado, das suas faculdades psicofísicas.

Oferecimento de droga para consumo conjunto

A fim de evitar o enquadramento como traficante do usuário ou viciado que apenas compartilha drogas com outra pessoa, dilema existente na legislação anterior, a Lei n. 11.343/2006 cria o crime em questão, que consiste em *oferecer droga, eventualmente e sem objetivo de lucro, a pessoa de seu relacionamento, para juntos a consumirem*, punido com detenção, de 6 meses a 1 ano, e pagamento de 700 a 1.500 dias-multa, sem prejuízo das penas previstas no art. 28. Trata-se de crime formal, que se consuma com a simples oferta, independentemente da aceitação, que é mero exaurimento.

Objeto destinado à produção de drogas

O legislador, a fim de prevenir a prática do crime de tráfico de drogas, tipifica o ato preparatório de fabricar, adquirir, utilizar, transportar, oferecer, vender, distribuir, entregar a qualquer título, possuir, guardar ou fornecer, ainda que gratuitamente, maquinário, aparelho, instrumento ou qualquer objeto destinado à fabricação, preparação, produção ou transformação de drogas, sem autorização ou em desacordo com determinação legal ou regulamentar. A pena para esse crime é de reclusão, de 3 a 10 anos, e pagamento de 1.200 a 2.000 dias-multa (art. 34).

Associação para o narcotráfico

Da mesma forma que o crime anterior, em que é punido de forma autônoma um ato que antecede o tráfico propriamente dito, o legislador também incrimina o simples fato de associar-se para a prática de narcotráfico, em que o sujeito passivo é o Estado e, secundariamente, o consumidor da droga.

Assim, constitui crime, segundo o art. 35, *associarem-se duas ou mais pessoas para o fim de praticar, reiteradamente ou não, qualquer dos crimes previstos nos arts. 33, caput e § 1º, e 34 desta Lei.* Nos termos do parágrafo único, também pratica esse crime quem, reiteradamente, incorre no delito de financiamento ou custeio do narcotráfico, previsto no art. 36. A pena é de reclusão, de 3 a 10 anos, e pagamento de 700 a 1.200 dias-multa. Segundo a jurisprudência, esse crime não é equiparado a hediondo. Trata-se de crime de concurso necessário, que só se tipifica se houver a presença de pelo menos duas pessoas. Nisso se distingue da associação criminosa, que prevê a presença mínima de 3 pessoas (CP, art. 288) e se refere a qualquer crime. Não se afasta, porém, a possibilidade de se configurar organização criminosa, caso se apresente nos moldes da Lei n. 12.850/2013. O crime se consuma com a simples associação, independentemente da efetiva prática do narcotráfico, pois se trata de crime formal. Caso ocorra também o tráfico de drogas, haverá concurso de crimes entre associação para o tráfico e tráfico em concurso de pessoas (art. 29 do CP).

Associação para o tráfico (art. 35 da Lei n. 11.343)	Configura-se com a mera reunião de DUAS ou mais pessoas com o fim de praticar do TRÁFICO, ainda que não o pratiquem.
Concurso de pessoas em crime de tráfico (art. 33 da Lei n. 11.343/2006 c/c art. 29 do CP)	Configura-se quando há efetiva prática de narcotráfico por duas ou mais pessoas.
Associação criminosa (CP, art. 288)	Configura-se com a mera reunião de TRÊS ou mais pessoas com o fim de praticar qualquer crime previsto em lei.
Organização criminosa (Lei n. 12.850/2013)	Configura-se com a presença de pelo menos QUATRO pessoas com estabilidade, estruturação e divisão de tarefas, a fim de obter vantagem econômica ou moral.

Financiamento ou custeio de narcotráfico

Financiar ou custear a prática de qualquer dos crimes previstos no art. 33, *caput* e § 1º, e 34 da Lei n. 11.343, constitui crime punido com reclusão, de 8 a 20 anos, além do pagamento de 1.500 a 4.000 dias-multa. Incorre no crime quem emprega dinheiro ou outros bens, direta ou indiretamente, contribuindo para as atividades, ainda que não vise lucro. Nesse caso, não se aplica à causa de aumento de pena prevista no art. 40, VII, pois haveria *bis in idem*. Admite-se a tentativa, consumando-se o crime com o efetivo financiamento ou custeio da atividade. No caso de reiteração, o agente responderá também pelo crime de associação para o narcotráfico.

Colaboração ao tráfico

O art. 37 tipifica a ação de *colaborar, como informante, com grupo, organização ou associação destinados à prática de qualquer dos crimes previstos nos arts. 33, caput e § 1º, e 34 desta Lei*. Em nosso entendimento, não basta a condição de informante, sendo necessário que exista efetiva colaboração, por não se tratar de um tipo penal de autor. Trata-se de crime de mera conduta, pois a simples colaboração consuma o crime, não se admitindo tentativa. Note que a colaboração não é com o tráfico propriamente dito, mas com a associação. Havendo colaboração com o tráfico, o agente será considerado coautor ou partícipe. O crime é subsidiário em relação à associação para o tráfico. A pena é de reclusão, de 2 a 6 anos, e pagamento de 300 a 700 dias-multa.

Prescrição culposa de drogas

O art. 38 prevê o crime de *prescrever ou ministrar, culposamente, drogas, sem que delas necessite o paciente, ou fazê-lo em doses excessivas ou em desacordo com determinação legal ou regulamentar*. Trata-se de crime próprio, cujo sujeito ativo é o profissional de saúde (médico, dentista, farmacêutico, enfermeiro etc.). O sujeito passivo é o Estado e, secundariamente, quem recebe a prescrição ou a administração indevida. Trata-se de crime culposo, pois a conduta dolosa configura o crime do art. 33. Em caso de condenação, o juiz informará o Conselho Federal da categoria profissional a que pertença o agente (parágrafo único).

Condução de embarcação ou aeronave sob o efeito de droga

Constitui crime, previsto no art. 39, *conduzir embarcação ou aeronave após o consumo de drogas, expondo a dano potencial a incolumidade de outrem*. Trata-

-se de crime de perigo concreto, que deve ser comprovado. O sujeito ativo é qualquer pessoa e o sujeito passivo é a coletividade. O elemento subjetivo é o dolo. A pena é de detenção, de 6 meses a 3 anos, além da apreensão do veículo, cassação da habilitação respectiva ou proibição de obtê-la, pelo mesmo prazo da pena privativa de liberdade aplicada, e pagamento de 200 a 400 dias-multa. Se a aeronave ou embarcação for destinada ao transporte coletivo de passageiros, as penas de prisão e multa, aplicadas cumulativamente com as demais, serão de 4 a 6 anos e de 400 a 600 dias-multa, se o veículo referido no *caput* deste artigo for de transporte coletivo de passageiros.

Causas de aumento de pena

Art. 40. As penas previstas nos arts. 33 a 37 desta Lei são aumentadas de 1/6 a 2/3, se:

I. a natureza, a procedência da substância ou do produto apreendido e as circunstâncias do fato evidenciarem a transnacionalidade do delito;

II. o agente praticar o crime prevalecendo-se de função pública ou no desempenho de missão de educação, poder familiar, guarda ou vigilância;

III. a infração tiver sido cometida nas dependências ou imediações de estabelecimentos prisionais, de ensino ou hospitalares, de sedes de entidades estudantis, sociais, culturais, recreativas, esportivas, ou beneficentes, de locais de trabalho coletivo, de recintos onde se realizem espetáculos ou diversões de qualquer natureza, de serviços de tratamento de dependentes de drogas ou de reinserção social, de unidades militares ou policiais ou em transportes públicos;

IV. o crime tiver sido praticado com violência, grave ameaça, emprego de arma de fogo, ou qualquer processo de intimidação difusa ou coletiva;

V. caracterizado o tráfico entre Estados da Federação ou entre estes e o Distrito Federal;

VI. sua prática envolver ou visar a atingir criança ou adolescente ou a quem tenha, por qualquer motivo, diminuída ou suprimida a capacidade de entendimento e determinação;
VII. o agente financiar ou custear a prática do crime.

Delação premiada

O indiciado ou acusado que colaborar voluntariamente com a investigação policial e o processo criminal na identificação dos demais coautores ou partícipes do crime e na recuperação total ou parcial do produto do crime, no caso de condenação, terá pena reduzida de 1/3 a 2/3 (art. 41).

Aplicação da pena

O juiz, na fixação das penas, deverá observar o método trifásico, aplicando primeiramente a pena-base, devendo considerar, com preponderância sobre o previsto no art. 59 do Código Penal, a natureza e a quantidade da substância ou do produto, a personalidade e a conduta social do agente (art. 42). Na fixação da multa a que se referem os arts. 33 a 39 desta Lei, o juiz, atendendo ao que dispõe o art. 42 desta Lei, determinará o número de dias-multa, atribuindo a cada um, segundo as condições econômicas dos acusados, valor não inferior a 1/30 nem superior a 5 vezes o maior salário-mínimo (art. 43). As multas, que em caso de concurso de crimes serão impostas sempre cumulativamente, podem ser aumentadas até o décuplo se, em virtude da situação econômica do acusado, considerá-las o juiz ineficazes, ainda que aplicadas no máximo (parágrafo único).

Vedação de benefícios penais e processuais

Segundo o art. 44, "os crimes previstos nos arts. 33, *caput* e § 1º, e 34 a 37 são inafiançáveis e insuscetíveis de sursis, graça, indulto, anistia e liberdade provisória, vedada a conversão de suas penas em restritivas de direitos". O STF considerou inconstitucional a vedação da liberdade provisória e das penas restritivas de direito. Além disso, de acordo com o parágrafo único, nos crimes mencionados, o livramento condicional será concedido após o cumprimento de 2/3 da pena (requisito objetivo), sendo vedada sua concessão ao reincidente específico (requisito subjetivo).

Inimputabilidade e semi-imputabilidade

A Lei n. 11.343/2006 prevê causa especial de inimputabilidade (art. 45), excluindo a aplicação do art. 26 do Código Penal, quando o agente, em razão da dependência, ou sob o efeito, proveniente de caso fortuito ou força maior, de droga, era, ao tempo da ação ou da omissão, qualquer que tenha sido a infração penal praticada, inteiramente incapaz de entender o caráter ilícito do fato ou de determinar-se de acordo com esse entendimento. Para a absolvição, portanto, devem estar presentes os seguintes requisitos: a) dependência de drogas ou intoxicação decorrente de caso fortuito ou força maior (requisito causal); b) inteira incapacidade de compreensão e de autodeterminação (requisito consequencial); c) ao tempo do crime (requisito temporal). Nesse caso, o juiz poderá determinar, na sentença – sentença absolutória –, o encaminhamento do agente para tratamento médico adequado (absolvição imprópria).

A semi-imputabilidade, a seu turno, está prevista no art. 46: *as penas podem ser reduzidas de 1/3 a 2/3 se, por força das circunstâncias previstas no art. 45 desta Lei, o agente não possuía, ao tempo da ação ou da omissão, a plena capacidade de entender o caráter ilícito do fato ou de determinar-se de acordo com esse entendimento*. Nesse caso, a incapacidade do agente não é suprimida, mas simplesmente reduzida, de modo que não há isenção de pena, mas simples redução, podendo o juiz, na sentença condenatória, encaminhar o agente para tratamento médico especializado, com base em avaliação realizada por "profissional de saúde com competência específica" (art. 47).

Por expressa disposição legal, a inimputabilidade e semi-imputabilidade previstas na Lei n. 11.343/2006 devem ser aplicadas a qualquer infração penal cometida e não apenas aos crimes da Lei de Drogas, sempre que comprovada a dirimente por meio de exame de dependência toxicológica, realizado toda vez que o magistrado entender necessário, diante de um crime praticado pelo réu, e que se verifique plausível a tese de que seja dependente de drogas ou tenha ocorrido caso fortuito ou força maior.[15]

---

15. Nesse sentido: THUMS, Gilberto. *Nova lei de drogas:* crimes, investigação e processo. Gilberto Thums, Vilmar Pacheco. Porto Alegre: Verbo Jurídico, 2008. p. 131.

21.4 TERRORISMO

Definição e aspectos gerais

O terrorismo, previsto na Lei n. 13.260, consiste na prática por um ou mais indivíduos de atos criminosos previstos na legislação, por razões de xenofobia, discriminação ou preconceito de raça, cor, etnia e religião, quando cometidos com a finalidade de provocar terror social ou generalizado, expondo a perigo pessoa, patrimônio, a paz pública ou a incolumidade pública (art. 2º, *caput*). Ressalva-se da incriminação a conduta individual ou coletiva de pessoas em manifestações políticas, movimentos sociais, sindicais, religiosos, de classe ou de categoria profissional, direcionados por propósitos sociais ou reivindicatórios, visando a contestar, criticar, protestar ou apoiar, com o objetivo de defender direitos, garantias e liberdades constitucionais, sem prejuízo da tipificação penal contida em lei (art. 2º, § 2º). Para todos os efeitos legais, considera-se que os crimes de terrorismo são praticados contra o interesse da União, devendo ser investigados pela Polícia Federal e julgados pela Justiça Federal (art. 11). Caso haja crime doloso contra a vida conexo ao terrorismo, a competência para julgamento é do Tribunal do Júri, diante da regra constitucional (CF, art. 5º, XXXVIII). Por força do art. 5º, § 4º, da CF, o Tribunal Penal Internacional poderá julgar o terrorismo praticado no Brasil, desde que as cortes nacionais sejam falhas ou omissas,[16] uma vez que, em matéria de violação de direitos humanos, o Estado tem competência primária, sendo subsidiária a competência da corte internacional.

Nos termos do art. 5º, XLIII, da CF, o terrorismo é crime inafiançável e insuscetível de graça ou anistia. Além disso, aplicam-se aos crimes de terrorismo as regras aplicáveis aos crimes hediondos (Lei n. 13.260, art. 17).

---

16. O Brasil aderiu ao TPI em 2002, com a ratificação do Tratado de Roma, de onde se originou a PEC 45/04, que inseriu o § 4º no art. 5º da CF.

Como não poderia deixar de ser, a ação penal é pública incondicionada.

Objetividade jurídica, sujeitos e classificação

O terrorismo é um crime de perigo e pluriofensivo, pois atinge a segurança de um número indeterminado de pessoas (crime vago; crime de perigo; crime contra a incolumidade pública), mas também o patrimônio, a integridade física e a vida de pessoas determinadas. Portanto, as incriminações da Lei n. 13.216 têm como objetividade jurídica não só a incolumidade pública, mas também a vida, a integridade física e o patrimônio. O sujeito ativo é qualquer pessoa (crime comum) e o sujeito passivo é o Estado, a coletividade, além das pessoas diretamente lesadas. Além disso, terrorismo é crime unissubjetivo, isto é, pode ser praticado por uma só pessoa, não se exigindo uma organização ou grupo terrorista, o que, se existir, poderá configurar concurso de crimes entre terrorismo e organização criminosa (Lei n. 12.850, art. 1º, § 2º, II).

Atos de terrorismo

O art. 2º, § 1º, tipifica condutas que são consideradas *atos de terrorismo*, punido com pena de reclusão, de 12 a 30 anos, além das sanções correspondentes à ameaça ou à violência.

A. Uso, transporte, guarda ou porte de explosivos e outras substâncias

Trata-se de tipo misto alternativo. As condutas previstas são *usar, transportar, guardar, portar ou trazer consigo explosivos* (bombas, dinamites etc.), *gases tóxicos* (qualquer gás apto a produzir dano à saúde), *venenos* (substância que, ingerida ou absorvida, de qualquer modo, é apta a causar danos à saúde ou morte), *conteúdos biológicos* (qualquer organismo vivo apto a causar moléstias ou epidemias, como vírus, bacilos, protozoários, bactérias), *químicos* (substâncias e compostos químicos que podem causar, de forma isolada ou por combinação, danos à saúde ou destruição em massa), *nucleares* (todos os produtos e rejeitos radioativos previstos na Lei n. 6.453/77) *ou outros meios capazes de causar danos ou promover destruição em massa*, isto é, causar danos a um número incontável de pessoas.

B. Sabotagem ou apoderamento de serviços e instalações

Trata-se, também, de tipo misto alternativo. As condutas previstas são *sabotar* (danificar, estragar, impedir ou dificultar o funcionamento) ou *apoderar-se do controle total ou parcial* (tomar para si, assumir o controle), ainda que de modo temporário, de meio de comunicação ou de transporte, de portos, aeroportos, estações ferroviárias ou rodoviárias, hospitais, casas de saúde, escolas, estádios esportivos, instalações públicas ou locais onde funcionem serviços públicos essenciais, instalações de geração ou transmissão de energia, instalações militares, instalações de exploração, refino e processamento de petróleo e gás e instituições bancárias e sua rede de atendimento. Para configuração do crime, a sabotagem ou apoderamento, o tipo penal exige o emprego de violência, grave ameaça à pessoa ou uso de mecanismos cibernéticos, configurando-se o chamado ciberterrorismo, que se configura por algum tipo de invasão aos sistemas de informática que dão acesso aos serviços e instalações mencionados.

C. Atentado à vida ou à integridade física de pessoa

Trata-se de tipo de atentado, em que não se exige morte ou lesão efetiva, sendo punível a mera tentativa. Caso ocorra o resultado morte ou lesão, responderá o agente em concurso material.

Organização terrorista

Este crime, previsto no art. 3º da Lei n. 13.260, consiste em *promover, constituir, integrar ou prestar auxílio, pessoalmente ou por interposta pessoa, a organização terrorista*. A pena é de reclusão, de 5 a 8 anos, e multa. O tipo é misto alternativo. As condutas previstas são promover (impulsionar, fomentar), constituir (formar, organizar), integrar (tomar parte) ou prestar auxílio (auxílio moral ou material), podendo ser direta ou indiretamente, organização terrorista. Trata-se de norma penal em branco, pois o conceito de organização terrorista está na Lei n. 12.850, art. 1º, § 2º, II, que considera organização criminosa terrorista *aquela voltada para a prática de atos de terrorismo legalmente definidos*. Organização criminosa, nos termos da Lei n. 12.850, é definida como "a associação de 4 ou mais pessoas estruturalmente ordenada e caracterizada pela divisão de tarefas, ainda que informalmente, com objetivo de obter, direta ou indiretamente, vantagem de qualquer natureza, mediante a prática de infrações penais cujas penas máximas sejam superiores a 4 anos, ou que sejam de caráter transnacional".

Portanto, conjugando-se a Lei n. 12.850, que define organizações criminosas terroristas com a Lei n. 13.260, chega-se à conclusão de que uma organização terrorista é a associação de quatro ou mais pessoas estruturalmente ordenada e caracterizada pela divisão de tarefas, ainda que informalmente, com objetivo de praticar atos de terrorismo assim tipificados no art. 2º da Lei n. 13.260.

Atos preparatórios de terrorismo

O art. 5º tipifica o crime de *realizar atos preparatórios de terrorismo com o propósito inequívoco de consumar tal delito*. A pena corresponde ao delito consumado, diminuída de 1/4 até a metade. O legislador, com tal norma, pretende intensificar o combate ao terrorismo, permitindo a intervenção do Estado mesmo antes da execução dos atos terroristas. Conforme esclarece SOUZA, a combinação entre a necessidade de antecipação da criminalização do terrorismo e a tipificação penal aberta atende a uma tendência denominada *limiar ataque zero*, política criminal que procura combater o crescente recrutamento de nacionais e a disseminação do terrorismo doméstico em vários países vítimas desse crime.[17] A incriminação, todavia, não dispensa que o ato preparatório tenha potencialidade lesiva, sob pena de se configurar crime impossível (CP, art. 17).

Figuras equiparadas

A lei equipara a atos preparatórios de terrorismo tanto o recrutamento, quanto o treinamento de terroristas, pretendendo com isso evitar a adesão de mercenários e combatentes estrangeiros à causa terrorista. Nos termos do

---

17. SOUZA, Renee do Ó. *In Leis Penais Especiais Comentadas*. Cordenadores: Rogério Sanches Cunha, Ronaldo Batista Pinto, Renee do Ó Souza. 3. ed. rev., atual., ampl. Salvador: Ed. Juspodivm, 2020. p. 2065.

§ 1º, incorre nas mesmas penas o agente que, com o propósito de praticar atos de terrorismo:

I. recrutar, organizar, transportar ou municiar indivíduos que viajem para país distinto daquele de sua residência ou nacionalidade;
II. fornecer ou receber treinamento em país distinto daquele de sua residência ou nacionalidade, sendo punível tanto quem fornece o treinamento quanto quem o recebe.

Quando a conduta não envolver treinamento ou viagem para país distinto daquele de sua residência ou nacionalidade, a pena será a correspondente ao delito consumado, diminuída de metade a 2/3 (§ 2º).

Financiamento de terrorismo

O crime do art. art. 6º consiste em *receber, prover, oferecer, obter, guardar, manter em depósito, solicitar, investir, de qualquer modo, direta ou indiretamente, recursos, ativos, bens, direitos, valores ou serviços de qualquer natureza, para o planejamento, a preparação ou a execução dos crimes previstos nesta Lei*. A pena é de reclusão, de 15 a 30 anos. Consoante o parágrafo único, incorre na mesma pena quem oferecer ou receber, obtiver, guardar, mantiver em depósito, solicitar, investir ou de qualquer modo contribuir para a obtenção de ativo, bem ou recurso financeiro, com a finalidade de financiar, total ou parcialmente, pessoa, grupo de pessoas, associação, entidade, organização criminosa que tenha como atividade principal ou secundária, mesmo em caráter eventual, a prática dos crimes previstos nesta Lei. Trata-se de tipo misto alternativo, cujas condutas nucleares são receber (pegar, ser destinatário), prover (destinar, fornecer), oferecer (ofertar, disponibilizar) obter (conseguir), guardar (conservar ou tomar conta), manter em depósito (armazenar), solicitar (pedir, pleitear), investir (gastar, expender), de qualquer modo (tipo aberto) recursos, ativos, bens, direitos, valores ou serviços de qualquer natureza, para o planejamento, a preparação ou a execução de quaisquer dos crimes de terrorismo tipificados. Não se aplica ao presente crime o princípio da insignificância, abrangendo qualquer quantia destinada ao terrorismo, por mais ínfima que seja, pois se trata de um *delito de acumulação* ou *crime cumulativo*, em que se considera que a soma de várias condutas é causadora de lesão e, portanto, pune-se uma conduta isolada, ainda que aparentemente inexpressiva.

Causa de aumento de pena

O art. 7º prevê crimes qualificados pelo resultado, no caso em que qualquer dos crimes da Lei n. 13.260 resultar em:

a. morte: aumento de metade;
b. lesão corporal grave: aumento da pena de 1/3.

Uma vez que o dispositivo expressamente estabelece que o aumento de pena só incide se a lesão grave ou a morte não forem elementares de outro crime, evitando o *bis in idem*, a majorante incidirá em todos os crimes da lei, exceto no art. 2º, § 1º, V, da Lei n. 13.260. Note, todavia, que a incidência da qualificadora exige que a lesão grave ou morte derivem de culpa, configurando-se forma preterdolosa. Caso haja dolo ou culpa em relação ao resultado, o agente responderá por terrorismo em concurso com homicídio ou lesão corporal, sem aplicação da majorante.

Tipo subjetivo

O terrorismo é crime doloso, exigindo-se, porém, elemento subjetivo especial, consistente na finalidade especial de provocar terror social ou generalizado por razões de xenofobia, discriminação ou preconceito de raça, cor, etnia e religião.

Consumação e tentativa

O terrorismo se consuma diante de qualquer ato descrito, independentemente de qualquer resultado efetivo. Admite-se a tentativa, exceto nos seguintes casos:

a. as formas unissubsistentes: usar, transportar, guardar, portar ou trazer consigo (art. 2º, § 1º, I);

b. atentar contra a vida ou a integridade física de pessoa (art. 2º, § 1°, V), por se tratar de crime de atentado, consumando-se com o início da execução;
c. a hipótese do art. 5º, em que é punido o ato preparatório. Assim, se o agente dá início à execução e o crime não se consuma por circunstâncias alheias à sua vontade, ocorre o crime na forma tentada. Se o agente limita-se a praticar ato preparatório, incorre nas penas do art. 5º.

É importante ressaltar que os institutos da desistência voluntária e o arrependimento eficaz (CP, art. 15) aplicam-se também aos atos preparatórios, nos termos do art. 10, como forma de dissuadir o agente de prosseguir na própria preparação do terrorismo e intensificar a prevenção dos atentados.

Terrorismo previsto no Código Penal

O crime de terrorismo já estava previsto na Lei n. 13.260/2016, vindo a ser tipificado também no art. 371 do Código Penal. Na verdade, o Código Penal não regulou inteiramente a matéria prevista na lei especial, que tipifica outras condutas, incluindo a punição do ato preparatório para terrorismo (art. 5º). Na medida em que a lei dos crimes contra a democracia revogou expressamente apenas os crimes contra a segurança nacional (Lei n. 7.170), nada obsta que os crimes de terrorismo previstos na lei especial continuem a ser aplicados sempre que não estiver presente o elemento normativo do tipo do art. 371 (faccionismo político ou religioso) ou quando se tratar de figura prevista apenas na Lei n. 13.260/2016, como ocorre com os crimes de auxílio a organização terrorista ou atos preparatórios de terrorismo, por exemplo.

21.5 CRIMES DE TRÂNSITO

Código de Trânsito Brasileiro e os chamados "acidentes de trânsito"

A Lei n. 9.503/97 instituiu o Código de Trânsito Brasileiro (CTB), consolidando as normas relacionadas à circulação de veículos no Território Nacional. Trata-se de uma lei híbrida, que possui normas de Direito Administrativo, como regras de licenciamento de veículo e fiscalização de trânsito, infrações e multas administrativas, entre outras, e normas de Direito Penal, prevendo crimes e penas, sendo estas as que nos interessam.

Em alguns dispositivos, o legislador usou a expressão acidente, o que constitui uma séria atecnia. Embora a expressão "acidente de trânsito" seja consagrada na mídia e entre o público leigo, sabe-se que os eventos de trânsito são geralmente causados por imprudência ou dolo dos motoristas, o que exclui por completo a possibilidade de se falar em "acidente". A punição de um fato acidental seria um verdadeiro retrocesso à responsabilidade penal objetiva das eras primevas.

De nossa parte, optamos por utilizar a palavra evento, que, em sentido técnico, apresenta-se mais adequada que a palavra "acidente".

Suspensão ou proibição de se obter a permissão ou habilitação para dirigir veículo automotor

Além das penas privativas de liberdade, que se submetem ao modelo trifásico de aplicação e possibilidade de substituição por penas restritivas de direitos, o CTB prevê outras espécies punitivas que são consideradas penas principais. A suspensão ou proibição de se obter a permissão ou habilitação para dirigir veículo automotor, com duração de 2 meses a 5 anos, podendo ser aplicada isoladamente ou cumulada com pena privativa de liberdade (arts. 292 e 293). Em caso de réu reincidente na prática de crime de trânsito, é obrigatória a aplicação dessa pena, sem prejuízo das demais sanções cabíveis. Para fixação da pena, o juiz deverá considerar o tempo suficiente e necessário para prevenção e reprovação do crime, atendendo às circunstâncias do caso concreto e aos critérios do art. 59 do CP.

Transitada em julgado a sentença condenatória, o réu será intimado a entregar à autoridade judiciária, em 48 horas, a sua carta de motorista, mas esta pena não se inicia enquanto o réu estiver preso por efeito de condenação criminal.

A suspensão, inclusive, pode ser aplicada cautelarmente, no curso do processo, nos termos do art. 294.

A suspensão aplicada deve ser comunicada ao CONTRAN (Conselho Nacional de Trânsito) e ao órgão de trânsito estadual.

Multa reparatória

A multa reparatória, prevista no art. 297, consiste no pagamento, mediante depósito judicial em favor da vítima, ou seus sucessores, de quantia calculada com base no disposto no § 1º do art. 49 do Código Penal, sempre que houver prejuízo material resultante do crime. Deve ser fixada pelo juiz, na sentença, e não pode ser superior ao prejuízo demonstrado no processo. A fixação de multa reparatória não impede a propositura de ação civil *ex delicto*, isto é, uma ação civil para reparação dos danos, caso em que o valor da multa será descontado do valor fixado na indenização civil. Aplicam-se à multa reparatória os arts. 50 a 52 do CP (art. 297).

Agravantes

Conforme o art. 298 do CTB, são circunstâncias que sempre agravam a pena do crime de trânsito se este é cometido: I – com dano potencial para duas ou mais pessoas ou com grande risco de grave dano patrimonial a terceiros; II – utilizando o veículo sem placas, com placas falsas ou adulteradas; III – sem possuir Permissão para Dirigir ou Carteira de Habilitação; IV – com Permissão para Dirigir ou Carteira de Habilitação de categoria diferente da do veículo; V – quando a sua profissão ou atividade exigir cuidados especiais com o transporte de passageiros ou de carga; VI – utilizando veículo em que tenham sido adulterados equipamentos ou características que afetem a sua segurança ou o seu funcionamento de acordo com os limites de velocidade prescritos nas especificações do fabricante; VII – sobre faixa de trânsito temporária ou permanentemente destinada a pedestres. Não incide a agravante, logicamente, se ela constituir causa de aumento de pena, como ocorre, por exemplo, com algumas hipóteses do art. 302, § 1º.

Forma da prestação de serviços à comunidade

O CTB, a par de criar outras formas de pena, mantém o sistema adotado no Código Penal. Assim, nada obsta que a pena privativa de liberdade seja substituída por restritiva de direitos, desde que atendidos os requisitos da substituição previstas no art. 44 do CP. Todavia, como forma de promover uma conscientização aos motoristas autores de crimes, reforçando o caráter preventivo da sanção penal, a lei determina que, havendo pena de prestação de serviços à comunidade, esta seja cumprida em locais destinadas ao auxílio às vítimas de eventos de trânsito.

Com efeito, o art. 312-A estabelece que, nas situações em que o juiz aplicar a substituição de pena privativa de liberdade por pena restritiva de direitos, esta deverá ser de prestação de serviço à comunidade ou a entidades públicas, em uma das seguintes atividades: I – trabalho, aos fins de semana, em equipes de resgate dos corpos de bombeiros e em outras unidades móveis especializadas no atendimento a vítimas de trânsito; II – trabalho em unidades de pronto-socorro de hospitais da rede pública que recebem vítimas de acidente de trânsito e politraumatizados; III – trabalho em clínicas ou instituições especializadas na recuperação de acidentados de trânsito; IV – outras atividades relacionadas ao resgate, atendimento e recuperação de vítimas de acidentes de trânsito.

Prisão em flagrante

Dispõe o CTB que não se imporá a prisão em flagrante, nem se exigirá fiança, nos casos de acidentes de trânsito de que resulte vítima, se o condutor de veículo prestar pronto e integral socorro àquela. A expressão acidente é totalmente equivocada, embora consagrada no uso corrente, já que não se punem condutas acidentais, desprovidas de dolo ou culpa. De qualquer sorte, a norma pretende estimular os condutores a prestarem socorro em caso de colisões e atropelamentos com vítimas, devendo o socorro ser pronto e integral.

Crimes em espécie
Homicídio culposo
Consiste em *praticar homicídio culposo na direção de veículo automotor* (art. 302). Trata-se, portanto, de norma especial, afastando a incidência do art. 121, § 3º, do Código Penal (princípio da especialidade). A única diferença em relação ao crime de homicídio culposo previsto no Código Penal é o meio de

execução, já que se utiliza, especificamente, o veículo automotor, causando o resultado por negligência, imprudência ou imperícia.

O crime é punido com detenção, de 2 a 4 anos, e suspensão ou proibição de se obter a permissão ou a habilitação para dirigir veículo automotor, sendo a pena aumentada de 1/3 a metade, se o agente:

I. não possuir Permissão para Dirigir ou Carteira de Habilitação;
II. praticá-lo em faixa de pedestres ou na calçada;
III. deixar de prestar socorro, quando possível fazê-lo sem risco pessoal, à vítima do acidente.

A palavra "acidente" está mal empregada, já que se trata de crime culposo e não de um fato acidental. Não incide esta majorante caso o socorro seja inútil, como no caso de vítima morta, ou quando o agente foge para evitar linchamento.

IV. no exercício de sua profissão ou atividade, estiver conduzindo veículo de transporte de passageiros.

O § 3º prevê o homicídio culposo qualificado, punido com pena de 5 a 8 anos, e suspensão ou proibição do direito de se obter a permissão ou a habilitação para dirigir veículo automotor, se o agente conduz veículo automotor sob a influência de álcool ou de qualquer outra substância psicoativa que determine dependência.

Embora sem previsão legal, é amplamente aceito o perdão judicial por aplicação de analogia *in bonan partem* do art. 121, § 5º, do CP. A matéria constava no texto original da lei, mas foi vetada, justamente, em face da previsão no Código Penal.

Lesão corporal culposa

A lesão corporal culposa está prevista no art. 303. Praticar lesão corporal culposa na direção de veículo automotor. Da mesma forma como no homicídio, fica afastado o Código Penal, ante o princípio da especialidade. As penas são detenção, de 6 meses a 2 anos, e suspensão ou proibição de se obter a permissão ou a habilitação para dirigir veículo automotor, aumentando-se a pena de 1/3 a metade nas mesmas hipóteses do art. 302, § 1º. O § 2º prevê a forma qualificada, punida com reclusão de 2 a 5 anos, sem prejuízo das outras penas previstas neste artigo, se o agente conduz o veículo com capacidade psicomotora alterada em razão da influência de álcool ou de outra substância psicoativa que determine dependência, e se do crime resultar lesão corporal de natureza grave ou gravíssima. Também se admite o perdão judicial por analogia benéfica com o art. 129, § 5º, do CP, que prevê o benefício para a lesão corporal culposa em geral.

Omissão de socorro

O art. 304 prevê o crime autônomo de omissão de socorro, que consiste em deixar o condutor do veículo, na ocasião do acidente, de prestar imediato socorro à vítima, ou, não podendo fazê-lo diretamente, por justa causa, deixar de solicitar auxílio da autoridade pública.

A objetividade jurídica é a proteção da vida e da saúde. O sujeito ativo é o motorista que age sem culpa (crime próprio), uma vez que a lei usa a expressão "acidente", pois, se o fato for culposo, irá se configurar o crime de homicídio culposo ou lesão corporal culposa com a majorante da omissão. Aliás, a palavra acidente, usada no tipo penal, é totalmente inadequada, uma vez que os eventos de trânsito raramente são acidentais, pois normalmente ocorrem por imprudência ou dolo dos condutores, inclusive das próprias vítimas. Portanto, configura-se o crime de omissão do socorro mesmo quando não se tratar de acidente, podendo, por exemplo, ter sido causado por culpa da própria vítima, que não perde, por isso, o direito de ser socorrida.

O sujeito passivo é a vítima do acidente. O tipo objetivo é a omissão de socorro, salvo se não for possível fazê-lo ou, por justa causa, deixar de solicitar auxílio à autoridade pública. A lei prevê, portanto, o elemento normativo justa causa, de modo que, se houver motivo justo, como risco de linchamento, não se configura o crime. O parágrafo único prevê a ocorrência do crime mesmo quando esta é inútil, estando a vítima morta ou já socorrida por terceiro. Não podemos concordar com o parágrafo, o qual fere o princípio da ofensividade. Caso a vítima, consciente e lúcida, se recuse a receber socorro, não incorre o agente no tipo penal. O tipo subjetivo é o dolo de omitir socorro. A pena é de detenção, de 6 meses a 1 ano, ou multa, se o fato não constituir elemento de crime mais grave. Consuma-se o crime com a omissão. Por se tratar de crime omissivo próprio, de mera conduta, não se admite tentativa.

Devem-se distinguir as formas de omissão de socorro que podem surgir diante de um evento de trânsito:

Motorista que agiu com culpa se omite	A omissão é majorante do art. 302 ou 303 do CTB.
Motorista que agiu sem culpa (fato acidental) se omite	A omissão é crime previsto no art. 304 do CTB.
Pessoa que não estava conduzindo o veículo se omite	A omissão é prevista no art. 135 do Código Penal.

Abandono de local

O art. 305 prevê crime semelhante ao anterior, que consiste em afastar-se o condutor do veículo do local do acidente, para fugir à responsabilidade penal ou civil que lhe possa ser atribuída. Novamente estamos falando em situação em que o condutor não age com culpa, diante da expressão "acidente". Caso tenha agido culposamente, haverá homicídio culposo ou lesão corporal culposa, com a majorante do art. 302, inc. III. Aliás, a palavra acidente é totalmente inadequada, uma vez que os eventos de trânsito raramente são acidentais, pois normalmente ocorrem por imprudência ou dolo dos condutores, inclusive das próprias vítimas.

O crime é doloso, mas se exige um elemento subjetivo especial, que é o fim de fugir à responsabilidade penal ou civil. Caso o objetivo seja outro, como evitar linchamento, por exemplo, o crime não se configura. O sujeito passivo do crime é o Estado e, secundariamente, a vítima do acidente. Consuma-se o crime com a fuga, independentemente de qualquer resultado posterior (crime formal). Admite-se a tentativa, por exemplo, quando o motorista tenta empreender fuga, mas é detido por outras pessoas.

Em repercussão geral julgada no Recurso Extraordinário 971.959/RS,[18] interposto pelo Ministério Público do Rio Grande do Sul, o Plenário do Supremo Tribunal Federal considerou que "a regra que prevê o crime do art. 305 do Código de Trânsito Brasileiro é constitucional, posto não infirmar o princípio da não autoincriminação, garantido o direito ao silêncio e ressalvadas as hipóteses de exclusão da tipicidade e da antijuridicidade", isto é, o condutor, após sua identificação pela autoridade de trânsito, pode optar por permanecer silente e não prestar informações. Além disso, não há crime se a fuga ocorre em situação atípica, como no caso de culpa exclusiva da vítima do evento, ou de excludente da ilicitude, como a fuga realizada em situação de estado de necessidade.

Embriaguez ao volante

O tipo penal da embriaguez ao volante é o seguinte:

> Art. 306. Conduzir veículo automotor com capacidade psicomotora alterada em razão da influência de álcool ou de outra substância psicoativa que determine dependência:
> Penas – detenção, de 6 meses a 3 anos, multa e suspensão ou proibição de se obter a permissão ou a habilitação para dirigir veículo automotor.

Objetividade jurídica: o tipo tutela a incolumidade pública. O sujeito ativo é qualquer pessoa e o sujeito passivo é a coletividade. O tipo objetivo é conduzir com capacidade psicomotora alterada em razão da influência de álcool ou de outra substância psicoativa que determine dependência, não se exigindo embriaguez. Trata-se de crime de perigo abstrato, isto é, não há necessidade de haver perigo efetivo e real, pois se presume o perigo. O sujeito ativo é o motorista e sujeito passivo é a coletividade. O tipo é doloso, não admitindo forma culposa.

A lei estabelece as formas de comprovação da influência do álcool ou outra substância, o que pode ser demonstrado tanto pela concentração igual

---

18. RE 971.959/RS, Rel. Min. Luiz Fux, julgado em 05/08/2016.

ou superior a 6 decigramas de álcool por litro de sangue ou igual ou superior a 0,3 miligrama de álcool por litro de ar alveolar ou por sinais que indiquem, na forma disciplinada pelo Contran, alteração da capacidade psicomotora (§ 1º). Esta poderá ser obtida mediante teste de alcoolemia ou toxicológico, exame clínico, perícia, vídeo, prova testemunhal ou outros meios de prova em direito admitidos, observado o direito à contraprova (§ 2º), devendo o Contran dispor sobre a equivalência entre os distintos testes de alcoolemia ou toxicológicos para efeito de caracterização do crime tipificado neste artigo (§ 3º).

A Resolução n. 413/2013 do CONTRAN estabelece os procedimentos adotados pelos agentes de trânsito para constatação do consumo de álcool ou outra substância.

Dúvida surge sobre a obrigatoriedade do motorista de submeter-se ao exame de ar alveolar, conhecido como "bafômetro". O art. 277, § 3º, do CTB, prevê a aplicação de penalidade administrativa ao motorista que se recusa a fazer teste, exame clínico, perícia ou outro procedimento que, por meios técnicos ou científicos, na forma disciplinada pelo Contran, permita certificar influência de álcool ou outra substância psicoativa que determine dependência. Segundo ANDREUCCI,[19] trata-se de dispositivo inconstitucional, diante do princípio da vedação à autoincriminação (*nemo teneter se detegere*), segundo o qual ninguém está obrigado a produzir prova contra si mesmo, consagrado na Convenção Americana de Direitos Humanos, art. 8º, II, g. Nesse sentido, decidiu o STJ no HC 166.377/SP.

Segundo o STF, além da prova técnica (exame de dosagem alcoólica), existem outras capazes de demonstrar a embriaguez do paciente, como o depoimento dos policiais que atenderam a ocorrência, o depoimento da vítima e a própria confissão do acusado.[20]

Discute-se acerca da espécie de perigo existente na conduta de "*conduzir veículo automotor com capacidade psicomotora alterada em razão da influência de álcool ou de outra substância psicoativa que determine dependência*". Parte da

---

19. ANDREUCCI, Ricardo Antonio. *Legislação penal especial*. 14. ed. São Paulo: Saraiva Educação, 2019. p. 80.

20. *Habeas corpus* 125.507, Min. Gilmar Mendez, Segunda Turma, julgado em 10/05/2016.

doutrina argumenta tratar-se de uma nova classificação: "perigo abstrato de perigosidade real". Nesta espécie, deve-se demonstrar que a conduta é perigosa, embora não gere perigo para pessoa certa e determinada. Tal construção, em nosso sentir, é desnecessária, pois qualquer exigência de comprovação acaba por afastar a presunção do tipo e, dessarte, impede falar-se em crime de perigo abstrato. Tratando de espécie semelhante proposta por Schröder como "delito de perigo abstrato-concreto", ROXIN afirma que o fato de as atitudes do agente serem determinadas por interpretação judicial não altera o fato de que se trata de crime de perigo abstrato.[21] Inclusive, para o grande penalista, é preciso afirmar a punibilidade mesmo que na situação esteja totalmente excluído o perigo (exemplo: zona desabitada), pois esta se deve a razões preventivas ("didáticas").[22]

Violação da suspensão ou proibição de se obter permissão ou habilitação para dirigir veículo automotor

O crime previsto no art. 307 *consiste em violar a suspensão ou a proibição de se obter a permissão ou a habilitação para dirigir veículo automotor imposta com fundamento neste Código.* Tutela-se a Administração Pública. O sujeito ativo é somente a pessoa que sofre a proibição ou a suspensão do direito de dirigir (crime próprio). O sujeito passivo é o Estado. O tipo objetivo é violar a suspensão ou a proibição, que consiste em descumprir a determinação de não conduzir veículo automotor após uma suspensão ou proibição. Se o fato ocorre antes de o agente ter a permissão, mas sem nunca ter esse direito proibido ou suspenso, o crime será o do art. 309. O tipo subjetivo é o dolo. Trata-se de crime de mera conduta, que se consuma com o ato de dirigir sem a habilitação, não admitindo tentativa. Conforme decidiu o STJ, o tipo penal do art. 307 do CTB pressupõe o descumprimento da decisão judicial, sendo atípica a conduta que viola restrição imposta com base em decisão administrativa.[23]

---

21. ROXIN, Claus. *Derecho penal:* parte general. T. 1. Madri: Editorial Civitas, 1999. p. 411
22. Op. cit., p. 410.
23. *Habeas corpus* 427.472-SP. Rel. Min. Maria Thereza de Assis Moura, Sexta Turma, julgado em 23/08/2018.

As penas são de detenção, de 6 meses a 1 ano, e multa, com nova imposição adicional de idêntico prazo de suspensão ou de proibição. Nas mesmas penas incorre o condenado que deixa de entregar a Permissão para Dirigir ou a Carteira de Habilitação no prazo previsto em lei, que é de 48 horas, contados da intimação, depois do trânsito em julgado da sentença condenatória (art. 307, parágrafo único).

Participação em racha

A participação em racha, nos termos do art. 308, *consiste em participar, na direção de veículo automotor, em via pública, de corrida, disputa ou competição automobilística ou ainda de exibição ou demonstração de perícia em manobra de veículo automotor, não autorizada pela autoridade competente, gerando situação de risco à incolumidade pública ou privada.* Tutela-se a incolumidade pública. O sujeito ativo é qualquer pessoa; o sujeito passivo é a coletividade. A conduta é participar, isto é, tomar parte de racha em via pública, o que inclui as ruas de condomínios particulares, que pertencem ao Poder Público, nos termos da Lei n. 6.766/79. O elemento normativo do tipo é a falta de autorização da autoridade competente, nos termos do art. 67 do Código de Trânsito. O elemento subjetivo é o dolo. Consuma-se o crime com a participação no racha, desde que haja risco efetivo, pois trata-se de crime de perigo concreto, que depende de comprovação. Na medida em que o artigo refere, além da incolumidade pública, também a incolumidade privada, o crime se configura ainda que realizado em lugar ermo e longe de circunstantes, já que as pessoas que praticam o racha estão automaticamente em risco. As penas são de detenção, de 6 meses a 3 anos, multa e suspensão ou proibição de se obter a permissão ou a habilitação para dirigir veículo automotor.

Lesão grave e morte

Se a corrida, disputa ou competição automobilística causar lesão corporal de natureza grave, e as circunstâncias demonstrarem que o agente não quis o resultado nem assumiu o risco de produzi-lo, a pena privativa de liberdade é de reclusão, de 3 a 6 anos (§ 1º). Se ocorrer morte, a pena privativa de liberdade é de reclusão, de 5 a 10 anos (§ 2º), sem prejuízo das outras penas previstas neste artigo. Embora alguns autores tratem os parágrafos como formas qualificadas do racha, na verdade, trata-se de crimes autônomos, uma vez que a lei menciona que as penas de lesão e de morte serão aplicadas "sem prejuízo das outras penas previstas neste artigo". Caso haja dolo direto ou eventual em relação às lesões ou à morte, os crimes serão de lesões corporais ou homicídio do Código Penal.

Direção sem habilitação

Segundo o art. 309: *dirigir veículo automotor, em via pública, sem a devida Permissão para Dirigir ou Habilitação ou, ainda, se cassado o direito de dirigir, gerando perigo de dano: Penas – detenção, de 6 meses a 1 ano, ou multa*. Esse crime revogou o art. 32 da Lei das Contravenções Penais. Tutela-se a incolumidade pública. O sujeito ativo é qualquer pessoa e o sujeito passivo é a coletividade. O tipo objetivo consiste em "dirigir", isto é, estar ao volante do veículo, em via pública. Portanto, não se configura o crime se o fato ocorre num estacionamento particular ou vias de uma propriedade privada. O elemento subjetivo é o dolo. Consuma-se o crime com a condução do veículo sem habilitação, desde que haja perigo de dano, uma vez que se trata de crime de perigo concreto. Trata-se de crime de mera conduta, não admitindo tentativa.

Tráfego em velocidade incompatível com a segurança

Nos termos do art. 311, constitui crime *trafegar em velocidade incompatível com a segurança nas proximidades de escolas, hospitais, estações de embarque e desembarque de passageiros, logradouros estreitos, ou onde haja grande movimentação ou concentração de pessoas, gerando perigo de dano. A pena é de detenção, de 6 meses a 1 ano, ou multa*. Tutela-se a incolumidade pública, sendo sujeito ativo qualquer pessoa e sujeito passivo a coletividade. A conduta não se resume à alta velocidade, devendo produzir risco concreto a outras pessoas nas proximidades de lugares de fluxo enumerados no tipo. O crime é de perigo concreto, devendo ser comprovado. O crime é de mera conduta, não admitindo tentativa.

Fraude processual

Este crime consiste em alterar as condições do lugar do evento de trânsito com vítima ou de qualquer objeto ou pessoa, com o propósito de afastar ou diminuir a responsabilidade do condutor. O crime consiste em *inovar artificiosamente, em caso de acidente automobilístico com vítima, na pendência do respectivo procedimento policial preparatório, inquérito policial ou processo penal, o estado de lugar, de coisa ou de pessoa, a fim de induzir a erro o agente policial, o perito, ou juiz* (art. 312). A pena é de detenção, de 6 meses a 1 ano, ou multa. Tutela-se a administração da justiça. O sujeito ativo é qualquer pessoa e o sujeito passivo é o Estado. A conduta é a inovação em relação ao lugar, aos objetos e pessoas no local do "acidente automobilístico com vítima". Trata-se de vítima de homicídio ou de lesões corporais, não se configurando o crime diante de dano patrimonial, apenas. O tipo subjetivo é o dolo, exigindo-se finalidade especial de induzir a erro a autoridade policial, peritos ou juiz. O crime é formal, consumando-se com a simples inovação, independentemente de eventual engano. Admite-se a tentativa.

Segundo o parágrafo único, o crime ocorre ainda que a inovação seja praticada antes de iniciar o procedimento preparatório, o inquérito ou o processo aos quais se refere. Exemplos: logo após a colisão em um cruzamento, o condutor responsável retira a placa de "pare" para poder alegar ausência de culpa por falta de sinalização; arrastar o corpo da vítima para lugar diverso do atropelamento, com o propósito de modificar a percepção sobre a dinâmica dos fatos.

21.6 CRIME DE LAVAGEM DE DINHEIRO

Conceito de lavagem de dinheiro

A lavagem de dinheiro, também chamada branqueamento de capitais ou lavagem de ativos, consiste em um processo destinado a ocultar a origem delituosa dos bens para, posteriormente, fazê-los ingressar no sistema econômico legal com aparência de licitude. A expressão "lavagem de dinheiro" origina-se da prática dos mafiosos americanos de utilizarem o dinheiro obtido ilicitamente para abrir lavanderias que funcionavam dentro da legalidade e ocultavam a origem ilícita do dinheiro.

Fases da lavagem de dinheiro

O processo de lavagem de dinheiro acontece em três etapas: 1ª) colocação (*placement*), que consiste na separação física entre ativos e criminosos, utilizando mecanismos de conversão em moeda estrangeira, remessa ao exterior, aplicação no mercado etc.; 2ª) ocultação (*layering*), que visa a conferir uma nova origem ao dinheiro, com aparência de licitude, mediante a distribuição dos ativos em redes de contas, transferências múltiplas, uso de laranjas etc.; 3º) integração (*integration*) consiste no emprego dos ativos no mercado regular por meio da participação em negócios lícitos, aquisição de bens e outros subterfúgios. Essas etapas não são necessariamente independentes, mas superpostas, devendo ocorrer inclusive simultaneamente, por exemplo: o dinheiro de um esquema de corrupção é usado para remunerar investidores em uma franquia fictícia, os quais são orientados a contratar serviços também fictícios em uma empresa de segurança legalmente estabelecida, mas que atende exclusivamente os integrantes desse esquema.

Legislação de lavagem de dinheiro

O combate à lavagem de dinheiro foi discutido, pela primeira vez, na Convenção das Nações Unidas contra o tráfico ilícito de entorpecentes e de substâncias psicotrópicas (Convenção de Viena), em 19 de dezembro de 1998, a qual foi ratificada pelo Brasil pelo Decreto n. 154/91. Em nível mundial, as primeiras leis acerca do tema após a Convenção vinculavam a lavagem de dinheiro ao crime antecedente de tráfico de drogas.

No Brasil, a Lei n. 9.613, de 3 de março de 1998, regulamentou os crimes de "lavagem" ou ocultação de bens, direitos e valores; a prevenção da utilização do sistema financeiro para os ilícitos; criou o Conselho de Controle de Atividades Financeiras – COAF, e deu outras providências, caracterizando-se como uma lei de segunda geração, pois arrolou, de forma expressa e através de uma lista fechada, os crimes antecedentes.

Com a Lei n. 12.683/2012, o Brasil adotou uma norma de terceira geração, pois o texto afastou a lista de crimes antecedentes e, por conseguinte, qualquer infração penal pode ser antecedente da LD.

Crime de lavagem de dinheiro

A tipificação penal do crime de lavagem se encontra no art. 1º da Lei n. 9.613/98, alterada pela Lei n. 12.683/2012: "*Art. 1º Ocultar ou dissimular a natureza, origem, localização, disposição, movimentação ou propriedade de bens, direitos ou valores provenientes, direta ou indiretamente, de infração penal*".

Segundo os §§ 1º e 2º, também pratica o crime quem, para ocultar ou dissimular a utilização de bens, direitos ou valores ilícitos:

- os converte em ativos lícitos;
- os adquire, recebe, troca, negocia, dá ou recebe em garantia, guarda;
- tem em depósito, movimenta ou transfere, importa ou exporta bens com valores não correspondentes aos verdadeiros;
- utiliza, na atividade econômica ou financeira, bens, direitos ou valores provenientes de infração penal;
- participa de grupo, associação ou escritório tendo conhecimento de que sua atividade principal ou secundária é dirigida à prática dos fatos definidos como lavagem de dinheiro.

Trata-se de crime pluriofensivo, violando a ordem socioeconômica e o bem jurídico protegido no crime antecedente. O sujeito passivo é qualquer pessoa e o sujeito ativo é o Estado e, secundariamente, a pessoa lesada pelo crime. O elemento subjetivo é o dolo, não se admitindo a forma culposa. Para configuração do dolo eventual, a jurisprudência utiliza a teoria da cegueira deliberada. Consuma-se o crime com a prática de qualquer das condutas descritas, independentemente de ter ou não êxito na lavagem (crime formal). A tentativa é expressamente admitida (§ 3º). A pena é de reclusão, de 3 a 10 anos, e multa, podendo ser aumentada de 1/3 a 2/3, se a lavagem de dinheiro for cometida de forma reiterada ou por intermédio de organização criminosa (§ 4º).

Delação premiada

A pena poderá ser reduzida de 1/3 a 2/3 e ser cumprida em regime aberto ou semiaberto, facultando-se ao juiz deixar de aplicá-la ou substituí-la, a qualquer tempo, por pena restritiva de direitos, se o autor, coautor ou partícipe colaborar espontaneamente com as autoridades, prestando esclarecimentos que conduzam à apuração das infrações penais, à identificação dos autores, coautores e partícipes, ou à localização dos bens, direitos ou valores objeto do crime (§ 5º).

21.7 CRIMES DO ESTATUTO DO DESARMAMENTO

Aspectos gerais

Com o objetivo de conter o avanço da violência praticada com armas de fogo, a Lei n. 10.826/2003 prevê crimes relacionados à posse e ao porte ilegal de armas. A lei cria o Sistema Nacional de Armas, instituído no Ministério da Justiça, no âmbito da Polícia Federal, competente para a identificação e o cadastro de identificar e cadastrar armas, proprietários e atividades relacionadas às armas de fogo no Brasil. A lei ainda regula o registro e o porte de armas de fogo, além de tipificar os crimes e as respectivas penas.

Os crimes do estatuto do desarmamento têm como objetividade jurídica a tutela da incolumidade pública. São crimes de perigo abstrato, isto é, dispensam a comprovação do perigo.

Armas de uso permitido, restrito e proibido

A Lei n. 10.826 faz uma distinção entre armas de uso permitido, armas de uso restrito e armas de uso proibido. *Armas de fogo de uso permitido* são aquelas cuja utilização é autorizada a pessoas físicas, bem como a pessoas jurídicas, de acordo com as normas do Comando do Exército e nas condições previstas na Lei n. 10.826/2003. *Armas de fogo de uso restrito* são aquelas de uso exclusivo das Forças Armadas, de instituições de segurança pública e de pessoas físicas e jurídicas habilitadas, devidamente autorizadas pelo Comando do Exército, de acordo com legislação específica. *Armas de fogo de uso proibido* são as armas de fogo dissimuladas, com aparência de objetos inofensivos e as classificadas como de uso proibido em acordos e tratados internacionais. A especificação técnica de armas de uso restrito é feita no Decreto n. 9.847/19, alterado pelo Decreto n.

10.630/2021, que regulamenta também as munições proibidas, restritas e permitidas.

Posse irregular de arma de fogo de uso permitido

O crime de posse está previsto no art. 12, nos seguintes termos: *possuir ou manter sob sua guarda arma de fogo, acessório ou munição, de uso permitido, em desacordo com determinação legal ou regulamentar, no interior de sua residência ou dependência desta, ou, ainda no seu local de trabalho, desde que seja o titular ou o responsável legal do estabelecimento ou empresa: Pena – detenção, de 1 a 3 anos, e multa.*

A objetividade jurídica é a incolumidade pública. O sujeito ativo do crime é qualquer pessoa (crime comum). O sujeito passivo é a coletividade, pois trata-se de crime de perigo abstrato. Consoante decidiu o STJ, a expiração do curso de prazo para regularização do registro da arma constitui mera irregularidade administrativa.[24]

Omissão de cautela

Constitui crime, punido com detenção, de 1 a 2 anos, e multa, nos termos do art. 13, *deixar de observar as cautelas necessárias para impedir que menor de 18 anos ou pessoa portadora de deficiência mental se apodere de arma de fogo que esteja sob sua posse ou que seja de sua propriedade*. Segundo o parágrafo único, nas mesmas penas incorrem o proprietário ou diretor responsável de empresa de segurança e transporte de valores que deixarem de registrar ocorrência policial e de comunicar à Polícia Federal perda, furto, roubo ou outras formas de extravio de arma de fogo, acessório ou munição que estejam sob sua guarda, nas primeiras 24 horas depois de ocorrido o fato. Trata-se de crime omissivo próprio.

A lei deveria ter usado a fórmula *deixar ao alcance de menor de 18 anos ou pessoa portadora de deficiência mental arma de fogo que esteja sob sua posse ou que seja de sua propriedade*. Ao adotar a expressão *deixar de observar as cautelas* o legislador criou enorme confusão, dando a entender que se trata de crime

---

24. HC 587.834/SP, Rel. Min. Ribeiro Dantas, Quinta Turma, julgado em 18/08/2020, DJe 24/08/2020.

culposo, o que não pode ser, por se tratar de crime de perigo, em que o agente deve ter o dolo de causar perigo e não culpa.

Discordamos da orientação de que se trata de crime culposo, uma vez que a expressão omissão de cautela não foi usada no sentido de negligência, pois existe dolo do agente em realizar a omissão, isto é, o agente age deliberadamente, deixando a arma acessível.

Não teria sentido deixar de punir o agente que deliberadamente deixa a arma ao alcance do menor, por falta de previsão legal, para só punir em caso de negligência. Da mesma forma, em relação ao parágrafo, seria absurdo punir o profissional que, por descuido, deixa de registrar a perda, o furto ou o roubo de uma arma, e não punir o profissional que, por dolo, isto é, agindo de forma deliberada, deixa de registrar o fato.

Note que se o agente vender, fornecer ainda que gratuitamente ou entregar, de qualquer forma, a criança ou adolescente arma, munição ou explosivo, incorrerá no crime previsto no art. 242 da Lei n. 8.069/90, punido com pena de reclusão, de 3 a 6 anos.

Porte ilegal de arma de fogo de uso permitido

Além de incriminar a simples posse de arma de fogo, a lei também incrimina as condutas relacionadas à circulação de armas. Assim, segundo o art. 14, constitui crime portar, deter, adquirir, fornecer, receber, ter em depósito, transportar, ceder, ainda que gratuitamente, emprestar, remeter, empregar, manter sob guarda ou ocultar arma de fogo, acessório ou munição, de uso permitido, sem autorização e em desacordo com determinação legal ou regulamentar: a pena é de reclusão, de 2 a 4 anos, e multa. Trata-se de crime de mera conduta, de conteúdo variado, que se consuma com a prática de uma ou mais condutas previstas no tipo penal (tipo misto alternativo), não se admitindo a tentativa. O STF, na Adin 3.112-1, considerou inconstitucional o parágrafo único, que previa a inafiançabilidade do crime.

Disparo de arma de fogo

O art. 15 prevê o crime de disparo de arma de fogo, que consiste em disparar arma de fogo ou acionar munição em lugar habitado ou em suas adjacências, em via pública ou em direção a ela, desde que essa conduta não tenha como finalidade a prática de outro crime. A pena é de reclusão, de 2 a 4 anos, sendo que a lei consagra subsidiariedade expressa desse crime, o qual ficará absorvido por eventual homicídio, lesão corporal, roubo etc. Por outro lado, esse crime é especial em relação ao do art. 132 do Código Penal (perigo para a vida ou a saúde de outrem). O STF, na Adin 3.112-1, considerou inconstitucional o parágrafo único, que previa a inafiançabilidade do crime.

Posse ou porte ilegal de arma de fogo de uso restrito

O art. 16 equipara as condutas relacionadas à posse e ao porte, mediante o seguinte tipo penal: *possuir, deter, portar, adquirir, fornecer, receber, ter em depósito, transportar, ceder, ainda que gratuitamente, emprestar, remeter, empregar, manter sob sua guarda ou ocultar arma de fogo, acessório ou munição de uso restrito, sem autorização e em desacordo com determinação legal ou regulamentar.*

Trata-se de tipo misto alternativo, consumando-se o crime com qualquer das condutas descritas no tipo. Por se tratar de crime de mera conduta, não se admite a forma tentada.

Segundo o § 1º, incluído pela Lei n. 13.964/2019, também pratica o crime quem:

I. suprimir ou alterar marca, numeração ou qualquer sinal de identificação de arma de fogo ou artefato;

II. modificar as características de arma de fogo, de forma a torná-la equivalente a arma de fogo de uso proibido ou restrito ou para fins de dificultar ou de qualquer modo induzir a erro autoridade policial, perito ou juiz;

III. possuir, detiver, fabricar ou empregar artefato explosivo ou incendiário, sem autorização ou em desacordo com determinação legal ou regulamentar;

IV. portar, possuir, adquirir, transportar ou fornecer arma de fogo com numeração, marca ou qualquer outro sinal de identificação raspado, suprimido ou adulterado;

V. vender, entregar ou fornecer, ainda que gratuitamente, arma de fogo, acessório, munição ou explosivo a criança ou adolescente; e

VI. produzir, recarregar ou reciclar, sem autorização legal, ou adulterar, de qualquer forma, munição ou explosivo.

A pena é de reclusão, de 3 a 6 anos, e multa. Mas, se as condutas envolverem arma de fogo de uso proibido, a pena é de reclusão, de 4 a 12 anos (§ 2º). A posse ou porte de arma de uso restrito é crime hediondo, nos termos do art. 1º, parágrafo único, da Lei n. 8.072, com alteração da Lei n. 13.964.

Comércio ilegal de arma de fogo

O crime de comércio ilegal de arma de fogo consiste em adquirir, alugar, receber, transportar, conduzir, ocultar, ter em depósito, desmontar, montar, remontar, adulterar, vender, expor à venda, ou de qualquer forma utilizar, em proveito próprio ou alheio, no exercício de atividade comercial ou industrial, arma de fogo, acessório ou munição, sem autorização ou em desacordo com determinação legal ou regulamentar (art. 17). Trata-se de crime de ação múltipla e qualquer dos verbos do tipo penal consuma o crime (tipo misto alternativo). Equipara-se à atividade comercial ou industrial, para efeito deste artigo, qualquer forma de prestação de serviços, fabricação ou comércio irregular ou clandestino, inclusive o exercido em residência (§ 1º). Também pratica o crime quem vende ou entrega arma de fogo, acessório ou munição, sem autorização ou em desacordo com a determinação legal ou regulamentar, a agente policial disfarçado, quando presentes elementos probatórios razoáveis de conduta criminal preexistente (§ 2º). A pena é de 6 a 12 anos de reclusão e multa. O crime é hediondo, nos termos do art. 1º, parágrafo único, da Lei n. 8.072, com alteração da Lei n. 13.964.

Tráfico internacional de arma de fogo

O art. 18 tipifica o crime mais grave do Estatuto do Desarmamento, punido com pena de reclusão, de 8 a 16 anos, e multa: importar, exportar, favorecer a entrada ou saída do território nacional, a qualquer título, de arma de fogo, acessório ou munição, sem autorização da autoridade competente.

Incorre na mesma pena quem vende ou entrega arma de fogo, acessório ou munição, em operação de importação, sem autorização da autoridade competente, a agente policial disfarçado, quando presentes elementos probatórios razoáveis de conduta criminal preexistente. O crime é hediondo, nos termos do art. 1º, parágrafo único, da Lei n. 8.072, com alteração da Lei n. 13.964.

Causas de aumento de pena

Nos crimes de comércio ilegal de arma de fogo e tráfico internacional de arma de fogo, a pena é aumentada da metade se a arma de fogo, acessório ou munição forem de uso proibido ou restrito (art. 19).

A Lei n. 13.964, conhecida como "Pacote Anticrime", estabeleceu que, nos crimes previstos nos arts. 14, 15, 16, 17 e 18, a pena é aumentada da metade se forem praticados por integrante dos órgãos e empresas referidas nos arts. 6º, 7º e 8º ou se o agente for reincidente específico em crimes dessa natureza. No caso de reincidente específico, a reincidência não poderá ser utilizada também como agravante, sob pena de *bis in idem*.

Teses do Superior Tribunal de Justiça sobre o Estatuto do Desarmamento

Na edição 108 de sua Jurisprudência em Teses, o STJ consolidou os seguintes entendimentos:

1. O simples fato de possuir ou portar munição caracteriza os delitos previstos nos arts. 12, 14 e 16 da Lei n. 10.826/2003, por se tratar de crime de perigo abstrato e de mera conduta, sendo prescindível a demonstração de lesão ou de perigo concreto ao bem jurídico tutelado, que é a incolumidade pública.
2. A apreensão de ínfima quantidade de munição desacompanhada de arma de fogo, excepcionalmente, a depender da análise do caso concreto, pode levar ao reconhecimento de atipicidade da conduta, diante da ausência de exposição de risco ao bem jurídico tutelado pela norma.

3. Demonstrada por laudo pericial a inaptidão da arma de fogo para o disparo, é atípica a conduta de portar ou de possuir arma de fogo, diante da ausência de afetação do bem jurídico, incolumidade pública, tratando-se de crime impossível pela ineficácia absoluta do meio.
4. A conduta de possuir, portar, adquirir, transportar ou fornecer arma de fogo, seja de uso permitido, restrito ou proibido, com numeração, marca ou qualquer outro sinal de identificação raspado, suprimido ou adulterado, implica a condenação pelo crime estabelecido no art. 16, parágrafo único, IV, do Estatuto do Desarmamento.
5. O crime de comércio ilegal de arma de fogo, acessório ou munição (art. 17 da Lei n. 10.826/2003) é delito de tipo misto alternativo e de perigo abstrato, bastando para sua caracterização a prática de um dos núcleos do tipo penal, sendo prescindível a demonstração de lesão ou de perigo concreto ao bem jurídico tutelado, que é a incolumidade pública.
6. O delito de comércio ilegal de arma de fogo, acessório ou munição, tipificado no art. 17, *caput* e parágrafo único, da Lei de Armas, nunca foi abrangido pela *abolitio criminis* temporária prevista nos arts. 5º, § 3º, e 30 da Lei de Armas ou nos diplomas legais que prorrogaram os prazos previstos nos referidos dispositivos.
7. Compete à Justiça Federal o julgamento do crime de tráfico internacional de arma de fogo, acessório ou munição, em razão do que dispõe o art. 109, inciso V, da Constituição Federal, haja vista que este crime está inserido em tratado internacional de que o Brasil é signatário.
8. O crime de tráfico internacional de arma de fogo, acessório ou munição, tipificado no art. 18 da Lei n. 10.826/2003, é de perigo abstrato ou de mera conduta e visa a proteger a segurança pública e a paz social.
9. Para a configuração do tráfico internacional de arma de fogo, acessório ou munição, não basta apenas a procedência estrangeira do artefato, sendo necessário que se comprove a internacionalidade da ação.
10. É típica a conduta de importar arma de fogo, acessório ou munição sem autorização da autoridade competente, nos termos do art. 18 da

Lei n. 10.826/2003, mesmo que o réu detenha o porte legal da arma, em razão do alto grau de reprovabilidade da conduta.

21.8 TORTURA

Tortura própria

Nos termos da Lei n. 9.455/97, a tortura é o constrangimento exercido com violência ou grave ameaça, causando sofrimento físico e mental da vítima, admitindo diversas formas de cometimento do crime, conforme o tipo penal estabelecido no art. 1º.

a. *tortura probatória:* destina-se a obter informação, declaração ou confissão (art. 1º, I, a);
b. *tortura para fins criminosos:* destina-se a determinar a vítima da tortura a cometer um crime (art. 1º, I, b);
c. *tortura discriminatória:* destina-se a impor sofrimento em razão de raça, cor, religião, gênero, sexualidade etc. (art. 1º, I, b);
d. *tortura para fins de educação:* destina-se a castigar, repreender ou prevenir condutas de pessoa que esteja sob a autoridade ou guarda do agente torturador (art. 1º, II);
e. *tortura de pessoa sob custódia:* consiste em submeter pessoa presa ou sujeita a medida de segurança a sofrimento físico ou mental, por intermédio da prática de ato não previsto em lei ou não resultante de medida legal (§ 1º).

A objetividade jurídica consiste na tutela das garantias fundamentais do cidadão. As letras *a*, *b* e *c*, supra, são crimes bicomuns. As hipóteses descritas nas letras *d* e *e* são crimes bipróprios, exigindo condição especial do sujeito ativo e da vítima. A conduta é constranger, com violência ou grave ameaça, causando sofrimento físico ou mental. O tipo objetivo é o dolo, exigindo-se, em alguns casos, finalidades especiais. Em qualquer das modalidades de tortura própria, a pena é de reclusão, de 2 a 8 anos. É crime material, consumando-se com o constrangimento, mediante violência ou grave ameaça.

Admite-se a tentativa. É mister distinguir a tortura do crime de maus-tratos, perquirindo-se o elemento volitivo. Se o que motivou o agente foi o desejo de corrigir, embora o meio empregado tenha sido desumano e cruel, o crime é de maus-tratos. Se a conduta não tem outro móvel senão o de fazer sofrer, por prazer, ódio ou qualquer outro sentimento vil, então pode ela ser considerada tortura.[25]

Tortura imprópria (tortura por omissão)
Segundo o § 2º, a pessoa que se omite diante da tortura, quando tem o dever de evitá-la ou apurá-la, incorre na pena de detenção, de 1 a 4 anos. Note que, nesse caso, o crime é omissivo próprio, o que constitui, em nosso sentir, péssima opção legislativa, que afastou, diante do princípio da especialidade, a incidência do art. 13, § 2º, a, que determina a responsabilidade por omissão imprópria, da pessoa que tenha por lei obrigação de proteção, cuidado ou vigilância.

Qualificadoras e causas de aumento de pena
O § 3º prevê qualificadoras, com pena de reclusão de 4 a 10 anos se resulta lesão corporal de natureza grave ou gravíssima, e se resulta morte, a reclusão é de 8 a 16 anos.

O § 4º estabelece majorantes, de 1/6 até 1/3, no caso de tortura cometida por agente público, se a vítima criança, gestante, portador de deficiência, adolescente ou maior de 60 anos, ou no caso de crime cometido mediante sequestro.

Tortura praticada por agente público
Embora a prática de tortura seja amiudemente associada à conduta abusiva de agentes públicos, não é necessário que o sujeito ativo seja funcionário público. Em caso de crime praticado por agentes públicos, haverá apenas o aumento de pena previsto no § 4º do art. 1º (1/6 até 1/3), além de perda

---

25. DELMANTO, Celso et al. *Código Penal Comentado*. 9. ed. São Paulo: Saraiva, 2016, p. 492.

do cargo, função ou emprego público e a interdição para seu exercício pelo dobro do prazo da pena aplicada (§ 5º).

Inafiançabilidade e vedação de anistia, graça e indulto
O crime de tortura é inafiançável e insuscetível de graça ou anistia. Conforme entendimento consolidado, a inafiançabilidade não é óbice à concessão de liberdade provisória.

Extraterritorialidade
A Lei n. 9.455/97 prevê hipótese de extraterritorialidade, além daquelas previstas no art. 7º do CP. Com efeito, nos termos do art. 2º, poderá ser aplicada a lei brasileira à tortura praticada no exterior, se a vítima for brasileira ou estando, o agente, em lugar sob jurisdição brasileira. Trata-se de extraterritorialidade incondicionada, uma vez que a lei não submete a incidência da legislação brasileira a nenhuma outra condição.

21.9 ABUSO DE AUTORIDADE

Aspectos gerais
Nos termos da Lei n. 13.869, abuso de autoridade é o crime cometido por agente público, que, no exercício de suas funções ou a pretexto de exercê-las, abuse do poder que lhe tenha sido atribuído, com a finalidade específica de prejudicar outrem ou beneficiar a si mesmo ou a terceiro, ou, ainda, por mero capricho ou satisfação pessoal. Os tipos penais, portanto, são dolosos e com finalidade específica (tendência interna transcendente). Ademais, a lei rechaça o chamado *crime de hermenêutica*, dispondo expressamente que a mera divergência na interpretação (art. 1º, § 2º).

O abuso de autoridade é crime próprio, pois o sujeito ativo está expressamente definido no art. 2º, sendo qualquer autoridade pública mencionada, ainda que em gozo de férias ou licença, desde que a conduta tenha relação com o cargo ocupado. Não comete abuso de autoridade o funcionário aposentado ou demitido. Admitem-se coautoria e participação, podendo particular responder pelo crime, desde que tenha conhecimento da condição pessoal do funcionário público, que, por ser elementar do tipo, comunica-se aos demais (art. 30 do CP). O sujeito passivo é a pessoa que sofre o abuso, assim como o Estado.

O art. 4º prevê os efeitos da condenação. Além da indenização *ex delicto* (efeito automático), há possibilidade, mediante fundamentação expressa, em caso de reincidência específica no crime de abuso de autoridade, de perda ou inabilitação para o exercício de cargo, mandato ou função pública pelo período de 1 a 5 anos. No que se refere aos militares, impõe-se observar as limitações previstas na Constituição (art. 125).

A lei prevê penas restritivas de direito, que podem ser aplicadas de forma autônoma ou cumulativa, em substituição à privativa de liberdade. Além da prestação de serviços à comunidade ou entidades públicas, está prevista a suspensão do exercício do cargo, da função ou do mandato, pelo prazo de 1 a 6 meses, com perda dos vencimentos e das vantagens.

A ação penal é pública incondicionada, admitindo-se expressamente ação penal privada subsidiária (art. 3º). Nos termos do art. 6º, as sanções administrativas são independentes das sanções penais, sendo que a absolvição por legítima defesa ou outra excludente legal faz coisa julgada no âmbito administrativo, bem como no cível.

A tentativa, em tese, é possível em todas as formas comissivas de abuso de autoridade.

Tipos e sanções penais

A lei prevê as seguintes condutas:

- Decretar medida de privação da liberdade em manifesta desconformidade com as hipóteses legais. Pena – detenção, de 1 a 4 anos, e multa. Incorre na mesma pena a autoridade judiciária que, dentro de prazo razoável, deixar de: I – relaxar a prisão manifestamente ilegal; II – substituir a prisão preventiva por medida cautelar diversa ou de conceder liberdade provisória, quando manifestamente cabível; III – deferir liminar ou ordem de *habeas corpus*, quando manifestamente cabível.

- Decretar a condução coercitiva de testemunha ou investigado manifestamente descabida ou sem prévia intimação de comparecimento ao juízo. Pena – detenção, de 1 a 4 anos, e multa.
- Deixar injustificadamente de comunicar prisão em flagrante à autoridade judiciária no prazo legal. Pena – detenção, de 6 meses a 2 anos, e multa. Incorre na mesma pena quem: I – deixa de comunicar, imediatamente, a execução de prisão temporária ou preventiva à autoridade judiciária que a decretou; II – deixa de comunicar, imediatamente, a prisão de qualquer pessoa e o local onde se encontra à sua família ou à pessoa por ela indicada; III – deixa de entregar ao preso, no prazo de 24 horas, a nota de culpa, assinada pela autoridade, com o motivo da prisão e os nomes do condutor e das testemunhas; IV – prolonga a execução de pena privativa de liberdade, de prisão temporária, de prisão preventiva, de medida de segurança ou de internação, deixando, sem motivo justo e excepcionalíssimo, de executar o alvará de soltura imediatamente após recebido ou de promover a soltura do preso quando esgotado o prazo judicial ou legal.
- Constranger o preso ou o detento, mediante violência, grave ameaça ou redução de sua capacidade de resistência, a: I – exibir-se ou ter seu corpo ou parte dele exibido à curiosidade pública; II – submeter-se a situação vexatória ou a constrangimento não autorizado em lei; III – produzir prova contra si mesmo ou contra terceiro: Pena – detenção, de 1 a 4 anos, e multa, sem prejuízo da pena cominada à violência.
- Constranger a depor, sob ameaça de prisão, pessoa que, em razão de função, ministério, ofício ou profissão, deva guardar segredo ou resguardar sigilo. Pena – detenção, de 1 a 4 anos, e multa. Incorre na mesma pena quem prossegue com o interrogatório: I – de pessoa que tenha decidido exercer o direito ao silêncio; ou II – de pessoa que tenha optado por ser assistida por advogado ou defensor público, sem a presença de seu patrono.
- Deixar de identificar-se ou identificar-se falsamente ao preso por ocasião de sua captura ou quando deva fazê-lo durante sua detenção ou prisão. Pena – detenção, de 6 meses a 2 anos, e multa. Incorre na

mesma pena quem, como responsável por interrogatório em sede de procedimento investigatório de infração penal, deixa de identificar-se ao preso ou atribui a si mesmo falsa identidade, cargo ou função.

- Submeter o preso a interrogatório policial durante o período de repouso noturno, salvo se capturado em flagrante delito ou se ele, devidamente assistido, consentir em prestar declarações. Pena – detenção, de 6 meses a 2 anos, e multa.
- Impedir ou retardar, injustificadamente, o envio de pleito de preso à autoridade judiciária competente para a apreciação da legalidade de sua prisão ou das circunstâncias de sua custódia. Pena – detenção, de 1 a 4 anos, e multa. Incorre na mesma pena o magistrado que, ciente do impedimento ou da demora, deixa de tomar as providências tendentes a saná-lo ou, não sendo competente para decidir sobre a prisão, deixa de enviar o pedido à autoridade judiciária que o seja.
- Impedir, sem justa causa, a entrevista pessoal e reservada do preso com seu advogado. Pena – detenção, de 6 meses a 2 anos, e multa. Incorre na mesma pena quem impede o preso, o réu solto ou o investigado de entrevistar-se pessoal e reservadamente com seu advogado ou defensor, por prazo razoável, antes de audiência judicial, e de sentar-se ao seu lado e com ele comunicar-se durante a audiência, salvo no curso de interrogatório ou no caso de audiência realizada por videoconferência.
- Manter presos de ambos os sexos na mesma cela ou espaço de confinamento. Pena – detenção, de 1 a 4 anos, e multa. Incorre na mesma pena quem mantém, na mesma cela, criança ou adolescente na companhia de maior de idade ou em ambiente inadequado, observado o disposto na Lei n. 8.069, de 13 de julho de 1990 (Estatuto da Criança e do Adolescente).
- Invadir ou adentrar, clandestina ou astuciosamente, ou à revelia da vontade do ocupante, imóvel alheio ou suas dependências, ou nele permanecer nas mesmas condições, sem determinação judicial ou fora das condições estabelecidas em lei. Pena – detenção, de 1 a 4 anos, e multa. Incorre na mesma pena quem: coage alguém, mediante

violência ou grave ameaça, a franquear-lhe o acesso a imóvel ou suas dependências; cumpre mandado de busca e apreensão domiciliar após as 21h ou antes das 5h. Não haverá crime se o ingresso for para prestar socorro, ou quando houver fundados indícios que indiquem a necessidade do ingresso em razão de situação de flagrante delito ou de desastre.

- Inovar artificiosamente, no curso de diligência, de investigação ou de processo, o estado de lugar, de coisa ou de pessoa, com o fim de eximir-se de responsabilidade ou de responsabilizar criminalmente alguém ou agravar-lhe a responsabilidade. Pena – detenção, de 1 a 4 anos, e multa. Incorre na mesma pena quem pratica a conduta com o intuito de: I – eximir-se de responsabilidade civil ou administrativa por excesso praticado no curso de diligência; II – omitir dados ou informações ou divulgar dados ou informações incompletos para desviar o curso da investigação, da diligência ou do processo.

- Constranger, sob violência ou grave ameaça, funcionário ou empregado de instituição hospitalar pública ou privada a admitir para tratamento pessoa cujo óbito já tenha ocorrido, com o fim de alterar local ou momento de crime, prejudicando sua apuração. Pena – detenção, de 1 a 4 anos, e multa, além da pena correspondente à violência.

- Proceder à obtenção de prova, em procedimento de investigação ou fiscalização, por meio manifestamente ilícito. Pena – detenção, de 1 a 4 anos, e multa. Incorre na mesma pena quem faz uso de prova, em desfavor do investigado ou fiscalizado, com prévio conhecimento de sua ilicitude.

- Requisitar instauração ou instaurar procedimento investigatório de infração penal ou administrativa, em desfavor de alguém, à falta de qualquer indício da prática de crime, de ilícito funcional ou de infração administrativa. Pena – detenção, de 6 meses a 2 anos, e multa. Não há crime quando se tratar de sindicância ou investigação preliminar sumária, devidamente justificada.

- Divulgar gravação ou trecho de gravação sem relação com a prova que se pretenda produzir, expondo a intimidade ou a vida privada ou

ferindo a honra ou a imagem do investigado ou acusado. Pena – detenção, de 1 a 4 anos, e multa.
- Prestar informação falsa sobre procedimento judicial, policial, fiscal ou administrativo com o fim de prejudicar interesse de investigado. Pena – detenção, de 6 meses a 2 anos, e multa.
- Dar início ou proceder à persecução penal, civil ou administrativa sem justa causa fundamentada ou contra quem sabe inocente. Pena – detenção, de 1 a 4 anos, e multa.
- Estender injustificadamente a investigação, procrastinando-a em prejuízo do investigado ou fiscalizado. Pena – detenção, de 6 meses a 2 anos, e multa. Incorre na mesma pena quem, inexistindo prazo para execução ou conclusão de procedimento, o estende de forma imotivada, procrastinando-o em prejuízo do investigado ou do fiscalizado.
- Negar ao interessado, seu defensor ou advogado acesso aos autos de investigação preliminar, ao termo circunstanciado, ao inquérito ou a qualquer outro procedimento investigatório de infração penal, civil ou administrativa, assim como impedir a obtenção de cópias, ressalvado o acesso a peças relativas a diligências em curso, ou que indiquem a realização de diligências futuras, cujo sigilo seja imprescindível. Pena – detenção, de 6 meses a 2 anos, e multa.
- Exigir informação ou cumprimento de obrigação, inclusive o dever de fazer ou de não fazer, sem expresso amparo legal. Pena – detenção, de 6 meses a 2 anos, e multa. Parágrafo único. Incorre na mesma pena quem se utiliza de cargo ou função pública ou invoca a condição de agente público para se eximir de obrigação legal ou para obter vantagem ou privilégio indevido.
- Decretar, em processo judicial, a indisponibilidade de ativos financeiros em quantia que extrapole exacerbadamente o valor estimado para a satisfação da dívida da parte e, ante a demonstração, pela parte, da excessividade da medida, deixar de corrigi-la. Pena – detenção, de 1 a 4 anos, e multa.
- Demorar demasiada e injustificadamente no exame de processo de que tenha requerido vista em órgão colegiado, com o intuito de pro-

crastinar seu andamento ou retardar o julgamento. Pena – detenção, de 6 meses a 2 anos, e multa.
- Antecipar o responsável pelas investigações, por meio de comunicação, inclusive rede social, atribuição de culpa, antes de concluídas as apurações e formalizada a acusação. Pena – detenção, de 6 meses a 2 anos, e multa.

21.10 CRIMES DE PRECONCEITO

Espécies de preconceito

A Constituição Federal fundamenta-se na dignidade da pessoa humana (art. 1º, III), na ausência de preconceitos de origem, raça, sexo, cor, idade e quaisquer formas de discriminação (art. 3º, IV) e garante o princípio da isonomia (art. 5º, *caput*), além de considerar o racismo inafiançável e imprescritível o racismo (art. 5º, XLII).

O principal diploma sobre a matéria é a Lei n. 7.716/89. Essa lei abrange os crimes resultantes de discriminação ou preconceito de *raça, cor, etnia, religião ou procedência nacional*. A esse rol foi incluída a *homofobia*, pois, em 13 de junho de 2019, no julgamento da ADO 26 e do Mandado de Injunção (MI) 4733, o STF reconheceu a mora do Congresso Nacional para incriminar atos atentatórios a direitos fundamentais dos integrantes da comunidade LGBTI, definindo que as práticas de homofobia se enquadram nos crimes previstos na Lei n. 7.716/89 até que o Congresso Nacional aprove lei específica. Segundo a decisão, ainda, no caso de homicídio doloso, a homofobia constitui circunstância que o qualifica, por configurar motivo torpe. A discriminação contra pessoa idosa está prevista nos arts. 96 e 100 da Lei n. 10.741/2003. Tratando-se de prática discriminatória contra pessoa portadora de deficiência, o crime é do art. 88 da Lei n. 13.146/2015.

A Lei n. 7.716/89 é especial em relação aos demais diplomas que tratam de preconceito, aplicando-se aos fatos praticados por motivo de preconceito de raça, cor, etnia, religião ou procedência nacional (art. 1º). A legislação é composta de 22 artigos, mas foram vetados os arts. 2º, 15, 17 e 19. O objeto jurídico é a preservação da dignidade da pessoa humana, especialmente do princípio da isonomia.

Aspectos gerais dos tipos penais

Os arts. 3º a 14 tipificam condutas que impedem ou restringem o acesso a cargos, bens ou serviços por razões de preconceito Exemplo: recusar a associação de pessoa negra em clube social, em virtude de preconceito racial (STJ, RHC 12.809). Esses artigos utilizam as expressões "impedir, obstar, negar, recusar", tratando-se de tipos mistos alternativos, em que a prática de mais de uma forma de conduta não implica concurso de crimes. Exemplo:

> Art. 4º. Negar ou obstar emprego em empresa privada.
> Pena: reclusão de 2 a 5 anos.

O art. 20 incrimina a conduta de "praticar, induzir ou incitar a discriminação ou preconceito de raça, cor, etnia, religião ou procedência nacional", configurando-se, pois, independentemente de se impedir ou obstar faculdade ou acesso, bastando ato ofensivo que atinja o grupo, e não o indivíduo, pois neste caso ocorrerá injúria racial. Exemplo: escrever livro com tese antissemita (STF, HC 82.424). Entendemos que o crime previsto no art. 380 do Código Penal derrogou o art. 20, *caput* e § 1º, da Lei n. 7.716, por abranger integralmente tais incriminações. Todavia, permanece o aumento de pena previsto no § 2º, assim como as medidas específicas de combate ao preconceito previstas no § 3º, assim como o efeito da condenação previsto no § 4º.

Todos os tipos legais são dolosos, consubstanciando delitos de tendência, em que se exige o fim de causar discriminação por razões de raça, cor, etnia, religião ou procedência nacional. O *animus jocandi*, por exemplo, afasta a tipicidade. Os tipos penais guardam, portanto, relação de subordinação ao art. 1º, "criando uma adequação típica mediata limitativa por subordinação intrínseca" (Christiano Jorge Santos, p. 81).

Elementos nucleares dos tipos penais

a. Impedir: evitar, frustrar;

b. obstar: dificultar, embaraçar;
c. negar: não permitir;
d. recusar: não aceitar.

Elementos normativos

a. Discriminação: significa estabelecer tratamento diferenciado e desigual entre seres humanos;
b. preconceito: conceito prévio, baseado em opiniões e sentimentos subjetivos, sem base racional ou científica;
c. raça: segundo o STF, é conceito sociopolítico, sem base genética, pois não há diferença biológica entre os seres humanos (HC 82.424);
d. cor: refere-se à tonalidade da pele humana (branca, negra, amarela, parda etc.);
e. etnia: identidade sociocultural de um grupo humano;
f. religião: opção de crença e culto;
g. procedência nacional: origem de uma pessoa. Duas posições:
1ª) refere-se ao país de origem;
2º) refere-se ao país, estado ou região de origem (majoritária).

Crimes em espécie

a. Discriminação na Administração Pública (art. 3º): refere-se o *caput* a cargo público em sentido amplo, abrangendo emprego ou função pública, junto à Administração Direta (União, Estados, DF, Municípios), Indireta (autarquias, empresas públicas, sociedades de economia mista e fundações), bem como concessionárias de serviço público; o parágrafo único refere-se à promoção funcional, que também não pode ser obstada. Devidamente habilitada é a pessoa que preenche todos os requisitos previstos para ocupação do cargo ou à promoção.
b. Discriminação em emprego privado (art. 4º): refere-se a qualquer função na iniciativa privada. Obs.: o Estatuto da Igualdade Racial (Lei n. 12.288/2010) introduziu as seguintes modificações no art. 4º: Nas mesmas penas incorre quem:

- não fornecer equipamentos necessários;
- impedir ascensão funcional do empregado ou obstar outra forma de benefício profissional;
- proporcionar tratamento diferenciado no ambiente de trabalho, especialmente quanto ao salário;
- A pena é de multa e PSC, incluindo atividades de promoção da igualdade racial, para quem, em anúncios ou qualquer outra forma de recrutamento de trabalhadores, exigir aspectos de aparência próprios de raça ou etnia para emprego cujas atividades não justifiquem essas exigências.

c. Discriminação em estabelecimento comercial (art. 5º): refere-se a lei a recusa em receber ou atender no comércio, não se estendendo a estabelecimento industrial. Não se confunde com a preferência, por razões econômicas, estabelecida no art. 7º, I, da Lei n. 8.137/90.

d. Discriminação escolar (art. 6º): refere-se a estabelecimentos de ensino públicos ou particulares, com aumento de pena em 1/3 no caso de a pessoa discriminada ser menor de 18 anos. Embora a lei fale em agravante, trata-se de majorante.

e. Discriminação em hotéis (art. 7º): o tipo penal permite interpretação analógica, tratando de hotéis ou similares.

f. Discriminação em restaurantes (art. 8º): o tipo penal permite interpretação analógica, tratando de restaurantes ou similares.

g. Discriminação em estabelecimentos esportivos, casas de diversões e clubes sociais (art. 9º): o tipo penal permite interpretação extensiva, utilizando expressões abrangentes e abertas. Atenção: RHC 12.809, STJ: clubes sociais são abertos ao público, embora restritos aos sócios.

h. Discriminação em cabelereiros e similares (art. 10): permite interpretação analógica.

i. Discriminação em prédios e edifícios (art. 11): é vedada a restrição por motivos discriminatórios, apenas, não sendo vedado restringir por razões de segurança ou outras próprias dos bens particulares, como entrada especial para prestadores de serviço, por exemplo.

j. Discriminação em meios de transporte (art. 12): permite interpretação analógica. O tipo refere-se a impedir o acesso ou o uso. No caso de o acesso ou uso ser restrito a determinados lugares dentro do meio de transporte, por razões discriminatórias, aplica-se o art. 20.
k. Discriminação nas Forças Armadas (art. 13): refere-se ao ingresso na Marinha, no Exército ou na Aeronáutica ou forças auxiliares.
l. Discriminação matrimonial, familiar ou social (art. 14): refere-se a qualquer situação que impeça ou dificulte o casamento, a convivência na família ou em grupo social, por preconceito.
m. Prática, induzimento ou instigação de racismo (art. 20, *caput*): tipo penal subsidiário, que abrange qualquer ato discriminatório que não se enquadre nos demais artigos, desde que não configure injúria racial, prevista no CP, art. 142, § 3º. As condutas incriminadas são praticar, induzir ou incitar a discriminação ou preconceito de raça, cor, etnia, religião ou procedência nacional. Praticar significa realizar diretamente; induzir significa criar em outrem o preconceito; incitar significa reforçar o preconceito já existente em outrem.
n. Divulgação da cruz suástica (art. 20, § 1º): o tipo penal não abriga qualquer símbolo nazista, mas apenas a cruz suástica, punindo a conduta de fabricar, comercializar, distribuir ou veicular símbolos, emblemas, ornamentos, distintivos ou propaganda que utilizem a cruz suástica ou gamada, para fins de divulgação do nazismo. Exige-se, ainda, o fim de divulgação do nazismo. A pena, nesse caso, é de 2 a 5 anos.
o. Discriminação qualificada (art. 20, § 2º): a pena é de 2 a 5 anos se a prática, induzimento ou incitação à discriminação ocorre por intermédio dos meios de comunicação social ou publicação de qualquer natureza.

Consumação e tentativa

Os crimes da Lei n. 7.716/89 são de natureza formal, consumando-se com a realização da conduta típica, independentemente de qualquer resultado. Admite-se a tentativa.

Classificação

Tipo objetivo: todos os crimes são de ação múltipla ou de conteúdo variado.

Resultado: 1ª posição: todos os crimes são formais, à exceção do art. 20, § 1º, que é de mera conduta (NUCCI); 2ª) são formais apenas os do art. 20 e § 1º, enquanto os demais são materiais (Christiano Jorge Santos).

Sujeito ativo: os arts. 3º a 13 são crimes próprios; os demais, comuns.

Conduta: todos os crimes são comissivos.

Consumação: instantâneos, unissubsistentes ou plurissubsistentes, admitindo tentativa nesta forma.

Penas e efeitos da condenação

As penas previstas em lei são:

a. reclusão de 2 a 5 anos – art. 3º, 4º, 20, parágrafos 1º e 2º;
b. reclusão de 1 a 3 anos – arts. 5º, 8º, 9º, 10, 11 e 12, 20, *caput*;
c. reclusão de 3 a 5 anos – art. 6º e 7º;
d. reclusão de 2 a 4 anos – art. 13 e 14;
e. multa e prestação de serviços à comunidade – art. 4º, § 2º;
f. aumento de pena: no caso do artigo 6º, caso a vítima seja menor de 18 anos (a lei fala em agravante, mas trata-se de majorante).

O art. 16 da Lei n. 7.716/89 prevê dois efeitos:

a. perda do cargo ou função pública, independente da quantidade de pena e de haver ou não abuso de poder ou violação de dever para com a Administração Pública, diferindo, pois, do art. 92, I, do CP;
b. suspensão do funcionamento do estabelecimento particular por até 3 meses.

Tais efeitos não são automáticos, devendo ser motivados e declarados na sentença (art. 18).

O art. 20, § 4º, prevê a destruição do material apreendido no caso de divulgação do racismo pelos meios de comunicação.

Imprescritibilidade e inafiançabilidade

a. 1ª posição: não alcança a discriminação de cor, etnia, religião ou procedência nacional (Christiano Jorge Santos; Josiane Pilau Bornia);

b. 2ª posição: alcança a discriminação de cor, etnia, religião ou procedência nacional, haja vista a amplitude do conceito de raça (STF, HC 82.424).

Distinção entre racismo e injúria racial

Injúria preconceituosa (racismo impróprio): é forma qualificada de injúria, prevista no art. 140, § 3º, do Código Penal, cuja pena é de 1 a 3 anos, e multa. ATENÇÃO: Nos crimes de injúria preconceituosa, a finalidade do agente, ao fazer uso de elementos ligados a raça, cor, etnia, origem e outro, é atingir a honra subjetiva da vítima, enquanto no crime de racismo, previsto no art. 20, *caput*, da Lei n. 7.716/89, há manifestação de sentimento em relação a toda uma raça, cor, etnia, religião ou procedência nacional, não havendo uma vítima determinada. Além disso, o racismo também envolve, nos arts. 3º a 14 da Lei n. 7.716/89, o estabelecimento de uma barreira para o indivíduo discriminado, que é impedido ou obstado de ter acesso a algum direito, bem ou serviço, enquanto na injúria preconceituosa ocorre apenas alusão pejorativa à raça, cor, etnia, religião ou procedência nacional do indivíduo. Conforme decidiu o STJ, no RHC 19.166, "há delito de racismo, e não de injúria racial, quando a conduta ofende toda uma comunidade". No mesmo sentido, decisão do STF no HC 90.187.

Injúria preconceituosa (Código Penal, art. 140, § 3º)	Crimes de racismo (Lei n. 7.716/89)
• Forma qualificada de injúria. • Atinge a honra subjetiva. • Ofensa ao indivíduo. • Ação penal pública condicionada à representação (CP, art. 145, parágrafo único, redação da Lei n. 12.033/2009). • Sujeito à prescrição e afiançável.	• Crime de racismo propriamente dito. • Atinge a dignidade da pessoa humana. • Ofensa à coletividade e não se limita à ofensa, mas à prática de ato discriminatório consubstanciado pelos verbos impedir, obstar, negar, recusar, praticar, incitar, induzir etc. • Ação penal pública incondicionada. • Imprescritível e inafiançável (CF, art. 5º, XLII).

21.11 VIOLÊNCIA CONTRA A MULHER

Lei Maria da Penha

A Lei n. 11.340 ficou conhecida como "Lei Maria da Penha" em razão de ter sido criada para atender à luta por justiça empreendida pela biofarmacêutica Maria da Penha Fernandes, que foi vítima de tentativa de homicídio praticado por seu companheiro, o professor de economia Marco Antonio H. Ponto Viveiros, ficando tetraplégica. O art. 6º da Lei n. 11.340 estabelece que a violência doméstica contra a mulher constitui uma das formas de violação dos direitos humanos.

A Lei Maria da Penha é uma lei híbrida, contendo dispositivos penais e processuais, conferindo um tratamento diferenciado à mulher, com medidas específicas de proteção a fim de dar maior acolhimento e proteção às vítimas de violência doméstica e seus familiares. Tais medidas são denominadas medidas protetivas de urgência e estão previstas no art. 23 da Lei n. 11.340. Além disso, a Lei Maria da Penha trata da assistência à mulher em situação de violência doméstica, bem como o atendimento por policiais, juízes e outras autoridades, estabelecendo, ainda, a criação dos juizados especializados e serviços de proteção às mulheres vítimas de violência doméstica.

A proteção à mulher, prevista na Lei n. 11.340, estende-se a todos os crimes relacionados à violência de gênero previstos no Código Penal e na legislação extravagante.

A criação de um diploma que protege a mulher, em detrimento do homem, destina-se justamente a tornar efetiva a igualdade estabelecida constitucionalmente (CF, art. 5º, I). Com efeito, a cultura machista impõe séria desigualdade material à mulher, o que se revela nas estatísticas de agressões físicas e assassinatos perpetrados por homens contra mulheres desde os tempos mais remotos, de modo que a simples igualdade formal estabelecida constitucionalmente não é suficiente para garantir uma real isonomia. Assim, a Lei Maria da Penha se impõe como ação afirmativa destinada a assegurar às mulheres a igualdade material, isto é, verdadeira, e não simples intenção do legislador constituinte.

Aspectos penais da Lei n. 11.340
Violência doméstica e suas formas

Consoante o art. 5º da Lei n. 11.340, configura violência doméstica e familiar contra a mulher qualquer ação ou omissão baseada no gênero que lhe cause morte, lesão, sofrimento físico, sexual ou psicológico e dano moral ou patrimonial: I – no âmbito da unidade doméstica, compreendida como o espaço de convívio permanente de pessoas, com ou sem vínculo familiar, inclusive as esporadicamente agregadas; II – no âmbito da família, compreendida como a comunidade formada por indivíduos que são ou se consideram aparentados, unidos por laços naturais, por afinidade ou por vontade expressa; III – em qualquer relação íntima de afeto, na qual o agressor conviva ou tenha convivido com a ofendida, independentemente de coabitação.

O STJ sumulou o entendimento de que não é necessária a coabitação entre o agressor e a vítima para configuração da violência doméstica contra a mulher (Súmula 600). Assim, o namoro, por constituir relação íntima de afeto, é situação abrangida pela Lei Maria da Penha.[26]

As formas de violência doméstica contra a mulher estão genericamente previstas no art. 7º da Lei n. 11.340, que estabelece, de forma ampla, as situações que serão tratadas no âmbito dessa legislação, podendo ser um crime ou uma contravenção, nas formas seguintes:

a. *Violência física:* é qualquer conduta que ofenda sua integridade ou saúde corporal. Embora a lei não mencione expressamente, está tratando não apenas da lesão corporal leve, grave ou gravíssima, como o homicídio. Não se pode considerar como violência doméstica contra a mulher a lesão corporal culposa ou homicídio culposo, uma vez que, nesses casos, não existe dolo em relação à violência. Diferente é a situação de homicídio preterdoloso (art. 129, § 3º), em que o agente quer ferir e acaba, culposamente, matando.

b. *Violência psicológica:* é entendida como qualquer conduta que cause dano emocional e diminuição da autoestima ou que lhe prejudique e

---

26. STJ – CC 103.813, Rel. Min. Jorge Mussi, 3ª Seção, DJE 03/08/2009.

perturbe o pleno desenvolvimento ou que vise degradar ou controlar suas ações, comportamentos, crenças e decisões, mediante ameaça, constrangimento, humilhação, manipulação, isolamento, vigilância constante, perseguição contumaz, insulto, chantagem, violação de sua intimidade, ridicularização, exploração e limitação do direito de ir e vir ou qualquer outro meio que lhe cause prejuízo à saúde psicológica e à autodeterminação.

c. *Violência sexual:* é entendida como qualquer conduta que constranja a vítima a presenciar, a manter ou a participar de relação sexual não desejada, mediante intimidação, ameaça, coação ou uso da força; que a induza a comercializar ou a utilizar, de qualquer modo, a sua sexualidade, que a impeça de usar qualquer método contraceptivo ou que a force ao matrimônio, à gravidez, ao aborto ou à prostituição, mediante coação, chantagem, suborno ou manipulação; ou que limite ou anule o exercício de seus direitos sexuais e reprodutivos.

d. *Violência patrimonial:* violência patrimonial é qualquer conduta que configure retenção, subtração, destruição parcial ou total de seus objetos, instrumentos de trabalho, documentos pessoais, bens, valores e direitos ou recursos econômicos, incluindo os destinados a satisfazer suas necessidades. Pode ser um furto, um roubo, um estelionato etc.

e. *Violência moral:* é a calúnia, a difamação ou a injúria.

Segundo a Súmula 589 do STJ: "É inaplicável o princípio da insignificância nos crimes ou contravenções penais praticados contra a mulher no âmbito das relações domésticas".

Sujeitos ativo e passivo da violência doméstica contra a mulher
O sujeito ativo pode ser qualquer pessoa, homem ou mulher. O termo agressor, utilizado em diversos dispositivos, foi utilizado sem alusão ao gênero masculino. Não há dúvida, por exemplo, que uma filha pode praticar violência doméstica contra sua mãe, enquadrando-se nas disposições da Lei n. 11.340.

Por outro lado, somente a mulher pode ser sujeito passivo, o que inclui o indivíduo transexual, que tenha alterado seu registro civil, tornando-se mulher.

Inaplicabilidade da Lei n. 9.099/95, cestas básicas e princípio da insignificância

Dada a relevância social do problema atinente à violência doméstica contra a mulher, adotou-se postura rigorosa a fim de coibir qualquer tipo de violência, ainda que aparentemente pequena, com o objetivo de "cortar o mal pela raiz". Assim, independentemente da pena prevista, não se aplica a Lei n. 9.099/95 (art. 4º da Lei n. 11.340). Nesse sentido, a Súmula 536 do STJ: "A suspensão condicional do processo e a transação penal não se aplicam nas hipóteses de delitos sujeitos ao rito da Lei Maria da Penha".

Além disso, é expressamente vedada a aplicação, nos casos de violência doméstica e familiar contra a mulher, de penas de cesta básica ou outras de prestação pecuniária, bem como a substituição de pena que implique o pagamento isolado de multa (art. 17). Segundo a Súmula 588 do STJ, a prática de crime ou contravenção penal contra a mulher com violência ou grave ameaça no ambiente doméstico impossibilita a substituição da pena privativa de liberdade por restritiva de direitos.

Inaplicável, ainda, o princípio da insignificância, consoante Súmula 589 do STJ.

Ação penal, representação e acordo de não persecução

Em regra, a ação penal em casos de violência doméstica contra a mulher é pública incondicionada. No julgamento da ADPF 4424, o Supremo Tribunal Federal definiu que é pública incondicionada a ação penal no caso de lesão corporal leve. Nesse sentido, também, a Súmula 542 do STJ.

Nada obsta, fora desses casos, que exista crime condicionado à representação, como no caso do delito de ameaça, ou mesmo ação privada, como nos crimes contra a honra. Nesses casos, porém, eventual renúncia ao direito de oferecer queixa ou representação só poderá ser feita na presença de juiz, em audiência especialmente designada, consoante art. 16.

Em caso de violência doméstica contra a mulher, é defeso o acordo de não persecução penal nos crimes praticados no âmbito de violência doméstica ou familiar, ou praticados contra a mulher por razões da condição de sexo feminino, em favor do agressor nos termos art. 28-A, IV, do CPP, introduzido pela Lei n. 13.964/2019.

Crime de descumprimento de medida protetiva

Forma especial de desobediência que está prevista no art. 24-A, com a redação da Lei n. 13.641/2018:

> Art. 24-A. Descumprir decisão judicial que defere medidas protetivas de urgência previstas nesta Lei:
> Pena – detenção, de 3 (três) meses a 2 (dois) anos.
> § 1º A configuração do crime independe da competência civil ou criminal do juiz que deferiu as medidas.
> § 2º Na hipótese de prisão em flagrante, apenas a autoridade judicial poderá conceder fiança.
> § 3º O disposto neste artigo não exclui a aplicação de outras sanções cabíveis.

A lei criou um tipo penal com uma pena significativamente maior que a do crime de desobediência, previsto no art. 330 do CP, que prevê pena de 15 dias a 6 meses, o que se justifica pela gravidade do descumprimento, tanto para a vítima da violência, quanto para o Estado, que vê frustrado o sistema de proteção. Esse tipo penal se destina a afastar a impunidade causada pela orientação que se consolidou no STJ de que o descumprimento de medida protetiva estabelecida na Lei Maria da Penha não caracteriza a prática do delito previsto no art. 330 do Código Penal, em atenção ao princípio da *ultima ratio*, ante a existência de cominação específica nas hipóteses em que a conduta for praticada no âmbito doméstico e familiar, nos termos do art. 313, III, do Código de Processo Penal.[27]

Sem embargo, o legislador adotou péssima técnica legislativa, ao colocar na norma penal incriminadora um parágrafo de natureza processual, tratan-

---

27. AgRg no Recurso Especial n. 1.651.550 – DF (2017/0021881-5), Rel. Min. Jorge Mussi, julgado em 05/05/2017.

do da fiança, prevendo que ela só poderá ser concedida judicialmente e não pela autoridade policial.

O sujeito ativo é qualquer pessoa que desobedece a uma medida protetiva de urgência, decretada judicialmente com base no art. 23 da Lei n. 11.340. O sujeito passivo é o Estado. A desobediência pode ser praticada mediante omissão, quando o agente deixa de fazer o que foi ordenado, ou por ação, quando o agente pratica a conduta proibida. A tentativa só é admitida na forma comissiva. No caso de reaproximação do agressor afastado por ordem judicial, o crime se configura ainda que haja concordância ou até mesmo iniciativa da vítima. Nesse caso, porém, não será a mulher coautora ou partícipe, uma vez que a medida é decretada no seu interesse, de modo que, caso ela fosse, ainda, alvo de processo criminal, mais frustrado estaria o sistema de proteção.

Distinção entre femicídio e feminicídio

Femicídio é o homicídio de uma mulher em qualquer circunstância. Feminicídio é o homicídio de uma mulher em situação de violência doméstica ou por razões de gênero. Assim, se uma mulher é morta por outra mulher em razão de uma disputa amorosa, trata-se de femicídio. Mas, se o excídio ocorre em razão de ciúme do marido agressivo e abusador, que culmina por matar a vítima, o fato configura feminicídio.

A distinção é importante, pois o feminicídio é qualificador específico do crime de homicídio, nos termos do parágrafo 2º, VI, do Código Penal. Nada obsta, porém, que o femicídio seja também qualificado, embora por outro motivo. Exemplo: o locador, por não receber o aluguel, paga pessoas para matarem a vítima, sua locatária, configurando-se, assim, a qualificadora do inciso I (femicídio mediante paga).

21.12 CRIMES CONTRA CRIANÇAS E ADOLESCENTES

Estatuto da Criança e do Adolescente – Lei n. 8.069/90

A Lei n. 8.069/90 constitui um marco na tutela dos direitos das crianças e dos adolescentes, estabelecendo um viés de proteção, ao contrário da legislação anterior (Código de Menores), adotando a teoria da proteção integral, estabelecendo os direitos fundamentais das crianças e adolescentes, a política de atendimento, as medidas de proteção e medidas aplicáveis aos pais e responsáveis, determinando a criação de varas judiciais especializadas na matéria.

O ECA também disciplina as medidas aplicáveis às crianças e adolescentes que praticam atos infracionais, que são os atos definidos como crime pela legislação comum, mas que não se sujeitam a sanções penais, e sim, a medidas socioeducativas. Em razão da natureza sancionatória dessas medidas, fala-se de um "direito penal juvenil".

Além disso, o Estatuto relaciona as infrações administrativas, a par dos crimes contra crianças e adolescentes.

Crimes contra crianças e adolescentes

Os crimes previstos no ECA têm como sujeito passivo crianças e adolescentes, conforme preceitua o art. 225. Considera-se criança a pessoa com até 12 anos de idade incompletos, e adolescente aquela entre 12 e 18 anos de idade (art. 2º). Devem ser aplicadas as normas da Parte Geral do Código Penal (art. 226), sendo que todos os crimes são de ação pública incondicionada (art. 227). A perda do cargo, função pública ou mandato eletivo, prevista no art. 92, I, do CP em caso de condenação por crime do ECA, só será aplicada em caso de reincidência, independente da pena aplicada (art. 227-A e parágrafo único). A Lei n. 9.455/97 revogou o crime de tortura de crianças e adolescentes, que passou a ter incriminação na própria Lei de Tortura.

Omissão de registro

O art. 228 prevê o crime de omissão de registro de entidades ou do fornecimento da declaração de nascimento, que consiste em *deixar o encarregado de serviço ou o dirigente de estabelecimento de atenção à saúde de gestante de manter registro das atividades desenvolvidas, na forma e prazo referidos no art. 10 desta Lei, bem como de fornecer à parturiente ou a seu responsável, por ocasião da alta médica, declaração de nascimento, onde constem as intercorrências do parto e do desenvolvimento do neonato.* A pena é de detenção, de 6 meses a 2 anos. O sujeito ativo é o encarregado ou dirigente (crime próprio), sendo o sujeito passivo o recém-nascido privado dos registros mencionados no art. 10, além da gestante ou parturiente. A conduta é omissiva (crime omissivo próprio), no sentido de deixar de manter ou fornecer os documentos mencionados. O crime é doloso. Não admite tentativa.

Omissão de identificação

O art. 229 prevê a omissão de identificação do neonato e da parturiente ou de exames necessários. O crime consiste em *deixar o médico, enfermeiro ou dirigente de estabelecimento de atenção à saúde de gestante de identificar corretamente o neonato e a parturiente, por ocasião do parto, bem como deixar de proceder aos exames referidos no art. 10 desta Lei.* Trata-se de crime próprio, em que o sujeito ativo deve ser o médico, enfermeiro ou dirigente de estabelecimento. O sujeito passivo é o neonato e, secundariamente, a parturiente, privados dos registros referidos pelo art. 10 do ECA. O crime é omissivo próprio. Não admite, portanto, tentativa. Admitem-se as formas dolosa e culposa. Se o crime é doloso, a pena é de detenção, de 6 meses a 2 anos. No caso de culpa, a pena é de detenção, de 2 a 6 meses, ou multa.

Privação ilegal da liberdade

O art. 230 prevê o crime de privação de liberdade de crianças ou adolescentes, fora dos casos permitidos ou sem observância das formalidades legais, com a seguinte redação: *Privar a criança ou o adolescente de sua liberdade, procedendo à sua apreensão sem estar em flagrante de ato infracional ou inexistindo ordem escrita da autoridade judiciária competente.* O sujeito ativo é qualquer pessoa, não precisando ser autoridade pública. O sujeito passivo é a criança ou o adolescente. Caso seja a autoridade policial quem omite a formalidade prevista no art. 107 do ECA, haverá o crime do art. 231. A conduta se configura por qualquer forma de privação de liberdade fora dos casos do art. 106 do ECA, isto é, flagrante de ato infracional ou por ordem judicial escrita e fundamentada, assegurado o direito de identificação dos responsáveis pela apreensão. Pratica o crime, ainda, quem viola a formalidade prevista no art. 172, que determina a apresentação imediata do adolescente apreendido em flagrante à autoridade policial. O crime pode ser cometido por ação ou omissão, quando descumprido o dever de liberar criança ou adolescente apreendido. O elemento subjetivo é o dolo. A consumação ocorre no exato instante da apreensão ou quando não há liberação no momento devido. Admite-se a tentativa. A pena é de detenção, de 6 meses a 2 anos.

Omissão de comunicação de apreensão

O art. 231 prevê o crime de omissão de apreensão de criança e adolescente, cujo tipo penal é o seguinte: *Deixar a autoridade policial responsável pela apreensão de criança ou adolescente de fazer imediata comunicação à autoridade judiciária competente e à família do apreendido ou à pessoa por ele indicada.* O sujeito ativo é a autoridade policial (crime próprio). O sujeito passivo é a criança ou o adolescente. Trata-se de crime omissivo próprio, que consiste em omitir a formalidade prevista no art. 107 do ECA. Caso a autoridade policial não tenha condições de comunicar a família, deve comunicar o Conselho Tutelar (art. 131 a 135). O tipo subjetivo é o dolo. Não se admite tentativa, consumando-se o crime com a mera omissão. A pena é de detenção, de 6 meses a 2 anos.

Submissão a vexame ou constrangimento

O crime do art. 232 é submeter criança ou adolescente sob sua autoridade, guarda ou vigilância a vexame ou a constrangimento. O sujeito ativo é quem tem autoridade, guarda ou vigilância sobre a vítima (crime próprio). O sujeito passivo é a criança ou adolescente. A conduta é produzir uma situação vexatória, desonrosa ou constrangedora para a vítima, incluindo o uso desnecessário de algemas, fora das hipóteses da Súmula Vinculante 11 ou violação ao art. 178 do ECA: *O adolescente a quem se atribua autoria de ato infracional não poderá ser conduzido ou transportado em compartimento fechado de veículo policial, em condições atentatórias à sua dignidade, ou que impliquem risco à sua integridade física ou mental, sob pena de responsabilidade.* O tipo subjetivo é o dolo. A consumação ocorre com o vexame ou o constrangimento. Admite-se a tentativa. A pena é de detenção, de 6 meses a 2 anos.

Omissão de liberação imediata

Esse crime está previsto no art. 234, com a seguinte redação: *Deixar a autoridade competente, sem justa causa, de ordenar a imediata liberação de criança ou adolescente, tão logo tenha conhecimento da ilegalidade da apreensão. Pena – detenção de 6 meses a 2 anos.* O sujeito ativo é o delegado de polícia, o promotor de justiça ou o juiz de direito. O sujeito passivo é a criança ou o adolescente. A conduta é omissiva (crime omissivo próprio), já que a autoridade competente mantém a privação da liberdade indevidamente, embora conhecendo sua ilegalidade. Consuma-se com a simples omissão, não admitindo tentativa. O tipo subjetivo é o dolo.

Descumprimento de prazo legal

Consiste esse crime, previsto no art. 235, em *descumprir, injustificadamente, prazo fixado nesta Lei em benefício de adolescente privado de liberdade.* Pena - detenção de 6 meses a 2 anos. O sujeito ativo é a pessoa encarregada do cumprimento de prazo (crime próprio). O sujeito passivo é o adolescente. Trata-se de crime omissivo próprio, pois a conduta é descumprir algum prazo estabelecido em favor do adolescente. Exemplos: arts. 175, 183 e 185, § 2º do ECA. O tipo subjetivo é o dolo. Consuma-se no instante em que o prazo é descumprido, não admitindo tentativa, por se tratar de crime omissivo próprio.

Impedimento ou embaraço da ação de autoridade

Segundo o art. 236: *Impedir ou embaraçar a ação de autoridade judiciária, membro do Conselho Tutelar ou representante do Ministério Público no exercício de função prevista nesta Lei: Pena – detenção de 6 meses a 2 anos.* O sujeito ativo é qualquer pessoa. O sujeito passivo é o Estado. A conduta é impedir, ou seja, frustrar o trabalho da autoridade pública ou conselheiro tutelar, bem como embaraçar, isto é, atrapalhar, a atividade ou diligência exercida no exercício da função. O elemento subjetivo é o dolo. Consuma-se com o ato que dificulta ou impede a atividade ou diligência. Admite-se a tentativa.

Subtração de criança ou adolescente

Dispõe o art. 237: *Subtrair criança ou adolescente ao poder de quem o tem sob sua guarda em virtude de lei ou ordem judicial, com o fim de colocação em lar substituto: Pena – reclusão de 2 a 6 anos, e multa.* O sujeito ativo é qualquer pessoa, inclusive o pai ou a mãe, se destituídos do pátrio poder. O sujeito passivo é a pessoa que detém a guarda da criança ou adolescente. A conduta é subtrair, isto é, retirar sem autorização, podendo ou não haver cooperação da criança ou do adolescente. O tipo subjetivo é o dolo, devendo haver elemento subjetivo especial, consistente na finalidade de colocar a criança em lar substituto. Ausente tal finalidade, poderá se configurar o crime previsto no art. 249 do CP (subtração de incapazes). O crime é formal, consumando-se independentemente da efetiva colocação em lar substituto, bastando a subtração com tal finalidade. Admite-se a tentativa.

Promessa ou entrega de filho ou pupilo

Segundo o art. 238: *Prometer ou efetivar a entrega de filho ou pupilo a terceiro, mediante paga ou recompensa. Pena – reclusão de 1 a 4 anos, e multa.* Consoante o parágrafo único, incide nas mesmas penas quem oferece ou efetiva a paga ou recompensa. O sujeito ativo: pais, guardiães ou tutores (crime próprio). O sujeito passivo é a criança ou o adolescente. A conduta é prometer e efetivar a entrega da criança ou do adolescente mediante pagamento ou recompensa. O pagamento ou a recompensa pode ser em dinheiro ou outro benefício. Incorrem no crime tanto quem recebe o pagamento ou a recompensa quanto quem, nos termos do parágrafo único, os dá. O elemento subjetivo é o dolo. Consuma-se o crime com a promessa de entrega ou com sua efetivação, independentemente do recebimento de qualquer pagamento ou vantagem, pois é crime formal. Admite-se a tentativa.

Envio ilegal de criança ou adolescente ao exterior

O crime é o seguinte:

Art. 239 – Promover ou auxiliar a efetivação de ato destinado ao envio de criança ou adolescente para o exterior com inobservância das formalidades legais ou com o fito de obter lucro:
Pena – reclusão de 4 a 6 anos, e multa.
Se há emprego de violência, grave ameaça ou fraude:
Pena – reclusão, de 6 a 8 anos, além da pena correspondente à violência.

O sujeito ativo é qualquer pessoa. O sujeito passivo é a criança ou adolescente. O verbo é promover, isto é, agir diretamente, ou auxiliar, que é a ação indireta e coadjuvante no sentido de enviar ilegalmente uma criança ou um adolescente para o exterior. Dessarte, apenas a participação moral (induzimento ou instigação) é possível, pois qualquer auxílio material configura autoria, na forma de auxiliar. Para a configuração do crime, exige-se que sejam descumpridas as formalidades legais, isto é, as normas de adoção internacional (arts. 51, 52 e 52-A a D do ECA) ou as normas relativas à viagem ao exterior, estabelecidas pelo Conselho Nacional de Justiça na Resolução 131. Mesmo quando cumpridas as finalidades, haverá crime se o envio de criança ou adolescente tiver finalidade de obter de lucro. O elemento subjetivo é o dolo. Consuma-se o crime com a promoção ou o auxílio, ainda que o envio ao exterior não se efetive (crime formal). Admite-se a tentativa. Além disso, se há emprego de violência, grave ameaça ou fraude, o crime é qualificado, com pena de reclusão, de 6 a 8 anos, em concurso com a pena da violência.

Pornografia infantojuvenil

A pornografia infantojuvenil é um dos mais graves problemas enfrentados pelo sistema de proteção de crianças e adolescentes, abarcando uma série de condutas que se desdobram em vários crimes da Lei n. 8.069. A prática desses crimes pode ocorrer isolada ou cumulativamente, não se excluindo a possibilidade de configurar também o crime de estupro de vulnerável, previsto no art. 217-A do Código Penal.

Segundo o art. 241-E, *para efeito dos crimes previstos nesta Lei, a expressão "cena de sexo explícito ou pornográfica" compreende qualquer situação que envolva criança ou adolescente em atividades sexuais explícitas, reais ou simuladas, ou exibição dos órgãos genitais de uma criança ou adolescente para fins primordialmente sexuais.*

É muito extensa a lista de tipos penais, que são os seguintes, com as respectivas penas:

Art. 240. Produzir, reproduzir, dirigir, fotografar, filmar ou registrar, por qualquer meio, cena de sexo explícito ou pornográfica, envolvendo criança ou adolescente:
Pena – reclusão, de 4 (quatro) a 8 (oito) anos, e multa.
§ 1º Incorre nas mesmas penas quem agencia, facilita, recruta, coage, ou de qualquer modo intermedeia a participação de criança ou adolescente nas cenas referidas no *caput* deste artigo, ou ainda quem com esses contracena.
§ 2º Aumenta-se a pena de 1/3 (um terço) se o agente comete o crime:
I. no exercício de cargo ou função pública ou a pretexto de exercê-la;
II. prevalecendo-se de relações domésticas, de coabitação ou de hospitalidade; ou
III. prevalecendo-se de relações de parentesco consanguíneo ou afim até o terceiro grau, ou por adoção, de tutor, curador, preceptor, empregador da vítima ou de quem, a qualquer outro título, tenha autoridade sobre ela, ou com seu consentimento.

Art. 241. Vender ou expor à venda fotografia, vídeo ou outro registro que contenha cena de sexo explícito ou pornográfica envolvendo criança ou adolescente:
Pena – reclusão, de 4 (quatro) a 8 (oito) anos, e multa.

Art. 241-A. Oferecer, trocar, disponibilizar, transmitir, distribuir, publicar ou divulgar por qualquer meio, inclusive por meio de sistema de informática ou telemático, fotografia, vídeo ou outro registro que contenha cena de sexo explícito ou pornográfica envolvendo criança ou adolescente:

Pena – reclusão, de 3 (três) a 6 (seis) anos, e multa.

§ 1º Nas mesmas penas incorre quem:

I. assegura os meios ou serviços para o armazenamento das fotografias, cenas ou imagens de que trata o *caput* deste artigo;

II. assegura, por qualquer meio, o acesso por rede de computadores às fotografias, cenas ou imagens de que trata o *caput* deste artigo.

§ 2º As condutas tipificadas nos incisos I e II do § 1º deste artigo são puníveis quando o responsável legal pela prestação do serviço, oficialmente notificado, deixa de desabilitar o acesso ao conteúdo ilícito de que trata o *caput* deste artigo.

Art. 241-B. Adquirir, possuir ou armazenar, por qualquer meio, fotografia, vídeo ou outra forma de registro que contenha cena de sexo explícito ou pornográfica envolvendo criança ou adolescente:

Pena – reclusão, de 1 (um) a 4 (quatro) anos, e multa.

§ 1º A pena é diminuída de 1 (um) a 2/3 (dois terços) se de pequena quantidade o material a que se refere o *caput* deste artigo.

§ 2º Não há crime se a posse ou o armazenamento tem a finalidade de comunicar às autoridades competentes a ocorrência das condutas descritas nos arts. 240, 241, 241-A e 241-C desta Lei, quando a comunicação for feita por:

I. agente público no exercício de suas funções;

II. membro de entidade, legalmente constituída, que inclua, entre suas finalidades institucionais, o recebimento, o processamento e o encaminhamento de notícia dos crimes referidos neste parágrafo;

III. representante legal e funcionários responsáveis de provedor de acesso ou serviço prestado por meio de rede de computadores, até o recebimento do material relativo à notícia feita à autoridade policial, ao Ministério Público ou ao Poder Judiciário.

§ 3º As pessoas referidas no § 2º deste artigo deverão manter sob sigilo o material ilícito referido.

Art. 241-C. Simular a participação de criança ou adolescente em cena de sexo explícito ou pornográfica por meio de adulteração, montagem ou modificação de fotografia, vídeo ou qualquer outra forma de representação visual:

Pena – reclusão, de 1 (um) a 3 (três) anos, e multa.

Parágrafo único. Incorre nas mesmas penas quem vende, expõe à venda, disponibiliza, distribui, publica ou divulga por qualquer meio, adquire, possui ou armazena o material produzido na forma do *caput* deste artigo.

Art. 241-D. Aliciar, assediar, instigar ou constranger, por qualquer meio de comunicação, criança, com o fim de com ela praticar ato libidinoso:

Pena – reclusão, de 1 (um) a 3 (três) anos, e multa.

Parágrafo único. Nas mesmas penas incorre quem:

I. facilita ou induz o acesso à criança de material contendo cena de sexo explícito ou pornográfica com o fim de com ela praticar ato libidinoso;

II. pratica as condutas descritas no *caput* deste artigo com o fim de induzir criança a se exibir de forma pornográfica ou sexualmente explícita.

Fornecimento de munição ou explosivo

O crime previsto no art. 242 consiste em *vender, fornecer ainda que gratuitamente ou entregar, de qualquer forma, a criança ou adolescente arma, munição ou explosivo. A pena é de reclusão, de 3 a 6 anos.* O sujeito ativo é qualquer pessoa. O sujeito passivo é a criança ou adolescente. A conduta é vender, fornecer ou entregar, a qualquer título, oneroso ou gratuito, arma, munição ou explosivo, configurando-se um tipo misto alternativo. Existe conflito aparente de normas entre o artigo em comento e o art. 16, V, da Lei n. 10.826, que prevê o crime de "vender, entregar ou fornecer, ainda que gratuitamente, arma de fogo, acessório, munição ou explosivo a criança ou adolescente". A pena é exatamente a mesma para os dois crimes, de modo que deve prevalecer a regra do Estatuto da Criança e Adolescente, em face da especialidade dessa legislação. Em sentido contrário, há quem sustente que o crime do Estatuto do Desarmamento se configura quando for "arma de fogo" e o ECA se aplica quando se trata de qualquer outra arma.[28] Não há razão para tal preciosismo, uma vez que o art. 242 está obviamente incluindo a arma de fogo, sem fazer qualquer restrição, mormente porque o dispositivo fala ainda em munição e explosivo. O tipo subjetivo é o dolo. Consuma-se o crime com a efetiva venda, fornecimento ou entrega. Admite-se a tentativa.

Fornecimento de bebidas alcoólicas ou outra substância ilícita

Constitui crime, segundo o art. 243: *vender, fornecer, servir, ministrar ou entregar, ainda que gratuitamente, de qualquer forma, a criança ou a adolescente, bebida alcoólica ou, sem justa causa, outros produtos cujos componentes possam causar dependência física ou psíquica*: Pena – detenção de 2 a 4 anos, e multa, se o fato não constitui crime mais grave.

O sujeito ativo é qualquer pessoa. O sujeito passivo é a criança ou o adolescente. A conduta é vender, fornecer, ministrar ou entregar, ainda que gratuitamente, qualquer das substâncias mencionadas. Todavia, tratando-se de droga, nos termos da Portaria n. 344 da Anvisa, o crime será o do art. 33 da Lei n. 11.343. Trata-se de tipo misto alternativo, assim, a prática de mais de uma das condutas nucleares implica um crime único. O tipo subjetivo é o dolo. O tipo também prevê o elemento normativo "sem justa causa". Consuma-se com a venda, o fornecimento, a entrega ou a administração da substância. Admite-se a tentativa.

Fornecimento de fogos de estampido ou artifício

Segundo o art. 244: *vender, fornecer ainda que gratuitamente ou entregar, de qualquer forma, a criança ou adolescente fogos de estampido ou de artifício, exceto aqueles que, pelo seu reduzido potencial, sejam incapazes de provocar qualquer dano físico em caso de utilização indevida*: Pena – detenção de 6 meses a 2 anos, e multa.

---

28. ANDREUCCI, Ricardo Antonio. *Legislação penal especial*. São Paulo: Saraiva Educação, 2019. p. 108.

O sujeito ativo é qualquer pessoa. O sujeito passivo é a criança ou adolescente. A conduta é múltipla: vender, fornecer ainda que gratuitamente ou entregar, de qualquer forma, podendo ser ação ou omissão. O objeto material é o fogo de estampido ou artifício, exceto os que tenham reduzido potencial, como os conhecidos "estalinhos". O elemento subjetivo é o dolo. O crime é de perigo concreto, uma vez que exige-se a demonstração de que o artefato possa causar qualquer dano físico. A consumação ocorre com a produção do perigo. Admite-se a tentativa.

Prostituição ou exploração sexual de criança ou adolescente

O crime de prostituição infantil está previsto no art. 244:

> Art. 244-A. Submeter criança ou adolescente, como tais definidos no *caput* do art. 2º desta Lei, à prostituição ou à exploração sexual: Pena – reclusão de quatro a dez anos, e multa, além da perda de bens e valores utilizados na prática criminosa em favor do Fundo dos Direitos da Criança e do Adolescente da unidade da Federação (Estado ou Distrito Federal) em que foi cometido o crime, ressalvado o direito de terceiro de boa-fé.

Nos termos do § 1º, incorrem nas mesmas penas o proprietário, o gerente ou o responsável pelo local em que se verifique a submissão de criança ou adolescente às práticas referidas no *caput* deste artigo. O § 2º estabelece que constitui efeito obrigatório da condenação a cassação da licença de localização e de funcionamento do estabelecimento.

Não se confunde este crime com a pornografia infantil, prevista nos arts. 240 a 242-D, pois naqueles tipos penais não há efetivo contato físico com a criança ou adolescente. No caso da prostituição ou exploração sexual, porém, ocorre a relação sexual por dinheiro, no caso de prostituição, ou outro tipo de exploração sexual, em que o agente aproveita a fragilidade da criança ou adolescente para realizar o ato sexual, como ocorre, por exemplo, quando oferece emprego para a vítima ou seus familiares em troca de favores sexuais.

O sujeito ativo é qualquer pessoa. A lei expressamente inclui no polo ativo o proprietário, o gerente ou o responsável pelo local em que se verifique a prática do crime (§ 1º). O sujeito passivo é a criança ou adolescente. A conduta é submeter, o que denota ascendência econômica, familiar, social etc. sobre a vítima. Consoante o STJ, não se configura o crime diante de prática ocasional, como ocorre quando o sujeito ativo contrata uma adolescente já iniciada na prostituição.[29] Não podemos concordar com tal entendimento, uma vez que é dever do adulto tirar crianças e adolescentes da prostituição e não reforçar sua prática. Quem busca crianças e adolescentes em locais de prostituição infantojuvenil está associando-se aos que cometem esse crime, devendo responder na forma do art. 29 do Código Penal. O elemento subjetivo é o dolo. A consumação ocorre com a efetiva submissão da criança ou adolescente à prostituição ou exploração sexual. Admite-se a tentativa.

Eventualmente, poderá haver concurso de crimes entre a prostituição e a pornografia ou, até mesmo, crime de estupro de vulnerável (CP, art. 217-A).

Corrupção de criança ou adolescente

O último crime do ECA está previsto no art. 244-B: *corromper ou facilitar a corrupção de menor de 18 anos, com ele praticando infração penal ou induzindo-o a praticá-la: Pena – reclusão, de 1 a 4 anos.*

O sujeito ativo é qualquer pessoa e o sujeito passivo é a criança ou adolescente. A conduta é corromper, isto é, degenerar a criança ou adolescente, deteriorando seus valores e sua personalidade, ou facilitar a corrupção. Em sentido vulgar, significa "desencaminhar" o menor de idade, levando-o para o mundo do crime, seja concorrendo para a infração penal praticada pelo adolescente, seja praticando a infração com o auxílio deste ou, em último caso, meramente induzindo a criança ou adolescente a praticar. Em qualquer caso, opera-se uma situação de autoria mediata, em que só é punível o agente capaz, devendo a criança ou adolescente responder por ato infracional e não por crime. O crime tem forma

---

29. REsp844333/SC, Rel. Min. Gilson Dipo, Quinta Turma, 29/06/2007.

livre e pode ser praticado por qualquer meio, inclusive por eletrônico, nos termos do § 1º. O tipo subjetivo é o dolo. Trata-se de crime formal, consumando-se com a prática da infração penal, dispensando a efetiva corrupção da criança ou adolescente, conforme entendimento esposado na Súmula 500 do STJ, ao qual nos filiamos. Segundo esse enunciado, "a configuração do art. 244-B do ECA independe da prova da efetiva corrupção do menor, por se tratar de delito formal". Admite-se a tentativa. Se a infração penal praticada for considerada crime hediondo, a pena será aumentada de 1/3.

21.13 CRIMES CONTRA IDOSOS

Introdução

Os crimes contra idosos estão previstos na Lei n. 10.741/2003 (Estatuto do Idoso), destinando-se a proteger as pessoas idosas em razão da vulnerabilidade própria da idade avançada. Assim, o idoso será, invariavelmente, sujeito passivo desses crimes. Considera-se idosa a pessoa com idade igual ou superior a 60 anos (art. 1º). Os crimes previstos no Estatuto do Idoso são sempre de ação pública incondicionada, aplicando-se, no que couber, a Lei n. 9099/95 (Lei dos Juizados Especiais), nos termos dos arts. 94 e 95. Obviamente, poderá haver concurso desses crimes com os previstos na legislação comum.

Discriminação de pessoa idosa

As formas de discriminação da pessoa idosa estão previstas nos art. 96 e 100 da Lei n. 10.741. O art. 96 estabelece: *discriminar pessoa idosa, impedindo ou dificultando seu acesso a operações bancárias, aos meios de transporte, ao direito de contratar ou por qualquer outro meio ou instrumento necessário ao exercício da cidadania, por motivo de idade*. Na mesma pena incorre quem desdenhar, humilhar, menosprezar ou discriminar pessoa idosa, por qualquer motivo (§ 1º). A pena é de reclusão, de 6 meses a 1 ano, e multa, aumentando-se de 1/3 se a vítima se encontrar sob os cuidados ou responsabilidade do agente.

Segundo o art. 100, constitui crime punível com reclusão, de 6 meses a 1 ano, e multa:

I. obstar o acesso de alguém a qualquer cargo público por motivo de idade;
II. negar a alguém, por motivo de idade, emprego ou trabalho;
III. recusar, retardar ou dificultar atendimento ou deixar de prestar assistência à saúde, sem justa causa, a pessoa idosa;
IV. deixar de cumprir, retardar ou frustrar, sem justo motivo, a execução de ordem judicial expedida na ação civil a que alude esta Lei;
V. recusar, retardar ou omitir dados técnicos indispensáveis à propositura da ação civil objeto desta Lei, quando requisitados pelo Ministério Público.

Discriminar é impedir ou embaraçar o exercício de um direito ou faculdade em razão da idade. Nesses casos, a discriminação ocorre em razão da idade da vítima, não se aplicando as disposições da Lei n. 7.716, cujas penas são significativamente mais altas do que as do Estatuto do Idoso.

Tutela-se a dignidade da pessoa idosa e seus direitos fundamentais. As condutas descritas são no sentido de privar a pessoa idosa do exercício de direitos ou faculdades em razão da idade. O elemento subjetivo é o dolo, exigindo-se elemento subjetivo especial, qual seja, "motivo de idade". Consuma-se o crime com o efetivo cerceamento de direito ou faculdade descrito. Admite-se a tentativa, sempre que, realizado o ato discriminatório, o idoso consiga exercer o direito ou a faculdade.

Omissão de socorro

A omissão de socorro, prevista no art. 97, consiste no seguinte: *deixar de prestar assistência ao idoso, quando possível fazê-lo sem risco pessoal, em situação de iminente perigo, ou recusar, retardar ou dificultar sua assistência à saúde, sem justa causa, ou não pedir, nesses casos, o socorro de autoridade pública*. A pena é de detenção, de 6 meses a 1 ano, e multa, sendo aumentada de metade, se da omissão resulta lesão corporal de natureza grave, e triplicada, se resulta a morte. A objetividade jurídica é a proteção da vida e a integridade física e psíquica da pessoa idosa. O sujeito ativo é qualquer pessoa e o sujeito passivo é o idoso. A conduta é omissiva (omissão própria). O tipo prevê elemento normativo consistente em *sem justa causa*. A mera omissão consuma o crime. O elemento subjetivo é o dolo. Tratando-se de crime omissivo puro, não se admite a tentativa.

Abandono de pessoa idosa

Esse crime, nos termos do art. 98, consiste em *abandonar o idoso em hospitais, casas de saúde, entidades de longa permanência, ou congêneres, ou não prover suas necessidades básicas, quando obrigado por lei ou mandado*. A pena é de detenção, de 6 meses a 3 anos, e multa. A objetividade jurídica é a proteção da vida e a integridade física e psíquica da pessoa idosa. O sujeito ativo é a pessoa que tenha, por lei ou por mandado, o dever de cuidar do idoso, e o sujeito passivo é o idoso. A conduta é abandonar, no sentido de desonerar-se das obrigações para com o idoso, ou deixar, por outro modo, de prover as necessidades básicas, relacionadas a alimentação, vestuário, saúde, higiene etc. O tipo penal é doloso. Trata-se de crime omissivo próprio, consumando-se com a mera omissão, sem admitir tentativa.

Maus-tratos

O art. 99 tipifica o crime de maus-tratos contra idoso:

> Expor a perigo a integridade e a saúde, física ou psíquica, do idoso, submetendo-o a condições desumanas ou degradantes ou privando-o de alimentos e cuidados indispensáveis, quando obrigado a fazê-lo, ou sujeitando-o a trabalho excessivo ou inadequado.

A pena é de detenção, de 2 meses a 1 ano, e multa. Todavia, os parágrafos 1º e 2º preveem formas qualificadas pelo resultado (preterdolo). Ocorrendo lesão grave, a pena é de reclusão de 1 a 4 anos. Se houver morte, reclusão de 4 a 12 anos.

A objetividade jurídica é a proteção da vida e a integridade física e psíquica da pessoa idosa. O sujeito ativo é qualquer que tenha obrigações de cuidado para com o idoso (crime próprio) e o sujeito passivo é o próprio idoso. A conduta consiste em submeter o idoso a condições desumanas, degradantes, privação alimentar ou outros cuidados, bem como trabalho excessivo ou inadequado, de modo a causar risco à pessoa idosa. Tratando-se de tipo misto alternativo, a prática de mais de uma das condutas descritas constitui crime único. É crime de perigo concreto, devendo ser demonstrado o efetivo perigo à integridade e à saúde física ou psíquica do idoso. O tipo subjetivo é o dolo, mas, nas formas qualificadas, deve estar presente o preterdolo, isto é, dolo em relação ao fato antecedente (maus-tratos) e culpa em relação ao resultado (lesões graves ou morte). Caso haja dolo de lesão grave ou morte, estará configurado o crime de lesões corporais graves ou homicídio, conforme o caso. Não se confunde com o crime de tortura, previsto na Lei n. 9.455/97, pois neste exige-se intenso sofrimento físico ou mental.

Desobediência

Constitui crime de desobediência, nos termos do art. 101, *deixar de cumprir, retardar ou frustrar, sem justo motivo, a execução de ordem judicial expedida nas ações em que for parte ou interveniente o idoso*. A pena é de detenção, de 6 meses a 1 ano, e multa.

A objetividade jurídica é a tutela da Administração da Justiça. O sujeito ativo é qualquer pessoa e o sujeito passivo é o Estado; secundariamente, o próprio idoso em favor de quem foi expedida a ordem judicial desobedecida. A conduta consiste em deixar de cumprir, retardar ou frustrar ordem judicial expedida em favor do idoso. O tipo prevê o elemento normativo "sem justo motivo". O elemento subjetivo é o dolo. De acordo com a jurisprudência do Superior Tribunal de Justiça, o crime de desobediência apenas se configura quando, desrespeitada ordem judicial, não existir previsão de outra sanção em lei específica, ressalvada a previsão expressa de cumulação.[30] Consuma-se

---

30. AgRg no Recurso Especial n. 1.651.550 – DF (2017/0021881-5), Rel. Min. Jorge Mussi, julgado em 05/05/2017.

o crime com a prática de qualquer uma das condutas incriminadas. Admite-se a tentativa, salvo na forma omissiva.

Apropriação indébita

Consiste em *apropriar-se de ou desviar bens, proventos, pensão ou qualquer outro rendimento do idoso, dando-lhes aplicação diversa da de sua finalidade*. A pena é de reclusão, de 1 a 4 anos, e multa (art. 102).

A objetividade jurídica é a proteção do patrimônio do idoso, no que diz respeito a bens e pensão. O sujeito ativo é qualquer pessoa que tenha a posse ou administração dos bens. O sujeito passivo é o idoso. Apropriar-se é fazer sua coisa de outrem, e indébito é de algo indevido. O agente tem que ter a posse ou a detenção lícita do bem. Se o agente obtiver a posse mediante fraude, não será apropriação indébita. Distingue-se a apropriação indébita em duas espécies:

a. apropriação propriamente dita, em que o agente tem a posse desvigiada do bem (posse vigiada configura furto) e passa a agir como proprietário, por exemplo, vendendo os bens do idoso;
b. apropriação-desvio, em que o agente utiliza o patrimônio do idoso para fins que não correspondem ao interesse legítimo do idoso.

O tipo é doloso. Consuma-se o crime com o prejuízo ao idoso decorrente da apropriação ou desvio (crime material). Admite-se a tentativa.

Recusa de acolhimento ou permanência

Consiste o crime, previsto no art. 103, em *negar o acolhimento ou a permanência do idoso, como abrigado, por recusa deste em outorgar procuração à entidade de atendimento*. Pena: detenção, de 6 meses a 1 ano, e multa.

A objetividade jurídica é a proteção à liberdade do idoso de outorgar procuração. Destina-se a evitar a prática de condicionar o acolhimento de pessoa idosa à outorga de procuração, de forma a expor indevidamente o patrimônio da vítima, pois a contraprestação pelo serviço deve ser feita de forma justa e segura. O sujeito ativo é o diretor da entidade de atendimento.

O sujeito passivo é o idoso. A conduta consiste em negar acolhimento ou a permanência do idoso que se recusa a outorgar procuração em relação a seus bens ou a sua pensão. O tipo penal é doloso. Consuma-se o crime com a simples negativa de acolhimento ou permanência. Tratando-se de crime de mera conduta, não admite tentativa.

Retenção indevida de cartão magnético ou assemelhado

Constitui uma forma especial de exercício arbitrário das próprias razões. Nos termos do art. 104:

> Reter o cartão magnético de conta bancária relativa a benefícios, proventos ou pensão do idoso, bem como qualquer outro documento com objetivo de assegurar recebimento ou ressarcimento de dívida:
> Pena – detenção de 6 meses a 2 anos, e multa.

O sujeito ativo é a pessoa credora do idoso. O sujeito passivo é o próprio idoso. A conduta é reter, no sentido de não devolver à vítima, o cartão bancário relativo aos benefícios previdenciários ou qualquer outro documento. O tipo é doloso, exigindo-se, porém, finalidade específica, que é o objetivo de fazer justiça com as próprias mãos, cobrando a dívida contraída pela pessoa idosa. Consuma-se com a retenção do documento, ainda que não ocorra o recebimento da dívida (crime formal). Admite-se a tentativa.

Veiculação de dados depreciativos ou injuriosos

Consiste o crime em *exibir ou veicular, por qualquer meio de comunicação, informações ou imagens depreciativas ou injuriosas à pessoa do idoso*. A pena é de detenção, de 1 a 3 anos, e multa. Tutelam-se a honra, a imagem e a intimidade da pessoa idosa. O sujeito ativo é qualquer pessoa. O sujeito passivo é o idoso. A conduta é exibir ou veicular informações ou imagens depreciativas ou injuriosas por meio dos meios de comunicação, o que muito se ajusta, em nossos dias, aos aplicativos de mensagens e às redes sociais. A exibição ou veiculação pode ocorrer de um indivíduo para outro, não necessitando tratar-se de meio de comunicação de massa. O elemento subjetivo é o dolo. A consumação ocorre com a exibição ou veiculação. Admite-se a tentativa.

Induzimento a outorga de procuração

O crime previsto no art. 106 consiste em *induzir pessoa idosa sem discernimento de seus atos a outorgar procuração para fins de administração de bens ou deles dispor livremente*. A pena é de reclusão de 2 a 4 anos. Tutela-se o patrimônio da pessoa idosa. O sujeito ativo é qualquer pessoa. O sujeito passivo é o idoso. A conduta é induzir pessoa idosa e sem discernimento a outorgar procuração para fins de administração de bens. O crime só se configura se a vítima não tem discernimento, o que pode ser decorrência da própria idade avançada ou por qualquer outra causa. Se a vítima tiver discernimento, ainda que reduzido, o crime não se configura, podendo se configurar o art. 171 do Código Penal. O tipo é doloso. A consumação ocorre com a simples outorga da procuração mediante indução, independente de prejuízo à vítima (crime formal). Admite-se a tentativa quando, apesar de induzida a vítima, a procuração não é outorgada por circunstâncias alheias à vontade do sujeito ativo.

Extorsão para doar, contratar, testar ou outorgar procuração

Prevê o art. 107: *Coagir, de qualquer modo, o idoso a doar, contratar, testar ou outorgar procuração: Pena – reclusão de 2 a 5 anos.*

A objetividade jurídica é a liberdade individual e o patrimônio do idoso. O sujeito ativo é qualquer pessoa. O sujeito passivo é a pessoa idosa. A conduta é coagir, não se especificando se a coação é física ou moral. Portanto, a coação pode envolver violência ou grave ameaça. Trata-se, com efeito, de tipo de extorsão. Este tipo penal é francamente subsidiário ao art. 158 do Código Penal, cuja pena é de 4 a 10 anos. Com efeito, se a Lei n. 10.741 visa à proteção do idoso, nenhum sentido faria protegê-lo menos do que o Código Penal. Assim, numa relação de menos a mais, o art. 107 é subsidiário do art. 158 do CP. O tipo subjetivo é doloso. Consuma-se com a doação, contratação, outorga de testamento ou procuração. A tentativa é admitida.

Lavratura indevida de ato notarial

O crime do art. 108 consiste em: *lavrar ato notarial que envolva pessoa idosa sem discernimento de seus atos, sem a devida representação legal. Pena: reclusão de 2 a 4 anos.* Tutela-se a Administração Pública, no aspecto da fidelidade dos atos notariais, e secundariamente a pessoa idosa eventualmente prejudicada. O sujeito ativo é responsável pelo ato notarial, ou seja, tabelião, escrevente ou oficial autorizado (crime próprio). O sujeito passivo é o idoso. A conduta é a lavratura do ato notarial relativa a qualquer aspecto da vida civil de pessoa idosa sem discernimento, como casamento, testamento, procuração etc., sem que haja a devida representação legal do curador. O tipo é doloso. A consumação ocorre com a lavratura do ato, independentemente de qualquer prejuízo (crime formal). Admite-se a tentativa.

21.14 CRIMES CONTRA PESSOAS PORTADORAS DE DEFICIÊNCIA

Estatuto da Pessoa com Deficiência

A Lei n. 13.146/2015 instituiu a Lei Brasileira de Inclusão da Pessoa com Deficiência, mais conhecida como Estatuto da Pessoa com Deficiência, cuja base é a Convenção sobre os Direitos das Pessoas com Deficiência, ratificado pelo Congresso Nacional por meio do Decreto Legislativo n. 106/88. A lei se destina a promover a inclusão das pessoas deficientes, assegurando-lhes igualdade e proteção à discriminação, garantindo os direitos fundamentais e exercício pleno da cidadania. No aspecto criminal, tipifica diversas condutas em que o sujeito passivo é a pessoa com deficiência, o que não impede, logicamente, que esta figure como vítima em outros crimes previstos no Código Penal, já que esses crimes especiais se referem, especificamente, a situações em que a condição de deficiência é elementar do tipo.

O legislador tratou o Título II do Estatuto como "Dos Crimes e das Infrações Administrativas", cometendo grave atecnia, uma vez que este título prevê apenas tipos penais com as respectivas sanções, sem qualquer infração ou medida de cunho administrativo.

Induzimento ou instigação a discriminação de pessoa com deficiência

O crime previsto no art. 88 *consiste em praticar, induzir ou incitar discriminação de pessoa em razão de sua deficiência: Pena – reclusão, de 1 (um) a 3 (três) anos, e multa.*

Trata-se de crime que tutela a igualdade e a dignidade da pessoa com deficiência. O sujeito ativo é qualquer pessoa (crime comum), mas, se for responsável pelos cuidados da pessoa com deficiência, a pena aumenta-se em 1/3. O tipo é misto alternativo, pois a conduta incriminada é praticar, induzir ou incitar discriminação de pessoa em razão de sua deficiência. Portanto, se o motivo da discriminação for outro, o crime será da Lei n. 7.716. O tipo penal é doloso. Discriminar significa tratar de forma desigual, excluir ou restringir direito ou faculdade, podendo ser praticada mediante ação ou omissão. O elemento subjetivo é o dolo. O crime se consuma com a prática de qualquer das condutas descritas no tipo penal. Admite-se a tentativa em caso de *iter criminis* fracionável.

O § 2º prevê a forma qualificada, em que a pena é de 2 a 5 anos, se o crime é cometido por intermédio de meios de comunicação social ou de publicação de qualquer natureza. Nesse caso, de acordo com o § 3º, o juiz poderá determinar, ouvido o Ministério Público ou a pedido deste, ainda antes do inquérito policial, sob pena de desobediência: I – recolhimento ou busca e apreensão dos exemplares do material discriminatório; II – interdição das respectivas mensagens ou páginas de informação na internet. Constitui efeito da condenação, após o trânsito em julgado da decisão, a destruição do material apreendido (§ 4º).

Apropriação indébita

O art. 89 prevê forma especial de apropriação indébita, com a seguinte redação: *Art. 89. Apropriar-se de ou desviar bens, proventos, pensão, benefícios, remuneração ou qualquer outro rendimento de pessoa com deficiência: Pena – reclusão, de 1 a 4 anos, e multa.*

A objetividade jurídica é a proteção do patrimônio da pessoa com deficiência, no que diz respeito a seus bens, pensão etc. O sujeito ativo é qualquer pessoa que tenha a posse ou administração dos bens. O sujeito passivo é a pessoa com deficiência. Apropriar-se é fazer sua coisa de outrem, e indébito é de algo indevido. O agente tem que ter a posse ou a detenção lícita do bem. Se o agente obtiver a posse mediante fraude não será apropriação indébita. Distingue-se a apropriação indébita em duas espécies:

a. apropriação propriamente dita, em que o agente tem a posse desvigiada do bem (posse vigiada configura furto) e passa a agir como proprietário, por exemplo, vendendo os bens do idoso;
b. apropriação-desvio, em que o agente utiliza o patrimônio do idoso para fins que não correspondem ao interesse legítimo do idoso.

O tipo é doloso. Consuma-se o crime com o prejuízo ao idoso decorrente da apropriação ou desvio (crime material). Admite-se a tentativa.

O parágrafo único prevê aumentar a pena em 1/3 se o crime é cometido:

I. por tutor, curador, síndico, liquidatário, inventariante, testamenteiro ou depositário judicial; ou
II. por aquele que se apropriou em razão de ofício ou de profissão.

Abandono de pessoa com deficiência

Configura o crime, nos termos do art. 90, *abandonar pessoa com deficiência em hospitais, casas de saúde, entidades de abrigamento ou congêneres: Pena – reclusão, de 6 meses a 3 anos, e multa*. Também pratica o crime quem não prover as necessidades básicas de pessoa com deficiência quando obrigado por lei ou mandado.

A objetividade jurídica é a proteção da vida e a integridade física e psíquica da pessoa com deficiência. O sujeito ativo é a pessoa que tenha, por lei ou por mandado, obrigação de cuidado (crime próprio). O sujeito passivo é a pessoa com deficiência. A conduta é abandonar, no sentido de desonerar-se das obrigações de cuidado, ou deixar, por outro modo, de prover as necessidades básicas, relacionadas a alimentação, vestuário, saúde, higiene etc. O tipo penal é doloso. Trata-se de crime omissivo próprio, consumando-se com a mera omissão, sem admitir tentativa.

Retenção indevida de cartão magnético e assemelhado

O art. 91 é uma forma especial de apropriação indébita. Consiste no seguinte:

> Art. 91. Reter ou utilizar cartão magnético, qualquer meio eletrônico ou documento de pessoa com deficiência destinados ao recebimento de benefícios, proventos, pensões ou remuneração ou à realização de operações financeiras, com o fim de obter vantagem indevida para si ou para outrem:
> Pena – detenção, de 6 (seis) meses a 2 (dois) anos, e multa.

Segundo o parágrafo único. Aumenta-se a pena em 1/3 se o crime é cometido por tutor ou curador.

Tutela-se o patrimônio da pessoa com deficiência. O sujeito ativo é qualquer pessoa, mas se for tutor ou curador a pena é aumentada de 1/3, nos termos do parágrafo único. O sujeito passivo é a pessoa com deficiência. A conduta é reter, no sentido de não devolver à vítima o cartão bancário relativo aos benefícios previdenciários ou qualquer outro documento. O tipo é doloso, exigindo-se, porém, finalidade de obter vantagem indevida. Portanto, se a vantagem é devida, o crime é de exercício arbitrário das próprias razões (CP, art. 345). Consuma-se com a retenção do documento, ainda que não ocorra a vantagem (crime formal). Admite-se a tentativa.

21.15 CONTRAVENÇÕES PENAIS

Aspectos gerais

Contravenção penal é uma infração penal de menor gravidade e sanção reduzida, conhecida como "crime-anão", "delito-liliputiano" ou "crime-vagabundo", cujo principal objetivo é prevenir a criminalidade mediante a intervenção do Estado em condutas menores, antes que se tornem crimes graves. Assim, embora não haja um delito grave, a polícia poderá intervir numa contravenção penal, a fim de dar pronta resposta ao problema. Ou seja, por se tratar de infração penal, a conduta típica contravencional ficará sujeita à intervenção policial, sem que o autor se sujeite a uma segregação. A lei prevê a pena de *prisão simples*, o que significa que, após a adoção das providências policiais para fazer cessar a infração, o autor deverá ser liberado.

Não há distinção ontológica, isto é, na essência, entre crimes e contravenções penais, pois ambos são espécies de infração penal (fato típico, ilícito e culpável). O que muda é unicamente a pena, já que, enquanto os crimes estão sujeitos a reclusão e detenção, bem como multa, as contravenções, além de multa, estão sujeitas a prisão simples (art. 1º da Lei de Introdução ao Código Penal). As contravenções penais estão, em regra, previstas no Decreto-lei n. 3.688/41 (Lei das Contravenções Penais – LCP), o qual foi recepcionado pela Constituição Federal, com exceção de alguns dispositivos, especialmente o art. 17, que permitia que a ação penal nas contravenções fosse intentada pela autoridade policial, consagrando o *procedimento judicialiforme*. Com a Carta de 1988, a ação penal pública nas contravenções penais passou a ser privativa do Ministério Público, desaparecendo a ação penal intentada por delegados de polícia.

A pena de prisão simples, nos termos do art. 6º, da Lei de Contravenções Penais, deve ser cumprida, sem rigor penitenciário, em estabelecimento especial ou seção especial de prisão comum, em regime semiaberto ou aberto, e, de acordo com o § 1º, do mesmo artigo, o condenado à referida pena deve ficar sempre separado dos condenados à pena de reclusão ou de detenção. A Justiça Federal não julga contravenção penal (CF, art. 109, IV), salvo se houver conexão ou prerrogativa de função. Enquanto o Código Penal prevê a extraterritorialidade (art. 7º), isto é, a possibilidade da aplicação do Direito Penal brasileiro a fatos praticados fora do território nacional, dispõe o artigo 2º da LCP que a lei brasileira só é aplicável à contravenção praticada em território brasileiro. Todas as contravenções penais são, ao lado de crimes com pena máxima de até 2 anos, infrações de menor potencial ofensivo, ficando sujeitas ao processo perante o Juizado Especial Criminal (Lei n. 9.099/95, arts. 60 e 61).

Dolo, culpa e erro

O art. 3º do Decreto-lei n. 3.688/41 estabelece que, *para a existência da contravenção, basta a ação ou omissão voluntária. Deve-se, todavia, ter em conta o dolo ou a culpa, se a lei faz depender, de um ou de outra, qualquer efeito jurídico.* Diante da teoria finalista, atualmente adotada, tal dispositivo deve ser interpretado exatamente no sentido de que as contravenções são dolosas, só podendo ser punidas a título de culpa quando houver previsão expressa, exatamente como ocorre com os crimes. Ademais, aplicam-se às contravenções as normas relativas ao erro previstas no Código Penal, arts. 20 (erro de tipo) e 21 (erro de proibição), ficando tacitamente revogada a previsão do artigo 8º da LCP, que trata sobre a *ignorantia legis*.

Tentativa impunível

Nos termos do art. 4º, não é punível a tentativa de contravenção penal. Enquanto alguns sustentam que não é possível a configuração de contravenção penal, outros entendem que a tentativa é possível, porém impunível por expressa disposição legal. Estamos com a primeira corrente, uma vez que a tentativa corresponde à tipificação de condutas perigosas, sendo que o fundamento da tentativa é a punição de um perigo ao bem jurídico. Logo, admitir a tentativa de contravenção implicaria admitir "perigo de perigo".

Penas e reincidência

Como já mencionado, as penas principais são prisão simples e multa (art. 5º). Prisão simples é a pena privativa de liberdade que deve ser cumprida sem o rigor penitenciário (art. 6º), em estabelecimento especial ou separado dos presídios; sendo que o limite de duração não poderá ser superior a 5 anos. A verdade é que inexiste no sistema penal brasileiro local adequado para acolhimento dos contraventores e na prática ocorre a conversão em pena de multa. A multa deve ser aplicada adotando-se o sistema de dias-multa, previsto no art. 49 do CP.

Nos termos do art. 7º, verifica-se a reincidência quando o agente pratica uma contravenção depois de passar em julgado a sentença que o tenha condenado, no Brasil ou no estrangeiro, por qualquer crime, ou, no Brasil, por motivo de contravenção. O art. 8º da LCP trata do erro de direito, mas tal dispositivo deve ser interpretado à luz da atual concepção de erro de tipo (CP, art. 20) e erro de proibição (art. 21).

O art. 11 da LCP prevê a suspensão condicional da pena de prisão simples, bem como a possibilidade de conceder o livramento condicional, o que é inaplicável por estabelecer período de prova de 1 a 3 anos, enquanto o Código Penal prevê o lapso temporal de 2 a 4 anos. O art. 12 da LCP foi revogado pela Lei n. 7.209 de 1984, que aboliu as penas acessórias do Código Penal. O art. 16 prevê a internação em manicômio judiciário, devendo-se, porém, adotar o modelo adotado pela reforma penal de 1984, que disciplina as medidas de segurança.

Contravenções referentes à pessoa

Fabrico, comércio ou detenção de armas ou munição (art. 18): tutela-se a incolumidade individual e coletiva. O sujeito ativo é qualquer pessoa e o sujeito passivo é a coletividade. Diante da Lei n. 9.437 e, posteriormente, Lei n. 10.826 (Estatuto do desarmamento), restou derrogado este artigo, aplicando-se apenas às armas brancas (isto é, que não são armas de fogo, como facas e canivetes). Discute-se, ainda assim, a tipicidade, uma vez que as armas brancas dispensam licença da autoridade. O tipo subjetivo é o dolo. A consumação ocorre ao fabricar, comercializar ou simplesmente deter a arma. A pena é de prisão simples, de 3 meses a 1 ano, ou multa, de 1 a 5 contos de réis, ou ambas cumulativamente, se o fato não constitui crime contra a ordem política ou social.

Porte de arma (art. 19): tutela-se a incolumidade individual e coletiva. O sujeito ativo é qualquer pessoa e o sujeito passivo é a coletividade. Diante da Lei n. 9.437 e, posteriormente, Lei n. 10.826 (Estatuto do desarmamento), restou derrogado este artigo, aplicando-se apenas às armas brancas. Discute-se, ainda assim, a tipicidade, uma vez que as armas brancas dispensam licença da autoridade. A contravenção de porte de arma (art. 19) só é aplicável em se tratando de arma branca (aquela que não é de fogo, como faca ou canivete), desde que o objetivo seja o cometimento de infração penal (ato preparatório).[31] O tipo subjetivo é o dolo, mas é punida com a mesma pena a negligência de quem deixa a arma ao alcance de pessoa incapaz ou

---

31. STJ, REsp 83.857, Min. Gilson Dipp, julgado em 14/02/2000.

inexperiente para manejá-la. As figuras equiparadas são omissivas: deixar de fazer a entrega da arma a autoridade, permitir que a pessoa incapaz ou inexperiente a tenha consigo, além da omissão de cautela para impedir que menor ou incapaz se apodere da arma. A consumação ocorre com o simples porte. A pena é de prisão simples, de 15 dias a 6 meses, ou multa, de 200 mil réis a 3 contos de réis, ou ambas cumulativamente, aumentada de 1/3 até metade, se o agente já foi condenado, em sentença irrecorrível, por violência contra pessoa.

Anúncio de meio abortivo (art. 20): tutela-se a vida intrauterina. O sujeito ativo é qualquer pessoa e o sujeito passivo é o Estado. Consiste em anunciar processo (método), substância (qualquer produto para ser consumido ou aplicado) ou objeto (ferramenta) destinado a provocar aborto (interrupção da vida intrauterina). O tipo subjetivo é doloso. Consuma-se com o simples anúncio. Pune-se a propaganda de meio abortivo. A pena é de multa.

Vias de fato (art. 21): tutela-se a incolumidade física. O sujeito ativo é qualquer pessoa, assim como o sujeito passivo. Consiste em praticar violência física contra alguém sem causar lesão. O elemento subjetivo é o dolo. Em situação de violência doméstica contra a mulher, não se admite substituição da prisão simples por pena restritiva de direitos, em face do art. 17 da Lei n. 11.343 (Lei Maria da Penha). Nesse sentido, a Súmula 588 do STF. No mesmo sentido o STF, no RHC 88.515. Mas o próprio havia entendido contrariamente no HC 131.160. Há duas correntes quanto à ação penal. 1ª corrente: ação penal condicionada à representação. Se a lesão corporal leve passou a depender de representação (art. 88 da Lei n. 9.099), a contravenção de vias de fato também (analogia in *bonam partem*); 2ª corrente: ação pública incondicionada, porque o art. 17 é norma especial, que prevalece sobre o art. 88 da Lei n. 9099/95 (STF, HC 80617).

Internação irregular em estabelecimento psiquiátrico (art. 22): tutelam-se a liberdade e a regularidade dos serviços de saúde. O sujeito ativo é o diretor ou funcionário do estabelecimento psiquiátrico. O sujeito passivo é qualquer pessoa. Consiste em receber e internar em estabelecimento psiquiátrico, sem as formalidades legais, pessoa apresentada como doente mental. O elemento subjetivo é o dolo. Esta contravenção trata da internação psiquiátrica sem ordem judicial e fora das hipóteses previstas pela Lei n. 10.216, bem como atos normativos das autoridades de saúde mental. Também incorre na contravenção quem se omite em comunicar a autoridade competente, no prazo legal, a internação de pessoa sem obediência às formalidades legais, ante a urgência do caso concreto. Nos termos do art. 8º da Lei n. 10.216, a internação psiquiátrica involuntária deverá, no prazo de 72 horas, ser comunicada ao Ministério Público Estadual pelo responsável técnico do estabelecimento no qual tenha ocorrido, devendo esse mesmo procedimento ser adotado quando da respectiva alta. A punição é multa, mas o § 2º prevê forma qualificada, que consiste na desinternação de paciente psiquiátrico sem observância das normas legais, em que ocorre também prisão simples de 15 dias a 3 meses.

Indevida custódia de doente mental (art. 23): essa contravenção, punida com prisão simples, de 15 dias a 3 meses, ou multa, é subsidiária da anterior, configurando-se quando o recebimento ou a custódia do doente mental se dá em lugar diverso do estabelecimento psiquiátrico, sem autorização de quem de direito, isto é, do responsável pelo doente mental. O sujeito ativo é qualquer pessoa e o sujeito passivo é o doente mental. O elemento subjetivo é o dolo. Consuma-se com o início da custódia.

Contravenções referentes ao patrimônio

Instrumento de emprego usual na prática de furto (art. 24): tutela-se o patrimônio. A conduta consiste em fabricar, ceder ou vender gazua ou instrumento empregado usualmente na prática de furto. Essa contravenção incrimina atos preparatórios de furto e não tem aplicabilidade a outros delitos contra o patrimônio. O tipo subjetivo é o dolo. Consuma-se com a fabricação, cessão ou venda, independentemente de eventual uso. A pena é de prisão simples, de 6 meses a 2 anos, e multa, de 300 mil réis a 3 contos de réis. O sujeito ativo é qualquer pessoa, assim como o sujeito passivo.

Posse não justificada de instrumento de emprego usual na prática de furto (art. 25): o STF, no RE 585.523, declarou que o art. 25 da LCP não foi recepcionado pela Constituição Federal, por ser discriminatório e ferir os princípios da isonomia e da dignidade humana.

Violação de lugar ou objeto (art. 26): tutela-se o patrimônio. Trata-se de contravenção própria, pois só pode ser praticada por profissional (serralheiro, chaveiro etc.). O sujeito passivo é qualquer pessoa. A conduta consiste em abrir alguém, no exercício de profissão de serralheiro ou ofício análogo, a pedido ou por incumbência de pessoa de cuja legitimidade não se tenha certificado previamente, fechadura ou qualquer outro aparelho destinado à defesa de lugar ou objeto. Em que pese o entendimento de que a figura é culposa, diante da expressão "cuja legitimidade não se tenha certificado previamente", entendemos que o tipo contempla o dolo eventual, pois, ao deixar de se certificar sobre quem pede para abrir o local, o agente assume o risco de violar o domicílio. A pena é de prisão simples, de 15 dias a 3 meses, ou multa, de 200 mil réis a 1 conto de réis.

Exploração da credulidade pública (art. 27): contravenção revogada pela Lei n. 9.521/97.

As contravenções referentes à incolumidade pública

Disparo de arma de fogo (art. 28): esta contravenção foi derrogada pelo Estatuto do Desarmamento, permanecendo válida apenas em relação ao parágrafo que diz respeito à queima de fogo de artifício ou balão aceso. Tutela-se a incolumidade pública. O sujeito ativo é qualquer pessoa. O sujeito passivo é a coletividade. A conduta consiste em queimar fogo de artifício ou soltar balão aceso em lugar habitado ou em suas adjacências, em via pública ou em direção a ela, sem licença da autoridade. A licença da autoridade (elemento normativo do tipo) está discriminada no Decreto-lei n. 4.238/42. O tipo subjetivo é o dolo. Consuma-se o crime com a queima dos fogos ou a liberação do balão aceso, independentemente de qualquer dano. A pena é de prisão simples, de 15 dias a 2 meses, ou multa, de 200 mil réis a 2 contos de réis.

Desabamento de construção (art. 29): tutela-se a incolumidade pública. O sujeito ativo é qualquer pessoa, exceto no caso de erro de projeto ou execução, em que é contravenção própria, pois só o profissional pode praticar. O sujeito passivo é a coletividade. A conduta é provocar o desabamento de construção ou, por erro no projeto ou na execução, dar-lhe causa. Admite-se a culpa, diante da expressão erro. Note que há subsidiariedade em relação ao crime de desabamento, previsto no art. 256, este sim, doloso. A pena é de multa, de 1 a 10 contos de réis, se o fato não constitui crime contra a incolumidade pública.

Perigo de desabamento (art. 30): tutela-se a incolumidade pública. O sujeito ativo é qualquer pessoa. O sujeito passivo é a coletividade. A conduta é omitir a providência reclamada pelo estado ruinoso de construção que lhe pertence ou cuja conservação lhe incumbe (omissão própria). O tipo é o dolo, exigindo-se o conhecimento de que a construção está em estado ruinoso. A pena é de multa, de 1 a 5 contos de réis.

Omissão de cautela na guarda ou condução de animais (art. 31): tutela-se a incolumidade pública. O sujeito ativo é qualquer pessoa. O sujeito passivo é a coletividade. O tipo é misto alternativo, prevendo as condutas de deixar em liberdade, confiar à guarda de pessoa inexperiente, ou não guardar com a devida cautela animal perigoso. Admite-se a culpa, no sentido de omissão de cautela. Consuma-se com a omissão (omissão própria). A pena é de prisão simples, de 10 dias a 2 meses, ou multa, de cem mil réis a um conto de réis. Consoante o *parágrafo único,* incorre na mesma pena quem: na via pública, abandona animal de tiro, carga ou corrida, ou o confia à pessoa inexperiente; excita ou irrita animal, expondo a perigo a segurança alheia; conduz animal, na via pública, pondo em perigo a segurança alheia.

Falta de habilitação para dirigir veículo (art. 32): consoante a Súmula 720 do STF: *o art. 309 do Código de Trânsito Brasileiro, que reclama decorra do fato perigo de dano, derrogou o art. 32 da Lei das Contravenções Penais no tocante à direção sem habilitação em vias terrestres.* Tutela-se a incolumidade pública. O sujeito ativo é qualquer pessoa. O sujeito passivo é a coletividade. A conduta é dirigir, sem a devida habilitação, embarcação a motor em águas públicas, o que se aplica a qualquer tipo de embarcação, desde motos aquáticas até navios. O tipo subjetivo é o dolo. Consuma-se com a condução da embarcação, independentemente de qualquer dano, divergindo-se quanto à natureza do perigo. Entendemos que se trata de perigo abstrato, que não exige comprovação. A pena é de multa de 200 mil réis a 2 contos de réis.

Direção não licenciada de aeronave (art. 33): tutela-se a incolumidade pública. O sujeito ativo é qualquer pessoa. O sujeito passivo é a coletividade. A conduta é dirigir aeronave sem estar devidamente licenciado. Basta colocar a aeronave em movimento, independentemente de decolagem efetiva. O tipo é doloso. Consuma-se com qualquer manobra. A pena é de prisão simples, de 15 dias a 3 meses, e multa, de 200 mil réis a 2 contos de réis.

Direção perigosa de veículo na via pública (art. 34): em que pesem opiniões em contrário, entendemos que esta contravenção foi tacitamente revogada pelo Código de Trânsito brasileiro, permanecendo válida apenas em relação às embarcações. Tutela-se a incolumidade pública. O sujeito ativo é qualquer pessoa. O sujeito passivo é a coletividade. A conduta consiste em dirigir embarcações em águas públicas, pondo em perigo a segurança alheia. O tipo subjetivo é o dolo. Consuma-se com qualquer manobra perigosa. A pena é de prisão simples, de 15 dias a 3 meses, ou multa, de 300 mil réis a 2 contos de réis.

Abuso na prática da aviação (art. 35): tutela-se a incolumidade pública. O sujeito ativo é qualquer pessoa. O sujeito passivo é a coletividade. O tipo é misto alternativo, prevendo as condutas de realizar, na prática da aviação, acrobacias ou voos baixos, fora da zona em que a lei o permite, ou fazer descer a aeronave fora dos lugares destinados a esse fim. Consuma-se com a acrobacia ou o rasante. A pena é de prisão simples, de 15 dias a 3 meses, ou multa, de 500 mil réis a 5 contos de réis.

Sinais de perigo (art. 36): tutela-se a incolumidade pública. O sujeito ativo, no caso do *caput*, é quem tem o dever de sinalizar (contravenção própria), mas as condutas descritas no parágrafo podem ser praticadas por qualquer pessoa. O sujeito passivo é a coletividade. A conduta consiste em deixar de colocar na via pública sinal ou obstáculo, determinado em lei ou pela autoridade e destinado a evitar perigo a transeuntes (omissão própria). O tipo subjetivo é o dolo. Consuma-se com a omissão. A pena é de prisão simples, de 10 dias a 2 meses, ou multa, de 200 mil réis a 2 contos de réis. Segundo o parágrafo único, incorre na mesma pena quem: apaga sinal luminoso, destrói ou remove sinal de outra natureza ou obstáculo destinado a evitar perigo a transeuntes; remove qualquer outro sinal de serviço público.

Arremesso ou colocação perigosa (art. 37): tutela-se a incolumidade pública. O sujeito ativo é qualquer pessoa. O sujeito passivo é a coletividade. A conduta é arremessar ou derramar em via pública, ou em lugar de uso comum, ou de uso alheio, coisa que possa ofender, sujar ou molestar alguém. Também pratica a contravenção aquele que, sem as devidas cautelas, coloca ou deixa suspensa coisa que, caindo em via pública ou em lugar de uso comum ou de uso alheio, possa ofender, sujar ou molestar alguém (parágrafo único). A conduta do *caput* é dolosa, porém o parágrafo é culposo. Consuma-se com o arremesso, colocação ou abandono de coisa perigosa no lugar indevido. A pena é de multa, de 200 mil réis a 2 contos de réis.

Emissão de fumaça, vapor ou gás (art. 38): entendemos que essa contravenção está revogada pelo art. 54, § 2º, V, da Lei n. 9.605/98.

Das contravenções referentes à paz pública

Provocação de tumulto e conduta inconveniente (art. 40): tutela-se a paz pública, notadamente a ordem dos eventos. O sujeito ativo é qualquer pessoa, assim como o sujeito passivo. O tipo é misto alternativo, prevendo as condutas de provocar tumulto ou portar-se de modo inconveniente ou desrespeitoso, em solenidade ou ato oficial, em assembleia ou espetáculo público, se o fato não constitui infração penal mais grave. O tipo subjetivo é o dolo. Consuma-se com a provocação do tumulto ou qualquer conduta perturbadora ou desrespeitosa. A pena é de prisão simples, de 15 dias a 6 meses, ou multa, de 200 mil réis a 2 contos de réis.

Falso alarma (art. 41): tutela-se a paz pública. O sujeito ativo é qualquer pessoa, assim como o sujeito passivo. O tipo é misto alternativo, prevendo as condutas de provocar alarma, anunciando desastre ou perigo inexistente, ou praticar qualquer ato capaz de produzir pânico ou tumulto. O tipo subjetivo é o dolo. Consuma-se com o alarme falso. A pena é de prisão simples, de 15 dias a 6 meses, ou multa, de 200 mil réis a 2 contos de réis.

Perturbação do trabalho ou do sossego alheios (art. 42): tutela-se a paz pública. O sujeito ativo é qualquer pessoa, assim como o sujeito passivo. O tipo é misto alternativo, prevendo as condutas de perturbar alguém no trabalho ou no sossego alheio com gritaria ou algazarra; exercendo profissão incômoda ou ruidosa, em desacordo com as prescrições legais; abusando de instrumentos sonoros ou sinais acústicos; provocando ou não procurando impedir barulho produzido por animal de que tem a guarda. O tipo penal é o dolo. Consuma-se com qualquer das condutas descritas. A pena é de prisão simples, de 15 dias a 3 meses, ou multa, de 200 mil réis a 2 contos de réis.

Das contravenções referentes à fé pública

Recusa de moeda de curso legal (art. 34): tutela-se a moeda vigente no Brasil, ou seja, o real. O sujeito ativo, assim como o sujeito passivo, pode ser qualquer pessoa. A conduta é a recusa em receber, pelo seu valor, moeda de curso legal no país. Aplica-se tanto à recusa em si mesma, como à recusa em receber a moeda pelo valor nominal, como, por exemplo, receber nota de R$ 20,00 reais pelo valor de R$ 10,00. Moedas estrangeiras podem ser recusadas, assim como títulos de crédito. Havendo justo motivo, não subsiste a contravenção (exemplo: suspeita de falsidade). O tipo subjetivo é doloso. Consuma-se com a recusa. A pena é de multa, de 200 mil réis a 2 contos de réis.

Imitação de moeda para propaganda (art. 44): tutela-se a moeda vigente no Brasil, ou seja, o real. O sujeito ativo, assim como o sujeito passivo, pode ser qualquer pessoa. A conduta é usar, como propaganda, de impresso ou objeto que pessoa inexperiente ou rústica possa confundir com moeda. Exige-se perícia para verificação da possibilidade de confundir pessoa inexperiente. O tipo subjetivo é o dolo. Consuma-se o crime com o uso, não bastando e simples impressão. A pena é multa, de 200 mil réis a 2 contos de réis.

Simulação da qualidade de funcionário (art. 45): tutela-se a fé pública, assim como a Administração Pública. O sujeito ativo é qualquer pessoa e o sujeito passivo é o Estado. A conduta é fingir-se funcionário público, não se confundindo com o crime de usurpação de função pública (CP, art. 328), o qual exige a realização de ato de ofício pelo falso funcionário público. O tipo subjetivo é doloso. Consuma-se com qualquer simulação de estar a serviço do Poder Público. A pena é de prisão simples, de 1 a 3 meses, ou multa, de 500 mil réis a 3 contos de réis.

Uso ilegítimo de uniforme ou distintivo (art. 46): tutela-se a fé pública, assim como a Administração Pública. O sujeito ativo é qualquer pessoa e o sujeito passivo é o Estado. A conduta é usar, publicamente, de uniforme, ou distintivo de função pública que não exerce. Não se confunde com o crime de usurpação de função pública (CP, art. 328), o qual exige a realização de ato de ofício pelo falso funcionário público. Por outro lado, se o uso indevido é de distintivo ou insígnia militar, o crime é do art. 172 do Código Penal Militar. O tipo subjetivo é doloso. Consuma-se com o uso ostensivo em público. A pena é de multa, de 200 mil réis a 2 contos de réis, se o fato não constitui infração penal mais grave.

Das contravenções relativas à organização do trabalho

Exercício ilegal de profissão ou atividade (art. 47): tutela-se a organização do trabalho. O sujeito ativo é qualquer pessoa e o sujeito passivo é a coletividade. A conduta é exercer profissão ou atividade econômica ou anunciar que a exerce, sem preencher as condições a que por lei está subordinado o seu exercício. Cuida-se de norma penal em branco, aplicável a profissões regulamentadas. Segundo o STJ, configura essa contravenção realizar atos de corretagem após o cancelamento do registro no Conselho Regional de Corretores de Imóveis (HC 104/924/MG). Se alguém exerce atos privativos, sendo ou não bacharel em Direito, sem ter o registro na OAB, pratica esta contravenção, mas o advogado que pratica atos privativos da advocacia após ter seu registro suspenso pratica o crime do art. 205 do CP. Com relação a médicos, farmacêuticos e dentistas, o Código Penal prevê crime específico (CP, art. 282). Note que a profissão de flanelinha está regulamentada pela Lei n. 6.242 e pelo Decreto Federal n. 79.797/77, embora o STJ venha reconhecendo a atipicidade da conduta de flanelinha ou guardador de carros que atua sem registro (HC 88815/RJ). O STF decidiu que atividade de árbitro ou mediador não configura esta contravenção por se tratar de atividade não regulada em Lei.[32]

O tipo subjetivo é doloso. Consuma-se com qualquer ato profissional. A pena é de prisão simples, de 15 dias a 3 meses, ou multa, de 500 mil réis a 5 contos de réis.

Exercício ilegal do comércio de coisas antigas e obras de arte (art. 48): tutela-se o comércio de antiguidades, livros antigos etc. O sujeito ativo é qualquer

---

32. HC 92183/PE, Rel. Ayres Brito, julgado em 25/05/2008.

pessoa e o sujeito passivo é a coletividade. A conduta é exercer, sem observância das prescrições legais, comércio de antiguidades, de obras de arte, ou de manuscritos e livros antigos ou raros. Trata-se de norma penal em branco. O tipo subjetivo é doloso. Consuma-se a habitualidade, não bastando um único ato. A pena é de prisão simples, de 1 a 6 meses, ou multa, de um a dez contos de réis.

Matrícula ou escrituração de indústria e profissão (art. 49): tutela-se a regularidade da atividade econômica. O sujeito ativo é a pessoa encarregada de registrar ou escriturar. O sujeito passivo é a coletividade. A conduta é infringir determinação legal relativa à matrícula ou à escrituração de indústria, de comércio, ou de outra atividade. Trata-se de norma penal em branco. Informações falsas prestadas à junta comercial ou outro órgão configuram o crime de falsidade ideológica (CP, art. 299) e não a contravenção. O tipo subjetivo é o dolo. Consuma-se com qualquer infração a comando normativo relacionado à matrícula ou à escrituração. A pena é de multa, de 200 mil réis a 5 contos de réis.

Das contravenções relativas à polícia de costumes

Jogo de azar (art. 50): o tipo tutela os costumes, pretendendo evitar a degradação do patrimônio familiar em razão do vício da jogatina. O sujeito ativo é qualquer pessoa e o sujeito passivo é o Estado. A conduta é estabelecer ou explorar jogo de azar em lugar público ou acessível ao público, mediante o pagamento de entrada ou sem ele. Em discussão sobre a recepção ou não desse tipo contravencional pela Constituição, o STF reconheceu a repercussão geral no RE 966.177/RS. Jogo de azar, conforme § 3º, é aquele que ganhar ou perder depende de fatores totalmente aleatórios. Consideram-se jogos de azar o 21, o bolão esportivo, tômbola, jogo das tampinhas etc. Com relação aos caça níqueis e videopôquer, é pacífico nos tribunais superiores que configuram jogo de azar, podendo configurar o art. 50, o art. 45 do Dec. Lei n. 6259/44, se envolver jogo de prognósticos (loterias), ou o art. 2º, IX, Lei n. 1.521/51 (crime contra a economia popular), se a máquina estiver programada para anular as chances de ganho do apostador. Com relação aos bingos, configuram contravenção de jogos de azar, de acordo com o entendimento do STJ e do STF, que não acolhem a tese de que a Lei n. 9615/98 (Lei Pelé), teria revogado o art. 50 da LCP.[33] No caso de bingos regulamentados por Lei Estadual ou do DF, a lei é inconstitucional, em face da Súmula Vinculante 02 do STF (a matéria é privativa da União – art. 22, XX da CF). Com relação aos bingos beneficentes, prevalece o entendimento de que não configura contravenção penal, em face do princípio da adequação social da conduta. No caso de bingo em navio estrangeiro em alto mar, deve-se observar o art. 2º da LCP, uma vez que não se aplica a Lei brasileira a contravenções penais cometidas fora do Brasil. As apostas em corridas de cavalos fora do hipódromo ou local onde sejam autorizadas configura essa contravenção (§ 3º, b), embora não tenha validade a regra da inafiançabilidade prevista no art. 9º, § 2º, da Lei n. 7.291, que dispõe sobre as competições turfísticas. Também configuram essa contravenção, conforme § 3º, c, apostas sobre qualquer outra modalidade esportiva, desde que tenham caráter público, isto é, acessível a qualquer pessoa, também configuram a contravenção. O tipo subjetivo é doloso. Consuma-se com o estabelecimento ou exploração do jogo. Nos termos do § 4º, equiparam-se a lugares públicos a casa particular em que se realizam jogos de azar, quando deles habitualmente participam pessoas que não sejam da família de quem a ocupa; o hotel ou casa de habitação coletiva, a cujos hóspedes e moradores se proporciona jogo de azar; a sede ou dependência de sociedade ou associação, em que se realiza jogo de azar; o estabelecimento destinado à exploração de jogo de azar, ainda que se dissimule esse destino. A pena é de prisão simples, de 3 meses a 1 ano, e multa, de 2 a 15 contos de réis, estendendo-se os efeitos da condenação à perda dos móveis e objetos de decoração do local. A pena é aumentada de 1/3, se existe entre os empregados ou participa do jogo pessoa menor de 18 anos (§ 1º). Incorre na pena de multa, de 200 mil réis a 2 contos de réis, quem é encontrado a participar do jogo, como ponteiro ou apostador (§ 2º).

Embriaguez (art. 62): tutelam-se os bons costumes e a incolumidade pública. O sujeito ativo é qualquer pessoa e o sujeito passivo é a coletividade.

---

33. RE 703156, Rel. Min. Gilson Dipp.

O tipo consiste em apresentar-se publicamente em estado de embriaguez, de modo que cause escândalo ou ponha em perigo a segurança própria ou alheia. Não se exige continuidade. O elemento subjetivo é o dolo. Consuma-se quando a pessoa, embriagada, causa escândalo ou perigo para si ou para outras pessoas. A contravenção fica absorvida caso o ébrio comete crime de resistência (CP, art. 329), lesão corporal (CP art. 129), perigo para a vida ou saúde de outrem (CP, art. 132) ou embriaguez ao volante (CTB, art. 306). A pena é de prisão simples, de 15 dias a 3 meses, ou multa, de 200 mil réis a 2 contos de réis. Não foi recepcionado o parágrafo único, pois a internação só é possível para fins de medida de segurança, mediante prova pericial de perturbação da saúde mental.

Bebidas alcoólicas (art. 63): tutelam-se os bons costumes e a saúde. O sujeito ativo é qualquer pessoa e o sujeito passivo é uma das pessoas mencionadas no artigo: quem se acha em estado de embriaguez, pessoa que o agente sabe sofrer das faculdades mentais; pessoa que o agente sabe estar judicialmente proibida de frequentar lugares onde se consome bebida de tal natureza. Quanto ao menor de 18 anos, a conduta é tipificada no art. 243 do Estatuto da Criança e do Adolescente. O tipo penal prevê a conduta de servir bebidas alcoólicas. Entendemos que o tipo comporta interpretação extensiva, diante da amplitude da expressão servir, abrangendo também vender. O tipo subjetivo é o dolo, que abrange o conhecimento de que a pessoa esteja embriagada, sofrendo das faculdades mentais ou proibida judicialmente de frequentar bares ou similares. A pena é de prisão simples, de 2 meses a 1 ano, ou multa, de 500 mil réis a 5 contos de réis.

Tipos contravencionais revogados: os arts. 51 a 58 foram revogados pelo art. 58 do Decreto-lei n. 6.259/44, que dispõe sobre o serviço de loterias. O art. 61 (importunação ofensiva ao pudor) foi revogado pela Lei n. 13.718/2018, sem *abolitio criminis*, porém, diante da tipificação prevista no art. 215-A do CP (importunação sexual). Houve, portanto, continuidade normativo-típica, embora seja inaplicável a fatos anteriores a pena mais grave prevista (*lex gravior*). Estão revogados o art. 64 (art. 32 da Lei n. 9.605), art. 65 (Lei n. 14.132, que criou o crime de perseguição, art. 147-A do CP).

Das contravenções referentes à Administração Pública

Omissão de comunicação de crime (art. 66): tutela-se o funcionamento da Administração Pública. O sujeito ativo deve ser pessoa com função pública ou profissional de saúde. O sujeito passivo é o Estado. A conduta é omissiva, no sentido de não comunicar à autoridade competente crime de ação pública incondicionada e, no caso do inciso II, desde que não exponha o cliente do médico ou profissional de saúde a procedimento criminal, o que deve ser entendido em sentido lato, abrangendo investigação criminal pela polícia ou outro órgão. Consuma-se com a omissão. O tipo subjetivo é o dolo. Se houver fim específico de satisfazer interesse ou sentimento pessoal, por parte de funcionário público, configura-se a prevaricação (CP, art. 319). A pena é de multa, de 300 mil réis a 3 contos de réis.

Inumação ou exumação de cadáver (art. 67): tutela-se o funcionamento da Administração Pública. O sujeito ativo é qualquer pessoa e o sujeito passivo é o Estado. A conduta é inumar (enterrar) ou exumar (desenterrar) cadáver, com infração das disposições legais (norma penal em branco). O art. 163 do CPP prevê as normas para inumação. A Lei n. 6.015 (Lei dos Registros Públicos) estabelece norma para sepultamento, assim como as leis municipais. Cadáver é o corpo humano sem vida. O natimorto é cadáver, mas o feto é considerado uma das vísceras da mulher. Não se confunde esta contravenção com os crimes de destruição, subtração ou ocultação (CP, art. 210) e de vilipêndio de cadáver (CP, art. 211). O tipo subjetivo é o dolo. Consuma-se com a inumação ou exumação. A pena para esta contravenção é de prisão simples, de 1 mês a 1 ano, ou multa, de 200 mil réis a 2 contos de réis.

Recusa de dados sobre a própria identidade ou qualificação (art. 68): tutela-se o funcionamento da Administração Pública. O sujeito ativo é qualquer pessoa e o sujeito passivo é o Estado. O tipo prevê a conduta de recusar à autoridade, quando por esta justificadamente solicitados ou exigidos, dados ou indicações concernentes à própria identidade, estado, profissão, domicílio e residência. A recusa pode ser expressa ou tácita. Não se confunde com o crime de falsa identidade (CP, art. 307). Fica excluída a contravenção se o indivíduo se retrata e apresenta os dados verdadeiros em tempo oportuno. O tipo subjetivo é o dolo. A consumação ocorre com a negativa em fornecer os dados. A pena é de multa, de 200 mil réis a 2 contos de réis. O parágrafo único prevê forma qualificada, com pena de pena de prisão simples, de 1 a 6 meses, e multa, de 200 mil réis a 2 contos de réis, se o agente faz declarações inverídicas a respeito de sua identidade pessoal, estado, profissão, domicílio e residência, se o fato não constitui infração penal mais grave (subsidiariedade expressa).

Tipos contravencionais revogados: foram revogados o art. 69 (Lei n. 6.815) e o art. 70 (Lei n. 6.538).

21.16 OUTRAS LEIS ESPECIAIS COM CONTEÚDO PENAL

Além das leis mencionadas, que se revelam mais importantes em nosso cotidiano, muitas outras leis especiais trazem disposições penais, tais como: Lei n. 7.210/84: Lei das Execuções Penais; Lei n. 4.737/65: Código Eleitoral; Decreto-lei n. 1.001/69: Código Penal Militar; Decreto-lei n. 3.688/41: Agrotóxicos; Lei n. 5.553/68: Apresentação e Uso de Documentos de Identificação Pessoal; Lei n. 11.105/2005: Lei de Biossegurança; Lei n. 5.478/68: Lei de Alimentos; Lei n. 8.176/91: Crimes contra a Ordem Econômica; Decreto-lei n. 201/67: Crimes de Responsabilidade dos Prefeitos; Lei n. 10.671/2003: Estatuto do Torcedor; Lei n. 11.101/2005: Crimes Falimentares; Lei n. 1.521/51: Economia Popular; Lei n. 6.001/73: Estatuto do Índio; Lei n. 5.700/71: Símbolos Nacionais; Lei n. 2.889/56: Genocídio; Lei n. 12.037/2009: Identificação Criminal; Lei n. 9.605/98: Meio Ambiente; Leis 8.137/90 e 4.729/65: Ordem Tributária; Lei n. 6.766/79: Parcelamento do Solo Urbano; Lei n. 7.960/89: Prisão Temporária; Lei n. 11.254/2005: Proibição do Desenvolvimento, Produção, Estocagem e Uso de Armas Químicas; Lei n. 8.078/90: Código de Proteção e Defesa do Consumidor; Lei n. 9.434/97: Remoção de Órgãos, Tecidos e Partes do Corpo Humano; Lei n. 6.453/77: Atividades Nucleares; Lei n. 7.492/86: Sistema Financeiro Nacional; Lei n. 13.260/16: Terrorismo; Lei n. 13.344/2016: Tráfico de Pessoas; entre outras.

RESUMO

Crimes hediondos

Definição de crimes hediondos: o Brasil adotou o sistema legal, em consonância com o previsto no art. 5º, inciso XLIII, da CF. Note que a Constituição Federal cria dois segmentos ao falar de tortura, tráfico ilícito de entorpecentes e drogas afins, terrorismo e os hediondos, ou seja, existem os crimes hediondos propriamente ditos e os que, não sendo hediondos, recebem um tratamento equivalente.

Rol dos crimes hediondos e equiparados: os crimes hediondos estão previstos na Lei n. 8072/90 que também traz os crimes assemelhados a hediondos: tortura, terrorismo e tráfico ilícito de drogas. Segundo entendimento do STF, tráfico privilegiado (art. 33, § 4º, da Lei n. 11.343/2006) não é equiparado a hediondo.

Medidas aplicáveis aos autores de crimes hediondos e equiparados: os crimes hediondos são insuscetíveis de anistia, graça e indulto e fiança (art. 2º, incisos I e II, da Lei n. 8072/90). Todavia, o juiz, diante do caso concreto, pode conceder liberdade provisória sem fiança. O regime inicial de cumprimento da pena é o fechado, podendo ser realizado exame criminológico. A progressão de regime será feita da seguinte forma: após o cumprimento de 2/5 da pena, se o apenado for primário, e de 3/5, se reincidente, caso em que o STJ entende tratar-se de reincidência específica, pois, do contrário, a regra é de 3/5. O livramento condicional após 2/3 de pena cumprida. A prisão temporária (medida processual destinada à investigação, prevista na Lei n. 7.960/89) nos crimes hediondos e equiparados terá o prazo de 30 dias, prorrogável por igual período em caso de extrema e comprovada necessidade.

Organizações criminosas

Caracterização da organização criminosa: composição de quatro ou mais pessoas; caráter de permanência ou estabilidade; estruturação e divisão de tarefas; fim de obter vantagem econômica ou moral (Lei n. 12.850/2013). Condutas típicas e pena: a conduta tipificada consiste, segundo o art. 2º, em promover, constituir, financiar ou integrar, pessoalmente ou por interposta pessoa, organização criminosa. *Colaboração premiada: o acordo de colaboração premiada é negócio jurídico processual e meio de obtenção de prova, que pressupõe utilidade e interesse públicos (art. 3ª-A),* havendo uma série de formalidades a serem cumpridas para sua perfectibilização. Trata-se de instituto inspirado no *plea barganing* do direito norte-americano. No Mandado de Segurança n. 35.693, que teve como Relator o Ministro Edson Fachin, o STF decidiu que não há direito subjetivo do réu ao acordo de colaboração premiada.

Crimes de drogas

Conceito de drogas: o conceito de drogas consta no parágrafo único do art. 1º da referida lei: *para fins desta Lei, consideram-se como drogas as substâncias ou os produtos capazes de causar dependência, assim especificados em lei ou relacionados em listas atualizadas periodicamente pelo Poder Executivo da União.* A lei criou tipos penais em branco, na medida em que a expressão droga depende de regulamentação extrapenal constante em listas expedidas pela autoridade sanitária. Atualmente, essa regulamentação consta na Portaria n. 344/98 da ANVISA. Assim, se a conduta for relacionada a alguma substância não prevista nessa portaria, o fato não constituirá crime. *Inimputabilidade e semi-imputabilidade:* a Lei n. 11.343/2006 prevê causa especial de inimputabilidade (art. 45), excluindo a aplicação do art. 26 do Código Penal, quando o agente, em razão da dependência, ou sob o efeito, proveniente de caso fortuito ou força maior, de droga, era, ao tempo da ação ou da omissão, qualquer que tenha sido a infração penal praticada, inteiramente incapaz de entender o caráter ilícito do fato ou de determinar-se de acordo com esse entendimento.

Terrorismo

Definição e aspectos gerais: o terrorismo, previsto na Lei n. 13.260, consiste na prática por um ou mais indivíduos de atos criminosos previstos na citada legislação, por razões de xenofobia, discriminação ou preconceito de raça, cor, etnia e religião, quando cometidos com a finalidade de provocar terror social ou generalizado, expondo a perigo pessoa, patrimônio, a paz pública ou a incolumidade pública (art. 2º, *caput*). *Atos de terrorismo:* o art. 2º, § 1º, tipifica condutas que são consideradas *atos de terrorismo*, punido com pena de reclusão, de 12 a 30 anos, além das sanções correspondentes à ameaça ou à violência. *Atos preparatórios de terrorismo:* o art. 5º tipifica o crime de *realizar atos preparatórios de terrorismo com o propósito inequívoco de consumar tal delito*.

Crimes de trânsito

Suspensão ou proibição de se obter a permissão ou habilitação para dirigir veículo automotor: além das penas privativas de liberdade, que se submetem ao modelo trifásico de aplicação e possibilidade de substituição por penas restritivas de direitos, o CTB prevê outras espécies punitivas que são consideradas penas principais.

Multa reparatória: a multa reparatória, prevista no art. penalidade de multa reparatória, consiste no pagamento, mediante depósito judicial em favor da vítima, ou seus sucessores, de quantia calculada com base no disposto no § 1º do art. 49 do Código Penal, sempre que houver prejuízo material resultante do crime. Deve ser fixada pelo juiz, na sentença, e não pode ser superior ao prejuízo demonstrado no processo. A fixação de multa reparatória não impede a propositura de ação civil *ex delicto*, isto é, uma ação civil para reparação dos danos, caso em que o valor da multa será descontado do valor fixado na indenização civil. Aplicam-se à multa reparatória os arts. 50 a 52 do CP (art. 297).

Forma da prestação de serviços à comunidade: como forma de promover uma conscientização aos motoristas autores de crimes, reforçando o caráter preventivo da sanção penal, a lei determina que, havendo pena de prestação de serviços à comunidade, esta seja cumprida em locais destinados ao auxílio às vítimas de eventos de trânsito.

Prisão em flagrante: dispõe o CTB que não se imporá a prisão em flagrante, nem se exigirá fiança, nos casos de acidentes de trânsito de que resulte vítima, se o condutor de veículo prestar pronto e integral socorro àquela.

Crimes em espécie

Perdão judicial: no homicídio culposo, embora sem previsão legal, é amplamente aceito o perdão judicial, por aplicação de analogia *in bonan partem* do art. 121, § 5º, do CP. A matéria constava no texto original da lei, mas foi vetada, justamente, em face da previsão no Código Penal.

Abandono de local: o art. 305 prevê crime de afastar-se o condutor do veículo do local do acidente, para fugir à responsabilidade penal ou civil que lhe possa ser atribuída. Em repercussão geral julgada no Recurso Extraordinário 971.959/RS, o Plenário do Supremo Tribunal Federal considerou que *a regra que prevê o crime do art. 305 do Código de Trânsito Brasileiro é constitucional, posto não infirmar o princípio da não autoincriminação, garantido o direito ao silêncio e ressalvadas as hipóteses de exclusão da tipicidade e da antijuridicidade.*

Violação da suspensão ou proibição de se obter permissão ou habilitação para dirigir veículo automotor: conforme decidiu o STJ, o tipo penal do art. 307 do CTB pressupõe o descumprimento da decisão judicial, sendo atípica a conduta que viola restrição imposta com base em decisão administrativa.

Crime de lavagem de dinheiro

Conceito de lavagem de dinheiro: a lavagem de dinheiro, também chamada branqueamento de capitais ou lavagem de ativos, consiste em um processo destinado a ocultar a origem delituosa dos bens para, posteriormente, fazê-los ingressar no sistema econômico legal com aparência de licitude. A expressão "lavagem de dinheiro" origina-se da prática dos mafiosos americanos de utilizarem o dinheiro obtido ilicitamente para abrir lavanderias que funcionavam dentro da legalidade e ocultavam a origem ilícita do dinheiro.

Fases da lavagem de dinheiro

O processo de lavagem de dinheiro acontece em três etapas: colocação (*placement*), ocultação (*layering*) e integração (*integration*).

Crime de lavagem de dinheiro
A tipificação penal do crime de lavagem se encontra no art. 1º da Lei n. 9.613/98, alterada pela Lei n. 12.683/2012: *Art. 1º Ocultar ou dissimular a natureza, origem, localização, disposição, movimentação ou propriedade de bens, direitos ou valores provenientes, direta ou indiretamente, de infração penal.* As figuras equiparadas estão nos §§ 1º e 2º.
Delação premiada: redução, substituição ou isenção de pena (§ 5º).

Estatuto do Desarmamento
Aspectos gerais: os crimes do Estatuto do Desarmamento (Lei n. 10.826) têm como objetividade jurídica a tutela da incolumidade pública. São crimes de perigo abstrato, isto é, dispensam a comprovação do perigo. Consoante decisão do STJ, a expiração do curso de prazo para regularização do registro da arma constitui mera irregularidade administrativa.

Tortura
Tortura própria: nos termos da Lei n. 9.455/97, a tortura é o constrangimento exercido com violência ou grave ameaça, causando sofrimento físico e mental da vítima, admitindo diversas formas de cometimento do crime, conforme o tipo penal estabelecido no art. 1º.

Tortura imprópria: tortura por omissão (§ 2º).

Tortura praticada por agente público: em caso de crime praticado por agentes públicos, haverá apenas o aumento de pena previsto no § 4º do art. 1º (1/6 até 1/3), além de perda do cargo, função ou emprego público e a interdição para seu exercício pelo dobro do prazo da pena aplicada (§ 5º).

Extraterritorialidade: art. 2º.

Abuso de autoridade
Aspectos gerais: nos termos da Lei n. 13.869, abuso de autoridade é o crime cometido por agente público que, no exercício de suas funções ou a

pretexto de exercê-las, abuse do poder que lhe tenha sido atribuído, com a finalidade específica de prejudicar outrem ou beneficiar a si mesmo ou a terceiro, ou, ainda, por mero capricho ou satisfação pessoal. Os tipos penais, portanto, são dolosos e com finalidade específica (tendência interna transcendente). Ademais, a lei rechaça o chamado *crime de hermenêutica*, sendo que a mera divergência na interpretação de lei ou na avaliação de fatos e provas não configura abuso de autoridade (art. 1º, § 2º).

Crimes de preconceito

O principal diploma sobre a matéria é a Lei n. 7.716/89. Essa lei abrange os crimes resultantes de discriminação ou preconceito de raça, cor, etnia, religião ou procedência nacional. A esse rol foi incluída a homofobia, pois, em 13 de junho de 2019, no julgamento da ADO 26 e do Mandado de Injunção (MI) 4733, o STF reconheceu a mora do Congresso Nacional para incriminar atos atentatórios a direitos fundamentais dos integrantes da comunidade LGBTI, definindo que as práticas de homofobia se enquadram nos crimes previstos na Lei n. 7.716/89 até que o Congresso Nacional aprove lei específica.

Violência contra a mulher

A Lei n. 11.340 (Lei Maria da Penha) é uma lei híbrida, estabelecendo um tratamento diferenciado, com medidas de proteção a fim de dar maior acolhimento e proteção às vítimas de violência doméstica e seus familiares. Tais medidas são denominadas medidas protetivas de urgência e estão previstas no art. 23 da Lei n. 11.340. Não é necessária a coabitação entre o agressor e a vítima para configuração da violência doméstica contra a mulher (STJ, Súmula 600). As formas de violência doméstica contra a mulher estão genericamente previstas no art. 7º da Lei n. 11.340, que estabelece, de forma ampla, as situações que serão tratadas no âmbito dessa legislação, podendo ser um crime ou uma contravenção. Não se admite aplicação do princípio da insignificância (Súmula 589 do STJ) ou os institutos despenalizadores previstos na Lei n. 9.099/95 (art. 4º da Lei n. 11.340), além de cestas básicas ou outras formas de prestação pecuniária, bem como pena isolada de multa (art. 17). Nos casos em que se exige representação da vítima, a renúncia só é admitida em audiência especial (art. 16). Forma especial do *crime de desobediência* está prevista no art. 24-A, com a redação da Lei n. 13.641/2018, que trata do crime de descumprimento de medida protetiva.

Crimes contra crianças e adolescentes

Estatuto da Criança e do Adolescente – Lei n. 8.069/90: a Lei n. 8.069/90 constitui um marco na tutela dos direitos das crianças e dos adolescentes, estabelecendo um viés de proteção, ao contrário da legislação anterior (Código de Menores), adotando a teoria da proteção integral, estabelecendo os direitos fundamentais das crianças e adolescentes, a política de atendimento, as medidas de proteção e medidas aplicáveis aos pais e responsáveis, determinando a criação de varas judiciais especializadas na matéria. O ECA também disciplina as medidas aplicáveis às crianças e adolescentes que praticam atos infracionais, que são os atos definidos como crime pela legislação comum, mas que não se sujeitam a sanções penais, e sim, a medidas socioeducativas. Em razão da natureza sancionatória dessas medidas, fala-se de um "direito penal juvenil". Além disso, o Estatuto relaciona as infrações administrativas, a par dos crimes contra crianças e adolescentes.

Crimes contra crianças e adolescentes: os crimes previstos no ECA têm como sujeito passivo crianças e adolescentes, conforme preceitua o art. 225. Considera-se criança a pessoa com até 12 anos de idade incompletos, e adolescente aquela entre 12 e 18 anos de idade (art. 2º). Devem ser aplicadas as normas da Parte Geral do Código Penal (art. 226), sendo que todos os crimes são de ação pública incondicionada (art. 227). A perda do cargo, função pública ou mandato eletivo, prevista no art. 92, I, do CP em caso de condenação por crime do ECA, só será aplicada em caso de reincidência, independente da pena aplicada (art. 227-A e parágrafo único). A Lei n. 9.455/97 revogou o crime de tortura de crianças e adolescentes, que passou a ter incriminação na própria Lei de Tortura.

Crimes contra idosos

Os crimes contra idosos estão previstos na Lei n. 10.741/2003 (Estatuto do Idoso), destinando-se a proteger as pessoas idosas em razão da vulnerabilidade própria da idade avançada. Assim, o idoso será, invariavelmente, o sujeito passivo desses crimes. Considera-se idosa a pessoa com idade igual ou superior a 60 anos (art. 1º). Os crimes previstos no Estatuto do Idoso são sempre de ação pública incondicionada, aplicando-se, no que couber, a Lei n. 9099/95 (Lei dos Juizados Especiais), nos termos dos arts. 94 e 95. Obviamente, poderá haver concurso desses crimes com os previstos na legislação comum.

Crimes contra pessoas portadoras de deficiência

A Lei n. 13.146 de 2015 instituiu a Lei Brasileira de Inclusão da Pessoa com Deficiência, mais conhecida como Estatuto da Pessoa com Deficiência, cuja base é a Convenção sobre os Direitos das Pessoas com Deficiência, ratificado pelo Congresso Nacional por meio do Decreto Legislativo n. 106/88. A lei se destina a promover a inclusão das pessoas deficientes, assegurando-lhes igualdade e proteção à discriminação, garantindo os direitos fundamentais e exercício pleno da cidadania. No aspecto criminal, tipifica diversas condutas em que o sujeito passivo é a pessoa com deficiência, o que não impede, logicamente, que estas figurem como vítimas em outros crimes, previstos no Código Penal, já que esses crimes especiais se referem, especificamente, a situações em que a condição de deficiência é elementar do tipo. O legislador tratou o Título II do Estatuto como "Dos Crimes e das Infrações Administrativas", cometendo grave atecnia, uma vez que este título prevê apenas tipos penais com as respectivas sanções, sem qualquer infração ou medida de cunho administrativo.

Contravenções penais

Aspectos gerais: contravenções penais são infrações com menor gravidade – chamadas de *crime-anão, delito-liliputiano ou crime-vagabundo* – cujo principal objetivo é prevenir a criminalidade mediante a intervenção do Estado em condutas menores antes que se tornem crimes graves. São infrações consideradas de menor potencial ofensivo e sujeitas ao processo perante o Juizado Especial Criminal (Lei n. 9.099). As contravenções penais estão previstas na Lei das Contravenções Penais (Decreto-lei n. 3.688/41). Não há distinção ontológica, isto é, na essência, entre crimes e contravenções penais, pois ambos são espécies de infrações penais. O que muda é a pena, já que, enquanto crimes estão sujeitos a reclusão e detenção, bem como multa, as contravenções, além de multa, estão sujeitas a prisão simples (art. 1º da Lei de Introdução ao Código Penal).

JURISPRUDÊNCIA

Princípio da lesividade/ofensividade nos crimes do Estatuto do Desarmamento

Isso significa que tal percepção do tema ora em exame (que reconhece a delituosidade do porte e da posse de arma de fogo sem munição) desconsidera o princípio da ofensividade (*nullum crimen sine injuria*), cuja invocação afasta a própria incidência do Direito Penal, por inexistir, em casos como o destes autos, qualquer situação de dano efetivo ou potencial ao bem jurídico que se deseja tutelar. O agente que porta ou possui arma de fogo desmuniciada e que, simultaneamente, também não dispõe de acesso imediato à munição necessária à sua utilização não cria nem faz instaurar, com esse comportamento, situação efetiva de perigo real, o que descaracteriza, por completo, qualquer possibilidade, por remota que seja, de risco concreto ao bem jurídico penalmente tutelado. (STF, HC 93820, Rel Min. Celso de Mello, Segunda Turma, julgado em 28/02/2012.)

Lavagem de dinheiro

No que se refere à alegação de que o paciente não poderia ser denunciado pelo crime de lavagem, em virtude de alegada *abolitio criminis*, tem-se que a alteração da redação trazida na Lei n. 9.613/98 não representou *abolitio criminis*, haja vista a continuidade normativa. De fato, o crime de lavagem de dinheiro continua a existir no ordenamento jurídico, tendo apenas se tornado mais ampla sua tipificação, uma vez que não precisa que o crime antecedente esteja previsto em rol taxativo trazido na lei. Nada obstante, tendo o crime sido praticado antes da alteração legislativa, a denúncia teve o cuidado de imputar ao paciente a conduta conforme previsão legal à época dos fatos. (STJ, HC 276245/MG, Rel. Min. Reynaldo Soares da Fonseca, Quinta Turma, julgado em 13/06/2017.)

Tráfico de drogas

No mesmo sentido, cito, ainda, os seguintes precedentes, entre outros: HC 100.437/MG e HC 100.122/SP, de minha relatoria; HC 98.766/MG, Rel. Min. Ellen Gracie; RHC 94.806/PR e RHC 101.278/RJ, Rel. Min. Cármen Lúcia; RHC 94.802/RS e RHC 95.615/PR, Rel. Min. Menezes Direito. Assentou-se nesses julgados que não é possível a conjugação de dispositivos mais benéficos das referidas normas para criar-se uma terceira hipótese, fixando-se, por consequência, uma nova pena, porquanto tal prática não pode ser adotada em nosso ordenamento jurídico. Concordo, pois, com a tese segundo a qual, caso fosse permitida a combinação das referidas leis para extrair-se um terceiro gênero, os magistrados estariam atuando como legislador positivo, em total afronta aos princípios da separação de poderes e da reserva legal. Além disso, poderíamos chegar à situação absurda em que o delito de tráfico de drogas será punido com uma pena de até um ano de reclusão, semelhante às sanções previstas para os crimes de menor potencial ofensivo. [...] Por outro lado, nas situações em que há dúvidas sobre qual a legislação mais benéfica em determinada hipótese (Lei n. 6.368/76 ou Lei n. 11.343/2006), deve-se analisar o caso concreto e verificar qual lei, aplicada integralmente, será mais favorável ao réu, sem, no entanto, combiná-las, para evitar-se a criação de uma terceira lei (STF, RE 600817, Rel. Min. Ricardo Lewandowski, Tribunal Pleno, julgado em 07/11/2013.).

SÚMULAS

Crimes hediondos
Súmula 471 do STJ
Os condenados por crimes hediondos ou assemelhados cometidos antes da vigência da Lei n. 11464/2007 sujeitam-se ao disposto no art. 112 da Lei n. 7.210/84 (lei de Execução Penal) prisional para a progressão de regime.

Súmula 491 do STJ
É inadmissível a progressão *per saltum* de regime prisional.

Súmula 697 do STF
A proibição de liberdade provisória nos processos por crimes hediondos não veda o relaxamento da prisão processual por excesso de prazo.

Súmula 698 do STF
Não se estende aos demais crimes hediondos a admissibilidade de progressão no regime de execução da pena aplicada ao crime de tortura.

Súmula vinculante 26
Para efeito de progressão de regime de cumprimento de pena por crime hediondo, ou equiparado, o juízo da execução observará a inconstitucionalidade do art. 2º da Lei n. 8072, de 25 de julho de 1990, sem prejuízo de avaliar se o condenado preenche, ou não, os requisitos objetivos e subjetivos do benefício, podendo determinar, para tal fim, de modo fundamentado, a realização de exame criminológico.

Violência doméstica contra a mulher

Súmula 588 do STJ
A prática de crime ou contravenção penal contra a mulher com violência ou grave ameaça no ambiente doméstico impossibilita a substituição de pena privativa de liberdade por restritiva de direitos.

Súmula 600 do STJ
Para a configuração da violência doméstica e familiar prevista no art. 5º da Lei n. 11.340/2006 (Lei Maria da Penha) não se exige a coabitação entre autor e vítima.

22

Temas complementares

22.1 FUNCIONALISMO PENAL E IMPUTAÇÃO OBJETIVA

O funcionalismo é uma tendência doutrinária cujas bases se assentam no direito alemão, que busca estabelecer a finalidade do Direito Penal, isto é, uma funcionalidade. Os funcionalistas, de modo geral, preocupam-se especialmente com a finalidade do Direito Penal, que seria o de proteger bens jurídicos. Seus principais expoentes são os professores Claus Roxin e Günther Jakobs, que protagonizam as duas grandes correntes do pensamento funcionalista. Na primeira, atribuída a Roxin e denominada funcionalismo teleológico, o Direito Penal deve atender às necessidades da política criminal, estando, pois, a serviço desta. No funcionalismo sistêmico, de Günther Jakobs, o Direito Penal está a serviço do sistema de justiça e sua função é garantir, por meio da sanção penal, a confiança nas normas.

Os institutos jurídico-penais devem ser pensados sob a razão funcionalista, submetendo-se a uma valoração sob a ótica da proteção do bem jurídico, a fim de que o Direito Penal atinja o máximo desempenho em termos de política criminal ou de confiança sistêmica. A este desempenho, os funcionalistas dão o nome de rendimento.

O funcionalismo repele a ideia retributivista da sanção penal, que passa a ter uma função essencialmente funcionalista, no sentido de proteger os bens jurídicos, por meio da prevenção geral positiva (intimidação) e de prevenção especial, tanto positiva (ressocialização do criminoso) como negativa (retirada do meio social).

Além disso, no funcionalismo, o dolo deixa de ser finalidade de realização do fato típico e se torna uma tomada de posição do agente no sentido de ofensa grave ao bem jurídico tutelado, por meio da criação de risco não socialmente permitido.

Em que pese a abrangência do funcionalismo se estenda a toda teoria geral do crime, não há, todavia, um acolhimento maior entre os juristas, salvo em relação à chamada Teoria da Imputação Objetiva, que já faz muitos seguidores, inclusive no Brasil.

Embora a imputação objetiva esteja ligada ao funcionalismo, que teve início na Alemanha, nos anos 1970, e ao ensaio "Reflexões sobre a imputação no Direito Penal", de Claus Roxin, sua origem é anterior, estando ligada às obras de Karl Larenz (A teoria da imputação de Hegel e o conceito de imputação objetiva, 1927) e Richard Honig (Causalidade e imputação objetiva, 1930).

A imputação objetiva é corolário das concepções sociais de ação, que desprezam a conduta como ente ontológico e desprovido de valor, pois o Direito Penal pertence ao mundo do "dever ser", enquanto a conduta pertence ao mundo do "ser". Conforme Günther Jakobs:

> Nesse sentido, o conceito de ação não se busca antes da sociedade, e sim dentro da sociedade. Não é a natureza que ensina o que é a ação, como pretendia a escola de V. Liszt com sua separação do físico e do psíquico, e o conceito de ação tampouco pode se extrair da ontologia, como normalmente se sustenta que Welzel pretendeu demonstrar com seu ponto de partida desde a finalidade do atuar humano, sendo que no âmbito do conceito de ação o decisivo é interpretar a realidade social, torná-la compreensível na medida em que está relacionada com o Direito Penal.[1]

---

1. JAKOBS, Günther. *Fundamentos do Direito Penal*. São Paulo: Revista dos Tribunais, 2003. p. 45.

Em consequência, o juízo de imputação não deve ser realizado segundo o critério-natural mecanicista imposto pela noção de causalidade. A imputação deve, isto sim, obedecer a critérios de ordem normativa, extraídos das finalidades do Direito Penal, que, numa ótica funcionalista, destina-se à estabilização das expectativas que se podem aceitar para o convívio social,[2] em vez de voltar-se à proteção de bens jurídicos, como apregoa a doutrina tradicional. Ou seja, para o funcionalismo, o Direito Penal serve para preservar a confiança das pessoas na ordem jurídica, sendo esse o legítimo fundamento da pena criminal. Pune-se o infrator para que as pessoas possam continuar confiando no cumprimento das regras pelos demais.

Isso existe porque é impossível o contato social sem riscos. Quanto maiores forem as conquistas sociais no plano dos avanços tecnológicos, maiores tornam-se os riscos. Então, há riscos que são inerentes à vida em sociedade, e que o grupo social deve suportar. Esclarece Günther Jakobs:

> Posto que uma sociedade sem riscos não é possível e que ninguém se propõe seriamente a renunciar à sociedade, uma garantia normativa que implique a total ausência de riscos não é factível; pelo contrário, o risco inerente à configuração social deve ser irremediavelmente tolerado como risco permitido.[3]

Assim, a sociedade precisa estabelecer uma margem de risco aceitável (permitido), como as inerentes ao voo de aeronaves, e sedimentar a confiança de que as pessoas irão comportar-se dentro dessa margem. Essa confiança é imprescindível, especialmente diante dos chamados "contatos anônimos". Destarte, não conhecemos o piloto da aeronave em que embarcamos, mas confiamos que ele não irá correr riscos além dos que são inerentes ao voo em si.

Então, à luz da imputação objetiva, não basta que um indivíduo, com seu comportamento, tenha dado causa ao resultado. É preciso verificar se

---

2. GALVÃO, Fernando. *Imputação objetiva*. 2. ed. Belo Horizonte: Mandamentos, 2002. p. 24.
3. JAKOBS, Günther. *A imputação objetiva no Direito Penal*. São Paulo: Revista dos Tribunais, 2000. p. 35.

ele atuou dentro ou fora do chamado risco permitido. Não há imputação quando o agente tiver atuado dentro das margens do risco permitido, pois o risco permitido exclui o tipo.[4] Todavia, se o agente deu causa ao resultado por exceder os limites do risco tolerado socialmente, restará configurada a imputação, e ele responderá pelo resultado, por ter frustrado as expectativas sociais quanto aos limites do risco.

Damásio de Jesus[5] sintetiza os princípios da imputação objetiva:

1. Não há imputação objetiva da conduta ou do resultado quando o sujeito não criou risco juridicamente reprovável e relevante.
2. Não há imputação objetiva do resultado quando o sujeito age com o fim de diminuir o risco de maior dano ao bem jurídico.
3. Existe imputação objetiva quando a conduta do sujeito aumenta o risco já existente ou ultrapassa os limites do risco juridicamente tolerado.
4. Não há imputação objetiva quando o resultado produzido não corresponde à realização do perigo juridicamente desaprovado criado pela conduta.
5. Não há imputação objetiva quando o alcance do tipo incriminador não abrange o gênero de risco criado pelo sujeito nem os resultados ou as consequências dele advindos (âmbito do tipo).
6. Não há imputação objetiva quando o resultado é produzido em face das condições pessoais particulares da vítima que o autor desconhece.

Como se percebe, "imputação objetiva" nada tem a ver com "responsabilidade objetiva", absolutamente vedada na seara do Direito Penal. Trata-se de uma teoria que limita o juízo de imputação, reduzindo o alcance do nexo de causalidade. A expressão objetiva significa que independe, a imputação, da subjetividade do agente, pois tal juízo se alicerça numa análise das circunstâncias objetivas que envolvem a conduta e a produção do resultado.

---

4. Idem, Op. cit., p. 52.
5. JESUS, Damásio. *Imputação objetiva*. 2. ed. São Paulo: Saraiva, 2002.

A imputação objetiva divide-se em dois aspectos: a) imputação objetiva do comportamento; b) imputação objetiva do resultado.

A imputação objetiva do comportamento deriva da constatação de que a conduta extrapolou os padrões do risco permitido, o que implica o reconhecimento de três situações excludentes da tipicidade objetiva:

a. risco permitido: é o risco tolerado socialmente, que deve ser concebido como obstáculo do tipo, distinguindo-se do risco permitido fundamentado na ponderação de interesses do estado de necessidade justificante;[6]
b. proibição de regresso: é a impossibilidade de se imputar um resultado a quem dele participou, realizando uma ação aceita pela ordem jurídica, como o caso do fabricante da arma de fogo utilizada no homicídio;
c. responsabilidade da vítima: não se pode imputar a morte ao motorista que atropela a vítima, embora haja causalidade, se ela se lançou diante do veículo, sem que o condutor nada pudesse fazer.

A imputação objetiva do resultado implica saber se o resultado deriva, efetivamente, do risco criado pelo autor. A imprecisão desse aspecto da imputação objetiva é denunciada por Pedro Krebs:

> A discussão central desse padrão de imputação objetiva reside na sua hipertrofia, ou seja, muitos dos casos referidos como problemas de im-

---

[6]. Esclarece JAKOBS que "também no estado de necessidade justificante se tem em conta riscos para interesses que possam conduzir a autorização de um comportamento arriscado. Sem embargo, no estado de necessidade justificante se trata sempre da especial relação da finalidade em que se encontra a ação: o contexto da ação justifica. No risco permitido, ao contrário, pode que o contexto da ação esperada tipicamente tenha proporcionado o motivo da autorização de risco, sem que em ação concreta importe se esta tem lugar em um contexto determinado. Exemplo: ao condutor de uma ambulância unicamente está permitido infringir normas reguladoras do trânsito para prevenir uma situação de perigo que não pode eliminar de outro modo (justificação), mas também está permitido dar uma volta com um grande caminhão, o que não reporta utilidade especial (exclusão do tipo). Neste último caso se trata apenas de liberdade de ação; no primeiro, trata-se da realização da ação em favor de um interesse. Assim, o limite entre risco permitido e o estado de necessidade justificante integra sem modificação alguma o limite geral entre exclusão do tipo e justificação: quem, sem ter em conta o contexto, não defrauda expectativas, não realiza um tipo". Nesse sentido: JAKOBS, Günther. *Derecho Penal Parte General: Fundamentos y teoria de la imputación*, Madri: Marcial Pons, Ediciones Juridicas, 1995. p. 246.

putação objetiva de resultado deveriam ser solucionados como imputação objetiva de comportamento.

A imputação objetiva é uma teoria inacabada, que procura, como tantas outras, transpor as dificuldades enfrentadas pelo Direito Penal de matriz finalista. Não se ignora a riqueza teórica dessa teoria, a qual está longe, todavia, de dar respostas definitivas aos problemas do crime e da pena, em que pese seu avanço em países como Espanha e Portugal, além, é claro, do seu berço, a própria Alemanha.

22.2 CRIMES CULTURALMENTE MOTIVADOS

Crimes culturalmente motivados ou orientados são aqueles praticados por estrangeiros em razão de discrepâncias culturais. A premissa fundamental dos crimes culturalmente motivados é que a cultura exerce forte influência no comportamento, podendo levar à prática de crimes.[7] Por isso, é dever do Estado administrar, sob o aspecto jurídico, o conflito entre este traço cultural importante, determinante de um comportamento, e a referida incriminação. O problema fundamental em evidência foi delineado por HÖFFE: "é lícito penalizar estrangeiros por um delito que em sua pátria não é?".[8]

Dois são os modelos de enfrentamento dos crimes culturalmente motivados. O modelo assimilacionista pauta-se pela indiferença diante do fenômeno cultural, ao passo que o modelo multicultural reconhece o fenômeno da diversidade cultural, podendo utilizar os mecanismos tradicionais ou introduzir estruturas autônomas de exclusão ou diminuição da responsabilidade penal (*cultural defense*).

Existe uma grande diferença no tratamento dado pelo Direito continental e a *common law* aos crimes culturalmente motivados, pois enquanto a doutrina europeia tende a centrar-se na ação criminosa em si mesma, a doutrina norte-americana tende a tratar o problema sob a perspectiva da

---

7. MAGLIE, Cristina de. *Los delitos culturalmente motivados:* Ideologías y modelos penales. Madri: Marcial Pons, 2012. p. 68-69.

8. HÖFFE, Otfried. *Derecho intercultural.* Barcelona: Gedisa, 2008. p. 21.

defesa do indivíduo acusado pela prática de um desses crimes.[9] A temática do multiculturalismo é pulsante nos Estados Unidos por se tratar de um país em que a questão migratória é intensificada,[10] levando os tribunais a se depararem com a matéria alusiva às defesas culturais (*cultural defenses*), ou seja, o pragmatismo do sistema judicial norte-americano exige que a questão seja enfrentada sempre que um crime culturalmente motivado é levado ao tribunal.[11] No panorama atual, a defesa cultural é ora admitida, ora não, por juízes e cortes estadunidenses, sendo que muitos especialistas até mesmo apontam para o uso indevido da *cultural defense* nos processos.[12]

Alguns autores naquele país entendem que as defesas culturais atingem a *mens rea*, o requisito subjetivo do delito, no sentido de afastar ou diminuir a responsabilidade penal daquele indivíduo que, ao agir, não tenha tido uma intenção criminosa, mas, sim, o propósito de adotar um comportamento culturalmente aceito pelos seus padrões culturais.[13] Esse *limited use approach* admite a utilização da prova cultural para determinar a existência ou o grau do estado mental do agente como forma de verificar a ocorrência do crime imputado, de outro subsidiário ou de nenhum. Segundo seus defensores, essa abordagem restrita evitaria os riscos para a função preventiva da pena e ain-

---

9. Sobre o tema, ver FUENTE, Oscar Peres de la. "Delitos culturalmente motivados: Diversidad cultural, Derecho e inmigración". In: *European Journal of Legal Studies*, 2012, vol.5, Issue 1, p. 65-95.

10. HUNTINGTON, Samuel P. *Who are we?* The challenges to America's national identity. Nova York: Simon & Schuster Paperbacks, 2004. p. 178/182.

11. GREENAWALT, Kent. "The cultural defense: Reflections in light of the Model Penal Code and the Religious Freedom Restoration Act". In: *Ohio State Journal of Criminal Law*, 2008, vol. 6, p. 299-321.

12. RENTELN, Alison Dundes. "The use and abuse of the cultural defense". In: *Canadian Journal of Law and Society, 2005*, vol. 20, n. 1, p. 47-67.

13. Assim foi decidido no caso paradigmático de People *versus* Kimura. Tratava-se de uma japonesa, cidadã americana, que todavia vivera muitos anos no Japão, onde assimilou os traços culturais peculiares da cultura oriental; um destes traços é o de que os filhos são extensão dos pais; ela, então, após descobrir a infidelidade do marido, levou a cabo um ritual japonês de suicídio dela e dos filhos (*oya-ko shinju*), prática tradicionalmente aceita no Japão quando a família se desagrega; a mulher entrou no mar com as crianças para juntas se afogarem, mas ela sobreviveu, o que lhe gerou uma acusação de duplo homicídio. A defesa no caso People *versus* Kimura sustentou que a acusada havia simplesmente cumprido uma imposição da sua cultura, que considera os filhos como uma extensão dos pais, de modo que não teria havido uma intenção criminosa já que ela, com seu ato extremo, buscou cumprir uma norma de cultura, e não violar as normas penais do Estado em que vivia. Ao final, ela acabou condenada, mas teve benefícios de redução de pena, sob o fundamento de insanidade, evidenciando-se um uso equivocado da defesa cultural, já que uma pessoa que pratica um crime premida pelas normas culturais a que pertence não poderia jamais ser considerada louca ou perturbada mentalmente (KIM, 1997). Sobre o tema: KIM, Nancy S. "The cultural defense and the problem of cultural preemption: A framewok for analysis". In: *New Mexico Law Review*, 1997, vol. 27, p. 101-139.

da levaria em conta a singularidade cultural do réu, ao menos em aspectos adaptáveis às defesas já existentes no sistema jurídico-penal. De qualquer forma, para impedir o seu uso inadequado, seria necessária a elaboração de critérios seguros para a sua verificação. A tendência da ordem jurídica norte-americana, também sugere que as condicionantes culturais sejam consideradas apenas quando da fixação da pena, como atenuantes, devido à virtual impossibilidade de se estabelecerem escusas formais com tais características, em vista da imprecisão de seus limites.[14]

Existe uma real dificuldade dos juristas em identificar as defesas culturais como um instituto autônomo e inserido adequadamente no sistema jurídico, havendo duas posições quanto à aceitação de defesas culturais. A primeira repudia por completo a introdução de defesas dessa natureza, por resultar numa permissão especial relacionada a determinados grupos.[15] Posição diversa sustenta que não se pode negar a possibilidade de defesa com base nos imperativos culturais.[16]

No Brasil, a discussão e a elaboração do assunto ainda são modestas, mas, uma vez que somos um país receptivo à imigração, com uma Constituição que se orienta pelo pluralismo e pela dignidade da pessoa humana (artigo 1º, III e V), repudia qualquer forma de preconceito e o racismo (artigos 3º, IV, e 4º, VIII) e defende a autodeterminação dos povos (artigo 4º, III), além de garantir a inviolabilidade de consciência e de crença (artigo 5º, VI), entre outros, convém esclarecer de que forma os delitos decorrentes de influências culturais decisivas serão tratados pelo sistema penal, especialmente diante da garantia da ampla defesa, também prevista constitucionalmente (artigo 5º, LV).

---

14. SIKORA, Damian W. "Differing Cultures, Differing Culpabilities?: A Sensible Alternative: Using Cultural Circumstances as a Mitigating Factor in Sentencing". In: *Ohio State Law Journal*, 2001, vol. 62. p. 1.695/2.016.

15. HÖFFE, Otfried. Op. cit., p. 150.

16. Com propriedade, esclarece HERINGER JÚNIOR que a ordem jurídica não pode ter sua validade condicionada à adesão interna dos destinatários das normas, pois o direito é vinculante para todos. Sem embargo, "o reconhecimento constitucional da liberdade de consciência, como direito geral, pode implicar limitação à coatividade do Direito". Nesse sentido: JÚNIOR, Bruno Heringer. *Objeção de Consciência e Direito Penal: Justificação e Limites*. Rio de Janeiro: Lúmen Juris, 2007. p. 25.

À míngua, em nosso sistema jurídico, de um reconhecimento formal e autônomo, mas diante dos direitos de ordem cultural e da garantia da ampla defesa consagrados na Lei Fundamental, parece que as defesas culturais devem operar dentro de conteúdos tradicionais do Direito Penal, isto é, inimputabilidade, erro de proibição,[17] erro de tipo, inexigibilidade de conduta diversa e assim por diante,[18] desde que configuradas, a partir de perícia antropológica e outros elementos de prova, as premissas fático-normativas desses institutos. Conforme lembrado por ANTONELLO, no bojo da teoria jurídica do delito, em que pese a preponderância na doutrina e na jurisprudência para enquadrar a exceção cultural na esfera da culpabilidade, surgem propostas de análise da premissa cultural em todos os planos estruturais do crime.[19]

22.3 DIREITO PENAL INTERNACIONAL

O Direito Penal Internacional é o conjunto de normas de direito internacional que estabelecem consequências jurídico-penais, sendo uma combinação de Direito Penal e Direito Internacional Público, originando-se da celebração de convenções multilaterais pelos Estados interessados ou por meio da formação de direito consuetudinário,[20] para reger uma reação da comunidade internacional a crimes com repercussão mundial, uma vez que desde o final da 1ª Guerra Mundial (1914-1918), cresceram as preocupações

---

17. Trata-se, de acordo com ZAFFARONI e PIERANGELI de erro de compreensão culturalmente condicionado, que nada mais é do que um erro de proibição em virtude de toda a formação e do ambiente cultural do agente, o qual, assim, não tem condições de compreender a ilicitude do fato, o que conduz à absolvição, ou tem uma reduzida compreensão da ilicitude do fato, o que conduz à redução da pena. Nesse caso, uma vez configurado o erro de proibição condicionado por fatores culturais, nada impediria a utilização da causa de exculpação prevista no artigo 21 do Código Penal. Nesse sentido: ZAFFARONI, Eugenio Raúl; PIERANGELI, José Henrique. *Manual de Direito Penal:* Parte Geral. São Paulo: Revista dos Tribunais, 1997. p. 646-649.

18. MAGLIE, Cristina de. *Los delitos culturalmente motivados: Ideologías y modelos penales.* Madri: Marcial Pons, 2012. p. 187-264.

19. ANTONELLO, Anuska Leochaaa Menezes. *Crimes culturalmente motivados:* sistema jurídico e direitos das minorias sob a ótica do funcionalismo. Porto: Editorial Juruá, 2020. p. 71.

20. AMBOS, Kai. *A parte geral do Direito Penal internacional:* bases para uma elaboração dogmática. Tradução de Carlos Eduardo Adriano Japiassú, Daniel Andrés Raisman; revisão Pablo Alflen, Fábio Dávila: atualização Kai Ambos, Miguel Lamadrid. São Paulo: Editora Revista dos Tribunais, 2008. p. 42-43.

pela luta cosmopolita contra o crime[21] e ainda antes do 2º Grande Conflito (1939-1945), o terrorismo já havia sido tratado como delito internacional.[22]

Para o grande penalista latino JIMENÉZ DE ASÚA, o Direito Penal internacional, em sua acepção clássica, não é mais que um simples capítulo do Direito Penal existente em cada Estado, entendendo defeituosa a expressão Direito Penal internacional.[23]

Segundo esse autor:

> *Se há dicho ya que los crímenes de trnascendencia internacional y de peligro cosmopolita, no son verdaderamente delitos internacionales. Los hemos estudiados como actos que pudedem ser perseguidos por cualquier país, segun su ley. Com ello, no afirmamos um aspecto del auténtico Derecho penal internacional, sino que iscribimos um caso más de extraterritorialidad, como principio complementario de las reglas que gobiernan el ámbito devalidez de las leyes penales em el espacio.*[24]

Na verdade, este ramo do Direito Penal ganhou extrema importância no atual estágio de desenvolvimento do constitucionalismo, pois lida com crimes cometidos pelos Estados soberanos por meio de seus representantes – chefes de Estado ou chefes de governo –, podendo ser chamada de "macrocriminalidade política", que significa, em sentido estrito, uma "criminalidade fortalecida pelo Estado". Em sentido amplo, todavia, macrocriminalidade política compreende os crimes internacionais realizados como atos não estatais.[25]

São exemplos de crimes afetos ao Direito Penal Internacional os genocídios, os crimes de guerra, os crimes contra a humanidade e outros capazes de ferir o interesse da comunidade global. Esses crimes são julgados perante

---

21. JIMÉNEZ DE ASÚA, Luis. *Tratado de Derecho Penal.* T0omo II: Filosofía y Ley Penal. Buenos Aires: 1950, Editorial Losada. p. 944.
22. Idem, ibidem, p. 968.
23. Idem, ibidem, p. 942.
24. Idem, ibidem, p. 968
25. AMBOS, Kai. Op. cit., p. 55.

o Tribunal Penal Internacional (TPI), criado em 2002, em Haia, conforme estabelece o art. 3º do Estatuto de Roma. Também se verifica a atuação de outros tribunais criados pela ONU, como o Tribunal Penal Internacional para a ex-Iugoslávia e o Tribunal Penal Internacional para Ruanda.

O Direito Penal Internacional relaciona-se especialmente com as decisões tomadas pelo Tribunal de Nuremberg em relação aos crimes da Segunda Guerra. Suas fontes podem ser divididas da seguinte forma:

a. fontes propriamente ditas: tratados internacionais, costumes e princípios gerais do direito;
b. fontes subsidiárias: decisões das cortes internacionais e tratados doutrinários;
c. fontes individuais do Direito Internacional Penal: estatutos dos tribunais internacionais, resoluções das Nações Unidas e relatórios do secretário-geral etc.

Ante a natureza de suas fontes, não podendo emergir de uma atividade legislativa formal, o Direito Penal Internacional relativiza o princípio *nullum crimen sine lege*, diante do art. 15 do Pacto Internacional de Direitos Civis e Políticos (1966), no sentido de que uma conduta pode ser sancionada se ela era punível segundo os princípios gerais do direito reconhecidos pela comunidade internacional, permitindo a punição de uma conduta que seja reconhecida pelas regras de direito consuetudinário internacional desenvolvidas sobre a base do Direito de Nuremberg, razão pela qual a regra aplicada deve ter, "sem dúvida", o caráter de costume internacional. Esclarece AMBOS, todavia, que essa regra perdeu importância com a codificação dos crimes nucleares do Direito Penal Internacional e com a aprovação adicional dos elementos do crime, os quais não possuem efeito vinculador e direto, mas devem ajudar a corte na interpretação.[26]

O Direito Penal Internacional adota uma concepção bipartida de crime, baseada no princípio da culpabilidade pessoal, ou seja: a) o autor, do

---

26. AMBOS, Kai. Op. cit., p. 44-45.

ponto de vista objetivo e subjetivo, deve ser individualmente responsável pelos fatos; b) que a essa responsabilidade não se deve opor nenhuma objeção (*defenses*).[27]

Adota-se um modelo unitário de autor, sem distinção entre autoria e participação, sendo decisivo e suficiente a prova de intervenção fática – seja conduta meramente aprobatória ou participação ativa. A jurisprudência de Nuremberg reconheceu a intervenção (autoria) em crimes contra a humanidade e em crimes de guerra, por exemplo, nas seguintes condutas: conexão direta com os fatos, direção e dação da ordem de cometer tais fatos, conduta aprobatória, intervenção ativa, direta e importante mediante um atuar positivo. No caso de intervenção de várias pessoas em coautoria, teve lugar a imputação mútua das contribuições de cada um quando estavam funcionalmente vinculados em razão de uma meta comum e/ou plano comum do fato ou por qualquer outro modo, sendo reconhecida a autoria mediata, devendo-se, porém, distinguir *responsabilidade por organização* de *domínio por organização*.[28]

Como extensões da punibilidade, considera-se a responsabilidade de comando e omissão, que pressupõe uma posição de poder militar ou político e a conspiração, em que é punível a mera planificação do delito. O simples ato de pertencer a uma organização criminal não é suficiente para fundamentar a punibilidade, exigindo-se uma conduta pessoal culpável do membro e uma identificação com os fatos da organização em questão.[29]

A responsabilidade requer uma conduta com dolo direto (*mens rea*), isto é, saber positivo e vontade incondicionada de realização do tipo, não se concebendo o dolo eventual. Em certas ocasiões, é exigido um dolo mais intenso como, por exemplo, a intenção de destruição no genocídio. As *defenses* – excludentes da responsabilidade penal – podem se diferenciar entre causas materiais de exclusão da punibilidade e *defenses* de outro tipo. Esta diferenciação foi possível por força da aparição, em tempos recentes, de outras causas ma-

---

27. Idem, ibidem, p.. 90.
28. Idem, ibidem, p. 91.
29. Idem, ibidem, p. 91-99.

teriais de exclusão da punibilidade, como a legítima defesa, o estado de necessidade, a coação e o erro e o atuar em cumprimento de uma ordem, sendo esta, desde sempre, a *defense* mais importante. Existem ainda outras *defenses*, como erro, direito de guerra, proibição de retroatividade, enfermidade mental e embriaguez plena. Segundo o mesmo autor, a imprescritibilidade dos crimes internacionais, assim como a irrelevância do cargo oficial e regras de imunidade possuem pouca importância prática. Além disso, fracassa a alegação de *consentimento da vítima*, por causa de seu caráter supra-individual.[30]

22.4 RESPONSABILIDADE PENAL DA PESSOA JURÍDICA

A responsabilidade penal da pessoa jurídica é um dos temas mais polêmicos da ciência jurídica contemporânea. A teoria da ficção, criada por Savigny, adota o antigo brocardo *societas delinquere non potest*, ou seja, pessoas jurídicas não podem delinquir, pois têm existência fictícia, isto é, constituem seres artificiais criados pelo direito e possuem existência meramente legal, sendo, portanto, incapazes de delinquir. Entretanto, para a *teoria da realidade*, concebida por Otto Gierke, a pessoa jurídica é um ente real, distinto dos indivíduos que a compõem, possuindo uma personalidade real, dotada de vontade própria e capaz de cometer infrações penais.

Os principais argumentos contra a responsabilização da pessoa jurídica baseiam-se no fato de que a pessoa jurídica não possui três capacidades essenciais à imputação penal: capacidade de ação; capacidade de culpabilidade; e capacidade de pena. Os argumentos favoráveis à responsabilidade penal da pessoa jurídica fundam-se na isonomia jurídica entre pessoas físicas e jurídicas, o combate à impunidade e as necessidades político-criminais atuais, frente a uma criminalidade própria das sociedades de risco.

A admissão da responsabilidade penal da pessoa jurídica surgiu no contexto de expansão do Direito Penal a partir do final do século XX, como um mecanismo da política criminal para resolver diversos "dilemas" das sociedades pós-industriais, como o surgimento de novos bens jurídicos (ou a

---

30. Idem, ibidem, p. 159.

reavaliação de bens antigos), o efetivo aparecimento de novos riscos: riscos para o meio ambiente ou para os consumidores ou usuários que derivam das aplicações técnicas dos avanços na biologia, na genética, na energia nuclear, na informática, nas comunicações etc.[31]

Atualmente, diversos países incluem a responsabilidade penal das pessoas jurídicas em seus ordenamentos jurídicos. Nos Estados Unidos, a responsabilidade penal das pessoas jurídicas é amplamente admitida, tanto legislativamente, como judicialmente, ao menos na maioria dos estados independentes. A União Europeia recomendou a todos os países integrantes do bloco a incorporação da responsabilidade penal em seus sistemas jurídicos. Na Inglaterra, por exemplo, a pessoa jurídica pode ser responsabilizada por qualquer infração penal, mas geralmente acontece em atividades que violam a ordem econômica, o meio ambiente, os direitos trabalhistas e a relação com os consumidores. O Código Penal francês adotou a responsabilidade da pessoa jurídica no seu art. 121-2, mediante dois pressupostos: a infração penal deve ser praticada por órgão ou representante legal e por conta da pessoa jurídica ou no interesse desta, sem ficar excluída a responsabilidade das pessoas físicas quando autoras ou partícipes dos mesmos fatos. A Holanda admite responsabilidade penal autônoma da pessoa jurídica, em tese, para qualquer infração penal, embora na prática existam limites à imputação às pessoas jurídicas. O art. 11 do Código Penal português estabelece as premissas da responsabilização criminal das "pessoas coletivas e entidades equiparadas". A Espanha adota a responsabilidade da pessoa jurídica, mas deve estar prevista em lei em relação a cada tipo penal.

Entre os países que não adotam a incriminação dos atos das pessoas jurídicas estão a Bélgica, a Alemanha e a Itália. Este país, contudo, após recomendação da União Europeia, fez uma série de alterações legislativas, estabeleceu um modelo sancionador diferenciado, incrementando as punições administrativas e civis às pessoas jurídicas e instituindo um modelo de responsabilidade solidária entre a pessoa física e a pessoa jurídica.

---

31. SÁNCHEZ, Jesús-Maria Silva. *La expanOsión del derecho penal:* aspectos de la política criminal em las sociedades postindustriales. Madri: Civitas, 1999. p. 22.

No Brasil, a Constituição Federal expressamente estabeleceu a responsabilidade penal da pessoa jurídica nas infrações penais contra a ordem econômica e financeira e contra a economia popular (art. 173, § 5º), bem como nos crimes ambientais (art. 225, § 3º). Por conta disso, foi editada a Lei n. 9.605, de 12 de fevereiro de 1998, que expressamente prevê as penas aplicáveis às pessoas jurídicas pelos crimes previstos. Note que as pessoas jurídicas, portanto, só podem ser responsabilizadas criminalmente pelas infrações ambientais previstas nessa lei, sem a possibilidade de punição por outros fatos, diante do princípio da legalidade. Assim, por exemplo, os homicídios decorrentes da poluição não poderão ser imputados à pessoa jurídica, já que tal crime consta apenas no Código Penal e não na Lei n. 9.605. Nada obsta, porém, que as pessoas físicas responsáveis sejam punidas não só pelos crimes ambientais, como também pelas mortes, lesões e outros crimes decorrentes da conduta lesiva ao meio ambiente.

Da mesma forma que a pessoa natural, pode-se dizer que a pessoa jurídica pratica crime quando realiza um fato típico, ilícito e culpável.

O fato típico consiste numa conduta, que não é a conduta de uma pessoa específica, mas de todas as pessoas envolvidas na operação; resultado, isto é, o dano causado; o nexo de causalidade entre a operação da pessoa jurídica (conduta) e o dano produzido; bem como a adequação típica, que, no Brasil, se resume aos tipos penais da Lei n. 9.605, que tipifica os crimes ambientais.

A ilicitude consiste na contrariedade ao direito, a qual fica excluída no caso de excludente da ilicitude. A descriminante aplicável à pessoa jurídica é o exercício regular do direito. Uma vez que toda atividade empresarial implica uma atividade potencialmente lesiva, em maior ou menor grau, haverá crime quando não forem atendidas as diretrizes legais para a atividade e, do contrário, se a empresa atua dentro dos padrões impostos pela legislação, a atividade, ainda que lesiva, estará amparada pelo exercício regular do direito (art. 23, III, do Código Penal). Não se descarta a possibilidade de uma atuação respaldada pela excludente do estado de necessidade, se ficar demonstrado que a pessoa jurídica agiu para afastar perigo, que não provocou por sua vontade e nem podia de outro modo evitar, perigo para si ou para outrem. Figure-se o exemplo de uma situação de pandemia, em que a pessoa jurídica precisa dispensar empregados que, se estivessem presentes, evitariam um vazamento de resíduos tóxicos.

A culpabilidade da pessoa jurídica é o juízo de reprovação sobre a decisão que deliberou sobre a atividade lesiva. Havendo imputabilidade do órgão gestor, bem como consciência potencial da ilicitude e exigibilidade de outra conduta, a culpabilidade estará configurada. Nesse caso, não é necessário haver dupla imputação, isto é, imputação conjunta entre pessoas físicas e jurídicas, podendo estas ser acusadas de acordo com suas responsabilidades individuais. Nada impede, porém, a coautoria ou participação entre pessoas físicas e jurídicas, caso em que cada um responderá "na medida de sua culpabilidade", nos termos do art. 29 do Código Penal.

Para haver punição da pessoa jurídica é mister, portanto, que a sua vontade se manifeste por meio de seu órgão gestor, pois é a vontade coletiva que estabelece a vontade da pessoa jurídica, sem prejuízo do exame individual das condutas de cada um dos integrantes do órgão diretivo, que também estão sujeitos à responsabilidade penal pessoal. Além disso, o ato do órgão gestor deve ser realizado para atender os interesses e objetivos da pessoa jurídica, ainda que, indiretamente, sejam satisfeitos interesses dos proprietários.

As sanções aplicáveis à pessoa jurídica, nos termos do art. 21, são restritivas de direitos e prestação de serviços à comunidade. A multa será aplicada de acordo com Código Penal e, se revelar-se ineficaz, ainda que aplicada no valor máximo, poderá ser aumentada até três vezes, tendo em vista o valor da vantagem econômica auferida (art. 18). A restrição de direitos consiste em suspensão total ou parcial das atividades, interdição temporária de estabelecimento, obra ou atividade e proibição de contratar com o poder público, bem como dele obter subsídios, subvenções ou doações (art. 22). A prestação de serviços à comunidade consiste em custeio de programas e de projetos ambientais, execução de obras de recuperação de áreas degradadas, manutenção de espaços públicos e contribuições a entidades ambientais ou culturais públicas (art. 23).

Consoante o art. 20 da Lei n. 9.605, a condenação criminal, outrossim, tem como eficácia indenizatória, devendo a sentença, sempre que possível, fixar o valor mínimo para reparação dos danos causados pela infração, considerando os prejuízos sofridos pelo ofendido ou pelo meio ambiente. Transitada em julgado a sentença condenatória, a execução poderá efetuar-se pelo valor fixado na sentença, sem prejuízo da liquidação para apuração do dano efetivamente sofrido.

22.5 DIREITO PENAL DO INIMIGO

A teoria do Direito Penal do inimigo ganhou força no continente europeu em face da onda de atentados terroristas perpetrados por pessoas e grupos que se posicionam contra o regime instituído, buscando, por meio do terror imposto à população civil com atentados e explosões, desafiar as instituições estabelecidas. Numa simplificação teórica, poderia se dizer que um terrorista, ao se comportar como inimigo do Estado, não poderia se beneficiar das garantias concedidas por esse mesmo Estado aos seus cidadãos, o que daria origem a duas formas de intervenção penal: o *Direito Penal do cidadão (Bürgerstrafrecht)*, em que são preservadas as garantias e direitos individuais, e o *Direito Penal do inimigo (Feindstrafrecht)*, em que o Estado trata o criminoso como inimigo, deixando-o à margem das garantias constitucionais. Essa concepção surgiu em 1985, na Alemanha, com as ideias de Günther Jakobs, professor de Filosofia do Direito e Direito Penal na Universidade de Bonn. Em linhas gerais, essa teoria sustenta que pessoas "inimigas da sociedade" não precisam receber as mesmas garantias, remédios e benefícios concedidos pelo Direito Penal àqueles que são considerados cidadãos. Alguns exemplos de inimigos seriam os terroristas e os membros de grupos do crime organizado. Consoante JAKOBS,[32] a denominação Direito Penal do inimigo não pretende ser pejorativa, pois é indicativa de uma pacificação insuficiente; entretanto esta, não necessariamente, deve ser atribuída aos pacificadores, mas pode referir-se também aos rebeldes. Ademais, implica um comportamento baseado em regras, em vez de uma conduta espontânea e impulsiva.

Como esclarece ZAFFARONI, o conceito de inimigo remonta à distinção romana entre o *inimicus* e o *hostis*, mediante a qual o *inimicus* era o

---

32. JAKOBS, Günther. Op. cit., p. 22.

inimigo pessoal, ao passo que o verdadeiro inimigo político seria o *hostis*, em relação ao qual é sempre colocada a possibilidade de guerra como negação absoluta do outro ser ou realização extrema da hostilidade, isto é, o estrangeiro, o inimigo, o *hostis*, era quem carecia de direitos em termos absolutos, quem estava fora da comunidade.[33] A essência do tratamento diferenciado que se atribui ao inimigo consiste em que o direito lhe nega sua condição de pessoa, fazendo a distinção entre cidadãos (pessoas) e inimigos (não pessoas).[34] Essa teoria se baseia em alguns referenciais jusfilosóficos, como Rousseau, ao afirmar que qualquer "malfeitor" que ataque o "direito social" deixa de ser "membro" do Estado, posto que se encontra em guerra com este; Fichte, para quem todo delinquente é, *de per si*, um inimigo; Hobbes, que despersonaliza o réu de alta traição, pois também este nega, por princípio, a constituição; Kant, segundo o qual deve ser tratado "como um inimigo", e não como pessoa, quem não participa na vida em um "estado comunitário-legal".[35]

Assim, o Direito Penal do cidadão é o direito de todos, o Direito Penal do inimigo é daqueles que o constituem contra o inimigo: frente ao inimigo, é só coação física, até chegar a guerra.[36] Aspecto importante do Direito Penal do inimigo é que sua atuação não se baseia, necessariamente, na conduta típica, podendo inclusive atuar em relação ao atos preparatórios, que, segundo o direito tradicional, são impuníveis. Nesse sentido, salienta JAKOBS:

> Portanto, o Direito Penal conhece dois polos ou tendências em suas regulações. Por um lado, o tratamento com o cidadão, esperando-se até que se exteriorize sua conduta para reagir, com o fim de confirmar a estrutura normativa da sociedade, e por outro, o tratamento com o inimigo, que é interceptado já no estado prévio, a quem se combate por sua periculosidade. Um exemplo do primeiro tipo pode constituir o tratamento dado a um homicida, que, se é processado por autoria

---

33. ZAFFARONI, Eugenio Raúl. *O inimigo no direito penal*. Rio de Janeiro: Revan, 2007. p. 21-22.
34. Idem, p. 18.
35. Ibidem, ibidem, p. 25-29.
36. Ibidem, ibidem, p. 30.

individual, só começa a ser punível quando se dispõe imediatamente a realizar o tipo, um exemplo do segundo tipo pode ser o tratamento dado ao cabeça (chefe) ou quem está por trás (independentemente de quem quer que seja) de uma associação terrorista, ao que alcança uma pena só levemente mais reduzida do que a correspondente ao autor de uma tentativa de homicídio, já quando funda a associação ou leva a cabo as atividades dentro desta, isto é, eventualmente anos antes de um fato previsto com maior ou menor imprecisão. Materialmente é possível pensar que se trata de uma custódia de segurança antecipada que se denomina "pena".[37]

Adverte JAKOBS que um Direito Penal do inimigo, claramente delimitado, é menos perigoso, desde a perspectiva do Estado de Direito, que entrelaçar todo o Direito Penal com fragmentos de regulações próprias do Direito Penal do inimigo e que a punição internacional ou nacional de violações dos direitos humanos, depois de uma troca política, mostra traços próprios do Direito Penal do inimigo, sem ser só por isso ilegítima.[38]

Uma das principais críticas, entre tantas, feitas à teoria do Direito Penal do inimigo, é que esta teoria consagra o Direito Penal do autor, em detrimento ao Direito Penal do fato.[39] Conforme ZAFFARONI, a essência do tratamento diferenciado que se atribui ao inimigo consiste em que o direito lhe nega sua condição de pessoa.

Para além da realidade europeia, diante do crescimento da violência, impulsionada pelo narcotráfico no Brasil e em outros países da América Latina, cada vez mais o criminoso é visto como um inimigo, ideia que se reforça pela criação de grupos de poder paralelo, com atuação criminosa e instituições marginais, como o conhecido "tribunal do tráfico", que impõe penas severas e até mesmo a morte a pessoas sumariamente julgadas e executadas. Exemplo da adoção do Direito Penal do inimigo no Brasil é a previsão do art. 5º

---

37. Ibidem, p. 37-38.
38. Ibidem, p. 49-50.
39. Nesse sentido, MELIÁ, Câncio. In: JAKOBS, Günther, *Direito Penal do inimigo:* noções e críticas, op. cit., p. 80-81.

da Lei n. 13.260, que incrimina a conduta de realizar atos preparatórios de terrorismo com o propósito inequívoco de consumar tal delito.

RESUMO

Funcionalismo penal e imputação objetiva: o funcionalismo repele a ideia retributivista da sanção penal, que passa a ter uma função essencialmente funcionalista, no sentido de proteger os bens jurídicos, por meio da prevenção geral positiva (intimidação) e de prevenção especial, tanto positiva (ressocialização do criminoso) como negativa (retirada do meio social). Além disso, no funcionalismo, o dolo deixa de ser finalidade de realização do fato típico e se torna uma tomada de posição do agente no sentido de ofensa grave ao bem jurídico tutelado, por meio da criação de risco não socialmente permitido. Em que pese a abrangência do funcionalismo se estenda a toda teoria geral do crime, não há, todavia, um acolhimento maior entre os juristas, salvo em relação à chamada Teoria da Imputação Objetiva, que já faz muitos seguidores, inclusive no Brasil. A ideia central da imputação objetiva é que não basta a causação de um resultado; só haverá crime se o comportamento criar um risco proibido pelo Direito ou ultrapassar os limites de um risco permitido.

Crimes culturalmente motivados: são aqueles praticados por estrangeiros, em razão de discrepâncias culturais. A premissa fundamental dos crimes culturalmente motivados é que a cultura exerce forte influência no comportamento, podendo levar à prática de crimes.

Direito Penal Internacional: é o conjunto de normas de direito internacional que estabelecem consequências jurídico-penais, sendo uma combinação de Direito Penal e Direito Internacional Público, originando-se da celebração de convenções multilaterais pelos Estados interessados ou por meio da formação de direito consuetudinário. O Direito Penal Internacional adota uma concepção bipartida de crime, baseada no princípio da culpabilidade pessoal, ou seja: a) o autor, do ponto de vista objetivo e subjetivo, deve ser individualmente responsável pelos fatos; b) que a essa responsabilidade não se deve opor nenhuma objeção (*defenses*).

A responsabilidade penal da pessoa jurídica: a teoria da ficção (Savigny), adota o antigo brocardo *societas delinquere non potest*, ou seja, pessoas jurídicas não podem delinquir; para a *teoria da realidade*, concebida por Otto Gierke, a pessoa jurídica é capaz de cometer infrações penais. No Brasil, a Constituição Federal expressamente estabeleceu a responsabilidade penal da pessoa jurídica nas infrações penais contra a ordem econômica e financeira e contra a economia popular (art. 173, § 5º), bem como nos crimes ambientais (art. 225, § 3º). Por conta disso, foi editada a Lei n. 9.605, de 12 de fevereiro de 1998, que expressamente prevê as penas aplicáveis às pessoas jurídicas pelos crimes previstos.

Direito penal do inimigo: teoria que sustenta que pessoas "inimigas da sociedade" não precisam receber as mesmas garantias concedidas pelo Direito Penal àqueles que são considerados cidadãos. Alguns exemplos de inimigos seriam os terroristas e os membros de grupos do crime organizado. Exemplo da adoção dessa teoria no Brasil é a previsão do art. 5º da Lei n. 13.260, que incrimina a conduta de realizar atos preparatórios de terrorismo com o propósito inequívoco de consumar tal delito, é um exemplo de adoção dessa teoria no Brasil.

Bibliografia

ALEXY, Robert. *Teoria dos Direitos Fundamentais*. São Paulo: Malheiros, 2008.

AMBOS, Kai. *A parte geral do Direito Penal internacional:* bases para uma elaboração dogmática. Tradução de Carlos Eduardo Adriano Japiassú, Daniel Andrés Raisman. Revisão de Pablo Alflen, Fábio Dávila. Atualização de Kai Ambos, Miguel Lamadrid. São Paulo: Editora Revista dos Tribunais, 2008.

ANDREUCCI, Ricardo Antonio. *Legislação penal especial*. 14. ed. São Paulo: Saraiva Educação, 2019.

ANTONELLO, Anusca Leochana Menezes. *Crimes culturalmente motivados:* sistema jurídico e direitos das minorias sob a ótica do funcionalismo. Porto: Editorial Juruá, 2020.

ARAGÃO, Antônio Moniz Sodré de. *As três escolas penais*. Rio de Janeiro: Freitas Bastos, 1963.

ROXIN, Claus; ARTZ, Gunther; TIEDEMANN, Klaus. *Introdução ao Direito Penal e ao Direito Processual Penal*. Belo Horizonte: Del Rey, 2007.

ASÚA, Luis Jiménez de. *Tratado de derecho penal*. 2. ed. Buenos Aires: Editorial Losada, 1962.

BACIGALUPO, Enrique. *Direito Penal:* parte geral. Tradução de André Stefam, São Paulo: Malheiros, 2005.

BARBOSA, Ruy de Oliveira. *Criminologia e dicionário de pensamentos*. Campinas: Romana, 2003. p. 322.

BARROS, Flávio Augusto Monteiro de. *Direito Penal:* parte geral. 8. ed. São Paulo: Saraiva, 2010. v. 1.

BECK, Ulrich. *La sociedade del riesgo*. Barcelona: Paidós, 1998.

BITENCOURT, Cezar Roberto. *Tratado de Direito Penal:* parte geral. 24. ed. São Paulo: Saraiva Educação, 2018.

_____. *Tratado de Direito Penal:* 14. ed. São Paulo: Saraiva Educação, 2020. v. 5.

_____. *Manual de Direito Penal:* parte geral. São Paulo: Saraiva, 2000. v.1

_____. *Erro Jurídico-penal:* culpabilidade, erro de tipo, erro de proibição. São Paulo: RT, 1996.

BONFIM, Edilson Mougenot; CAPEZ, Fernando. *Direito Penal:* parte geral. São Paulo: Saraiva, 2004.

BOSCHI, José Antonio Paganella. *Das penas e seus critérios de aplicação.* 3. ed. Porto Alegre: Livraria do Advogado, 2004.

BRASIL. Supremo Tribunal Federal. HC 115.397, voto do Rel. Min. Marco Aurélio, julgado em 16/05/2017, 1ª T, DJE de 03/08/2017.

BRUNO, Aníbal. *Direito Penal.* Rio de Janeiro: Forense, 1967. t. 2.

BUSATO, Paulo César; PÉREZ, Carlos Martínez-Bujan; PITA, María del Mar Díaz. *Modernas tendências sobre o dolo em Direito Penal.* Rio de Janeiro: Lumen Juris, 2008.

CALLEGARI, André Luís; WEBER, Ariel Barazzetti. *Lavagem de dinheiro.* 2. ed. rev. atual. e ampl. São Paulo: Atlas, 2017.

CAMARGO, Chaves. *Culpabilidade e reprovação penal.* São Paulo: Sugestões Literárias, 1994.

CAPEZ, Fernando. *Curso de Direito Penal:* parte geral. São Paulo: Saraiva, 2000. 1. v.

CEREZO MIR, José. *Curso de Direito Penal espanhol.* 6. ed. Madri: Editorial Tecnos, 2001. v. 2.

CONDE, Francisco Muñoz. *Teoria geral do delito.* Porto Alegre: Fabris, 1988.

_____; ARÁN, Mercedes García. *Derecho penal:* parte general. 4. ed. Valência: Tirant lo Blanch, 2000.

CORDEIRO, Nefi. *Colaboração Premiada: caracteres, limites e controles.* Rio de Janeiro: Forense, 2019, Cap. 1, 2, 3. Disponível em: <https://integrada.minhabiblioteca.com.br/#/books/9788530988012/cfi/6/20!/4/214/2/2@0:24.1>. Acesso em: 23 set. 2020.

COSTA JÚNIOR, Paulo José da. *Nexo causal.* São Paulo: Siciliano Jurídico, 2004.

CUNHA, Rogério Sanches. *Leis Penais Especiais Comentadas.* Coordenadores: Rogério Sanches Cunha, Ronaldo Batista Pinto, Renee do Ó Souza. 3. ed. rev., atual., ampl. Salvador: Juspodivm, 2020.

_____. *Manual de direito penal:* parte especial. Salvador: Juspodivm, 2020.

DELMANTO, Celso et al. *Código Penal Comentado.* 9. ed. São Paulo: Saraiva, 2016.

DIAS, Jorge Figueiredo; ANDRADE, Manuel da Costa. *Criminologia:* o homem delinquente e a sociedade criminógena. Coimbra: Coimbra Editora, 1993.

EISELE, Andreas. *Direito Penal:* teoria do delito. Salvador: Juspodivm, 2018. p. 667.

FAYET JÚNIOR, Ney; GONZAGA DE SOUZA, Draiton. *A castração (química) de delinquentes sexuais:* uma abordagem à luz de diretrizes político-criminais racionais. Porto Alegre: Elegantia Juris, 2019.

FERRAJOLI, Luigi. *Derecho y razón: teoría del garantismo penal.* Madri: Editorial Trotta, 1997.

GALVÃO, Fernando. *Imputação objetiva.* 2. ed. Belo Horizonte: Mandamentos, 2002.

GAROFALO, Rafaelle. *Criminologia.* Campinas: Péritas Editora, 1997.

GAVIÃO, Juliana Venturela Nahas. A proibição de proteção deficiente. *Revista do Ministério Público do RS,* Porto alegre, n. 61, p.93-111, 2008. Disponível em <http://www.amprs.org.br/arquivos/revista_artigo/arquivo_1246460827.pdf> Acesso em 12.06.2019.

GILISSEN, John. *Introdução histórica ao direito.* Lisboa: Fundação Calouste Gulbenklan, 1995. p. 32-51.

GOLDSHMIDT, James. *La concepción normativa de la culpabilidad.* Buenos Aires: Editorial Depalma, 1943.

GOMES, Luiz Flávio. *Erro de tipo e erro de proibição.* 4. ed. São Paulo: RT, 1999.

_____. *Princípio da insignificância e outras excludentes da tipicidade.* São Paulo: RT, 2009.

GRECO, Luís. "Algumas observações introdutórias à distinção entre dolo e culpa". In: PUPPE, Ingeborg. *Distinção entre dolo e culpa.* Barueri: Manole, 2004.

GRECO, Rogério. *Curso de Direito Penal: parte especial, volume II: introdução à teoria geral da parte especial: crimes contra a pessoa.* 9. ed. Niterói: Impetus, 2012.

_____. *Curso de Direito Penal:* parte especial. 8. ed. Niterói: Impetus, 2012. p. 147. v. 4.

GREENAWALT, Kent. "The cultural defense: Reflections in light of the Model Penal Code and the Religious Freedom Restoration Act". In: *Ohio State Journal of Criminal Law,* 2008.

HASSEMER, Winfried. Introdução aos fundamentos do Direito Penal. Tradução de Pablo Rodrigo Alfen da Silva.Porto Alegre: Sergio Antonio Fabris Ed., 2005.

_____. Perspectivas de uma moderna política criminal. *Revista Brasileira de Ciências.* São Paulo: Revista dos Tribunais, 1993.

_____. *Três Temas de Direito Penal.* Porto Alegre: Fundação Escola Superior do Ministério Público, 1993.

HÖFFE, Otfried. *Derecho intercultural.* Barcelona: Gedisa, 2008.

HUNGRIA, Nélson. *Comentários ao código penal.* Rio de Janeiro: Forense, 1953. v. 1, t. 2.

_____. *Comentários ao Código Penal.* 5.ed. Rio de Janeiro: Forense, 1978. v. I, t. II, arts. 11-27.

_____. *Comentário ao Código Penal.* Rio de Janeiro: Forense, 1942. v. V.

HUNTINGTON, Samuel P. *Who are we?* The challenges to America's national identity. Nova York: Simon & Schuster Paperbacks, 2004.

JAKOBS, Günter. *Derecho Pena Parte General:* Fundamentos y teoría de la imputación. Madri: Marcial Pons, Ediciones Juridicas, 1995.

_____. *Fundamentos do Direito Penal.* Tradução de André Luís Callegari. Colaboração de Lúcia Kalil. São Paulo: RT, 2003.

_____. *A imputação objetiva no Direito Penal.* Tradução de André Luís Callegari. São Paulo: RT, 2000.

_____. *Direito Penal do inimigo:* noções e críticas. Organização e tradução de André Luís Gallegari, Nereu José Giacomolli. Porto Alegre: Livrria do Advogado, 2005.

JESUS, Damásio de. *Parte especial:* crimes contra a propriedade imaterial e crimes contra a paz pública. Atualização de André Estefam. *Direito Penal.* 24 ed. São Paulo: Saraiva Educação, 2020. v.3.

_____. *Parte especial:* crimes contra a fé pública e crimes contra a Administração Pública. Atualização: André Estefam. *Direito Penal.* 24. ed. São Paulo: Saraiva Educação, 2020. v. 3.

_____. *Imputação objetiva.* 2.ed. São Paulo: Saraiva, 2002.

_____. *Direito Penal.* 15. ed. São Paulo: Saraiva, 1991. 1 v.

JÚNIOR, Bruno Heringer. *Objeção de Consciência e Direito Penal:* justificação e limites. Rio de Janeiro: Lúmen Juris, 2007.

KREBS, Pedro. *Teoria jurídica do delito.* Barueri: Manole, 2004.

KIM, Nancy S. "The cultural defense and the problem of cultural preemption: A framewok for analysis". *In: New Mexico Law Review,* 1997. v. 27.

LISZT, Franz von. *A teoria finalista no Direito Penal.* Tradução de Rolando Maria da Luz. Campinas: LZN Editora, 2003.

LUCCHESI, Guilherme Brenner. *Punindo a culpa como dolo: o uso da cegueira deliberada no Brasil.* 1. ed. São Paulo: Marcial Pons, 2018.

LUISI, Luiz. *O tipo penal e a teoria finalista da ação.* Dissertação apresentada à Faculdade de Direito da Universidade do Rio Grande do Sul para a livre docência da cadeira de Direito Penal. Porto Alegre: Gráfica Editora Nação, 1977.

LYRA, Roberto. *Direito Penal Científico.* Rio de Janeiro: José Confino Editor, 1974.

MIRA Y LÓPEZ, Emílio. *Manual de psicologia jurídica.* 4. ed. Buenos Aires: Ateneu, 1954.

MAGLIE, Cristina de. *Los delitos culturalmente motivados: Ideologías y modelos penales.* Madri: Marcial Pons, 2012.

MALATESTA, Nicola Framarino dei. *A lógica das provas em matéria criminal.* São Paulo: Conan, 1995. 1 v.

MARQUES, Daniela de Freitas. *Elementos subjetivos do injusto.* Belo Horizonte: Del Rey, 2001.

MARTIN, Diego Mosquete. *El delito de encubrimiento.* Barcelona: Bosch, Casa Editorial, 1946.

MASSON, Cleber. *Código Penal Comentado.* Rio de Janeiro: Forense; São Paulo: Método, 2019.

MÉDICI, Sérgio de Oliveira. *Teoria dos tipos penais: parte especial do Direito Penal.* São Paulo: RT, 2004.

MIRABETE, Julio Fabbrini. *Manual de Direito Penal.* São Paulo: Atlas, 1994. 1v.

NORONHA, E. Magalhães. *Direito Penal.* Volume 1: introdução e parte geral. São Paulo: Saraiva, 1991.

NUNES, Ricardo C. "Bosquejo de la culpabilidad". In: Goldschmidt, James. *La concepción normativa de la culpabilidad.* Buenos Aires: Depalma, 1943.

NUCCI, Guilherme de Souza. *Manual de Direito Penal.* 17. ed. Rio de Janeiro: Forense, 2021.

PEDROSO, Fernando de Almeida. *Prova penal.* Rio de Janeiro: Aide, 1994.

PRADO, Luiz Régis. *Curso de Direito Penal brasileiro:* parte geral. 3. ed. São Paulo: RT, 2002.

PUPPE, Ingeborg. *A distinção entre dolo e culpa.* Tradução, introdução e notas de Luís Greco. Barueri: Manole, 2004.

QUEIRÓZ, Narcélio de. *Teoria da "actio liber in causa" e outras teses.* 2. ed. Forense: Rio, 1963.

QUEIROZ, Paulo. *Funções do Direito Penal.* São Paulo: Editora Revista dos Tribunais, 2008.

REALE JÚNIOR, Miguel. *Teoria do delito.* São Paulo: RT, 1998.

RENTELN, Alison Dundes. "The use and abuse of the cultural defense". In: *Canadian Journal of Law and Society*, 2005, v. 20, n. 1.

RÖHNELT, Ladislau Fernando. *Apontamentos de Direito Penal.* Porto Alegre: Tribunal de Justiça do Estado do Rio Grande do Sul, Departamento de Artes Gráficas, 2011.

ROSA, Fábio Bittencourt da. *Direito Penal:* parte geral. Rio de Janeiro: Impetus, 2003.

ROXIN, Claus. *Derecho penal: parte general.* T. 1. Madri: Editorial Civitas, 1999.

SÁNCHEZ, Jesús-Maria Silva. *La expansión del derecho penal:* aspectos de la política criminal en las sociedades postindustriales. Madri: Civitas Ediciones, 1999.

SANCTIS, Fausto Martins de. *Responsabilidade penal da pessoa jurídica.* São Paulo: Saraiva, 1999.

SANTOS, Juarez Cirino dos. *A moderna teoria do fato punível.* Rio de Janeiro: Freitas Bastos, 2002.

SIKORA, Damian W. "Differing Cultures, Differing Culpabilities?: A Sensible Alternative: Using Cultural Circumstances as a Mitigating Factor in Sentencing". In: *Ohio State Law Journal*, 2001, vol. 62. p. 1695-2016.

SILVA, Davi André Costa. *Direito Penal:* parte geral. Porto Alegre: Verbo Jurídico, 2011.

SOARES, Orlando. *Curso de Criminologia.* Rio de Janeiro: Editora Forense, 2003.

SOLER, Sebastián. *Derecho penal argentino.* Buenos Aires: Tipográfica Editora Argentina, 1992. 2 v.

STEFAM, André. *Direito Penal.* São Paulo: Saraiva, 2010. v. 1.

STRECK, Lenio Luiz. *Dicionário de Hermenêutica:* quarenta temas fundamentais da teoria do direito à luz da crítica hermenêutica do direito. Belo Horizonte: Letramento, 2017.

TAVARES, Juarez. *Teorias do delito*. São Paulo: RT, 1980.

THUMS, Gilberto; PACHECO, Vilmar. *Nova lei de drogas:* crimes, investigação e processo. Porto Alegre: Verbo Jurídico, 2008.

TOLEDO, Francisco de Assis. *Princípios básicos de Direito Penal*. 5. ed. São Paulo: Saraiva, 1994.

WEINMANN, Amadeu de Almeida. *Princípios de Direito Penal*. Rio de Janeiro: Rio, 2004.

WELZEL, Hans. *Direito Penal*. Tradução de Afonso Celso Rezende. Campinas: Romana, 2003.

WESSELS, Johannes. *Direito Penal:* aspectos fundamentais. Tradução e notas de Juarez Tavares. Porto Alegre: Fabris, 1976.

ZAFFARONI, Eugenio Raúl. *O inimigo no direito penal*. Rio de Janeiro: Revan, 2007.

ZAFFARONI, Eugenio R.; PIERANGELI, José Henrique. *Manual de Direito Penal brasileiro*. 2. ed. São Paulo: RT, 1999.

_____. *Da tentativa: doutrina e jurisprudência*. 4. ed. São Paulo: RT, 1995.

ZAMBON, Millaray Atalia Cortez. "A adequação típica da transmissão sexual do HIV". In: *Revista Jurídica do GAPA/RS*, n.1.